Oscar guide

Emidio De Felice

Dizionario dei nomi italiani

OSCAR MONDADORI

© 1986 Arnoldo Mondadori Editore S.p.A., Milano

I edizione Dizionari Mondadori marzo 1986
I edizione Oscar Dizionari maggio 1992

ISBN 88-04-48074-2

Questo volume è stato stampato
presso Mondadori Printing S.p.A.
Stabilimento NSM - Cles (TN)
Stampato in Italia - Printed in Italy

Ristampe:

2   3   4   5   6   7   8   9   10

2000   2001   2002   2003   2004

La prima edizione Oscar guide
è stata pubblicata in concomitanza
con la prima ristampa
di questo volume

Il nostro indirizzo Internet è:
http://www.mondadori.com/libri

Sommario

7 Introduzione

23 Avvertenze per la consultazione
25 Criteri di redazione e norme di consultazione
29 Dizionario esplicativo dei termini di linguistica e di onomastica
di uso più frequente
32 Tabella esplicativa dei segni usati per la trascrizione fonetica

35 Dizionario dei nomi italiani

365 Indice dei nomi personali

Introduzione

Nel 1981 le società SEAT e SARIN – «Società elenchi ufficiali degli abbonati al telefono» con sede a Torino, e «Società servizi ausiliari e ricerca informatica» con sede a Pomezia (Roma), tutte e due del gruppo STET – misero a mia disposizione, per uno studio da pubblicare per loro conto, un'elaborazione elettronica di tutti i nomi personali italiani risultanti dagli elenchi telefonici del 1981, realizzata dal centro di calcolo della SEAT: su questa elaborazione è fondato il mio volume del 1982, edito da SARIN e Marsilio Editori Venezia, *I nomi degli Italiani. Informazioni onomastiche e linguistiche, socioculturali e religiose. Rilevamenti quantitativi dei nomi personali dagli elenchi telefonici.* Il volume affronta prevalentemente – come risulta dall'ampio titolo già in sé programmatico – la situazione sincronica attuale dell'onomastica personale italiana, soprattutto negli aspetti quantitativi e distribuzionali: il numero globale dei nomi effettivamente esistenti in Italia; la frequenza assoluta e relativa dei nomi quantitativamente o qualitativamente più rilevanti, e la loro distribuzione nelle 20 regioni e 95 province e negli 8.088 comuni d'Italia; la tipologia e in parte le motivazioni di scelta dei nomi.

Ma quel volume sfruttava solo in parte le possibilità di utilizzazione della complessa elaborazione del centro di calcolo della SEAT, esaustiva e sistematica, e soprattutto programmata in funzione delle esigenze della ricerca onomastica. Questo prezioso patrimonio di dati quantitativi e distributivi sull'onomastica personale italiana – prima e unica realizzazione per una lingua nazionale di un grande stato – offriva tuttavia nuove e fondamentali informazioni, oltre che per una ricerca sincronica, quantitativa e distribuzionale, anche per un'indagine diacronica, per la «storia» dei nomi personali. La frequenza relativa e la distribuzione areale, comune per comune, di ogni nome, offriva infatti dati nuovi e spesso determinanti per individuarne o comprovarne le motivazioni e l'epoca d'insorgenza e di affermazione, l'epicentro e le vie e i punti terminali di diffusione, le forme di tradizione: la sua storia insomma, premessa necessaria per l'etimologia lessicale e onomastica.

Così è sorto il progetto – sùbito condiviso dall'editore A. Mondadori cui l'ho proposto – di sfruttare questo patrimonio di dati quantitativi e distribuzionali per un dizionario storico-etimologico dei nomi personali italiani: io e l'editore ringraziamo vivamente la SEAT per avere cortesemente consentito l'utilizzazione dell'elaborazione elettronica.

Per la complessa problematica dell'insorgenza e del processo di formazione dell'onomastica personale italiana rinvio all'ampia trattazione del mio volume del 1982, già citato, *I nomi degli Italiani* (soprattutto pagg. 132-154), e anche ai frequenti rilievi contenuti nell'«Introduzione» e rispettivamente nel capitolo «Informazioni onomastiche» dei miei precedenti volumi sull'onomastica cognominale, *Dizionario dei cognomi italiani*, Milano (Mondadori) 1978, e *I cognomi italiani. Rilevamenti quantitativi dagli elenchi telefonici: informazioni socioeconomiche e culturali, onomastiche e linguistiche*, Bologna (SEAT - il Mulino) 1980. Qui mi limito a delinearne brevemente le fasi essenziali.

Il sistema dei nomi individuali italiano insorge nell'ultima età imperiale saldandosi sostanzialmente con quello latino che, dall'originaria formula trinomia dell'età repubblicana – *praenomen*, *nomen* e *cognomen* –, si era ridotto prima a una formula binomia – *nomen* e *cognomen* –, e quindi al «nome unico», che può essere sia un *nomen* o *cognomen* sia un *supernomen*, cioè un *agnomen* o *signum*. Anche la nuova onomastica cristiana, affermatasi soprattutto dopo l'editto di tolleranza di Costantino del 313, continua sostanzialmente quella latina, «pagana», in cui accanto ai nomi di antica tradizione romana si erano consolidati numerosi nomi greci e alcuni nomi asianici, ebraici, punici, berberi, iberici, celtici, germanici, venetici, illirici e traci, latinizzati nella fonetica, nella morfologia e nella grafia.

Questo repertorio di nomi di fondo latino, anche se sostenuto dal culto dei primi santi cristiani che avevano quei nomi, entra in crisi nell'alto Medio Evo, con la presenza e la dominazione in Italia di popolazioni germaniche – in successione cronologica Ostrogoti, Longobardi, Franchi e Tedeschi – e, nelle coste adriatiche e nel Sud, dei Bizantini: l'onomastica di origine germanica e, in misura più limitata, bizantina, adottata sia per ricerca di prestigio sociale e di mimetizzazione con la classe egemone sia per il culto di nuovi santi di nome germanico o bizantino, prevale nettamente tra il X e l'XI secolo su quella di antico fondo latino.

Ma anche questo repertorio onomastico entra in crisi e si trasforma profondamente tra l'XI e il XIII secolo quando, impoverito per la progressiva decadenza dei nomi latini, germanici e bizantini, ormai privi di modelli di prestigio, viene reintegrato con nuovi nomi di formazione «volgare», sia italiana sia anche francese, più rispondenti a quella nuova società democratica e borghese che si era andata formando soprattutto nelle città, nei comuni e nelle repubbliche marinare. Sono nomi italiani affettivi, augurali e gratulatòri, teoforici, di derivazione e significazione e significato trasparente, come *Adorno*, *Amedeo*, *Amico*, *Aurora*, *Beatrice*, *Benedetto*, *Bella*,

Bona, *Bonafede*, *Bonifacio*, *Caro*, *Chiara*, *Diletta*, *Eletta*, *Felice*, *Fortunato*, *Gioia*, *Omobono*, *Stella* o *Bentivoglio*, *Benvenuto*, *Bonaccorso*, *Bonaventura* e *Ventura*, *Conforto*, *Desiderato*, *Diotisalvi*, *Recuperata*, *Ristoro*; formati da soprannomi, come *Basso*, *Bianco*, *Bruno*, *Nero*, *Rosso*, o da etnici come *Alemanno*, *Francesco*, *Italo*, *Lombardo*, *Romano*; nomi di santi e di devozioni recenti, come *Anselmo*, *Bernardo*, *Caterina*, *Domenico*, *Francesco*, o *Addolorata*, *Annunziata*, *Ascensa*, *Assunta*, *Ausilio*, *Carmela*, *Concetta*, *Consolata*, *Immacolata*, *Incoronata*, *Natale*, *Rosario*, *Salvatore*; abbreviati e ipocoristici di questi e di altri nomi precedenti, come *Baccio*, *Baldo*, *Bartolo*, *Bene*, *Berto*, *Bice*, *Bindo*, *Bino*, *Cecco* e *Cesco* o *Checco*, *Cino*, *Corso*, *Dante*, *Dino*, *Gaddo*, *Gianni* o *Nanni* e *Vanni*, *Lapo*, *Maso*, *Nella*, *Pino*, *Tina*, *Vieri*. Sono, inoltre, alcuni nomi di origine e d'impronta francese, introdotti direttamente dalla Francia da Franchi, e, nel Sud, da Normanni e Angioini, o ripresi da personaggi della letteratura epico-cavalleresca in francese antico, come *Aloisio* o *Alvise* e *Luisa*, *Guglielmo*, *Raimondo*, *Ruggero*, *Tancredi*, e *Amelia*, *Amerio*, *Arturo*, *Carlo*, *Lancillotto*, *Oliviero*, *Orlando* o *Rolando*, *Tristano*.

Con questo secondo momento di profonda crisi e trasformazione il repertorio nominale italiano si è solidamente stabilizzato. Dal Trecento al Novecento solo poche centinaia di nomi si rarefanno o scompaiono, e meno di duemila sono i nomi nuovi che si affermano: nomi classici, storico-letterari, riesumati a livello colto con la riacquisizione della civiltà greco-latina dell'Umanesimo e del Rinascimento; nomi di personaggi della letteratura, soprattutto epico-cavalleresca, italiana del Quattrocento e del Cinquecento; alcuni nomi di matrice o d'impronta tedesca, spagnola e francese, diffusi con la presenza e la dominazione, o per influssi culturali, della Germania, Spagna e Francia; nomi promossi da nuovi culti o devozioni; infine, dall'Ottocento, nomi di ideologia patriottica e nazionale, politica e civile, nomi ripresi da opere e personaggi letterari, teatrali – drammi e commedie, e soprattutto opere liriche –, dello spettacolo, e dal Novecento del cinema, della televisione e dello sport, e infine nomi recentemente adottati per moda esotica, per la loro rarità e preziosità, per la loro suggestività fonica.

Per la problematica, e in particolare per la teoria e la metodologia, dell'onomastica personale, e per la relativa bibliografia, rinvio ancora a *I nomi degli Italiani* (soprattutto pagg. 127-132) e agli altri due miei volumi sull'onomastica cognominale già citati. Ma per l'onomastica personale italiana ritengo doveroso segnalare, pur se in quei volumi è già ricordata, la sola opera d'insieme che, pur in un intento di alta divulgazione, presenta un'ampia e sicura informazione e un sicurissimo fondamento scientifico, teorico e metodologico, sia onomastico e linguistico, sia agiografico e culturale: i due volumi di C. Tagliavini *Un nome al giorno: origine e storia di nomi di persona italiani*, Torino (Edizioni Radio Italiana), I 1956 e II 1957, riediti a Bologna nel 1972. I soli limiti di questa opera – che raccoglie le trasmissioni messe in onda ogni mattino, nel 1955 e 1956, sulla rete nazionale della RAI in un'omonima rubrica – sono quantitativi e dovuti a cause di necessità esterne: il numero limitato di nomi o tipi nominali studiato, circa un migliaio, e l'approssimatività, per ogni singolo nome, della quantificazione delle persone così denominate e dell'area di diffusione – limiti conseguenti alla non disponibilità, che io ho il privilegio di avere, di un repertorio di tutti i nomi italiani, della loro frequenza assoluta e relativa e della loro esatta distribuzione areale –.

Il repertorio attuale italiano è costituito da circa 17.000 nomi, o più esattamente forme nominali. Con «nome», infatti, si definisce ogni unità onomastica autonoma fondamentale, che ha un etimo – lessicale o onomastico – proprio e distinto da quello di altre unità, e una propria tradizione e motivazione: così *Francesco* è un nome, distinto da altri nomi come *Ambrogio*, *Cristoforo*, *Giovanni*, *Raffaele* o anche *Franco*. Con «forma nominale» si definisce ogni unità onomastica che, pur avendo lo stesso etimo e la stessa tradizione e motivazione di una o più altre, si distingue da queste per proprie caratteristiche fonetiche e/o morfologiche, o anche semplicemente grafiche: così *Ambrogio* e *Ambrosio*, *Americo* e *Amerigo*, *Ifigènia* e *Ifigenìa*, *Élda* e *Èlda*, sono forme nominali, in quanto foneticamente differenziate, di uno stesso nome; così con lo stesso nome base *Cristoforo*, *Raffaele* o *Raniero*, coesistono le forme nominali, differenziate per tratti fonetico-morfologici propri, *Cristofalo*, *Cristofano*, *Cristofaro*, *Cristofero*, *Cristofolo*, o *Raffaello*, *Raffaelo*, *Raffello*, *Raffaelle*, *Raffele*, *Raffale*, *Rafaele*, *Rafaèl*, *Rafele*, o *Ranieri*, *Raniero*, *Rainero*, *Rainerio*, *Rainieri*, *Rinieri*; così accanto a *Giambattista*, *Dafne*, *Iole* e *Sonia*, sussistono le forme nominali, differenziate solo nella grafia in quanto la pronunzia è sempre identica, *Gianbattista*, *Daphne*, *Jole* e *Yole*, *Sonja* e *Sonya*. In alcuni casi, tuttavia, anche queste forme nominali foneticamente, morfologicamente o solo graficamente differenziate, possono riflettere tradizioni e motivazioni diverse, e fornire informazioni onomastiche, o linguistico- dialettali, particolari.

. L'attuale repertorio italiano è dunque costituito da circa 17.000 forme nominali, di cui $^2/_3$ sono maschili e $^1/_3$ femminili. Da questa cifra globale devono essere detratte circa 7.000 forme che, per ragioni diverse, non possono essere incluse in un reale, effettivamente funzionale, patrimonio di nomi personali italiano: nomi doppi rarissimi, occasionalmente formati (per lo più per soddisfare i diversi desideri dei genitori o di due parenti); forme errate, dovute cioè a errore materiale, di pronunzia o di grafia, nella denuncia o nella trascrizione del nome; forme del tutto isolate, casualmente o arbitrariamente inventate da chi impone il nome. Forme tutte che non hanno né tradizione e motivazione, né vitalità e funzionalità, nel sistema dei nomi personali italiani, e non hanno alcun significato e interesse onomastico.

Il repertorio nominale italiano, così ridotto nella sua effettiva consistenza funzionale a 10.000 forme nominali, è integralmente rappresentato in questo «Dizionario». Possono mancare alcune decine di nomi molto rari, tanto oscuri e equivoci da non consentire non solo un'ipotesi, pur dubitativa, di interpretazione, ma neppure la determinazione del genere grammaticale e onomastico, maschile o femminile.

La caratteristica più rilevante del sistema nominale italiano è l'altissima concentrazione di persone in un esiguo numero di nomi quasi tutti religiosi, cristiani. Poche decine di nomi di più alto rango nazionale denominano più della metà della popolazione, e già i tre nomi maschili e i tre femminili più diffusi, *Giuseppe*, *Giovanni* e *Antonio*, di rango 1, 2 e 3 tra i maschili, *Maria*, *Anna* e *Rosa*, di rango 1, 2 e 3 tra i femminili (*Rosa* ha in effetti il rango 4, al 3 è *Giuseppina* che però in questo computo è già considerato insieme a *Giuseppe*), denominano, con le rispettive forme femminili o maschili, con le varianti, gli alterati e i derivati, con gli abbreviati e gli ipocoristici e con i nomi doppi, ben 12.500.000 cittadini italiani, il 22% dell'intera popolazione.

Per le cause storico-culturali di questa altissima concentrazione, e per una sua rappresentazione più dettagliata e sistematica, rinvio ancora al volume già citato *I nomi degli Italiani*, rilevando soltanto che le cause fondamentali sono, da un lato, la matrice prevalentemente religiosa, cristiana, dell'onomastica italiana, dalle sue origini fino all'età attuale, con il culto preminente, e diffuso in tutta l'Italia, oltre che per Maria Vergine, per alcuni santi come, appunto, San Giuseppe, San Giovanni Battista e Evangelista, Sant'Antonio eremita e di Padova, San Luigi Gonzaga, San Francesco d'Assisi, e Sant'Anna, Santa Teresa, Santa Lucia, Santa Caterina d'Alessandria e da Siena; d'altra parte la tradizione onomastica familiare, ancora molto forte specialmente nel Sud. E proprio nel Sud, a riprova di questa maggiore forza e vitalità delle tradizioni agiografiche e familiari, sono accentrati alcuni nomi di santi o sante e di devozioni di area culturale regionale o interregionale che pur raggiungono un altissimo rango anche a livello nazionale, come *Agata*, *Antonino*, *Calogero*, *Gaetano*, *Gennaro*, *Nicola*, *Pasquale*, *Vincenzo* e *Annunziata* o *Nunzia*, *Carmela* e *Carmelo* o *Carmine*, *Concetta*, *Immacolata*, *Rosaria* e *Rosario*, *Salvatore*.

Questa concentrazione di un'altissima percentuale di Italiani e Italiane in un limitato numero di nomi quasi tutti cristiani è molto più rilevante nel repertorio di nomi femminili: situazione conseguente, più che a una maggior incidenza nell'àmbito femminile delle tradizioni religiose e familiari, a una seconda caratteristica fondamentale, puramente quantitativa, del sistema nominale italiano, la molto inferiore consistenza numerica, circa la metà, del repertorio nominale femminile rispetto a quello maschile.

L'imposizione del nome da parte dei genitori – o, in casi particolari, di chi ne ha giuridicamente diritto – è determinata da motivazioni e finalità diverse, di carattere psicologico, culturale, sociale, religioso e ideologico. Solo in rapporto a queste motivazioni e finalità di scelta si può tentare di delineare una tipologia dell'attuale sistema nominale italiano, in quanto ogni altro parametro tipologico – formale o funzionale – è scarsamente significativo e pertinente per l'onomastica: tentativo arduo, con risultati spesso incerti o non univoci, sia per la difficoltà di ricostruire le intenzioni soggettive sottese alla scelta del nome, sia perché uno stesso nome può avere diverse e complesse motivazioni e appartenere quindi a due o più categorie tipologiche (si vedano nel «Dizionario», come esempi più tipici, *Alfio, Benito, Emanuele, Mara, Paride*).

Una prima articolazione tipologica può essere operata con la bipartizione dell'intero repertorio nominale in due categorie fondamentali: i nomi religiosi e i nomi non religiosi o «laici».

I nomi religiosi, che come numero di forme nominali raggiungono il 57% del repertorio globale e come numero di persone con essi denominate il 75% della popolazione italiana, sono per la quasi totalità cristiani, cattolici, formati o derivati da agionimi e, in misura molto limitata, da devozioni, solennità e riti liturgici (e questi sono in maggioranza femminili, per la forte tradizione e rilevanza del culto di Maria Vergine e per i molti epiteti e attributi della Madonna). Solo alcune decine riflettono tradizioni religiose in Italia nettamente minoritarie, sono cioè propriamente israelitici o anche protestanti (questi soprattutto valdesi).

All'interno della seconda categoria fondamentale dei nomi laici – che rappresentano di conseguenza il 43% delle forme nominali e il 25% della popolazione – le ulteriori articolazioni in sottocategorie sono più numerose e complesse. La più rilevante, per numero di forme nominali e per persone denominate, è la sottocategoria dei nomi laici non connotati, ossia senza una motivazione di scelta specifica e determinante – se non la tradizione familiare o la semplicità, brevità e gradevolezza fonica del nome –: così, tra i più diffusi, *Aldo, Enzo, Eugenio, Ezio, Franco, Silvio* con i rispettivi femminili.

La seconda sottocategoria, sempre in ordine di rilevanza quantitativa, è costituita dai nomi di matrice classica, ripresi per lo più a partire dall'Umanesimo e dal Rinascimento da personaggi della storia greca e romana, come *Alessandro, Attilio, Aurelio* e *Aureliano, Cesare, Claudio, Clelio, Ennio, Ettore, Fabio, Fausto, Fulvio, Livio, Mario, Pompeo, Remo, Tullio* o *Tullo*.

La terza comprende i nomi irradiati o ridiffusi da modelli letterari, teatrali e musicali, dello spettacolo e dello sport, italiani o stranieri e di età moderna o contemporanea, come *Alfredo* e *Violetta*; *Aligi* e *Mila, Ornella*; *Amleto* e *Ofelia*; *Jago* e *Desdemona*; *Aramìs, Athos* e *Porthos*; *Cirano* e *Rossana*; *Learco* e *Nearco*; *Oscar*; *Radamès* e *Aida*; *Rodolfo* e *Mimì, Musetta*; *Sigfrido* e *Brunilde, Valchiria*; *Tristano* e *Isotta*; *Carmen, Edda, Elvira, Gilda, Irma, Liù*; *Lola* e *Alfio* e *Turiddo*; *Loredana, Manon*; *Melania* e *Rossella*; *Milva* e *Mina, Mirna, Norma*; *Sabrina* e *Samantha*; *Tosca*.

La quarta sottocategoria è costituita da nomi di moda recenti ripresi da lingue straniere per il prestigio della loro esoticità e preziosità, come

Ivan, Raul, Walter, William e *Erica* o *Erika, Manola, Nadia, Natascia, Solange, Sonia, Stefania, Tamara, Tatiana, Ursula, Vanda, Yvonne,* e in particolare dall'Antico e dal Nuovo Testamento, come *Daniele* e *Daniela, Davide, Emanuele, Debora, Ester, Giuditta, Lia, Mara, Marta, Miriam, Noemi, Rachele, Ruth, Sara* e *Andrea, Giacomo, Luca, Marco, Matteo* e *Mattia, Pietro, Simone* e *Simona;* oppure adottati per la loro armoniosità e suggestività fonica, come *Cinzia, Dafne, Delia, Dora, Gisella, Isa, Leila, Liana, Lidia, Lilia, Linda, Lora, Lucilla, Marilù, Nara.*

La quinta sottocategoria comprende i nomi insorti e affermatisi dal primo Ottocento alla metà del Novecento che rispondono a una ideologia patriottica e nazionale, politica o civile, dei genitori – e soprattutto del padre –, alla volontà di esprimere e professare, attraverso il nome imposto al figlio, una fede o un'idea, un proposito o un consenso, e anche un particolare sentimento e stato d'animo, in una sfera quasi sempre politica o sociale.

Sono nomi risorgimentali, ripresi dai protagonisti dell'indipendenza e dell'unità d'Italia, dai patrioti e dai martiri, o dai luoghi di più profonda eco delle guerre d'indipendenza e delle imprese garibaldine: *Garibaldi* con *Menotti* e *Ricciotti,* con *Anita,* e con *Nino Bixio, Nievo, Nullo, Rosolino; Cavour* e *Vittorio Emanuele; Cairoli, Mameli, Manìn; Mazzini, Pellico, Poerio; Belfiore* e *(Tito) Speri; Italia, Roma* e *Venezia, Goito* e *Solferino, Aspromonte, Glori* e *Gloria, Mentana, Teano.* E inoltre nomi ripresi durante la prima guerra mondiale, che riflettono spesso la profonda risonanza e commozione suscitata dalle battaglie più decisive ma anche più dolorose per le gravi perdite umane: *Adige, Asiago, Cadore, Carso, Cortina, Gorizia, Gradisca, Isonzo, Montello, Oderzo, Oslavia, Piave, Plava, Sabotino; Marna* e *Verdun;* il singolare *Armistizio,* e, dai martiri o dai protagonisti, *Nazario Sauro* o *Cadorna, Diaz.* Nello stesso àmbito, anche cronologico, insorgono i nomi che riflettono i movimenti e sentimenti irredentistici, come *Nizza, Trento* e *Trieste* e *Oberdan,* o, anche più recenti, *Dalmata, Istria* e *Fiume, Pola, Zara;* oppure le imprese e le guerre d'Africa, fino almeno alla guerra italo-turca del 1911-12, come *Addis, Aden, Adigràt, Adua, Ain Zara, Ambalagi, Asmara, Bengasi, Cirene, Derna, Dessié, Dogali, Eritrea, Gondar, Libia, Macallè, Sirte, Tripoli.*

Sono inoltre nomi di professione di fede rivoluzionaria, libertaria e anarchica, socialista e comunista, o genericamente progressista, liberale e democratica, ripresi sia da protagonisti, come *Marat* e *Robespierre, Cavallotti* e *Vittorugo, Marx* e *Engels, Lenin* con *Uliano* e *Vladimiro, Stalin, Lincoln, Washington* e *Wilson,* e in proiezione storica *Masaniello* e *Spartaco;* oppure da motti, parole d'ordine e simboli, come *Avanti, Comunardo, Esule, Germinàl, Idea* e *Ideale, Libertà* e *Libertario, Memore, Pensiero, Progresso, Ribelle, Riscatto, Risveglio.*

Sono infine manifestazioni di consenso alla casa Savoia, del secondo Ottocento e della prima metà del Novecento, come *Amedeo, Aimone* e *Emanuele Filiberto, Vittorio Emanuele* e *Umberto, Iolanda, Mafalda, Ma-*

ria Josè, Milena; e nei limiti, come insorgenza, del ventennio 1925-45, al fascismo, come *Littorio, Impero* o *Imperiale*, e *Benito, Edda, Romano, Vittorio*.

La sesta e ultima, e più esigua, sottocategoria di nomi laici comprende i nomi affettivi, augurali e gratulatòri, di formazione per lo più volgare e medievale, già prima qui esemplificati a documentazione della crisi e trasformazione del sistema nominale italiano tra l'XI e il XIII secolo.

Collegata con la libertà, e spesso con l'arbitrarietà, nell'imposizione del nome da parte dei genitori, è una ulteriore caratteristica del sistema nominale italiano: la tendenza alla trasposizione di nomi maschili a femminili, o femminili a maschili, anche quando il nome ha una tradizione esclusivamente maschile o femminile, quando cioè è insorto e si è affermato sulla base di un elemento lessicale o onomastico che ha un solo genere, grammaticale o naturale-referenziale, che non consente quindi il genere opposto (esclusi quindi i nomi che non riluttano a un uso ambigenere, come *Bruno/Bruna, Franco/Franca, Renato/Renata, Silvio/Silvia*).

Così, accanto a nomi insorti e affermatisi come femminili perché femminile è il genere grammaticale – ben presente nella coscienza linguistica di tutti i parlanti – dell'elemento lessicale da cui sono formati o derivati, coesistono le corrispondenti forme maschili, spesso abbastanza frequenti: limitando l'esemplificazione ai casi più evidenti, accanto a *Dalia, Edera, Gardenia, Gemma, Orchidea, Perla, Stella*, o *Fortuna, Speranza*, o *Regina*, coesistono *Dalio, Edero, Gardenio, Gemmo, Orchideo, Perlo, Stello*, o *Fortuno, Speranzo*, o *Regino*.

E anche quando il nome è stato ripreso, con motivazioni varie, dal nome di un personaggio, mitologico o letterario, del teatro drammatico o lirico, dello spettacolo, del cinema e della televisione, maschile o femminile – e che questo personaggio è uomo o donna è ben presente alla comune esperienza culturale –, la trasposizione arbitraria e spesso sconcertante al genere opposto è frequente. Per personaggi pur molto noti della storia antica e moderna, come tra i maschili *Romolo* e *Remo, Cesare, Spartaco, Dante, Oberdan*, e tra i femminili *Ermengarda* e *Teodolinda, Iolanda* e *Mafalda*, coesistono le forme di genere opposto *Romola* e *Rema, Cesara* (molto frequente) e *Spartaca, Danta, Oberdana*, e più ancora sorprendenti *Ermengardo* e *Teodolindo, Iolando* e *Mafaldo*. Per personaggi maschili mitologici e letterari classici, o autori, anch'essi ben noti, come *Achille, Ercole, Ettore* e *Ulisse, Orfeo* o *Omero*, coesistono i femminili *Achilla, Ercola, Ettora* o *Ulissa, Orfea* o *Omera*. Ai nomi ripresi da personaggi di opere drammatiche e liriche come *Alvaro, Amleto* e *Otello, Tristano*, o *Aida, Armida, Cordelia, Elvira, Isotta, Norma, Ofelia*, si affiancano *Alvara, Amleta* e *Otella, Tristana*, o *Aido, Armido, Cordelio, Elviro, Isotto, Normo, Ofelio*. E anche per recenti nomi ideologici, ripresi da nomi di città (femminili per una lontana e compatta tradizione toponomastica), accanto a *Roma*, o a *Adua, Asmara, Derna, Gorizia, Gradisca, Libia, Mentana*, si affiancano i maschili *Romo, Aduo, Asmaro, Derno, Gorizio, Gradisco, Libio, Mentano* (e a *Isonzo* e *Livenza*, analogamente, si affianca *Isonza* e *Livenzo*).

Più ancora sorprendenti le trasposizioni di genere di agionimi collegati al culto di un santo o di una santa il cui genere è univocamente fissato nella tradizione agiografica e anche devozionale dei fedeli, o di nomi di personaggi dell'Antico Testamento considerati più o meno ufficialmente santi, beati o venerabili. Così con *Ada* e *Adele, Agata, Anna* e *Annita* o *Anita, Brigida, Maddalena, Teresa,* con *Abele, Abramo, Adamo* e *Eva, Davide, Marco,* coesistono *Ado* e *Adelo, Agato, Anno* e *Annito* o *Anito, Brigido, Maddaleno, Tereso* e *Abela, Abrama, Adama* e *Evo, Davida, Marca.*

La motivazione di queste singolari trasposizioni di genere è chiara, ma non è superfluo rilevarla perché comprova l'ostinato attaccamento dei genitori a un nome preventivamente scelto, prima cioè della nascita o dell'accertamento del sesso del figlio (scelta di matrice colta e di prestigio, classica e storico-letteraria, oppure affettiva, ideologica, d'impronta teatrale e musicale, religiosa e devozionale, o anche motivata dalla volontà di continuare una tradizione onomastica familiare). I genitori che desiderano e aspettano un figlio maschio (o femmina), per cui hanno già deciso un nome maschile (o femminile), se la loro aspettativa è delusa con la nascita di una femmina (o di un maschio), piuttosto che rinunciare alla loro scelta traspongono al genere opposto il nome già deciso, anche se questo potrà essere, per la sua peregrinità, fastidioso, e comunque non gradito, per il figlio stesso.

Questo «Dizionario» è caratterizzato, e anche giustificato, dall'intento di registrare tutti, o quasi tutti, i nomi personali italiani, l'intero repertorio nominale attualmente esistente in Italia: intento consentito e promosso dalla disponibilità di una elaborazione elettronica completa dei nomi di tutti gli abbonati al telefono in Italia. Questo impegno di completezza ha fatto insorgere un problema preliminare: i limiti e quindi i criteri di esclusione o di inclusione dei nomi stranieri, non italiani ma propri di altre lingue moderne.

Problema non facile, perché dall'elaborazione elettronica risultano decine di migliaia di nomi personali stranieri che ho dovuto vagliare per decidere quali escludere e quali includere in un «Dizionario dei nomi italiani», che deve da un lato comprendere tutti i nomi che fanno parte – qualsiasi sia la loro origine, matrice e forma linguistica – del repertorio italiano, e d'altro lato escludere quelli che appartengono a repertori stranieri ma non anche a quello italiano.

Il criterio di esclusione è stato di non registrare quei nomi – decine di migliaia – che, per il numero molto limitato di persone con essi denominate, per la loro concentrazione in città o zone in cui è accertata una presenza di stranieri (come Roma, per funzionari e impiegati di ambasciate e organi internazionali, Milano, Venezia, Firenze, oppure per l'Emilia-Romagna e per la zona di Trapani, dove molti stranieri, di lingua soprattutto araba, lavorano nell'industria, nell'agricoltura o nel settore della pesca), e per la loro forma propriamente straniera, non alterata o adattata all'italiano, appartengono certamente a residenti in Italia di nazionalità e di lingua straniera che hanno stipulato con la SIP un contratto di abbonamento privato al telefono.

Il criterio di inclusione è più complesso e incerto. Tenendo anche qui presenti i parametri quantitativo e distribuzionale, ho incluso in linea di massima quei nomi di origine e impronta straniera che per il numero più o meno considerevole di persone così denominate, e per l'ampiezza di area di distribuzione, già indiziano l'appartenenza anche a residenti italiani – oltre, naturalmente, a residenti stranieri –. Ho incluso inoltre quei nomi che, accanto alla forma originaria straniera, si presentano anche in forme adattate foneticamente, morfologicamente o solo graficamente, al sistema italiano, indizio anche questo della loro penetrazione e affermazione nel repertorio onomastico italiano.

Un problema particolare è costituito dalle minoranze alloglotte italiane, in cui sono normali nomi stranieri pur frequenti e diffusi, e pur inalterati nella loro forma originaria, della lingua e della tradizione onomastica straniera lì coesistente con quella italiana: francese per la Valle d'Aosta e le Valli Valdesi (e altre aree minori); tedesca per la provincia autonoma di Bolzano, per i 7 Comuni vicentini e i 13 Comuni veronesi, per alcuni centri minori del Piemonte, del Veneto e del Trentino, del Friuli-Venezia Giulia; slovena per il Friuli-Venezia Giulia. Ho qui escluso – non senza perplessità – i nomi attestati solo in quelle specifiche aree alloglotte e per lo più nella forma originaria straniera, in quanto pur appartenendo a cittadini italiani sono tuttavia propri di un repertorio onomastico straniero. Ho però registrato alcuni nomi di origine straniera che, per la loro diffusione anche ai margini delle aree alloglotte e per la coesistenza di forme adattate all'italiano, risultano irradiati e affermati (per emigrazione interna, per matrimoni tra alloglotti e non alloglotti, ecc.) anche in ambienti italiani, ormai quindi recepiti, pur a livello occasionale, nel sistema nominale italiano.

Quasi tutti i nomi stranieri sono penetrati nel repertorio italiano per «mode» diverse, recenti, solo alcuni per la diffusione di culti e devozioni cristiani irradiati da altri paesi.

I più numerosi sono ripresi da personaggi di opere letterarie, drammatiche e liriche, dello spettacolo e in particolare del cinema e della televisione, o anche da autori, artisti e cantanti, e inoltre adottati, almeno in parte, per il loro prestigio esotico, o per la loro piacevolezza e suggestività fonica. Elenco qui i nomi propriamente stranieri registrati nel «Dizionario» – esclusi quelli di antica adozione ormai affermatisi nel sistema italiano tanto che non sussiste più coscienza della loro origine non italiana, e esclusi anche i nomi di tradizione biblica, ebraica, la cui problematica è del tutto diversa –, raggruppandoli per lingua, o per lingue, di origine e di specifica appartenenza, ordinati alfabeticamente e seguiti, tra parentesi, dalle eventuali varianti (che rappresentano adattamenti fonetici, morfologici, o semplicemente grafici, all'italiano) o alterazioni e deformazioni (dovute a errore, a scarsa conoscenza della forma e della lingua straniera).

Dal tedesco sono ripresi *Brigitte* o *Brigitta* (e insieme la forma propriamente svedese *Birgitta*), *Elfriede* (*Elfride, Elfrida*), *Elga, Elisabeth, Erich* o *Erika* (con *Erica* che è anche inglese), *Erta, Franz, Frieda* (*Fride, Frida*), *Grete* e *Greti* (e insieme lo svedese *Greta*), *Inge* (*Inga*), *Kate* (*Katy, Katty*), *Lili, Loreley* (*Lorely*), *Margit, Marianne, Marlene, Minna, Mitzi, Monika, Parsifal, Renate, Roswitha* (*Roswita, Rosvita*), *Siegfried* (con numerosissime forme adattate o alterate), *Ursula* e *Ulla, Wagner, Walburga* (*Valburga*), *Wally* o *Walli, Werther* (*Werter, Verther* e *Verter*), *Willi, Wilma* (*Vilma, Wilna* e *Vilna*), *Wolfgang* (*Wolfango, Volfango*), *Wolframo* (*Wolframo*).

Sono ripresi dal francese *Aramis, Athos* (*Atos*) e *Porthos* (*Portos*), *Cleo, Denise, Joseph* (anche tedesco) e *Joséphine* (*Josefine*) con l'ipocoristico *Josette, Manon, Marianne, Marion, Musetta, Nanà, Odette* (*Odetta*), *Raoul* (*Raul*), *René* e *Renée, Solange, Thais, Theo, Yvette* (*Ivette*) o *Yvonne* (*Ivonne, Jvonne*).

Da lingue slave, e in particolare dal russo, dallo sloveno e dal serbocroato, sono ripresi *Boris, Dimitri, Drago, Igor, Ivan* e *Ivana, Katja* (*Katia*), *Ladislao* (*Vladislao*) e *Ladislava, Lara, Ludmila* (*Ludmilla*), *Marussa* (*Marussia*), *Milena, Milko* (*Milca*), *Miroslavo* con l'ipocoristico *Mirko* (*Mirco*), *Nadja* (*Nadia, Nadya*), *Natascia, Olga, Sonja* (*Sonia, Sonya*), *Stanislava, Tatjana* (*Tatiana, Taziana*) con l'ipocoristico *Tanja* (*Tania*), *Vanja* (*Vania*), *Vassili* (*Wassili*), *Vladimir* (*Vladimiro, Wladimir* e altre numerose varianti e deformazioni).

Alcuni nomi di questi primi tre gruppi, tuttavia, riflettono solo parzialmente (e in alcuni casi isolati non riflettono affatto) una «moda», ma sono anche propri, endemici, delle comunità alloglotte d'Italia (soprattutto tedesca dell'Alto Adige, francese della Valle d'Aosta e slovena del Friuli-Venezia Giulia), oppure sono da queste irradiati nelle aree contermini. Così i nomi tedeschi *Brigitte* o *Brigitta, Elfriede, Elisabeth, Erich* e *Erika, Erta, Franz, Frieda, Grete* o *Greti, Inge, Kate, Marianne, Monika, Renate, Roswitha, Siegfried, Ursula, Walther, Werther, Wolfgang*; i francesi *Colette, Denise, Joséphine* e *Josette, Marianne, Raoul, René* e *Renée, Yvette* e *Yvonne*; gli sloveni *Boris, Drago, Katja, Ivan, Ludmila, Marussa, Milko, Miroslavo* e *Mirko, Vassili, Vladimir*. Questa alternativa, naturalmente, non sussiste per gli ulteriori gruppi.

Sono ripresi dall'inglese *Deanna, Jenny* (*Jenny, Jenni*), *Jessica, Ives, Ketty, Leyla* (*Leila*), *Lily, Marilyn* (*Marilina*), *Mary* (*Marj, Mery, Meri*), *Maud* e *Maude* (*Mauda*), *Meta, Mildred, Miledi, Minnie* (*Minny*), *Myrna* (*Mirna*), *Moira, Pamela, Patricia, Ralph* (*Ralf*), *Romina, Sabrina, Sally, Samantha, Susan, Tamara* (anche slavo), *Vanessa, William* (*Wiliam, Villiam* e *Viliam*), *Willy*.

Dallo spagnolo sono ripresi *Carmelita* e *Carmencita, Esmeralda, Evita, José, Manuel* e *Manuelita, Manuela* e *Manola, Ramón* e *Ramona*. E dal solo spagnolo sono adottati i pochi nomi stranieri cristiani, di santi o di devozioni: *Carmen, Consuelo* e *Dolores* (che possono anche essere nomi di moda), *Guadalupe, Íñigo, Mercedes* e *Pilar* (cui si deve aggiungere un altro nome di devozione portoghese, *Fatima*, con le forme alterate *Fathima, Fatina, Fatma*).

L'onomastica personale straniera che può ormai essere considerata propria – o comunque non estranea – del repertorio nominale italiano è dunque molto limitata: circa 120 nomi con 80 varianti, 200 forme nominali in tutto, meno del 2% del repertorio globale.

Il primo fine di questo «Dizionario» è di mettere a disposizione dell'intera collettività di lingua italiana una raccolta completa dei nomi personali attualmente in uso, con una precisa indicazione, per ciascun nome, del numero di residenti in Italia con esso denominati e dell'area di distribuzione e di maggiore accentramento – ossia di più alta frequenza relativa –, e con una rapida ma esauriente interpretazione – o ipotesi d'interpretazione – etimologica e storico-culturale: l'etimo onomastico o lessicale di ogni nome o gruppo nominale; l'epoca, la zona, l'ambiente sociale e culturale della sua insorgenza o adozione, e in particolare le motivazioni sia dell'insorgenza sia della affermazione e diffusione o, all'opposto, della decadenza e rarefazione. Il fine è dunque di rispondere alla esigenza e richiesta «di massa» – di una grande collettività nazionale, culturale e linguistica – di informazione su uno o più nomi personali, o sul patrimonio nominale italiano, anche come repertorio disponibile per la scelta, consapevole, del nome da imporre.

Il secondo fine è di offrire alle ricerche di onomastica nominale italiana, e più ampiamente romanza e anche di altre lingue europee soprattutto centro-occidentali, un contributo scientifico, a complemento di quello già costituito dal volume del 1982 *I nomi degli Italiani*. Lì affrontavo, come già ho notato all'inizio di questa «Introduzione», la situazione sincronica attuale soprattutto nei suoi aspetti quantitativi e distribuzionali; la frequenza assoluta e relativa e la distribuzione nelle diverse aree; le motivazioni e insieme le informazioni storico-culturali e linguistiche sottese a queste risultanze e ai processi di concentrazione e di dispersione; la tipologia del sistema nominale italiano. Qui ho affrontato la «storia» singola di ogni nome o gruppo nominale: l'etimo prossimo e, se significativo, lontano, e quindi il processo di tradizione onomastica e linguistica; l'epoca, la zona e l'ambiente d'insorgenza e di diffusione; le motivazioni culturali, in particolare religiose, psicologiche e ideologiche, e insieme etniche e antropologiche, sociali, politiche e economiche, dell'insorgenza e della diffusione, e dell'affermazione o del decadimento. Una storia sì frammentata in più di 2.200 gruppi nominali e circa 8.000 nomi o forme nominali secondarie, ma che può consentire allo specialista di onomastica di ricostruire, attraverso l'analisi comparativa delle singole tessere, il quadro globale del mosaico, la struttura del sistema onomastico personale italiano (e anche romanzo), la sua problematica, le possibilità e le scelte metodologiche e operative di una descrizione e interpretazione d'insieme.

Così questo «Dizionario» ha la speranza di costituire un valido contributo culturale e insieme scientifico

Ogni «Dizionario», sia linguistico sia onomastico, è sempre incompleto e imperfetto, un'opera quindi «in progress» aperta a integrazioni e precisazioni, a contributi di chiunque abbia princìpi teorici e metodologici diversi, competenze e informazioni specifiche su situazioni particolari e locali: perciò ogni contributo, anche critico, sarà gradito, come apporto alla prospettiva o alla speranza di rendere questo «Dizionario» più completo, più preciso e funzionale.

Emidio De Felice

Avvertenze
per la consultazione

Criteri di redazione
e norme di consultazione

1. Organizzazione del «Dizionario dei nomi italiani»

Il «Dizionario» è organizzato per lemmi, ossia per brevi articoli che presentano e trattano uno o più nomi che hanno lo stesso etimo onomastico o linguistico e consentono quindi una spiegazione etimologica unitaria.

2. Organizzazione dei lemmi

Ogni lemma è costituito da un esponente, ossia dal nome base lì trattato, stampato in neretto all'inizio e rientrato di tre spazi: i lemmi sono disposti, nel «Dizionario», secondo l'ordine alfabetico degli esponenti.

L'esponente può anche essere, ma raramente, il solo nome trattato nel lemma (come nel caso dei lemmi *Admèto*, *Alcmèna*, *Apòllo*), ma normalmente è il nome assunto come base di una serie di nomi e forme nominali, spesso molto ampia (v. *Antònio*, *Giànni*, *Giusèppe*, *Marìa*).

Sùbito dopo l'esponente segue, tra parentesi tonde, il numero dei residenti che in Italia hanno quel nome, e quindi l'indicazione del genere, espressa con l'abbreviazione M. per il maschile e F. per il femminile: **Giusèppe** (1.717.000) M.; **Marìa** (2.500.000) F. Quando il nome presenta tutti e due i generi – che è la norma nel sistema onomastico italiano –, in esponente è il genere che predomina per numero di persone denominate, cioè il più comune e diffuso, ma in casi del tutto eccezionali si trova in esponente, anche se numericamente minoritario, il genere che è più normale, per etimo e per tradizione onomastica o lessicale: così sono in esponente **Cristo**, **Danièle**, **Delfino** e **Novara** anche se i rispettivi femminili *Crista*, *Daniela*, *Delfina* o il maschile *Novaro* hanno una maggiore diffusione. Quando il nome in esponente può essere usato per persone di ambedue i sessi, questa situazione viene notata con la formula: **Clemènte** (18.000) M (anche F). **Celèste** (25.000) F (anche M), in cui tra le parentesi è indicato il genere secondario, più raro.

All'esponente, con queste indicazioni del numero delle persone denominate e del genere, seguono prima – se esistono – tutte le forme nominali secondarie dello stesso genere, quindi – se esiste – il nome di genere opposto, distinto con un trattino e con l'indicazione del nuovo genere (cioè – F. oppure – M.), seguito a sua volta da tutte le forme secondarie di quel genere. Le forme nominali secondarie, stampate in corsivo chiaro e seguite ciascuna dal numero, sempre tra parentesi tonde, delle persone denominate con quella forma, sono articolate in 6 categorie, varianti, alterati, derivati, abbreviati, ipocoristici, nomi doppi, che si susseguono per ciascun genere appunto in questo ordine. La categoria è sempre notata, stampata in maiuscoletto chiaro, all'inizio di ciascun gruppo, con la seguente articolazione interna:

VARIANTI: sono elencate di norma prima le varianti formali, fonetiche e morfologiche, più vicine alla forma base, poi quelle grafiche. Così: **Òscar** (22.000) M. VARIANTI: *Òscare* (50), *Oscarre* (100), *Òscher* (50); *Òskar* (300).

ALTERATI e DERIVATI: sono di norma riuniti – salvo quando esistono solo gli uni o gli altri, o quando i derivati sono nettamente diversi per forma dagli alterati –, prima gli alterati (diminutivi e vezzeggiativi, accrescitivi, i rarissimi spregiativi e peggiorativi), poi, separati da un punto e virgola, i derivati, tutti in ordine per lo più alfabetico. Così: **Bruno** (363.000) M. VARIANTI: *Brunóne* (300). ALTERATI e DERIVATI: *Brunèllo* (2.300) e *Brunellésco* (100), *Brunétto* (3.000), *Brunino* (25); *Brunaldo* (150) e *Brunaldino* (20), *Brunèro* (2.000) e *Brunòro* (50).

ABBREVIATI e IPOCORISTICI: anche questi sono di norma riuniti elencando prima gli abbreviati poi, separati da un punto e virgola, i veri e propri ipocoristici. Così: **Antònio** (1.048.000) M. ... ABBREVIATI e IPOCORISTICI: *Tònio* (550), *Tonèllo* (50), *Tonino* (14.000), *Tonùccio* (25); *Tòni* (550), *Tòny* (300); *Totò* (150), *Tòto* (100).

In due casi eccezionali gli abbreviati o gli ipocoristici sono trattati in uno o più lemmi a parte, con esponente proprio: quando si presentano in forme molteplici e nettamente differenziate, ciascuna con numerose e complesse forme secondarie (così, per **Giovanni**, i quattro tipi di ipocoristici **Giànni**, **Nanni**, **Vanni** e **Zani**, per opportunità di chiarezza e per agevolarne il reperimento, sono trattati in quattro lemmi autonomi); quando uno stesso ipocoristico o anche abbreviato può derivare da due o più nomi diversi (come nel caso di **Bàccio**, che può essere l'ipocoristico di *Iacopo*, *Bartolo*, *Aldobrando*, *Fortebraccio*, o di **Bèrto**, che può essere l'abbreviato di *Alberto*, *Gualberto*, *Lamberto*, *Roberto* o di *Bertoldo*, *Bertrando*).

NOMI DOPPI: dei numerosissimi nomi doppi – decine di migliaia – sono qui registrati solo quelli che hanno un'alta frequenza e diffusione, o che presentano, anche se rari, un particolare interesse onomastico o storico-culturale. Sono registrati nel lemma che ha per esponente il primo elemento nominale, in ordine decrescente di frequenza, elencando prima, per lo stesso nome doppio, la forma graficamente staccata (in cui, dopo il primo nome doppio, il primo componente non viene ripetuto, ma indicato con una lineetta: —) e poi quella graficamente unita. Così: **Marìa** (2.500.000) F. ... NOMI DOPPI: *Marìa Terèsa* o *Mariaterèsa* (153.000), — *Luìsa* o *Marialuìsa* (149.000), — *Gràzia* o *Mariagràzia* (107.000), ... — *Ilva* (80), — *Gorétta* o *Gorétti* (75).

Termina qui la «testata» e segue, dopo il punto fermo, il «corpo» del lemma, in cui di norma all'indicazione dell'area di diffusione del nome base e delle eventuali forme secondarie seguono, in ordine, l'interpretazione etimologica e tutte le altre spiegazioni e informazioni – onomastiche, linguistiche, storico-culturali e religiose, ecc. – sull'insorgenza e sulla diffusione del nome base, e delle forme secondarie che presentano processi autonomi o comunque di particolare rilievo e interesse.

3. Notazione dell'accento e della pronunzia

Su tutti i nomi in esponente, e su tutte le forme secondarie registrate nella «testata» del lemma (varianti, alterati e derivati, abbreviati e ipocoristici, nomi doppi), è segnato l'accento – anche quando non è segnato nella normale scrittura o stampa – nei seguenti casi:
– quando l'accento è sull'ultima o sulla terzultima sillaba, qualsiasi sia la vocale accentata: così **Libertà**, **Liù**, **Mimì**, **Nanà** e *Fannì*, *Nellì* e rispettivamente **Àngelo** e *Àngela*, **Ìtalo** e *Ìtala*, **Lìbero** e *Lìbera*, **Dùsola**, **Callìmaco**, **Pacìfico** e *Pacìfica*;
– nei nomi e nelle forme nominali che nell'ultima o nella penultima sillaba presentano un dittongo o una vocale comunque a contatto con un'altra vocale (fuorché per il gruppo unitario *qu-*), anche quando l'accentazione è piana: così **Àlfio** e **Àimo**, **Giànni** o *Giànna*, **Arduìno**, **Rào** e **Ràolo**, **Ràul**, **Aìda**, **Ìa**, **Lìa** e **Liàna** (ma **Quarto** o *Quarta*, **Quinto** o *Quinta*, **Pasqua** e **Pasquale** o *Pasquala*, senza accento);
– quando la vocale accentata è *e* o *o*, per distinguerne il timbro chiuso, con l'accento acuto [´], o aperto, con l'accento grave [`]. Così sono sempre accentati nomi in esponente e forme nominali secondarie come **Élsa** e **Alfrédo** o **Èdda** e **Albèrto**, **Órso** e **Adórno** o **Òlga** e **Alfònso**, e *Bétto* e *Francésca* o *Èdy* e *Michèla*, *Ivóne* e *Raimónda* o *Pòldo* e *Flòro*.

L'accento, come si rivela da questi esempi, è sempre grave su *a, i* e *u* [*à*, *ì*, *ù*] e sulle *e* e *o* di timbro aperto [*è*, *ò*], è acuto solo sulle *e* e *o* di timbro chiuso [*é*, *ó*].

Quando un nome in esponente o una forma secondaria può avere una duplice (o eccezionalmente triplice) accentazione, sia come posizione (piana, sdrucciola e tronca) sia come tipo d'accento (acuto o grave, per il timbro chiuso o aperto di *e* e *o*), sono registrate tutte e due (o tutte e tre) le accentazioni. Così, in esponente, sono affiancati **Pàris** o *Parìs* (precede l'accentazione più comune), **Persèo** o *Pèrseo*, **Ràul** o *Raùl*, **Èdipo** o *Edì-*

po, **Eurìdice** o *Euridìce*, oppure **Élda** o *Èlda*, **Stèlvio** o *Stélvio*; e tra le forme secondarie sono registrate autonomamente *Àtos* e *Atòs*, *Antèra* e *Àntera*, *Nicòlo* e *Nìcolo* e *Nicolò*, oppure *Èldo* e *Éldo*.

I nomi stranieri, se adattati all'italiano o affermatisi nel repertorio italiano tanto che non sussiste quasi più consapevolezza della loro esoticità, seguono le norme di accentazione qui esposte; così, in esponente, sono registrati **Dolòres**, **Germinàl**, **Nòrge**, e tra le forme secondarie *Càtia*, *Consuélo*, *Guènda*, *Marlèna* e *Marlène*, *Òskar*, *Sònia*.

Se i nomi stranieri sono invece adottati nella loro forma originaria, e sussiste la consapevolezza della loro esoticità, la grafia e quindi anche l'eventuale accentazione sono quelle della lingua d'origine: così per **Chantal**, **Daisy** o *Desy* (ma *Dèsi* italianizzato), *Elisabeth* o *Elizabeth*, *Frieda*, *Helga* (ma *Èlga*), *Íñigo*, *Joséphine*, *Katja* o *Katia* (ma *Càtia*), *Marilyn*, *Maud* o *Maude* (ma *Màuda*), *Monika*, *Raoul* (ma **Ràul** o *Raùl*), *Yvette* e *Yvonne* (ma *Ivétta* e *Ivóna*). In questo caso, nel «corpo» del lemma, è data quando opportuno, tra parentesi quadre, la pronunzia figurata del nome nella lingua straniera di origine, secondo il sistema di trascrizione fonetica esposto più avanti, nella «Tabella esplicativa».

Dizionario esplicativo dei termini di linguistica e di onomastica di uso più frequente

Afèresi. Eliminazione o scomparsa di uno o più suoni all'inizio di una parola: ne deriva l'aggettivo *aferètico*. *Tonio*, per esempio, è un ipocoristico aferetico, o derivato per aferesi, di *Antonio*.

Agiònimo. Nome proprio di santi, come *Andrea*, *Giovanni*, *Marco*, *Pietro* o *Anna*, *Caterina*, *Lucìa*, *Teresa*.

Agnòmen. Termine latino con il quale si indica, in riferimento alla formula onomastica dei cittadini dell'antica Roma (formata normalmente da tre elementi: *praenomen*, *nomen* e *cognomen*), un quarto «nome aggiunto», che indicava per lo più una particolare caratteristica o condizione. Così per *Marcus Porcius Cato Censorius*, Marco Porcio Catone il Censore, e *Marcus Porcius Cato Uticensis*, Marco Porcio Catone l'Uticense, *Censorius* e *Uticensis* sono l'*agnomen* che distingue il severo censore del III secolo a.C. dal lontano discendente, l'avversario di Giulio Cesare suicidatosi a Utica in Africa. Più genericamente *agnomen* può indicare un soprannome o qualsiasi nome aggiunto.

Apòcope. Eliminazione o scomparsa di uno o più suoni alla fine di una parola: ne deriva l'aggettivo *apocopato*. Così, per esempio, *Elisa* e *Lisa* sono forme apocopate di *Elisabetta*.

Asemàntico. Che non ha di per sé un significato specifico, una funzione linguistica significativa. I nomi propri sono spesso asemantici; alcuni suffissi (come *-ardo*, *-ino*) sono a volte soltanto derivativi, sostanzialmente asemantici.

Assimilazióne. Fenomeno e processo fonetico per cui un suono, trovandosi a contatto diretto, o vicino, rispetto a un altro suono di articolazione diversa, si trasforma in un suono identico o affine a quest'ultimo. Così la variante *Errico* di *Enrico* si è formata per l'assimilazione di *n* alla *r* seguente, ossia per la trasformazione di *nr* in *rr*.

Cognòmen. Termine latino con il quale si indica, in riferimento alla formula onomastica dei cittadini di Roma antica (formata normalmente da tre elementi: *praenomen*, *nomen* e *cognomen*), il terzo elemento, che originariamente individuava, per lo più come soprannome, la singola persona all'interno di una *gens*, cioè di un grande gruppo familiare. Così *Cicero*, nella formula onomastica completa *Marcus Tullius Cicero*, Marco Tullio Cicerone, è il *cognomen*.

Deglutinazióne. Fenomeno e processo per cui una parola originariamente unitaria viene separata, con una falsa divisione conseguente a un'errata interpretazione, in due elementi distinti il secondo dei quali assume un valore autonomo. Così, per esempio, *Amberto* e *Oredana* sono nomi formatisi da *Lamberto* e *Loredana* per deglutinazione della *l-* iniziale, interpretata come articolo determinativo (*l'Amberto*, *l'Oredana*).

Dissimilazióne. Fenomeno e processo fonetico per cui due suoni uguali, trovandosi a contatto diretto o in prossimità, si differenziano (è il contrario dell'*assimilazione*). Così *pellegrino*, da cui deriva il nome *Pellegrino*, si è formato per dissimilazione da *peregrino*: la prima *.* cioè, si è dissimilata in *l*.

Esponènte. La parola o il nome base di un lemma, di un articolo di dizionari, enciclopedie, repertori. In questo «Dizionario», per esempio, gli esponenti dei vari lemmi o gruppi cognominali sono i nomi stampati in neretto, all'inizio, e disposti in ordine alfabetico.

Ètnico. Il nome che specifica l'appartenenza a un popolo o a una stirpe, a una nazione o a un paese, a una regione, a una città. Sono etnici i nomi *Italiano*, *Lombardo*, *Romano*.

Ipocorìstico. Forma abbreviata (per procope, sincope e/o apocope), o comunque morfologicamente modificata, di un nome personale, di uso e valore per lo più familiare, affettivo e vezzeggiativo. Così *Tonio* è l'ipocoristico di *Antonio*, *Gelmo* di *Guglielmo*, *Bartolo* o *Meo* di *Bartolomeo*, *Bèppe* e *Cecco* di *Giuseppe* e *Francesco*.

. Lèmma. Ciascuno degli articoli dai quali sono formati dizionari, enciclopedie, repertori, riunito sotto una voce o un nome chiamati *esponente*. In questo «Dizionario» i lemmi sono gli articoli che trattano uno o più nomi, costituiti dall'esponente o nome base, dai nomi che hanno lo stesso etimo e processo di formazione, e dalla spiegazione.

Metàtesi. Inversione o spostamento di uno o più suoni all'interno di una parola: ne deriva l'aggettivo *metatètico*. Così, per metatesi, si sono formate le varianti *Adastro* di *Adrasto* e *Aldemiro* di *Adelmiro*.

Napoletano. Termine usato nella linguistica italiana per designare un'area e una situazione dialettale estesa, oltre alla città e alla provincia di Napoli, a zone più vaste del Sud peninsulare (Campania e anche Abruzzo, Puglia e Calabria settentrionale), che presentano spesso caratteri propri del napoletano (irradiatisi e affermatisi per il predominio politico e il prestigio culturale di Napoli).

Neolatino. *Lingue neolatine*, *dialetti neolatini*, lingue (portoghese, spagnolo, catalano, francese, provenzale, italiano, sardo, rumeno) e dialetti che continuano direttamente il latino, svoltisi cioè dal latino parlato nelle varie regioni dell'Impero romano.

Nòmen. Termine latino, cui corrisponde l'itàliano *gentilizio*, che indica, in riferimento alla formula onomastica dei cittadini di Roma antica (costituita normalmente da tre elementi: *praenomen*, *nomen* e *cognomen*), il secondo elemento che designava l'appartenenza a una *gens*, a un grande gruppo familiare. Così *Iulius*, che è il nomen di *Caius Iulius Caesar*, Gaio Giulio Cesare, ne indicava l'appartenenza alla «*gens*» *Iulia*.

Palatalizzazióne. Fenomeno e processo fonetico per cui una consonante non palatale (k, $\acute{g}$, s, z) assume la corrispondente articolazione palatale ($\check{c}$, $\acute{g}$, $\check{s}$, $\check{z}$). Così il nome di origine germanico *Riccardo* presenta una variante palatalizzata *Ricciardo*, con una palatalizzazione di *kk* in *čč* che è propria del francese (e che indica quindi che questa forma è penetrata in Italia per tramite del francese antico *Richard*).

Praenòmen. Termine latino con il quale si indica, in riferimento alla formula onomastica dei cittadini di Roma antica (costituita normalmente da tre elementi: *praenomen*, *nomen* e *cognomen*), il primo elemento, che rappresenta il nome individuale. Così nel nome completo *Marcus Tullius Cicero*, Marco Tullio Cicerone, *Marcus* è il *praenomen*.

Pròcope. Sinonimo di *afèresi*: ne deriva l'aggettivo *procopato*, sinonimo di *aferetico*.

Pròstesi o Pròtesi. Sviluppo, all'inizio di una parola, di un elemento (per lo più vocalico) non etimologico: ne deriva l'aggettivo *prostètico* o *protètico*. La protesi di *a-* è caratteristica della Puglia, dove infatti sono più diffuse le varianti prostetiche *Addario*, *Addiego* e *Affortunato* dei nomi *Dario*, *Diego* e *Fortunato*.

Romanzo. Sinonimo di *neolatino*.

Signum o Supernòmen. Termine latino con il quale si indica il secondo nome, per lo più augurale, che nella tarda latinità imperiale si affianca al *nomen* o gentilizio, e via via lo sostituisce, diventando infine, all'inizio del Medio Evo, nome unico. Un tipo di *signum* molto comune è *Vita*, *Vitalis* o *Viventius*, collegato auguralmente con *vita* (v. i nomi *Vita*, *Vitale* e *Vivenzio*).

Sìncope. Eliminazione o scomparsa di uno più suoni, o gruppi di suoni, all'interno di una parola, con conseguente diminuzione del numero delle sillabe: ne deriva l'aggettivo *sincopato*. Così *Algisa* e *Armiro* sono varianti sincopate di *Adalgisa* e *Argimiro*; *Maresa* e *Marisa* si sono formati per sincope delle sillabe interne dei nomi doppi *Maria Teresa* e *Maria Luisa* o *Isa*.

Teòforo. Nome personale che contiene e esprime il nome e il concetto di Dio o di una divinità: ne deriva l'aggettivo *teofòrico*. Tra i più diffusi nomi teoforici sono *Adeodato* o *Diodato*, *Amedeo*, *Diotisalvi*, di tradizione latina; *Teodoro*, *Teodosio*, *Teofilo* o *Filoteo*, *Dorotea*, di tradizione greca; *Ansovino* e *Goffredo*, di tradizione germanica; *Ezechia* e *Ezechiele*, *Taddeo*, di tradizione ebraica o aramaica.

Tabella esplicativa dei segni usati
per la trascrizione fonetica

Per i nomi e gli elementi lessicali stranieri, e in alcuni casi anche dialettali, non adattati alla fonetica e alla grafia dell'italiano, è spesso data la trascrizione fonetica (tra parentesi quadre). I segni speciali qui adoperati per la trascrizione fonetica sono i seguenti:

ä   vocale intermedia tra *a* e una *e* molto aperta, come quella dell'inglese *stand* [*ständ*].

å   vocale intermedia tra *a* e una *o* molto aperta, come quella dell'ungherese *puszta* [*pùstå*].

ạ   vocale intermedia tra *a* e *ë*, come quella dell'inglese *trust* [*trạst*].

bh   *v* bilabiale, cioè un suono intermedio, spirante sonoro, tra *b* e *v*, come quello dello spagnolo *Habana* [*abhàna*].

č   *c* palatale dell'italiano *céra, àcino, lància.*

ć   *c* prepalatale, articolata cioè nella parte anteriore del palato, come quella del patronimico croato *Petrić* [*pètrić*].

ḍ   *d* pronunziata con la punta della lingua rovesciata e appoggiata sulla volta del palato superiore, come quella del siciliano *bèddu* [*bèḍḍu*] o del sardo *castéddu* [*kastéḍḍu*].

dh   *d* spirante, come quella dello spagnolo *prado* [*pràdho*] o dell'articolo determinativo inglese *the* [*dhi*].

è   *e* tonica aperta, come nell'italiano *bèllo, tèmpo.*

é   *e* tonica chiusa, come nell'italiano *féde, stélla, terréno.*

ë   *e* indistinta, come quella del napoletano [*vòjë*] "bue".

ġ   *g* velare dell'italiano *Gherardo, Ghino, lago, Guzzi* [*ġeràrdo, ġino, làġo, ġùzzi*].

ǧ   *g* palatale dell'italiano *àngelo, giro, Giacomo, Giovanni, Giusèppe* [*àngelo, ǧiro, ǧàkomo, ǧovànni, ǧusèppe*].

gh   *ġ* spirante, come quella dello spagnolo *Ágata* [*àghata*], *lago* [*làgho*].

h'   velare spirante sorda, come quella dell'inglese *hippy* [*h'ìpi*].

ḥ   velare spirante articolata nella zona della laringe, come quella dell'arabo *ḥabīb* [*ḥabib*] "amico".

k   consonante velare sorda, come nell'italiano *casa* [*kàsa*], *chièsa* [*kjèsa*], *sacco* [*sàkko*].

kh   *k* spirante, come quella dello spagnolo *México* o *Méjico* [*mèkhiko*].

l'   *l* palatale dell'italiano *màglia* [*màl'a*], *Guglièlmo* [*ġul'èlmo*].

n' *n* palatale dell'italiano *agnèllo* [*an'èllo*], dello spagnolo *señorita* [*sen'orìta*] "signorina".

ṅ *n* velare dell'italiano *banca* [*bàṅka*], *vanga* [*vàṅga*].

ò *o* tonica aperta, come nell'italiano *tòpo*, *Ròsa*.

ó *o* tonica chiusa, come nell'italiano *leóne*, *Salvatóre*.

ö vocale intermedia tra *o* e *e*, come quella del francese *chauffeur* [*šofö'r*] o del genovese *chêu* [*kö'*] "cuore".

ph *p* spirante, come quella del toscano popolare *la patata* [*laphathàtha*].

ṡ *s* sonora dell'italiano *chièsa* [*kjèṡa*], *Ròsa* [*ròṡa*].

š *s* palatale sorda dell'italiano *scèna* [*šèna*], *cascina* [*kašìna*] o del francese *chalet* [*šalè*].

th *t* spirante, come quella del toscano *patata* [*pathàta*] o dell'inglese *thrilling* [*thrìliṅ*].

ụ *u* semivocale, come nell'italiano *duòmo* [*dụòmo*].

ü vocale intermedia tra *u* e *i*, come quella del francese *lune* [*lün*] o del genovese *luxe* [*lü'že*] "luce".

ụ̈ *u* semivocale, come quella del francese *suite* [*sụ̈ìt*].

ż *z* sonora dell'italiano *zèro* [*żèro*], *azzurro* [*ażżùrro*].

ž *s* palatale sonora, come quella del francese *beige* [*bèž*] o del genovese *luxe* [*lü'že*] "luce".

' elemento fonetico delle lingue semitiche, chiamato *ālef*, con articolazione faringale (presente, per es., nel nome ebraico *'Elōhīm* "Dio", v. *Elìa*).

ʿ elemento fonetico delle lingue semitiche, chiamato *ʿayin*, con articolazione faringale (presente, per es., nel nome ebraico **Melkïʿor*, formato con *ʿor* "luce", v. *Melchiòrre*).

La quantità delle vocali è rappresentata, quando è necessario, con i segni ‾ per le lunghe e ˘ per le brevi, sovrapposti alla vocale (cioè *ā*, *ē*, *ī*, *ō*, *ū*, e *ă*, *ĕ*, *ĭ*, *ŏ*, *ŭ*). L'accento, per le vocali sulle quali c'è già un segno diacritico, è notato con l'apice ' posto dopo la vocale.

La trascrizione del greco è semplificata, è cioè rappresentata con i segni alfabetici dell'italiano di uguale o analogo valore fonetico, e con le seguenti notazioni particolari:

le vocali η e ω sono trascritte con *ē* e *ō*, la vocale υ con *y*, il dittongo ου con *ū*;

le consonanti aspirate ϑ, φ, χ sono trascritte con *th*, *ph*, *ch*;

l'accento acuto è notato con ', quello grave con `, quello circonflesso con ˆ (per es., *á*, *à*, *â*). Nei dittonghi l'accento è notato sull'elemento vocalico accentato (per es., *ái*, *éi*).

Dizionario
dei nomi italiani

A

Abbondanza (900) F. Proprio e quasi esclusivo del Salento, anche se sporadicamente attestato anche in altre aree del Sud, riflette il culto locale della Madonna dell'Abbondanza, patrona di Cursi LE, e forse, in minima parte, di Sant'Abbondanza (non riconosciuta ufficialmente come santa dalla Chiesa), la pia donna che seppellì i resti mortali del martire San Gregorio di Spoleto. L'etimo è il latino *abundantia* 'abbondanza, ricchezza di beni', già nome della dea romana che personificava l'abbondanza e quindi, in età imperiale e soprattutto in ambiente cristiano, nome individuale femminile augurale, dato in relazione alla ricchezza spirituale di doti e virtù cristiane.

Abbondànzio (200) M. - F. *Abbondànzia* (25). Ormai raro, soprattutto al femminile, limitato alla Lombardia e concentrato per i ²/₃ a Cislago VA, è il riflesso dell'antico culto di Sant'Abbondanzio, martire sulla via Flaminia presso Roma sotto Diocleziano, patrono appunto di Cislago. Continua il nome augurale latino *Abundantius*, derivato da *abundans -antis* 'abbondante', che in età imperiale e in ambienti cristiani esprimeva l'augurio di essere ricco di virtù cristiane e di grazia divina.

Abbóndio (900) M. VARIANTI: *Abóndio* (10). - F. *Abbóndia* (15). ALTERATI: *Abbondina* (15). Diffuso soprattutto in Lombardia e in particolare, per più di ¹/₃, a Como e in provincia, è stato qui promosso dal culto di Sant'Abbondio vescovo di Como nel V secolo, patrono appunto di Como (e anche di Santa Brigida BG). Continua il nome augurale latino *Abundius*, derivato, con lo stesso valore dei due nomi precedenti, da *abundus* 'abbondante, ricolmo', formato dal verbo *abundare* 'abbondare, essere ricolmo', molto comune in età imperiale e riferito, in ambienti cristiani, a beni spirituali e alla grazia divina.

Abdènago (50) M. Nome israelitico e in qualche caso anche protestante, ora concentrato in Emilia-Romagna e soprattutto in Toscana, che ha alla base il nome ʿAbednebō (alterato in ʿAbednegō e di qui adattato in greco e in latino come *Abdenagō'* e *Abdénago*) assunto a Babilonia da Azarìa, uno dei compagni di Daniele che, educato alla corte di Nabucodònosor, raggiunse l'alta carica di soprintendente alla provincia di Babilonia ma poi fu gettato, insieme a Daniele, nella fossa dei leoni per avere pregato, contro il divieto imperiale, il proprio Dio. Il nome è composto dall'ebraico o aramaico biblico ʿébed o ʿabd 'servo' e dal babilonese Nabū, una divinità della sapienza, della tecnica e delle colture agricole: il significato proprio è quindi 'servo di Nabū'.

Àbdon (550) M. VARIANTI: *Abdóne* (50). Diffuso nel Nord, e concentrato per i ²/₃ in Emilia-Romagna, ma esteso in parte anche alla Toscana, ha alla base il nome ebraico ʿAbdōn, adattato in greco e in latino come *Abdō'n* e *Abdon*, di un giudice di Israele, e forse anche il nome di Sant'Abdon, un persiano martire a Roma con Sennen durante la persecuzione di Decio o di Diocleziano: può quindi essere un nome sia israelitico sia cristiano.

Abelardo (300) M. VARIANTI: *Aberardo* (25), *Averaldo* (200), *Averardo* (850). - F. *Abelarda* (10). Diffuso nel Nord e soprattutto in Lombardia e Emilia-Romagna, e nelle varianti in *Av-* più frequente in Toscana, si è affermato in Italia nel tardo Medio Evo con la fama del filosofo e teologo di origine brètone Pietro Abelardo (in latino medievale *Abaelardus*, d'impronta germanica), che insegnò all'inizio del XII secolo in varie cattedre tra le quali quella di Notre-Dame di Parigi, noto anche per il suo tragico amore per Elisa, nipote del canonico Fulberto, che si vendicò di Abelardo facendolo evirare. Il nome è stato ridiffuso in Italia nel primo Ottocento con le traduzioni, e la conoscenza, di due delle opere letterarie straniere ispirate a quel tragico amore, l'epistola in versi «*Eloisa to Abelard*» del 1717 del poeta inglese A. Pope, e il romanzo epistolare «*La nouvelle Héloïse*» del 1771 di J.-J. Rousseau.

Abèle (3.800) M. ALTERATI: *Abelino* (25). - F. *Abèla* (15). ALTERATI: *Abelina* (100). Diffuso solo nel Nord, e concentrato per più della metà delle persone così denominate in Lombardia, ha alla base il nome biblico del secondo figlio di Adamo e Eva, Abele, ucciso per gelosia e invidia dal fratello Caino: il nome biblico, ebraico, è *Hebel* o *Hābel*, con il significato di 'respiro, soffio vitale', ma considerato da alcuni studiosi come un prestito dall'accadico *ablu* 'figlio', adattato in greco come *Ábel* e in latino *Abel*. Il nome è in Italia non soltanto israelitico, ma anche cristiano, largamente adottato sia dalle comunità protestanti (come tanti altri nomi biblici), sia all'interno dello stesso cattolicesimo, in quanto Abele viene riconosciuto, sia pure non ufficialmente (non è compreso, infatti, nel «Martirologio Romano»), come santo, sulla base di alcuni passi del Nuovo Testamento in cui Gesù stesso definisce Abele «giusto» e lo considera come un martire.

Abigàille o *Abigaìlle* (100) F. Raro, e disperso in tutta l'area dell'Italia centro-settentrionale, può rappresentare sia un nome israelitico, non comune, sia un nome affermatosi nella seconda metà dell'Ottocento con la fortuna dell'opera lirica di G. Verdi (libretto di T. Solera) «Nabucco», rappresentata per la prima volta alla Scala di Milano nel 1842, in cui Abigaille è la schiava ebrea dell'imperatore Nabucodònosor, rivale della principessa Fenena. Alla base è il nome biblico, ebraico, *'Abīgayil* della moglie di David, adattato in greco e in latino come *Abigáia* e *Abigail*, composto da *'ab* 'padre' e *gīl* 'giubilo, gioia', con un significato originario che potrebbe essere 'padre della gioia' o più probabilmente, come nome teoforico, 'mio padre (cioè Dio) è giubilo'.

Abìlio (100) M. Diffuso solo in Lombardia, in Emilia-Romagna e nel Lazio, soprattutto a Roma, è insorto, come nome cristiano, dal culto di Sant'Abilio, il secondo vescovo di Alessandria d'Egitto, succeduto a San Marco Evangelista: è un nome già latino, ma tardo, d'incerta origine e interpretazione.

Abramo (6.000) M. VARIANTI: *Abràm* (20), *Abrahàm* (100). ALTERATI: *Abramino* (25). ABBREVIATI: *Bramo* (20), *Briàno* (25), *Briàn* (100). - F. *Abrama* (50). ALTERATI: *Abrâmina* (150). Diffuso nell'Italia settentrionale, prevalentemente in Lombardia, e centrale, come nome quasi esclusivamente israelitico e in minima parte protestante o cattolico (la Chiesa riconosce ufficialmente Abramo come santo, in quanto patriarca ma anche, per la sua fede e obbedienza verso Dio, padre di tutti i credenti), risale, attraverso gli adattamenti latino *Abraam* o *Abraham* e greco *Abrám* o *Abraám*, a due forme ebraiche, *'Abhrām* e *'Abhrā-hām*, del nome del primo patriarca e fondatore del popolo d'Israele, Abramo. Nel «Genesi» è detto infatti che a Abramo, a 99 anni, apparve Dio che gli disse che da quel momento si sarebbe chiamato non più *'Abhrām* ma *'Abhrāhām*, perché lo aveva destinato a diventare padre di molte genti. Infatti, mentre la prima forma viene interpretata come 'dal padre eccelso, nobile' (come il corrispondente nome assiro-babilonese *Abi - rāmu*) e quindi 'nobile di nascita, di stirpe' (dall'ebraico *'āb* 'padre' e *rām* 'eccelso'), la seconda veniva interpretata per etimologia popolare come una contrazione dell'espressione ebraica *'ābh hamōn goyīm*, che significa appunto 'padre di una moltitudine di genti, di popoli'.

Accùrsio (850) M. VARIANTI: *Accurso* (20). - F. *Accùrsia* (1.300). VARIANTI: *Accursa* (25). Caratteristico della Sicilia, e concentrato nell'Agrigentino, e in particolare a Sciacca, e nel Palermitano, si è qui diffuso con il culto di Sant'Accursio, compagno di San Francesco, uno dei cinque protomartiri di Marrakeh nel Marocco, nel 1220, appartenenti all'Ordine dei Francescani Minori. *Accursio* rappresenta la forma latinizzata *Accursius* del nome augurale e gratulatorio medievale *Accorso*, formato da *accorso* nel significato di 'soccorso, aiuto' che aveva, come sostantivo, nell'italiano antico (dal latino *accursus*, participio perfetto di *accurrere* 'accorrere'), oppure l'ipocoristico di *Bonaccorso*, cioè 'buon aiuto, buon soccorso': nomi, l'uno e l'altro, dati a un figlio molto atteso (venuto a volte dopo la perdita di un figlio precedente) che costituisce, o si spera che sia, un aiuto e un sostegno per i genitori.

Achille (33.000) M. VARIANTI: *Achillèo* (20). - F. *Achilla* (100). VARIANTI: *Achillèa* (25). ALTERATI: *Achillina* (150). Frequente soprattutto nel Nord, e concentrato per ²/₃ in Lombardia, rappresenta la riadozione, nell'ultimo Medio Evo (e soprattutto in ambienti di cultura bizantina) e più nell'Umanesimo e nel Rinascimento, con la riacquisizione della letteratura classica, del nome dell'eroe greco dell'«Iliade», *Achille*, in greco *Achilléus*, di oscura origine pregreca, latinizzato in *Achilles* e più raramente in *Achillas* o *Achilleus*. La diffusione del nome, specialmente nella forma *Achilleo*, può essere stata in parte promossa dal culto di Sant'Achilleo o Achille, martire sulla via Ardeatina presso Roma sotto Domiziano.

Achiropita (500) F. VARIANTI: *Acheropita* (150). Concentrato nel Cosentino, e per più della metà a Rossano, riflette il culto locale di Maria Santissima Achiropita, patrona appunto di Rossano, denominazione di un'immagine sacra della Madonna, e della Madonna stessa, miracolosamente 'dipinta senza mani', cioè senza intervento umano: la forma etimologica greca e bizantina *Acheiropoiē'tē*, composta da *a-* priva-

tivo 'senza', *chéir* 'mano' e *poiêin* 'fare, creare (opere figurative, letterarie, ecc.)', significa appunto 'fatta, creata, dipinta senza mani, per opera non umana ma divina'. Queste immagini, ritenute miracolose, di Cristo, della Madonna e di santi vari, si sono diffuse in Occidente, nell'alto Medio Evo, dal Mediterraneo orientale greco-bizantino e sono proprie del cristianesimo ortodosso: e proprio in Calabria, e in generale nell'estremo Sud d'Italia, sono state più forti la cultura e la lingua bizantina e l'ortodossia di rito greco, o greco-albanese.

Acìlio (50) M. - F. *Acìlia* (75). Diffuso sporadicamente nell'Italia centro-settentrionale, e accentuato nel femminile nel Lazio e in particolare a Roma e Viterbo e nelle due province, continua il *nomen* latino *Acilius* di un gruppo familiare di origine plebea di Roma antica, diventato illustre per vari alti magistrati della famiglia degli *Acilii Glabriones*, tra i quali Mario Acilio Glabrione console nel 91 con Traiano, fatto giustiziare dall'imperatore Domiziano nel 95 sotto l'accusa di seguire riti giudaici o cristiani ma più probabilmente perché sospetto di cospirare contro l'imperatore (e considerato, anche se non è compreso ufficialmente nel «Martirologio Romano», martire e santo, per cui è possibile una limitata diffusione come nome cristiano). L'etimologia di *Acilius* è incerta: più che un derivato in *-ilius* di *acies* 'punta; formazione di battaglia, schiera' o di *acer* 'acuto' e in senso figurato 'pronto, vivace, energico', potrebbe essere un nome di lontana origine etrusca.

Acrìsio (100) M. VARIANTI: *Agrìsio* (50). Raro, e diffuso sporadicamente nell'Italia centrale e in particolare in Toscana, è uno dei molti nomi ripresi dalla mitologia classica, in questo caso greca: *Akrísios*, di etimologia incerta, latinizzato in *Acrisius*, è il mitico re di Argo, nel Peloponnèso, padre di Dànae, che fu ucciso dal proprio nipote Pèrseo (un altro nome mitologico attestato nell'onomastica personale italiana), figlio di Zeus e di Danae, l'eroe che uccise la Gorgóne, o Medusa, e liberò e sposò Andròmeda.

Ada (142.000) F. ALTERATI: *Adina* (2.500). NOMI DOPPI: *Ada Marìa* o *Adamarìa* (1.100), *Ada Lisa* o *Adalisa* (200).

- M. *Ado* (2.100). ALTERATI: *Adino* (1.100). Frequente in tutta l'Italia, ma molto più nel Nord e nel Centro, ha alla base l'ipocoristico, in forma abbreviata, di un nome germanico composto con il primo elemento *athala-* (in tedesco *Adel*) 'nobiltà di nascita, di stirpe' (v. *Adalberta*, *Adelaide* e *Adele*), affermatosi in età francone e in parte promosso, nel tardo Medio Evo, dal corrispondente nome francese *Ade*, e dal culto di due sante di questo nome francesi (non riconosciute ufficialmente dalla Chiesa in quanto non comprese nel «Martirologio Romano»), badesse di due monasteri, uno di Soissons e uno presso Le Mans. Ma *Ada* è anche un nome, sia pur raro in Italia, israelitico: in questi casi può risalire al nome biblico della moglie di Esaù, in ebraico *'Adāh* 'adornata (dal Signore)', adattato in greco e in latino come *Adá* e *Ada*.

Adalbèrto (6.000) M. - F. *Adalbèrta* (500). Ampiamente diffuso nell'Italia settentrionale e meno, specialmente nel femminile, in quella centrale, continua il nome germanico, di tradizione francone e già longobardica, documentato in Italia dall'VIII secolo nelle forme latinizzate *Adalpertus* o *Adelbertus* (in tedesco *Adalbert*), composto di *athala-* 'nobiltà di stirpe' e *berhta-* 'splendente; illustre, famoso', quindi 'illustre per nobiltà'. È un nome prevalentemente laico, insorto per il prestigio dei dominatori germanici nell'alto Medio Evo, di tono ora elevato: può tuttavia essere stato promosso, in alcune zone, dal culto di vari santi o beati di questo nome (come Sant'Adalberto vescovo di Praga e martire e, pur se non riconosciuti ufficialmente dalla Chiesa come santi, un vescovo di Como e un altro di Bergamo).

Adalgisa (28.000) F. VARIANTI: *Adelcisa* (100). ABBREVIATI: *Dalgisa* (75), *Dalcisa* (75), *Delcisa* (150), *Algisa* (100), *Alcisa* (150), *Arcisa* (150). - M. *Adalgiso* (825). VARIANTI: *Adalgìsio* (50), *Adalciso* (25). ABBREVIATI: *Dalciso* (25), *Dalcisio* (25), *Delciso* (50), *Algiso* (50), *Algìsio* (20), *Alghìsio* (100), *Alciso* (50), *Arciso* (300), *Arcisio* (200). Largamente diffuso nel Nord, soprattutto in Emilia-Romagna (e nella forma *Alghìsio* nel Bresciano), e anche nell'Italia centrale, è un nome di origine germanica, di tradi-

zione longobardica, documentato dall'VIII secolo al maschile nelle forme latine medievali *Adalgisus*, *Adelgisus* o *Adelchis* (v *Adelchi*), e nel femminile *Adelchisa*, latinizzazione di *Adelgis*, composto con *athala-* 'nobiltà' e *gisil-* 'freccia', con un significato che approssimativamente si può ricostruire come 'nobile freccia' o 'freccia che dà nobiltà'. In Italia il nome femminile, e anche maschilc, si è affermato soltanto nella metà dell'Ottocento, diffuso dalla fortuna del melodramma di V. Bellini «Norma», su libretto di F. Romani, rappresentato per la prima volta alla Scala di Milano nel 1831: *Adalgisa* è il nome qui dato, arbitrariamente, alla sacerdotessa gallica rivale, nell'amore per il proconsole romano Pollione, dell'altra sacerdotessa dei Drùidi Norma (v. *Norma*). In minima parte il nome può essersi affermato anche per il culto di due santi, Adalgiso o Algiso, un monaco irlandese confessore in Piccardia e un vescovo di origine longobardica di Novara del IX secolo.

Adamo (8.000) M. VARIANTI: *Adam* (50). ALTERATI: *Adamèllo* (50), *Adamino* (25). ABBREVIATI: *Damino* (100). - F. *Adama* (50). ALTERATI: *Adamina* (250). ABBREVIATI: *Damina* (50). Distribuito in tutta l'Italia, ma con maggiore frequenza nel Nord, ha alla base il nome biblico *Adamo* (in ebraico *'Adām* 'uomo, essere umano; specie umana', adattato in greco come *Adám* e in latino *Adam* o *Adamus*) del primo uomo creato da Dio e progenitore, con Eva, del genere umano. Il nome solo in minima parte è israelitico, ma più ampiamente cristiano, sia protestante sia anche cattolico, in quanto Adamo è riconosciuto come santo dalla Chiesa orientale e anche, se pure non ufficialmente, da quella occidentale, e sono inoltre venerati in Italia alcuni santi e beati di questo nome. Rilevante la singolare trasposizione anche al femminile, *Adama* e *Adamina*, pur rari.

Addis (300) F. VARIANTI: *Adis* (120). Sporadico nel Nord e nel Centro, e più frequente in Toscana, è uno dei numerosi nomi ideologici e patriottici (come *Adua*, *Ambalagi*, *Dogali*, *Gondar*, *Macallè*, ecc.) ispirati alle imprese coloniali italiane in Abissinia, e soprattutto all'acquisto di Massaua nel 1869 e all'occupazione di Assab del 1885 sul Mar Rosso, e alle guerre etiopiche del 1895-96 e del 1935-36: è il nome della capitale etiopica *Addis Abeba*, in amarico *Addìs Abebà* 'nuovo fiore'.

Addolorata (25.000) F. ABBREVIATI: *Dolorata* (75). - M. *Addolorato* (100). Proprio del Sud, e più compatto in Puglia e in Campania, riflette il culto di Maria Santissima Addolorata (o dei sette Dolori, v. *Dolores*), affermatosi soprattutto dal Duecento, così denominata per i dolori sofferti durante la passione e la crocifissione del figlio Gesù: la Madonna Addolorata, cui sono intitolati molti santuari e chiese, è patrona di numerose città di tutta l'Italia.

Adelàide (28.000) F. VARIANTI: *Adelàida* (20). - M. *Adelàido* (10). Distribuito in tutta l'Italia riprende, con un tono ormai elevato e solenne, il nome di origine germanica di personaggi storici e religiosi femminili di grande prestigio, come Adelaide di Alsazia, moglie del re d'Italia Lotario II e quindi dell'imperatore Ottone I, nel X secolo, venerata come santa (senza riconoscimento ufficiale della Chiesa) per la sua devozione e attività cristiana, e, nella dinastia dei Savoia, Adelaide contessa di Torino nell'XI secolo (anch'essa venerata come santa), Adelaide regina di Francia nel XII secolo, e Adelaide Enrichetta principessa di Baviera nel Seicento. Il nome germanico, comune in tedesco come *Adelheid* (frequente anche nella provincia autonoma di Bolzano), è composto di *athala*- 'nobiltà' e del suffisso derivativo di sostantivi astratti *-heid* o *-haid* (in tedesco *-heit*) che indica la qualità, il modo di essere, con un significato quindi originario che può essere 'dai modi nobili, di aspetto o portamento nobile'.

Adelàsia (500) F. - M. *Adelàsio* (20). Sporadico nel Nord e nel Centro, ha alla base un nome di incerta origine, forse germanica (v. *Adelaide* e *Adele*), reso illustre nell'ultimo Medio Evo dalla regina del Logudoro, in Sardegna, Adelasia di Torres, moglie di Enzo Re, figlio dell'imperatore Federico II di Svevia.

Adèlchi (3.100) M. VARIANTI: *Adèlco* (100), *Adèlchio* (25). - F. *Adèlca* (25). Più frequente nel Nord, e in particolare nell'Udinese e nel Friuli-Venezia-Giulia, ma anche nel Lazio e meno in Campania, è la continuazione del nome longobardico *Adelgis* attestato dall'VIII secolo nelle forme latinizzate *Adelchis* e *Adelgisus* o *Adalgisus* (v. *Adalgisa*). La diffusione del nome è solo in parte antica, promossa dal prestigio del re dei Longobardi, associato al trono nel 759 dal padre Desiderio, Adelchi, sconfitto da Carlo Magno nella guerra franco-longobardica del 773-774, e in Campania del principe longobardo di Benevento Adelchi, del IX secolo. Una notevole ridiffusione è infatti promossa, nell'Ottocento, dalla tragedia storica di A. Manzoni «Adelchi» del 1822, che ha appunto per protagonista il re longobardo sconfitto dai Franchi.

Adèle (134.000) F. VARIANTI: *Adèla* (200). ALTERATI: *Adelina* (32.000), *Adelita* (75). NOMI DOPPI: *Adèle Marìa* (400). - M. *Adèlo* (50). ALTERATI: *Adelino* (4.000). Diffuso con alta frequenza in tutta l'Italia ma più nel Nord, e per la forma fondamentale *Adele* accentrato per quasi ¹/₃ in Lombardia. È una forma ridotta di *Adelaide* di antica tradizione francone. Anche se esistono due sante Adele (non comprese nel «Martirologio Romano»), straniere, che hanno un limitato culto in alcune zone d'Italia, il nome è sostanzialmente laico.

Adèlfo (1.150) M. VARIANTI: *Adèlfio* (300). ALTERATI: *Adelfino.* ABBREVIATI: *Dèlfo* (2.250), *Dèlfio* (150). - F. *Adèlfa* (700). ALTERATI: *Adelfina* (600). ABBREVIATI: *Dèlfa* (700), *Dèlfia* (75), *Dèlfi* (100). Diffuso nell'Italia centro-settentrionale ma accentrato per più di ¹/₃, nelle forme base *Adelfo* e *Adelfa*, in Emilia-Romagna, in quelle ridotte *Delfo* e *Delfa* in Toscana e *Delfio* in Sicilia (specialmente a Paternò e nel Catanese), continua i nomi individuali latini di età imperiale *Adelphius* (raro *Adelphus*) e *Adelphia*, largamente attestati nelle iscrizioni cristiane, adattamento del nome greco *Adelphós*, da *adelphós* 'fratello', figlio della stessa madre' (formato da *a-* di unione e *delphýs* 'utero', quindi 'dello stesso utero'). La tradizione è sia laica sia religiosa, non tanto per l'esistenza di un Sant'Adelfo vescovo di Metz nel V secolo e di altri tre santi Adelfio stranieri (questi non riconosciuti ufficialmente dalla Chiesa), quanto perché il nome si è affermato e sviluppato in Grecia e in Roma in ambienti cristiani con il valore di 'fratello, sorella in Cristo'.

Adèlia (12.000) F. VARIANTI: *Adìlia* (300), *Adàlia* (300). - M. *Adèlio* (8.500). VARIANTI: *Adìlio* (50), *Adàlio* (75). Distribuito nel Nord e nel Centro, con la forma *Adelio* per la metà accentrata in Lombardia, questa serie di nomi non consente che una ipotesi di interpretazione etimologica, così come ipotetico è lo stesso raggruppamento delle diverse forme, come varianti, in un'unica serie: è probabilmente un tipo onomastico di origine germanica, derivato da *athala- 'nobiltà (di stirpe)', collegato quindi con varie tradizioni con *Adele.*

Adelinda (900) F. VARIANTI: *Adalinda* (75). ABBREVIATI: *Delinda* (150), *Dalinda* (300). - M. *Adelindo* (650). VARIANTI: *Adalindo* (50). ABBREVIATI: *Delindo* (50), *Dalindo* (10). Distribuito nel Nord e nel Centro (*Dalinda* anche in Abruzzo), è un tipo onomastico germanico formato con *athala- 'nobiltà' (v. *Adelaide* e *Adele*) e con un secondo elemento -*lind*, da *linta 'tiglio' (in tedesco *Linde*) e 'scudo di legno di tiglio' quindi 'nobile per lo scudo' o 'dal nobile scudo' (v. *Ermelinda*, *Teodolinda* e *Linda*). È un nome laico, in quanto non esiste alcuna santa di questo nome (solo una beata Adalinda della Svevia, del IX secolo).

Adelisa (250) F. VARIANTI: *Adelisia* (20). ABBREVIATI: *Delisa* (50). - M. *Adeliso* (50). VARIANTI: *Adelisio* (50). ABBREVIATI: *Deliso* (250), *Delìsio* (50). Diffuso nel Nord e anche nel Centro, è probabilmente un derivato di una base nominale germanica (come *Adele*) con il suffisso -*isa*, in qualche caso incrociatosi e confuso con il nome femminile *Lisa*, ipocoristico di *Elisabetta*.

Adelmiro (50) M. VARIANTI: *Aldimiro* (50), *Aldomiro* (25), *Altimiro* (20), *Altomiro* (50), *Aldemiro* (400), *Adimiro* (25), *Alamiro* (100). ABBREVIATI: *Delmiro* (50), *Dalmiro* (50). - F. *Adelmira* (100). VARIANTI: *Aldemira* (500), *Altomira* (100). ABBREVIATI: *Delmira* (150). Diffuso nel Nord e nel Centro, con più alta frequenza in Emilia-Romagna, in Toscana e nell'Anconitano, è un nome germanico, probabilmente di tradizione già ostrogota, composto da *athala- 'nobiltà di stirpe', oppure da *alda- 'anziano; saggio, esperto' (v. *Adelaide* e *Aldo*), e

dal gotico -*mereis 'illustre, famoso', con un significato originario che potrebbe essere 'illustre per nobiltà' o 'saggio e illustre'.

Adèlmo (16.000) M. VARIANTI: *Adèrmo* (25), *Aldèmo* (25), *Aldèmio* (50), *Adelèlmo* (800). ALTERATI: *Adelmino* (50). ABBREVIATI: *Dèlmo* (750) e *Delmino* (150). - F. *Adèlma* (3.000). VARIANTI: *Aldèmia* (15), *Adelèlma* (150). ALTERATI: *Adelmina* (600), *Aldemina* (75). ABBREVIATI: *Dèlma* (1.000) e *Delmina* (500). Esteso dal Nord al Centro, con più alta frequenza in Emilia-Romagna e, per le forme abbreviate, anche in Toscana, è un nome di origine germanica composto con *athala- 'nobiltà' o *alda- 'anziano; saggio, esperto' e *helma- 'elmo fatato; protezione', con un significato approssimativo di 'elmo, protezione derivante dalla nobiltà', documentato nel latino medievale nella forma *Aldhelmus* o *Aldelmus*. La sua insorgenza e diffusione può essere stata sostenuta da Sant'Aldelmo, abate e scrittore inglese del VII secolo, e da altri tre santi o beati stranieri (non compresi nel «Martirologio Romano»).

Ademaro (1.300) M. VARIANTI: *Adimaro* (150), *Aldemaro* (850), *Ardemaro* (25), *Aldimaro* (25), *Adelmaro* (20), *Alemaro* (100). ABBREVIATI: *Demaro* (20); *Adèmo* (300), *Adèmio* (50); *Dèmo* (500). - F. *Ademara* (150), *Aldemara* (300). ABBREVIATI: *Adèma* (100), *Adèmia* (100) e *Ademina* (15); *Dèma* (250). Caratteristico della Toscana, dove è documentato dal IX secolo nelle forme latinizzate *Ademarus*, *Ademarius* e *Adimarius*, continua un nome germanico, di tradizione longobardica e quindi francone, composto di *athala- 'nobiltà di stirpe' (v. *Adelaide*) e *maru- 'grande, che eccelle; famoso', con il significato quindi di 'che eccelle, illustre per nobiltà di stirpe'. In Firenze esisteva, dal Duecento, la grande famiglia magnatizia degli Adimari, cui apparteneva anche lo "spirito bizzarro" Filippo Argenti e Tegghiaio Aldobrandi ricordati da Dante nell'«Inferno»: la diffusione del nome in Toscana, oltre che dalla tradizione familiare, può essere stata promossa in Firenze e in Toscana anche dal culto per il beato Ubaldo Adimari frate, tra l'ultimo Duecento e il primo Trecento, dell'Ordine dei Servi di Maria nel Convento di Monte Senario, sopra Firenze. L'attribuzione delle forme abbreviate a questo tipo nominale è fondata anche sulla coerenza della loro distribuzione, accentrata in Toscana.

Aden (120) F (anche M). Molto raro, disperso in tutta l'Italia, è probabilmente un recente nome ideologico e patriottico insorto con le imprese coloniali italiane in Somalia e in Etiopia (v. *Addis*) con cui ebbe notorietà e risonanza il Golfo di Aden dell'Oceano Indiano, delimitato appunto dalle coste somala settentrionale e arabica meridionale.

Adeodato (300) M. ABBREVIATI: *Deodato* (300), *Teodato* (100), *Diodato* (850); *Dato* (50); *Adeo* (100), *Adio* (150). - F. *Adeodata* (100). ABBREVIATI: *Deodata* (150), *Diodata* (400); *Adea* (150), *Adia* (150). Distribuito nell'Italia centro-settentrionale, con più alta frequenza per la forma fondamentale *Adeodato* in Emilia-Romagna, il tipo abbreviato *Deodato* o *Diodato* anche nel Sud continentale, soprattutto in Campania e Puglia, risale al nome individuale latino, molto comune in ambienti cristiani, *Adeodatus*, ossia «a *Deo datus*», 'dato, donato da Dio', calco del nome greco *Theódotos* o *Theódōros*, *Theodósios*, di identico significato (v. *Theodóro* e *Teodosio*). È quindi un nome gratulatorio, di ringraziamento a Dio per avere donato, concesso, un figlio molto atteso, sorretto dal culto di vari santi di questo nome del Medio Evo.

Aderito (200) M. - F. *Aderita* (75). Caratteristico dell'Emilia-Romagna, e in particolare del Modenese e del Ravennate, riflette il culto locale di Sant'Aderito vescovo di Ravenna. L'etimo è incerto: l'ipotesi più probabile è che risalga a un nome bizantino *Adé'ritos*, dal greco *adé'ritos* (formato da *a-* privativo e *dêris* 'battaglia; contesa, contestazione') con il significato cristiano di 'invincibile, saldo (nella propria fede)', ipotesi suffragata dalla presenza bizantina, e della cultura bizantina, a Ravenna.

Àdige (150) F (anche M). ALTERATI: *Adigina* (20). Disperso nel Nord e nel Centro, è un nome di recente matrice ideologico-patriottica sorto in relazione al fiume e alla vallata dell'Adige come zona di operazioni della 1ª guerra mondiale, e in particolare all'offensiva austriaca del 1916 tra l'Adige e la Valsugana respinta dalle truppe italiane.

Adigràt (40) F (anche M). Rarissimo e disperso, è un nome ideologico-patriottico sorto in relazione alla cittadina di Adigrat, capoluogo dell'Agamè nell'Etiopia settentrionale, teatro di scontri, nella 1ª guerra etiopica del 1895-96, fra le forze abissine e quelle italiane comandate dal generale A. Baldissera.

Adiùto (25) M. VARIANTI: *Aiùto* (25). Rarissimo, accentrato nelle Marche, è un esile riflesso di un antico culto per il frate minorita francescano Sant'Adiuto martire a Marrakeh nel Marocco nel 1220, insieme a altri quattro compagni (v. *Accursio*): alla base è il nome latino *Adiutus* di ambiente cristiano, formato dal participio perfetto del verbo *adiuvare* 'aiutare', *adiutus* 'aiutato', o dal sostantivo *adiutus* 'aiuto', comunque riferito all'aiuto divino.

Adiutóre (10) M. Nome ormai isolato e disperso, ultimo riflesso di un antico culto per Sant'Adiutore, uno dei dodici sacerdoti che, espulsi dall'Africa durante il Regno vandalico, predicarono e diffusero il cristianesimo in Campania (dove Sant'Adiutore è particolarmente venerato, è anche il patrono di Cava dei Tirreni SA, e a lui sono intitolate varie chiese di cui una a Capua). Il nome latino, frequente nelle iscrizioni cristiane d'Africa e d'Italia, è *Adiutor*, dal sostantivo *adiutor -oris* derivato da *adiuvare* 'aiutare' (v. *Adiuto*), cioè 'aiutante, ministro (di Dio)'.

Admèto (50) M. Raro, accentrato per ¹/₃ in Emilia-Romagna, è un nome, insorto recentemente, di impronta letteraria e teatrale. Nella mitologia greca *Ádmētos* (derivato con *a-* privativo da *damázein* 'domare', quindi 'indomito, indomabile') è il re di Fere in Tessaglia che aveva ottenuto di sottrarsi alla morte purché qualcuno accettasse di morire in vece sua: si offrì soltanto la moglie Alcesti (v. *Alceste*), che però fu salvata da Èracle. Questo mito è stato il tema di una tragedia, «Alcesti», di Eurìpide del 438 a.C., e quindi di J. Racine, di V. Alfieri e di altri drammaturghi moderni, e inoltre di due opere liriche di G. B. Lulli del 1634 e di Chr. W. Gluck del 1767, con le quali si è diffuso il nome dei due protagonisti, Admeto e Alcesti, soprattutto in Emilia-Romagna, dove è particolarmente forte, come anche in Toscana, questo tipo di risonanza onomastica di eroi e eroine dell'opera lirica (v. *Aida*, *Amneris*, *Amonasro*; *Desdemona*, *Jago*, *Otello*; ecc.).

Adòlfo (39.000) M. VARIANTI: *Adinòlfo* (50). ALTERATI: *Adolfino* (50). ABBREVIATI: *Dolfino* (50). - F. *Adòlfa* (800). VARIANTI: *Adinòlfa* (25). ALTERATI: *Adolfina* (1.100). ABBREVIATI: *Dolfina* (150). Largamente diffuso in tutta l'Italia, ma molto raro nelle isole, nella forma fondamentale e maschile *Adolfo*, è invece limitato al Nord e al Centro, e frequente soprattutto in Emilia-Romagna, nel femminile, raro, *Adolfa*. Continua, sostenuto solo in minima parte dal culto di Sant'Adolfo martire di Còrdova e di altri santi minori stranieri, il nome germanico *Athawulf* introdotto in Italia già dagli Ostrogoti (nome anche del re dei Visigoti di Spagna, italianizzato in *Ataùlfo*, assassinato nel 415 a Barcellona), documentato nelle forme latinizzate *Athavulfus* e *Adulfus*. Il nome gotico, ridiffuso da Longobardi, Franchi e poi Tedeschi, è composto di **atha-*, forma ridotta di **athala-* 'nobiltà (di stirpe)', e **wulfa-* 'lupo' (in tedesco *Wulf*, in inglese *wolf*), e doveva quindi significare 'nobile lupo': significato del tutto giustificato nel più antico mondo germanico in cui il lupo, come l'orso e l'aquila, era simbolo e esempio di forza e di ardimento, era quindi sacro al dio Odino e seguiva inoltre in battaglia il guerriero che così si identificava con esso. La rara variante *Adinolfo*, documentata dal X secolo a Torino nella forma latina medievale *Atenulfus*, risale a un ampliamento in *-n*, ossia **athan-*, del tema ridotto **atha-* di **athala-* 'nobiltà'.

Adóne (1.800) M. VARIANTI: *Àdon* o *Adón* (200). ALTERATI: *Adonèllo* (25). - F. *Adóna* (15). ALTERATI: *Adonèlla* (700). Diffuso nell'Italia centro-settentrionale, con più alta frequenza in Lombardia, Veneto e Toscana, ha due diversissime etimologie e tradizioni onomastiche. Nei casi, non frequenti, in cui rappresenta un nome cristiano, ossia il culto rarissimo in Italia di Sant'Adone vescovo di Vienne, nel Delfinato, nel IX secolo, riflette un nome germanico *Ado*, declinato nel latino medievale, secondo il modello germanico, *Ado Adónis*, formato da **athala-* 'nobiltà di stirpe' (v. *Ada*, che è il corrispondente femminile, e qui sopra *Adolfo*). Dove invece rappresenta un nome di tradizione classica, mitologica, oppure letteraria e teatrale, è la ripresa del nome greco *Adōn* o *Ádōnis*, in latino *Adon* o *Adónis*, del bellissimo giovane dio amato da Afrodite e da Persèfone e ucciso da un cinghiale, nome di probabile origine semitica, come il mito (forse dal fenicio *ādōn* 'signore', appellativo della divinità come nell'ebraico *'Adōnāy* 'mio signore', cioè 'Dio'). Questo mito è stato il tema di varie opere letterarie e teatrali, come, nel Seicento, il poema «Adone» di G. B. Marino e le omonime opere musicali di I. Peri e di C. Monteverdi, che possono avere in parte influito sulla diffusione del nome in ambienti elevati.

Adorato (25) M. VARIANTI: *Adorando* (50). ABBREVIATI: *Dorando* (800). - F. *Adorata* (25). VARIANTI: *Adoranda* (25). ABBREVIATI: *Doranda* (75). Disperso nel raro tipo *Adorato* in varie zone d'Italia, concentrato invece in quello *Adorando* e *Dorando* in Emilia-Romagna e in Toscana e anche nel Veneto, è un nome affettivo (in parte forse anche cristiano, riferito all'adorazione per Gesù) che esprime l'amore dei genitori per il figlio 'adorato' o 'da adorare', insorto nel tardo Medio Evo o anche già in età romana tarda (*Adoratus* appare in varie iscrizioni latine di epoca imperiale e di ambiente per lo più cristiano).

Adórno (1.300) M. ALTERATI: *Adornino* (100). - F. *Adórna* (900). Diffuso nell'Italia centro-settentrionale, con più alta frequenza in Toscana (più di $^1/_3$) e in Emilia-Romagna, è un nome augurale e affettivo insorto nel tardo Medio Evo che esprime al figlio l'augurio di essere 'adorno', cioè adornato, di doti fisiche e spirituali. Dal nome è derivato il cognome Adorno, proprio di un'antica famiglia genovese, già attestata nel Duecento, alla quale appartennero tre dogi.

Adrasto (250) M. VARIANTI: *Adastro* (50). - F. *Adrasta* (50). Raro, limitato all'Italia centro-settentrionale e accentrato per più della metà in Emilia-Romagna, può riflettere sia il culto di

Sant'Adrasto martire in Africa (non riconosciuto ufficialmente dalla Chiesa), sia, forse, un'eco letteraria del mito greco di Adrasto, re di Argo, che partecipò alla spedizione dei Sette contro Tebe, tema di una tragedia di Èschilo. Il nome greco è *Ádrastos*, derivato con *a-* privativo da *didráskein* 'fuggire', con il significato quindi di 'che non fugge; coraggioso', affermatosi anche in latino come *Adrastus*, soprannome e nome individuale.

Àdria (2.500) F. - M. *Àdrio* (700). Diffuso nel Nord e nel Centro, e qui soprattutto in Toscana e nelle Marche, riflette il culto di Santa Adria, martire a Roma durante le persecuzioni dell'imperatore Valeriano, ma in qualche caso può essere la ripresa diretta, letteraria, del nome femminile già latino *Hadria* (v. *Adriano*).

Adriàno (83.000) M. VARIANTI: *Adreàno* (50). - F. *Adriàna* (165.000). Largamente diffuso in tutta l'Italia, ma raro nelle isole, è un nome sia religioso, connesso con il culto dei vari santi così denominati e in particolare di Sant'Adriano di Nicomèdia martire sotto Diocleziano (patrono di Mango CN e di Matelica MC: il culto è attestato anche da due toponimi, Sant'Adriano di Mango e di Marradi FI), sia laico, di eredità latina. In latino *Hadrianus* era originariamente un *cognomen*, ossia un'ulteriore denominazione di un individuo o di un gruppo familiare, derivato, come etnico, dal nome *Hadria* di due città, l'attuale Adria RO e Atri TE, e indicava quindi l'origine, la provenienza da una di queste due città: la famiglia cui apparteneva Publio Elio Adriano, imperatore romano dal 117 al 138, proveniva, secondo la tradizione, da Atri. *Hadrianus* divenne poi, in età imperiale, nome unico, assunto soprattutto da schiavi o stranieri affrancati dall'imperatore Adriano o da altri padroni così denominati, che assumevano il nome di chi li aveva liberati. Recentemente il femminile *Adriana* è stato ridiffuso, soprattutto in Emilia-Romagna e Toscana, dalla fortuna dell'opera lirica del 1902 di F. Cilea, su libretto di A. Colautti, «Adriana Lecouvreur».

Àdua (6.500) F. ALTERATI: *Aduàna* (50). - M. *Aduo* (200). ALTERATI: *Aduìno* (50). Diffuso nel Nord e nel Centro, con più alta frequenza in Toscana e anche in Emilia-Romagna, è un nome ideologico-patriottico insorto per la profonda eco che ebbe la grave sconfitta subita dalle truppe italiane comandate dal generale O. Baratieri a Adua, capitale del Tigrè, l'1 marzo 1896, durante la 1ª guerra etiopica, e in parte anche l'occupazione di Adua nel 1935, nella 2ª guerra etiopica. Singolare, e prova della profonda risonanza di questi fatti militari, è la formazione dei nomi maschili *Aduo* e *Aduino*.

Afro (2.400) M. VARIANTI: *Àfrico* (150), *Africano* (25). - F. *Afra* (4.500). VARIANTI: *Africa* (150), *Africana* (20). Distribuito nel Nord e nel Centro, con più alta frequenza in Emilia-Romagna e in Toscana, riflette il culto di vari santi di questo nome (anche se può avere in alcuni casi qualche ascendenza classica e letteraria), in particolare di Santa Afra martire di Brescia sotto l'imperatore Adriano, di Sant'Africano martire in Africa sotto l'imperatore Decio. I tre tipi italiani risalgono ai latini *Afer* e *Afra*, *Africus* e *Africa*, *Africanus* e *Africana*, originari *cognomina*, ossia ulteriore denominazione di individui e gruppi familiari, in questo caso riferita alla loro origine etnica e geografica, l'Africa, diventati poi in età imperiale nomi personali unici.

Afrodìsio (20) M. Rarissimo e disperso riflesso del culto di alcuni santi, non italiani, risale, attraverso il latino *Aphrodisius*, al greco *Aphrodísios* 'sacro, dedicato a Afrodite' (v. *Afrodite*).

Afrodìte (150) F. VARIANTI: *Afroditi* (75). Raro e disperso, più frequente nel Napoletano, è una ripresa colta, di impronta classica e di età rinascimentale e moderna, del nome greco della dea dell'amore, *Aphrodítē* (in latino *Aphrodita* o *Aphrodite*), di oscura etimologia.

Agamènnone (20) M. Rarissimo nome di impronta classica e letteraria, ripresa rinascimentale e moderna del nome del re di Micene capo degli Achei nella guerra di Troia, in greco *Agamémnōn*, personaggio dell'«Iliade» di Omero e quindi di varie tragedie, tra cui una di Èschilo, una di Seneca e una di V. Alfieri.

Àgape (400) F. - M. *Agàpio* (10). VA-

RIANTI: *Agàbio* (25). Esteso dal Nord alla Toscana, e accentrato per più di ²/₃ in Lombardia per *Agape*, riflette il culto di varie sante e vari santi così denominati, e in particolare di Santa Agape martire con Donato e Sabino e di Sant'Agapio martire di Cesarea in Palestina. I due nomi greci originari, *Agápē* e *Agápios*, adottati in latino come *Agape* e *Agapius*, sono il primo formato e il secondo derivato da *agápē* 'amore', che nel Cristianesimo antico ha assunto il significato di 'carità, solidarietà cristiana; amore fraterno fra cristiani'.

Agàpito (700) M. VARIANTI: *Agàbito* (50). Diffuso in tutta l'Italia continentale, ma accentrato per i ²/₃ a Roma e nella provincia e soprattutto a Palestrina, riflette il culto di vari santi, papi e martiri, di questo nome, e soprattutto di Sant'Agapito, martire a 15 anni a Palestrina durante le persecuzioni dell'imperatore Aureliano, e patrono appunto di Palestrina (dove il culto è molto vivo, e quasi 200 abitanti maschi su un totale di circa 5.000 hanno ancora questo nome) e inoltre di S. Agapito IS. Il nome greco originario *Agapētós*, adattato in latino come *Agápitus*, ha, come derivato del verbo *agapân* 'amare', il significato di 'amato', in ambienti cristiani di 'amato da Dio'.

Àgar o *Agàr* (700) F. Disperso nel Nord e nel Centro, è un nome tipicamente israelitico dell'Antico Testamento: *Hāgār*, che in ebraico ha il significato di 'fuga', adattato in greco e in latino come *Agar* e *Agar*, è la schiava egizia concubina di Abramo che gli generò, dopo un tentativo di fuga nel deserto, il figlio Ismaele.

Àgata (45.000). F. ALTERATI: *Agatèlla* (50), *Agatina* (6.500). NOMI DOPPI: *Àgata Marìa* (250). - M. *Àgato* (20). ALTERATI: *Agatino* (4.500). Accentrato in Sicilia per i ³/₅ di *Agata* e i ⁴/₅ degli alterati, con epicentro a Catania e nella provincia (con maggiore densità a Acireale, Giarre, Gravina, Misterbianco e Paternò), e di qui irradiato in tutta l'Italia (soprattutto nel Nord, a Milano, Torino, Genova, ecc., per emigrazione interna recente), dove in parte è tuttavia anche primario, autonomo, è insorto e si è affermato con il culto di Sant'Agata vergine, martire a Catania durante la persecuzione dell'imperatore Decio del 251, patrona di Catania e di numerosi altri centri di tutta l'Italia (Santhià TO, Radicofani SI, Sant'Agata Feltria PS e UR, Sant'Agata di Puglia FG, ecc.), protettrice contro le eruzioni dell'Etna e gli incendi. Il nome originario è greco, *Agathē'*, derivato dall'aggettivo *agathós* 'buono' e al femminile, appunto, *agathē'* 'buona', adottato in latino come *Agatha* o *Agathe*: la prima diffusione di questo nome in Sicilia e in genere nell'estremo Sud d'Italia è stata certamente greco-bizantina.

Agàtocle (20) M. Rarissimo e disperso, è una ripresa colta, isolata, del nome greco *Agathoklês*, latinizzato in *Agáthocles*, di vari personaggi storici e letterari dell'antichità greca, e soprattutto di Agatocle tiranno di Siracusa dal 316 al 289 a.C. Il nome greco è formato da *agathón* 'bontà, nobiltà' e da *-klês* da *kléos* 'gloria, fama', con il significato originario di 'illustre, famoso per la bontà, per la nobiltà'.

Agatóne (20) M. Rarissimo e disperso, è ormai un esile riflesso del culto dei vari santi di questo nome, in particolare di Sant'Agatone papa nel VII secolo e di Sant'Agatone martire in Sicilia con Trifina: il nome greco originario *Agáthōn*, latinizzato in *Agaton -ónis*, è la forma ridotta di uno dei nomi composti con *agathós* 'buono, nobile' o *agathón* "bontà, nobiltà' (v. *Agatocle*).

Agàzio (600) M. - F. *Agàzia* (50). Proprio della Calabria, e qui accentrato nella provincia di Catanzaro per più di ¹/₃, riflette il culto locale di Sant'Agazio (in greco *Agáthios* da *agathós* 'buono', latinizzato in *Agathius*), centurione martirizzato a Costantinopoli nelle persecuzioni di Diocleziano e Massimiano, il cui corpo fu miracolosamente portato fino a Squillace, e lì conservato e venerato, patrono di Guardavalle CZ e di Squillace CZ, dove ha un numero relativamente molto alto di abitanti così denominati (75 e 30).

Agènore (650) M. Distribuito nell'Italia settentrionale e più centrale, è una ripresa colta, rinascimentale e moderna, del nome greco *Aghē'nōr* (composto di *aga-* 'molto' e *anē'r* 'uomo', quindi 'molto virile; coraggioso, valoroso'), latinizzato in *Agenor*, del mitico re di Tiro, e padre di Cadmo e di Europa che generò, con Zeus, Minos re di Creta (mito che riflette gli antichi rapporti tra la Fenicia, Creta e la Grecia). Il nome greco è d'incerta etimologia e interpretazione: forse da *aga-* 'molto' e *anē'r* 'uomo; guerriero', quindi 'molto virile, coraggioso; arrogante', o più probabilmente dal tema *aghe-* 'guidare' (v. *Agesilao*) e *anē'r* 'guerriero', quindi 'capo di guerrieri'.

Agesilào (150) M. - Raro, disperso in tutta l'Italia, riprende per via colta e letteraria il nome greco *Aghēsílaos* (composto dal tema *aghe-* ampliato in *aghē-si-* 'che guida' e *laós* 'popolo', quindi 'guida, capo di un popolo'), adattato in latino come *Agesiláus*, di vari personaggi mitici e storici e in particolare del re di Sparta Agesilao del IV secolo a.C. Alla diffusione del nome può avere in parte contribuito la tragedia *«Agésilas»* di P. Corneille del 1666, in cui è protagonista il re di Sparta.

Aggèo (100) M. VARIANTI: *Agèo* (200). - F. *Agèa* (50). Limitato al Nord e al Centro, con altissima densità in Emilia-Romagna, è un nome sia israelitico sia cristiano. Nell'Antico Testamento Aggeo, in ebraico Ḥaggay, 'nato nel giorno festivo', adattato in greco e in latino come *Aggâios* e *Aggaeus*, è il decimo dei profeti minori, riconosciuto ufficialmente dalla Chiesa come santo. Ma un santo cristiano di questo nome, nella forma latina *Aggaeus*, martire a Bologna durante le persecuzioni dell'imperatore Massimiano, ha avuto in Emilia-Romagna e in particolare a Bologna un antico culto, che spiega la concentrazione in questa area di più della metà delle persone così denominate.

Àgide (1.200) M. Diffuso nel Nord e nel Centro con più alta frequenza in Lombardia, è un nome di matrice colta, classica, storica e letteraria, che recupera tra l'età rinascimentale e moderna il nome greco *Âghis*, latinizzato in *Agis -idis*, di vari re di Sparta, e in particolare di Agide IV, del III secolo a.C., protagonista della tragedia di V. Alfieri del 1789 «Agide», che avrà in parte influito sulla diffusione di questo nome.

Agilulfo (75) M. Raro, accentrato per più di ¹/₄ in Toscana, è un nome di origine germanica, in Italia di tradizione longobardica, formato da **agi-l-* 'terro-re, spavento' e **wulfa-* 'lupo', con il significato quindi di 'lupo che incute spavento' (v. *Adolfo*). *Agilulfo* è il nome del re dei Longobardi dal 591 al 615, convertito al cattolicesimo dalla moglie (v. *Teodolinda*), e anche di un santo, vescovo di Colonia nell'VIII secolo e martire: l'uno e l'altro possono avere contribuito alla pur esile sopravvivenza di questo nome.

Aglàia (200) F. VARIANTI: *Aglàe* (150). Limitato al Nord, con maggiore frequenza nel Veneto, è una ripresa colta, classicheggiante, di epoca rinascimentale e moderna, del nome di una delle tre Grazie o Càriti della mitologia greco-latina, in greco *Aglaía*, latinizzato in *Agláie*, derivato da *aglaós* 'splendente, bellissimo', quindi 'la splendente (di bellezza)'.

Agnèllo (600) M. VARIANTI: *Aniéllo* (20.000). ALTERATI: *Anellino* (50). - F. *Agnèlla* (75). VARIANTI: *Anèlla* (2.000), *Aniélla* (100). ALTERATI: *Anellina* (300). Caratteristico della Campania, dove è concentrato, nel tipo *Aniello*, per più dei ³/₄ (soprattutto nel Napoletano e a Napoli stessa, a Torre del Greco, Ercolano e Portici, e nel Salernitano), è un nome cristiano che riflette il profondo culto locale di Sant'Agnello (Aniello nella forma regionale napoletana), abate di Napoli, che liberò la città dall'assedio agitando il vessillo della Croce, compatrono di Napoli e patrono di vari centri, tra cui Guarcino (FR). Nelle altre aree il tipo *Aniello* è importato dalla Campania in séguito alla recente immigrazione interna, soprattutto nel Nord, mentre il tipo italiano *Agnello* può anche essere indipendente, diffuso dal culto per altri santi, non compresi nel «Martirologio Romano», o beati di questo nome, come Sant'Agnello vescovo di Ravenna nel VI secolo e il beato Agnello da Pisa, compagno di San Francesco. Il nome continua il soprannome affettivo latino *Agnellus*, da *agnellus* 'agnello', affermatosi come nome cristiano in quanto l'agnello è simbolo di Gesù Cristo (*Agnus Dei* 'Agnello di Dio') sacrificatosi, vittima innocente, per la redenzione dell'umanità, e in generale di mitezza, di purezza e di fedeltà cristiana.

Agnése (67.000) F. ALTERATI: *Agnesina* (300). NOMI DOPPI: *Agnése Marìa* (200). - M. *Agnésio* (15). Largamente distribuito in tutta l'Italia, più frequente a Roma e in provincia e più raro in Sicilia, è un nome cristiano che riflette il culto di varie sante così denominate, e in particolare di due riconosciute ufficialmente dalla Chiesa, Sant'Agnese martire giovinetta a Roma all'inizio del IV secolo, le cui reliquie sono conservate nella chiesa di S. Agnese in Agone in Piazza Navona, e Sant'Agnese di Gracciano presso Montepulciano SI (di cui è patrona), suora domenicana, fondatrice nel 1306 e superiora del monastero di Montepulciano (oltre a una Sant'Agnese di Assisi francescana, sorella di Santa Chiara, il cui culto non è riconosciuto ufficialmente ma ammesso dalla Chiesa). Alla base è il nome greco, già classico, *Haghnē'* (da *haghnē'* 'casta, pura'), adattato in latino come *Agnés* (che conserva l'accento originario greco), affermatosi in ambienti cristiani per il suo evidente riferimento alle virtù cristiane della purezza e della castità (v. anche *Ines*).

Agostino (83.000) M. - F. *Agostina* (19.000). Diffuso in tutta l'Italia (con una maggiore compattezza del femminile *Agostina* in Sardegna), riflette il culto di vari santi di questo nome e in particolare di Sant'Agostino vescovo di Ippona (ora Bona in Algeria) e dottore della Chiesa, morto nel 430, le cui reliquie furono trasportate prima in Sardegna e poi a Pavia, patrono di Sant'Agostino FE e di Termine Imerese PA. È la continuazione, per tradizione semidotta o anche popolare, del nome familiare latino *Augustinus*, derivato da *Augustus* (v. *Augusto*), diffusosi in età imperiale anche come nome unico individuale.

Agricola (50) M. VARIANTI: *Agrícolo* (25). Raro, disperso nel Nord, riflette il culto di vari santi di questo nome, e in particolare di Sant'Agricola martire a Bologna con San Vitale sotto Diocleziano e Sant'Agricola martire a Ravenna sotto Massimiano. Continua con tradizione dotta il *cognomen* e soprannome latino già d'età classica *Agricola* (Gneo Giulio Agricola, comandante romano in Britannia, era il suocero dello storico Tacito), formato da *agricola* 'agricoltore, contadino' (composto di *ager agri* 'campo, terreno' e *colere* 'coltivare'), diventato in tarda età imperiale nome personale.

Agrippino (800) M. - F. *Agrippina* (1.100). Fortemente accentrato, per quasi la metà, a Catania e in provincia e soprattutto a Mineo, è tuttavia presente anche nell'Italia continentale dove è in gran parte, specialmente nelle grandi città del Nord, irradiato dalla Sicilia con la recente immigrazione interna. L'insorgenza e la diffusione è determinata dal culto di santi e sante di questo nome, in particolare di Sant'Agrippina vergine e martire a Roma sotto l'imperatore Valeriano, le cui reliquie furono traslate appunto a Mineo CT, di cui è patrona (e dove esistono ancora circa 250 abitanti così denominate), e di Sant'Agrippino vescovo di Napoli nel IV secolo, patrono di Azzano NA (dove pure il nome è ancora molto frequente). Alla base è il nome gentilizio latino *Agrippinus* e *Agrippina*, derivato dal *cognomen*, o soprannome maschile, *Agrippa* (noto per il console del 503 a.C. Menenio Agrippa, che con il noto apologo dello stomaco e delle membra riconciliò la plebe con i patrizi). *Agrippa*, formato da *agr-* 'per primo, di punta' e *pes* 'piede', significava propriamente 'nato per i piedi, con parto podalico', e veniva dato come nome a bambini così nati, e, se sopravvissuti, considerati fortunati in quanto per lo più, durante questo difficile parto, morivano.

Aguinaldo (50) M. Rarissimo, limitato all'Italia centro-settentrionale con più alta frequenza in Emilia-Romagna, si è probabilmente diffuso (anche se può avere una lontana origine ostrogotica) con la risonanza delle imprese di Emilio Aguinaldo, rivoluzionario e poi presidente delle Filippine negli ultimi anni dell'Ottocento, nel periodo della guerra ispano-americana. Il cognome spagnolo ha alla base - se si scarta l'ipotesi non documentabile di un nome visigotico - un soprannome formato dallo spagnolo *aguinaldo*, forma antiquata di *aguinando*, denominazione dei canti popolari cantati per il 1° dell'anno e di chi li cantava andando per le strade e le case a chiedere una strenna o una mancia.

Aiàce (150) M. Diffuso sporadicamente nell'Italia centro-settentrionale e più compatto in Toscana, è un nome classico e letterario che riprende il nome greco *Áias*, latinizzato in *Aiax*, di incerta origine e interpretazione, di due eroi dell'«Iliade», Aiace Telamònio, protagonista della tragedia «Aiace» di Sòfocle, e Aiace di Oilèo.

Aicardo (15) M. Rarissimo e disperso, è un nome di origine germanica, formato da *aig-* 'proprio, caratteristico' e *hardhu-* 'forte, valoroso', con un significato che potrebbe quindi essere 'dotato di personalità e valore' o 'che si distingue per il proprio valore', di tradizione ostrogotica e poi longobardica e francone.

Aìda (13.000) F. VARIANTI: *Aìde* (500). - M. *Aìdo* (100). Largamente diffuso nel Nord e nel Centro, con più alta compattezza in Emilia-Romagna e in Toscana, raro nel Sud, è un nome di moda affermatosi nell'ultimo Ottocento con la fortuna, anche a livello popolare, dell'opera lirica «Aida» di G. Verdi, su libretto di A. Ghislanzoni, commissionata dal khedivè d'Egitto e rappresentata per la prima volta al Cairo nel 1871, nel quadro dei festeggiamenti per l'apertura del Canale di Suez. Aida, che forse è un'alterazione del nome egizio *'Iti* operata dal creatore di questa romantica storia del tutto fantastica, il francese Auguste Mariette, è la protagonista, l'eroina, del melodramma, la schiava figlia del re degli Etìopi Amonasro innamorata del comandante dell'esercito egizio Radamès e rivale della principessa Amneris, condannata a morte insieme a Radamès (v. *Amneris*, *Amonasro* e *Radamès*, pure affermatisi nell'onomastica italiana, anche se molto più rari, con la popolarità dell'«Aida» verdiana).

Àimóne (950) M. VARIANTI: *Àimo* (450). Diffuso nel Nord e nel Centro, con più alta frequenza in Toscana e soprattutto in Emilia-Romagna, ha alla base un nome germanico, di tradizione già longobardica e quindi francone, composto con il primo elemento *haimi-* 'casa, patria' (in tedesco *Heim*, in inglese *home*), del tipo *Amerigo*, come ipocoristico abbreviato, cioè ridotto al primo componente. Il nome è documentato in Italia sin dall'VIII secolo nelle forme latinizzate *Aimo* e *Aimone*, ma anche se può avere avuto una certa diffusione già nel Medio Evo, sia perché proprio di alcuni santi o beati sia per il personaggio delle «*Chansons de geste*» francesi Ai-

mone di Dordogna, padre del paladino Rinaldo di Montalbano, cugino di Orlando, la sua maggiore diffusione è recente, dell'Ottocento, motivato dal prestigio patriottico assunto durante le guerre per l'unità d'Italia dalla casa Savoia, in cui questo nome era antico e tradizionale (il personaggio più noto è Aimone conte di Savoia nel Trecento).

Ain Zara (100) F. VARIANTI: *Ainzara* (150). Diffuso nel Nord e nel Centro, è un nome ideologico e patriottico affermatosi durante la guerra italo-turca del 1911-12 per le due vittorie riportate dalle truppe italiane a Ain Zara, centro fortificato intorno a una sorgente (in arabo *'ain* significa appunto 'sorgente') e a un palmeto presso Tripoli.

Aladino (3.500) M. - F. *Aladina* (1.000). ABBREVIATI: *Ala* (700), *Alétta* (100). Accentato per più di ²/₃ in Toscana e attestato sparsamente nel Nord, rispecchia la fortuna che ebbe, anche in ambienti popolari, a partire dal primo Ottocento, la novella arabo-egiziana «Aladino e la lampada magica», inclusa nella raccolta «Le mille e una notte», di cui il giovane cinese Aladino (in arabo *'Alā 'ad dīn* 'rispettoso, devoto della religione', antico nome onorifico di sultani e prìncipi musulmani) è protagonista. L'attribuzione di *Ala* e *Aletta* al nome singolarmente trasposto al femminile *Aladina*, come forme abbreviate, è solo un'ipotesi fondata sulla coerenza areale della distribuzione, accentata per tutte queste forme in Toscana.

Alarico (450) M. Diffuso nell'Italia centro-settentrionale e in Abruzzo, forse in parte per il culto di Sant'Alarico o Adalrico eremita e monaco in Svizzera nel X secolo (però poco noto in Italia e non compreso nel «Martirologio Romano»), continua il nome germanico, di tradizione gotica, *Alariks*, latinizzato in *Alaricus* (composto di *ala-* 'tutto, intero', e nei composti, con valore semplicemente rafforzativo e superlativo, 'molto', e *rikja-* 'potente, ricco', quindi 'molto potente'), noto soprattutto per il re dei Visigoti Alarico I, che invase l'Italia e occupò e saccheggiò Roma nel 410, e del figlio Alarico II, e già prima di un re degli Eruli.

Alba (53.000) F. NOMI DOPPI: *Alba Marìa* (900), *Alba Ròsa* o *Albaròsa*

(1.900). - M. *Albo* (750). VARIANTI: *Àlbio*
(50). Diffuso in tutta l'Italia, ma più frequente nel Nord, meno nel Centro e meno ancora nel Sud, presenta una notevole complessità di possibili tradizioni onomastiche e quindi di interpretazioni etimologiche e storico-culturali. Può infatti
avere alla base il soprannome e nome individuale già latino *Alba* e *Albus* (da *albus* 'bianco', di origine incerta, probabilmente etrusca o prelatina), continuatosi nel Medio Evo oppure ripreso per
via dotta e letteraria nel Rinascimento.
Può inoltre rappresentare, soprattutto
nel maschile *Albo*, l'ipocoristico, ossia la
forma abbreviata, di nomi di origine germanica come *Alberico*, *Alberto*, *Alboino* (v. *Albizzo*).

Albano (5.500) M. ALTERATI: *Albanino* (20). - F. *Albana* (700). VARIANTI:
Albània (200). Diffuso nell'Italia centro-
settentrionale con più alta frequenza in
Emilia-Romagna e Toscana, continua,
promosso dal culto di Sant'Albano di
Magonza, martire sotto i Vandali in un'i-
sola del Mediterraneo occidentale, e di
Sant'Albano martire in Britannia durante le persecuzioni di Severo o di Diocleziano, il nome gentilizio o soprannome e
poi nome individuale latino *Albanus*,
che denominava, come etnico, il gruppo
familiare o un individuo originario di
una città chiamata *Alba* (da una base
preindoeuropea *alb-* 'monte, altura'),
come l'antica città laziale *Alba Longa*,
Alba Fucentia presso il lago Fùcino, *Alba Pompeia* del Piemonte, l'attuale Alba
CN.

Alberico (4.400) M. VARIANTI: *Alberigo* (600). - F. *Alberica* (300). VARIANTI:
Alberice (150). Diffuso in tutta l'Italia
continentale, continua un nome germanico, di tradizione soprattutto francese
(*Albaric*, in tedesco *Alberich* e *Elbe-
rich*), composto da *albhi-* 'elfo' (in tedesco *Elf*) e *rikja-* 'signore, re', quindi
're degli elfi', esseri per lo più benigni
della mitologia nordica che impersona-
vano le forze della natura. Può avere in
parte una tradizione religiosa, per i molti
santi e beati di questo nome del Medio
Evo e anche di età moderna.

Albèrto (214.000) M. VARIANTI: *Alibèrto* (250). ALTERATI: *Albertino* (2.000).
NOMI DOPPI: *Albèrto Maria* (150), -*Màrio*
(550). - F. *Albèrta* (20.000). ALTERATI:

Albertina (29.000). Largamente diffuso
in tutta l'Italia (la variante *Aliberto* è
propria della Toscana), continua il nome
germanico, in Italia di tradizione già longobardica ma soprattutto francone, attestato dall'VIII secolo nelle forme latinizzate *Alpertus* e *Albertus* (in tedesco *Al-
brecht* e *Albert*, formato da *ala-* (v. *Alarico*) e *berhta-* (v. *Adalberto*, di cui in
alcuni casi può anche essere una forma
abbreviata), con il significato quindi di
'molto illustre, famoso'. La grande diffusione è stata promossa dall'essere diventato anche un nome cristiano, per i
molti santi e beati di questo nome come,
in particolare, Sant'Alberto Magno vescovo nel Duecento, filosofo, teologo e
dottore della Chiesa, Sant'Alberto degli
Abbati da Trapani, predicatore carmelitano del Duecento in Sicilia e patrono di
Erice TP e di Revere MN. L'alterato *Albertino* può essere anche autonomo, sostenuto dal culto del monaco benedettino del Duecento Sant'Albertino da
Montone PG.

Albino (26.000) M. - F. *Albina*
(36.000). Distribuito con alta frequenza
nell'Italia centro-settentrionale (qui, in
particolare, a Trieste), raro invece nel
Sud, continua il soprannome latino *Albi-
nus* (o *Albinius*), proprio della *gens Po-
stumia*, derivato da *albus* 'bianco', riferito al colore chiaro della carnagione o dei
capelli. La diffusione è stata sostenuta
dal culto di vari santi e sante, di questo
nome, come Sant'Albino vescovo di
Lione e Sant'Albina martire a Formia
sotto l'imperatore Decio.

Àlbizzo (50) M. VARIANTI: *Àlbizo*
(25). Raro e attestato solo in Toscana,
con più alta compattezza a Firenze e Livorno e nelle due province, continua un
nome germanico derivato con il suffisso
-izo dall'ipocoristico *Albo* di nomi composti in *Alb-* come *Alberico*, *Alberto*, *Alboino*, documentato in Toscana dal X
secolo nelle forme latinizzate *Albitho* e
Albitio, e dal Duecento *Albizus*. Dal nome è derivato, agli inizi del Duecento, il
cognome *Àlbizzi* (o *Degli Àlbizzi*)
della grande famiglia magnatizia che ebbe, sino al Quattrocento, un ruolo di primo piano nella vita politica di Firenze.

Alboìno (50) M. Rarissimo e disperso
nell'Italia continentale, continua un nome germanico, di tradizione longobardi

ca, composto con un primo elemento *albhi*- 'elfo' (v. *Alberico*), o con *athala*- 'nobiltà', e un secondo elemento *wini*- 'amico': il significato originario potrebbe quindi essere sia 'amico degli elfi' sia 'nobile amico' o, con un valore religioso, 'nobile e caro agli dei'. *Alboino* è il nome del re dei Longobardi che nel 568 penetrò in Italia e, superando la debole resistenza di Ostrogoti e Bizantini, ne occupò gran parte dell'area settentrionale e centrale, fondando così il regno barbarico longobardico.

Alcèo (2.250) M. VARIANTI: *Arcèo* (50), *Algeo* (50). - F. *Alcèa* (300). Diffuso nel Nord e nel Centro, è la ripresa in età rinascimentale e moderna, d'impronta colta e letteraria, dell'antico nome greco *Alkâios*, derivato da *alkē'* 'forza', latinizzato in *Alcaeus*, del mitico eroe *Èracle*, e di vari scrittori tra cui il grande poeta greco Alceo di Mitilene (nell'isola di Lesbo) del VII-VI secolo a.C.

Alcèste (2.000) F. VARIANTI: *Alcèsta* (25). ALTERATI: *Alcestina* (100). - M. *Alcèsto* (10). Diffuso nel Nord e nel Centro, con più alta frequenza in Toscana e soprattutto in Emilia-Romagna, è una ripresa rinascimentale e moderna, letteraria e colta, del nome greco *Alkēstis* (da *alkēstē's* 'forte, coraggioso', v. *Alceo*), latinizzato in *Alcestis*, della mitica eroina moglie di Admeto, che accettò di morire al posto del marito (v. *Admeto*, anche per la tradizione di questi due nomi). In alcuni casi *Alceste* può essere anche un nome maschile, e allora riprende il nome francese *Alceste* del protagonista della commedia «*Le misanthrope*» di G.-B. Molière del 1666.

Alcibìade (500) M. Distribuito sporadicamente nel Nord e nel Centro, è una ripresa rinascimentale e moderna, di impronta storico-letteraria, del nome greco *Alkibiádēs* (da *alk(i)*-, tema di *alkē'* 'forza' e *bía* 'violenza', quindi, forse, 'forte e violento'), latinizzato in *Alcibíades*, del grande uomo politico e comandante militare ateniese Alcibiade, morto nel 404 a.C.

Alcide (7.000) M. VARIANTI: *Alcido* (20), *Alcìdio* (20), *Arcide* (100), *Arcido* (25), *Arcidio* (25). - F. *Alcida* (100). Distribuito tra il Nord e il Centro con altissima frequenza in Emilia-Romagna (do-

ve sono quasi esclusive le varianti in *Arc-*), è una forma che alterna con Alceo con valore patronimico, ossia 'figlio, discendente di Alceo' (v. *Alceo*, anche per l'impronta e la tradizione del nome). In greco *Alkéidēs* (derivato con il suffisso *-idēs* da *Alkâios*), adattato in latino come *Alcides*, è l'epiteto di Èracle, il cui nonno paterno era appunto Alceo.

Alcina (75) F. - M. *Alcino* (25). Disperso nel Nord e nel Centro, è un nome di matrice letteraria, moderno, ripreso dal nome *Alcina* dato da L. Ariosto, nell'«Orlando Furioso», alla maga che adesca con la bellezza e le arti magiche, nella sua isola incantata, il campione cristiano Ruggiero, sottraendolo ai combattimenti, e altri guerrieri.

Alcmèna (75) F. Raro e disperso in tutta l'Italia, è un nome d'impronta classica, letteraria, ripreso in età rinascimentale e moderna dal nome greco, *Alkmē'nē* (da *álkimos* 'forte, potente; coraggioso'), latinizzato in *Alcmena*, della mitica moglie di Anfitrione che ebbe da Zeus, che aveva preso le sembianze del marito assente, il figlio Èracle. Il mito è ripreso dai tragici greci e latini, quindi nella commedia «*Amphitruo*» di Plauto, e in età moderna e contemporanea da J.-B. Molière nell'«*Amphitryon*» del 1668 e da J. Giroudoux nell'«*Amphitryon 38*» del 1929: tutte queste opere hanno contribuito all'adozione di questo nome.

Aldegardo (25) M. - F. *Aldegarda* (50). Raro, limitato al Nord e più frequente in Emilia-Romagna, ha alla base un nome germanico di tradizione probabilmente longobardica formato da *alda*- 'anziano; saggio, esperto', e un secondo elemento incerto, forse *garda*- 'protezione, difesa', oppure *gard*- 'verga' (con valore magico), con un significato originario anch'esso incerto (come spesso nei nomi composti germanici, i cui due componenti vengono a volte liberamente interscambiati), forse 'esperto nella difesa (dei propri uomini)', o 'saggio per virtù della verga magica'.

Aldegónda (500) F. - M. *Aldegóndo* (10). Concentrato in Toscana e in Emilia-Romagna, e sporadico nelle altre aree del Nord, riflette un nome germanico, di tradizione longobardica e poi francone, composto da *alda*- 'anziano;

esperto, saggio' e **gunth-* 'combattimento, battaglia', quindi 'esperto nella battaglia' (significato che può sembrare poco convincente per un nome femminile: ma i nomi femminili germanic: non sono autonomi, nor hanno per lo più ur, significato proprio, ma sono derivati dai rispettivi maschili o composti di due elementi indipendenti, senza un significato unitario). Alla diffusione del nome può avere contribuito il culto di Santa Aldegonda, suora nel VII secolo in Francia durante il regno franco di Dagoberto.

Alderico (300) M. VARIANTI: *Alderigo* (150), *Alderigi* (100), *Olderigi* (50), *Olderigio* (20). - F. *Alderica* (50). VARIANTI: *Alderice* (75), *Olderige* (100). Distribuito tra il Nord e il Centro, più compatto per *Alderico* in Emilia-Romagna e per *Alderigo* in Toscana, è la rara continuazione di un nome germanico di tradizione ostrogotica composto con **alda-* 'anziano, saggio, esperto' e **rikja-* 'signore, re', quindi 're, signore dotato di saggezza'. Può essere in parte nome cristiano, diffuso per il culto, non comune in Italia, di due santi francesi, Sant'Alderico vescovo di Le Mans e vescovo di Sens (non compresi nel «Martirologio Romano»). Le forme in *-igi* possono essere anche femminili.

Aldo (262.000) M. ALTERATI e DERIVATI: *Aldino* (2.900), *Aldùccio* (20); *Aldèro* (50), *Aldèrio* (25), *Alderino* (150), *Aldorino* (100), *Altorino* (50); *Alderano* (150); *Aldìsio* (50), *Audìsio* (50); *Aldesino* (50). NOMI DOPPI: *Aldo Màrio* (150). - F. *Alda* (41.000). ALTERATI e DERIVATI: *Aldina* (10.000); *Alderina* (400), *Aldesina* (400), *Aldesira* (100). NOMI DOPPI: *Alda Marìa* (400). Diffuso in tutta l'Italia (con minore frequenza nel Sud), accentrato per *Aldino* in Emilia-Romagna, per *Aldero* e *Alderano* e *Aldesira* in Toscana, per *Aldorino* o *Altorino* in Abruzzo, ha alla base, nella forma fondamentale, un ipocoristico germanico sia autonomo, formato da **alda-* 'anziano, vecchio' e quindi 'esperto, saggio' (participio presente di *alan* 'crescere'), sia costituito dall'abbreviazione a un solo elemento, quello iniziale o terminale, di nomi composti con **alda-* o anche con **walda-* 'potere, comando' (e quindi 'che ha potere, che esercita il comando'), come *Aldegardo*, *Aldobrando*

o *Arnaldo*, *Rainaldo*, *Romualdo* (v. questi nomi). La tradizione è in Italia già longobardica e poi francone: la diffusione, per il femminile *Alda*, è stata poi promossa dal personaggio dei poemi carolingici in antico francese Alda la Bella, la fidanzata di Orlando; possono inoltre avere influito in minima parte i culti di alcuni santi o beati (non riconosciuti ufficialmente dalla Chiesa), tra cui Sant'Aldo eremita, Sant'Alda di Parigi, la beata Alda terziaria francescana di Siena. Alcuni derivati, come *Aldero*, *Alderano*, *Aldorino*, *Aldesino*, *Aldesira*, possono rappresentare anche un incrocio con nomi di diversa origine o formazione.

Aldobrando (300) M. VARIANTI: *Aldebrando* (250), *Altobrando* (100); *Ildebrando* (2.300), *Alibrando* (200), *Aliprando* (50). ALTERATI: *Aldobrandino* (25). ABBREVIATI: *Brando* (300), *Brandino* (150), *Brandìsio* (50), *Brandìzio* (10); *Bandino* (150), *Bandinèllo* (10), *Bandùccio* (10); *Bindo* (400). - F. *Aldobranda* (15). Diffuso soprattutto nell'Italia centrale, con più alta compattezza in Toscana (e per *Ildebrando* e *Bindo* anche in Emilia-Romagna), presenta, in un gruppo pur unitario per la comune origine e tradizione germanica, un quadro molto complesso di formazione e derivazione. La base più lontana è il nome germanico, documentato dall'VIII secolo nella forma latinizzata *Hildebrandus*, composto con **hildjo-* 'battaglia, combattimento' e **branda-* 'incendio, fuoco' e in senso figurato 'spada che ha il bagliore del fuoco' (da cui è derivato, per tramite del francese antico *brant*, l'italiano letterario *brando*), e che avrebbe quindi il significato originario di 'spada della battaglia'. In Toscana, dove è normale il passaggio fonetico di *ild-*in *ald-*, *Ildebrando* ha assunto la forma *Aldebrando* o *Aldobrando*. Ma già nell'VIII secolo è documentato nel Nord e in Toscana il nome di tradizione longobardica, o bavarese o alamannica, *Alteprand* e *Alprand* (con la caratteristica rotazione consonantica di *b* a *p*), in cui il primo componente potrebbe anche essere diverso, o **alda-* 'anziano; esperto, saggio', oppure **athala-* 'nobiltà': e il significato originario potrebbe quindi essere 'esperto con la spada' o 'spada nobile' e 'nobile per la spada'. Da *Ildebrando* o *Aldobrando* si è poi formato l'ipocoristico *Brando*, abbreviato del primo elemento, mentre dal diminutivo *Aldobrandino* si sono formati gli ipocoristici *Bandino*, caratteristico della Toscana (che può anche rappresentare una base germanica *bandwo-* 'bandiera, insegna'), e *Bindo*, accentrato in Toscana e in parte minore in Emilia-Romagna. La derivazione di questi ipocoristici da *Aldobrandino* è attestata, nel «Libro di Montaperti» del 1260 di Firenze, dalle formule onomastiche "Aldobrandinus... qui Bandinus vocatur" e "Aldobrandinus... qui vocatur Bindus". Le forme *Aliprando* e *Alibrando* possono anche essere composte con un primo elemento germanico diverso, come *ala-* 'tutto, intero' (v. *Alarico*). La diffusione del tipo fondamentale *Aldobrando* può essere stata promossa localmente dal culto di Sant'Aldobrando vescovo di Bagnoregio VT, di Sant'Aldebrando vescovo di Fossombrone PS (non compresi nel «Martirologio Romano»), e del beato Aldobrandino d'Este vescovo di Ferrara.

Alduìno (500) M. VARIANTI: *Aldoìno* (25), *Aldovino* (150). - F. *Alduìna* (500). VARIANTI: *Aldoìna* (50), *Aldovina* (100). Proprio del Centro, con più alta frequenza in Toscana, continua, sostenuto forse dal culto di Sant'Alduino arcivescovo nel VII secolo di Rouen in Francia (non riconosciuto ufficialmente dalla Chiesa), il nome germanico composto con *alda-* 'anziano; saggio, esperto' e *wini-* 'amico, compagno', con il significato quindi di 'amico saggio'. Non è escluso che in alcuni casi possa anche rappresentare un'alterazione toscana di *Arduino*.

Aleàrdo (2.300) M. VARIANTI: *Aleàldo* (25). ABBREVIATI: *Leàrdo* (550), *Leardino* (20), *Leàldo* (25). - F. *Aleàrda* (200). ABBREVIATI: *Leàrda* (60), *Leardina* (25). Diffuso nel Nord, soprattutto nel Veneto e più in Emilia-Romagna, e anche in Toscana, noto per il patriota e poeta veronese risorgimentale Aleardo Aleardi (che così cambiò il proprio nome originario Gaetano), continua un lontano nome germanico, *Alhard* o *Adelhard*, composto con il secondo elemento *hardhu-* 'duro; forte, valoroso'

(v. *Bernardo*) e un primo componente *ala-* 'del tutto', con valore rafforzativo o superlativo (quindi 'molto valoroso'), o *athala-* 'nobiltà di stirpe' (quindi 'nobile e valoroso').

Alemanno (200) M. VARIANTI: *Alamanno* (100). Accentrato per più dei ²/₃ in Toscana e sporadico nel Nord, continua un nome etnico medievale *Alemanno* o *Alamanno* 'che appartiene alla popolazione degli Alamanni; che è originario dell'Alemagna', derivato dal germanico *alaman* (formato da *ala-* 'tutto; nell'insieme' e *mann(o)-* 'uomo'), che nel gotico *alamans*, plurale, significava 'insieme di uomini di varie stirpi'. Nella tarda età imperiale e per tutto il Medio Evo questo etnico ha indicato l'insieme delle popolazioni sveve della Germania meridionale e Alemagna indicava sia la Svevia sia, più in generale, la Germania, e soprattutto quella meridionale più vicina all'Italia.

Aleramo (100) M. VARIANTI: *Alerano* (25). Accentrato in Piemonte e Liguria ma sporadicamente presente nel restante Nord e in Toscana, ha alla base un nome germanico formato con il secondo elemento *hrabhan-* 'corvo' (in tedesco *Raben*, in inglese *Rave*), animale, nella mitologia e nelle tradizioni germaniche, sacro a Odino, dotato di poteri magici, che seguiva i guerrieri in battaglia per infondere fiducia e coraggio, e da un primo elemento che potrebbe essere sia *ala-* con valore rafforzativo (v. *Alarico*), sia *athala-* 'nobiltà', sia anche *alda-* 'saggio, esperto', anche come primo componente ripreso da un altro nome composto (che comporta l'impossibilità di definire il significato originario, caso frequente nell'onomastica personale germanica). Il nome di tradizione francone *Aleramo* (in latino medievale *Aleramnus*, con l'esito francone *-amn* di *-abhan*) appare per la prima volta in Italia nel X secolo per il figlio di Guglielmo di Borgogna dal quale ebbe origine e fu denominata la grande famiglia feudale degli Aleramici, che estesero il loro dominio, dagli originari marchesati del Monferrato, di Acqui e di Savona, a un'ampia zona compresa tra il Mar Ligure e il Po.

Alessandro (159.000) M. ALTERATI: *Alessandrino* (200). ABBREVIATI: *Lisan-*

dro (300); *Sandro* (35.000), *Sandrino* (1.300). - F. *Alessandra* (52.000). VA- RIANTI: *Alessàndria* (150). ALTERATI: *Alessandrina* (8.500). ABBREVIATI: *Lisan- dra* (75); *Sandra* (9.000), *Sandrina* (2.000). Diffuso con alta frequenza in tutta l'Italia, con maggiore compattezza nel Nord e specialmente in Lombardia, è invece specifico della Toscana per la for- ma abbreviata *Lisandro*. Continua l'an- tico nome greco *Aléxandros*, adottato in latino come *Alexander*, di vari personag- gi letterari e storici della Grecia, tra cui Alessandro di Troia, altro nome del fi- glio del re Priamo, Paride, dell'«Iliade», e Alessandro Magno il Macèdone, crea- tore nel IV secolo a.C. di un grande im- pero esteso dalla Grecia all'Asia e all'E- gitto: il nome si affermò in Italia e nell'Occidente prima nel tardo Medio Evo, anche per la diffusione dei poemi epici di matrice francese del ciclo dei ca- valieri antichi, e poi nel Rinascimento, con la ripresa della cultura classica, sem- pre sostenuto, inoltre, dal culto dei nu- merosissimi santi (40 solo quelli ufficial- mente riconosciuti dalla Chiesa) così de- nominati. Il nome greco *Aléxandros*, interpretato dai Greci, per etimologia popolare, come 'difensore dei propri uo- mini, dei propri sudditi' (dal verbo *aléxe- in* 'proteggere, difendere' e *anē'r an- drós* 'uomo', è certamente un nome asiatico, forse frigio, di etimo e significa- to ignoto.

Alèssio (11.000) M. VARIANTI: *Alèsio* (100), *Alèssi* (15). - F. *Alèssia* (300). VA- RIANTI: *Alèsia* (25). ALTERATI: *Alessina* (150). Distribuito in tutta l'Italia, conti- nua, attraverso l'adattamento latino *Alexius*, il nome greco *Aléxios* (dal ver- bo *aléxein* 'difendere, proteggere') 'di- fensore, protettore', che può anche rap- presentare un ipocoristico, ossia una for- ma abbreviata, di *Aléxandros* (v. *Ales- sandro*) o di altri nomi di analoga com- posizione. Il nome si è diffuso in Italia sia, soprattutto nel Sud e nel Nord-Est, per tradizione diretta bizantina, sia per il culto di grandi santi così denominati, co- me Sant'Alessio di Roma, un nobile del IV secolo ritiratosi a vita ascetica a Edes- sa, e Sant'Alessio Falconieri, uno dei sette fondatori, nel Duecento, dell'ordi- ne dei Servi di Maria Vergine a Firenze.

Alfa (3.000) F. - M. *Alfo* (500). Este-

so per tutta l'Italia centro-settentriona- le, con più alta frequenza in Emilia- Romagna e in Toscana, non ha testimo- nianze antiche certe e non consente quindi una sicura interpretazione: po- trebbe essere collegato, anche come for- ma ridotta, con altri nomi in *Alf-* (v. *Al- fano* e *Alfio*).

Alfano (200) M. Accentrato in To- scana per più della metà, e per il resto disperso tra Nord e Centro, risale a un *cognomen* latino del tardo Impero *Alfa- nus* o *Alphanus* di origine incerta, diven- tato poi nome personale e diffuso, in parte, per il culto di Sant'Alfano arcive- scovo di Salerno nell'XI secolo.

Alfèo (4.800) M. - F. *Alfèa* (1.000). Distribuito tra il Nord e il Centro, con più alta frequenza per il maschile in Emi- lia-Romagna e per il femminile in Tosca- na, è un nome di matrice fondamental- mente cristiana collegato a due perso- naggi del Nuovo Testamento, il padre dell'evangelista Levi o Matteo e di Gia- como il Minore, venerati come santi, e a Sant'Alfeo martire in Palestina durante la persecuzione di Diocleziano. Il nome originario aramaico, *Halpay* o *Hal'fī*, di incerta interpretazione, adattato in greco come *Alphâios*, si è diffuso attra- verso la forma latina *Alphaeus*.

Alfièro (6.500) M. VARIANTI: *Alfèrio* (300), *Alfèro* (25), *Alfière* (100), *Alfièri* (750). ALTERATI: *Alfierino* (20), *Alferino* (100), *Olferino* (50). - F. *Alfièra* (300). VARIANTI: *Alfèria* (75). ALTERATI: *Alfieri- na* (75). Diffuso nel Nord e nel Centro, continua un nome germanico di tradizio- ne francone, documentato in Italia dal IX secolo nelle forme latinizzate *Adalfe- rius* o *Adelferius* e, già sincopata, *Alfe- rius*, composto di un primo elemento *athala-* 'nobiltà (di stirpe)' e di un se- condo elemento *faraz* 'che conduce, che guida' (in tedesco *fahren* 'viaggia- re'), con un significato originario che po- trebbe quindi essere 'nobile capo (di una spedizione militare)', o anche 'capo elet- to per la sua nobiltà'. Il nome può essere stato in parte diffuso dal culto di Sant'Alferio (non compreso nel «Marti- rologio Romano»), fondatore e primo abate dell'abbazia cluniacense della SS. Trinità di Cava dei Tirreni SA all'inizio dell'XI secolo. La forma *Alfieri* riflette però l'adozione recente, laica, come nome personale del cognome di Vittorio Alfieri, di matrice non letteraria ma ideologica, in quanto l'Alfieri ha rappresentato i più alti ideali di libertà, di giustizia e d'indipendenza.

Àlfio (37.000) M. ALTERATI: *Alfino* (100). - F. *Àlfia* (7.000). ALTERATI: *Alfina* (1.100). Fortemente accentrato, per quasi ⁴/₅, in Sicilia, nelle province di Siracusa (e qui soprattutto a Lentini) e di Catania (qui in particolare a Acireale, Adrano, Belpasso, Biancavilla, Bronte, Giarre, Paternò, Zafferana Etnea), è un nome cristiano promosso dall'antico e radicato culto locale per Sant'Alfio, martire con Cirino e Filadelfo a Lentini (di cui è patrono), durante le persecuzioni di Decio o di Valeriano. Alla base è il nome familiare e soprannome latino *Alphius*, di origine osco-umbra, corrispondente al tipo propriamente latino *Albius*, e anche al greco *Alphios* (che può avere influito sulla diffusione del nome latino): il significato è sempre 'bianco, molto chiaro' (in latino *albus* e in greco *alphós*), riferito originariamente al colore della pelle o dei capelli della persona. V. anche *Lola*.

Alfònso (83.100) M. VARIANTI: *Alfònzo* (100). ALTERATI: *Alfonsino* (450). - F. *Alfònsa* (6.000). VARIANTI: *Alfònza* (75). ALTERATI: *Alfonsina* (13.000), *Alfonzina* (50). Diffusissimo in tutta l'Italia, con più alta compattezza in Campania e, per il femminile *Alfonsa*, in Sicilia (per più dei ²/₅) e soprattutto nell'Agrigentino, è un nome prevalentemente cristiano ma in parte anche laico. Come nome cristiano è insorto e si è diffuso, soprattutto in Campania, per il culto di Sant'Alfonso de' Liguori, nato a Marianella NA e morto nel 1787 a Pagani SA, vescovo di Sant'Agata dei Goti BN (e patrono sia di Pagani dove il nome è frequentissimo, sia di Sant'Agata), fondatore della Congregazione del SS. Redentore. Come nome laico riflette, soprattutto in Campania e in Sicilia, il prestigio dei vari re di Spagna (il primo è Alfonso I il Cattolico re delle Asturie nell'VIII secolo), e quindi di Napoli (Alfonso I e II, nel Quattrocento), più in generale l'influsso esercitato dall'onomastica personale spagnola nel lungo periodo di dominazione della Spagna in Italia. Il nome spagnolo *Alfonso*, in forma popolare

Alonso (v. *Alonzo*), continua un nome germanico, introdotto dai conquistatori visigoti all'inizio del V secolo (documentato dal IX secolo nelle forme latine medievali *Adelfonsus* o *Aldefonsus* e *Alfonsus*), composto con il secondo elemento *funza-* 'pronto, veloce; valoroso', e un primo componente che può essere stato sia *ala-* 'del tutto' (quindi 'molto valoroso'), o *athala-* 'nobiltà' (quindi 'nobile e valoroso'), o il gotico *hathus* 'battaglia' (quindi 'valoroso in battaglia'), e al limite anche *hildjo-* 'battaglia' (per cui v. *Ildefonso*): questi primi elementi possono essersi sovrapposti e confusi, in modo da rendere impossibile una sicura identificazione. In Italia *Alfonso* può avere avuto anche una prima, limitata tradizione longobardica, in quanto in Toscana, nell'VIII secolo, è attestato un *Alfusus* nel «Codice diplomatico longobardo».

Alfrédo (163.000) M. ALTERATI: *Alfredino* (100). - F. *Alfréda* (3.000). VARIANTI: *Alfrida* (250), *Alfride* (100). ALTERATI: *Alfredina* (1.100). Distribuito nel maschile in tutta l'Italia e nel femminile nel Nord e nel Centro (con altissima frequenza in Toscana, specialmente in Lucchesia e nel Livornese), è un nome di recente affermazione in Italia, anche se già è testimoniato in età longobardica nell'VIII secolo (nelle forme *Alfredus* e a Pisa *Alifrid(i)*, composte da *alda-* 'anziano; saggio' o *athala-* 'nobiltà' e *frithu-* 'pace', quindi 'saggio o nobile nella pace'), e avrà quindi avuto sin dal Medio Evo una prima sporadica diffusione (anche per il limitato culto di Sant'Alfredo, benedettino del IX secolo vescovo di Hildesheim). Ma la grande diffusione del nome in Italia si è determinata tra il Settecento e l'Ottocento, per due vie diverse. La base onomastica lontana è il personale anglosassone *Aelfraed* (composto con *aelf* 'elfo' e *raed* 'consiglio, assemblea', con un significato religioso-mitologico non facile a definirsi), che si è poi incrociato e fuso con l'altro nome anglosassone *Ealdfrith* (composto di *eald* 'anziano; saggio' e *frith* 'pace', quindi 'saggio nella pace' come il precedente nome longobardico e il tedesco *Altfried*), assumendo la nuova forma inglese *Alfred*, penetrata quindi in Francia e dalla Francia, nell'ultimo Settecento, in Italia, dove già era nota per grandi personaggi di questo nome della storia inglese. La seconda diffusione è stata promossa, dal secondo Ottocento, dalla grande fortuna e popolarità dell'opera lirica di G. Verdi «La Traviata» (libretto di F. M. Piave ispirato a «*La dame aux camélias*» di A. Dumas junior), rappresentata per la prima volta al teatro La Fenice di Venezia nel 1853, in cui *Alfredo* è il nome del protagonista, l'amante di Violetta.

Algèri (200) F. VARIANTI: *Algerìa* o *Algèria* (100). ALTERATI: *Algerina* (100). - M. *Algèro* (100). ALTERATI: *Algerino* (100). Accentrato in Toscana, e sporadico nell'Italia continentale, è forse un nome ideologico e patriottico che riflette le aspirazioni ottocentesche italiane sull'Algeria o comunque alla neutralizzazione del centro della pirateria barbaresca di Algeri (occupata nel 1830 dalla Francia). *Algero* e *Algeria* possono tuttavia rappresentare anche una variante, sincopata, di *Adalgerio* (v. *Alighiero*).

Alice (25.000) F. VARIANTI: *Alicia* (400). - M. *Alicio* (15). Diffuso soltanto nel Nord e nel Centro, è un nome che ha avuto, con l'eccezionale fortuna che di un modello letterario (tale da far creare il singolare maschile *Alicio*), una recentissima, rapida e straordinaria, diffusione (anche se è attestato in nomi di personaggi storici, però francesi o di origine francese, del Medio Evo, come, nel XII secolo, Alice del Monferrato e Alice di Champagne regine di Cipro, Alice di Borgogna contessa di Savoia e Alice di Champagne regina di Francia). La base lontana è il nome germanico *Athalhaid*, *Adelheid* in tedesco moderno (v. *Adelaide*), che nel francese antico assunse la forma *Aalis* o *Alis* per cui poi, attraverso la latinizzazione *Alicia*, si generalizzò la grafia *Alice*: e così è denominata un'eroina di alcuni romanzi e poemi francesi del tardo Medio Evo che ebbero larga diffusione anche in Inghilterra, per cui il nome *Alice* si affermò anche nell'onomastica inglese. La fortuna italiana, europea e anche americana, del nome data tuttavia dal 1865, l'anno in cui il matematico e scrittore inglese L. Carrol pubblicò il romanzo fantastico «*Alice's adventures in Wonderland*», sùbito tradotto in moltissime lingue, e in italiano con il titolo «Alice nel paese delle meraviglie», che diede al nome una straordinaria affermazione sia in Inghilterra, sia in molti altri paesi (soprattutto gli Stati Uniti d'America, il Canada, la Francia e l'Italia). La fortuna del nome aumentò poi con la pubblicazione, nel 1871, del secondo romanzo, a séguito del primo, «*Throught the looking-glass*», in italiano «Attraverso lo specchio», e ha avuto una recentissima ripresa con la trasposizione del romanzo nel film di cartoni animati di W. Disney «*Alice in Wonderland*» del 1951.

Alida (7.500) F. VARIANTI: *Alide* (4.000), *Alìdea* (50). - M. *Alido* (600). VARIANTI: *Alìdeo* (100). Limitato al Nord e in parte anche al Centro, con più alta frequenza, per il femminile, in Friuli-Venezia Giulia e in Emilia-Romagna, e per il maschile nell'Udinese e in Toscana, è quasi certamente l'adattamento di un nome di origine germanica, formato con **hildjo-* 'combattimento, battaglia' (come il longobardico *Alihild*; v. anche *Ilda*) o con **athala-* 'nobiltà' (v. *Adelaide*). L'ipotesi di una derivazione da un nome gentilizio latino *Alidius* o *Alidus*, di oscura interpretazione e tardo, è contraddetta dalla mancanza di una tradizione medievale e anche rinascimentale del nome, mentre l'origine germanica può essere confermata dall'esistenza, sin dal primo Duecento, della grande famiglia feudale degli Alidòsi di Castel del Rio BO, di provenienza germanica come di impronta germanica è il cognome. Intorno alla metà del Novecento il nome di *Alida* può avere avuto un'ulteriore estensione per la notorietà dell'attrice cinematografica Alida Valli (nome d'arte di Alida Maria Altenburg, nata a Pola nel 1921).

Alighièro (1.400) M. VARIANTI: *Alighièri* (100), *Aldighièro* (50), *Aldivièro* (50), *Adalgèrio* (25), *Alghèro* (20). - F. *Alighièra* (75). Diffuso dal Nord-Est alla Toscana, dove è accentrato per più della metà delle persone così denominate, è un nome laico, di origine germanica, sostenuto, soprattutto dall'ultimo Settecento, dal cognome di Dante, Alighieri (in particolare nella forma *Alighieri*). Dante stesso, nel XV canto del «Paradiso», traccia la storia della propria nobile famiglia, e del proprio cognome, attraverso il racconto del suo trisavolo Cacciaguida, che sposò una donna degli Aldighieri "di val di Pado" la quale dette a uno dei figli il proprio nome familiare, diventato poi cognome della famiglia (*Alighiero* era stato il nome del bisnonno e poi del padre stesso di Dante). Il nome, già attestato dal X secolo nelle forme in latino medievale *Alagherius*, *Alaghierus*, *Alaghieri*, dal XII secolo *Alacheri* o *Alachieri* e *Alcher* (e in area germanica *Alaker*), mentre G. Villani, nel Trecento, denomina il poeta "Dante *Alighieri*", risale a un originario nome germanico, di tradizione longobardica o alamannica, composto con *ala-* 'intero, del tutto', qui con valore rafforzativo o superlativo, e *gaira-* 'lancia', con un significato non precisabile, dato che i due elementi potrebbero essere stati giustapposti traendoli da due diversi composti, ma collegato con una bravura e un valore eccezionale nell'uso della lancia. La forma *Aldighiero* è insorta per un incrocio con nomi pur germanici che cominciano con *Ald-*, come *Alderico*, *Aldobrando*.

Aligi (650) M. VARIANTI: *Alìgio* (20). Accentrato per i $^2/_5$ in Toscana, e per il resto disperso nel Nord e nel Centro, può avere alla base una variante toscana di *Aloisio* o una forma abbreviata di *fiordaligi* (v. *Fiordalisa*), ma si è comunque diffuso recentemente per tramite letterario e teatrale per il nome del protagonista della tragedia «La figlia di Iorio» di G. D'Annunzio del 1904, il pastore Aligi innamorato di Mila di Codra.

Alina (4.000) F. - M. *Alino* (400). Distribuito nel Nord e anche nel Centro, con più alta frequenza in Toscana, ammette varie ipotesi di interpretazione, tra cui quella di rappresentare una forma abbreviata di *Annalina* e *Rosalina* (v. *Anna* e *Rosa*), ipotesi sostenuta dalla coincidenza delle aree di distribuzione delle forme dei due nomi doppi e di quelle abbreviate.

Alinda (400) F. - M. *Alindo* (20). Disperso nel Nord, è probabilmente la forma abbreviata di *Rosalinda*, ipotesi avvalorata dall'uniformità dell'area settentrionale di diffusione dei due nomi.

Alìpio (400) M. - F. *Alìpia* (25). Distribuito nel Nord e nel Centro, con più alta frequenza nelle Marche e soprattut-

to in Toscana, è un nome cristiano, riflesso del culto di Sant'Alipio vescovo di Tagaste in Numidia nel IV secolo e amico di Sant'Agostino. Alla base è il nome greco *Alýpos* o *Alýpios*, adattato in latino in *Alypus* o *Alypius*, frequente come nome e soprannome di schiavi in età imperiale, formato da *álypos* (composto di *a-* privativo e *lýpē* 'dolore, sofferenza'), 'che non ha, che non dà dolori, sofferenza, pene'.

Allégro (250) M. ALTERATI: *Allegrino* (25). - F. *Allégra* (300). ALTERATI: *Allegrina* (400). Diffuso nell'Italia centrosettentrionale, con più alta frequenza in Emilia-Romagna e in Toscana, è un nome augurale e gratulatorio che risale al tardo Medio Evo, che esprime, con l'aggettivo *allegro*, o l'augurio che il bambino cresca e viva sereno e lieto, o il ringraziamento per l'allegria, la felicità, che la nascita del bambino ha apportato ai genitori.

Alma (33.000) F. ALTERATI: *Almina* (500). NOMI DOPPI: *Almaròsa* (150). - M. *Almo* (1.300). ALTERATI: *Almino* (50). Proprio del Nord e del Centro, con più alta frequenza in Emilia-Romagna e in Toscana, riflette tre tradizioni onomastiche diverse. In minima parte può essere stato una ripresa colta, rinascimentale o moderna, dell'aggettivo latino *almus* (da *alere* 'nutrire, far nascere') 'che nutre, che dà vita', epiteto di varie divinità della religione romana. Più tardi, nella seconda metà dell'Ottocento, può essere insorto come nome ideologico e patriottico con riferimento alla vittoria anglofrancese sulle forze russe del 1854, presso il fiume *Alma*, durante la guerra di Crimea (1854-56). Infine, tra l'ultimo Ottocento e il primo Novecento, ha avuto più ampia diffusione con il nome *Alma* della protagonista del dramma «Die Ehre» del tedesco H. Sudermann del 1888, che nella traduzione «L'onore» fu rappresentato con successo anche in Italia.

Almerino (1.100) M. VARIANTI: *Armerino* (50), *Almerindo* (300), *Amerindo* (25); *Almèrio* (50), *Almièro* (50), *Almiro* (250). ABBREVIATI: *Merindo* (25). -F. *Almerina* (2.000). VARIANTI: *Armerina* (75), *Almerinda* (1.600), *Amerinda* (50); *Almèria* (50), *Almira* (300). ABBREVIATI: *Merinda* (100). Distribuito nel

Nord e nel Centro, con diversa concentrazione nelle varie forme, ma esteso anche all'Abruzzo e alla Campania (e qui più compatto, limitatamente al tipo *Almerindo* o *Amerindo*), è un gruppo onomastico fondato su una proposta di interpretazione, su un'ipotesi solo probabile. Le forme qui raggruppate potrebbero essere delle varianti e alterazioni del nome *Aldemiro* (v. *Adelmiro*), o anche *Amerio*, o di altri nomi di origine germanica di analoga formazione, alterati già dal Medio Evo per una serie di accostamenti formali e di incroci non più ricostruibile per la scarsità delle documentazioni antiche.

Almirante (20) M. Rarissimo, proprio della Campania, ha alla base l'antico nome regionale di carica e di grado *almirante*, prestito dallo spagnolo *almirante*, prestito a sua volta dall'arabo *al - amīr* 'alto funzionario' e 'comandante (di una flotta)'.

Aloìsio (100) M. VARIANTI: *Aloise* (20); *Alvise* (3.100), *Alvìsio* (200), *Alviso* (50). - F. *Aloìsia* (500). VARIANTI: *Aloìsa* (300); *Alvisa* (150), *Alvisia* (75). Variante di *Lodovico* e *Luigi* (v. questi nomi, e anche *Clodoveo*), attestata in tutta l'Italia nel tipo *Aloisio* (nel maschile accentrato nel Palermitano, nel femminile nella provincia autonoma di Bolzano dove è sostenuto dal maschile tedesco *Alois*), nel Nord e meno nel Centro, con più alta frequenza nel Veneto e in Lombardia, nel tipo di origine veneziana *Alvise*. Rappresenta uno degli adattamenti italiani della forma *Looïs* o *Louis* (pronunciata *loìs* o *luìs*) che nel francese antico assunse il nome germanico, di tradizione francone, *Lodovico* (in latino medievale *Ludovicus*, a Firenze già documentato nel 1208 nella forma di transizione *Lodoisius*). V. anche *Aligi* cne potrebbe essere connesso con questo tipo nominale.

Alònzo (50) M. Accentato per ⅓ nel Palermitano, e per il resto disperso, è l'adattamento meridionale del nome spagnolo *Alonso*, variante popolare di *Alfonso* (v. questo nome), affermatosi nel Sud per la lunga presenza politica e culturale della Spagna.

Alpino (300) M. ALTERATI: *Alpìnolo* (250). - F. *Alpina* (250). Diffuso nel Nord, specialmente in Emilia-Roma-

gna, e in Toscana, dove ha la più alta frequenza, può rappresentare sia una variante di *Albino*, sia la continuazione di un nome familiare etnico e poi nome individuale latino *Alpinus* e *Alpina* 'delle Alpi', sia infine il diminutivo di *Alpo*.

Alpo (200) M. - F. *Alpa* (25). Peculiare della Toscana, rappresenta probabilmente una variante, di tradizione longobardica o tedesca, dell'ipocoristico germanico *Albo* o *Albone* (v. *Alba*).

Altavilla (600) F. - M. *Altavillo* (10). Caratteristico dell'Umbria e del Lazio, riflette la tradizione colta del cognome di grande prestigio storico della famiglia e dinastia normanna degli Altavilla, il cui primo rappresentante è Tancredi, dell'XI secolo: i figli Roberto il Guiscardo e Ruggero occuparono la Puglia e quindi la maggior parte dell'Italia meridionale compresa la Sicilia, fondandovi il Regno normanno che perdurò fino alla conquista sveva del 1194. Il cognome deriva dal feudo originario di Hauteville (ora Hauteville-le-Guichard) nella Francia settentrionale della famiglia normanna.

Altèa (1.000) F. - M. *Altèo* (450). Sparso nell'Italia centro-meridionale, è una ripresa colta, classica, del nome di un personaggio della mitologia, *Althéa* (da *althéia*, latinizzato in *Althea*, 'che cura, che guarisce'), madre di Meleagro e di Deianira.

Altèro (1.000) M. VARIANTI: *Altèrio* (200), *Altièro* (300), *Altièri* (50); *Artèrio* (25), *Artièro* (25). ALTERATI: *Alterino* (100). - F. *Altèra* (100). VARIANTI: *Altèria* (25). Diffuso nel Nord e nel Centro, con più alta frequenza in Toscana e nel Lazio, continua un nome germanico composto con *alda-* 'anziano; saggio, esperto' e *harja-* 'esercito, popolo in armi' con un significato non precisabile ('esperto nella guida dell'esercito'?) in quanto i componenti erano spesso diventati elementi autonomi e intercambiabili: è documentato a Genova nel XII secolo nella forma latinizzata *Auterius* e nel «Libro di Montaperti» di Firenze del 1260 come *Altero* e *Altieri*. È possibile che rifletta in parte anche un soprannome medievale formato da *altero* 'pieno di dignità; orgoglioso, superbo'.

Altobèllo (100) M. - F. *Altabèlla* (100). Accentato in Campania e Abruzzo, continua un nome augurale medievale formato dai due aggettivi giustapposti *alto* e *bello*.

Altomare (250) M (anche F). Accentrato per più della metà in Puglia, e disperso per l'altra metà soprattutto nel Sud, può rappresentare sia un originario soprannome medievale dato a chi viaggiava per mare (da *altomare*), sia una deformazione, per etimologia popolare, di nomi germanici di forma analoga, come *Aldemaro* (v. *Ademaro*).

Alvaro (8.500) M. VARIANTI: *Alvàrio* (50). ALTERATI: *Alvarino* (25). - F. *Alvara* (700). ALTERATI: *Alvarina* (100). Diffuso nel Nord e nel Centro fino all'Abruzzo, con fortissimo accentramento in Toscana specialmente per il femminile, è un nome di moda, di matrice teatrale, che ha avuto una recente eccezionale fortuna, collegata alla fortuna e alla popolarità dell'opera lirica del 1862 di G. Verdi «La forza del destino», su libretto di F. M. Piave, il cui protagonista è appunto Alvaro. Il librettista aveva desunto la trama dal dramma *«Don Álvaro o la fuerza del sino»* del 1835 dello scrittore spagnolo Ángel Saavedra y Ramírez de Baquedano, ma conoscendo poco lo spagnolo, e non venendo per lo più segnato l'accento in spagnolo sulle vocali maiuscole accentate, diede erroneamente al nome del protagonista, don *Álvaro* in spagnolo, la più normale accentazione piana dell'italiano, ossia *Alvàro*: con questo accento fu cantato, e si diffuse come nome maschile con tanta fortuna che se ne derivò anche il singolare femminile *Alvàra*. In minima parte, tuttavia, il nome ha potuto avere una prima limitata diffusione attraverso la commedia «La vedova scaltra» del 1748 di C. Goldoni (in cui don Alvaro, ma sempre pronunciato all'italiana Alvàro, è uno dei quattro pretendenti, quello appunto spagnolo, della bella vedova Rosaura (v. *Rosaura*), e già prima, direttamente, dal nome personale che sarà stato certamente portato e diffuso dagli Spagnoli durante la loro lunga dominazione e presenza in Italia. Il nome spagnolo *Álvaro* continua il nome personale visigotico *Alwaro*, formato da **ala-* 'del tutto, molto', e **warja-* 'difesa, protezione' o **warjaz* 'difensore', con un significato originario che potrebbe

essere 'che si difende bene da tutti (i nemici)' o anche 'difesa, difensore di tutti'.

Amàbile (10.000) F (anche M). VARIANTI: *Amabìlio* (50). - F. *Amabìlia* (1.100). Distribuito nel Nord e nel Centro, continua il soprannome e poi nome individuale latino, maschile e femminile, *Amabilis* (da *amare*, quindi 'degno di esser amato, amabile'), affermatosi in ambienti cristiani con il valore di meritevole dell'amore divino, e quindi, dal Medio Evo, sempre come maschile e femminile (tanto che poi, quando in età moderna divenne normale solo al femminile, si sentì la necessità di distinguere i due generi con le due nuove forme *Amabilio* e *Amabilia*), anche per l'attributo *Mater amabilis* di Maria Vergine, comune soprattutto nelle litanie. Oltre che come nome cristiano, sostenuto in minima parte anche dal culto di un martire in Africa e di un confessore di Riom in Francia, e di una suora di Rouen (non compresi come santi nel «Martirologio Romano»), è stato dal Medio Evo anche un nome laico, augurale e gratulatorio.

Amalfi (300) F. VARIANTI: *Amàlfia* (25), *Amalfa* (15). ABBREVIATI: *Malfa* (50). M. *Amàlfio* (25). VARIANTI: *Amalfo* (15). Sparso tra il Nord e il Centro, è uno dei pochi nomi personali, insorto nel Medio Evo, formato da un toponimo, Amalfi SA, con valore etnico (cioè 'di Amalfi, Amalfitano').

Amàlia (67.000) F. ABBREVIATI: *Màlia* (75), *Malina* (100). - M. *Amàlio* (700). ABBREVIATI: *Màlio* (25). Largamente distribuito in tutta l'Italia, sostenuto dal culto di Sant'Amalia martire a Tavio in Galazia (non riconosciuta ufficialmente dalla Chiesa), ha alla base la forma abbreviata di nomi importati in Italia dai Goti composti con un primo elemento **ama-l-* 'molto attivo, perseverante', come *Amalaberga*, figlia di *Amalafrida*, sorella di Teodorico re degli Ostrogoti, *Amalasunta* figlia di Teodorico e a lui succeduta nel regno, *Amalarico* re dei Visigoti (VI secolo). Questo tipo nominale era tradizionale, e antichissimo, negli Ostrogoti, tanto che la stessa popolazione e dinastia ostrogotica aveva il nome di *Àmali*.

Amando (50) M. ALTERATI: *Amandino* (15). - F. *Amanda* (1.200). ALTERATI: *Amandina* (200). Diffuso soprattutto nel

Nord e in Toscana, continua il soprannome e poi nome latino *Amandus* (gerundivo di *amare*, quindi 'che deve essere amato'), sostenuto nel maschile dal culto, pur raro in Italia, di alcuni santi francesi e belgi del tardo Impero e del primo Medio Evo. La forma femminile *Amanda* è, come comprova la sua molto più alta frequenza, autonoma da quella maschile: si è affermata come nome di moda recentemente, sul modello del nome *Amanda* di attrici e cantanti straniere.

Amante (400) F (anche M). ALTERATI: *Amantina* (150). - M. *Amanto* (25). ALTERATI: *Amantino* (25). Proprio dell'Italia centrale e più compatto in Toscana, pare rappresentare un nome augurale e affettivo medievale, 'che ama, pieno di amore'.

Amànzio (550) M. - F. *Amànzia* (50). Distribuito nel Nord e nel Centro, con più alta frequenza a Como e a Roma e nelle rispettive province, è un nome cristiano collegato al culto di vari santi di questo nome, e in particolare di Sant'Amanzio vescovo di Como e Sant'Amanzio martire a Roma durante le persecuzioni di Adriano. Alla base è il soprannome e poi nome individuale latino *Amantius*, derivato da *amans amantis* participio presente di *amare*, 'che ama', riferito in ambienti cristiani all'amore per Dio.

Amaranto (150) M. VARIANTI: *Amarando* (50). - F. *Amaranta* (50). Peculiare del Lazio, dove è accentrato nella provincia di Rieti, continua, sostenuto dal culto per Sant'Amaranto martire presso Albi in Provenza, il soprannome e nome individuale latino *Amaranthus* o *Amarantus* (la grafia -*thus* è dovuta all'accostamento peretimologico con il greco *ánthos* 'fiore'), adattamento del greco *Amárantos*, che propriamente significa 'che non appassisce'.

Amarilli (100) F. VARIANTI: *Amarìllide* (75). Raro, disperso nell'Italia settentrionale e centrale, è la ripresa colta, rinascimentale o moderna, del nome greco *Amaryllís -ídos* (forse collegato con il tema *amar-* di *amaryssein* o *marmáirein* 'risplendere', quindi 'splendente'), in latino *Amaryllis -idis*, di una pastorella della poesia bucolica greca e latina, soprattutto di Teòcrito e di Virgilio.

Amato (4.000) M. ALTERATI: *Amatino*

(20), *Amatùccio* (20). - F. *Amata* (700). Largamente diffuso in tutta l'Italia continentale, con più alta frequenza in Toscana e in Campania, presenta due tradizioni diverse. Può continuare il *cognomen* o gentilizio latino già di età repubblicana *Amatus* (da *amatus*, participio perfetto di *amare*), 'amato', diventato poi nome individuale con il valore, in ambienti cristiani, di 'amato da Dio' (ma *Amatus*, che nell'«Eneide» al femminile *Amata* è il nome della moglie del re del Lazio antico Latino, potrebbe anche avere un'origine prelatina, forse etrusca). Può rappresentare d'altra parte un nome affettivo e gratulatorio medievale, dato a un bambino molto atteso e desiderato, quindi 'amato'. In ogni caso è sostenuto, specialmente in alcune zone, dal culto per alcuni santi di questo nome, in particolare di Sant'Amato vescovo nel XII secolo e patrono di Nusco AV (dove il nome è ancora molto frequente).

Amatóre (450) M. - F. *Amatrice* (15). Accentrato per quasi la metà in Lombardia e disperso per l'altra metà in tutta l'Italia, ha come base lontana il *cognomen* o gentilizio latino *Amator -oris* 'amante, che ama', poi diventato nome individuale con il significato, in ambienti cristiani, di 'devoto a Dio', ma è stato ridiffuso dal culto di vari santi così denominati e in particolare, nel Nord, di Sant'Amatore venerato nel celebre santuario della Madonna del Roc-Amadour in Provenza, meta di pellegrinaggi, nel tardo Medio Evo, anche dall'Italia. A Firenze, nella forma *Amadore* (che riflette probabilmente il provenzale *Amadour*), è documentato fin dal 1203, e appare abbastanza frequente.

Ambalagi (50) F. Disperso in varie zone d'Italia, è l'ormai ultimo riflesso del nome ideologico-patriottico insorto alla fine dell'Ottocento e nel primo Novecento in relazione ai fatti militari determinatisi su questo alto monte e valico del Tigrè in Etiopia, Amba Alagi (in amarico *Amba Alagè*, da *amba* 'monte'): la sconfitta, con gravi perdite, del presidio italiano comandato dal maggiore P. Toselli nel 1895, durante la 1ª guerra etiopica; la riconquista del monte nel 1936 durante la 2ª guerra etiopica; forse, infine, la lunga e eroica resistenza in quella zona, nel 1941, delle truppe italiane al comando di Amedeo duca d'Aosta contro preponderanti forze inglesi, durante la 2ª guerra mondiale, conclusasi con la resa con l'onore delle armi.

Ambra (2.500) F. ALTERATI: *Ambrétta* (1.100). - M. *Ambro* (50). Diffuso nel Nord e nel Centro, con maggiore compattezza in Emilia-Romagna e in Toscana, è un nome affettivo e augurale insorto nel tardo Medio Evo per esprimere, a una bambina, l'augurio di avere la bellezza, la luminosità e il profumo dell'ambra, e forse sostenuto più tardi, specialmente in Toscana, dal poemetto in ottave di Lorenzo dei Medici, «Ambra», la ninfa trasformata in pietra che avrebbe dato origine alla villa medicea di Poggio a Caiano. L'ambra (adattamento dell'arabo *'ambar* 'ambra grigia') è una resina fossile più comune nel Baltico, usata come materiale ornamentale e per oggetti d'uso preziosi fin dall'antichità, di vario colore, trasparente e ricca di riflessi. L'ambra grigia è una concrezione dell'intestino del capodoglio, proveniente dai mari orientali, largamente usata nel Medio Evo per il suo intenso profumo di muschio.

Ambrògio (25.000) M. VARIANTI: *Ambròsio* (100). ALTERATI: *Ambrogino* (100), *Ambrosino* (25). - F. *Ambrògia* (1.300). VARIANTI: *Ambròsia* (50). ALTERATI: *Ambrogina* (6.000), *Ambrosina* (900). Accentrato per quasi i ³/₄ in Lombardia, soprattutto a Milano e Como, diffuso con varia frequenza nel Nord e raro nel Centro e nel Sud, ha come base lontana il nome greco *Ambrósios*, derivato dall'aggettivo *ambrósios* e questo da *ámbrotos* 'immortale' (formato da *a*-privativo e *brotós* 'mortale'), adottato in latino come *Ambrosius* e affermatosi in età cristiana nel nuovo valore di 'destinato alla vita eterna, alla salvezza spirituale'. Ma il nome si è affermato in Italia soprattutto con il culto di vari santi così denominati, in particolare, a Milano e in Lombardia, di Sant'Ambrogio vescovo di Milano nel IV secolo e dottore della Chiesa, patrono di Milano e di vari altri centri (Carate Brianza MI, Inverigo CO, Stresa NO, ecc.), e nel Lazio meridionale di Sant'Ambrogio martire a Ferentino durante le persecuzioni di Diocleziano, e patrono appunto di Ferentino FR (in tutte queste città e zone il nome ha infat-

ti una più alta frequenza).

Amedèo (49.000) M. VARIANTI: *Amadèo* (150), *Amodèo* (100), *Amadìo* (2.000), *Amaddio* (100), *Amodìo* (600). - F. *Amedèa* (7.000). VARIANTI: *Amadèa* (25), *Amadìa* (75), *Amodìa* (100). Distribuito nella forma fondamentale in tutta l'Italia, nelle varianti *Amadeo* e *Amadio* solo nel Nord, accentrato in quella *Amaddio* in Toscana, *Amodeo* in Sicilia e *Amodio* in Campania e Puglia, continua un nome cristiano teoforico medievale documentato dall'XI secolo nelle forme latinizzate *Amadeus*, *Amedeus* e *Amideus* (e nel 1620, a Firenze, *Homodeus*, che riflette, come in parte la forma *Amodeo*, un incrocio con *Omodeo*). Il nome è composto con le forme del verbo *amare* '(io) amo', '(tu) ami', '(egli) ama' oppure, all'imperativo, 'ama!', e *Dio* o *Deo*, cioè 'amo, ami, ama Dio' o, con valore passivo, 'amato da Dio; che Dio ama'. La diffusione è stata promossa dal fatto che il nome è tradizionale nella casa di Savoia, i cui primi nove conti o duchi, dall'XI al XV secolo, ebbero appunto ininterrottamente questo nome dinastico (poi continuatosi fino all'età moderna anche nella famiglia collaterale dei duchi di Aosta), e inoltre dal culto del beato Amedeo IX duca di Savoia e di Sant'Amideo degli Amidei, uno dei sette fondatori, nel 1233, dell'ordine mendicante agostiniano dei Servi di Maria, sul Monte Senario presso Firenze.

Amèlia (86.000) F. VARIANTI: *Amèglia* (75). ALTERATI: *Amelina* (150), *Amelita* (100). - M. *Amèlio* (7.000). VARIANTI: *Amèglio* (250). ALTERATI: *Amelino* (25). Diffuso nel Nord e nel Centro, raro nel Sud, continua il nome gentilizio e soprannome latino *Amelius*, derivato di *Amius* di probabile origine etrusca, diventato in età tarda nome individuale, affermatosi come nome cristiano per il culto di santi e sante di questo nome (come Sant'Amelio martire in Alta Italia, le cui reliquie sono conservate a Mortara PV, Sant'Amelia martire a Lione, Sant'Amelia martire a Gerona in Spagna: tutti però non compresi nel «Martirologio Romano»), e come nome letterario per uno dei due protagonisti della *chanson de geste* in francese antico «*Amis et Amile*» (in italiano «Amico e

Amelio»). È tuttavia possibile che in qualche caso *Amelia* rappresenti una variante del nome di origine ostrogotica *Amalia*, e *Amelio* di *Emilio* (v. questi due nomi).

Amerigo (13.000) M. VARIANTI: *Americo* (6.000); *Almerigo* (300), *Almerico* (500). ABBREVIATI: *Merigo* (20), *Merico* (50). - F. *Ameriga* (500). VARIANTI: *America* (500); *Almerica* (100). Diffuso in tutta l'Italia continentale, con più forte accentramento, per la forma *Amerigo*, in Toscana, risale a un nome germanico di tradizione prima ostrogotica e poi francone, documentato in Italia dal X secolo nelle forme in latino medievale *Heimericus* e quindi *Aimericus*, *Amerigus*, che corrispondono ai nomi germanici *Haimerich* o *Haimirich*, composti da *haimi- 'patria' e *rikja 'potente; signore', con il significato quindi di 'potente nella sua patria' (v. anche *Arrigo* e *Enrico* che risalgono, con diversa tradizione, alla stessa base germanica). Le varianti del tipo in *Alm-* possono essersi formate per complessi incroci con nomi diversi, ma di forma analoga, come *Amalarico*, *Almerio*, *Alderigo* (v. *Amalia*, *Almerino* e *Alderico*).

Amèro (250) M. VARIANTI: *Amèro* (25), *Amàrio* (25). ALTERATI: *Amerino* (500). ABBREVIATI: *Mèrio* (25), *Merino* (150). - F. ALTERATI: *Amerina* (500). ABBREVIATI: *Merina* (400). Sparso dall'Italia del Nord, con maggiore compattezza in Emilia-Romagna, al Centro fino all'Abruzzo, rappresenta una variante di *Ademaro* di tradizione francese (*Aimiers* o *Amier* in francese antico), che è penetrata e si è affermata in Italia tra il XII e il XIII secolo (nel 1208 è documentato a Siena *Aimeri*, nel 1260 a Firenze *Amieri* e *Aymieri*), soprattutto per via letteraria, in quanto hanno questo nome alcuni personaggi secondari della poesia cavalleresca e anche lirica francese.

Amico (200) M. - F. *Amica* (50). Disperso in tutta l'Italia, continua un soprannome già latino *Amicus* ma soprattutto il nome augurale e gratulatorio medievale *Amico* di evidente significato ('sei un amico', 'possa tu diventare un amico', riferito dai genitori al bambino), o anche l'abbreviazione del nome composto, sempre augurale, *Bonamico*. Alla ridiffusione del nome nel tardo Medio Evo avrà anche contribuito il personaggio di una *chanson de geste*, francese, *Amico* (in francese antico *Amis*, v. *Ame lia*).

Amilcare (8.000) M. - F. *Amilcara* (75). Diffuso nel Nord e nel Centro, raro nel Sud, è un nome di matrice storico-letteraria classica ripreso nel Rinascimento dal nome di un personaggio di grande rilievo della storia romana, Amilcare Barca, padre di Annibale, comandante cartaginese durante la 1ª guerra punica. Il nome, di antica tradizione aristocratica in Cartagine, è in punico *Himelqarth*, propriamente 'fratello, amico del dio Melqar' (il dio protettore della città fenicia di Tiro: *Melqar* significa 'dio della città'), adattato in greco come *Amílkas* e in latino *Hamilcar*, e dal latino ripreso in italiano. Il secondo nome Barca, originario soprannome diventato ereditario per la famiglia, riflette forse le doti militari: *baraq*, in fenicio, significa 'fulmine, lampo (di guerra?)'.

Amina (4.000) F. - M. *Amino* (100). Diffuso nel Nord e nel Centro, con più alta frequenza in Toscana, è fondamentalmente un nome di moda teatrale, affermatosi con la fortuna dell'opera lirica di V. Bellini «La sonnambula» (libretto di F. Romani), rappresentata per la prima volta al Carcano di Milano nel 1831, in cui Amina è la protagonista, l'innamorata di Elvino. Il linguista Carlo Tagliavini riteneva che F. Romani avesse ripreso questo nome dall'arabo (con grande incoerenza del librettista, perché l'opera è ambientata in Svizzera), in cui *Amīnah*, 'la fidata, la fedele', è un nome antico e molto diffuso (è anche il nome della madre di Maometto). Non è però del tutto escluso che avesse già in Italia una sua pur limitatissima diffusione, e che il librettista non l'avesse del tutto inventato: potrebbe essere infatti, al maschile, un diminutivo del nome germanico *Aimo*, o di un altro nome sempre germanico formato con *ami- 'attivo, perseverante' (v. *Aimone* e *Amalia*), e in documenti toscani del Duecento sono infatti attestati, in forme latinizzate, un *Aiminus* e inoltre un *Aminus*.

Aminta (300) M. VARIANTI: *Aminto* (100), *Aminda* (75); *Amìntore* (260). Disperso tra il Nord e il Centro (ma più compatto per la forma regionale *Amin-*

da con -*d*- per -*t*- nel Lazio, e per il tipo *Amintore* in Emilia-Romagna), è un nome di tradizione classica, storica, e per *Aminta* anche letteraria, ripreso per via colta nel Rinascimento. Il primo tipo ha alla base il nome greco *Amýntēs*, proprio nella forma macedone *Amýntas*, in latino *Amyntas*, di alcuni re e di vari grandi personaggi della Macedonia dal VI al IV secolo a.C., ripreso da T. Tasso come nome del protagonista, il giovane pastore innamorato della ninfa Silvia, della sua «favola», cioè dramma pastorale mitologico, in versi, l'«Aminta», rappresentata nel 1573 alla corte estense di Belvedere (e da questa opera ha avuto la maggiore diffusione il nome che a volte, per la sua terminazione in -*a*, è erroneamente usato anche come femminile). Il tipo *Amintore* risale al greco *Amýntōr*, in latino *Amyntor*, nome di un mitico re di Eleone in Beozia, già ricordato in Omero, ucciso da Eracle, e frequente in Roma per schiavi e liberti o altre persone di origine greca e orientale. Tutti e due i tipi derivano, in greco, dal verbo *amýnein* 'proteggere, difendere; vendicare', e il loro significato originario è dunque 'protettore, difensore' o 'vendicatore'.

Amlèto (9.000) M. - F. *Amlèta* (100). Diffuso in tutta l'Italia continentale, con più alta frequenza in Emilia-Romagna (quasi ¹/₅) e anche in Puglia, e accentrato nel singolare e arbitrario femminile *Amleta* in Toscana, è un nome teatrale che riprende quello del protagonista del dramma di W. Shakespeare «Amleto», scritto tra il 1601 e il 1602, ma conosciuto in Italia solo dalla fine del Settecento e diffuso soltanto in piena età romantica (età in cui *Amleto*, come in minor misura i nomi degli altri personaggi, v. *Ofelia*, *Laerte*, *Polonio*, si afferma nell'onomastica italiana). Shakespeare riprende il nome del suo «eroe del dubbio» da quello che egli aveva nelle saghe scandinave medievali da cui deriva la trama, *Amlodhi* e più tardi *Amleth*, adattandolo in *Hamlet*: l'etimo della forma originaria è forse l'islandese *amlodhi* 'pazzo, fuori di mente'.

Amnèris (4.000) F. VARIANTI: *Ammèris* (20), *Annèris* (150), *Amèris* (400), *Anèris* (100), *Almèris* (75), *Admèris* (50). Diffuso nel Nord e nel Cen-

tro, con più alta frequenza in Emilia-Romagna e in Toscana, è un nome affermatosi nell'ultimo Ottocento con la fortuna dell'«Aida» di G. Verdi (v. *Aida*): Amneris, nell'opera, è la principessa egizia rivale di Aida nell'amore per Radamès, e il suo nome originario egizio doveva significare 'dono del dio Ammone' (v. *Amonasro*). La difficoltà fonetica e grafica di questo nome all'interno del sistema italiano ha comportato le numerose varianti o deformazioni.

Amonasro (25) M. VARIANTI: *Amonastro* (10). Rarissimo, accentuato per metà a Parma, è un altro dei nomi affermatosi con la fortuna dell'«Aida» di G. Verdi (v. *Aida*, *Amneris* e *Radamès*), in cui Amonasro è il nome egizio (in copto *Ammon-ra-šont-er*, grecizzato in *Amonrasonthē'r*, con il probabile significato 'il dio Ammone è il creatore di tutto') del re degli Etìopi, padre di Aida, sconfitto da Radamès.

Amóre (2.500) M (anche F). VARIANTI: *Amorino* (800). - F. *Amorina* (700). Distribuito per tutta l'Italia continentale, e accentuato per *Amorina* nel Friuli-Venezia Giulia e nelle Marche, continua il nome affettivo medievale *Amore*, da *amore*, dato a un bambino atteso e amato (*Amorettus* è attestato in forma latina nel «Libro di Montaperti» di Firenze del 1260), che può essere in alcuni casi l'abbreviazione dei nomi medievali ormai disusati *Amorebello* e *Bellamore*. Un nome familiare e poi individuale *Amor* (dal latino *amor* 'amore', in parte traduzione del greco *Érōs*, v. *Eros*), maschile e femminile, è già tuttavia comune a Roma e nell'Impero Romano.

Amoróso (50) M. - F. *Amorósa* (25). Raro e disperso, ma con maggiore compattezza in Toscana e soprattutto in Campania, continua il nome affettivo e augurale medievale formato da *amoroso* 'pieno d'amore; molto caro e amato', già documentato in forme latinizzate dall'XI secolo nel Sud (*Amorusus* o *Amorusius*) o nel Duecento a Pistoia (*Amorosus*).

Amos (4.900) M. Accentuato per i ²/₃ complessivamente in Emilia-Romagna e in Toscana, e disperso per il resto tra il Nord e il Centro, riflette il nome del profeta minore *Amos* dell'Antico Testamento, in ebraico *'Āmōs*, di incerta interpretazione, forsę 'portato (da Dio)', grecizzato in *Amōs* e latinizzato in *Amos*. È un nome, oltre che israelitico, anche protestante e più cattolico, in quanto la Chiesa riconosce ufficialmente Amos come santo.

Ampèlio (3.100) M. VARIANTI: *Ampèllio* (150), *Ampèglio* (20) *Ampèrio* (50), *Ampìlio* (50). - F. *Ampèlia* (400). Diffuso nel Nord e nel Centro, con più alta frequenza (quasi la metà del totale delle persone così denominate) nel Veneto, è un nome cristiano sostenuto dal culto di vari santi, in particolare due martiri, uno in Africa e uno a Messina, e un eremita in Liguria del IV secolo (non riconosciuto ufficialmente come santo dalla Chiesa), patrono di Bordighera IM (dove il nome è ancora comune). La basę lontana è il nome greco *Ampélios*, o *Ampelos*, formato da *ámpelos* 'vitigno, vite' (con valore onomastico non chiaro), adottato in latino come *Ampelius* o *Ampelus*, nome familiare e poi individuale frequente in età imperiale (che potrebbe però anche avere una precedente, e indipendente, origine etrusca).

Amsìcora (50) M. Rarissimo, esclusivo della Sardegna, dove è accentrato a Cagliari e in provincia, è un nome ideologico, ripreso tra l'ultimo Settecento e l'Ottocento, nel quadro di una nuova coscienza di indipendenza e di autonomia della Sardegna, dal nome punico tramandato da Tito Livio nella forma latina *Hampsicoras* (in altre fonti *Hampsagoras*), di un proprietario terriero punicizzato che nel 216 a.C., al comando di forze sarde, puniche e libiche, e appoggiato da una flotta cartaginese, tentò un'insurrezione contro i Romani, e si uccise quando si vide ormai sconfitto e apprese che il figlio era caduto in battaglia (v. *Iosto*). Alla diffusione del nome ha contribuito la tragedia «Amsicora» di B. Ortolani, rappresentata per la prima volta al Teatro Civico di Sassari nel 1867, e quindi replicata con successo in varie città sarde: la carica ideologica è viva in Sardegna, come dimostra il fatto che a Amsicora sono intitolati uno stadio di Cagliari e varie società sportive sarde, e che ancora recentissimamente F. Zedda, nel romanzo «Rapsodia sarda» del 1984, dà il nome di Amsicora e di Josto a due capi

di una rivolta popolare dei Sardi del Cagliaritano, nel 1720, contro i Piemontesi.

Amùlio (400) M. - F. *Amùlia* (25). Limitato al Centro con più alta frequenza in Toscana, è un nome classico, storico-mitologico, ripreso dal Rinascimento dal latino *Amulius* (di origine oscura, certamente prelatina), usurpatore del trono di Alba Longa che, secondo la leggenda della fondazione di Roma, destituì il fratello Numitóre, padre di Rea Silvia, e fu poi ucciso da Romolo.

Anaclèto (6.000) M. ABBREVIATI: *Clèto* (3.100), *Clito* (650). - F. *Anaclèta* (500). ABBREVIATI: *Clèta* (500), *Clita* (150). Distribuito in tutta l'Italia, con maggiore compattezza nel Lazio, è un nome cristiano connesso con il culto di Sant'Anacleto o San Cleto papa e martire a Roma nel I secolo, romano ma di origine greca. Il nome è infatti greco, *Anáklētos* (latinizzato in *Anaclétus*), derivato da *anakalêin* 'invocare', quindi 'invocato', o, secondo altre fonti, *Anénklētos*, da *anenkalêin* (formato da *an-* privativo e *enkalêin* 'incolpare, accusare'), quindi 'privo di qualsiasi colpa o biasimo, irreprensibile'.

Ananìa (150) M. VARIANTI: *Ananìo* (50). Raro, disperso in tutta l'Italia ma più compatto in Puglia, riflette un antico culto per Sant'Anania martire, il discepolo di Cristo che battezzò a Damasco Saul, il quale assunse con la conversione il nome di Paolo (o anche culti minori per altri santi di questo nome). Il nome greco del Nuovo Testamento, *Ananías*, è l'adattamento del nome ebraico dell'Antico Testamento *Hananyāh*, formato da *hānan* 'avere misericordia' (v. *Anna*) e *Yahweh* 'Dio', quindi 'Dio ha avuto misericordia'.

Anastàsio (1.300) M. - F. *Anastàsia* (5.500). Diffuso in tutta Italia, e soprattutto nel femminile accentrato in Campania e in Puglia e a Roma, è un nome cristiano affermatosi con il culto di numerosissimi santi e sante così denominati (18 e 3 solo quelli compresi nel «Martirologio Romano»), e sorto negli ambienti greci del primo Cristianesimo: *Anastásios* e *Anastasía* (latinizzati in *Anastásius* e *Anastásia*) sono infatti derivati dal greco *anástasis* 'resurrezione' (dal verbo *anístēmi* 'sollevare, far sorgere o risorgere'), riferita sia alla resurrezione di Cristo sia alla conversione al Cristianesimo interpretata come un risorgere alla salvezza e alla vita eterna.

Anatòlio (150) M. - F. *Anatòlia* (900). Distribuito nel Nord e nel Centro, ma più compatto nel femminile in Abruzzo e nel Sassarese, si è diffuso con il culto di vari santi e sante di questo nome, e in particolare di Sant'Anatolia martire con Vittoria sotto l'imperatore Decio (patrone di Telti SS, dove i due nomi sono ancora frequenti). I due nomi originari greci, *Anatólios* e *Anatolía*, latinizzati in *Anatólius* e *Anatólia*, derivano da *anatolē'* 'punto, zona dove sorge il sole; Oriente' (da *anatéllein* 'sorgere', riferito al sole e agli astri), e hanno quindi il significato di 'orientale': in Roma infatti erano prima nomi di schiavi o artigiani di origine orientale, poi, in età imperiale, si diffusero come nomi cristiani, forse anche con valore simbolico e mistico (come il sorgere a una nuova vita e spiritualità cristiana).

Anchise (800) M. Accentrato per la metà in Toscana e per l'altra metà disperso tra Nord e Centro, è un nome di matrice colta e classica, ripreso dal Rinascimento dal nome *Anchísēs* (latinizzato in *Anchises*) dell'eroe troiano che ebbe, da Afrodite, il figlio Enea, e fuggirà ormai vecchio con il figlio da Troia in fiamme giungendo sino in Sicilia (secondo l'«Eneide» di Virgilio, che è l'opera che ha diffuso il nome). Il nome greco *Anchísēs* è stato interpretato come 'colui che sta vicino' (da *ánchi* 'vicino', o da un suo derivato o composto), ma questa è probabilmente la reinterpretazione, in chiave greca, di un nome pregreco probabilmente asianico.

Ancilla (5.000) F. VARIANTI: *Ancèlla* (100). - M. *Ancillo* (50). VARIANTI: *Ancèllo* (25). Proprio del Nord, e concentrato per la metà di *Ancilla* in Lombardia e per ²/₃ di *Ancella* in Emilia-Romagna, è un nome esclusivamente cristiano insorto già nel cristianesimo delle origini dalla formula latina *ancilla Dei* 'ancella, serva di Dio', adottato con la conversione come segno di dedizione totale al Signore, e poi ridiffusosi con il culto della Madonna per l'espressione «ecce ancilla Domini», «ecco (io sono) l'ancella del Signore», con cui Maria Vergine rispose all'annunciazione dell'arcangelo Gabriele che sarebbe stata la madre di Cristo.

Anco (100) M. NOMI DOPPI: *Anco Màrzio* o *Ancomàrzio* (60). - F. *Anca* (25). Accentrato per la metà in Emilia-Romagna, e per il resto disperso, è un nome storico, classico, ripreso dal Rinascimento dal nome del quarto re di Roma *Ancus Marcius* poi alterato in *Martius*, in cui il nome individuale *Ancus* riflette forse *ancus* '(dal braccio) piegato a uncino' e il gentilizio *Marcius* o *Martius* significava 'del dio Marte; dedicato, sacro a Marte'.

Andalusa (150) F. - M. *Andaluso* (10). Accentrato per la metà a Perugia e in provincia, e per il resto disperso tra Nord e Centro, è un nome recente insorto, con motivazioni non più accertabili, dall'etnico *Andaluso* di *Andalusìa* (in spagnolo *Andalucía*, 'terra dei Vandali', in quanto occupata e dominata, nel V secolo, dalla popolazione germanica dei Vandali), regione della Spagna meridionale.

Ando (50) M. ALTERATI: *Andino* (150). - F. *Anda* (100). ALTERATI: *Andina* (100). Distribuito tra il Nord e il Centro, rappresenta probabilmente un ipocoristico, qui una forma abbreviata della prima parte, di nomi che terminano in *-ando*, come *Ferdinando* o *Fernando*, *Orlando*, *Rolando*.

Andrèa (131.000) M. VARIANTI: *Andrè* (350). ALTERATI E DERIVATI: *Andreino* (1.500), *Andreòlo* (20), *Andreùccio* (50), *Andriétto* (10); *Andreàno* (550). - F. ALTERATI E DERIVATI: *Andreina* (32.000), *Andreòla* (75), *Andreùccia* (250), *Andrétta* (150) e *Andrettina* (20), *Andriétta* (50); *Andreàna* (2.750), *Andreàtta* (100). Largamente distribuito in tutta l'Italia, con più alta densità in Lombardia, riflette il culto di vari santi e beati di questo nome, e in particolare di Sant'Andrea apostolo, fratello di Pietro, martire a Patrasso. Il nome greco originario, *Andréas* (in latino *Andreas*), rappresenta l'ipocoristico, abbreviato al primo elemento, di nomi greci composti con *andr-* (da *anē'r andrós* 'uomo, individuo di sesso maschile; guerriero') come *Àndroclo*, *Andrògeo*, *Andronico*, oppure un derivato di *andréia* 'forza, coraggio virile'.

Andro (50) M. - F. *Andra* (150). Disperso, più compatto nel Veneto, è probabilmente l'abbreviazione di nomi in -andro come Alessandro, Leandro o Aleandro.

Andròmaca (50) F. Rarissimo e disperso, è un nome letterario, classico, ripreso dal Rinascimento, dall'«Iliade» in cui Andromaca è la moglie di Ettore, deportata come schiava e concubina di Neottòlemo, figlio di Achille, dopo l'uccisione del marito e la distruzione di Troia, figura ripresa, per il suo tragico destino, da varie opere poetiche, drammatiche e anche liriche, antiche e moderne, tra le quali la tragedia «Andromaque» del 1667 di J. Racine (opere che possono avere contribuito alla ridiffusione del nome). Il nome greco originario Andrománkhē è il femminile di Andrómachos (latinizzati in Andrómacha e Andrómachos), formato da anē'r andrós (v. Andrea) e da máchomai 'combattere', con il valore quindi di 'guerriero, combattente'.

Andronico (20) M. Rarissimo e disperso, è insorto per il culto di due santi di Gerusalemme e di Tarso in Cilicia di questo nome greco e bizantino, Andrónikos (latinizzato in Andronícus), composto con anē'r andrós (v. Andrea) e nikân 'vincere', quindi 'vincitore (di guerrieri, dei nemici)'.

Angèlica (14.000) F. - M. Angèlico (500). Largamente distribuito in tutta l'Italia, è un nome fondamentalmente cristiano, insorto in riferimento alla devozione per gli angeli (v. Angelo) diffusasi soprattutto dal XII secolo con San Bernardo di Chiaravalle, ma in parte anche laico, letterario, affermatosi dal Cinquecento con la conoscenza, anche a livello popolare, del personaggio di Angelica dell'«Orlando innamorato» di M. Boiardo e più dell'«Orlando furioso» di L. Ariosto (e dei cantari o degli spettacoli, come il teatro dei pupi, che ne sono derivati), in cui appunto Angelica è la bellissima principessa del Catai (cioè della Cina o dell'Estremo Oriente) che fa innamorare di sé e distoglie dal combattimento vari campioni cristiani e saraceni, tra cui Orlando che diventa pazzo, «furioso», quando apprende che si è innamorata di un giovane semplice soldato dei Mori, Medoro, lo ha sposato ed è fuggita con lui in Oriente (v. Medoro).

Àngelo (527.000) M. VARIANTI: Àngiolo (11.000). ALTERATI: Angelino (4.000); Angiolétto (300), Angiolino (9.500). NOMI DOPPI: Angelo Antònio o Angelantònio (2.800), — Raffaèle (1.900), — Marìa o Angelomaria (1.100), — Michèle (800), — Màrio (600), — Giusèppe (450), — Luìgi (400), — Giovanni (250). - F. Angela (580.000). VARIANTI: Àngiola (9.000). ALTERATI: Angelétta (75), Angelina (74.000), Angelita (500); Angiolétta (4.000), Angiolina (36.000). NOMI DOPPI: Angela Marìa o Angelamarìa (13.000), — Ròsa o Angelaròsa (2.200), — Terèsa (400), — Antònia (300), — Lina (300), — Rita (300); Angiola Marìa o Angiolamarìa (1.100). Nome di altissima frequenza e diffusione (Angelo è il 7° per rango in Italia e Angela il 5°), distribuito diversamente nelle diverse forme (più frequenti Angelo e Angela in Lombardia, Angelino in Sardegna e Angelina in Campania, Angiolo peculiare della Toscana con Angiola, che però è molto comune anche in Lombardia), promosso dalla devozione per gli angeli, e anche per gli angeli custodi, e dal culto per vari santi e sante di questo nome, in particolare di Sant'Angelo di Licata, carmelitano del Duecento che predicò in Sicilia, patrono di Licata AG, e Sant'Angela Merici, nata nel 1474 a Desenzano del Garda e morta nel 1540 a Brescia, fondatrice della Compagnia delle dimesse di Sant'Orsola o Orsoline, e patrona di Desenzano BS (in questi due centri, e nelle relative province, i due nomi hanno ancora infatti una eccezionale frequenza relativa). Il nome italiano continua il latino Angelus, già usato, ma raramente, dai primi cristiani, formato da angelus, prestito dal greco ánghelos 'messaggero', di origine forse assira, che nell'Antico Testamento, come calco dell'ebraico mal'āk 'messaggero, ministro', assume il valore specifico di 'ministro di Jahvè', il dio di Israele, e con il cristianesimo quello di 'ministro, intermediario, messaggero di Dio', come creatura divina che annunzia e attua la volontà divina.

Angilbèrto (25) M. Rarissimo e disperso, è l'esile riflesso del culto di Sant'Angilberto (non compreso nel «Martirologio Romano»), abate di origine franca di Saint-Riquier in Francia e consigliere di Carlo Magno: il nome, di tradizione francone (in tedesco *Engelbert* o *Engelbrecht*), è formato da un secondo elemento certo, **berhta-*, 'splendente, illustre', e da un primo elemento che potrebbe essere **angil-*, un ampliamento in *-il* di **ang-* 'asta a punta uncinata' propria dei Franchi, quindi 'illustre nell'uso dell'asta', sia, meno probabilmente, l'antico tedesco *angil* o *engil* 'angelo' (in tedesco moderno *Engel*), con un significato che potrebbe essere 'splendente come un angelo' (ma i due elementi possono anche essere stati giustapposti autonomamente, quindi senza un significato d'insieme).

Anicèto (1.350) M. - F. *Anicèta* (150). VARIANTI: *Anicétta* (100). Diffuso quasi esclusivamente nel Nord, riflette il culto di Sant'Aniceto papa e martire nel II secolo, in latino *Anicétus*, adattamento dell'antico nome augurale greco *Aníkētos*, derivato con *a-* privativo da *nikân* 'vincere', quindi 'invincibile, invitto'.

Anita (75.000) F. VARIANTI: *Annita* (18.000). NOMI DOPPI: *Anita Marìa* (250). - M. *Anito* (200). VARIANTI: *Annito* (300). Distribuito in tutta l'Italia (con il raro e singolare maschile proprio del Nord e della Toscana), è un nome ideologico-patriottico insorto dalla metà dell'Ottocento nel quadro della profonda eco delle imprese garibaldine e dell'epopea di G. Garibaldi e della moglie Anita (e anche dei loro figli, v. *Menotti, Ricciotti* e *Teresita*). Anita Maria Ribeiro da Silva (*Anita* è, in portoghese come anche in spagnolo, il diminutivo di *Ana*, v. *Anna*), nata a Morinhos in Brasile, conobbe Garibaldi a Laguna nel 1839 e lo sposò nel 1842 a Montevideo, partecipando sempre alle sue imprese, fino alla presa di Roma e quindi alla disastrosa ritirata verso Venezia del 1849, durante la quale morì presso Ravenna. In minima parte il nome poteva già esistere prima, diffuso dagli Spagnoli a lungo presenti in Italia, ma la sua matrice resta fondamentalmente ideologica, come conferma l'eccezionale estensione al maschile e l'esistenza del nome doppio *Anita Maria* della compagna di Garibaldi.

Anna (1.000.000) F. ALTERATI: *Annarèlla* (300), *Annèlla* (300), *Annétta* (8.500) e *Annettina* (75), *Annina*

(6.500), *Annùccia* (100). IPOCORISTICI: *Anni* (300), *Annj* (75), *Anny* (1.300). NOMI DOPPI: *Anna Marìa* o *Ánnamarìa* (404.000), — *Ròsa* o *Annaròsa* (12.000), — *Rita* o *Annarita* (11.000), — *Lisa* o *Annalisa* (10.000), — *Terèsa* (3.000), — *Pàola* (2.800), — *Lucìa* (2.300), — *Luìsa* o *Annaluìsa* (2.200), — *Gràzia* o *Annagràzia* (1.700), — *Làura* (1.600), — *Pia* (1.300), — *Lia* o *Annalìa* (1.000). - M. *Anno* (75). ALTERATI: *Annétto* (50), *Annino* (600), *Annùccio* (25); *Annico* (25). È, dopo *Maria*, il nome femminile di più alta frequenza e più larga diffusione in Italia, con una distribuzione quindi ovunque compatta e con relativa uniformità (solo il derivato *Annico* è caratteristico della Sardegna, e in particolare di Sassari). È un nome cristiano, affermatosi nel tardo Medio Evo con il culto della madre di Maria Vergine, Anna, moglie di Gioacchino: culto tardo perché il nome della madre di Maria non è menzionato nei Vangeli sinottici, ma solo in Vangeli apocrifi (come il «Protovangelo di Giacomo»), e fu quindi riconosciuto dalla Chiesa orientale dal VI secolo e da quella Occidentale nell'VIII, ma ufficialmente prescritto solo nel Rinascimento. La base lontana è il nome ebraico *Ḥannāh*, propriamente '(Dio) ha avuto misericordia' (concedendo un figlio molto desiderato e atteso), che nell'Antico Testamento è il nome della madre di Samuele, della moglie di Tobia, e di altri personaggi (anche maschili, v. *Anania*), e nei Vangeli canonici l'adattamento greco *Ánna* e latino *Anna* è solo il nome della vecchia profetessa garante di Gesù nella sua presentazione al Tempio (riconosciuta anch'essa come santa nel «Martirologio Romano»). *Anna*, naturalmente, può essere in rari casi anche un nome israelitico.

Annabèlla (1.700) F. Diffuso prevalentemente nel Nord e nel Centro, è un nome recente, composto con *Anna* e con la qualifica, augurale e affettiva, *bella* ('che è, che sia bella'): all'affermazione può avere contribuito il nome d'arte *Annabella* dell'attrice cinematografica francese Suzanne Charpentier, interprete dal 1926 di film molto noti e popolari anche in Italia.

Annìbale (13.000) M. - F. *Annìbala* (20). ALTERATI: *Annibalina* (25). Largamente diffuso in tutta l'Italia, è un nome di matrice classica, storica e letteraria, collegato al grande comandante cartaginese Annibale Barca, figlio di Amilcare, sconfitto nella 2ª guerra punica, dopo tante sue vittorie, da Scipione l'Africano a Zama nel 202 a.C. Il nome risale, attraverso l'adattamento latino *Hánnibal Hanníbalis*, al punico *Hann-i-ba 'al*, che significa letteralmente 'grazia di Baàl', il dio supremo della religione politeistica fenicio-punica. **Annunzìàta** (72.000) F. VARIANTI: *Annunciàta* (8.000). ALTERATI: *Annunziatina* (500). ABBREVIATI: *Nunzìàta* (17.000), *Nunziatina* (3.000); *Nùnzia* (52.000), *Nunzièlla* (100), *Nunziétta* (100), *Nùncia* (75); *Annùnzia* (150), *Annùncia* (35). - M. *Annunziàto* (2.400). VARIANTI: *Annunciàto* (50). ABBREVIATI: *Nunzìàto* (1.600); *Nùnzio* (27.000); *Annùnzio* (1.000), *Annùncio* (50). Diffuso in tutta l'Italia nelle forme piene e tipico del Sud in quelle abbreviate (con più alto accentramento nella Sicilia orientale), è un nome cristiano di devozione per Maria Santissima Annunziata, ossia per l'annunciazione a Maria, da parte dell'arcangelo Gabriele, di essere stata prescelta come madre di Gesù Cristo, l'incarnazione del Verbo. **Ansaldo** (150) M. - F. *Ansalda* (40). Accentrato in Toscana e in Emilia-Romagna, e disperso nel Nord, è un antico nome germanico di tradizione prima longobardica e poi francone (documentato nelle forme latinizzate *Ansoaldus* dal VII secolo e *Ansaldus* dal X), composto di **ansa-* 'dio, divinità' e **walda-* 'potenza' o **waldaz* 'potente', con un significato quindi che potrebbe essere 'potenza divina' o 'potente per volontà o protezione degli dei'. **Ansano** (200) M. Raro e accentrato in Toscana, riflette il culto di Sant'Ansano, originario di Roma e martire a Siena all'inizio del IV secolo: il nome, di origine incerta, può forse ricollegarsi all'etnico latino *Antianus* di *Antium* nel Lazio, 'proveniente da Anzio'. **Ansèlmo** (17.000) M. ALTERATI: *Anselmino* (20). ABBREVIATI: *Sèlmo* (50), *Selmino* (20). - F. *Ansèlma* (1.700). ALTERATI: *Anselmina* (1.000). ABBREVIATI: *Sèlma* (300). Distribuito in tutta l'Italia nel maschile *Anselmo*, più compatto in

Emilia-Romagna per *Anselma* e in Toscana per *Selmo* e *Selma*, è un nome prima laico, di origine germanica, quindi cristiano, ridiffuso per il culto di vari santi così denominati, in particolare di Sant'Anselmo d'Aosta, benedettino morto nel 1109, teologo e dottore della Chiesa, e di Sant'Anselmo vescovo di Lucca nell'XI secolo, compatrono di Mantova. Il nome, documentato dal VI secolo nelle forme in latino medievale *Ansehelmus* e *Anshelmus*, introdotto prima dai Longobardi e poi ridiffuso dai Franchi, è composto da **ansa-* 'dio, divinità' e da **helma-* 'protezione; elmo, cappuccio magico', e potrebbe avere il significato originario di 'protezione divina' o di 'elmo, cappuccio magico dato dagli dei'. **Ansovino** (25) M. VARIANTI: *Ansuino* (25). - F. *Ansuìna* (30). Rarissimo e concentrato nelle Marche, riflette il culto locale di Sant'Ansovino vescovo di Camerino MC: è un nome di origine germanica formato da **ansa-* 'dio, divinità' e **wini-* 'amico', quindi 'amico degli dei, caro agli dei'. **Anspèrto** (50) M. - F. *Anspertina* (15). Rarissimo e peculiare della Lombardia, continua il nome germanico, di tradizione longobardica e poi francone, documentato a Pavia nel 761 nella forma latinizzata *Anspertus* (*Ansperto* fu il primo vescovo-conte di Milano alla fine del IX secolo), composto da **ansa-* 'dio, divinità' e **berhta-* 'illustre, famoso', quindi 'illustre per protezione, per volontà divina'. **Antènore** (2.600) M. - F. *Antènora* (15). Diffuso nel Nord, con più alta frequenza in Lombardia e in Emilia-Romagna, è una ripresa classica, rinascimentale e moderna, del nome dell'eroe troiano dell'«Iliade» Antenore che, secondo una tarda leggenda, avrebbe fondato la città di Padova. Il nome greco *Antē'nōr*, latinizzato in *Antenor*, è formato dal sostantivo *antē'nōr* 'che sta al posto di un altro uomo, che vale un uomo' (da *antí* 'al posto di, invece di' e *anē'r* 'uomo'), significato poco chiaro in un nome personale, che però potrebbe anche essere la grecizzazione di un originario nome pregreco, asianico. **Antèo** (1.200) M. - F. *Antèa* (500). Distribuito nell'Italia centro-settentrionale, con più alta frequenza in Toscana e nelle Marche, è un nome di matrice classica, mitologica, che riprende il nome greco *Antâios* 'opposto, ostile' (da *ánta* 'contro, di fronte'), latinizzato in *Antaeus*, di un gigante, figlio di Gea, che terrorizzava la Libia, ucciso da Èracle. **Àntero** o *Antèro* (1.200) M. VARIANTI: *Antèrio* (20). ABBREVIATI: *Anterino* (20). - F. *Àntera* o *Antèra* (75). Distribuito nel Nord e nel Centro, è un nome cristiano insorto per il culto di Sant'Antero papa e martire a Roma nel III secolo: il nome originario è greco, *Antērós* latinizzato in *Antérus* (frequente in Roma come nome di schiavi e liberti), già nome di un dio dell'amore pederastico fratello di Eros, formato da *antí* 'contrapposto, diverso', e *érōs* 'amore' (v. *Eros*).

Antìgone (300) F. VARIANTI: *Antìgona* (15). - M. *Antìgono* (10). Distribuito nel Nord e in Toscana, è un nome di matrice classica, letteraria e teatrale, ripreso dal «ciclo tebano», l'epopea mitica tema della tragedia «I sette contro Tebe» di Eschilo e poi di varie opere antiche e moderne, in cui Antigone, figlia di Edipo e sorella dei due fratelli in lotta Eteocle e Polinice, è l'eroina (v. *Edipo* e *Eteocle*). Il nome originario greco, *Antígonos* e *Antigónē*, latinizzato in *Antígonus* e *Antígone*, è composto da *antí* 'in sostituzione, in contrasto' e *-gonos* 'nato' da *ghíghnomai* 'nascere'), ossia 'nato in sostituzione (di un altro figlio morto)' o 'nato in contrasto'. Il maschile *Antigono*, del tutto eccezionale, può anche riflettere il culto, rarissimo, di Sant'Antigono martire a Roma.

Àntimo (5.000) M. ALTERATI: *Antimino* (50). - F. *Antima* (75). ALTERATI: *Antimìna* (400). Accentrato per più della metà in Campania, e soprattutto nel Napoletano, è un nome cristiano insorto per il culto di vari santi così denominati, e in particolare di Sant'Antimo martire durante le persecuzioni di Diocleziano, patrono di Sant'Antimo NA (dove il nome ha ancora un'altissima frequenza, circa 600 residenti su 21.000). Alla base è il nome greco augurale *Anthimos* 'fiorente' (da *ánthos* 'fiore'), adottato anche in latino come *Anthimus* e diffuso soprattutto in età imperiale.

Antìoco (1.700) M. - F. *Antìoca* (500). Peculiare della Sardegna, e qui accentrato nel Cagliaritano e nel Sulcis, riflette l'antico culto locale (dal VI secolo) di Sant'Antioco (in sardo *Santu Antiógu*) martire durante le persecuzioni di Adriano nell'isola di Sulcis (ora Sant'Antioco) sulla costa sud-occidentale, patrono dei centri di Sant'Antioco CA, Senorbì CA, Ulàssai NU e Ozieri SS. Il nome greco del santo, di origine orientale, *Antíochos*, composto di *antí* 'di contro' e *-ochos* da *échein* 'tenere', quindi 'che si tiene, che sta saldo; fermo, risoluto' (in senso cristiano, più tardi, 'fermo nella fede'), era stato il nome di vari re e prìncipi di Siria dal IV al I secolo a.C., e si era diffuso anche in Roma, come nome familiare, e soprannome e quindi nome individuale di prestigio, fin dall'ultima età repubblicana.

Anto (50) M. VARIANTI: *Ànzio* (400). - F. *Anta* (25). VARIANTI: *Ànzia* (75). Distribuito tra il Nord e il Centro, con altissima frequenza in Emilia-Romagna e in Toscana, continua, sostenuto in parte dal culto di alcuni santi e sante così denominati, i nomi greci *Ánthos* o *Ánthios* e *Anthía*, formati e derivati da *ánthos* 'fiore; fiorente', adottati in latino come *Anthus*, *Anthius* e *Ánthia* e diffusi in età imperiale come nomi di schiavi e liberti di origine orientale, ma anche come soprannomi e poi nomi individuali di liberi.

Antonino (183.000) M. - F. *Antonina* (72.000). Largamente diffuso in tutta l'Italia, continua il gentilizio e soprannome, e poi nome individuale, latino *Antoninus*, derivato da *Antonius* (v. *Antonio*), sostenuto dal culto di numerosissimi santi (e sante), tra cui Sant'Antonino da Piacenza martire sotto Diocleziano, patrono di Sant'Antonino PC, Sant'Antonino martire in Gallia, patrono di Sant'Antonino di Susa TO, e Sant'Antonino priore del Convento di San Marco e poi arcivescovo di Firenze nel Quattrocento.

Antònio (1.048.000) M. VARIANTI: *Antuóno* (100). ALTERATI e DERIVATI: *Antonèllo* (3.700), *Antonétto* (20), *Antoniétto* (200), *Antoniùccio* (50), *Antonillo* (20); *Antonìco* (100), *Antoniàno* (20). ABBREVIATI e IPOCORISTICI: *Tònio* (550), *Tonèllo* (50), *Tonino* (14.000), *Tonùccio* (25); *Tòni* (550), *Tòny* (300); *Totò*

(150), *Tòto* (100). NOMI DOPPI: *Antònio Marìa* o *Antoniomarìa*, *Antonmarìa* (1.400), — *Giusèppe* (1.100), — *Luìgi* (800), — *Francésco* (600), — *Giovanni* (600), — *Àngelo* o *Antonàngelo* (500). - F. *Antònia* (200.000). ALTERATI e DERIVATI: *Antonèlla* (29.000), *Antoniétta* (300.000), *Antonétta* (800), *Antonilla* (100); *Antonìca* (900), *Antonita* (50). ABBREVIATI: *Tònia* (1.000), *Tòna* (50), *Tonina* (4.000). NOMI DOPPI: *Antònia Marìa* (1.400), *Antoniétta Marìa* (500). *Antonio* è il 3º nome maschile (dopo *Giuseppe* e *Giovanni*) di più alta frequenza e di più ampia diffusione in Italia, *Antonia*, tra i femminili, il 24º per rango, e *Antonietta* il 13º: perciò la loro distribuzione è dovunque compatta e relativamente uniforme, salvo i tipi *Antonico*, *Antonello* e *Tonino* che, con i rispettivi femminili, sono il primo caratteristico della Sardegna e gli altri due qui più frequenti. *Antonio* continua l'antico nome gentilizio latino *Antonius*, poi diventato nome individuale, di origine probabilmente etrusca e di significato ignoto (anche se dal Rinascimento è stato arbitrariamente collegato con il greco *ánthos* 'fiore', v. *Anto*), ma la sua grande diffusione è stata promossa dal culto di numerosissimi santi (e delle sante) così denominati, e soprattutto dei due santi più venerati in Italia, e patroni di molte città, Sant'Antonio Abate, anacoreta in Egitto nel IV secolo e protettore degli animali, e Sant'Antonio di Padova, minorita francescano, padre della Chiesa e taumaturgo, morto a Arcella presso Padova nel 1231.

Aònio (50) M. Disperso soprattutto nell'Italia centrale, è un nome di matrice classica, mitologica e letteraria, ripreso nel Rinascimento dal latino *Aonius*, adattamento del greco *Aónios*, che indicava in senso proprio un abitante dell'Aonia, ossia della Beozia, in Grecia (in greco *Aonía* e in latino *Aónia*, dagli Àoni, i primi mitici abitatori della Beozia), e in senso figurato, in quanto il monte Elicona e la fonte Aganippe nella Beozia erano la sede delle Muse, chi si dedicava alle arti, e in particolare alla letteratura, e era quindi 'sacro alle Muse'.

Apollinare (100) M. Accentrato per più di ¹/₃ in Romagna e soprattutto nel Ravennate, riflette il culto di Sant'Apollinare primo vescovo di Ravenna nel II secolo e martire, e continua il nome gentilizio e familiare, e poi individuale (anche femminile), latino *Apollinaris*, adattamento del greco *Apollinários*, derivato di *Apóllōn* (v. *Apollo*).

Apòllo (100) M. Disperso tra il Nord e il Centro, è un nome di matrice classica e mitologica che riprende, dal Rinascimento, il nome del dio classico del sole e della luce, delle arti e della medicina, Apollo, in greco *Apóllōn* adattato in latino come *Apollo*, nome di origine oscura, quasi certamente adottato in greco da una lingua dell'Asia Minore.

Apollònio (300) M. - F. *Apollònia* (5.000). Distribuito in tutta l'Italia, con più alta frequenza nel Veneto e nell'estremo Sud e in Sicilia, è un nome laico, affermatosi soprattutto nelle aree di maggiore influenza linguistica e culturale greco-bizantina, e più cristiano, diffusosi con il culto di alcuni santi di questo nome e in particolare di Sant'Apollonia vergine e martire nel III secolo a Alessandria d'Egitto, largamente venerata in Italia (e questo spiega la molto maggiore frequenza del nome femminile). Il nome originario, greco, è *Apollō'nios*, al femminile *Apollōnía*, un derivato di *Apóllōn* (v. *Apollo*), ma di tradizione fondamentalmente latina, nell'adattamento *Apollonius* e *Apollónia*: ma in Roma, nell'età più antica, esisteva già un nome gentilizio *Apolonius* o *Aplonius*, come prestito dell'etrusco *Apluni*.

Apòstolo (100) M. Accentrato per quasi la metà nel Veneto, e per il resto disperso nel Nord, è un nome cristiano, insorto con il culto dei 12 apostoli di Gesù (la Chiesa commemora i Santi Apostoli il 1º novembre), che continua quindi, attraverso il latino *apostolus*, il greco *apóstolos* (dal verbo *apostéllein* 'inviare'), che nel Nuovo Testamento è la denominazione dei dodici discepoli scelti da Gesù per continuare la sua opera e 'inviati' a diffondere la nuova fede, la «buona novella».

Apparìzio (60) F (anche M). Raro, attestato solo a Firenze e nel Lazio, è un nome cristiano che riflette la devozione per l'Apparizione (in latino *apparítio*, nel nominativo, *apparitiónis* nel genitivo, ecc.: la forma del nome italiano è appunto ripresa dal nominativo del latino ecclesiastico) miracolosa della Madonna, di angeli e santi, e in particolare, tra quelle riconosciute dalla Chiesa, di Maria Vergine Immacolata a Lourdes, della Beata Maria Vergine della Mercede in Spagna, e di San Michele Arcangelo sul Monte Gargano (festa patronale di Monte Sant'Angelo FG e di Castiglion Fiorentino AR, celebrata l'8 maggio).

Àppio (300) M. DERIVATI: *Appiàno* (15). NOMI DOPPI: *Àppio Clàudio* o *Appioclàudio* (30). - F. *Àppia* (25). Accentrato per *Appio* in Emilia-Romagna per più di ¼ e per il resto sporadico nel Nord e nel Centro, per *Appio Claudio* a Roma per quasi la metà e per il resto disperso, è, per il tipo *Appio*, la ripresa colta, di matrice storica, del nome individuale latino *Appius* (probabile adattamento del sabino *Attius*), diventato poi nome gentilizio alla fine della repubblica, tradizionale della *gens Claudia*, e reso illustre da Appio Claudio Cieco (da cui è ripreso il nome doppio *Appio Claudio*), censore nel 310 a.C., e costruttore del primo grande acquedotto romano e della via Appia, nel tratto da Roma a Capua (poi continuata fino a Brindisi e a Taranto). *Appiano* continua invece, forse sostenuto dal culto di Sant'Appiano martire a Alessandria d'Egitto, il nome gentilizio e soprannome latino *Appianus*, derivato da *Appius*.

Aprile (25) M. VARIANTI: *Aprìlio* (25). - F. *Aprìlia* (150). Disperso in varie zone d'Italia, è uno dei vari nomi dati a un figlio in relazione al mese della sua nascita (v. *Maggio*, *Settembrino*, *Ottobrino*), in questo caso *aprile*. Il nome esisteva già in latino, *Aprilis*, maschile e femminile, proprio di schiavi e liberti o comunque popolare, formato da *aprilis*, nome del 2° mese dell'anno nel calendario romano derivato probabilmente dall'etrusco *apru*: ma il nome italiano pare una neoformazione medievale, non una continuazione del nome latino.

Àquila (60) M (anche F). Accentrato per la metà a Lamezia Terme CZ e per l'altra metà disperso, riflette il culto di santi e sante così denominati, in particolare di Sant'Aquila martire a Roma con la moglie Priscilla. Il nome personale, già soprannome maschile e femminile in Roma dall'ultima età repubblicana, si identifica con il nome comune *aquila*,

simbolo di forza e di potenza e anche di immortalità (e per questo, con riferimento all'immortalità dell'anima nella vita eterna, adottato anche da cristiani).

Aquilante (30) M. Rarissimo, disperso ma più attestato in Toscana, è probabilmente un'alterazione paretimologica di *Agolante* (documentato a Firenze già dal Duecento), adattamento del francese antico *Agolant*, re saraceno padre del valoroso campione pagano *Aumes* (o *Aumon*), avversario di Carlo Magno e dei suoi paladini: è quindi un nome diffuso dalla letteratura cavalleresca francese, e in particolare da due poemi, «*La chanson d'Agolant*» e «*La chanson d'Aspremont*» del XII secolo.

Aquilino (2.400) M. - F. *Aquilina* (900). Distribuito in tutta l'Italia, ma accentrato per più di ⅓ nel maschile in Lombardia, specialmente a Milano, riflette il culto di santi e sante così denominati, e in particolare di Sant'Aquilino martire a Milano (assassinato, pare, tra l'XI e il XII secolo da un gruppo di eretici): continua il secondo nome o nome unico latino di età imperiale *Aquilinus* e *Aquilina* di liberti e schiavi o popolani, derivato da *Aquilius* (v. *Aquilio*).

Aquilio (150) M. Distribuito tra il Nord e il Centro con più alta compattezza in Toscana, risale al nome gentilizio e individuale latino *Aquilius*, derivato da *aquilus* 'scuro, fosco', come originario soprannome riferito al colore della pelle (ma poi riaccostato a *aquila* per etimologia popolare o per ricerca di maggiore prestigio), o forse adattamento di un originario nome etrusco.

Aramìs (450) M. VARIANTI: *Aramès* (25). Concentrato per più della metà tra Toscana e Emilia-Romagna, e per il resto disperso nel Nord, è un nome recente d'impronta letteraria che riflette la fortuna, anche a livello popolare, che hanno avuto nella 2ª metà dell'Ottocento e poi nel Novecento i tre romanzi d'avventure di A. Dumas padre intitolati, nelle traduzioni italiane, «I tre moschettieri», «Vent'anni dopo», «Il visconte di Bragelonne» (pubblicati nell'edizione originale francese nel 1844, 1845 e 1848-50), e poi i vari adattamenti cinematografici e radiotelevisivi: *Aramìs* è qui uno dei tre moschettieri (v. *Athos* e *Porthos*) che con il guascone d'Artagnan sono protagonisti di mirabolanti avventure nella Francia di Luigi XIII, il più colto, raffinato e elegante. I tre nomi sono stati probabilmente inventati da A. Dumas, e dal suo collaboratore A. Maquet, ricercando una forma fonicamente suggestiva e un'impronta esotica e non comune.

Arbace o *Àrbace* (75) M. Raro e disperso, ma più frequente in Toscana e in Campania, è probabilmente un nome storico d'impronta classica, ripreso dal Rinascimento dal nome del leggendario condottiero dei Medi, Arbace (in greco *Arbákēs* latinizzato in *Arbaces*, di origine oscura), che nel VII secolo a.C. avrebbe usurpato il trono di Assiria, detronizzando il re Sardanapalo: alla diffusione del nome avranno contribuito le varie opere drammatiche e musicali ispirate a questi leggendari avvenimenti.

Arcàdio (800) M. - F. *Arcàdia* (300). Diffuso nell'Italia continentale, è la ripresa rinascimentale del nome classico *Arkádios* in greco e *Arcadius* in latino (da *Arkás* e *Arcas*, etnico di *Arkadía* e *Arcádia*, 'abitante, oriundo dell'Arcadia', la regione centrale del Peloponneso), diventato in Roma nome gentilizio e poi nome individuale, prestigioso per l'imperatore romano d'Oriente Flavio Arcadio (dal 395 al 408). Ma il nome può essere in parte anche cristiano, per l'esistenza di vari santi così denominati, soprattutto di Sant'Arcadio martire in Mauritania, venerato anche in Italia.

Arcàngelo (17.000) M. VARIANTI: *Arcàngiolo* (25). - F. *Arcàngela* (8.500). ALTERATI: *Arcangelina* (100). Distribuito in tutta l'Italia (ma la variante *Arcangiolo*, formata su *Angiolo*, è solo toscana), è un nome cristiano diffuso nel Medio Evo per il culto dei tre arcangeli Gabriele, Michele e Raffaele: è formato da *arcangelo*, dal latino ecclesiastico *archangelus*, dal greco *archánghelos* (composto da *árchein* 'comandare, essere a capo' e *ánghelos*, v. *Angelo*) 'capo degli angeli, angelo di grado gerarchico superiore'.

Archelào (50) M. Presente solo nell'Oristanese e in Lombardia, è un nome cristiano insorto con il culto dei vari santi così denominati, e in particolare di Sant'Archelao patrono di Oristano: alla base è l'antico nome greco *Archélaos* (da *archélaos* 'guida, capo del popolo', composto da *árchein* 'comandare' e *laós* 'popolo'), adottato in latino come *Archeláos*.

Archimède (3.000) M. Diffuso in tutta l'Italia e accentrato per ¹/₅ in Emilia-Romagna, è un nome classico, ripreso dal Rinascimento, da quello del celebre matematico greco di Siracusa del III secolo a.C., in greco *Archimē'dēs* (composto da *árchein* 'essere il primo, eccellere' e *mē'domai* 'essere intelligente e capace', quindi 'che eccelle per intelligenza, per capacità intellettuali'), latinizzato in *Archimedes*.

Archita (50) M. Raro, diffuso solo a Taranto e in provincia, è un nome classico che riprende, dal Rinascimento, il nome greco *Archýtas* (da *árchein* 'comandare, eccellere', quindi 'che ha il comando, che è il primo, che eccelle sugli altri'), latinizzato in *Archytas*, di un grande filosofo pitagorico e matematico di Taranto del IV secolo a.C.

Arcibaldo (25) M. VARIANTI: *Archibaldo* (25). Raro e disperso, è un nome germanico formato con *erkan-* 'di condizione libera' e *baltha-* 'forte; coraggioso, valoroso', portato in Italia da Burgundi e Franchi e ridiffuso dal francese antico *Archimbald* (in cui si era determinato il passaggio fonetico da *erki-* a *arci-*).

Arcónte (25) M. Rarissimo e proprio della Lombardia, è un nome classico, rinascimentale, ripreso dal greco *Árchōn Archontos* (dal participio presente di *árchein* 'comandare, essere a capo', quindi 'capo, comandante', titolo, nell'antica Grecia, dei più alti magistrati politici), latinizzato in *Archon Archóntis*.

Ardéngo (150) M. VARIANTI: *Ardingo* (100). Accentrato in Toscana per i ²/₃ e per il resto disperso nel Nord, è un nome di origine germanica, di tradizione già longobardica e poi francone e tedesca, documentato dal X secolo nella forma latinizzata *Ardingus* soprattutto in Toscana, formato dall'ipocoristico di nomi composti con *hardhu-* 'forte, valoroso' (v. *Arduino*) e dal suffisso derivativo *-ing*.

Ardito (400) M. - F. *Ardita* (250). Distribuito nel Nord e nel Centro, con più alta frequenza in Toscana, continua un nome augurale o un soprannome medievale *Ardito*, da *ardito* 'molto coraggioso'.

Ardo (150) M. ALTERATI: *Ardino* (50). - F. *Arda* (150). Accentrato in Toscana e in Emilia-Romagna e sporadico nel Nord, è l'ipocoristico, abbreviato alla terminazione, di nomi germanici composti che terminano in *-ardo*, come *Aleardo*, *Bernardo*, *Leonardo*.

Arduìno (10.000) M. VARIANTI: *Ardoino* (50), *Ardovino* (50), *Ardolino* (100), *Arduilio* (100). ABBREVIATI: *Arduo* (25). - F. *Arduina* (3.000). Largamente distribuito nel Nord e nel Centro fino all'Abruzzo, è un nome di origine germanica già introdotto in Italia dai Longobardi ma diffuso soprattutto dai Franchi, ampiamente documentato dal IX secolo nelle forme latinizzate *Ardovinus*, *Ardoinus* e *Arduinus*, ma poi promosso dal prestigio del re d'Italia dal 1002 al 1015 Arduino d'Ivrea, e soprattutto di alcuni santi di questo nome tra cui Sant'Arduino d'Inghilterra, morto nel 627 a Ceprano FR dove se ne conservano le reliquie (e dove il nome è ancora molto frequente, portato da più di 200 abitanti su circa 3.000 residenti maschili). Il nome germanico, *Harduwin* o *Hardwin*, è composto da **hardhu-* 'forte, valoroso' e **wini-* 'amico', con un significato che potrebbe essere 'amico, compagno valoroso' o 'valoroso e amico'. La variante *Arduilio* si è formata per un incrocio con *Duilio*.

Argante (900) M. - F. *Argantina* (15). Accentrato per la metà in Toscana e per il resto disperso nell'Italia centrosettentrionale, è un nome letterario insorto con la fortuna, anche a livello popolare (per recite, riduzioni a cantari e a rappresentazioni sceniche, ecc.), del poema in ottave «La Gerusalemme liberata» di T. Tasso del 1581, in cui Argante (nome d'impronta generica greca, forse modellato su *Agramante*, il re dei Saraceni dei poemi di M. M. Boiardo e di L. Ariosto) è il feroce ma fiero e valoroso guerriero saraceno, ucciso in un duello finale dal cristiano Tancredi (v. anche, per la fortuna dei nomi del poema del Tasso, *Armida*, *Clorinda*, *Erminia*, *Olindo*, *Rinaldo*, *Sofronia*, *Tancredi*).

Argentina (12.000) F. VARIANTI: *Argènta* (400), *Argènzia* (50). - M. *Argentino* (1.100). VARIANTI: *Argènto* (150). Diffuso nel Nord, con più alta frequenza in Emilia-Romagna, e anche nel Centro, è un nome augurale medievale dato in relazione alla bellezza, allo splendore e alla preziosità dell'*argento* (v. i nomi di analoga motivazione *Aurea*, *Gemma*, *Perla*).

Argìa (10.000) F. VARIANTI: *Algìa* (75), *Argèa* (300), *Arge* (100). - M. *Argio* (150). VARIANTI: *Argèo* (1.200). Distribuito nel Nord e nel Centro fino all'Italia di Venezia Giulia, in Emilia-Romagna e nelle Marche, è, nella forma fondamentale, un nome classico ripreso dal mito tebano: *Argìa*, in greco *Arghéia* (propriamente 'di Argo, Argiva') latinizzato in *Argía*, è la figlia del re di Argo Adrasto, moglie di Polinice (fratello di Etèocle, di Antìgone e di Ismene, i grandi personaggi delle tragedie del ciclo tebano di Èschilo, Sòfocle e Euripide), e il nome si sarà affermato, in età moderna, per le varie opere drammatiche e musicali ispirate a questo mito, e in particolare per la tragedia «Antigone» di V. Alfieri del 1783. La forma *Argea*, oltre che una variante, può essere in parte anche autonoma, sia come nome classico di personaggi greci con il corrispondente nome maschile *Arghêios* latinizzato in *Argeus*, sia come nome cristiano insorto per il culto di Sant'Argeo martire a Tomi nel Ponto con i fratelli Narciso e Marcellino sotto l'imperatore Licinio.

Argimiro (50) M. VARIANTI: *Argemiro* (25), *Algimiro* (50), *Algemiro* (25). ABBREVIATI: *Armiro* (25), *Armìrio* (25). Disperso nel Nord e nel Centro, con maggiore densità in Emilia-Romagna e nelle Marche, è un ultimo riflesso del culto di Sant'Argimiro monaco a Cordova, martirizzato dagli Arabi di Spagna: nome quindi germanico e qui specificamente visigotico, composto con **arga-* 'timido, avaro' ma anche 'prudente', e **maru-*, gotico *-mereis*, 'che si distingue; illustre', con un significato non molto convincente, che però potrebbe anche essere 'che eccelle per cautela, per prudenza' (sempre che i due componenti non siano stati giustapposti autonomamente, ripresi cioè da due nomi composti diversi).

Argo (700) M. Disperso nel Nord e nel Centro, con maggiore frequenza in Emilia-Romagna e in Toscana, è un nome classico, mitologico e letterario, che riprende il nome, in greco *Árgos*, latinizzato in *Argus*, di un mostro dai molti occhi e dalla vista acutissima, ucciso da Ermes, e del vecchio cane di Ulisse che, nel riconoscere il padrone tornato dopo venti anni travestito da mendicante, muore dalla gioia.

Ariànna (1.900) F. - M. *Ariànno* (20). Accentrato per ¹/₃ in Emilia-Romagna e disperso per il resto tra il Nord e il Centro, è un nome di matrice prevalentemente classica, letteraria e mitologica, ripreso dalla figlia del re di Creta Minosse, in greco *Ariádnē*, latinizzato in *Ariadne* e *Ariadna*, che aiutò l'eroe ateniese Tèseo a uscire, orientandosi con l'aiuto di un filo, dal Labirinto dove aveva ucciso il Minotauro e, fuggita con lui, fu poi abbandonata a Nasso, dove divenne la moglie di Diòniso. Il nome, certamente pregreco, è stato però interpretato dai Greci come *Ariághnē*, composto del prefisso *ari-* rafforzativo e intensivo e *hághnē* 'sacra; casta', quindi 'molto casta, sacra', e con questo valore si affermò negli ambienti cristiani. Alla diffusione del nome hanno contribuito le varie opere letterarie e musicali moderne ispirate a questo mito, e forse anche, in minima parte, il culto di Sant'Arianna martire in Frigia sotto l'imperatore Adriano.

Ariàno (450) M. - F. *Ariàna* (200). Distribuito tra il Nord e il Centro, è forse collegato al culto di un Sant'Ariano, uno dei cinque martiri in Oriente gettati in mare, i cui corpi furono riportati a riva dai delfini: in questo caso il nome potrebbe risalire all'etnico *Arianus* che indicava chi era originario delle province orientali della Persia. Può tuttavia rappresentare, soprattutto per il femminile, una variante di *Arianna*.

Àriel o *Arièl* (75). M. VARIANTI: *Arièle* (100), *Arièllo* (200). - F. *Arièla* (150), *Arièlla* (2.000). Distribuito nell'Italia centro-settentrionale con più alta densità in Emilia-Romagna per il tipo *Ariele* e in Toscana per quello *Ariello*, è un nome recente d'impronta teatrale e letteraria, diffusosi con la conoscenza del dramma di W. Shakespeare «La tempesta» del 1611, dove *Ariel* è uno spirito dell'aria che impersona le forze della natura, e anche del poema di J. Milton «Il

Paradiso perduto» del 1667, in cui *Ariel* è uno degli angeli ribelli. Il nome è ripreso, attraverso l'adattamento latino *Ariel* dal greco *Ariē'l*, dall'ebraico *Arī'ēl*, propriamente 'potente', che nell'Antico Testamento è uno dei nomi di Gerusalemme e anche un nome personale, e che nelle tradizioni israelitiche posteriori, rabbinica e anche popolare, ha indicato una categoria superiore di angeli e quindi uno spirito dell'aria e delle acque.

Arimóndo (50) M. Rarissimo e disperso, è un esile riflesso di un nome germanico introdotto in Italia dai Longobardi e poi ridiffuso dai Franchi, documentato a Lucca nel 769 nella forma latinizzata *Arimundus*, composto di **harja-* 'popolo in armi, esercito' e **munda-* 'protezione', con il significato quindi di 'difensore, protettore del popolo in armi'.

Àrio (1.300) M. ALTERATI: *Ariétto* (50), *Arino* (100). - F. *Aria* (200). ALTERATI: *Ariétta* (100), *Arina* (150). Distribuito dal Nord al Centro fino all'Abruzzo, potrebbe essere connesso con il culto, però non comune in Italia, di due santi (non compresi nel «Martirologio Romano»), Sant'Ario martire nella Mesia o in Egitto sotto Diocleziano, e Sant'Ario vescovo di Petra in Giordania. L'origine del nome, d'impronta greca, resta comunque incerta.

Ariòsto (600) M. - F. *Ariòsta* (25). Accentrato in Emilia-Romagna e sporadico nel Centro-Nord, è un nome letterario ripreso dal cognome di Ludovico Ariosto, autore dell'«Orlando furioso», cognome derivato dalla località di origine dell'antica famiglia feudale degli Ariosto di Bologna cui apparteneva il poeta, Riosto di Pianoro presso Bologna.

Aris (200) M. Accentrato per ¹/₃ in Toscana e disperso per il resto nel Nord, è la forma abbreviata, ipocoristica, di nomi di origine greca come *Aristarco*, *Aristide*, *Aristodemo*, *Aristotele*.

Aristarco (25) M. Disperso nel Nord, è un esile riflesso del nome classico e letterario del matematico e astronomo del III secolo a.C. Aristarco di Samo (in greco *Arístarchos*, latinizzato in *Aristárchus*, composto da *áristos* 'il migliore; nobile, illustre' e *árchein* 'comandare, avere potere', quindi 'che ha potere per le sue doti, per la sua nobiltà'), e del culto per Sant'Aristarco vescovo di Tessalonica e martire, compagno di San Paolo.

Aristèo (250) M. - F. *Aristèa* (1.000). Diffuso nel Nord e nel Centro, è un nome sia classico, mitologico e letterario, ripreso dal Rinascimento dall'eroe dell'Arcadia Aristeo (in greco *Aristâios*, latinizzato in *Aristaeus*, derivato da *áristos* 'il migliore; nobile'), figlio di Apollo, che insegnò a praticare l'apicoltura e la coltivazione della vite e dell'olivo; sia cristiano, connesso con il culto di Sant'Aristeo, vescovo e martire a Capua con il fanciullo Antonino, e di Sant'Aristeo martire a Lione.

Aristide (14.000) M. - F. *Aristidina* (50). Diffuso in tutta l'Italia, ma più nel Nord, è un nome classico, letterario e storico, ripreso dal Rinascimento da grandi personaggi dell'antica Grecia, in particolare dal grande uomo politico ateniese del VI-V secolo a.C. Aristide, in greco *Aristéidēs* (latinizzato in *Aristídes*), patronimico di *Aristéus* o *Aristâios* (v. *Aristeo* e *Aristo*), affermatosi poi, nel mondo greco e romano, come nome individuale. In parte può tuttavia essere stato diffuso, come nome cristiano, dal culto per Sant'Aristide di Atene, che illustrò all'imperatore Adriano, con una coraggiosa difesa, la fede cristiana. La pronunzia del nome è attualmente *Arìstide*, mentre la pronuncia filologicamente corretta, secondo l'accentazione latina, è *Aristíde*, spesso usata per i nomi dei personaggi dell'antica Grecia.

Aristo (100) M. Più frequente in Emilia-Romagna e nelle Marche, riflette il culto di Sant'Aristo martire ad Alessandria d'Egitto: il nome originario è greco, *Áristos* (o anche *Arístōn*), formato da *áristos* 'il migliore; nobile', affermatosi anche in Roma e nell'Impero romano nell'adattamento latino *Aristus* (o *Ariston*).

Aristodèmo (1.400) M. - F. *Aristodèma* (75). Diffuso nel Nord e nel Centro, con maggiore densità in Emilia-Romagna e nel Lazio, è una ripresa rinascimentale e moderna del nome greco *Aristódēmos* (composto di *áristos* 'il migliore, che eccelle; nobile' e *dêmos* 'popolo', quindi 'che eccelle nel popolo'), attraverso la forma latinizzata *Aristodémus*, di vari personaggi storici e mitologici della Grecia antica, e soprattutto di Aristodemo di Sparta, il solo superstite dei 300 Spartani caduti nella battaglia delle Termòpili del 460 a.C. per ritardare l'avanzata dell'esercito di Serse (v. *Leonida*).

Aristòtele (100) M. VARIANTI: *Aristòtile* (150). Sporadico nel Nord e nel Centro e più compatto in Toscana, è una ripresa colta del tardo Medio Evo e del Rinascimento del nome del grande filosofo di Stagira Aristotele del IV secolo a.C., in greco *Aristotélēs* (propriamente 'perfetto', come doti e intenti, da *áristos* 'ottimo, il migliore', e -*télēs* dal verbo *telêin* 'portare a compimento'), adattato in latino come *Aristóteles* e, nel latino medievale, *Aristótiles*).

Arlesiàna (50) F. Raro e disperso, è un nome letterario e teatrale ripreso nell'ultimo Ottocento dalla protagonista del dramma di A. Daudet del 1872, con musiche di G. Bizet, «*L'Arlésienne*» (ossia di Arles in Provenza), e quindi dall'opera lirica di F. Cilea «L'Arlesiana» del 1897, su libretto di L. Marenco ispirato al dramma e al precedente racconto di A. Daudet: «l'Arlesiana» è chiamata la bellissima ragazza di Arles che, pur rivale di Vivetta, non appare mai in scena.

Arlètte (400) F. VARIANTI: *Arlètta* o *Arlétta* (150). Diffuso nel Nord e più in Toscana, è un prestito recente dal francese *Arlette* (pronunziato quindi *arlèt*, se francese o sentito come francese, nella forma *Arlette*), variante meridionale di *Harlette*, derivato femminile dal maschile *Harland* o *Arland* e *Harlé*, nome di origine francone formato da **harja-* 'popolo in armi, esercito' e **landa-* 'terra, paese' (forse, quindi 'terra del popolo in armi'). Alla diffusione ha contribuito, intorno alla metà del Novecento, il nome dell'attrice Arlette Bathiat (in arte *Arletty*), protagonista di film francesi di grande successo anche in Italia, come «*Le jour se lève*» del 1939 e «*Les enfants du Paradis*» del 1944 (in italiano «Alba tragica» e «Amanti perduti»).

Armando (145.000) M. ALTERATI: *Armandino* (150). - F. *Armanda* (14.000). ALTERATI: *Armandina* (1.300). Largamente distribuito in tutta l'Italia, è stato ripreso, dal Settecento, dal francese *Armand*, e si è affermato nel secondo Ottocento per il nome del protagonista, Armand Duval, del romanzo del 1848 e poi del dramma del 1852 «La dame aux camélias» di A. Dumas figlio, tradotti in italiano e rappresentato, il dramma, con grande e popolare diffusione.

Armènio (300) M. VARIANTI: Armèno (250), Ermènio (50). ABBREVIATI: Mènio (50). - F. Armènia (300). VARIANTI: Armèna (100), Ermèna (75). ALTERATI: Armentina (150). Distribuito anche nel Nord ma frequente solo nel Centro, e più in Toscana e nel Lazio, continua o riprende un soprannome e poi nome personale latino Armenius (dal greco Arménios) 'nato in Armenia, oriundo dell'Armenia', frequenti tra schiavi, liberti e militari di origine orientale (forse sostenuto, in ambienti cristiani tardi, dal culto di Sant'Armenio di Cipro, non riconosciuto ufficialmente dalla Chiesa).

Armida (25.000) F. VARIANTI: Arminda (100). - M. Armido (2.700). VARIANTI: Armìdio (25), Armindo (300), Armildo (25). Distribuito tra il Nord e il Centro, e più compatto in Toscana, è uno dei vari nomi ripresi dai personaggi del poema di T. Tasso «La Gerusalemme liberata» (v. Argante): qui Armida è l'affascinante maga che attira nel suo castello incantato i guerrieri cristiani, ma poi s'innamora lei stessa di Rinaldo (v. Rinaldo).

Armìnio (450) M. VARIANTI: Armino (50). - F. Armìnia (50), Armina (150). Distribuito nel Nord e nel Centro, è un nome germanico ma ripreso per via colta e storico-letteraria, con il Rinascimento e l'età moderna, dal nome del capo dei Cherusci, tramandato nella forma latinizzata Arminius, che nel 9 d.C. distrusse nella selva di Teutoburgo l'esercito romano del console Quintilio Varo, e forse, nell'Ottocento, anche dal protagonista del poemetto del 1797 «Hermann und Dorothea» di W. Goethe, in italiano «Arminio e Dorotea». Il nome è formato con *ermina- o *irmina- 'grande, potente', appellativo del dio celeste Tiwaz dell'antica religione germanica.

Armistìzio (50) M. Disperso in tutta l'Italia, è un nome imposto a figli nati il giorno dell'armistizio, 4 novembre 1918, della 1ª guerra mondiale, come espressione di gioia per la fine della lunga e durissima guerra.

Arnaldo (42.000) M. VARIANTI: Arnòldo (1.000); Ernaldo (200). - F. Ar-

nalda (1.800). VARIANTI: Arnòlda (75); Ernalda (50). ALTERATI: Arnaldina (50). Diffuso in tutta l'Italia centro-settentrionale, ma più compatto in Emilia-Romagna per il tipo Arnaldo e in Lombardia, in Toscana e nelle Marche, per Arnoldo (e limitato al Nord per le varianti, solo ipotetiche, del tipo Ernaldo), è un nome di origine germanica già documentato in Italia dall'VIII secolo nelle forme latinizzate Arnualdus e Arnaldus e dall'inizio del XII secolo in quella Arnoldus, che documentano quindi una prima introduzione e tradizione francone per Arnaldo, e una seconda, tedesca, per Arnoldo. Il nome germanico è composto da *arnu-, grado ridotto *arn-, 'aquila' e *walda- 'potenza', o *waldaz 'potente, che comanda', e il significato originario potrebbe quindi essere 'potente come un'aquila' o 'che domina, che comanda come un'aquila' (sempre considerando che l'aquila è uno degli animali sacri, come l'orso e il lupo, della mitologia e delle tradizioni popolari germaniche). La diffusione del nome Arnaldo può essere stata in parte promossa dal culto di alcuni santi e beati così denominati, e inoltre dall'adozione risorgimentale ideologica, libertaria e laica, del nome del riformatore religioso e sociale Arnaldo da Brescia, arso sul rogo a Roma nel 1154.

Arnòlfo (700) M. Accentrato in Toscana, soprattutto a Firenze, per quasi la metà e per il resto disperso tra Nord e Centro, è un nome germanico di tradizione longobardica, documentato dall'VIII secolo nelle forme latinizzate Arnulfus e Arnolfus, composto di *arn- 'aquila' e *wulfa- 'lupo' (v. Arnaldo e Adolfo): due animali sacri, simbolo di forza e di ardimento guerriero.

Aròldo (3.300) M. VARIANTI: Araldo (1.200), Arìaldo (1.300), Areàldo (50), Airaldo (20). ABBREVIATI: Ròldo (50). -F. Aròlda (75). VARIANTI: Aralda (150), Arìalda (200). Distribuito nel Nord e nel Centro, con maggiore densità in Toscana e in Emilia-Romagna, continua il nome germanico *Harjowalda, attestato già da Tacito nella forma adattata latina Ariovalda, nome del re dei Batavi, e quindi nel Medio Evo nelle forme latinizzate Arioaldus o Ariovaldus, re dei Longobardi dal 626 al 636, Airoldus e

Airaldus, nome composto con **harja* 'esercito' e **walda-* 'potere, comando', quindi 'che comanda, che ha potere nell'esercito'. Ma presso i Franchi si era anche affermato come nome comune, per indicare un alto funzionario civile e militare (ambasciatore, messaggero, giudice di tornei, ecc.), e ne era derivato il francese antico *herault* o *hirault* che passò, come prestito, nell'italiano *araldo*, da cui si sviluppò il tipo onomastico *Araldo*. Dalla stessa base germanica si era formato, in danese e in inglese, il nome *Harold*, proprio di varie dinastie danesi, norvegesi e inglesi del Medio Evo: e in questa forma, *Aroldo*, il nome si ridiffuse in Italia nell'Ottocento per varie opere letterarie e musicali in cui il protagonista era così denominato, come il poema del 1812-18 «*Childe Harold's Pilgrimage*», in italiano «Il pellegrinaggio del giovane Aroldo», di G. G. Byron, il dramma storico «*Harold*» del 1876 di A. Tennyson, e l'opera lirica «Aroldo» di G. Verdi del 1856. All'alta diffusione del nome in Lombardia, e in particolare a Milano, avrà inoltre contribuito il culto di Sant'Arialdo o Arivaldo di Cucciago CO, riformatore patarino e diacono di Milano nell'XI secolo.

Arònne (1.500) M. VARIANTI: *Aròne* (100); *Aron* (50), *Aaron* (25). Più frequente in Emilia-Romagna e in Toscana, e sporadico nel Nord, è un nome israelitico che risale al nome che nell'Antico Testamento ha il primo grande sacerdote degli Ebrei, fratello di Mosè (riconosciuto come santo anche dalla Chiesa). Il nome ebraico *'Ahāron*, di incerta origine (forse egizia, v. *Maria* e *Mosè*) e di oscuro significato, è stato diffuso in Occidente attraverso l'adattamento greco *Aarō'n* e latino *Aaron*.

Arónte (25) M. Rarissimo e accentrato in Emilia-Romagna, è un nome di matrice classica e letteraria, ripreso dal Rinascimento dal latino *Arruns* (o *Aruns*) *Arruntis*, dall'etrusco *Arnth* di incerto significato, nome di vari personaggi etruschi della più antica storia romana, come il figlio del re Tarquinio il Superbo, il figlio del re Porsenna e l'alleato di Enea che uccide Camilla.

Arpàlice o *Arpàlice* (1.000) F. Diffuso nel Nord e in Toscana, riprende con il Rinascimento il nome greco di una mitica eroina della Tracia, educata alle armi e alla guerra, *Harpalýkē* (latinizzato in *Harpályce*), composto probabilmente con la radice **harpa-*, da cui il verbo *harpázein* 'portare via; catturare', e *lýkos* 'lupo', con un significato incerto (forse 'che uccide, cattura i lupi': il lupo era considerato un animale magico, avverso e pericoloso per le greggi e le mandrie e anche per gli uomini).

Arrigo (16.000) M. ALTERATI: *Arrighétto* (25), *Arrigùccio* (25). - F. *Arriga* (50). Diffuso nel Nord e in particolare in Toscana, rappresenta una variante del nome di origine germanica e di tradizione tedesca *Enrico* di impronta fonetica settentrionale e toscana (*Arrigus* è attestato con frequenza in Toscana, a Firenze, a Lucca e a Pisa, già dall'inizio dell'XI secolo): v. *Enrico* e anche *Amerigo*, che ha la stessa base ma è di tradizione ostrogotica e francone.

Arsènio (1.700) M. VARIANTI: *Arsèno* (20); *Arzènio* (15), *Arzèlio* (50). - F. *Arsènia* (300). Distribuito nel Nord e nel Centro, e inoltre in Campania dove ha la maggiore densità, è un nome cristiano insorto per il culto di vari santi così denominati, tra cui Sant'Arsenio il Grande di Roma, eremita in Egitto nel IV secolo, e Sant'Arsenio martire in Egitto sotto l'imperatore Decio: alla ridiffusione del nome può avere in parte contribuito il protagonista, il «ladro gentiluomo» Arsène Lupin, di una serie di romanzi di avventure poliziesche dello scrittore di Rouen Maurice Leblanc (morto nel 1941), largamente diffusi anche in Italia nel primo Novecento. Alla base è il nome greco *Arsénios*, derivato da *ársēn* 'maschio' con il significato di 'virile', adottato anche in Roma in età imperiale come *Arsenius*.

Artasèrse (100) M. Accentrato in Emilia-Romagna e disperso nel Nord, è una ripresa rinascimentale, classica, del nome di vari re persiani della dinastia degli Achemènidi del V e IV secolo a.C. *Artakhshaça* in persiano antico (propriamente 'il suo potere è la legge'), adattato come *Artaxérxēs* in greco e *Artaxerxes* in latino.

Artèmide (400) F. - M. *Artemìdio* (25). Proprio del Nord, riprende per via colta, dal Rinascimento, il nome della dea della mitologia greca della natura, dei boschi e della caccia, Artemide, in greco *Ártemis -idos* latinizzato in *Artemis -idis*, di significato incerto e di origine pregreca, forse minoica.

Artèmio (5.000) M. VARIANTI: *Artèmo* (50); *Altèmio* (50); *Artìmio* (20); *Artènio* (100). ALTERATI: *Artimino* (25). -F. *Artèmia* (1.000). VARIANTI: *Artènia* (50). ALTERATI: *Artimina* (100). Diffuso nell'Italia centro-settentrionale, e peculiare della Toscana negli alterati, è un nome cristiano insorto con il culto di vari santi così denominati, tra cui Sant'Artemio martire a Roma con la moglie Candida e la figlia Paolina, e Sant'Artemia vergine di Roma del IV secolo (a Roma il nome, soprattutto al femminile, è molto frequente). Alla base è il nome greco *Artémios* e *Artemía*, derivati dalla dea *Ártemis* (v. *Artemide*), affermatisi anche nell'Impero romano nella forma latinizzata *Artemius* e *Artémia* (gli alterati possono in qualche caso riflettere il toponimo Artimino, frazione di Carmignano FI).

Artemìsia (2.500) F. - M. *Artemìsio* (250). Distribuito nel Nord e nel Centro, con maggiore frequenza in Emilia-Romagna, è una ripresa colta, rinascimentale e moderna, del nome greco *Artemísia*, derivato dalla dea *Ártemis* (v. *Artemide*), attraverso l'adattamento latino *Artemisia*, della regina di Caria del IV secolo a.C., che dedicò al marito Mausòlo un grandioso e celebre monumento funebre (il «Mausolèo» di Alicarnasso), o anche della regina reggente di Alicarnasso nel V secolo a.C., alleata di Serse nella spedizione contro la Grecia.

Artenice (100) F. Accentrato in Emilia-Romagna per più della metà e per il resto disperso nel Nord, è un nome di matrice colta e letteraria ripreso, dal Seicento, dal francese *Arthénice*, il nome con cui si fece chiamare (anagrammando il proprio nome *Cathérine* su uno stampo genericamente greco, v. *Nicea*, *Berenice* e *Cleonice*), e fu largamente nota, Cathérine de Vivonne marchesa di Rambouillet, che, dal 1615, promosse nel proprio palazzo parigino (l'«*Hôtel de Rambouillet*»), aperto a scrittori e artisti, la corrente del preziosismo, come movimento letterario e tendenza raffinata del gusto e della moda.

Arturo (63.000) M. ALTERATI: *Arturino* (50). - F. *Artura* (500). ALTERATI: *Arturina* (400). Diffuso nel maschile in tutta l'Italia e nel femminile nel Nord e in Toscana, ha un'origine e una formazione molto complessa. Alla base è il nome celtico *Arthur* o *Artuir*, adattamento del nome latino *Artorius*, di probabile origine etrusca, documentato in iscrizioni romane anche in Britannia, e adottato per il prestigio dei dominatori romani dai Britanni. E con questo nome è chiamato, nelle tradizioni leggendarie, il re della Britannia meridionale *Arthur*, capo della difesa contro l'invasione dei Sàssoni nel VI secolo: intorno a questa figura si crearono leggende, saghe e canti epici, con cui il nome si diffuse nella Francia settentrionale nella forma *Arthur* o *Artus*, e che sono all'origine dei poemi in francese antico del ciclo chiamato appunto «bretone», o «del re Artù» o «della Tavola Rotonda», in quanto i cavalieri del re si radunavano alla sua corte intorno a una tavola rotonda (simbolo di parità, di uguaglianza) a raccontare, in festosi conviti, le proprie avventurose e fantastiche imprese. Così, specialmente con la fortuna di questi poemi anche in Italia, tra il XII e il XIII secolo il nome, adattato in *Arturo* (ma anche in *Artusio* e *Artus* o *Artù*), si diffuse e si affermò nell'onomastica italiana, sostenuto dal nome della costellazione dell'Orsa, Arturo (dal greco *Arktûros*, in latino *Arcturus*), accostato per fraintendimento al nome personale.

Ascànio (1.900) M. - F. *Ascània* (50). Accentrato per $^1/_3$ in Toscana, e per il resto disperso in tutta l'Italia, è un nome classico, letterario, ripreso dal Rinascimento dal figlio di Enea e Creùsa, *Ascanius* o *Iulus*, che nell'«Eneide» di Virgilio segue il padre nel Lazio fondando Alba Longa e la *gens Iulia* da cui discenderà Giulio Cesare. Il latino *Ascanius* è ripreso dal greco *Askánios*, che nell'«Iliade» è il condottiero dei Frigi e dei Misi dell'Ascania (in greco *Askanía*: il nome e il toponimo sono pregreci, di ignoto significato).

Ascènsa (10) F. VARIANTI: *Ascènza* (1.000). ALTERATI: *Ascensina* (50), *Ascenzina* (200). - M. *Ascènso* (50). VARIANTI: *Ascènsio* (20); *Ascènzo* (900), *Ascènzio* (550), *Assènzio* (25). Diffuso per i $^2/_3$ nel Lazio e per il resto disperso nel Centro e nell'Abruzzo, è un nome di devozione cristiana per l'Ascensione (in usi antiquati o regionali *Ascensa*) di Cristo al Cielo, 40 giorni dopo la resurrezione, dato spesso a bambini nati in quel giorno.

Asclèpio (25) M. VARIANTI: *Asclepìade* (10). Accentrato nel Perugino *Asclepio*, disperso *Asclepiade*, sono il raro riflesso, il primo, del dio della medicina della mitologia greca, il secondo del culto di Sant'Asclepiade vescovo di Antiochia e martire nel III secolo. La base è il greco *Asklēpiós*, di origine pregreca e di significato ignoto, da cui è derivato come patronimico *Asklēpiádēs* 'figlio di Asclepio', adottati in latino come *Asclépius* (e in forma popolare di tramite etrusco *Aesculapius*) e *Asclepíades*.

Asdrùbale (200) M. Disperso nel Nord e nel Centro, è una ripresa rinascimentale, classica e storica, del nome del generale cartaginese Asdrubale, fratello di Annibale, sconfitto e ucciso nel 207 a.C. nella battaglia del Metauro dai Romani: riprende l'adattamento latino *Hásdrubal Hasdrúbalis* (in greco è *Asdrúbas*) del nome punico *Azrūba-'al*, 'aiuto di Baal', dato dal dio Baal' (v. *Annibale*).

Asiàgo (100) M (anche F). Sporadico nell'Italia centro-settentrionale, è un nome ideologico e patriottico sorto con la 1ª guerra mondiale in riferimento all'altopiano di Asiago nel Vicentino, teatro di dure battaglie nel 1916.

Asmara (1.100) F. - M. *Asmaro* (100). ALTERATI: *Asmarino* (10), *Asmerino* (50). Proprio della Toscana, è un nome ideologico e patriottico motivato dall'occupazione italiana di Asmara, capitale dell'Eritrea, nel 1889.

Aspàsia (400) F. - M. *Aspàsio* (10). Diffuso nel Nord e nel Centro, riprende per via colta e letteraria il nome di Aspasia di Mileto, compagna in Atene di Pericle nel V secolo, ma soprattutto lo pseudonimo usato da G. Leopardi, nel canto «Aspasia» del 1835, per la fiorentina Fanny Targioni Tozzetti, ispiratrice del canto.

Aspromónte (100) M. Disperso nel Nord e nel Centro, è un nome ideologico connesso con l'epopea garibaldina, e riferito allo scontro del 29 agosto 1862 tra le truppe piemontesi e quelle garibaldi-ne sull'Aspromonte in Calabria, in cui G. Garibaldi fu ferito e fatto prigioniero.

Assalònne (100) M. Disperso nel Nord e nel Centro, è un nome israelitico, che continua il nome ebraico *'Abshā-lōm* (composto da *'ab* 'padre' e *shā-lōm* 'pace' quindi 'il padre [cioè Dio] è pace'), adattato in greco come *Abessa-lṓm* e in latino *Absalóm*, del terzo figlio del re David, che si ribellò al padre, ma anche in parte cristiano, insorto dal culto di Sant'Assalonne martire a Cesarea in Cappadocia.

Assuèro (600) M. VARIANTI: *Asvèro* (100). - F. *Assuèra* (100). Accentrato per la metà in Toscana e disperso per il resto nel Nord, è un nome israelitico, ripreso dall'Antico Testamento in cui designa alcuni personaggi della Persia e della Media non sicuramente identificabili: la forma ebraica è *'Ahashwērōsh*, di origine persiana, adattata in greco e in latino come *Assuéros* e *Assuérus*.

Assunta (140.000) F. ALTERATI: *Assuntina* (3.500). NOMI DOPPI: *Assunta Marìa* (700). - M. *Assunto* (650). ALTERATI: *Assuntino* (200). Distribuito, con altissima frequenza e densità, in tutta l'Italia, riflette la devozione per l'Assunzione di Maria Vergine, in anima e corpo, al Cielo, celebrata dalla Chiesa il 15 agosto (il culto per Maria Santissima Assunta, patrona di più di 100 città italiane, è riflesso anche dal diffusissimo nome doppio *Maria Assunta* (v. *Maria*).

Astòlfo (500) M. Accentrato per i ²/₅ in Toscana, e sparso per il resto tra Nord e Centro, continua il nome germanico, introdotto dai Longobardi, il cui re Astolfo (dal 749 al 756) è denominato nelle fonti dell'epoca come *Astolf* e, in forme latinizzate, *Aistulfus*, *Astulfus* e *Astolfus*, composto da **haist(i)-* 'forza; combattività, valore' e **wulfa-* 'lupo', quindi 'lupo aggressivo, valoroso' (v. *Adolfo*). Il nome si è poi ridiffuso nel tardo Medio Evo nel Rinascimento con le *chansons de geste* del ciclo carolingico e con i poemi cavallereschi di L. Pulci, M. M. Boiardo e L. Ariosto, in cui Astolfo è un campione cristiano, paladino di Carlo Magno e cugino di Orlando e Rinaldo.

Astórre (950) M. VARIANTI: *Astóre* (100). ALTERATI: *Astorino* (25). Diffuso

nel Nord e nel Centro, continua probabilmente un soprannome medievale formato da *astore*, un uccello rapace, che
anticamente indicava, in senso figurato,
anche una persona molto scaltra, avida e
rapace.

Astro (200) M. VARIANTI: *Aster* (300:
anche F), *Àstero* (50). DERIVATI E ALTE-
RATI: *Astèrio* (300) e *Asterino* (20). - F.
Astra (100). VARIANTI: *Astrèa* (100). DE-
RIVATI: *Astèria* (200). Distribuito nel
Nord e nel Centro, fino alla Campania, è
un tipo nominale che, pur differenziato,
risale a un'unica etimologia: il latino
aster o *astrum* 'stella', prestito dal greco
astē'r o *ástron*, già frequenti nell'onomastica greca e quindi latina, per il loro
evidente rapporto con la luminosità e lo
splendore delle stelle, nelle forme greche *Astē'r* con i derivati *Astráia*,
Astérios e *Astería* e latine *Aster*, *Astra-
ea*, *Asterius* e *Astéria*, usate come soprannomi e in età imperiale come nomi
individuali. In particolare hanno una
matrice classica e mitologica, rinascimentale, *Aster* e *Astrea* (dea delle stelle
e della giustizia), e prevalentemente cristiana *Asterio* e *Asteria*, per il culto di vari santi tra cui Sant'Asterio martire a
Ostia nel III secolo.

Àtala (200) F. - M. *Àtalo* (50). Accentrato in Emilia-Romagna e in Toscana e disperso nel Nord, è un nome letterario ripreso nell'Ottocento dalla protagonista di un racconto di F.-R. de Chateaubriand del 1801 sul romantico amore di due indigeni della Luisiana, *«Atala
ou les amours de deux sauvages dans le
désert»* (nome inventato dall'autore o ripreso da un nome indigeno).

Atalìa (75) F. Disperso nel Nord, è
un nome letterario ripreso dal Settecento dalla tragedia *«Athalie»* del 1691 di J.
Racine, sulla tragica figura dell'Antico
Testamento della figlia di Achàb, e usur-
patrice del trono di Giuda, Atalia, in
ebraico *'Athalyāh* (forse dall'accadico
'etēlu 'grande, eccelso' e *Yahweh*
'Dio', quindi 'Dio è grande, eccelso'),
adattato in latino come *Athalía*.

Atanàsio (400) M. VARIANTI: *Attanàsio* (500). Accentrato nel Sud, specialmente nel Palermitano, e disperso nel
resto dell'Italia, riflette il culto di vari
santi, tra cui Sant'Atanasio vescovo di
Alessandria d'Egitto nel IV secolo e dot-

tore della Chiesa, e Sant'Atanasio vescovo di Napoli nel IX secolo. Alla base
è il nome greco *Athanásios*, derivato da
athánatos (formato con *a-* privativo e
thánatos 'morte') 'immortale', adottato
come *Athanasius* anche in latino, e affermatosi in età cristiana in quanto inteso
auguralmente come destinato alla vera
immortalità, quella della vita eterna in
Dio.

Atène (400) F. VARIANTI: *Atèna* (75). -
M. *Atèno* (10). Accentrato in Toscana e
sporadico nel Nord, è un nome classico
e mitologico rinascimentale e moderno, ripreso dalla dea greca *Athē'nē* o
Athēnâ (nome di origine pregreca,
forse minoica, e di significato ignoto), in
latino *Athena*, figlia di Zeus e protettrice
delle arti e delle scienze, ma anche divinità guerriera.

Àteo (100) M. - F. *Àtea* (150). Distribuito nel Nord e nel Centro, è un nome ideologico, di recente matrice mate-
rialistica o anarchica, o genericamente
anticlericale (soprattutto nel risorgimento), formato da *ateo* (dal greco
átheos 'senza dio', composto di *a-* privativo e *theós* 'dio'), chi non riconosce
l'esistenza di Dio, di una divinità che re-
goli l'universo.

Àthos o *Athòs* (7.000) M. VARIANTI:
Àtos o *Atòs* (550). Accentrato in Emilia-Romagna e in Toscana, sporadico nel
Nord, è uno dei nomi ripresi nel secondo
Ottocento dai fortunati romanzi di A.
Dumas padre sulle avventure dei tre moschettieri (v. *Aramis* e anche *Porthos*): è
un nome inventato, con una impronta
vagamente greca e aristocratica, ade-
guata alla figura e al carattere di questo
personaggio.

Àttala (45) M (anche F). Disperso
nel Nord, è un riflesso del culto di
Sant'Attala, originario della Borgogna,
abate del Monastero di Bobbio, dopo
San Colombano, nel VII secolo: nome
quasi certamente germanico, burgundo,
derivato con il suffisso diminutivo *-l* da
atta 'padre' (letteralmente 'piccolo padre').

Àttalo (100) M. Sporadico nel Nord
e in Toscana, riflette il culto di Sant'At-
talo di Pergamo, uno dei martiri di Vienne e Lione nel II secolo, e forse in parte è
anche storico, ripreso dal nome tradizionale dei re di Pergamo tra il III e il II

secolo a.C.: alla base è il nome greco
Áttalos e latino *Attalus*, derivato da *at-
ta*, nome affettivo per 'padre' (v. *Attala* e
Attila).

Àttico (100) M. Proprio del Centro,
e più frequente a Roma, riprende, soprattutto attraverso il culto di Sant'Attico martire in Frigia, il *cognomen*, o soprannome, e poi nome individuale latino
Atticus, dal greco *Attikós*, di valore etnico, cioè 'originario dell'Attica'.

Àttila (300) M. Accentrato per ¹/₃ in
Emilia-Romagna e per il resto disperso
nel Nord e nel Centro, è una ripresa letteraria moderna del nome del re degli
Unni che nel V secolo invase e devastò
l'Europa centro-occidentale e anche l'I-
talia (dove nel 452 si fermò al Mincio,
cedendo alle preghiere del papa Leone
I), diffuso però dalla tragedia «*Attila*» di
P. Corneille del 1667 e dal melodramma
di G. Verdi del 1846 «Attila», su libretto
di T. Solera. Attila, pur essendo re di un
popolo asiatico, probabilmente mongo-
lo, doveva avere assunto il proprio nome
(che è germanico, v. *Attala* di cui è una
variante) dai Goti o dai Burgundi, durante i lunghi contatti che aveva avuto
con quelle popolazioni nell'Europa sud-
orientale.

Attìlio (95.000) M. DERIVATI: *Attiliàno* (25). - F. *Attilia* (13.000). DERIVATI:
Attiliàna (50). Largamente diffuso in
tutta l'Italia, con maggiore frequenza
nel Lazio, è una ripresa colta, storico-
letteraria e recente, del nome gentilizio
latino della prima età repubblicana *Ati-
lius*, di origine etrusca e di significato
ignoto, proprio di molti grandi personaggi della storia romana come il console Marco Attilio Regolo, sconfitto e fatto prigioniero dai Cartaginesi, e poi torturato e ucciso, durante la 1ª guerra punica. Ma il nome si è affermato anche
per il melodramma di P. Metastasio «Attilio Regolo», rappresentato per la prima volta a Dresda nel 1750.

Audace (50) M. Rarissimo, disperso
nell'Italia centro-settentrionale ma più
frequente in Liguria, riflette il culto di
Sant'Audace martire a Tora CE sotto
l'imperatore Decio, anche se in qualche
caso può essere un nome medievale formato da *audace*: già in Roma esisteva il
soprannome e poi nome individuale *Audax* (da *audax audacis* 'audace', derivato

di *audére* 'osare').

Audènzio (150) M. - F. *Audènzia*
(150). Peculiare della Sicilia, e soprattutto dell'Agrigentino, è insorto per un
culto locale (la Chiesa, anche se non ufficialmente, riconosce il culto di Sant'Audenzio, vescovo di Milano nel IV secolo,
e di Sant'Audenzio vescovo di Toledo):
la base è il soprannome latino *Auden-
tius*, derivato dal participio presente *au-
dens audentis* 'che sa osare, audace' di
audére 'osare'.

Augusto (79.000) M. ALTERATI E DERI-
VATI: *Augustino* (50); *Augustale* (100). -
F. *Augusta* (45.000). ALTERATI: *Augustina* (250). Largamente distribuito in tutta
l'Italia, con maggiore frequenza nel
Nord e nel Centro, ma proprio, per il derivato *Augustale*, di Potenza e della provincia, continua il titolo di prestigio *Augustus*, conferito dal senato nel 27 a.C. al
primo imperatore romano Gaio Giulio
Cesare Ottaviano, e poi assunto da tutti
gli imperatori successivi. Il latino *augustus*, collegato con *augur* 'augure' con il
significato di 'consacrato dagli àuguri' e
poi, sul modello del greco *sebastós*, 'degno di grande venerazione', divenne anche il nome (dato in onore di Cesare Augusto) dell'ottavo mese dell'anno, *agosto*, e si affermò poi come nome personale, diffondendosi solo in epoca abbastanza recente, anche per il culto di santi
e sante di questo nome e del derivato
Augustale (v. anche *Agostino*).

Aulo (700) M. Distribuito nel Nord
e nel Centro, continua l'antico nome
personale latino *Aulus* di origine etrusca
e d'incerto significato.

Àura (1.000) F. ALTERATI: *Aurétta*
(150). - M. *Auro* (900). ALTERATI: *Aurino* (50). Diffuso nell'Italia centro-
settentrionale, è una ripresa colta del
nome personale femminile latino *Aura*,
formato da *aura* 'vento leggero, brezza',
antico prestito letterario dal greco *áura*
(v., per altri nomi classici ripresi da venti, *Euro* e *Zefiro*).

Àurea (1.100) F. - M. *Àureo* (50).
Presente in tutta l'Italia, riprende il soprannome e poi nome personale latino
d'età imperiale *Aurea* e *Aureus*, formato
da *aureus* (da *aurum* 'oro') 'd'oro; splendente, bello come l'oro', sostenuto dal
culto per varie sante così denominate, e
in particolare Santa Aurea martire a

Ostia nel III secolo, e patrona di Ostia.
Aureliàno (1.300) M. VARIANTI: *Oreliàno* (25). - F. *Aureliàna* (700). Diffuso
nel Nord e nel Centro, è un nome cristiano affermatosi per il culto di vari santi e
martiri, tra cui Sant'Aureliano vescovo
di Arles e un altro di Lione: alla base è il
soprannome o nome familiare latino di
età imperiale *Aurelianus*, derivato da
Aurelius (v. *Aurelio*).
Aurèlio (42.000) M. ABBREVIATI:
Rèlio (25). - F. *Aurèlia* (26.000). Largamente distribuito in tutta l'Italia, è una
ripresa colta, sostenuta tuttavia dal culto
di vari santi e sante di questo nome, del
gentilizio latino già di età repubblicana,
e poi nome individuale, *Aurelius* (reso illustre dall'imperatore Marco Aurelio),
in età arcaica *Auselius*, derivato dal sabino *Ausel*, una divinità solare che dal sabino è stata accolta dagli Etruschi come
Usib, il dio del sole.
Auròra (30.000) F. Ampiamente diffuso in tutta l'Italia, è un nome affettivo
e augurale medievale formato da *aurora*, adottato per significare e augurare alla figlia la bellezza e la luminosità del-
l'aurora (anche se *Aurora* è già un secondo nome femminile in latino, in cui *Aurora* è anche una dea, sorella del Sole e
della Luna). Il latino *aurora*, in età arcaica *ausosa*, ha il significato etimologico
di 'luminosa, splendente', e è derivato
dalla stessa base indoeuropea di *Aurelius* (v. *Aurelio*).
Ausìlio (700) M. - F. *Ausìlia* (4.000).
Diffuso nel Nord, nel Centro e in Sardegna, è un nome cristiano che riflette il
culto dei vari santi e sante di questo nome, e soprattutto la devozione per Maria
Vergine Ausiliatrice o del Buon Ausilio,
cioè 'protettrice, che soccorre' (per cui
la forma femminile è molto più frequente di quella maschile). Alla base è il latino *auxilium* 'aiuto, soccorso', già documentato in età imperiale come soprannome, *Auxilius* o *Ausilius*, poi diventato
nome individuale.
Ausònio (450) M. - F. *Ausònia* (700).
Distribuito tra Nord e Centro, è una ripresa colta del soprannome e nome gentilizio di età imperiale *Ausonius*, sostenuta in parte dal culto di Sant'Ausonio
vescovo e martire di Angoulême in
Francia nel III secolo. Il latino *Ausonius*
è l'etnico di Ausonia (cioè 'abitante, ori-

ginario dell'Ausonia'), nome dato dagli
antichi geografi greci e romani alla Campania e quindi esteso all'Italia continentale meridionale e infine, come nome
letterario e poetico, a tutta la penisola
italiana.
Avànti (100) M (anche F). Disperso
nel Nord e nel Centro, è un nome ideologico recente, d'impronta marxista, fondato sul motto *avanti!* che costituisce l'i-
nizio dell'inno socialista «Avanti o popolo» e il titolo del giornale «Avanti!»,
fondato nel 1896, del Partito Socialista
Italiano.
Àve (4.500) F. VARIANTI: *Ava* (100);
Ave Marìa (300). - M. *Avo* (50). Distribuito nell'Italia centro-settentrionale,
con maggiore frequenza in Lombardia e
nell'Emilia-Romagna, è un nome di devozione cristiana formato dall'inizio della salutazione angelica a Maria, nell'annunciazione, dell'arcangelo Gabriele,
Ave (dal latino *ave*, imperativo di *avére*
'star bene', quindi 'salute!', come formula di saluto e di augurio), e della fondamentale preghiera mariana, «Ave
Maria», in italiano e in latino. La variante *Ava* può anche essere un nome straniero, inglese, e comunque di origine
germanica (v. *Evelina*).
Avendràce (50) M. Peculiare di Cagliari e della provincia, riflette l'antico
culto di Sant'Avendrace di Cagliari (non
riconosciuto ufficialmente dalla Chiesa), che ancora la denominazione di
uno dei quartieri più antichi e popolari e
di una chiesa di Cagliari: l'origine e l'etimologia del nome, di impronta orientale, restano oscure.
Aventìno (500) M. VARIANTI: *Avventino* (100). - F. *Aventina* (100). VARIANTI:
Avventina (50). Proprio del Piemonte e
del Cagliaritano in Sardegna, è un nome
cristiano insorto per il culto di vari santi
così denominati (tra cui un vescovo di
Chartres e uno di Troyes del VI secolo, e
un eremita nei Pirenei martizzato dai Saraceni nel IX secolo) che continua il soprannome e poi nome individuale latino
Aventinus di valore topografico, ossia
'abitante, originario del quartiere di Roma dell'Aventino', in latino *Mons Aventinus*.
Azarìa (150) M. Disperso nel Sud, è
un nome israelitico e anche cristiano ripreso da vari personaggi dell'Antico e

del Nuovo Testamento, in particolare uno dei compagni di Daniele nella deportazione a Babilonia, e l'arcangelo Raffaele che assunse questo nome presentandosi a Tobìa, per accompagnarlo e curarlo. L'ebraico *ʿAzaryāh*, adattato in greco e poi in latino come *Azarías* e *Azarias*, è un nome teoforico, in quanto contiene nel secondo elemento l'abbreviazione di *Yahweh* 'Iavè, Dio', mentre il primo è formato da *ʾāzar* 'ha difeso', e il suo significato originario è quindi 'Dio ha aiutato, ha protetto'.

Azèglio (550) M. VARIANTI: *Azzèglio* (25); *Azèlio* (2.300), *Azzèllo* (150); *Dazèglio* (20), *Dazèlio* (10). ALTERATI: *Azzelino* (20). ABBREVIATI: *Zèlio* (550), *Zèlo* (25), *Zelino* (200). - F. *Azèglia* (75). VARIANTI: *Azèlia* (1.000), *Azzèlla* (75). ABBREVIATI: *Zèlia* (1.700) e *Zelina* (600), *Zèila* (150). Concentrato in Emilia-Romagna e soprattutto in Toscana, e disperso nel Nord e nel Centro, è un tipo problematico sia per l'aggruppamento delle varie forme (che potrebbero anche avere etimologie e spiegazioni diverse), sia per l'interpretazione etimologica. Fondandosi sull'area di distribuzione, l'Emilia-Romagna e la Toscana (le regioni più aperte a accogliere nomi ideologici e di moda), si può ipotizzare che sia un nome ideologico dell'ultimo Ottocento ripreso dallo scrittore e statista torinese marchese Massimo Taparelli d'Azeglio, che visitò nel 1845 la Romagna e la Toscana e i cui romanzi storici, soprattutto l'«Ettore Fieramosca» del 1833 e il «Niccolò de' Lapi» del 1841, furono largamente popolari nel Risorgimento: d'Azeglio è il predicato nobiliare, dal feudo di Azeglio, un centro in provincia di Torino, toponimo che deriva dal latino *agellus* 'piccolo campo, podere'. Può essere tuttavia possibile, in alcune forme, un etimo germanico (v. *Zelindo* e *Zelmira*).

Azzo (600) M. VARIANTI: *Àzio* (550), *Àzzio* (50); *Atto* (100). ALTERATI: *Azzolino* (250), *Azolino* (25). - F. *Àzia* (50). ALTERATI: *Azzolina* (100). Proprio dell'Emilia-Romagna e della Toscana (dove è specifica la forma *Atto*), e sporadico nel Nord e nel Centro, è la continuazione di un nome germanico introdotto in Italia con due forme e tradizioni diverse, ma di uguale etimo: un ipocoristico, *Atto* o *Azzo* (con le forme oblique, tipicamente germaniche, *Attone* o *Azzone*), abbreviazione di nomi composti con il primo elemento *athala-* o *atha-* 'nobiltà' (v. *Adalberto* e *Adolfo*), o in qualche caso formati da *atta* 'padre' (v. *Attala* e *Attila*). La forma *Atto*, di tradizione gotica e francone, si è conservata solo in Toscana e soprattutto nel Pistoiese per il culto di Sant'Atto o Attone vescovo di Pistoia nel XII secolo. Il tipo *Azzo*, già longobardico o alamannico (è documentato a Parenzo in Istria nel VI secolo), ma diffuso dal X secolo dal tedesco antico, è la forma caratterizzata dalla 2ª rotazione consonantica, per cui *t* diventa *z*, dei dialetti tedeschi meridionali, ma corrispondente come etimo a *Atto*: anch'essa è sostenuta dal culto di alcuni santi e dal prestigio di nomi tradizionali di grandi famiglie dinastiche e aristocratiche (come gli Estensi di Ferrara, in cui *Azzo* è tradizionale dall'XI al XIV secolo). Le forme *Azio* e *Azia* possono anche continuare il nome latino *Atius* o *Attius*, mentre *Azzolino* e *Azzolina* possono rappresentare un incrocio con *Ezzelino*.

Azzurra (500) F. - ALTERATI: *Azzurrina* (100). - M. *Azzurro* (120). ALTERATI: *Azzurrino* (30). Distribuito nel Nord e nel Centro, con maggiore frequenza in Emilia-Romagna e soprattutto nel Modenese, è stato fino al primo Novecento un raro nome affettivo collegato con il colore *azzurro*, per la sua bellezza e luminosità, ma si è poi ridiffuso come nome di moda, sportivo, prima per il colore della maglia o di altri distintivi degli atleti italiani che partecipavano a gare internazionali, e recentemente, dal 1983, per il nome dell'imbarcazione da competizione, Azzurra, che ha brillantemente partecipato alla gara velica internazionale della «Coppa d'America».

B

Bàbila (25) M. VARIANTI: *Bàbilo* (10). Rarissimo e disperso nel Nord, è l'esile riflesso dell'antico culto di San Babila vescovo di Antiochia e martire nel III secolo, le cui reliquie sarebbero state portate in Italia e al quale è intitolata la basilica romanica di San Babila di Milano: alla base è il nome greco *Babylâs*, di origine orientale, latinizzato in *Bábylas*.

Bàccio (100) M. Proprio della Toscana, è un antico ipocoristico, comunissimo in Toscana nel Medio Evo, dei nomi personali *Iacobaccio*, *Bartolaccio*, *Bindaccio* o anche *Fortebraccio*.

Bachìsio (1.200) M. VARIANTI: *Bacchìsio* (50). - F. *Bachìsia* (50). Peculiare della Sardegna, e qui più frequente nel Nuorese e nel Sassarese, riflette il culto locale, diffuso dai Bizantini, di San Bachisio (non riconosciuto ufficialmente dalla Chiesa), patrono di Bolòtana NU, dove esiste un'antica chiesa romanica, ora in rovina, a lui intitolata: il nome bizantino originario (latinizzato nel Medio Evo in *Bachisius*) non è identificabile con certezza per mancanza di sufficienti documentazioni.

Badòglio (25) M. Rarissimo e disperso, è un nome ideologico ripreso tra la 1ª e la 2ª guerra mondiale, e in particolare durante la 2ª guerra etiopica del 1935-36, dal cognome del generale e maresciallo d'Italia Pietro Badoglio.

Balbina (700) F. - M. *Balbino* (50). Distribuito nel Nord e nel Centro con alta compattezza a Roma, riflette il culto di Santa Balbina vergine: alla base è il soprannome e poi nome individuale latino *Balbinus* e *Balbina*, derivato da *Balbus*, da *balbus*. voce onomatopeica, 'balbuziente'.

Baldassare (3.900) M. VARIANTI: *Baldassarre* (2.500), *Baldasarre* (20). Attestato in tutta l'Italia, ma con altissima compattezza, più dei $^3/_4$, in Sicilia (per la forma *Baldassare*), è insorto nel tardo Medio Evo con il culto popolare per i tre re Magi venuti dall'Oriente per adorare Gesù Bambino, e portargli doni, il giorno poi chiamato dell'Epifania. Baldassare è il terzo dei Magi (v. *Gaspare* e *Melchiorre*), e il nome deriva, attraverso il greco *Baltássar* e il latino *Baltassar*, dall'ebraico *Belsha'zar*, adattamento a sua volta dell'assiro-babilonese *Bel-shar-uzur*, 'Bel, proteggi il re' (Bel, propriamente 'il Signore', è il dio supremo della religione accadica, corrispondente al fenicio *Baàl*, v. *Annibale*).

Baldo (1.000) M. ALTERATI: *Baldino* (300), *Baldùccio* (25). - F. *Balda* (75). ALTERATI: *Baldina* (500). Accentato per quasi la metà in Toscana e per il resto disperso nel Nord e meno nel Centro, è l'ipocoristico, attestato già dal Medio Evo, di nomi composti germanici che terminano con -*baldo*, come *Arcibaldo*, *Garibaldo*, *Rambaldo*, *Tebaldo*, *Ubaldo*, o che iniziano con *Baldo*-, come *Baldovino*.

Baldovino (200) M. VARIANTI: *Baldoìno* (15), *Balduìno* (300). - F. *Baldovina* (25). VARIANTI: *Balduina* (75). Diffuso nel Nord e nel Centro, e più frequente nel tipo *Balduino* nel Lazio, è un nome germanico già introdotto dai Longobardi (un *Paldoin* è già documentato a Lucca nel 720), ma affermatosi soprattutto con i Franchi (le forme di tipo francone senza la 2ª rotazione consonantica *Baldovinus*, *Baldoinus* o *Balduinus*, sono attestate dalla fine dell'VIII secolo), composto con **baltha-* 'audace, coraggioso' e **wini-* 'amico, compagno', quindi 'amico coraggioso' o 'che ha compagni coraggiosi'. La sua diffusione è stata sostenuta, oltre che da grandi personaggi, anche da alcuni santi e beati di questo nome.

Balilla (1.000) M. Distribuito tra Nord e Centro, con più alta frequenza in Emilia-Romagna, in Toscana e a Roma, è un nome ideologico ripreso già nel Risorgimento ma soprattutto durante il fascismo dal soprannome *Balilla* del ragazzo (forse G. B. Perasso) che nel 1746, scagliando un sasso contro gli Austriaci che a Genova, nel quartiere di Portoria, tentavano di rimuovere dal fango un mortaio che vi era affondato, diede inizio alla rivolta contro gli occupanti.

Bambina (7.500) F. - M. *Bambino* (150). Quasi esclusivo della Lombardia, e in particolare di Milano e Como e delle due province, è un soprannome e un nome affettivo e augurale medievale (le forme latinizzate *Bambus* e *Bambinus*, *Bambolinus* sono documentate in Toscana dal Duecento) formato da *bambino*, diminutivo di *bambo* (voce onomatopeica del linguaggio usato con i bambini piccoli), affermatosi per il culto per Gesù Bambino che si diffuse proprio, con San Bernardo prima e poi con il francescanesimo, nel XII secolo.

Bàrbara (29.000) F. VARIANTI: *Bàrbera* (300). ALTERATI: *Barbarèlla* (900), *Barbarina* (700), *Barberina* (700). M. *Bàrbaro* (500). ALTERATI: *Barbarino* (100), *Barberino* (50). Diffuso in tutta l'Italia e più frequente in Sicilia e in Sardegna, riflette il culto di varie sante e alcuni santi, e soprattutto di Santa Barbara martire nel III secolo a Nicomedia, patrona di varie città e paesi, specialmente del Sud (Rieti, Colleferro di Roma, Dàvoli CZ, Paternò CT; Furtei, Gonnosfanàdiga, Senorbì, Sìnnai, Villacidro, Villasalto CA; Genoni, Olzai NU), dove il nome è molto frequente, e protettrice degli artiglieri (per cui il deposito di munizioni delle navi da guerra

è stato chiamato «santabarbara»), dei minatori e dei vigili del fuoco. Il diminutivo *Barbarella* si è diffuso anche, alla metà del Novecento, per il popolare personaggio femminile Barbarella di fumetti e cartoni animati. La base lontana è la denominazione greca *bárbaros* (voce onomatopeica che significa 'che non sa parlare, balbuziente') di tutti i popoli di lingua non greca, passata nel latino *barbarus*, dove è riferita a chi non parla né latino né greco, e con il cristianesimo riferita ai non cristiani e non ebrei. Già in Grecia e in Roma antica la denominazione era diventata anche soprannome e nome individuale (riferita per lo più, con analogo significato, a chi non era greco o romano), nelle forme *Bárbaros* e *Barbára*, *Bárbarus* e *Bárbara*.

Barbato (150) M. Accentrato in Campania, riflette il culto locale di San Barbato vescovo di Benevento nel VII secolo, patrono di Cicciano NA (dove il nome è relativamente molto frequente) e di Valle dell'Angelo SA: continua il soprannome e poi nome individuale latino *Barbatus* (derivato da *barba*) 'che ha la barba'.

Bardìlio (50) M. Esclusivo della Sardegna e più frequente nel Nuorese (Dorgàli e Galtellì), riflette il culto di un santo introdotto nel Trecento dai Catalani, *Baldiri*, non riconosciuto ufficialmente dalla Chiesa, nome di impronta germanica (forma identificabile con Balderico, un santo venerato in Francia).

Bàrnaba (400) M. Accentrato per ²/₃ in Lombardia e nel Lazio e per il resto disperso, è stato promosso dal culto per San Barnaba martire, collaboratore degli apostoli e presunto fondatore della Chiesa di Milano, che nel Nuovo Testamento è chiamato Giuseppe e soprannominato *Barnábas* (in greco, e in latino *Bárnabas*), dall'aramaico *bar-nehā-māh* 'figlio della consolazione', o *bar-nābiah* 'figlio della profezia', o piuttosto *bar-nebō* 'figlio del dio Nabu', di origine assiro-babilonese (v. *Abdenago*).

Barsanòfio (120) M. VARIANTI: *Barsanòfrio* (50). Esclusivo della Puglia, e accentrato nel Brindisino e nel Tarantino, è un riflesso del culto locale di San Barsanofio o Barsanufio, monaco di origine egiziana e anacoreta a Gaza di Palestina nel VI secolo, le cui reliquie furono portate nel IX secolo a Oria BR e sono tuttora lì conservate e venerate nella cattedrale (a Oria, di cui San Barsanofio è patrono, vi sono circa 80 abitanti maschi di questo nome su 7.000). Il nome risale forse, attraverso l'adattamento greco *Barsanóphios* e latino *Barsanuphius*, a un patronimico formato con l'aramaico *bar* 'figlio' e un secondo elemento non sicuramente identificabile, forse di lontana origine egiziana (v. *Onofrio*).

Bartolomèo (27.000) M. VARIANTI: *Bortolomèo* (100). ABBREVIATI: *Bàrtolo* (4.000) e *Bartolino* (180), *Bòrtolo* (7.000) e *Bortolino* (150). - F. *Bartolomèa* (1.600). VARIANTI: *Bortolomèa* (10). ABBREVIATI: *Bàrtola* (500) e *Bartolina* (150), *Bòrtola* (150) e *Bortolina* (300). Distribuito in tutta l'Italia, con più alta frequenza in Sicilia per le forme in *Bart-* e nelle Venezie e in Lombardia per quelle in *Bort-*, è un nome cristiano affermatosi per il culto di vari santi e sante, tra cui San Bartolomeo apostolo e martire (le cui reliquie, trasportate prima a Lipari, poi a Benevento, infine a Roma, sono ora qui conservate e venerate nella chiesa di San Bartolomeo all'Isola), patrono di Giarratana RG e Lipari ME (dove il nome è diffusissimo). L'apostolo, nei vangeli sinottici, è chiamato in greco *Bartholomâios*, in latino *Bartholomaeus*, ma nel vangelo di Giovanni *Nathanaê'l*, per cui è probabile che quest'ultimo fosse il nome individuale (aramaico: 'Dio ha dato'), e Bartolomeo il patronimico, in aramaico *Bar Thalmay* 'figlio di Talmay' (nome personale già ebraico, dell'Antico Testamento).

Basìlio (8.500) M. *Basile* (200); *Basilèo* (20). - F. *Basìlia* (1.200). VARIANTI: *Basilèa* (50). ALTERATI: *Basiliòla* (100). Raro nel Nord e nel Centro, frequente nel Sud specialmente in Calabria, Sicilia e Sardegna, riflette il culto di tradizione bizantina di vari santi, e soprattutto di San Basilio Magno, di Cesarea, confessore del IV secolo e dottore della Chiesa, fondatore degli Ordini monastici basiliani (e la variante *Basileo* quello di San Basileo martire a Roma sotto Valeriano e Gallieno). Il nome greco originario, *Basíleios* latinizzato in *Basilius*, deriva da *basiléus* 're' (da cui è formata, tramite il latino *Basileus*, la variante *Basileo*),

quindi 'regale; degno, proprio di un re' (v. anche *Vassili*). Il diminutivo *Basiliola* ha però un'origine letteraria recente: è ripreso dalla protagonista, Basiliola Faledra, della tragedia storica in versi sulla fondazione di Venezia «La nave» di G. D'Annunzio del 1908.

Basso (400) M. DERIVATI: *Bassano* (1.200), *Bassiàno* (200). - F. *Bassanina* (100). Quasi esclusivo di Milano e della provincia nei derivati, disperso per *Basso* nell'Italia continentale, è un nome cristiano insorto per il culto di vari santi, in particolare di San Basso vescovo e martire a Nizza sotto Decio e Valeriano, patrono di Termoli CB, San Bassiano o Bassano vescovo di Lodi nel IV secolo, patrono di Lodi MI, San Bassano CR e San Bassano del Grappa VI. La base è il *cognomen* o soprannome latino *Bassus*, di origine osca, e il latino tardo e medievale *bassus* 'grasso' e poi 'di piccola statura', diventato in italiano, fin dalle origini, oltre che aggettivo, *basso*, anche un soprannome poi passato a nome. Da *Bassus* si è formato il *nomen* o gentilizio di età imperiale *Bassius*, e da questo il *cognomen* o *supernomen* (ossia 3° o 4° nome, spesso matronimico) *Bassianus*, base dell'italiano *Bassiano* con la variante più popolare *Bassano*.

Battista (34.000) M. VARIANTI: *Batista* (20); *Battisti* (25). ALTERATI: *Battistino* (700). ABBREVIATI E IPOCORISTICI: *Tista* (20), *Titta* (150). NOMI DOPPI: *Battista Giovanni* (100). - F. *Battistina* (7.000). IPOCORISTICI: *Titti* (600), *Titty* (150), *Tittina* (100). Largamente distribuito in tutta l'Italia con più alta frequenza in Piemonte e in Lombardìa, riflette il culto per San Giovanni Battista (v. *Giovanni*), o «il Battista», nell'epiteto *buttista*, 'battezzatore' (in quanto istituì il battesimo e battezzò Cristo), formato dal latino tardo *baptista*, dal greco *baptistê's* derivato da *baptízein* 'immergere nell'acqua' (la più antica forma di battesimo era infatti per immersione del battezzando nell'acqua, e solo più tardi è diventata per aspersione e, come è attualmente, per infusione). La forma *Battisti* rappresenta invece un nome ideologico-patriottico insorto durante e dopo la 1ª guerra mondiale per il sacrificio del patriota e irredentista trentino Cesare Battisti, fatto prigioniero e impiccato dagli

Austriaci nel 1916. L'ipocoristico *Titti* può anche avere alla base, in alcuni casi, altri nomi femminili, come *Alberta*, *Ernesta*, *Roberta*.

Baudolino (150) M. - F. *Baudolina* (40). Proprio del Piemonte, e qui accentrato nell'Alessandrino, è insorto per il culto locale di San Baudolino eremita a Villa del Foro presso Alessandria nel VII secolo, e patrono di Alessandria: il nome è un'alterazione, già medievale, di *Baldovino*, come esito più popolare del latino *Baldovinus* (v. *Baldovino*).

Beàto (50) M. - F. *Beàta* (300). Distribuito nell'Italia centro-settentrionale e in Sardegna, continua, sostenuto dal culto di santi e sante di questo nome, il nome medievale e già latino cristiano *Beato* e *Beata*, in latino *Beatus* e *Beata*, dato con riferimento augurale alla beatitudine celeste, dell'anima.

Beatrice (34.000) F. VARIANTI: *Beàtrix* (100). ABBREVIATI e IPOCORISTICI: *Bice* (30.000) e *Bicétta* (75); *Bèa* (100). Ampiamente diffuso in tutta l'Italia, con maggiore frequenza a Roma e nella provincia (ma limitato al Nord per la rara forma latina *Beatrix*), continua il nome latino di età imperiale e di ambienti cristiani *Beatrix Beatricis*, formato da *beatrix* (derivato da *beatus* 'beato') 'che dà beatitudine, felicità', soprattutto in senso spirituale e cristiano di beatitudine celeste, dell'anima. La motivazione dell'insorgenza e della grande diffusione è insieme laica e religiosa. Il nome si è affermato infatti, da un lato, per la donna «angelicata» cantata da Dante nella «Vita nuova» e nella «Divina commedia», in parte per il prestigio di varie regine, duchesse e contesse, di famiglie dinastiche (di Aragona e di Castiglia, di Svevia e di Lorena, d'Este e di Savoia), e dall'Ottocento per la tragica storia della nobile romana del Cinquecento Beatrice Cenci, decapitata per l'accusa di avere ucciso il padre, rievocata da varie opere letterarie di grande diffusione (A. Dumas padre, H. Beyle o Stendhal, F. D. Guerrazzi, ecc.). D'altro lato, oltre che per l'impronta cristiana originaria, è stato in parte promosso, soprattutto a Roma, dal culto di Santa Beatrice martire sotto l'imperatore Diocleziano a Roma, dove le reliquie sono conservate e venerate in Santa Maria Maggiore.

Belfióre (200) M (anche F). Limitato al Nord, è un nome ideologico, patriottico, insorto nel Risorgimento per la profonda commozione suscitata dalle esecuzioni capitali, attuate dall'Austria tra il 1852 e il 1855, dei «martiri di Belfiore», gli 11 patrioti italiani (tra cui Tito Speri e due sacerdoti, G. Grioli e E. Tazzoli) giustiziati sugli spalti del forte di Belfiore presso Mantova.

Belisàrio (550) M. VARIANTI: *Belisàrio* (150). - F. *Belisària* (40). Distribuito tra Nord e Centro con più alta frequenza in Toscana e nel Lazio, è la ripresa del nome classico, storico, del generale di Giustiniano, Belisario, in greco-bizantino *Belisários* latinizzato in *Belisarius* (di origine incerta, forse illirica), comandante delle forze bizantine nella guerra gotica in Italia del VI secolo, diffuso in gran parte dal melodramma «Belisario» di G. Donizetti del 1836.

Bellino (700) M. - F. *Bellina* (400). Accentrato nel Veneto, e disperso in parte nel Nord, riflette il culto locale di San Bellino vescovo di Padova e assassinato (quindi considerato martire) nel 1147 a Fratta Polesine, patrono di Rovigo e di Adria e San Bellino RO: rappresenta sia un diminutivo di *Bello*, sia un ipocoristico autonomo di nomi vari (come *Aldobrandino*), già documentato dall'XI secolo nella forma latinizzata *Bellinus* (v. *Bello*).

Bèllo (15) M. - F. *Bèlla* (150). Raro e limitato al Nord, continua il nome affettivo e augurale *Bello* e, più comune, *Bella* (da *bello*, *bella*), in parte continuazione del tardo latino, per lo più cristiano, *Bellus*, probabile calco del greco *kalós* 'bello' (v. *Callisto*).

Bène (15) M. VARIANTI: *Bèno* (100). ALTERATI: *Benino* (50), *Benùccio* (25), *Benìzio* (20), *Benòzzo* (25). - F. *Benina* (40), *Benìzia* (75), *Benùccia* (15). Limitato al Centro e più frequente in Toscana, continua il nome medievale *Bene* che può essere sia autonomo, con chiaro valore affettivo, sia un ipocoristico, una forma abbreviata, di nomi augurali e gratulatòri che cominciano con *Ben(e)-* (sempre da *bene*, avverbio o sostantivo), come *Bencivenne*, *Benvenuto*, *Bentivoglio*, o che terminano in *-bene*, come *Ognibene*. Gli alterati o derivati *Benizio* e *Benizia* sono formati con il suffisso ipocoristico germanico *-izzo*.

Benedétto (33.000) M. VARIANTI: *Benétto* (20). ALTERATI: *Benedettino* (20), *Benedino* (100). - F. *Benedétta* (18.000). ALTERATI: *Benedettina* (150). Ampiamente diffuso in tutta l'Italia, ma accentrato nel Lazio e, soprattutto per il femminile, in Sicilia, è un nome cristiano diffusosi con il culto di numerosissimi santi e sante, in particolare di San Benedetto da Norcia, patriarca del monachesimo occidentale, fondatore nel 529 del monastero di Montecassino e dell'ordine da lui detto «benedettino»: continua il nome latino cristiano *Benedictus*, formato dal participio perfetto *benedictus* di *benedicere* 'dir bene' e, come tardo calco del greco *euloghêin* (v. *Eulogio*), 'consacrare, benedire', con il significato quindi di 'benedetto (da Dio)'.

Bengasi (500) F. DERIVATI: *Bengasina* (150). - M. *Bengasino* (25). Accentrato per i ³/₅ in Toscana e per il resto disperso nel Nord, è un nome ideologico e patriottico affermatosi durante la guerra italo-libica del 1911-12, per l'occupazione delle truppe italiane, il 20 ottobre 1911, di Bengasi (in arabo *Benghāzi*, da *Marsà Ibn Ghāzī* 'porto di Ibn Gazi', un marabutto al quale sarebbe stata dedicata la città ricostruita nel Cinquecento da un gruppo di mercanti di Tripoli: v., per i nomi insorti con la guerra libica, *Ain Zara*, *Derna*, *Libia* e *Tripoli*).

Beniamino (17.000) M. - F. *Beniamina* (1.300). Diffuso in tutta l'Italia, continua il nome dell'Antico Testamento dell'ultimo figlio, il prediletto, di Giacobbe e Rachele, in ebraico *Binyāmīn*, in greco e latino *Beniamín*, come nome cristiano (in minima parte anche israelitico) promosso dal culto di vari santi, e in particolare di San Beniamino martire sotto Adriano a Brescia (dove il nome è infatti molto frequente). L'ebraico *Binyāmīn* è interpretato, nella Bibbia stessa, come 'figlio della destra', cioè 'fortunato, felice', in quanto la parte o la mano destra è, in contrapposizione alla sinistra, quella della fortuna: ma in italiano è sentito come 'prediletto', e infatti è comune l'espressione *essere il beniamino* o la *beniamina dei genitori*, o *del padre*, o *del maestro*, *del direttore*, ecc.

Benigno (1.900) M. - F. *Benigna* (700). Accentrato per la metà tra Lombardia e Sardegna, e per il resto disperso in tutta l'Italia, riflette il culto di vari santi, in particolare di San Benigno vescovo di Milano nel V secolo e San Benigno martire a Todi sotto Diocleziano. Alla base è il soprannome e poi nome individuale latino, di età imperiale, *Benignus*, formato da *benignus* (composto di *bene* e il tema *gno-* di *gignere* 'generare') 'buono per natura', 'di indole, di natura buona'.

Benilde (1.900) F. VARIANTI: *Benilda* (100). - M. *Benildo* (50). Comune nel Centro e meno nel Nord, è un nome femminile germanico formato giustapponendo due elementi autonomi (quindi senza un significato proprio del nuovo nome), il primo il componente iniziale di nomi maschili in **berno-*, **beran-* 'orso' (v. *Bernardo*) oppure l'ipocoristico *Benno* da essi derivato (v. *Benno*), il secondo il componente iniziale o terminale di nomi in **hildjo-*, 'battaglia, combattimento' (v. *Ildefonso*), ridotto a un suffisso *-hilde* (in italiano *-ilde*), proprio di molti nomi femminili germanici (v. *Brunilde*, *Clotilde*). La diffusione del nome può essere stata in parte promossa dal culto di Santa Benilde martire a Cordova in Spagna.

Benito (54.000) M. - F. *Benita* (3.500). Ampiamente diffuso in tutta l'Italia, questo nome di origine spagnola, formato dall'adattamento popolare del latino *Benedictus*, quindi corrispondente all'italiano *Benedetto*, si è affermato in Italia con molteplici e complesse motivazioni e tradizioni. In parte può essere stato ripreso dal nome spagnolo *Benito* durante la lunga e varia dominazione e presenza spagnola in Italia. Più tardi, nell'Ottocento, può essere stato riportato in Italia da famiglie di emigrati nell'America centro-meridionale di lingua spagnola, rientrate in patria. Nel secondo Ottocento, si è ridiffuso come nome ideologico, di matrice rivoluzionaria e indipendentistica, ripreso dal patriota messicano Benito Pablo Juárez, capo della lotta d'indipendenza contro l'imperatore Massimiliano d'Asburgo dal 1864 al 1867 e quindi, dopo la vittoria, presidente del Messico: e con questa motivazione il socialista Alessandro Mussolini impose al figlio il nome *Beni-*

to. Infine, durante il ventennio fascista, il nome ebbe una nuova e ampia diffusione come manifestazione di consenso o di adulazione per Benito Mussolini.

Bènno (100) M. Limitato al Nord, e qui accentrato nella provincia di Bolzano e anche nel Friuli-Venezia Giulia, è un nome prevalentemente tedesco, *Benno*, delle minoranze di lingua tedesca delle due zone, ma in parte anche italiano, come continuazione dello stesso nome germanico (documentato già nel «Libro di Montaperti» del 1260 nella forma latinizzata *Bennus*), un ipocoristico formato dal primo elemento di nomi composti con **berno-*, **beran-*, 'orso' (v. *Berengario* e *Bernardo*).

Bènso (400) M. - F. *Bensa* (25). Proprio dell'Emilia-Romagna e della Toscana, è un nome ideologico, patriottico, risorgimentale, ripreso da Camillo Benso di Cavour, come artefice dell'unità d'Italia: *Benso* può rappresentare sia l'ipocoristico *Benso* o *Benzo* di nomi composti germanici come *Bernardo*, sia un derivato medievale di *Bene*, *Beno*, con il suffisso ipocoristico, sempre di origine germanica, *-izo* (ossia *Bènizo*, poi ridotto a *Benzo*).

Bentivòglio (200) M. Disperso nel Nord e nel Centro, e più frequente in Emilia-Romagna, continua il nome affettivo e gratulatorio medievale *Bentivoglio*, cioè 'ti voglio, ti accetto bene, con gioia', dato a un figlio atteso e desiderato.

Benvenuto (7.000) M. ABBREVIATI: *Venuto* (150), *Nuto* (50). - F. *Benvenuta* (3.000). ABBREVIATI: *Venuta* (25), *Nuta* (20). Diffuso in tutta l'Italia, continua il nome affettivo medievale *Benvenuto*, cioè 'ben venuto, nato a proposito', dato a un figlio molto atteso e desiderato. È anche un nome israelitico, in questo caso un calco del nome ebraico *Baruch*, da *barach* 'benedire', dalla formula di saluto e di accettazione *baruch abbà* 'benedetto colui che viene' (riferita anche questa al figlio che nasce).

Berardo (1.700) M. VARIANTI: *Belardo* (100); *Verardo* (300), *Verando* (100), *Velardo* (550), *Veliàrdo* (25). ALTERATI: *Berardino* (50), *Belardino* (200), *Verardino* (25). - F. *Berarda* (50). VARIANTI: *Velarda* (150). ALTERATI: *Berardina* (800), *Belardina* (75). Accentrato, nella

forma fondamentale *Berardo*, in Abruzzo per quasi la metà, e soprattutto nel Teramano, e disperso per il resto, è proprio dell'Emilia-Romagna e del Lazio, anche se sporadico nel restante Nord e Centro, per le varianti *Belardo* e *Veraldo*. È un nome germanico, di tradizione francone, che rappresenta una variante di *Bernardo* (anche se è possibile un primo elemento diverso), affermatosi per l'influsso del francese antico *Berard* e per il culto di vari santi e sante di questo nome, tra cui San Berardo, francescano minorita, uno dei cinque protomartiri del Marocco (v. *Accursio*), e San Berardo, benedettino, vescovo di Teramo dal 1116 al 1123 e patrono della città (per cui si spiega l'alta frequenza del nome nel Teramano).

Berengàrio (100) M. - F. *Berengària* (25). Raro e disperso nel Nord, continua un nome germanico, di tradizione longobardica e poi francone, composto con **beran-* 'orso' e **gaira-* 'lancia', quindi 'orso con la lancia' o 'lancia dell'orso' (l'orso era un animale sacro, simbolo di forza e coraggio combattivo), molto comune in varie forme nel Medio Evo, diffuso anche dal prestigio dei due re d'Italia del X-XI secolo Berengario I e Berengario II.

Berenice (1.900) F. ABBREVIATI: *Nice* (2.000), *Nìcia* (75). Diffuso in tutta l'Italia ma più frequente nel Nord, è una ripresa colta del nome greco *Bereníkē*, di origine macèdone (corrispondente al greco *Phereníkē*, da *phérein* 'portare' e *níkē* 'vittoria', quindi 'apportatrice di vittoria'), latinizzato in *Berenice*, nome di varie regine e principesse di Egitto, di Siria e della Giudea, tra il IV secolo a.C. e il I d.C. Il nome si è diffuso anche con la tragedia di J. Racine «*Bérénice*» e il dramma «*Tite et Bérénice*» di P. Corneille del 1670, la cui protagonista è la principessa di Giudea Berenice, venuta a Roma come amante dell'imperatore Tito (v. *Tito*).

Bernardo (20.000) M. VARIANTI: *Bennardo* (100). ALTERATI: *Bernardino* (13.000), *Bennardino* (25); *Bernadétto* (20). - F. *Bernarda* (1.300). ALTERATI: *Bernardina* (6.500); *Bernardétta* (500), *Bernadétta* (300), *Bernardette* (100), *Bernadette* (500). Ampiamente diffuso in tutta l'Italia, con diversa frequenza nelle varie forme, è un nome germanico, di tradizione francone, già comune in Italia dalla fine dell'alto Medio Evo, composto con *berno-*, *beran-* 'orso' e *hardhu-* 'duro; forte, valoroso' con il significato quindi di 'forte, valoroso come un orso' o 'orso valoroso' (v. *Berengario*). La grande diffusione di questo tipo nominale è stata promossa da fattori diversi secondo le diverse forme. La forma *Bernardo* si è diffusa con il culto dei numerosi santi così denominati, ma soprattutto con San Bernardo monaco cistercense, dottore della Chiesa e fondatore, nel 1115, della grande abbazia di Chiaravalle in Francia, patrono della Liguria e di molte città. Anche *Bernardino* deve la sua diffusione al culto di vari santi, soprattutto di San Bernardino di Siena, predicatore francescano a Siena e in molte altre città italiane dal 1405 al 1444. *Bernadetta* o *Bernardetta*, con le varianti, propriamente francesi, *Bernadette* o *Bernardette* (pronunzia: *bernadèt* o *bernardèt*), riflettono il culto recente di Santa Maria Bernarda, al secolo Bernadette Soubirous, la figlia di un mugnaio di Lourdes alla quale, a 11 anni, apparve più volte nel 1858 la Vergine Immacolata facendo scaturire una fonte nei cui pressi la santa fece erigere, come aveva detto la Madonna, una chiesa, e dove ora sorge il grande Santuario di Lourdes (e avrà in parte influito sulla diffusione anche il film «*Bernadette*» di H. King del 1943).

Bernièro (100) M. VARIANTI: *Bernino* (25). Accentrato nel Salernitano, e più a Eboli e Battipaglia, è un nome di origine germanica, derivato con il suffisso *-ièro* o *-ino* dal personale medievale *Berna* o *Berno*, ipocoristico di *Bernardo*, diffuso anche per il culto di San Berno o Bernone, primo abate dell'abbazia di Cluny in Francia nel X secolo.

Bèrto (1.150) M. ALTERATI: *Bertino* (450) e *Bertinèllo* (20); *Bertillo* (250); *Bèrtolo* (25) e *Bertolino* (20). - F. **Bèrta** (7.500). ALTERATI: *Bertina* (600); *Bertilla* (5.000). Diffuso tra Nord e Centro, con più alta frequenza nel Trentino-Alto Adige, in Emilia-Romagna e in Toscana, è un nome di origine germanica, formato dall'ipocoristico *Berto* di nomi composti con il primo elemento *Berto-*, come *Bertoldo*, *Bertrando*, o con il secondo elemento *-bèrto*, come *Alberto*, *Gualberto*, *Lamberto*, *Roberto*: la diffusione è stata promossa dal culto di vari santi e sante di questo nome e, per il femminile *Berta*, anche dal nome di personaggi femminili storico-letterari, come la madre di Carlo Magno «Berta dal gran piè» di leggende e cantari popolari di tradizione cavalleresca francese.

Bertòldo (20) M. Rarissimo e disperso, continua il nome germanico composto con *berhta-* 'illustre, famoso' e *waldaz* 'capo; potente', quindi 'illustre e potente' o 'illustre per come esercita il comando', documentato dal X secolo nelle forme latinizzate *Bertaldus*, *Bertoaldus* e *Bertoldus*. L'attuale rarità è determinata dal fatto che, dal Seicento, con la pubblicazione dei tre racconti di G. C. Croce e A. Banchieri «Bertoldo, Bertoldino e Cacasenno» in cui Bertoldo era un contadino rozzo ma astuto, con la cui fortuna si era formato il nome comune *bertoldo* con il significato di 'uomo rozzo e sciocco', il nome era diventato ingrato per questo suo valore negativo.

Bertrando (100) M. VARIANTI: *Beltrando* (100); *Beltrame* (25). Diffuso nel Nord e nel Centro e in particolare nelle Venezie, è un nome germanico di tradizione francone, composto con *berhta-* 'illustre, famoso' e *hrabhan-* 'corvo' (v., per il significato, *Aleramo*), sostenuto dal culto di San Bertrando o Bertramo, patrono di Fontaniva PD, e del beato Bertrando patriarca di Aquileia, tutti e due del Trecento.

Betsabèa (25) F. VARIANTI: *Bersabèa* (150). Disperso nel Nord ma attestato anche nell'Aquilano, è un nome prevalentemente israelitico che nell'Antico Testamento ha la moglie di David e madre di Salomone, in ebraico *Bat-sheba'* (forse 'la rigogliosa'), grecizzato in *Bēthsabée* e latinizzato in *Bethsabee*.

Bétta (100) F. ALTERATI: *Bettina* (3.000). IPOCORISTICI: *Bétti* (100). - M. *Bétto* (25). ALTERATI: *Bettino* (700). Proprio del Nord, e qui più frequente in Lombardia, e della Toscana, dove è più compatto il diminutivo *Bettina* o *Bettino*, è l'ipocoristico, abbreviato alla terminazione *-bétta*, di *Elisabetta* per il femminile, mentre per il maschile può esserlo sia di *Iacobetto* o *Zanobetto*, sia di *Benedetto* (come attesta un documento di Firenze del Trecento: "Antonio di Betto... altrimenti di Benedetto").

Biàgio (42.000) M. VARIANTI: *Biàsio* (20), *Biàse* (750). ALTERATI: *Biagino* (200); *Biasino* (50). - F. *Biàgia* (5.000). ALTERATI: *Biagina* (1.700). Ampiamente diffuso in tutta l'Italia (con più alta frequenza in Sicilia per il tipo *Biagio* e nel Sud continentale per *Biase*), continua il nome gentilizio repubblicano, poi soprannome e nome individuale latino *Blasius* e *Blasio*, ripreso forse dall'osco *Blaisius*, derivato da *blaesus* 'balbuziente, dalla pronunzia blesa', prestito dal greco *blaisós* 'storto, affetto da valgismo'. La diffusione è stata promossa dal culto di San Biagio vescovo e martire nel III o IV secolo a Sebaste in Armenia, patrono di molti centri italiani, specialmente del Sud, e di San Biagio martire con Demetrio a Veroli FR, nel I secolo.

Biànca (121.000) F. ALTERATI: *Bianchina* (700). NOMI DOPPI: *Biànca Marìa* o *Biancamaria* (9.000), *Biànca Ròsa* o *Biancaròsa* (1.900). - M. *Biànco* (550). ALTERATI E DERIVATI: *Bianchino* (50); *Biancardo* (25). Ampiamente diffuso in tutta l'Italia (ma il maschile è accentrato in Toscana), è derivato da un originario soprannome medievale formato da *bianco* (e riferito quindi al colore dei capelli o della carnagione), dal latino tardo *blancus*, prestito dal germanico **blank* 'bianco': ma in parte può anche continuare un nome personale germanico *Blancho* derivato da **blank*. La diffusione è stata promossa sia dal prestigio di *Bianca* come nome tradizionale di famiglie dinastiche spagnole, francesi e italiane, sia dal culto di sante e santi (non compresi nel «Martirologio Romano»), come Bianca di Castiglia regina di Francia e madre di Luigi IX il Santo, e San Bianco martire a Brescia e compagno di San Pellegrino.

Biancanéve (75) F. Proprio del Piemonte e della Lombardia, e formato da *bianca* e *neve* 'candida come la neve', è una recente adozione di moda del nome della protagonista della fiaba di J. e W. Grimm del primo Ottocento, «Biancaneve e i sette nani» nella traduzione italiana, e del film a disegni animati che ne derivò W. Disney nel 1937, l'una e l'altro molto noti e popolari.

Bibiàna (900) F. VARIANTI: *Bibbiàna*

(100). - M. *Bibiàno* (50). VARIANTI: *Bibbiàno* (15). Attestato in tutta l'Italia, è un antico nome cristiano insorto con il culto di Santa Bibiana (o *Vibiana*, v. *Viviana*), vergine e martire a Roma nel 363 con la sorella Demetria: continua il soprannome e poi nome individuale latino *Vibiana*, femminile di *Vibianus*, derivato dal gentilizio *Vibius* ripreso dall'etrusco *Vipi* di significato ignoto.

Bino (700) M. - F. *Bina* (1.400). Accentrato per più della metà in Toscana e per il resto disperso nel Nord, è l'ipocoristico medievale di vari nomi terminanti in *-bino*, come *Albino*, *Giacobino* o *Iacobino*, o anche di *Bernardino* e *Ubaldino*.

Biόndo (100) M. ALTERATI: *Biondino* (50). - F. *Biόnda* (100). ALTERATI: *Biondina* (200). Accentrato per quasi la metà in Campania e per il resto disperso, continua un originario soprannome medievale formato da *biondo* (di origine forse germanica), dato per il colore dei capelli (e della barba).

Bìxio (300) M. VARIANTI: *Bìsio* (50), *Bìgio* (20), *Bìzio* (25). Distribuito tra il Nord e il Centro, con alta compattezza in Toscana e nel Lazio, è un nome ideologico e patriottico risorgimentale, ripreso con l'epopea garibaldina dal cognome del patriota genovese Nino (o Gerolamo) Bixio, che combatté valorosamente, con G. Garibaldi, nella difesa di Roma del 1849 e, come comandante, nella campagna del 1859 e nella spedizione dei Mille. Il cognome deriva dal soprannome medievale *Bixio*, formato dall'aggettivo ligure *bix(i)u* (pronunciato *bižu*: la *x* è una grafia arcaica per *ž*) 'grigio, bigio' (per il colore dei capelli o della barba), che in italiano è pronunziato sia *biksio* (secondo la grafia), sia *bisio* o *bizio*, sia, più fedelmente al modello dialettale, *bigio* (e di qui, per l'incertezza della pronunzia, si sono formate le varianti).

Blanda (100) F. ALTERATI: *Blandina* (1.700). - M. *Blando* (50). ALTERATI: *Blandino* (200). Distribuito nell'Italia centro-settentrionale, continua i soprannomi e poi nomi individuali latini di età imperiale e di ambienti per lo più cristiani *Blandus* e *Blanda*, dal latino *blandus* 'mansueto, mite' (forse incrociato con un analogo nome gallico), con i derivati

Blandinus e *Blandina*, affermatisi con il culto di vari santi e sante, tra cui Santa Blanda martire a Roma sotto Alessandro Severo, e Santa Blandina, una dei martiri di Lione del II secolo.

Bluétta (100) F. VARIANTI: *Bluette* (150). Accentrato per metà in Emilia-Romagna e per il resto disperso, è una ripresa letteraria recente del soprannome della protagonista del romanzo d'amore, di larga diffusione nel primo Novecento, «Mimì Bluette, fiore del mio giardino» del 1917 di Guido da Verona. La base è il nome di colore, pseudofrancese, *bluette* (pronunziato *blüèt*, e così anche il nome francesizzante *Bluette*, di cui *Bluetta* è l'italianizzazione), 'tendente al turchino', comune nel linguaggio della moda.

Boèro (100) M. Proprio della Toscana, è un nome ideologico insorto nel primo Novecento in relazione alla guerra di indipendenza valorosamente combattuta dai Boeri contro gli Inglesi nel 1899-1902: i Boeri (dal neerlandese *boer*, pronunzia *bur*, 'contadino', in tedesco *Bauer*) erano un gruppo di Olandesi emigrati dal Seicento nell'Africa del Sud, allevatori di bestiame e contadini, che nel 1840 si costituirono in repubblica indipendente (ora Unione Sudafricana).

Bòna (2.300) F. ALTERATI: *Bonèlla* (200), *Bonina* (100), *Bonùccia* (50). - M. *Bòno* (150). VARIANTI: *Buòno* (50). ALTERATI e DERIVATI: *Bonèllo* (25), *Bonino* (100), *Bonùccio* (25); *Bonito* (20). Diffuso nel Nord e nel Centro con più alta compattezza in Toscana, è un soprannome e poi nome medievale formato da *buono* o *bono*, quindi affettivo e augurale (che può continuare in parte i nomi già latini, ma rari e tardi, *Bonus* e *Bona*), molto comune e popolare in Toscana nel Medio Evo. La diffusione del nome è stata promossa sia dal culto di vari santi e sante, come San Bono martire a Roma e Santa Bona di Pisa, qui morta nel 1207 e sepolta nella chiesa di San Martino, sia, dall'Ottocento, dal prestigio della casa Savoia in cui il nome femminile era tradizionale (Bona di Savoia fu duchessa di Milano nell'ultimo Quattrocento), per cui questo nome assunse un carattere aristocratico o elevato. *Bonito* è un prestito dallo spagnolo *Bonito*, di eguale etimo.

Bonacata (100) F. VARIANTI: *Bonacatta* (50); *Bonacatu* (60) o *Bonacattu* (65), anche M. Esclusivo della Sardegna, e in particolare dell'alto Oristanese, è insorto per il culto di Santa Maria o Nostra Signora di Bonacattu, venerata nel santuario del complesso monastico bizantino e poi camaldolese di Bonàrcado OR. Il nome originario bizantino, riferito alla Vergine, era *Panáchrantos*, ossia 'purissima, immacolata', poi alterato per etimologia popolare in *Bonakatu*, in sardo 'buon ritrovamento' (dal campidanese *akatai*, logudorese antico *akkattare*, 'raccogliere, ritrovare'), a séguito della leggenda del ritrovamento, da parte di un cacciatore, di una riproduzione del busto della Madonna con il Bambino, lì venerata, presso il santuario.

Bonaccórso (25) M. Rarissimo e esclusivo della Toscana, continua il nome augurale e gratulatorio medievale formato con *buon accorso* (v. *Accursio*).

Bonaféde (180) M (anche F). VARIANTI: *Buonaféde* (80). Sporadico nel Nord e nel Centro e più frequente in Toscana, continua il nome augurale medievale formato con *buona fede*, ossia 'che cresca, che sia di buona, sicura fede' (in senso morale e civile e anche religioso).

Bonaldo (150) M. VARIANTI: *Bonardo* (15), *Bonando* (20). Sparso nel Centro-Nord e più compatto in Toscana, continua un antico nome comune nel Medio Evo (documentato dall'VIII secolo nelle forme latinizzate *Bonaldus* e *Bonualdus*), che può essere sia di origine germanica, un *Bonwald *francone, composto con *bon- e *waldaz 'potente', sia un derivato in -aldo (o -ardo, -ando) di *Bono* (v. *Bona*).

Bonanno (25) M. Rarissimo e disperso, più frequente nel Lazio, è l'esile riflesso di un nome augurale e gratulatorio comune nel Medio Evo formato da *buon anno*, ossia 'è, sarà un buon anno', riferito alla nascita di un figlio.

Bonària (5.000) F. ALTERATI: *Bonarina* (100). - M. *Bonàrio* (10). ALTERATI: *Bonarino* (50). Esclusivo della Sardegna, e qui accentrato nel Cagliaritano, è un nome di devozione sorto nel Trecento con il culto di Maria Santissima o Nostra Signora di Bonaria, cui sono intitolati, a Cagliari, la chiesa o basilica della Bonaria, edificata dai Catalani nel

1323-26 sul modello di Sant'Agata di Barcellona, e il Santuario della Bonaria (o di Bonaria). Il nome italiano è l'adattamento del catalano *Bonaire* (composto di *bon* e *aire*, forma antiquata per *airi*), ossia 'buona aria, aria buona' (corrispondente allo spagnolo *Buenos Aires*).

Bonaventura (2.900) M. VARIANTI: *Buonaventura* (150). ABBREVIATI: *Ventura* (40)), *Venturo* (150). Sparso per tutta l'Italia, ma più compatto nel Lazio, in Campania e nella Puglia, continua il nome augurale e gratulatorio medievale formato da *buona ventura*, dato a un figlio la cui nascita è una 'buona ventura', una felicità per i genitori, o cui si augura una 'buona ventura', fortuna e felicità: la diffusione è stata tuttavia promossa dal culto di San Bonaventura di Bagnoregio VT (e patrono della cittadina, dove il nome, come in tutto il Viterbese, è ancora comune), minorita francescano, vescovo di Albano e cardinale, dottore della Chiesa, morto nel 1274 a Lione.

Bonfiglio (1.200) M. VARIANTI: *Buonfiglio* (50), *Bonfilio* (50). Diffuso in Emilia-Romagna e in Toscana, continua il nome augurale e gratulatorio medievale formato da *buon figlio* (ossia 'tu sei, che tu sia un buon figlio', dato a un figlio atteso e desiderato), sostenuto dal culto di San Bonfiglio, uno dei sette fondatori, nel 1233, dell'Ordine mendicante agostiniano dei Servi di Maria, sul Monte Senario presso Firenze.

Bonifàcio (1.300) M. VARIANTI: *Bonifàzio* (100). ABBREVIATI: *Fàzio* (300). -F. *Fàzia* (25). Distribuito in tutta l'Italia, ma accentrato nelle forme con -*z*- in Toscana, continua il nome augurale latino di tarda età imperiale e di ambienti prevalentemente cristiani *Bonifatius*, derivato dall'aggettivo *bonifatus*, formato da *bonus* 'buono' e *fatum* 'fato; destino', quindi 'che abbia un buon destino, che sia felice e fortunato'. Nell'alto Medio Evo, dalla grafia *Bonifacius* e *Bonifacio* che poi ha prevalso, è stato interpretato, per etimologia popolare, come formato da *facere* 'fare', quindi 'che fa del bene, che agisce bene'. La diffusione è anche dovuta al culto per i numerosi santi di questo nome, tra cui San Bonifacio martire a Tarso in Cilicia nel IV secolo, patrono di Popoli PE (dove il nome è relativamente molto frequente).

Bonòmo (100) M. Disperso nel Nord e in Toscana, continua il nome augurale formato da *buon uomo*, 'che sia un uomo buono, onesto, capace', insorto nell'alto Medio Evo.

Bordino (25) M. Attestato solo in Lombardia e in Toscana, è un nome recente, di impronta sportiva, ripresa nel primo Novecento dal cognome del popolare corridore automobilistico piemontese Pietro Bordino, morto nel 1928 a Alessandria.

Bòris (1.600) M. Distribuito tra Nord e Centro, con più alta frequenza a Trieste e nel Goriziano da un lato, e d'altro lato in Emilia-Romagna e in Toscana, presenta due tradizioni diverse. Nel Friuli-Venezia Giulia è il nome sloveno (o in minima parte croato) *Boris*, di etimo e significato incerto e discusso (forse dallo slavo antico *Borislav*, da *boro* 'combattere' e *slava* 'gloria', quindi 'resosi famoso nel combattimento'), delle minoranze linguistiche slovene, e in minima parte croate o serbe. Altrove è invece un nome di moda recente, di matrice sia letteraria e teatrale, per le opere ispirate allo zar di Russia dal 1598 al 1605 Boris Godunov (tra cui la tragedia «Boris Godunov» del 1825, pubblicata nel 1831, di A. S. Puškin, e soprattutto la fortunata riduzione nell'omonima opera lirica di M. P. Musorgskij del 1874, modificata nel 1908 da N. A. Rimskij-Korsakov), sia patriottico-dinastica, per il re di Bulgaria Boris III, marito della principessa Iolanda di Savoia, avvelenato in Germania nel 1943.

Bòvio (100) M. VARIANTI: *Bòvo* (20), *Buòvo* (20). Accentrato per la metà in Toscana e per il resto disperso nell'Italia centrale, è un nome di matrice letteraria ripreso fin dal Medio Evo dall'eroe Bovo o Buovo d'Antona di uno dei poemi cavallereschi più popolari in Italia, in francese antico «*Bueve d'Hanstone*», tradotto e rielaborato in Italia in varie storie in prosa e in versi, e anche nel diffusissimo «I reali di Francia». Il nome francese riflette probabilmente un originario ipocoristico germanico, forse un vezzeggiativo corrispondente al tedesco *Bube* 'bambino, piccolino'.

Bràccio (50) M. Attestato nel Centro e più compatto in Toscana, è l'ipocoristico del nome medievale *Fortebraccio* (os-

sia 'dal forte braccio') di matrice cavalleresca, modellato sul nome *Fierebrace* o
Bracefiere di un cavaliere dei poemi in
francese antico, comune fino al Rinascimento in Toscana e in Umbria e tradizionale nella nobile famiglia Fortebracci di
Perugia, cui appartenne il condottiero
Braccio de' Fortebracci da Montone,
morto nel 1424.

Brasile (150) F (anche M). VARIANTI:
Brasìlia (50). ALTERATI: *Brasilina* (200). -
M. *Brasìlio* (20). ALTERATI: *Brasilino*
(10). Raro, disperso ma più frequente in
Toscana, è un nome probabilmente insorto per l'eco della scoperta del Brasile
e, nell'Ottocento, per la guerra con cui il
Brasile nel 1822 conquistò la propria indipendenza dal Portogallo, sia, come
nome cristiano, per i «martiri del Brasile», 40 padri e fratelli gesuiti trucidati nel
1570 da corsari ugonotti.

Brènno (1.800) M. VARIANTI: *Brèno*
(50). - F. *Brènna* (75). Diffuso dal Nord
alle Marche, e accentrato per i ³/₄ in Emilia-Romagna, è un nome di matrice classica, storica, ripreso dal condottiero dei
Galli Brenno che nel 390 a.C. sconfisse e
occupò Roma, pronunziando, nelle trat-
tative per il riscatto, la celebre frase
«*Vae victis!*», «Guai ai vinti!».

Brìgida (13.000) F. VARIANTI: *Brigitte*
(2.000), *Brigitta* (300), *Birgitta* (150). AL-
TERATI: *Brigidina* (20). - M. *Brìgido* (50).
Largamente diffuso in tutta l'Italia nella
forma *Brigida* (ma accentrato per la
metà, complessivamente, in Campania e
in Sicilia), è invece esclusivo, nella forma tedesca *Brigitte*, delle minoranze di
lingua tedesca della provincia autonoma
di Bolzano e di Gressoney-Saint-Jean
nella Valle d'Aosta, mentre nelle forme
Birgitta, svedese, e *Brigitta* (tedesca e
svedese), più vicine all'italiano, è disperso tra il Nord e il Centro. È un nome
cristiano, affermatosi con il culto di varie
sante così denominate, ma in particolare
di Santa Brigida di Kildare, patrona del-
l'Irlanda, vissuta tra il 452 e il 523, e Santa Brigida (o Birgitta, Brita) di Svezia,
fondatrice dell'Ordine del Santo Salvatore (le «suore brigidine»), morta a Roma nel 1373 e qui sepolta in San Lorenzo. Alla base è il nome irlandese *Brigit*,
originariamente di una dea della fertilità, delle arti e delle scienze, della mitologia celtica (chiamata anche, con forma

latinizzata, *Brigantia*), forse derivato da
brig 'alto, altura; potente', quindi con il
significato di 'alta, eccelsa'.

Brillante (300) F. ALTERATI: *Brillantina* (150). - M. *Brillantino* (50). Disperso
in tutta l'Italia, è un nome affettivo e augurale formato da *brillante*, ossia, riferito a una figlia, 'che brilla, che splende'
(per bellezza, per doti fisiche e morali).

Brìzio (650) M. - F. *Brìzia* (150). Caratteristico del Salento, e soprattutto del
Leccese, si è affermato con il culto di San
Brizio vescovo di Tours, morto nel 444,
patrono di Calimera LE (dove, su 3.000
residenti maschi, ben 170 hanno questo
nome): è un nome di origine gallica, forse derivato dalla base celtica *brig* (v. *Brigida*).

Brunilde (2.700) F. - M. *Brunildo*
(25). Diffuso nel Nord e nel Centro, è un
nome germanico (in tedesco *Brunhild* o
Brunhilde, comune anche nella minoranza linguistica della provincia di Bolzano) formato da due elementi autonomi, il primo **brun*- (v. *Bruno*) e il secondo **hildjo*-, ridotto a suffisso di nomi
femminili *-hilde*, in italiano *-ilde* (v. *Benilde*), quindi senza un significato specifico. La diffusione è stata promossa, per
via letteraria e teatrale, dal nome della
valchiria Brunilde, l'eroina della saga
nordica dell'«Edda» e dei Nibelunghi
(dove però è la regina d'Islanda), protagonista della tetralogia lirica di W. R.
Wagner «L'anello del Nibelungo», rappresentata integralmente per la prima
volta a Bayreuth nel 1876.

Bruno (363.000) M. VARIANTI: *Brunóne* (300). ALTERATI e DERIVATI:
Brunèllo (2.300) e *Brunellésco* (100),
Brunétto (3.000), *Brunino* (25); *Brunaldo* (150) e *Brunaldino* (20), *Brunèro*
(2.000) e *Brunòro* (50). - F. *Bruna*
(191.000). ALTERATI e DERIVATI: *Brunèlla*
(5.000), *Brunétta* (5.000), *Brunina*
(200); *Brunèra* (150). È uno dei nomi di
più alta frequenza (*Bruno* è il 14° per
rango tra i maschili, *Bruna* il 28° tra i
femminili), ampiamente diffuso in tutta
l'Italia per le forme fondamentali, ma
fortemente accentrato in Toscana per gli
alterati *Brunetto* e *Brunetta* e per i derivati *Brunaldo*, *Brunero* e *Brunellesco*
(con i suffissi *-aldo*, *-èro*, e, da *Brunello*,
-ésco). Il nome italiano presenta due
processi di formazione diversi. In parte

continua il soprannome *Bruno* o *Bruna*, formato da *bruno* 'di colore scuro e lucente', riferito ai capelli e alla barba o alla carnagione, aggettivo penetrato dal germanico **brun-* nel latino tardo *brunus*, con i contatti tra Romani e Germani sui confini dell'Impero e per la presenza di forze germaniche ausiliarie nei territori romani. Ma in parte maggiore continua il nome germanico *Bruno* (o *Brunone*), formato dallo stesso aggettivo **brun-*, documentato in Italia dall'VIII secolo. La diffusione è stata comunque promossa anche dal culto di vari santi di questo nome, soprattutto San Bruno o Brunone di Colonia, fondatore nel 1088 dell'Ordine dei Certosini, San Bruno vescovo e patrono di Segni ROMA, morto nel 1123, e anche dalla devozione per Maria Santissima della Bruna, compatrona con San'Eustachio di Matera. *Brunellesco* è invece promosso, in Toscana, dal prestigio e dalla fama del grande architetto e scultore fiorentino del Quattrocento Filippo Brunelleschi, chiamato comunemente «il Brunellesco».

Bruto (450) M. Accentrato per $^1/_3$ nel Lazio e per il resto distribuito tra il Nord e il Centro, è un nome di matrice classica, storica ma anche, nell'Ottocento, ideologica, libertaria, ripreso dal *cognomen* (o soprannome) latino repubblicano *Brutus* (da *brutus* 'pesante, lento; stolido', di origine osca), noto per Marco Giunio Bruto che fu nel 44 a.C. uno dei congiurati e degli uccisori di Giulio Cesare considerato un tiranno, e reso poi più noto, come eroe della libertà, da varie opere letterarie e teatrali di cui è protagonista, come il «*Julius Caesar*» di W. Shakespeare del 1599, il «Bruto secondo» di V. Alfieri del 1727, e la canzone di G. Leopardi «Bruto minore» del 1821, e anche per Lucio Giunio Bruto, liberatore di Roma dalla tirannia etrusca insieme a Collatino (v. *Collatino*).

C

Cabìria (300) F. VARIANTI: *Gabìria* (100). - M. *Cabìrio* (10). Accentrato a Roma e Latina e nelle due province per più di un terzo, e per il resto disperso, è un nome recente insorto con il film del 1914 «Cabiria» di Piero Fosco (pseudonimo del regista Giovanni Pastrone), autore anche della sceneggiatura (che però fece firmare da G. D'Annunzio), con musiche di I. Pizzetti, film che ebbe un ampio successo, anche popolare. L'eroina del film, ambientato a Cartagine e in Italia durante la 2ª guerra punica, è Cabiria, nome scelto frettolosamente da G. D'Annunzio tra quelli più ricchi di risonanze storico-classiche (come quello dell'altro eroe del film, Maciste), forse riprendendolo da Cabiri, antiche divinità greche e orientali il cui nome sembrava formato dal semitico *kabīr* 'potente'.

Cadmo (50) M. Accentrato in Emilia-Romagna, è un nome classico, mitologico e letterario, ripreso dal re di Tebe Cadmo, in greco *Kádmos* (forse, se non è pregreco, derivato dalla radice **kad-*, 'eccellere', quindi 'che eccelle'), figlio del re fenicio Agènore, che avrebbe introdotto in Grecia l'uso dell'alfabeto fenicio: anche in Roma *Cadmus* si era diffuso come soprannome nell'età imperiale.

Cadóre (100) F. - M. *Cadorino* (20). Accentrato in Toscana, è un nome ideologico e patriottico insorto durante la 1ª guerra mondiale dalla zona montana veneta del Cadore, teatro di dure battaglie tra il 1915 e il 1917.

Cadórna (130) F (anche M). - M. *Cadórno* (15). ALTERATI: *Cadornino* (10). Attestato in Emilia-Romagna e in Toscana, e meno in Abruzzo, è un nome ideologico ripreso, alla fine della 1ª guerra mondiale, dal cognome del generale Luigi Cadorna, comandante delle operazioni militari dal 1915 al 1917, fino alla ritirata sul Piave.

Cafièro (550) M. VARIANTI: *Caffièro* (50), *Calfièro* (50). - F. *Cafièra* (25). Accentrato per quasi la metà in Toscana, e per il resto disperso nel Nord e nel Centro, continua un nome arabo, comune nel Medio Evo specialmente in Sicilia e in Liguria, derivato con il suffisso *-ièro* da *kāfir* 'infedele' (cioè, non appartenente alla religione musulmana), usato anche come appellativo spregiativo dei cristiani.

Càio (300) M. VARIANTI: *Gàio* (50). NOMI DOPPI: *Càio Màrio* (30). - F. *Gàia* (250). Distribuito nel Nord e nel Centro, e più compatto in Toscana e nel Lazio, risale sia direttamente come ripresa classica rinascimentale, sia indirettamente attraverso il culto dei vari santi così denominati, all'antico e diffusissimo prenome romano *Gaius* (di etimo e significato incerto), abbreviato in *C.* e quindi erroneamente letto e pronunziato *Caius* e diventato nell'uso italiano *Caio*. Il nome *Caio Mario*, comune soprattutto a Roma, non è in realtà un vero nome doppio, ma riprende unitariamente il nome a due elementi (*praenomen* e *nomen*, personale ossia e gentilizio) *Gaius Marius* del grande comandante e uomo politico popolare di Roma repubblicana, nato a Arpino nel 157, vincitore dei Cimbri e dei Tèutoni, avversario del conservatore Silla.

Cairòli (50) M. Sparso nel Nord, più comune a Trieste, è un nome ideologico e patriottico recente ripreso dal cognome Cairoli dei cinque fratelli pavesi, in ordine di età Benedetto, Ernesto, Luigi, Enrico, Giovanni, che parteciparono attivamente al Risorgimento combattendo in reparti volontari e con G. Garibaldi nelle guerre e nelle più importanti imprese militari per l'indipendenza d'Italia (Ernesto morì in battaglia nel 1859, Enrico a Villa Glori nel 1867, e Giovanni nel 1869 per le ferite riportate a Villa Glori).

Calcedònio (700) M. - F. *Calcedònia* (300). Caratteristico della Sicilia centroorientale, riflette il culto locale di San Calcedonio martire, il cui nome è formato dell'etnico di Calcedònia, antica città della Bitìnia sul Bòsforo, in greco *Calchēdónios*, latinizzato in *Calchedonius*. L'accentramento in Sicilia è motivato dal fatto che, secondo tradizioni leggendarie, il corpo del martire fu portato nel 1753 a Malta, e di qui il culto si diffuse, con i Gesuiti, nella vicina isola, soprattutto a Messina, Catania e Palermo.

Calimèro (150) M. Accentrato nel Lazio per la metà, e per il resto disperso nel Nord e in Toscana, è insorto per il culto di San Calimero vescovo di Milano e martire nel II o III secolo, il cui nome è l'adattamento latino tardo *Calimérus* del greco *Kallímēros* (formato da *kalli-*, da *kalós* 'bello; nobile', e *mērós*, 'gamba, coscia'), che aveva quindi il significato originario di 'dalle gambe belle, forti'.

Callìmaco (25) M. Rarissimo, disperso nel Nord e più comune in Toscana, può avere una matrice sia classica, letteraria, con riferimento al grande poeta di Cirene del III secolo a.C. Callimaco, sia religiosa, per il culto di San Callimaco martire a Melitene in Armenia: il nome originario greco *Kallímachos*, latinizzato in *Callimachus*, è composto da *kalli-* (v. *Calimero*) e *-machos* da *máchesthai* 'combattere', e significa quindi 'che combatte bene, valorosamente'.

Callìope (400) F. Proprio dell'Italia centrale, di matrice sia classica, mitologica e letteraria, per la musa della poesia Calliope, sia religiosa, per il culto di Santa Calliope martire, in una località ignota, forse sotto l'imperatore Decio. Il nome greco originario, *Kalliópē*, latinizzato in *Callíope*, è composto da *kalli-* (v. *Calimero*) e da a **óps opós*, 'voce; canto', con il significato quindi di 'dal bel canto, dalla bella voce'.

Callisto (1.000) M. VARIANTI: *Calisto* (1.200). - F. *Callista* (50). VARIANTI: *Calista* (100). Diffuso nell'Italia centrosettentrionale, con maggiore compattezza in Emilia-Romagna, è un nome cristiano insorto con il culto di vari santi e sante così denominati, e in particolare di San Callisto I, papa e martire a Roma all'inizio del III secolo, e Santa Callista (o San Callisto) martire con i fratelli Evodio e Ermogene a Siracusa, nel 303 o 304. Alla base è il nome greco *Kállistos* (e al femminile *Kallístē* e *Kallístō*', adottati in latino come *Callistus* e *Calliste* o *Callista*), formato dal superlativo *kállistos*, 'bellissimo', di *kalós* 'bello'.

Calògero (40.000) M. - F. *Calògera* (15.000). È uno dei nomi più caratteristici e diffusi della Sicilia, e in particolare dell'Agrigentino, insorto con il culto per San Calogero, eremita bizantino sul monte Gennaro presso Sciacca AG, nel VI secolo, patrono di Naro AG (dove su circa 6.500 residenti maschi ben 700 hanno questo nome, che è comunissimo anche a Canicattì, Favara e Sciacca). Il nome greco-bizantino è *Kalóghēros*, latinizzato in *Calogerus*, da *kalóghēros*, propriamente 'bel vecchio, buon vecchio; che ha una bella vecchiaia' (composto da *kalós* 'bello, buono' e *-ghēros* da *ghêras* 'vecchiaia'), che era pure un appellativo e un titolo reverenziale dato ai monaci e agli eremiti bizantini di rito ortodosso, anche nell'Italia del Sud, e il nome comune per il 'monaco'.

Calvo (20) M. VARIANTI: *Càlvio* (20). DERIVATI: *Calvino* (200). - F. *Calvina* (75). Distribuito nel Nord e nel Centro con maggiore compattezza in EmiliaRomagna, continua nella rarissima forma fondamentale il *cognomen* o soprannome latino di età repubblicana *Calvus*, da *calvus* 'calvo, senza capelli', forse reinserto autonomamente nel Medio Evo da un soprannome volgare formato da *calvo*, o in parte sostenuto dal culto di San Calvo vescovo di Napoli nell'VIII secolo. *Calvino* è invece un nome ideologico ripreso dal cognome del riformatore francese Jean Calvin (latinizzato in *Calvinus* e di qui adottato in italiano come *Calvino*), morto a Ginevra nel 1564, il fondatore della Chiesa calvinista di tipo presbiteriano caratterizzata da una forte componente democratica ma insieme teocratica e da un intransigente rigorismo morale.

Camèlia (300) F. Distribuito in tutta l'Italia, è un nome affettivo derivato da un fiore, la *camelia*, quindi simbolo e augurio di bellezza e di freschezza, come i più comuni nomi femminili *Rosa* e *Viola*.

Camillo (32.000) M. VARIANTI: *Cammillo* (100). ABBREVIATI: *Millo* (650). - F. *Camilla* (21.000). VARIANTI: *Cammilla* (100). ABBREVIATI: *Milla* (1.400). Ampiamente diffuso in tutta l'Italia nel tipo fondamentale, accentrato tuttavia per ²/₃ in Lombardia, è invece caratteristico della Toscana nella variante in *Camm-* e del Centro-Nord, con più alta frequenza in Emilia-Romagna e in Toscana, per gli abbreviati *Millo* e *Milla*. Il nome, che risale al *cognomen* o soprannome latino *Camillus*, di origine sacrale probabilmente etrusca e, più lontanamente, orientale (*camillus* e *camilla* indicavano un giovanetto o una giovinetta di condizione libera addetti a sacrifici e a cerimonie sacre), può essere di impronta classica, storica e mitologica, ripreso da Marco Furio Camillo che nel 396 a.C. conquistò Veio e vinse poi i Volsci e gli Etruschi, e dalla vergine guerriera Camilla, che nell'«Eneide» di Virgilio combatte con i Latini e viene uccisa da Arunte (ricordata da Dante nella «Divina commedia»); ma la sua diffusione è stata soprattutto promossa, come nome cristiano, da San Camillo de' Lellis di Bucchianico CH (di cui è patrono, come di tutta la regione dell'Abruzzo, dove il nome è ancora molto frequente), fondatore nel 1586 dell'Ordine dei chierici regolari ministri degli infermi.

Candelòro (800) M. - F. *Candelòra* (700). Proprio del Sud, e più frequente in Puglia e in Sicilia, continua il nome di devozione medievale dato ai bambini nati il giorno della festività della Purificazione di Maria Vergine, detta anche festa della Candelora (dal latino tardo *festum* o *festa candelorum*, 'festività dei candeli'), perché vengono benedetti e distribuiti ai fedeli dei candeli o ceri, poi accesi per invocare in casi difficili l'aiuto divino.

Càndido (7.000) M. - F. *Càndida* (17.000). Ampiamente diffuso in tutta l'Italia, con maggiore compattezza nel Lazio, continua il *cognomen* o soprannome latino d'età imperiale *Candidus* e *Candida*, formato dall'aggettivo *candidus* 'bianchissimo, candido' (derivato da *candère* 'essere risplendente e bianco come il metallo portato a incandescenza'), e in senso figurato, con il cristianesimo, 'sincero, puro'. La diffusione è stata promossa sia dal culto di vari santi e sante di questo nome, sia anche, pur in minima parte, per via colta, letteraria e teatrale, dall'ingenuo e sfortunato eroe del celebre racconto satirico «*Candide, ou l'optimisme*» del 1759 di Voltaire, e dalla protagonista della commedia del 1900 di G. B. Shaw «*Candida*».

Cànio (2.400) M. Accentrato a Potenza e nella provincia, presente anche nel resto del Sud continentale, disperso nel Nord e a Roma per immigrazione interna, riflette il culto locale di San Canio (o Canione) martire a Atella PZ nel III o IV secolo (o, secondo altre tradizioni, uno dei 12 sacerdoti che nel V secolo, per sfuggire alle persecuzioni dei Vandali, si rifugiarono dall'Africa nell'Italia meridionale), patrono di Calistri AV e di Acerenza PZ dove sarebbero conservate le reliquie (e dove, su circa 1.600 residenti maschi, 150 hanno questo nome). Alla base potrebbe essere il tardo soprannome o gentilizio e poi personale latino *Canius* o *Canio*, derivato dal *cognomen* o soprannome *Canus*, da *canus* 'canuto, dai capelli bianchi' (v. *Canuto*), o, meno probabilmente, collegato con *canis* 'cane'.

Canuto (50) M. Disperso nel Nord e in Toscana, continua un soprannome medievale formato da *canuto* (dal latino *canutus* 'dai capelli bianchi', v. *Canio*), e forse in qualche caso il nome del martire danese nel 1139 San Canuto Lavard duca di Schleswig, latinizzato in *Canutus* nei testi ecclesiastici, ma di origine germanica (e di etimo e significato incerto), corrispondente al danese antico *Knut* e moderno *Knud* (e *Knut*, molto comune, in svedese).

Cànzio (1.000) M. DERIVATI: *Canziàno* (50), *Canciàno* (20). Distribuito nella forma fondamentale nel Nord e nel Centro, e accentrato nei derivati nel Veneto e nel Friuli-Venezia Giulia, riflette il culto dei tre fratelli martiri a Aquileia durante le persecuzioni di Diocleziano San Canzio, San Canziano (testimoniato anche dal toponimo San Canziàn, già San Canciano, d'Isonzo GO), e Santa Canzianella, i cui corpi furono traslati nel VI secolo a Grado in San Giovanni Evangelista e poi nel Duomo. Alla base sono i nomi latini *Cantius* e *Cantianus*, di origine celtiberica e gallica.

Cardùccio (100) M. VARIANTI: *Carducci* (20). - F. *Cardina* (75). Accentrato per la metà in Emilia-Romagna e nelle Marche, e per il resto disperso, è la forma abbreviata degli ipocoristici *Riccar-ᵈuccio* e *Riccardina* (v. *Riccardo*), ma per *Carducci* è un nome ideologico e letterario ripreso tra l'ultimo Ottocento e il primo Novecento dal cognome (anch'esso derivato da *Carduccio*) del poeta G. Carducci.

Carina (1.600) F. - M. *Carino* (450). Accentrato per ¹/₃ nell'Abruzzo, soprattutto nel Teramano, e per il resto disperso tra Nord e Centro, riflette il culto di Santa Carina martire a Ancira in Galazia sotto l'imperatore Giuliano l'Apostata (e forse, nel maschile, del Beato Carino da Balsamo, località presso Milano, morto nel 1223). Il nome continua il soprannome o terzo nome già latino di età imperiale *Carinus*, derivato da *Carus* (Marco Aurelio Caro e il figlio Carino sono due imperatori romani della fine del III secolo), formato probabilmente da *carus* 'caro' (v. *Caro*).

Carìsio (200) M. Distribuito nel Nord e nel Centro, riflette il culto di San Carisio martire a Tarso in Cilicia sotto l'imperatore Valeriano (e forse di un altro San Carisio martire di Corinto): alla base è il nome greco *Charísios*, derivato da *cháris* 'grazia, bellezza' (anche nome delle tre divinità della Grecia antica, le «Grazie», dispensatrici di bellezza), quindi 'dotato di grazia, protetto dalle Grazie', latinizzato in *Charisius* e già comune nell'ultima età repubblicana

come gentilizio e soprannome, e poi anche come nome individuale.

Carlo (456.000) M. ALTERATI: *Carlétto* (1.800), *Carlino* (1.300), *Carlùccio* (700). NOMI DOPPI: *Carlo Albèrto* o *Carlalbèrto* (6.000), *Carlo Emanuèle* (200), *Carlo Felice* (500), *Carlo Marìa* (700). -F. *Carla* (270.000). ALTERATI: *Carlétta* (300), *Carlina* (1.800), *Carlùccia* (75); *Carlòtta* (14.000) e *Carlottina* (150). È uno dei nomi di più alta frequenza e diffusione in Italia, l'11° per rango dei maschili e il 14° dei femminili per le forme fondamentali *Carlo* e *Carla* (più compatte nel Nord, e *Carla* soprattutto in Lombardia, dove è accentrata per ¹/₃). Alla base è il nome francone *Karl* (dal germanico **karla-* 'uomo di condizione libera'), documentato anche in Italia a partire dall'VIII secolo nelle forme latinizzate *Carolus* (v. *Carola*) e poi *Carlus*, formato dal nome comune *karl* che presso i Franchi era diventato il titolo dei maestri di palazzo dei re Merovingi, e quindi nome personale di alti dignitari di corte. Quando, nel 737, il maestro di palazzo Carlo Martello assunse in Francia tutti i poteri reali, il nome divenne tradizionale nella nuova dinastia detta appunto «carolingica» (Carlomanno figlio di Carlo Martello, Carlomagno e il fratello e anche il figlio Carlomanno, Carlo il Calvo, ecc.), e si diffuse con l'impero carolingico in tutta l'Europa (*Karl* in tedesco, *Carlo* in italiano, *Carlos* in spagnolo, *Charles* in francese e in inglese, ecc.), sostenuto poi anche in Italia e soprattutto nel Nord, dal culto per San Carlo Borromeo, arcivescovo di Milano morto nel 1508, patrono di vari centri (Nizza Monferrato AT, Salò BS, Voltri di Genova, Portomaggiore FR, Rocca di Papa di Roma, ecc.). La forma *Carlotta*, accentrata per la metà nel Lazio, è modellata sul femminile francese *Charlotte* derivato da *Charles*, e deve la sua diffusione alla tradizionalità del nome in varie famiglie dinastiche (Borbone, Savoia, ecc.), e alla eco, anche letteraria, della tragica sorte di Carlotta Maria Amalia, moglie di Massimiliano d'Austria imperatore del Messico, impazzita dopo la fucilazione del marito a Querétaro nel 1867. *Carlo Alberto*, *Carlo Emanuele* e *Carlo Felice* non sono ormai più nomi doppi, ma ripresi ideologicamente, come nomi ormai unitari, dai nomi dei re di Sardegna dell'Ottocento Carlo Alberto e Carlo Felice, e dei duchi di Savoia Carlo Emanuele I e II e poi dei re di Sardegna del Settecento Carlo Emanuele III e IV.

Carmèla (315.000) F. VARIANTI: *Carmen* (47.000), *Càrmina* (6.000). ALTERATI E DERIVATI: *Carmelina* (24.000), *Carmelinda* (900), *Carmelita* (2.500); *Carminèlla* (300); *Carmencita* (300). NOMI DOPPI: *Carmèla Marìa* (500). - M. *Carmèlo* (97.000). VARIANTI: *Carmèlio* (50); *Càrmine* (77.000), *Càrmino* (100), *Carmìnio* (100), *Carmènio* (50). ALTERATI E DERIVATI: *Carmelino* (550), *Carmelindo* (100), *Carmelito* (50); *Carminùccio* (50). Accentrato nella forma fondamentale *Carmela* nel Sud, e più in Campania e in Sicilia (e *Carmelo* in Sicilia), per quella *Carmen* nel Nord e nel Centro e per *Carmine* nel Sud continentale, è tuttavia largamente presente in tutta l'Italia (sia per l'alta frequenza, in quanto *Carmela* è al rango 9, sia per immigrazione interna). Pur essendo unici l'etimo e le motivazioni, ossia la particolare devozione, affermatasi dal Trecento, per la Beata Vergine del Monte Carmelo nella Palestina (in ebraico *Karmel*, propriamente 'giardino', per i fiori che vi crescono, grecizzato in *Kàrmelos* e latinizzato in *Carmélus*), così denominata perché la Madonna sarebbe apparsa nel 1251, sul Carmelo, a San Simone Stock, frate dell'ordine dei Carmelitani lì sorto nel 1208, i vari tipi hanno tradizioni diverse. Il tipo *Carmela* risale direttamente al latino ecclesiastico *Carmela*, derivato dal nome del monte, *Carmelus*, con le forme di possibile impronta spagnola *Carmelita* o *Carmelito* o *Carmelinda* o *Carmelindo*. Il tipo *Carmen* è invece ripreso dallo spagnolo *Carmen* (abbreviazione di *María del Carmen*, da *Carmen*, il nome spagnolo del monte) durante le varie dominazioni e presenze spagnole in Italia, e soprattutto nel Sud (e uno spagnolismo è anche il diminutivo *Carmencita*). Ma la forma *Carmen* si è ridiffusa, dal secondo Ottocento, per via letteraria, teatrale e poi cinematografica, con la novella «*Carmen*» di P. Mérimée del 1845, con l'omonima popolare opera lirica «*Carmen*» di G. Bizet del 1875 (con libretto derivato dalla novella), e

infine, dal 1915, con numerosi film di larga diffusione, sempre ispirati al tragico amore della gitana Carmen per il brigadiere Don José.

Carmosina (300) F. Accentrato in Campania, è un nome affettivo formato dalla antica variante *carmosino* per *cremisino* 'di colore rosso vivace, scarlatto' (da *cremisi*, prestito dall'arabo *qirmiz*, nome di una coccinella da cui si ricavava questo colore), forse con accostamento, per etimologia popolare, allo spagnolo *carmesí* e *carmín*, un fiore di colore rosso vivo, e anche al nome *Carmen*.

Caro (25) M. ALTERATI: *Carìssimo* (75). - F. *Cara* (15). ALTERATI: *Carìssima* (150). Disperso tra Nord e Centro, continua un nome affettivo medievale formato da *caro* 'amato, diletto', sostenuto forse nelle forme superlative (da *carissimo*) dal culto di Santa Carissima di Albi CZ e di San Carissimo martire a Fiesole FI sotto l'imperatore Domiziano.

Càrola (4.500) F. ALTERATI: *Carolina* (96.000). - M. *Càrolo* (10). ALTERATI: *Carolino* (50). Diffuso nella forma base nel Nord e nel Centro, e nel diminutivo *Carolina* in tutta l'Italia con altissima frequenza in Lombardia, è una variante semidotta di *Carla* (v. *Carlo*) modellata sulla forma del latino medievale *Carola* e, nel diminutivo, *Carolina*. La grande diffusione di *Carolina* è anche dovuta al prestigio di sovrane e principesse di questo nome (Carolina Bonaparte regina di Napoli, Carolina Augusta imperatrice d'Austria, nell'Ottocento, ecc.). I maschili sono rifacimenti recenti, rarissimi, dai femminili.

Carso (60) M (anche F). Accentrato per i 2/3 in Emilia-Romagna e per il resto disperso nel Nord, è un nome ideologico insorto nella 1ª guerra mondiale con riferimento all'altopiano del Carso, teatro nel 1915-17 di durissime battaglie per la conquista di Gorizia e Trieste.

Cartèsio (50) M. Disperso tra Nord e Centro, ma più frequente in Emilia-Romagna e in Toscana, è un nome ideologico insorto dal cognome italiano Cartesio (derivato dalla forma latinizzata *Cartesius*) del grande filosofo e matematico del Seicento René Descartes.

Caruso (100) M. Accentrato in Emilia-Romagna e in Toscana, è un nome recente di moda ripreso dal cognome del popolare tenore napoletano Enrico Caruso (dal napoletano *caruso* 'ragazzo; garzone', ma propriamente 'tosato', dato che i ragazzi portavano i capelli molto corti), morto nel 1921.

Casimiro (3.300) M. VARIANTI: *Casimirro* (100). - F. *Casimira* (500). Diffuso soprattutto nel Nord, è un nome cristiano affermatosi con il culto di San Casimiro principe di Polonia, morto nel 1484, patrono della Lituania. Il nome italiano è ripreso, tramite il francese *Casimir*, dalla forma latinizzata *Casimirus* dell'originario nome polacco *Kazimierz*, composto di *kazać* 'comandare' e *-mierz* 'grande; illustre, famoso', con il significato quindi di 'grande, illustre nel comandare'.

Cassandra (300) F. Disperso in tutta l'Italia, è una ripresa classica, rinascimentale, del nome della figlia del re Prìamo di Troia, in greco *Kassándra* (femminile di *Kássandros*, forse, se non è pregreco, formato dalla radice **kad-* 'eccellere' e *anē'r andrós* 'uomo', quindi 'uomo che eccelle, di ottime doti'), latinizzato in *Cassandra*, profetessa non creduta, personaggio dei poemi di Omero e di Virgilio e di varie tragedie.

Cassiàno (400) M. - F. *Cassiàna* (100). Distribuito nel Centro-Nord, con più alta frequenza in Emilia-Romagna e in Toscana, è un nome cristiano insorto con il culto di vari santi così denominati, e in particolare di San Cassiano martire presso Imola (patrono di Imola BO, Trecate NO, Comacchio FE, ecc.) e San Cassiano vescovo e martire di Todi sotto Diocleziano (patrono di San Casciano Val di Pesa FI e San Casciano di Bagni SI). Alla base è il soprannome o 3° nome latino, in età imperiale anche nome individuale o unico, *Cassianus*, derivato da *Cassius* (v. *Cassio*).

Càssio (300) M. - F. *Càssia* (25). Distribuito nel Nord e nel Centro, è un nome sia cristiano, diffuso dal culto di alcuni santi (tra cui San Cassio vescovo di Narni nel VI secolo, San Cassio martire a Como sotto Massimiano, Santa Cassia martire a Damasco), sia classico ma soprattutto ideologico, ripreso da Gaio Cassio Longino, uno dei congiurati e degli uccisori, con Bruto, di Giulio Cesare nel 44 a.C. (v. *Bruto*). Il nome gentilizio

latino d'età repubblicana *Cassius*, diventato in età imperiale nome individuale di schiavi, liberti e plebei, deriva dal *praenomen*, o primo nome personale, *Cassus*, di probabile origine etrusca.

Casto (200) M. ALTERATI: *Càstolo* (20). - F. *Casta* (100). Distribuito in tutta l'Italia continentale, con maggiore frequenza nel maschile in Campania e nell'Abruzzo e nel femminile in Lombardia, riflette il culto di santi e sante di questo nome, fra cui San Casto vescovo di Calvi Risorta CE e martire a Sessa Aurunca, patrono di Calvi, e Santa Casta martire in Africa. Il nome continua il latino *Castus* e *Casta*, formati dall'aggettivo *castus* 'casto, puro'.

Càstore (200) M. ALTERATI: *Castorino* (20). - F. *Castorina* (25). Disperso nel Nord e nel Centro, è un nome prevalentemente cristiano motivato dal culto di vari santi e martiri, ma in parte anche classico, letterario e mitologico, ripreso da uno dei Diòscuri (propriamente 'figli di Zeus'), i due eroi e semidei venerati in Grecia e in Roma Castore e Polluce, figli appunto di Zeus e di Leda (v. anche *Leda* e *Polluce*). Il nome originario greco *Kástōr*, latinizzato in *Castor*, è probabilmente derivato dalla radice **kad-* 'eccellere' (v. anche *Cadmo* e *Cassandra*), quindi 'che eccelle, eccelso'.

Castrése (700) M. VARIANTI: *Castrènse* (200), *Castrènze* (750), *Castènze* (20), *Castrènzio* (50), *Castrènzo* (20), *Castènzio* (20). - F. *Castrènza* (300). Accentrato nella forma *Castrese* nel Napoletano e nelle altre forme nel Palermitano, riflette il culto locale di San Castrese o Castrense, vescovo di Capua o di Sessa Aurunca CE nel V secolo (uno dei 12 sacerdoti rifugiatisi in Campania dall'Africa per sfuggire alle persecuzioni dei Vandali, v. *Canio*), patrono di Marano di Napoli, San Castrese CE e Monreale PA, le cui reliquie furono portate prima a Capua e poi, nell'XI secolo, per ordine del re Guglielmo II, a Monreale. Il nome latino tardo *Castrensis* è formato dall'aggettivo *castrensis*, derivato di *castra* 'accampamento, campo militare', quindi 'chi milita, chi è in servizio militare', interpretato nel senso cristiano di chi milita per la fede cristiana, chi appartiene all'esercito di Cristo.

Castrùccio (50) M. Proprio della Toscana, continua un nome medievale derivato dal soprannome ironico o ingiurioso *Castracani* 'che castra i cani', reso tuttavia illustre dal condottiero e signore di Lucca Castruccio Castracani, morto nel 1328, appartenente alla grande famiglia lucchese degli Antelminelli. Il nome doveva essere già diffuso nel Duecento: un *Castra*, verseggiatore fiorentino, è ricordato da Dante.

Cataldo (13.000) M. ALTERATI: *Cataldino* (20). - F. *Catalda* (900). ALTERATI: *Cataldina* (100). Proprio del Sud, con più alta compattezza in Puglia, soprattutto nel Tarantino, e anche in Sicilia, riflette il culto di San Cataldo, monaco irlandese e vescovo di Taranto del VII secolo, patrono di Taranto e di molti altri centri del Sud (Massalubrense NA, Corato BA, Cagnano Varano e Brienza PZ, San Cataldo CL, ecc.). Il nome, data l'origine del santo, potrebbe derivare, come adattamento nei tipi in *-aldo*, dall'irlandese antico *cathlarm* 'valoroso in battaglia'.

Catèllo (4.700) M. VARIANTI: *Catiéllo* (50). - F. *Catèlla* (300). Specifico della Campania, e accentrato lungo l'arco del Golfo di Napoli, riflette il culto di San Catello, vescovo di Stabia nel IX (o VI) secolo, patrono di Castellammare di Stabia NA (dove è il nome di più di 2.000 residenti maschi su circa 33.000): alla base è il soprannome e poi nome individuale latino tardo *Catellus*, da *catellus*, diminutivo di *catulus*, 'cucciolo' (v. anche *Catullo*).

Caténa (3.000) F. VARIANTI: *Catina* (700). - M. *Caténo* (650). VARIANTI: *Catino* (50). Specifico della Sicilia centro-orientale, riflette la devozione, molto diffusa in questa zona e soprattutto a Messina e Enna, per Maria Santissima della Catena, patrona appunto di Aci Catena e Castiglione di Sicilia CT, Librizzi e Roccalumera ME.

Caterina (300.000) F. VARIANTI: *Catterina* (5.500), *Catarina* (75), *Catalina* (150). ABBREVIATI e IPOCORISTICI: *Cati* (100), *Caty* (150); *Càtia* (1.600). - M. *Caterino* (500). VARIANTI: *Catterino* (100), *Cattalino* (20). Ampiamente diffuso in tutta l'Italia, con maggiore compattezza in Lombardia e in Sicilia per *Caterina*, è peculiare del Piemonte per la variante *Catterina* mentre il maschile predomina

nel Veneto. È un nome cristiano insorto nel tardo Medio Evo con il culto di due grandi sante (e altre minori), Santa Caterina d'Alessandria d'Egitto martire sotto l'imperatore Massimino Daia, e Santa Caterina Benincasa da Siena, suora delle Mantellate di San Domenico, morta nel 1380, compatrona dell'Italia con San Francesco d'Assisi e patrona di Siena e di altre città (Varazze SV, ecc.). La base è il greco tardo e bizantino *Haikaterínē* o *Hekaterínē* (forse da *Hekátē*, Ècate, dea degli Inferi, o dall'epiteto di Febo *Hékatos* 'che saetta'), che si diffuse in tutto l'Oriente e, nella forma latinizzata *Catharina* (con *-th-* per incrocio paretimologico con *katharós* 'puro'), in tutto l'Occidente. Gli ipocoristici *Catia*, *Cati* o *Caty*, rappresentano l'italianizzazione grafica (e in parte anche fonetica) degli stranieri *Katja* (70) o *Katia* (3.500), slavo, diffuso tra le minoranze di lingua slovena del Friuli-Venezia Giulia e, come nome esotico di moda, anche in Emilia-Romagna e in Toscana, *Kate* (150) e *Katy* o *Katty* (300), da *Katharina*, tedeschi, attestati soprattutto tra le minoranze di lingua tedesca dell'Alto Adige, e *Ketty* (700), prevalentemente inglese, da *Catharine*.

Catóne (100) M. Accentrato per ¹/₃ in Toscana e disperso per il resto nel Nord, è un nome classico, ripreso dai due grandi personaggi della storia romana Marco Porcio Catone il Vecchio, uomo politico e scrittore morto nel 149 a.C. famoso per la sua severità come censore, e il pronipote Marco Porcio Catone l'Uticense, seguace di Pompeo, suicidatosi nel 46 a.C. a Utica in Africa, dopo la sconfitta di Tapso, per amore di libertà e per non cadere nelle mani di Giulio Cesare considerato un tiranno (alla diffusione ha contribuito Dante, che nella «Divina commedia» lo assume a simbolo di amore per la libertà, e il melodramma del 1728 «Catone in Utica» di P. Metastasio). Il *cognomen* o soprannome latino *Cato* (genitivo *Catonis*) è forse derivato da *catus* 'acuto; perspicace', un probabile prestito dall'osco settentrionale (la famiglia dei due Catone era originaria di *Tusculum*, l'odierna Frascati), o forse da un nome di origine etrusca.

Catullo (650) M. - F. *Catulla* (75). Accentrato in Lombardia e in Toscana e disperso tra Nord e Centro, è un nome classico e letterario ripreso, dal Rinascimento, dal grande poeta latino Gaio Valerio Catullo, nato a Verona nell'84 a.c., che cantò il suo amore per Lesbia (v. *Lesbia*). Il *cognomen* o soprannome latino *Catullus* è un derivato con il suffisso diminutivo *-ullus* di un nome gallico (Verona era nella Gallia) formato con *catu-* 'battaglia', ma potrebbe anche essere connesso con il latino *catulus* 'cucciolo' (v. *Catello*).

Cavallòtti (25) M. Proprio della Toscana, è un nome ideologico e patriottico tratto dal cognome del patriota, garibaldino, scrittore e uomo politico della sinistra Felice Cavallotti, morto a Roma nel 1898 in uno dei tanti duelli che aveva affrontato per difendere le proprie idee.

Cavour (50) M. Proprio della Lombardia e della Toscana, è un nome ideologico-patriottico risorgimentale ripreso dal cognome, o più esattamente dal predicato nobiliare, di Camillo Benso di Cavour (v. *Benso*).

Cecìlia (42.000) F. - M. *Cecìlio* (550). Largamente diffuso in tutta l'Italia, con alta compattezza in Lombardia, è un nome cristiano insorto con il culto di Santa Cecilia martire a Roma nel III secolo, patrona, per tradizione popolare, della musica e dei musicisti. Alla base è l'antico nome gentilizio latino *Caecilius* e *Caecilia*, connesso per etimologia popolare con *caecus* 'cieco', ma di origine etrusca e di significato ignoto.

Celerino (100) M. - F. *Celerina* (200). Proprio del Nord, e più frequente in Lombardia e in Emilia-Romagna, è un nome cristiano connesso con il culto di San Celerino di Cartagine e Santa Celerina martire in Africa, tutti e due del III secolo (non compresi nel «Martirologio Romano»): continua il nome latino imperiale *Celerinus* e *Celerina*, derivati dal *cognomen* o soprannome già repubblicano *Celer*, formato da *celer* 'celere, veloce; pronto'.

Celèste (25.000) F (anche M). VARIANTI: *Celèsta* (900). ALTERATI E DERIVATI: *Celestina* (29.000). - M. *Celèsto* (20). ALTERATI E DERIVATI: *Celestino* (15.000). Ampiamente diffuso in tutta l'Italia e più frequente nel Nord, è un tipo che, pur unitario etimologicamente, presenta due tradizioni diverse. La forma fondamentale *Celeste*, prevalentemente femminile ma anche maschile (tanto che, per maggiore distinzione, se ne è derivato il maschile *Celesto* e il femminile *Celesta* più univoci morfologicamente), risale al tardo nome latino *Caelestis*, maschile e femminile, formato da *caelestis* 'celeste, del cielo', derivato di *caelum* 'cielo': può essere un nome sia affettivo e augurale, reinsorto anche dall'italiano *celeste* 'celestiale; azzurro come il cielo', sia cristiano, connesso con il raro culto di San Celeste vescovo di Metz nel IV secolo, o anche con l'epiteto di Maria Vergine «Madre celeste». Le forme *Celestina* e *Celestino* possono essere sia un diminutivo italiano di *Celeste*, sia nomi cristiani che continuano il latino di età imperiale *Caelestinus*, motivati dal culto di santi di questo nome, come San Celestino I papa nel V secolo, San Celestino martire a Roma con Saturnino, San Celestino V papa, quel Pietro del Morrone (così detto dal monte Morrone presso l'Aquila su cui si era ritirato come eremita) che nel 1294 abdicò dal papato (e che per il suo "gran rifiuto" viene ricordato polemicamente da Dante nella «Divina commedia»), e Santa Celestina vergine e martire (non riconosciuta ufficialmente dalla Chiesa). In questo caso continua il tardo nome personale latino *Caelestina* o *Caelestinus*, derivato da *Caelestis*.

Celidònio (50) M. - F. *Celidònia* (25). Accentrato tra Abruzzo e Puglia, riflette il culto di San Celidonio o Cheledonio martire a Calahorra in Galizia nel III secolo, e di Santa Celidonia o Chelidonia eremita a Subiaco in provincia di Roma (di cui è compatrona con San Benedetto) nel XII secolo. Alla base è il tardo nome latino *Chelidonius* o *Chelidonia*, adattamento del greco *Chelidónios* o *Chelidonía*, derivato da *chelidō'n* 'rondine'.

Cèlio (1.300) M. - F. *Cèlia* (300). Distribuito nel Centro-Nord e in Sardegna, riprende per via colta il nome gentilizio latino *Caelius* o *Coelius*, derivato da *caelum* 'cielo' (v. *Celeste*), oppure, come indicazione della provenienza o della residenza, dal *mons Caelius*, uno dei sette colli, il Celio, di Roma antica.

Cèlso (8.000) M. VARIANTI: *Cèlsio* (50). ALTERATI: *Celsino* (100). - F. *Cèlsa*

(1.600). ALTERATI: *Celsina* (200). Proprio del Nord e più frequente in Emilia-Romagna, sporadico nel Centro, è un nome cristiano insorto per il culto di vari santi, tra cui San Celso martire a Milano nel I secolo e un altro martire a Roma: continua il soprannome latino di età repubblicana *Celsus*, da *celsus* 'alto, eccelso'; di elevate doti', poi diventato in età imperiale nome individuale.

Cenerina (100) F. - M. *Cenerino* (25). Proprio del Nord e più frequente in Emilia-Romagna, è probabilmente un nome dato a un bambino nato il giorno delle Ceneri (il mercoledì che precede la prima domenica di quaresima), in cui il sacerdote sparge un po' di cenere di rami d'olivo o palme, benedetti l'anno precedente e bruciati, come monito e segno di contrizione.

Césare (132.000) M. VARIANTI: *Cesàrio* (1.800), *Cesàreo* (200). ALTERATI: *Cesarino* (6.000). NOMI DOPPI: *Césare Augusto* (500). - F. *Césara* (500). VARIANTI: *Cesària* (1.500), *Cesàrea* (800). ALTERATI: *Cesarina* (53.000), *Cesarita* (50). Ampiamente diffuso in tutta l'Italia nel tipo fondamentale (ma *Cesare* è accentrato per ¼ in Lombardia e *Cesara* per ⅓ in Toscana), è invece proprio della Puglia nel tipo secondario *Cesario* o *Cesareo*, e in particolare del Leccese. Nel tipo base è un nome laico, classico, ripreso dal Rinascimento dal grande uomo politico e statista, condottiero e stratega, e anche scrittore, Gaio Giulio Cesare, assassinato nel 44 a.C.: il *cognomen* latino *Caesar* è di probabile origine etrusca e di significato incerto. Anche *Cesare Augusto*, che non è in realtà un nome doppio ma autonomo e unitario, pur se composto da due elementi, è ripreso dal figlio adottivo di Cesare, Gaio Ottavio, che con l'assunzione del principato ebbe il nome, appunto, di Gaio Giulio Cesare Ottaviano Augusto (passato poi, come Cesare Augusto, a titolo di tutti gli imperatori, v. *Augusto*). Nel tipo secondario è un nome cristiano, insorto e diffusosi con il culto di vari santi e sante, e in particolare di San Cesario martire a Terracina nella persecuzione di Nerone, patrono di Terracina LT, di Putignano BA e San Cesario di Lecce LE, e di Santa Cesaria o Cesarea, nata in Terra d'Otranto, eremita nel Trecento in una grotta presso Otranto (e questi culti motivano l'accentramento del secondo tipo in Puglia e soprattutto nel Leccese). Le forme di questo tipo sono l'adattamento dei nomi individuali latini di età imperiale *Caesarius* e *Caesaria*, derivati da *Caesar*.

Cèsio (100) M. ALTERATI e DERIVATI: *Cesèllo* (100), *Cesino* (100); *Cesìdio* (2.000), *Cesiro* (150), *Cesirio* (25). - F. *Cèsia* (50). ALTERATI e DERIVATI: *Cesèlla* (150), *Cesina* (200); *Cesìdia* (800), *Cesira* (26.000). È un gruppo fondato su un'ipotesi e non su una certezza di unitarietà, i cui vari tipi presentano comunque processi di formazione e di diffusione diversi. Il tipo etimologicamente fondamentale *Cesio*, distribuito tra Nord e Centro, con i diminutivi *Cesino* del Centro e *Cesello* proprio del Cagliaritano ma attestato anche in Toscana, risale al nome gentilizio latino *Caesius* o *Caesia*, *Caesellius* e *Caesulla*, da *caesius* 'dagli occhi verde-azzurri' di etimo incerto, o di origine etrusca; il probabile diminutivo *Cesello* deve la sua diffusione al culto di tre santi e martiri in Sardegna durante le persecuzioni di Diocleziano, Lussorio, Cesello o Cisello, Camerino (v. *Lussorio*), che hanno nella Sardegna centro-meridionale un antico e profondo culto (a San Cesello è intitolata una chiesa di Cagliari). Il tipo *Cesidio*, dal tardo gentilizio *Caesidius*, è accentrato nel Lazio e in Abruzzo, dove si è affermato per il culto locale di San Cesidio martire sotto Massimino a Trasacco AQ nel Fùcino (a Trasacco hanno ancora questo nome circa 150 residenti maschi su 2.400), e anche del beato Giacomo Antonio Cesidio da Fossa AQ, minorita francescano ucciso in Cina nel 1900 durante la rivolta dei Boxers. Il tipo *Cesira*, largamente diffuso in tutta l'Italia ma accentrato per ¼ in Lombardia, è aggregato a questo gruppo solo in base all'ipotesi formale – non verificabile per mancanza di documentazioni – che rappresenti una forma derivata da *Cesaria* (v. *Cesare*) o da *Cesia* sul modello dei nomi di larghissima diffusione *Elvira* e *Palmira* (pur restando immotivata la sua alta frequenza, in quanto non esiste nella tradizione agiografica ecclesiastica nessuna santa di questo nome).

Cettèo (100) M. Specifico dell'Abruzzo, riflette il culto di San Cetteo o

Ceteo vescovo di Amiterno (ora un centro archeologico presso l'Aquila) al tempo di San Gregorio Magno papa, il cui corpo sarebbe stato ritrovato alla foce della Pescara e lì sepolto, e quindi patrono di Pescara.

Cettina (2.500) F. IPOCORISTICI: *Cétti* (70), *Cétty* (70). Proprio della Sicilia orientale, e in particolare del Messinese e Catanese, potrebbe essere un ipocoristico di *Bicetta* o *Nicetta* (v. *Beatrice* e *Berenice*), sostenuto da un culto locale, non ufficiale.

Chantal (500) F. Proprio del Nord e più frequente in Emilia-Romagna, è un nome francese (pronunzia: *šãtàl*) diffusosi recentemente come nome di moda e anche per il culto di Santa Giovanna Francesca Frémiot baronessa di Chantal (località della Saône-et-Loire in Francia), morta nel 1641, fondatrice dell'Ordine della Visitazione di Santa Maria.

Cherubino (1.400) M. - F. *Cherubina* (1.800). Distribuito nel Nord e nel Centro, è un nome cristiano che riflette la devozione per i Cherubini, gli angeli del 2° coro (i più alti dopo i Serafini, v. *Serafino*) della 1ª gerarchia angelica, e in parte forse di tre beati così denominati di Avigliana TO, S. Lucia del Mela ME e Spoleto PG: alla base è il nome ebraico *kerúbîm*, plurale di *kerúb*, 'che prega', adattato in *Cherubím* e poi *Cherubinus* nel latino ecclesiastico.

Chiaffrédo (2.200) M. - F. *Chiafffréda* (75). Proprio del Cuneese, ma esteso anche nel Torinese, riflette il culto locale di San Chiaffredo di Saluzzo CN, patrono della città, un martire, secondo una tradizione leggendaria, del III secolo, sepolto a Crissolo CN, ma in realtà, data l'evidente germanicità del nome, un monaco o abate cistercense proveniente, nel quadro delle correnti monastiche tra Francia e Italia del Nord, dal grande centro del Puy-de-Dôme nel Massiccio Centrale (ipotesi confermata dai monasteri e dalle abbazie del Cuneese, come Cervère e Staffarda, e dal piccolo centro medievale di San Chiaffredo di Busca). *Chiaffredo* (nel dialetto cuneese *Ciafré*) è la forma che aveva assunto in quell'area francese e quindi in Piemonte il nome germanico *Theudofridus* (latinizzato), composto da **theuda-* 'popolo' (in tedesco *Deutsch*) e **frithu-* 'pace' (in te-

desco *Friede*), con una pronunzia più o meno palatalizzata del *Chi-* iniziale. Un abate *Theofried*, italianizzato in *Teofredo*, è ricordato come vittima dei Saraceni nella Francia del Sud-Est intorno al 730, per cui viene da alcuni studiosi di agiografia identificato con il San Chiaffredo di Saluzzo.

Chiàra (45.000) F. VARIANTI: *Clara* (107.000). ALTERATI E DERIVATI: *Chiarèlla* (150), *Chiarétta* (250), *Chiarina* (5.000); *Clarétta* (800); *Clarissa* (600), *Clarita* (300). NOMI DOPPI: *Chiàra* o *Clara Marìa* (700), *Chiàra Stélla* o *Chiarastélla* (325). - M. *Chiàro* (50). VARIANTI: *Claro* (150), *Clàrio* (50). ALTERATI: *Chiarèllo* (20), *Chiarino* (200). Ampiamente diffuso in tutta l'Italia, ma più frequente negli alterati nel Nord e in Toscana, è un nome cristiano affermatosi dal Duecento per il prestigio e il culto di Santa Chiara di Assisi, discepola di San Francesco e fondatrice dell'Ordine delle Clarisse (da cui il derivato *Clarissa*), di Santa Chiara di Montefalco PG, suora agostiniana morta nel 1308, e di sante e santi, beate e beati, minori, di epoca più tarda. Il nome continua, per via popolare per la forma *Chiara* o *Chiaro* e dotta per quella *Clara* e *Claro*, il personale latino di età imperiale *Clarus* e *Clara*, formato dall'aggettivo *clarus* 'luminoso, chiaro' e, in senso figurato, 'illustre, famoso'.

Ciceróne (20) M. Attestato solo a Roma, è la ripresa classica, rinascimentale, del *cognomen* del grande scrittore e uomo politico Marco Tullio Cicerone, fatto uccidere da Marco Antonio nel 43 a.C., in latino *Cícero Cicerónis*, da *cicer* 'cece', come soprannome dato originariamente a chi aveva sul naso o sul volto un'escrescenza a forma di cece.

Cicito (50) M. - F. *Cicita* (250). Esclusivamente sardo, accentuato nel Sassarese (nel Nuorese vi corrisponde *Zizito* o *Zizita*), è un ipocoristico di *Francesco* e *Francesca*.

Cincinnato (100) M. Disperso nel Nord e nel Centro, e anche in Calabria, è la ripresa classica del *cognomen* del console e dittatore romano che, dopo avere salvato Roma dall'attacco degli Equi nel 458 a.C., si ritirò modestamente a coltivare il suo piccolo campo: il soprannome, in latino *Cincinnatus* derivato da *cincinnus* 'ricciolo', indicava originariamente chi aveva dei riccioli, i capelli ricciuti.

Cino (500) M. - F. *Cina* (300). Accentrato per più della metà in Toscana e per il resto disperso nel Nord, è l'ipocoristico già medievale di nomi terminanti in -*cino*, come *Guittoncino* (il nome pieno del giurista e poeta stilnovista Cino da Pistoia, amico di Dante), *Leoncino*, *Pacino*, *Rinuccino*, *Simoncino* e anche *Felicino*.

Cìnzia (11.000) F. VARIANTI: *Cìntiu* (100), *Cìnthia* (100). - M. *Cìnzio* (650). VARIANTI: *Cinzo* (50). Distribuito tra il Nord e il Centro, e più frequente in Emilia-Romagna e in Toscana, è una ripresa classica, mitologica e letteraria, rinascimentale, dell'epiteto di Apollo e della sorella Artèmide o, in latino, Diana, in greco *Kýnthios* e *Kynthía* latinizzati in *Cynthius* e *Cýnthia*, così denominati dal luogo sacro della loro nascita, il piccolo monte Cinto (*Kýnthos* e *Cynthus*) dell'isola di Delo nell'Egeo. *Cynthia* era diventato in Roma anche un nome personale, e così è chiamata la donna cantata dal poeta latino Sesto Properzio nelle sue elegie.

Cipriàno (3.100) M. - F. *Cipriàna* (600). Distribuito in tutta l'Italia con più alta frequenza in Lombardia, nel Veneto e in Toscana, è un nome cristiano affermatosi con il culto di vari santi, e in particolare di San Cipriano martire a Nicomedia sotto Diocleziano, patrono con Santa Giustina di San Cipriano Po PV, e San Cipriano padre della Chiesa, vescovo di Cartagine, qui martire nel 258. Alla base è il nome etnico latino di età cristiana *Cyprianus*, derivato da *Cyprius* (dal greco *Kýprios*) e questo da *Cyprus* (in greco *Kýpros*) 'Cipro', quindi 'oriundo, originario dell'isola di Cipro'.

Cirano (400) M. Accentrato per ³/₄ in Toscana e disperso per il resto tra Nord e Centro, è un nome recente di matrice letteraria e teatrale ripreso dal protagonista del dramma «*Cyrano de Bergerac*» del 1897 di E. Rostand, che ha avuto grande fortuna anche in Italia nella bella traduzione di M. Giobbe, e inoltre per il film di A. Genina del 1925 «Cirano de Bergerac». Il protagonista del dramma di E. Rostand è uno scrittore e un estroso avventuriero francese realmente vissuto nel Seicento, e il suo nome comple-to è Hector - Savinien Cyrano de Bergerac.

Cirène (300) F. - M. *Cirèno* (25). Disperso tra il Nord e il Centro, è un nome classico, storico-mitologico, ripreso dall'antica città di Cirene della Cirenaica, in greco *Kýrē'nē*, latinizzato in *Cyrene*, da un originario toponimo libico che significava 'campo di asfodeli', e dalla ninfa eponima di questa città, Cirene, madre di Aristèo. Può forse avere influito, sulla diffusione del nome, la conquista della Cirenaica nella guerra italo-turca del 1911-12.

Cirenèo (50) M. Rarissimo e disperso, è il riflesso del personaggio dei Vangeli sinottici Simone di Cirene (in greco *Kyrenâios*, latinizzato in *Cyrenaeus*, v. *Cirene*), il giudeo che dové portare fino al Golgota la croce di Gesù Cristo, esausto per lo sforzo.

Cirìaco (2.300) M. - F. *Cirìaca* (200). Proprio del Sud continentale, ma attestato anche nelle Marche e in Sardegna, riflette il culto di vari santi e sante, tra cui San Ciriaco vescovo di Ancona e martire sotto Giuliano l'Apostata, e patrono di Ancona (dove il nome è relativamente molto frequente). Alla base è il nome greco cristiano *Kyriakós*, adattato in latino come *Cyríacus*, derivato da *Kýrios* 'Dio, Signore' (calco dell'ebraico *Adonay* 'Signore'), quindi 'del Signore', dedicato al Signore' (corrispondente quindi al latino *Dominicus* da *Dominus*, v. *Domenico*).

Cirillo (3.000) M. - F. *Cirilla* (300). Proprio del Nord, e più compatto nel Veneto e nel Friuli-Venezia Giulia, riflette il culto di vari santi e sante, e in particolare dei Santi Cirillo e Metodio evangelizzatori dei popoli slavi nel IX secolo (culto vivo nelle minoranze slovene del Friuli-Venezia Giulia, dove il nome è appunto più frequente, v. anche *Metodio*). La base è il greco *Kýrillos* (derivato di *kýrios* 'Signore', v. *Ciriaco*), latinizzato in *Cyrillus*, con il significato di 'del Signore' (corrispondente dunque anch'esso a *Domenico*).

Ciro (60.000) M. VARIANTI: *Cìrio* (50). ALTERATI: *Cirìno* (1.850). - F. *Cira* (6.000). ALTERATI: *Cirétta* (500), *Cirìna* (150). Proprio del Sud, accentrato in Campania nella forma fondamentale, mentre *Cirino* e *Cirina* sono esclusivi della Sicilia, soprattutto del Catanese e del Siracusano, è un nome cristiano insorto per il culto di vari santi, in particolare San Ciro martire in Egitto ma venerato a Roma, dove sono le reliquie, patrono di Portici NA, Nocera Superiore SA e Grottaglie TA; San Ciro di Costantinopoli, dell'VIII secolo; San Cirino, martire con Alfio e Filadelfo a Lentini SR patroni di Sant'Alfio e Trecastagni CT (qui, e a Acireale, Carlentini e Lentini, il nome *Cirino* è comunissimo). Alla base è il nome greco *Kýros*, in latino *Cyrus*, adattamento del persiano antico *Kurush* (di probabile origine elamica, *kurash*, di significato ignoto), nome tradizionale della dinastia dei re di Persia Achemènidi del VI-V secolo a.c., Ciro il Grande (protagonista del melodramma «Ciro in Babilonia» del 1812 di G. Rossini, che ha forse contribuito a diffondere il nome) e Ciro il Giovane.

Cìvita (1.100) F. Proprio del Lazio, è accentrato nella provincia di Latina, soprattutto a Formia, Gaeta e Itri, riflette il culto locale di Maria Santissima della Civita (dal latino *cívitas* 'città'), patrona di Itri, qui venerata in un santuario in cui si conserva un'immagine miracolosa della Madonna che sarebbe stata salvata dalle distruzioni iconoclastiche del Medio Evo.

Clarènzio (50) M. VARIANTI: *Clarènzo* (20). - F. *Clarènza* (25). Accentrato in Emilia-Romagna, è una ripresa del nome personale latino di età imperiale *Clarentius* e *Clarentia*, derivato con valore augurale (come *Fulgenzio, Prudenzio, Vincenzo,* ecc.) dal participio presente *clarens clarentis* del verbo *clarére* 'risplendere; essere illustre, famoso' (da *clarus* 'risplendente; illustre', v. *Chiara*), sostenuta forse dal culto di San Clarenzio vescovo e confessore di Vienne nella Francia sud-orientale, del VI secolo.

Clarice (2.700) F. VARIANTI: *Clerice* (150). Distribuito in tutta l'Italia, ma più raro nel Sud, è un nome derivato da *Clara* (v. *Chiara*), dal latino *clara* 'luminosa; illustre', con il suffisso *-ice* (dal latino *-ix -ícis*), sul modello dei nomi femminili terminanti in *-ice* (come, tra i più diffusi, *Beatrice, Berenice, Doralice, Laudice*). Alla diffusione del nome può avere contribuito il francese *Clarice*, variante di *Clarisse* 'clarissa', e il personaggio femminile del «Rinaldo», poema giovanile del 1562 di T. Tasso (v. *Rinaldo*).

Clàudio (126.000) M. VARIANTI: *Clòdio* (150). ALTERATI E DERIVATI: *Claudino* (300); *Claudiàno* (50) - F. *Clàudia* (45.000). VARIANTI: *Clòdia* (100). ALTERATI E DERIVATI: *Claudina* (3.500); *Claudiàna* (20). Ampiamente diffuso, nella forma fondamentale, in tutta l'Italia, riprende il *nomen*, o gentilizio, romano della prima età repubblicana *Claudius* (con il tardo derivato *Claudianus* e la variante più popolare *Clodius*, con il dittongo *-au-* monottongato in *-o-*, dell'ultima età repubblicana), che può essere sia derivato, come originario soprannome, dal latino *claudius* 'claudicante, zoppo', sia ripreso dall'osco settentrionale o sabino *Clausus*. La tradizione è insieme laica, classica e storica, per vari grandi personaggi della storia romana (come il censore e console del IV-III secolo a.C. Appio Claudio Cieco, costruttore del primo acquedotto di Roma e del primo tratto della via Appia, da Roma a Capua, e l'imperatore Tiberio Claudio Germanico, succeduto a Caligola nel 41 d.c.), e cristiana, per i vari santi e sante così denominati.

Cleànte (400) M. VARIANTI: *Cleànto* (100). Accentrato il primo in Emilia-Romagna e il secondo nel Veneto, e per il resto dispersi nel Nord, rappresentano una ripresa classica, rinascimentale, del nome greco *Kleánthes* (formato da *kléos* 'fama, gloria', *klêin* 'rendere famoso, illustre', e *ánthos* 'fiore', *anthêin* 'fiorire', quindi 'che fiorisce per fama, illustre'), latinizzato in *Cleanthes*, nome del filosofo stoico di Asso nella Troade Cleante, del III secolo a.C., discepolo di Zenone.

Cleàrco (90) M. Accentrato in Emilia-Romagna, è una ripresa classica del nome greco *Kléarchos*, latinizzato in *Cleárchus* (da *kléos* 'fama', v. *Cleante*, e *árchein* 'comandare', quindi 'illustre per il ruolo di comando' o 'che comanda con fama'), di vari personaggi, artisti, letterati, filosofi e capi politici o militari, della Grecia antica.

Clèlia (45.000) F. - M. *Clèlio* (1.000). Ampiamente diffuso in tutta l'Italia, è un nome classico, ripreso dal Rinascimento da vari personaggi storici e leggendari di Roma antica (come Clelia, che data in ostaggio al re etrusco Porsenna, riuscì a fuggire con le sue compagne, simbolo di eroismo e di amore di libertà, tanto che G. Garibaldi diede questo nome a sua figlia e scrisse nel 1870 un romanzo intitolato appunto «Clelia»): il latino *Cloelius* e *Cloelia* è un prestito dall'osco settentrionale, collegato con la radice del verbo *cluere* 'avere rinomanza, fama', e il nome ha quindi il significato originario di 'illustre, famoso'.

Clemènte (18.000) M (anche F). VARIANTI: *Clemènzio* (10). ALTERATI: *Clementino* (850). ABBREVIATI: *Mentino* (100); *Clème* (150) o *Clèmen* (35), anche F.-F. *Clemènta* (400). VARIANTI: *Clemènza* (500), *Clemènzia* (100). ALTERATI: *Clementina* (39.000). ABBREVIATI: *Mentina* (150). Largamente diffuso in tutta l'Italia nel tipo base *Clemente*, proprio del Sud ma presente anche nel Nord (per lo più per recente immigrazione interna) nel tipo *Clemenza*, è un nome prevalentemente cristiano affermatosi con il culto dei numerosissimi santi e sante così denominati, e soprattutto di San Clemente I papa, martire nel Chersoneso nel I secolo (le cui reliquie sono conservate e venerate nella chiesa di San Clemente a Roma), patrono di Valdagno VI, Pelago FI, Canino VT e Velletri ROMA, San Clemente martire con Celso a Roma (secondo una tradizione leggendaria), San Clementino martire a Eraclea in Tracia, Santa Clementina martire degli Unni a Colonia, in Germania, e la Beata Clemenzia di Hohenburg. Il nome originario latino *Clemens*, e i soprannomi *Clementius* e *Clementia* (anche nome di una divinità), *Clementinus* e *Clementina*, sono formati da *clemens* (genitivo *clementis*) 'mite, benigno, clemente', e dal sostantivo astratto, derivato dall'aggettivo, *clementia*, di etimo ignoto.

Clèofe (4.000) F. VARIANTI: *Clèope* (150). ALTERATI: *Cleofina* (50). - M. *Cleofino* (25). Accentuato per ²/₃ complessivamente in Lombardia e a Roma, e per il resto disperso tra Nord e Centro (solo la variante *Cleope* è propria del Sud), è un nome cristiano affermatosi con l'antico culto di Santa Maria Cleofe, sorella di Maria Vergine, una delle tre Marie (la terza è Maria Maddalena) che piangono

Gesù Cristo ai piedi della croce. Nel Vangelo di San Giovanni è nominata con la formula, in greco, *María he tû Klōpâ* 'Maria (moglie) di Cleopa', che nella traduzione latina è invece *Maria Cleopae* o *Cleophae* 'Maria di Cleofa', che però fu fraintesa, e *Cleophae* fu inteso come appellativo o secondo nome di Maria, ossia Maria Cleofe, e quindi come nome femminile: e così divenne femminile un nome originariamente solo maschile, che era, sempre nel Nuovo Testamento, anche il nome del discepolo al quale Gesù Cristo apparve a Emmaus dopo la resurrezione. Il greco *Kleopâs* o *Klōpâs* è l'ipocoristico di *Kleópatros*, per la cui interpretazione v. *Cleopatra*.

Cleonice (3.200) F. Distribuito in tutta l'Italia, continua, probabilmente per il culto di una santa non riconosciuta ufficialmente dalla Chiesa (ma San Cleonico è uno dei martiri di Lentini SR, v. *Alfio*), il nome greco *Kleoníkē*, adottato anche in latino, in età imperiale, come *Cleonice* (*Cleonicus* è in Tacito il nome di un liberto), composto con *kléos* 'fama, rinomanza' e *níkē* 'vittoria', quindi 'illustre per la vittoria'. L'ipocoristico *Nice* può essere derivato, in qualche caso, anche da *Cleonice* (v. *Berenice*).

Cleonilde (100) F. Disperso nel Nord, è forse un incrocio di un nome femminile di origine greca in *Cleo-* (come *Cleonice*, *Cleopatra*) con uno germanico in *-ilde* (come *Brunilde*, *Matilde* e soprattutto *Clotilde*).

Cleopatra (800) F. ABBREVIATI: *Clèo* o *Cléo* (250), *Clèa* (500). Accentuato per ¹/₃ in Lombardia e per il resto disperso, è un nome sia classico, ripreso dalla regina Cleopatra di Egitto, amante di Giulio Cesare e poi di Marco Antonio, suicidatasi dopo la sconfitta di questi a Azio, nel 31 a.C., sia e soprattutto letterario e teatrale, ripreso dalle numerose opere che hanno per protagonista Cleopatra (soprattutto le tragedie di W. Shakespeare «Antony and Cleopatra» del 1607 e di V. Alfieri «Cleopatra» del 1775, e le opere musicali di D. Cimarosa, di H. Berlioz, di V. Massé e J. Massenet). L'originario nome greco *Kleopátra*, tradizionale in varie dinastie macedoni e ellenistiche latinizzato in *Cleopatra*, è formato da *kléos* 'rinomanza, fama, gloria' e *pa-*

tē'r patrós 'padre', quindi 'illustre per nobiltà di stirpe, che ha avi famosi'. Degli abbreviati, la forma grafica *Cléo* è propriamente francese (e la pronunzia è quindi *Kleò*): *Cleo* e *Clea*, in alcuni casi isolati, possono anche rappresentare altri nomi che iniziano con *Cleo-* o terminano con *-clèa*.

Clèrio (100) M. VARIANTI: *Clèro* (20). - F. *Clèria* (75). Disperso tra Nord e Centro, pare riflettere il culto di un santo inesistente, San Clero o Clerio diacono e martire di Antiochia, che è entrato in alcune tradizioni agiografiche per un errore di lettura, per cui è stato così letto San Glicerio o Clicerio martire a Nicomedia (v. *Glicerio*).

Climène o *Clìmene* (500) F. Accentrato a Roma e in Emilia-Romagna e disperso nel Nord, è una ripresa classica, mitologica e letteraria, di varie ninfe del mare e dei fiumi, già ricordate da Omero e da Virgilio, in greco *Klyménē*, latinizzato in *Clýmene*, dall'aggettivo *klýmenos*, femminile *klyménē*, 'famoso, illustre; nobile, splendido'.

Clino (200) M. Specifico del Lazio meridionale e della Campania settentrionale, riflette il culto locale di San Clino (dal greco-bizantino *kleinós* 'famoso, illustre; che ha un buon nome'), abate nell'XI secolo del monastero greco di San Pietro in Curolis nella foresta di Pontecorvo, patrono di Esperia FR (dove sono venerate le reliquie e il nome ha un'alta frequenza relativa).

Clio (600) F. VARIANTI: *Clìa* (25). Distribuito nel Nord e nel Centro, è un nome classico, mitologico e letterario, ripreso dal Rinascimento dal nome della prima delle nove muse, in greco *Kleiō'* (dal verbo *kléiein* 'dare risonanza, celebrità'), latinizzato in *Clio*, la musa della poesia epica e della storia.

Clìzia (300) F. - M. *Clìzio* (25). Limitato al Nord, è un nome classico ripreso probabilmente dalla protagonista della commedia di N. Machiavelli «La Clizia», del 1523, modellata sulla *Càsina»* di Plauto: *Clizia* risale, attraverso il latino *Clýtia*, al greco *Klytía*, femminile di *Klýtios*, derivato da *klytós* 'molto noto, famoso'.

Clodoàldo (50) M. Disperso nel Nord, è un nome germanico, affermatosi con il culto di San Clodoaldo fondato-

re nel VI secolo dell'abbazia presso Parigi da lui poi denominata di Saint-Cloud (che è il corrispondente francese antico di *Clodoaldo* italiano), composto con **hluda-* 'famoso, illustre' e **waldaz* 'potente, che comanda, capo', quindi 'capo, comandante famoso' o 'illustre e potente'.

Clodomiro (500) M. VARIANTI: *Clodimiro* (25). - F. *Clodomira* (50). Distribuito nel Sud continentale e qui accentrato nel Leccese, è un esile riflesso del nome germanico, di tradizione francone, formato con **hluda-* 'famoso' (v. *Clodoaldo*) e **meriz* 'splendente, illustre' (v. *Adelmiro*), quindi 'molto famoso e illustre'. L'alta compattezza del nome nel Leccese deve essere dovuta a un culto locale di un santo Clodomiro non riconosciuto ufficialmente dalla Chiesa.

Clodovèo (450) M. - F. *Clodovèa* (100). Più compatto in Toscana e soprattutto in Emilia-Romagna, e disperso nel Centro e nel Nord, continua un nome germanico, di tradizione francone, composto da **hluda-* 'famoso' (v. *Clodoaldo*) e **wigaz* 'combattente' (da **wiga-* 'battaglia'), quindi 'combattente illustre, famoso', nome tradizionale della dinastia merovingica dei re dei Franchi, dal V al VII secolo, e attestato nella forma latinizzata *Clodoveus* e *Clodovicus* (cui si ricollegano *Lodovico* e, per tramite francese antico, *Luigi*: v. questi nomi e anche *Aloisio*).

Clòe (400) F. Distribuito in tutto il Nord, è un nome classico, letterario, ripreso dal Rinascimento dalla protagonista del romanzo greco di Longo Sofista, del III secolo, «Amori pastorali di Dafni e Cloe», la giovane pastorella Cloe innamorata del pastore Dafni: la diffusione è stata promossa dalle numerose traduzioni e dai vari rifacimenti, soprattutto nel clima letterario settecentesco dell'Arcadia, e recentemente dal balletto di E. Ravel del 1912 «*Daphnis et Chloé*» ispirato a questo romanzo (v. *Dafni*). Il nome greco originario *Chlóē* significa 'erba tenera e verde; piante, messi appena spuntate, ancora verdi', e si addiceva a una giovane pastorella (ma era anche un epiteto di Demètra, dea della natura e delle coltivazioni).

Clòri (300) F. VARIANTI: *Clòry* (100), *Clòra* (150); *Clòride* (100). Distribuito nel Nord e sporadicamente al Centro, è una ripresa classica, letteraria e mitologica, del nome di una divinità e di una ninfa della terra e della vegetazione, e della mitica moglie di Nèleo, figlio del dio Posidone e re di Pilo: il nome greco *Chlōris* (genitivo *Chlō'ridis*), latinizzato in *Chloris* (*Chlóridis*), è propriamente il nome del verdone, un fringuello dal piumaggio verde-giallo e dal canto armonioso, e deriva da *chlōrós* 'verde tenero, tendente al giallo'.

Cloridano (25) M. Attestato solo a Roma, è un nome letterario ripreso dal giovane saraceno che, nell'«Orlando furioso» di L. Ariosto, affronta la morte per salvare l'amico Medoro (v. *Medoro* e anche *Angelica*): il nome è probabilmente inventato, come molti altri del poema, dall'Ariosto.

Clorinda (13.000) F. - M. *Clorindo* (450). Diffuso in tutta l'Italia, è uno dei tanti nomi ripresi dagli eroi, molto popolari, della «Gerusalemme liberata» di T. Tasso (v. *Argante*), la guerriera saracena amata dal condottiero cristiano Tancredi che, non riconoscendola sotto l'armatura, la affronta in duello e la uccide: anche questo nome è coniato dal Tasso, forse componendo *Clori* o *Cloride* (v. *Clori*) con la terminazione *-inda* di molti nomi femminili di origine germanica (come *Ermelinda*, *Gelinda*, *Teodolinda*).

Clotilde (23.000) F. - M. *Clotildo* (20). Ampiamente diffuso in tutta l'Italia, ma più nel Nord e soprattutto in Piemonte, Lombardia e Liguria, è un nome germanico, di tradizione già gotica e burgunda e quindi francone, documentato dal V secolo nelle forme latinizzate *Chlotichilda* e poi *Chlothildis*, diffusosi con il culto di Santa Clotilde regina dei Franchi nel VI secolo e anche perché tradizionale nella casa Savoia (soprattutto per Maria Clotilde, moglie di Carlo Emanuele IV nel Settecento). Il nome germanico è composto con **hluda-* 'rinomato; famoso, illustre' e **hildjo* 'battaglia, combattimento', ma senza un significato proprio, in quanto normalmente i nomi femminili sono formati da due elementi onomastici autonomi, e non hanno quindi un significato originario specifico (che in questo caso sarebbe 'illustre in battaglia').

Còclite (50) M. Rarissimo e disperso, è una ripresa classica, storica e letteraria, dal leggendario eroe romano Orazio Coclite che da solo difese il ponte Sublicio contro il re Porsenna e gli Etruschi, per dare tempo ai Romani di tagliare il ponte. Il soprannome *Cocles* è formato da un aggettivo del latino arcaico, *cocles cocliis* 'orbo, cieco da un occhio', un probabile prestito dal greco di tramite etrusco.

Collatino (50) M. Accentrato in Toscana, è un nome classico, storico ma anche ideologico, libertario e irredentistico, ripreso dal soprannome o terzo nome di Lucio Tarquinio Collatino, marito di Lucrezia, che nel 509 a.C. cacciò gli Etruschi da Roma e, con Lucio Giunio Bruto, esercitò il primo consolato nella nuova repubblica romana: il latino *Collatinus* è un etnico derivato da *Collatia*, Collazia, un'antica città del Lazio a est di Roma, e significa quindi 'oriundo di Collazia' (v. anche *Bruto* e *Lucrezia*).

Colómba (10.000) F (anche M). ALTERATI: *Colombina* (1.600). - M. *Colómbo* (2.700). ALTERATI: *Colombino* (50). Diffuso in tutta l'Italia nelle forme fondamentali, e nel Nord negli alterati, presenta processi di derivazione e di motivazione diversi. *Colomba* e *Colombo* continuano il nome latino d'età imperiale *Columba* e *Columbus*, proprio di schiavi e liberti (formato da *columba* e *columbus* 'colomba, colombo'), poi affermatosi in ambienti cristiani perché la colomba, spesso raffigurata in catacombe e sepolcri, era simbolo, oltre che dello Spirito Santo, di Cristo e degli apostoli, di mitezza, di purezza e innocenza: alla diffusione del femminile ha contribuito il culto di varie sante e beate così denominate, mentre il maschile *Colomba*, ormai disusato o rarissimo, è stato sostenuto nel Medio Evo dal culto di San Colomba (dalla latinizzazione *Columba* dell'originario nome irlandese *Colum*, prestito anch'esso dal latino *columba*), monaco irlandese fondatore, nel VI secolo, di vari monasteri in Irlanda e in Scozia. *Colombina*, oltre che come diminutivo di *Colomba*, si è affermato anche per la popolarità della maschera della commedia dell'arte, e quindi goldoniana, Colombina, la scaltra servetta amante o moglie di Arlecchino.

Colombano (250) M. Proprio della
Lombardia, è insorto con il prestigio di
San Colombano, monaco irlandese che
nel 614 fondò il celebre monastero di
Bobbio PC e ne fu il primo abate, patrono di Bobbio e di San Colombano al
Lambro MI. La forma latinizzata del suo
nome, *Columbanus*, già attestata nel
tardo Impero come nome cristiano, riflette l'irlandese *Columan*, che a sua volta è l'adattamento del latino *Columbanus*, derivato di *Columba* (v. *Colomba*).
Coltura (400) F. - M. *Colturo* (50).
Esclusivo del Leccese, e qui accentrato
per i ²/₃ a Paràbita, riflette il culto locale
di Maria Santissima della Coltura, ossia
delle coltivazioni, diffuso nelle Chiese
orientali (dove sono frequenti gli appel-
lativi, e la relativa venerazione, per Nostra Signora delle Semenze, delle Spighe, delle Vigne, ecc.), patrona appunto
di Parabita.
Comàsia (500) F. - M. *Comàsio* (15).
Proprio della Puglia, riflette il culto locale di Santa Comasia martire (probabilmente sulla via Nomentana presso Roma), le cui reliquie sarebbero state portate a Martina Franca TN e sono lì venerate: il nome originariamente greco *Ko-
másios* e *Komasía*, latinizzato in *Co-
másius* e *Comásia*, è derivato da
kō'mē 'villaggio, quartiere' con il valore etnico di 'abitante del villaggio; dello stesso quartiere', o meno probabilmente da *kômos* 'gruppo di giovani che
si divertono, che fanno festa', o anche
'festa, lieta riunione'.
Comìncio (100) M (anche F). Proprio
del Sud, e accentrato per la metà in
Campania, è probabilmente un nome
dato al primo figlio che «comincia», nelle intenzioni dei genitori, una serie di altri figli.
Comita (50) M. VARIANTI: *Comito*
(10). Esclusivo del Sassarese, è la continuazione di un nome medievale di alto
prestigio in quanto portato da vari giudici del Giudicato di Torres dall'XI al XIII
secolo (Comita I, II e III), che avevano
tentato di unificare, con l'appoggio di
Genova, la Sardegna: è un nome bizantino, *Komētâs* (latinizzato in *Comíta*),
corrispondente al greco classico *komē'-
tēs*, derivato da *kómē* 'capelli, chioma', con il significato di 'che porta i capelli lunghi, che ha una bella chioma', o

meno probabilmente da *kōmē'tēs*,
derivato da *kō'mē* 'villaggio; quartiere di una città', con il significato di 'abitante, oriundo di un villaggio' o 'che abita nello stesso villaggio o quartiere'.
Comunardo (100) M. - F. *Comunarda* (25). Sparso nel Nord e in Toscana, è
un nome ideologico e libertario tratto da
comunardo, denominazione derivata
dal francese *communard*, da *Commune*
'(la) Comune', dei rivoluzionari di matrice giacobina e socialista che presero il
potere a Parigi nel 1871, nel tentativo di
costituire un governo popolare e socialista e di non accettare le dure condizioni
di pace della Prussia, tentativo sangui-
nosamente represso dal capo del governo M.-J.-L.-A. Thiers.
Concètta (240.000) F. VARIANTI: *Concepita* (300); *Concèzia* (75), *Concezióne* (150), *Concèssa* (250). ALTE-
RATI: *Concettina* (13.000), *Concessina*
(100). NOMI DOPPI: *Concètta Marìa* (800).
- M. *Concètto* (6.500). VARIANTI: *Concèzio* (1.100), *Concèsso* (25). ALTERATI:
Concettino (50). Proprio del Sud nel tipo
fondamentale *Concetta* (e qui accentrato
per quasi la metà in Sicilia), della Puglia e
in particolare del Leccese per *Concepita*
(che è una ulteriore italianizzazione della
base latina), del Sud e soprattutto dell'A-
bruzzo per il tipo *Concezia*, è invece caratteristico della Liguria per *Concezione*,
e inoltre per *Concessa*, che può essere un
adattamento ligure di *Concezia* ma in
parte derivare anche da un nome dato a
un figlio «concesso» per grazia divina (sostenuto forse dal culto di Santa Concessa
martire a Cartagine e San Concesso martire a Cartagine e San Concesso martire a
Roma). Questo gruppo nominale è insorto nell'ultimo Medio Evo con la devozione per l'Immacolata Concezione di Maria Vergine, il privilegio cioè di essere stata concepita immune dal peccato originale, proclamato come dogma da Pio IX nel
1854: l'Immacolata Concezione di Maria, o Maria Concetta (v. *Immacolata* e
anche il diffusissimo nome composto *Maria Concetta* al lemma *Maria*), è la festa
patronale, celebrata l'8 dicembre, di varie città, tra cui Nizza di Sicilia ME. Il
nome *Concetta* è l'italianizzazione del
participio perfetto *concepta* del latino
concípere 'concepire', quindi 'concepita
(senza la macchia del peccato originale)',

mentre *Concezione* continua il derivato latino *conceptio -ónis* 'concezione, concepimento' di *concipere*, *Concezia* è una forma abbreviata, e *Concepita* è la traduzione italiana di *concepta*.

Concita (100) F. VARIANTI: *Conchita* (300). Accentrato per più della metà in Sicilia nella forma *Concita* e sparso in tutta l'Italia in quella *Conchita*, è il corrispondente spagnolo di *Concetta* o *Concezione* (v. *Concetta*). La forma propriamente spagnola *Conchita* (pronunzia: *končita*), che può essere il nome sia di Spagnole residenti in Italia sia anche adottato da Italiane (per l'influsso della lunga dominazione e presenza spagnola nel Sud o per moda), è il diminutivo in *-ita* dell'ipocoristico *Concha* del nome *Concepción*, ossia *Concezione*; la forma *Concita* è l'adattamento grafico italiano di *Conchita*.

Concòrdia (100) F. - M. *Concòrdio* (15). Disperso in tutta l'Italia, continua il nome gentilizio o soprannome latino *Concordius* e *Concordia* (questo anche nome di una divinità che presiedeva alla concordia del popolo romano), formato da *concordia* 'concordia, unione, armonia', derivato come astratto dall'aggettivo *concors cordis* 'concorde, che è d'accordo' (composto di *cum* 'con, insieme' e *cor cordis* 'cuore, animo', per significare unione, concordanza di sentimenti): la diffusione è stata promossa dal culto di vari santi e sante di questo nome, come San Concordio martire a Spoleto e Santa Concordia martire a Roma sotto Valeriano.

Confòrto (50) M. - F. *Confòrta* (400). Proprio della Toscana, continua il nome medievale gratulatorio e augurale *Conforto*, formato da *conforto*, dato a un figlio molto atteso e desiderato (specialmente dopo la perdita di un figlio precedente), che costituisce e si augura che sia un conforto per i genitori.

Confùcio (25) M. Limitato al Nord, e più comune in Emilia-Romagna, è un nome di moda esotico, di impronta letteraria e forse anche ideologica, ripreso dal fondatore, Confucio, morto nel 179 a.C., del sistema di dottrine morali, sociali e politiche della Cina da lui denominato «confucianesimo»: *Confucio* è l'italianizzazione, attraverso la forma latina *Confutius*, del nome cinese *K'ung Fu-tzu*, propriamente 'Maestro K'ung' (*K'ung* è il cognome e *Fu-tzu* significa appunto 'maestro').

Còno (1.700) M. VARIANTI: *Cuóno* (300). - F. *Còna* (250). ALTERATI: *Conétta* (25). Specifico della Campania, soprattutto del Salernitano, e della Sicilia, in particolare del Messinese (ma nella variante *Cuono* esclusivo della Campania, dove è normale la dittongazione di *ò* in *uó*), riflette il culto di tre santi, San Conone o Conone martire a Iconio nell'Asia occidentale sotto l'imperatore Aureliano, patrono di Acerra NA; San Cono di Diano CS o di Teggiano SA, vissuto nel Duecento, patrono di Teggiano; San Cono di Naso ME, monaco basiliano vissuto nel XII secolo in Sicilia, patrono di Naso e di San Cono CT: a Teggiano, a Naso e a San Cono e a Capo d'Orlando, il nome ha ancora un'altissima frequenza relativa. Alla base è il nome greco, già classico, *Kṓnōn*, latinizzato in *Conon*, di incerta etimologia.

Consalvo (600) M. - F. *Consalva* (25). Distribuito in tutta l'Italia, con maggiore frequenza in Puglia, è l'italianizzazione del nome spagnolo di origine germanica *Gonzalo* (frequente soprattutto nel cognome *González*), composto con **gunth-* 'combattimento, battaglia', e un secondo elemento **salwa-* di etimo incerto (forse un prestito dal latino *salvus* 'salvo'), documentato in Spagna dal IX secolo nelle forme latinizzate *Gundisalvus* e poi *Gunsalvus*. La diffusione è stata promossa, durante la dominazione spagnola, dal prestigio del nome, proprio di vari personaggi storici e letterari, e forse in qualche raro caso dal canto di G. Leopardi «Consalvo» pubblicato nel 1835.

Consìglio (4.000) M. VARIANTI: *Consìlio* (25). - F. *Consìglia* (9.500). VARIANTI: *Consilia* (850). Proprio del Sud, e qui accentrato in Campania e in Puglia, è un nome cristiano affermatosi con la devozione per Maria Santissima del Buon Consiglio, epiteto della Madonna elargitrice di buoni consigli e di saggezza di vita (che è uno dei sette doni dello Spirito Santo), patrona di Sarteano SI e di altri centri.

Consolata (3.500) F. VARIANTI: *Consolazióne* (800), *Consóla* (50), *Consuélo* (1.100) e *Consuéla* (100). ALTERATI:

Consolina (900). - M. *Consolato* (1.300). VARIANTI: *Consólo* (20). ALTERATI: *Consolino* (25). Proprio, nel tipo *Consolata*, del Piemonte e anche del Sud e in particolare della Calabria, nel tipo *Consolazione* della Sicilia, in quello *Consola* e *Consolina* del Nord con maggiore compattezza in Piemonte, è invece distribuito in tutta l'Italia nel tipo *Consuelo*. Il gruppo, unitario per l'etimologia lontana e per la motivazione, la devozione per Maria Santissima della Consolata o Consolata (festa patronale di varie città tra cui Torino), ha tuttavia processi di formazione e di tradizione diversi. *Consolata* e *Consolazione* sono derivati italiani del verbo *consolare*, e *Consola* o *Consolo* riflettono l'italiano antico o regionale *consólo*, forma abbreviata di *consolazione*. Invece *Consuelo* è il corrispondente spagnolo di 'consolazione', un deverbale del verbo *consolar*, che in Italia è in parte un nome di residenti di nazionalità o di lingua spagnola, ma è anche diventato un nome femminile italiano sia per l'influsso esercitato dalla dominazione spagnola, sia come nome di moda, sia infine per la grande diffusione che ha avuto nel secondo Ottocento il romanzo di G. Sand «*Consuelo*» del 1842-43, nel quale Consuelo è la protagonista, una gitana che riuscirà a diventare una celebre cantante lirica. Sulla diffusione di *Consolata* può avere in minima parte influito il culto di Santa Consolata martire in Palestina (non compresa nel «Martirologio Romano»), venerata a Genova dove sarebbero state portate le reliquie e dove esiste una chiesa intitolata a Nostra Signora della Consolazione.

Contardo (650) M. VARIANTI: *Contaldo* (20). ALTERATI: *Contardino* (25). - F. *Contarda* (75). ALTERATI: *Contardina* (50). Distribuito nel Nord, e qui accentrato per la metà in Lombardia, continua un nome germanico, di tradizione già longobardica, documentato dall'VIII secolo nelle forme latinizzate *Guntardus* e *Cuntardus*, composto di **gunth-* 'combattimento, battaglia' e **hardhu-* 'valoroso', quindi 'valoroso in battaglia'. Alla diffusione può avere in parte contribuito il culto di San Contardo d'Este, morto a Broni PV nel 1249 (non compreso nel «Martirologio Romano»).

Còra (900) F. ALTERATI: *Corina* (1.400). - M. *Corino* (300). Accentrato in Toscana e in Emilia-Romagna e disperso nel Nord, è la ripresa classica, rinascimentale, del nome della dea greca dell'oltretomba e dell'agricoltura Cora (in greco *Kórē* da *kórē* 'giovinetta, fanciulla' e 'figlia') o Persèfone, figlia di Demètra. I diminutivi *Corina* e *Corino* possono anche essere, in parte, varianti di *Corinna* e *Corinno* (v. *Corinna*).

Coràggio (100) M (anche F). Raro e limitato alla Toscana, è un nome dato a un bambino come augurio di avere doti di 'coraggio', o, se non atteso e desiderato, come incitamento ai genitori stessi di farsi 'coraggio' per provvedere a allevarlo.

Corallo (75) F. VARIANTI: *Coralla* (40). ALTERATI: *Corallina* (150). - M. *Corallino* (15). Diffuso nel Nord e soprattutto in Toscana, è un nome affettivo dato a una bambina per augurarle che sia bella come il 'corallo'. La diffusione, molto maggiore, di *Corallina* è stata promossa dal personaggio femminile della commedia dell'arte e goldoniana Corallina, una servetta graziosa, furba e vivace.

Cordèlia (1.300) F. - M. *Cordèlio* (25). Distribuito nel Nord e nel Centro con più alta frequenza in Emilia-Romagna e in Toscana, è ripreso dall'Ottocento dal nome Cordelia dato da W. Shakespeare, nella sua tragedia «Re Lear» del 1606, a una delle tre figlie del re, la sola che si sacrifica, con grande bontà e devozione, per assistere il vecchio padre fino a condividerne la tragica sorte. Il nome scespiriano inglese *Cordelia* è tratto dalle «*Chronicles of England, Scotland and Ireland*» del 1578 del cronista inglese Raphael Holinshed, dove appare nella forma *Cordeilla*, forse derivato dal latino *cor cordis* 'cuore' per significare bontà d'animo.

Corèbo (15) M. Rarissimo e disperso, è un nome sia cristiano, collegato al culto di San Corebo martire a Roma sotto l'imperatore Adriano, sia anche classico, ripreso dal guerriero frigio Corebo che, nell'«Eneide» di Virgilio, è il fidanzato di Cassandra ucciso dagli Achivi nell'espugnazione di Troia: il nome originario grèco *Kóroibos*, latinizzato in *Coroebus*, ha un etimo incerto, forse pregreco.

Corinna (13.000) F. VARIANTI: *Corilla*
(150). - M. *Corinno* (200). Diffuso nel
Nord e nel Centro, con più alta frequenza in Emilia-Romagna e in Toscana, è un
nome di matrice letteraria recente ripreso dalla giovane e bella poetessa protagonista del romanzo del 1807 di Madame
de Staël «*Corinne ou de l'Italie*», che
l'autrice riprese a sua volta o dal nome
della grande poetessa di Tanagra in Beozia Corinna del VI-V secolo a.c., e della
donna cantata dal poeta latino Ovidio
nelle sue «Elegie» con il nome di Corinna, o anche dallo pseudonimo arcadico
Corilla Olimpica della poetessa italiana
dell'ultimo Settecento Maria Maddalena Morelli. Il nome greco originario,
Kórinna (con la variante beotica *Kó-
rilla*), è un diminutivo di *kórē* o
kórā 'fanciulla, giovinetta' (v. *Cora*),
adottato anche in latino come *Corínna*
(sul quale si modella l'accentazione del
nome italiano).
Corinto (700) M (anche F). VARIANTI:
Corindo (50). DERIVATI: *Corìnzio* (25),
Corìntio (20). - F. *Corinta* (40). VARIAN-
TI: *Corinda* (100). Diffuso tra Nord e
Centro, con maggiore frequenza in Toscana, è un nome classico ripreso dal toponimo greco *Kórinthos* e dal suo etnico *Korínthios* (latinizzati in *Corínthus*
e *Corínthius*), nome di origine pregreca
dell'antica e celebre città del Peloponneso nord-orientale di Corinto, situata sul
canale omonimo. *Corinda* e *Corindo* potrebbero essere anche varianti di *Corinna* e *Corinno* (v. *Corinna*).
Coriolano (800) M. Accentrato nel
Lazio e anche in Toscana, è una ripresa
in parte classica, storico-letteraria e rinascimentale, del *cognomen* del leggendario eroe romano Gneo Marcio Coriolano, in latino *Coriolanus*, così soprannominato per avere conquistato la città
dei Volsci di Corìoli, in latino *Corìoli*,
nel 493 a.C., e poi esiliato e suicidatosi o
ucciso dai Volsci presso i quali si era rifu-
giato, e in parte ridiffuso nell'Ottocento
con la conoscenza in Italia del dramma
«*Coriolanus*» del 1608 di W. Shakespeare, ispirato a questo tragico pesonaggio.
Cornèlio (4.500) M. - F. *Cornèlia*
(9.000). Diffuso prevalentemente nel
Nord, soprattutto in Lombardia, ha due
matrici diverse. La prima classica, storico-letteraria, in quanto riprende un anti-

co nome latino di una *gens*, *Cornelii* (da
Cornelius, derivato da *cornu* 'corno',
simbolo di abbondanza e amuleto magico contro mali e disgrazie), reso illustre
da una grande famiglia patrizia, gli Scipioni, dell'età repubblicana, e in particolare da Publio Cornelio Scipione l'A-
fricano, Maggiore e Minore, consoli e
protagonisti della 2ª guerra punica, da
Publio Cornelio Scipione l'Emiliano,
vincitore della 3ª guerra punica, e soprattutto da Cornelia figlia dell'Africano Maggiore, madre di Tiberio e Gaio
Gracco, nota per la sua integrità di vita e
per la frase, riferita ai figli, "questi sono i
miei gioielli". La seconda matrice è cristiana, per il culto di vari santi e sante di
questo nome (*Cornelius*, in età imperiale, era diventato, oltre che gentilizio, anche nome individuale), tra cui San Cornelio vescovo di Cesarea, San Cornelio
papa e martire a Roma sotto Decio, e
Santa Cornelia martire in Africa.
Coróna (400) F. Disperso in tutta
l'Italia, è un nome cristiano insorto con il
culto di Santa Corona martire con San
Vittore in Siria sotto l'imperatore Antonino, patroni di Feltre BL e di Montero-
mano VT. Alla base è il nome gentilizio
e poi individuale latino *Corona*, formato
da *corona*, antico prestito dal greco *ko-
rō'nē* 'oggetto di forma circolare; corona' (ma anche 'cornacchia'): secondo
la *Passio* due martiri sarebbero scese
dal cielo due «corone» sul loro capo, al
momento di essere uccisi, a significare la
gloria del martirio.
Corrado (54.000) M. ALTÈRATI: *Corradino* (2.000). - F. *Corrada* (1.900). AL-
TERATI: *Corradina* (5.000). Ampiamente
diffuso in tutta l'Italia, con più alta frequenza in Emilia-Romagna, Toscana,
Lazio e Sicilia per *Corrado*, in Abruzzo
per *Corradino*, in Sicilia per *Corrada* e
Corradina, continua il nome germanico,
di tradizione francone e poi tedesca,
composto da **kuoni-* 'audace, ardimen-
toso' e **radha-* 'assemblea, consiglio,
deliberazione' (in tedesco moderno
kühn e *Rat*), quindi 'audace nell'assemblea, nel deliberare', già documentato
dal X secolo nelle forme latinizzate *Con-
radus* e *Corradus* (in tedesco moderno
Konrad). Alla diffusione hanno contribuito il prestigio di imperatori e re del
X-XIII secolo, come Corrado I di Fran-

conia, II il Salico, III di Svevia e Corradino di Svevia, e il culto di vari santi, tra cui San Corrado abate di Clairvaux e poi di Citeau in Francia nel primo Duecento, patrono di Molfetta BA, e San Corrado Confalonieri da Piacenza, terziario francescano eremita in Sicilia nel Trecento, patrono di Noto SR (località dove il nome ha tuttora un'altissima frequenza relativa).

Córso (150) M. ALTERATI: *Corsino* (50). - F. *Corsina* (100). Proprio della Toscana, è l'ipocoristico dei nomi augurali e gratulatori medievali *Accorso* e *Bonaccorso* (v. *Accursio* e *Bonaccorso*).

Cortése (200) M (anche F). - F. *Cortesìa* (75). ALTERATI: *Cortesina* (50). Accentrato nel Nord e più in Toscana per *Cortese*, e disperso nelle altre forme, continua un soprannome medievale *Cortese*, comune in Toscana nel XII e XIII secolo, da *cortese*, nel significato antiquato di 'che vive, lavora, abita nella corte, in una corte' (dove *corte* indica un fondo e insediamento rurale), e in qualche caso nel valore di 'gentile, liberale e di modi elevati', come qualità proprie di chi vive a corte, in corti reali o principesche.

Cortina (100) F. - M. *Cortino* (15). Disperso nel Nord e nel Centro, è un recente nome ideologico, patriottico, insorto in riferimento a Cortina d'Ampezzo BL, teatro di dure battaglie nella 1ª guerra mondiale.

Cosétta (4.000) F. Accentrato per i ²/₃ complessivamente in Toscana e nell'Emilia-Romagna e per il resto disperso nel Nord, è un nome di matrice letteraria ripreso nell'ultimo Ottocento dalla protagonista, in francese *Cosette* italianizzato in *Cosetta*, del popolare romanzo del 1862 di V. Hugo «*Les misérables*» (nella traduzione italiana «I miserabili»).

Còsma (550) M. VARIANTI: *Còsmo* (3.600), *Còsimo* (62.000); *Cosmano* (20), *Cusmano* (20), *Cusumano* (50); *Gusmano* (250). ALTERATI: *Cosmino* (25), *Cosimino* (150). NOMI DOPPI: *Còsma Damiàno* (100), *Còsmo Damiàno* (200), *Còsimo Damiàno* (1.000). - F. *Còsima* (16.000). VARIANTI: *Gusmana* (75). ALTERATI: *Cosmina* (150), *Cosimina* (1.500). NOMI DOPPI: *Còsima Damiàna* (100). Distribuito nel Sud, con più alta frequenza in Puglia, nel tipo fondamentale *Cosma* (ma proprio del Piemonte per *Cosmino* e *Cosmina*) e in quello *Cosimo* (che è tuttavia presente anche nel Centro-Nord), caratteristico della Sicilia e in particolare del Trapanese in quello *Cusmano* o *Cusumano*, prevalentemente toscano per *Gusmano*, è un nome di antica tradizione cristiana che presenta, nei vari tipi, diverse formazioni e tradizioni. Alla base è il culto insorto nella Chiesa orientale, ma affermatosi dal VI secolo anche in Occidente soprattutto nelle zone dove più forte è stato l'influsso bizantino (come l'Italia meridionale), dei Santi Cosma e Damiano, martiri a Egèa in Cilicia durante le persecuzioni di Diocleziano (insieme agli altri fratelli Antimo, Euprepio e Leonzio), patroni di vari centri tra cui Stimigliano RI, Santi Cosma e Damiano LT, Alberobello BA, Ginosa TA, San Cosmo Albanese CS. Il nome originario greco-bizantino, *Kosmâs* latinizzato in *Cósmas*, continuato nel tipo fondamentale *Cosma*, è probabilmente un ipocoristico di un nome composto formato con *kósmion* 'ornamento; ordinamento armonioso' o *kósmios* 'ornato; bene ordinato; moderato e riflessivo'. Il nome bizantino *Kosmâs* è stato adottato in Sicilia, nel basso Medio Evo, anche da Musulmani convertiti al cristianesimo nella forma arabizzata *Kuzmān*, continuata poi nel tipo siciliano *Cusmano* o *Cusumano*. Agli inizi del Quattrocento è cominciato un processo di italianizzazione fonetica e morfologica di *Cosma*, consistente nell'inserire la vocale epentetica -i- tra -s- e -m- e nel cambiare la -a finale nella normale desinenza in -o dei nomi maschili: così ha prevalso il tipo *Cosimo* sostenuto anche, soprattutto in Toscana, dal prestigio della famiglia dei Medici in cui il nome è stato tradizionale (da Cosimo il Vecchio ai granduchi Cosimo I, II, III). Il tipo *Gusmano*, infine, potrebbe riflettere l'influsso già medievale del nome spagnolo *Guzmán* (forse di formazione analoga a quella del tipo siciliano *Cusmano*), soprattutto per il grande prestigio religioso di San Domenico Guzmán. Il nome doppio *Cosma* o *Cosimo Damiano*, da cui è stato derivato il singolare femminile *Cosma* o *Cosima Damiana*, è in realtà un nome cristiano unitario insorto per il culto dei due santi sempre considerati strettamente uniti (v. *Damiano*).

Costàbile (450) M. Proprio della Campania e soprattutto del Salernitano, riflette il culto di San Costabile o Constabile abate dal 1122 al 1124 del monastero benedettino di Cava de' Tirreni, patrono di Castellabate SA (dove su circa 3.000 residenti maschi ben 150 hanno questo nome): risale al latino tardo *Constabilis* formato da *constare*, sul modello di *stabilis*, con il significato di 'fermo, risoluto', soprattutto nella fede cristiana (v. *Costante*).

Costante (7.000) M. DERIVATI: *Costantino* (31.000), *Costanzo* (6.500). - F. *Costantina* (9.000), *Costanza* (18.000). Largamente diffuso in tutta l'Italia, e più nel Nord e in particolare in Lombardia, riflette il culto di numerosissimi santi e sante di questi nomi, e in parte minore il prestigio di imperatori romani e bizantini, di re e regine medievali, così denominati. Alla base è il *cognomen* o soprannome latino *Constans*, diventato in età imperiale anche un nome individuale, formato dal participio presente *constans constantis* del verbo *constare* (composto di *cum* e *stare*), 'stare fermo, saldo', con il significato quindi di 'fermo, risoluto', riferito, in ambienti cristiani, alla fede. Da *Constans* si sono derivati, con i suffissi -*inus* e -*ius*, i *cognomina* e poi nomi individuali *Constantinus* e *Constantius* (con i rispettivi femminili *Costantina* e *Constantia*), di cui i tipi italiani *Costantino* e *Costanzo* sono la continuazione.

Creónte (50) M. VARIANTI: *Cleónte* (100). ALTERATI: *Cleontino* (10). - F. *Cleontina* (75) Accentrato in Toscana e in Emilia-Romagna e disperso nel Nord, è un nome classico, mitologico e letterario, ripreso dal re di Tebe, in greco *Kréōn* (genitivo *Kréontos*), latinizzato in *Creon* (genitivo *Creóntis*), da *kréōn* 'padrone, signore, dominatore', personaggio delle tragedie di Èschilo «I sette contro Tebe» e di Sòfocle «Antìgone». Le forme in *Cleont-* rappresentano una confusione, in un nome così raro e poco chiaro, con nomi più comuni in *Cle-*, come *Cleante, Clearco, Cleonice, Cleopatra*.

Crescènzo (4.200) M. VARIANTI: *Crescènzio* (1.000); *Crescènte* (15). ALTERATI E DERIVATI: *Crescentino* (450); *Crescenzi-*

àno (50). - F. *Crescènza* (1.700). VARIANTI: *Crescènzia* (400). ALTERATI: *Crescentina* (150). Diffuso nel tipo fondamentale *Crescenzo* o *Crescenzio* nel Centro-Sud, con più alta frequenza nel Lazio, in Campania e soprattutto in Puglia, e nel Centro-Nord per *Crescentino*, con maggiore compattezza in Piemonte e nelle Marche, è invece quasi esclusivo nel Lazio, soprattutto di Roma e Viterbo e delle due province, per il tipo *Crescenziano*. La base è il *cognomen* e poi nome individuale latino *Crescens* (genitivo *crescentis*), participio presente del verbo *crescere*, con il valore quindi augurale di 'che cresca bene; che possa crescere, diventare grande e importante': di qui sono derivati, con i suffissi -*ius*, -*inus* e -*ianus*, i *cognomina* e poi, in età imperiale, nomi individuali, *Crescentius*, *Crescentinus* e *Crescentianus*. La diffusione è stata promossa dal culto dei numerosissimi santi e sante di questi nomi: *Crescenzo* e *Crescenzio* possono tuttavia essere in qualche raro caso anche nomi israelitici, come traduzione italiana del nome ebraico *'Efraìm* (v. *Efrem*).

Crèso (50) M. Proprio dell'Emilia-Romagna, è un nome classico ripreso dal re della Lidia del VI secolo a.C., in greco *Krôisos* latinizzato in *Croesus*, celebre, anche attraverso leggende, per la sua ricchezza e per la fastosità di vita (da qui l'espressione «essere un Creso, ricco come un Creso»): il nome, di origine pregreca, fu probabilmente accostato dai Greci a *krátos* 'potenza'.

Creùsa (75) F. Disperso tra Nord e Centro, è una ripresa classica e letteraria, rinascimentale e moderna, del nome greco *Kréusa* (dal femminile di *kréōn*, 'signora, dominatrice, sovrana', v. *Creonte*), attraverso l'adattamento latino *Creúsa*, della figlia di Prìamo re di Troia, moglie di Enea, dispersa, secondo l'«Eneide» di Virgilio, durante l'occupazione di Troia.

Crisante (100) M. VARIANTI: *Crisanto* (50), *Grisante* (100). Distribuito nel Lazio, nell'Abruzzo e nel Molise, per *Crisante* o *Crisanto*, nel Nord, soprattutto nel Torinese, e in Toscana, per *Grisante*, è insorto con il culto di vari santi, tra cui San Crisanto martire con la moglie Daria a Roma sotto Numeriano. Alla base è il nome greco *Chrysánthos* (e *Chrysan-*

thē's), composto da *chrysós* 'oro' e *ánthos* 'fiore', quindi 'fiore d'oro, dal colore dell'oro' (lo stesso etimo dell'italiano *crisantemo*), latinizzato in *Chrysanthus* (o *Chrysánthes*), comune nell'Impero romano soprattutto in zone di lingua greca.

Crisèide (100) F. Accentrato tra Roma e la Campania settentrionale, è un raro nome letterario, ripreso sia dall'«Iliade» di Omero, dove Criseide è la concubina di Agamennone, sia dal poema di G. Boccaccio «Filòstrato», dove Criseide è la figlia di Calcante amata dal giovane figlio di Prìamo Tròilo, al quale si ispira il poema del 1383-85 «*Troilus and Criseyde*» di G. Chaucer: il nome originario greco *Chrysēís -ídos*, latinizzato in *Chryséis -ídis*, è un derivato di *chrysós* 'oro' con il significato di 'd'oro; bella, splendente come l'oro'.

Crisòstomo (100) M. VARIANTI: *Grisòstomo* (25). Diffuso nella forma in *C-* nel Sud e in particolare in Sicilia e in quella in *G-* in Lombardia e a Bologna, è insorto con il culto di San Giovanni Crisostomo, patriarca di Costantinopoli e dottore della Chiesa, morto nel 407, così soprannominato, in greco *Chrysóstomos* latinizzato in *Chrysostomus*, cioè 'bocca d'oro' (da *chrysós* 'oro' e *stóma* 'bocca'), per le sue grandi doti di oratore sacro.

Crispino (800) M. VARIANTI: *Crespino* (25). - F. *Crispina* (150). Distribuito in tutta l'Italia con maggiore compattezza in Sicilia, riflette il culto di numerosi santi e sante, e in particolare di San Crispino di Soissons del III secolo, patrono dei calzolai: continua il *cognomen* o soprannome latino *Crispinus*, derivato da *Crispus* formato dall'aggettivo *crispus* 'dai capelli crespi'.

Crispòlto (150) M. VARIANTI: *Crispòldo* (50). Specifico dell'Umbria e del Lazio settentrionale, e in particolare di Bastia e Bettona PG, riflette il culto locale di San Crispolto o Crispolito discepolo di San Pietro e martire, patrono (con Maria Santissima Assunta) di Bettona, dove sono conservate le reliquie nella chiesa a lui dedicata. Il nome, tramandato nelle fonti latine come *Crispolytus*, è di impronta greca ma non sicuramente identificabile (forse da *chrysólithos*, in latino *chrysolithus*, nome di varie gemme di colore giallo o giallo-verde o verde, incrociato con il soprannome latino *Crispolus*, diminutivo di *Crispus*, v. *Crispino*).

Cristanziàno (25) M. Attestato esclusivamente a Ascoli Piceno, a Chieti e a Isernia (e qui soprattutto a Agnone), riflette il culto locale di San Cristanziano, patrono di Agnone, un santo in realtà mai esistito, come il suo nome, in quanto insorto per un errore di lettura del nome di San Crisògono, martire a Aquileia durante le persecuzioni di Diocleziano.

Cristiàno (2.000) M. VARIANTI: *Cristano* (25). - F. *Cristiàna* (2.500), *Cristiàne* (100); *Christiàna* (100). Diffuso nel Centro-Nord, è la continuazione dell'appellativo dei seguaci della fede di Cristo, in greco *Christianós* e in latino *Christianus* (v. *Cristo*), affermatosi anche come nome personale, più comune all'estero e soprattutto, nella forma *Christian* (o *Kristian*) e al femminile *Christiane*, in Danimarca, qui tradizionale dal 1448 nella casa regnante, in Svezia e Norvegia, in Germania e in Austria (e le forme *Cristiane* e *Christiana*, proprie delle zone alloglotte di lingua tedesca, sono appunto adattamenti italiani del nome femminile tedesco *Christiane* [900]). Il nome è in parte sostenuto dal culto, tuttavia raro in Italia, di numerosi santi e santi, beati e beate, così denominati.

Cristina (58.000) F. VARIANTI: *Christina* (600). - M. *Cristino* (300). Ampiamente diffuso in tutta l'Italia, ma specifico per *Christina*, adattamento morfologico all'italiano del nome tedesco *Christine* (2.000), delle zone alloglotte di lingua tedesca, e soprattutto della provincia autonoma di Bolzano, riflette il culto di vari santi e sante, beati e beate, così denominati, tra cui Santa Cristina martire a Bolsena VT, probabilmente durante le persecuzioni di Diocleziano, patrona di Santa Cristina Valgardena BZ, di Bolsena, di Gallipoli LE (dove il nome è molto frequente), di Gela CL, la beata Cristina di Como, morta nel 1458 a Spoleto, patrona di Calvisano BS; la beata Cristina da Santa Croce sull'Arno PI (di cui è patrona); San Cristino patrono di Portoferraio LI. Alla base è il nome individuale latino *Christinus* e *Christina*,

derivato di *Christus* con il significato di
'cristiano' e anche 'consacrato a Cristo',
insorto con il primo cristianesimo ma affermatosi soltanto dopo l'Editto del 313
dell'imperatore Costantino con cui veniva riconosciuto il cristianesimo e cessa-
rono le persecuzioni contro i cristiani.

Cristo (40) M. - F. *Crista* (100). Rarissimo e disperso in alcune grandi città
(Torino, Milano, Roma, Napoli, Bari,
Lecce), è un nome, come *Gesù*, del tutto
estraneo alla tradizione onomastica dei
paesi cattolici e in genere del cristianesimo occidentale, per un rispetto, quasi un
tabu, per Gesù Cristo, ma comune nei
paesi ortodossi o del cristianesimo orientale, soprattutto di rito greco, e anche
protestanti: in Italia risulta appunto,
dalla distribuzione, l'adattamento del
nome greco e di tradizione greco-
bizantina *Christós*, per il maschile che è
più compatto nella Puglia e soprattutto
nel Leccese, e del tedesco *Christa* (900),
più compatto nella provincia autonoma
di Bolzano, per il femminile. *Cristo*, appellativo e secondo nome di Gesù nel
Nuovo Testamento, continua, attraverso il latino *Christus*, il greco *Christós*,
derivato da *chríein* 'ungere con olio o
unguenti', calco dell'ebraico biblico *ma-
shīah* 'l'unto, l'eletto (di Dio, del Signore'), qui riferito a sovrani investiti
nel loro potere da Dio o, in testi profeti-
ci, al «Messia».

Cristòforo (6.000) M. VARIANTI:
Cristòfaro (1.500), *Cristòfero* (200), *Cristòfolo* (20), *Cristòfalo* (50), *Cristòfano*
(25). - F. *Cristòfora* (100). Diffuso in tutta l'Italia, e più frequente nel Sud e in
particolare in Sicilia, nella forma *Cristoforo*, proprio nelle varianti *Cristofaro* e
Cristofero della Campania, in quella *Cristofalo* della Sicilia e in quella *Cristofano*
della Toscana, riflette il culto, insorto
nel Medio Evo, per San Cristoforo (secondo il «Martirologio Romano» martire in Licia sotto Decio o Diocleziano, ma
secondo la «Leggenda aurea» di Iacopo
da Varazze un gigante di origine cananea che, convertito, avrebbe traghettato
sulle spalle Gesù ancora bambino), patrono dei viandanti, dei facchini e poi degli automobilisti, e di molti centri, tra cui
Valguarnera EN (dove è più accentrato
il femminile *Cristofora*). Continua, attraverso l'adattamento latino tardo *Chri-*

stóphorus, l'appellativo e poi nome
greco cristiano *Christophóros*, composto da *Christós* e *-phóros* da *phérein*
'portare', quindi 'che porta in sé Cristo',
nel senso mistico di chi ha ricevuto, con
l'eucarestia, il corpo stesso di Cristo, o di
chi professa la fede di Cristo. Alla diffusione ha contribuito in minima parte anche il culto di vari santi minori di questo
nome, e forse il personaggio del romanzo «I promessi sposi» di A. Manzoni Padre Cristoforo.

Cróce (4.000) F. ALTERATI: *Crocétta*
(300), *Crocina* (150). - M. *Cruciàno*
(250). Proprio della Sicilia, riflette il culto della Croce (dal latino *crux crucis*) su
cui fu crocefisso Gesù Cristo, simbolo
del suo sacrificio per redimere l'umanità, riconosciuto e celebrato dalla Chiesa nelle due festività del 3 maggio e del
14 settembre, la prima per il ritrovamen-
te della croce da parte di Sant'Elena madre dell'imperatore Costantino, la seconda per l'esaltazione della croce. *Cru-
ciano* è un tardo derivato, di impronta
latineggiante o siciliana (dal siciliano
cruci 'croce').

Crocifisso (1.000) M. VARIANTI: *Crocefisso* (300). - F. *Crocifissa* (6.000). VA-
RIANTI: *Crocefissa* (1.100). Proprio del
Sud, e qui accentrato in Puglia e in Sicilia, riflette la devozione per Gesù crocefisso, o per il Santissimo Crocefisso (patrono di molti centri, soprattutto pugle-
si e siciliani), dal latino *crucifixus*, participio perfetto di *crucifigere* 'mettere in
croce, inchiodare sulla croce' come sup-
plizio capitale, composto di *crux crucis*
(v. *Croce*) e *figere* 'conficcare, inchiodare'.

Cunegónda (500) F. - M. *Cunegóndo* (10). Accentrato per la metà complessivamente nel Veneto e in Emilia-
Romagna e per il resto disperso, continua un nome germanico, di tradizione
tedesca, composto con **kunja-*, in antico alto tedesco *kunni*, 'stirpe, famiglia',
e **gunth-* 'combattimento, battaglia'
(già documentato nell'VIII secolo nella
forma *Cunigundis*, in tedesco moderno
Kunigund), privo, come molti nomi
femminili, di un significato proprio (forse 'di stirpe guerriera; che combatte per
la sua stirpe'). Il nome, pur sostenuto dal
culto di Santa Cunegonda imperatrice
(come moglie di Enrico II di Baviera),

morta nel 1204, si è rarefatto per la sua eccessiva e non grata solennità e pesantezza.

Cunibèrto (20) M. Rarissimo e disperso nel Nord, continua il nome germanico, di tradizione già longobardica (Cuniperto è re dei Longobardi dal 688 al 700) e poi francone e tedesca, formato da **gunth-* 'battaglia, combattimento' e **berhta-* 'illustre, famoso', quindi 'illustre, famoso in battaglia, come combattente', già documentato dall'alto Medio Evo nelle forme latinizzate *Cunipertus*, *Gumpertus* (in tedesco moderno *Kunibert*), e sostenuto in parte dal culto, pur raro in Italia, di San Cuniberto vescovo di Colonia nel VII secolo, ma progressivamente rarefatto per l'eccessiva pesantezza e solennità.

Cupido (50) M. Disperso, più comune a Napoli, è un nome classico ripreso dal dio romano dell'amore, *Cupido* (calco del greco *Érōs*, v. *Eros*), formato dal latino *cupído* (genitivo *cupídinis*) 'desiderio, amore', derivato del verbo *cúpere* 'desiderare, amare'.

Cùrio (300) M. Distribuito nel Nord e nel Centro con più alta frequenza in Emilia-Romagna, in Toscana e in Umbria, è una ripresa classica, rinascimentale e moderna, dell'antico nome gentilizio romano, di origine plebea (forse etrusca), *Curius*, reso celebre dal console Mario Curio Dentato vincitore, all'inizio del III secolo a.C., dei Sanniti, dei Sabini e di Pirro, famoso per la sua integrità morale e civile.

Cùrzio (1.700) M. - F. *Cùrzia* (75). Distribuito nel Nord e nel Centro con più alta compattezza in Emilia-Romagna e in Toscana, è la ripresa classica dell'antico nome gentilizio romano *Curtius* (e *Curtia*), derivato dal soprannome *Curtus*, dal latino *curtus* 'corto; monco, privo di qualche membro'.

Custòde (150) M. VARIANTI: *Custòdio* (30). Sporadico in tutta l'Italia ma più compatto nel Sud, riflette la devozione per gli Angeli Custodi, patroni di Fondachelli-Fantina ME, cui la Chiesa riconosce un culto particolare e la festività del 2 ottobre (in latino *Festivitas Angelorum Custodum*).

D

Dafne (1.800) F. VARIANTI: *Daphne*
(100). - M. *Dafno* (5). Accentrato per la
metà in Emilia-Romagna nella forma
Dafne, e per il resto distribuito, come la
variante *Daphne*, nel Nord e nel Centro,
è un nome di matrice classica, mitologica
e letteraria, e anche teatrale, ripreso dalla ninfa Dafne che, pur di non cedere al-
l'amore del dio Apollo che l'inseguiva,
chiese e ottenne di essere mutata in una
pianta di alloro, in greco, appunto,
dáphnē (di origine mediterranea come il latino *laurus* 'alloro, lauro'), latinizzato in *daphne* (su cui si modella la
variante grafica latineggiante o grecizz-
zante *Daphne*, che in parte è un nome
straniero). La diffusione è stata promossa da opere classiche e moderne che hanno ripreso questo tema mitologico, in
particolare i componimenti poetici di
Ovidio, Stazio e, in italiano, di G. D'Annunzio, e il melodramma «Dafne» di O.
Rinuccini musicato da I. Peri nel 1594.

Dafni (250) M. Proprio del Nord e
più frequente in Lombardia, è un nome
classico ripreso dal protagonista del romanzo greco di Longo Sofista «Dafni e
Cloe» (v. *Cloe*), o dal mitico pastore siciliano che avrebbe inventato la poesia bucolica cantata con l'accompagnamento
della zampogna: il nome greco originario *Daphnís*, latinizzato in *Daphnis*, è
un derivato di *dáphnē*, 'alloro' (v.
Dafne).

Dagobèrto (300) M. - F. *Dagobèrta*
(50). Distribuito nel Centro-Nord, con
maggiore frequenza in Toscana, continua un nome germanico documentato

dal VII secolo nella forma latinizzata
Dagobertus (in tedesco moderno *Dago-
bert*), composto da **daga-* 'giorno, luce
del giorno' (in tedesco *Tag*, in inglese
day) e **berhta-* 'splendente; illustre',
quindi 'splendente come la luce del giorno', sostenuto dal prestigio di tre re dei
Franchi di questo nome del VII-VIII secolo, tra cui Dagoberto II venerato come martire e santo, e forse, in Toscana,
del primo arcivescovo di Pisa, nel 1088,
Dagoberto Lanfranchi.

Daisy (500) F. VARIANTI: *Dèsi* (250),
Dèsy (250). Distribuito nel Nord e nel
Centro, è un nome inglese (da *daisy*
'margherita', v. *Margherita*) proprio di
residenti straniere ma anche, soprattutto nelle forme adattate, italiane, nome
esotico di moda e forse in parte diffuso
con il nome della protagonista del romanzo del 1878 di H. James, ambientato
anche in Italia, «*Daisy Miller*».

Dàlia (1.800) F. - M. *Dàlio* (50). AL-
TERATI: *Dalino* (25). Distribuito in tutta
l'Italia, è uno dei nomi femminili formati
da nomi di fiori (*Rosa*, *Viola*, in parte
Margherita) come augurio di bellezza, in
questo caso la dalia, così chiamata dal
nome scientifico del genere, *Dahlia*, derivato dal cognome del botanico finlan-
dese del Settecento A. Dahl.

Dàlila (500) F. Distribuito nel Nord e
nel Centro, con maggiore frequenza in
Lombardia e in Toscana, riprende, attraverso il latino *Dálila* e il greco *Dali-
lá*, il nome ebraico dell'Antico Testamento *Delilāh* 'povera, misera' della
prostituta filistea che sedusse Sansone,

giudice di Israele, e gli tagliò nel sonno i capelli in cui risiedeva la sua eccezionale forza, consegnandolo ai Filistei (v. *Sansone*).

Dàlmata (60) F (anche M). - M. *Dàlmato* (25). Disperso tra Nord e Centro, è un nome etnico 'abitante, oriundo della Dalmazia' (dall'etnico latino *Dálmata*, greco *Dalmátēs*), affermatosi recentemente come nome ideologico nel quadro dell'irredentismo dei Dalmati italiani dopo il trattato di Rapallo del 1920, con cui veniva ceduta alla Iugoslavia la Dalmazia, fuorché Zara e le isole del Quarnaro, e poi con il trattato di pace del 1947 con cui anche queste passavano sotto la sovranità iugoslava (v. *Dalmazio*).

Dalmàzio (1.200) M. VARIANTI: *Dalmazzo* (250). - F. *Dalmàzia* (300). Accentrato nella forma *Dalmazio* in Lombardia per ¹/₃, e anche in Toscana e nelle Marche, e per il resto disperso nell'Italia continentale, e per *Dalmazzo* per i ⁴/₅ nel Piemonte, e in particolare nel Cuneese, è un nome cristiano insorto con il culto di San Dalmazio o Dalmazzo, vescovo di Pavia e martire sotto Massimiano e Diocleziano, patrono di Borgo San Dalmazzo CN (dove se ne conservano le reliquie e il nome è molto frequente), e delle frazioni di San Dalmazzo TO e San Dalmazio MO, PI e SI. Alla base è il *cognomen* latino di età imperiale *Dalmatius* derivato dall'etnico *Dalmata* di *Dalmatia*, ossia 'abitante, oriundo della Dalmazia'. In alcuni casi può essere insorto recentemente, come nome ideologico, nel quadro dell'irredentismo dei Dalmati italiani (v. *Dalmata*).

Damasco (250) M (anche F). - F. *Damasca* (75). Esclusivo della Toscana, è certamente formato dal nome della capitale antica e moderna della Siria Damasco (in latino *Damascus*, dal greco *Damaskós*, adattamento del babilonese *Dumashqu* e dell'ebraico *Dammesheq* di origine presemitica), mentre incerta è la motivazione della sua insorgenza: forse per l'eco del terribile massacro dei cristiani perpetrato da Musulmani e Drusi nel 1860, o forse anche per la conversione di San Paolo, avvenuta sulla via di Damasco.

Dàmaso (250) M. - F. *Dàmasa* (25). Distribuito sporadicamente in tutta l'I-

talia, riflette il culto di San Damaso I papa morto nel 384 a Roma, di origine spagnola (in Spagna il nome *Dámaso* è ancora molto frequente): il nome originario greco *Dámasos*, latinizzato in *Dámasus* e comune in età imperiale tra Greci o oriundi di zone ellenizzate, è un derivato di *dámasis* 'l'azione, il fatto di domare', spesso come ipocoristico di nomi composti con questo elemento.

Damiàno (13.000) M. VARIANTI: *Addamiàno* (20). NOMI DOPPI: *Damiàno Còsimo* (20). - F. *Damiàna* (3.300). Largamente diffuso in tutta l'Italia, con maggiore compattezza nel Sud e qui soprattutto in Puglia (dove sono peculiari la forma rafforzata con *ad-* prostetico *Addamiano* e quella doppia *Damiano Cosimo*), riflette il culto dei Santi Cosma e Damiano (v. *Cosma*): a San Damiano, in particolare, sono intitolati in Italia molti centri abitati, come S. Damiano d'Asti, San Damiano al Colle PV, S. Damiano di Todi PG, ecc., dei quali è compatrono con San Cosma. Alla base è il tardo nome individuale latino *Damianus* e greco *Damianós*, probabilmente derivato, come ipocoristico, da un nome composto con il 2° elemento *-damas*, da *damázein* 'domare'.

Dàndolo (500) M. Accentrato per i ³/₅ nel Lazio e nelle Marche e per il resto disperso, è un nome ideologico, patriottico e risorgimentale, ripreso dal cognome dei due fratelli Emilio e Enrico Dandolo di Varese, che parteciparono a tutte le imprese della guerra d'indipendenza del 1848-49, dalle Cinque giornate di Milano alla difesa di Roma, in cui Emilio fu ferito a Villa Spada e Enrico fu ucciso nell'attacco di Villa Corsini.

Danièle (30.000) M. VARIANTI: *Danièl* (450), *Danièllo* (25); *Danilo* (38.000), *Danillo* (200). ABBREVIATI: *Dànio* (200), *Danino* (25); *Nilo* (3.500), *Nìlio* (100). -F. *Danièla* (68.000). VARIANTI: *Danièlla* (400); *Danila* (6.000), *Danilla* (300). ABBREVIATI: *Dana* (300), *Dània* (400), *Dani* (200: anche M); *Nila* (1.200). Diffuso in tutta l'Italia nella forma base *Daniele* o *Daniela*, con più alta frequenza in Lombardia e in Toscana, è invece limitato al Nord e al Centro, sempre con maggiore frequenza in Lombardia e soprattutto in Toscana, per tutte le altre forme (ma *Danilo* e *Danila* sono molto compatti anche nelle Venezie), eccetto per gli abbreviati *Nilo* e *Nila* accentrati per più della metà in Toscana e per il resto sporadici tra Centro e Nord. Il tipo nominale presenta nel complesso tre motivazioni e tradizioni diverse, pur nell'unità dell'etimo onomastico lontano, che è il nome ebraico *Dāniy'ēl* o *Dāni'ēl* (adattato in greco come *Daniē'l* e in latino come *Dániel Daniélis*), composto da *dān* 'ha giudicato', oppure da *dayān* 'giudice', e la forma abbreviata *'el* di *'elōhīm* 'Dio', con il significato quindi di 'Dio ha (così) giudicato' o 'il mio giudice è Dio': nell'Antico Testamento è il nome del profeta ebreo, presunto autore del «Libro di Daniele», deportato a Babilonia al tempo di Ciro il Grande di Persia (VI secolo a.C.), dove fu ridenominato Baldassare (v. *Baldassare*) e divenne ministro, ma per avere pregato contro il divieto imperiale il proprio Dio fu gettato nella fossa dei leoni, dalla quale tuttavia uscì incolume. Con il riferimento dunque al profeta ebraico, *Daniele* è un nome religioso, sia (ma in minima parte) israelitico, sia cristiano, in quanto il profeta Daniele è riconosciuto come santo dalla Chiesa, anche cattolica, e compreso nel «Martirologio Romano». Ma come nome cristiano *Daniele* si è affermato soprattutto con il culto di vari santi così denominati, in particolare di due martiri di Padova e di Lodi, e di San Daniele da Belvedere di Calabria, minorita francescano martirizzato con altri sei compagni dai Saraceni a Ceuta nel Marocco nel 1227, patrono di Belvedere Marittimo CS e di Orani NU. Inoltre *Daniele*, soprattutto nel secondo Novecento, si è affermato come nome di moda, per una nuova preferenza dei genitori per i nomi dell'Antico Testamento (già privilegiati, ma con motivazioni religiose, nei paesi protestanti), come, oltre *Daniele*, *Davide* e *Emanuele*, e *Debora*, *Ester*, *Giuditta*, *Lia*, *Marta*, *Rachele*, *Sara*, *Susanna*, *Tamara*. La forma *Danilo* (e *Danila*) rappresenta un adattamento all'italiano del corrispondente russo *Daniil* (o anche serbo-croato e sloveno *Danil*, *Danijel*), ripreso sia per via letteraria o per moda (a parte il Friuli-Venezia Giulia dove l'adattamento è promosso dalla frequenza di *Danil* nelle minoranze di lingua slovena e nella confinante Iu-

goslavia). Infine *Nilo* e *Nila*, oltre che ipocoristici di *Danilo* e *Danila*, possono in parte essere il riflesso del culto di vari santi così denominati, e in particolare, soprattutto in Calabria, di San Nilo da Rossano CS, fondatore e abate, nel X secolo, dell'abbazia di Grottaferrata di Roma (in questo caso il nome originario, greco-bizantino, è *Nêilos*, pronunciato in età bizantina *nilos*, nome del fiume sacro dell'Egitto, il Nilo).

Dannùnzio (50) M. VARIANTI: *D'Annùnzio* (50). Disperso nel Nord e in Toscana, è un nome letterario e ideologico ripreso, tra l'ultimo Ottocento e il primo Novecento, dal cognome dello scrittore e uomo politico Gabriele D'Annunzio, morto nel 1937.

Dante (73.000) M. ALTERATI: *Dantino* (50). - F. *Danta* (25). ALTERATI: *Dantina* (500). Ampiamente diffuso in tutta l'Italia, con maggiore compattezza in Lombardia, in Emilia-Romagna e in Abruzzo, è l'ipocoristico, già comune nel Duecento soprattutto in Toscana, di *Durante* (v. *Durante*), affermatosi tuttavia per il prestigio di Dante Alighieri.

Danùbio (200) M (anche F). Accentrato per i ²/₃ in Toscana e per il resto disperso nel Nord, è ripreso dal nome del grande fiume Danubio (in latino *Danubius* o *Danuvius*), che ha avuto una grande risonanza storica fin dall'antichità.

Dàrdano (25) M. Attestato solo in Emilia-Romagna e in Toscana, è l'esile ripresa classica, letteraria, del nome greco *Dárdanos*, latinizzato in *Dárdanus*, del mitico capostipite della dinastia dei re di Troia, figlio di Zeus (diffuso soprattutto dall'«Iliade» di Omero e dall'«Eneide» di Virgilio), di etimo incerto (forse da *dardáinein* 'salire, accrescersi', quindi 'che è diventato potente').

Dàrio (59.000) M. VARIANTI: *Addàrio* (25). - F. *Dària* (9.000). ALTERATI: *Darièlla* (75), *Darina* (75). Ampiamente diffuso nella forma fondamentale in tutta l'Italia, accentrato nel Nord nei diminutivi femminili e specifico della Puglia nella variante *Addario* (con *ad-* prostetico rafforzativo), è una ripresa classica, iniziata con il Rinascimento, del nome tradizionale della dinastia dei re Achemènidi della Persia del VI-IV secolo a.C. (Dario I, II e III), in greco *Darêios* (pronunciato in età ellenistica tarda e bizantina *darìos*), adottato in latino come *Darìus* e poi, in età imperiale, *Dárius*, adattamento, in greco, del nome persiano antico *Darayavaush*, composto con *daraya* da *darayamìy* 'mantenere, possedere', e *vahu* 'bene', con il significato quindi di 'che mantiene il bene' o 'che ha in sé, che possiede il bene'. Alla diffusione del nome ha contribuito la figura storica di Dario I, sconfitto a Maratona nel 490 a.C. dagli Ateniesi, personaggio di varie opere letterarie, e in minima parte il culto di alcuni santi e sante di questo nome.

Darma (400) F. - M. *Darmo* (20). Distribuito nel Nord, è probabilmente un nome letterario ripreso recentemente dai romanzi di avventure del ciclo indiano di E. Salgari, morto nel 1911, in cui *Darma* (forse dall'indiano *darma* 'che distrugge') è il nome di una tigre che combatte con gli eroi che difendono la giustizia e la libertà.

Darwin (50) M. VARIANTI: *Darvino* (50). - F. *Darvina* (50). Disperso nel Nord, è un nome ideologico ripreso dal naturalista inglese Ch. R. Darwin, morto nel 1882, fondatore della teoria dell'evoluzione della specie animali e dell'uomo, da lui appunto denominata «darwinismo».

Dàvide (21.000) M. VARIANTI: *David* (3.500). ALTERATI: *Davidino* (20). - F. *Dàvida* (300). ALTERATI: *Davidina* (300). Ampiamente diffuso in tutta l'Italia, con maggiore compattezza nel Nord, e in particolare in Lombardia (e in Toscana per *David*, che è tuttavia prevalentemente israelitico o straniero), continua, attraverso il latino *David*, dal greco *Dauéid* o *Dauíd*, adattamento dell'ebraico *Dāwīd* (probabilmente 'amato', come nome affettivo, o 'amato da Dio', come nome religioso), che nell'Antico Testamento è il secondo re d'Israele (dopo Saul, nel X secolo a.C.) e profeta, vincitore da giovinetto del gigante filisteo Golia, perseguitato per gelosia dal re Saul. Il nome è in minima parte israelitico o cristiano (in quanto la Chiesa riconosce come santo il grande re e profeta, e inoltre per il culto di altri santi di questo nome), ma la sua notevole diffusione è dovuta soprattutto alla notorietà del re e profeta biblico per il suo duello con Golia e per la persecuzio-

ne da parte di Saul (e al suo ruolo di protagonista di varie opere letterarie e teatrali, in particolare della tragedia «Saul» di V. Alfieri: v. *Saul* e anche *Golia*), e recentemente per la preferenza dei genitori, ossia per la moda onomastica, di dare ai figli nomi dell'Antico Testamento (v. *Daniele*).

Davino (300) M. VARIANTI: *Davìnio* (25). - F. *Davina* (200). Accentrato in Toscana, soprattutto nella Lucchesia, e anche nel Veneto, riflette in parte il culto di Sant'Armeno Davino, confessore a Lucca nell'XI secolo e qui venerato, e in parte continua il nome medievale *Davino* frequente in Toscana già dall'XI secolo (e largamente attestato nella forma latinizzata *Davinus*): il nome è probabilmente una forma sincopata di *Davidino*, vezzeggiativo di *Davide* o *David* (v. *Davide*).

Dàzio (50) M. Disperso nel Nord e nel Centro, è probabilmente collegato al culto di San Dazio vescovo di Milano nel VI secolo e di San Dazio martire in Africa durante le persecuzioni dei Vandali: il nome latino tardo *Datius* è un derivato di *Datus* (da *dare*, quindi 'dato, concesso', sottinteso 'da Dio' in ambienti cristiani, o anche ipocoristico di *Deodatus* o di altri nomi teoforici, v. *Adeodato*).

Deànna (4.500) F. VARIANTI: *Deàna* (100). Accentrato in Emilia-Romagna e in Toscana, è un nome di moda affermatosi nel 2° dopoguerra per la larga diffusione dei film musicali statunitensi dell'attrice Deanna (nome d'arte per Edna Mae) Durbin, e in particolare per «Una ragazza in gamba» del 1936 e «Quella certa età» del 1938.

Dèbora (700) F. VARIANTI: *Dèborah* (300). Accentrato per più della metà in Emilia-Romagna e in Toscana e per il resto disperso nel Nord, è un nome in parte israelitico e in parte protestante e straniero, ma anche, soprattutto nella forma italianizzata *Debora*, di moda, affermatosi con vari film di successo del 2° dopoguerra interpretati dall'attrice scozzese Deborah Kerr, prodotti in Inghilterra e poi negli Stati Uniti tra il 1940 e il 1955. Alla base è il nome ebraico *Debōrāh*, adattato in greco come *Debbôra* o *Debórra* e in latino come *Débora*, propriamente 'ape', della profetessa dell'Antico Testamento che sollevò gli Ebrei contro la dominazione di Iabin, re di Asor.

Decènzio (100) M. Accentrato per più della metà nel Modenese e per il resto disperso tra il Nord e il Centro, riflette il culto di due santi del V secolo, vescovo uno di Gubbio e l'altro di Pesaro: alla base è il soprannome e poi nome individuale latino di età imperiale *Decentius*, derivato da *Decens*, formato dal participio presente *decens decentis* del verbo *decére*, con il significato di 'pieno di pudore, di decoro' o 'bello, aggraziato'.

Dècimo (2.500) M. ALTERATI: *Decimino* (20). - F. *Dècima* (700). ALTERATI: *Decimina* (50). Distribuito nel Nord e nel Centro, con maggiore frequenza in Emilia-Romagna e in Toscana, continua il soprannome ma anche primo nome o nome individuale latino *Decimus*, da *decimus* 'decimo', dato al 10° figlio, ma in parte può anche essere una neoformazione medievale italiana da *decimo*, sempre con la stessa motivazione, come nei vari nomi dati al figlio in base all'ordine di nascita (v. *Primo*, *Secondo*, *Terzo*, *Quarto*, *Quinto*, *Sesto*, ecc.).

Dècio (2.500) M. - F. *Dècia* (100). Distribuito in tutta l'Italia, più frequente in Emilia-Romagna e nel Lazio e più raro nel Sud, continua l'antico nome gentilizio latino *Decius* (derivato da *decem* 'dieci', v. *Decimo*), soprattutto come ripresa classica, rinascimentale e moderna, del nome familiare dei due consoli Publio Decio Mure, padre e figlio, sacrificatisi per la vittoria delle armi romane il primo nel 340 a.C., nella guerra latina, il secondo nel 295 a.C., nella battaglia di Sentino contro Sanniti e Galli. Solo in parte minima può riflettere il raro culto di San Decio martire con Vittore e Irene in Egitto nel IV secolo, non compreso nel «Martirologio Romano».

Dèdalo (1.000) M. Attestato nel Centro-Nord, con maggiore compattezza in Toscana, è la ripresa classica, di matrice letteraria, del mitico artefice e scultore greco che costruì per il re Minosse il labirinto di Creta, famoso per la leggenda che, per fuggire in volo da Creta, costruì delle ali di penne, tenute insieme da cera, per sé e per il figlio Icaro che però, per essersi avvicinato troppo al sole, sarebbe precipitato per il liquefarsi della cera (v. *Icaro*), personaggi l'uno e l'altro

di varie opere antiche e moderne. Il nome greco originario, *Dáidalos* latinizzato in *Daedalus*, deriva dal tema *daidaldi daidállein* 'lavorare, foggiare con arte, con grande abilità'.

Defendènte (700) M. ABBREVIATI: *Defèndi* (25), *Defèndo* (25). - F. *Defendina* (100). Accentrato per i $^3/_4$ in Lombardia e soprattutto nel Bergamasco, e per il resto disperso nel Nord, riflette l'antico culto locale di San Defendente, uno dei martiri della Legione Tebea presso Marsiglia sotto Massimiano, patrono di Romano di Lombardia BG, di San Defendente Ripa Po CR e San Defendente CN. Il nome originario della tarda latinità *Defendens* (genitivo *Defendentis*) è formato dal participio presente del verbo *defendere* 'difendere, proteggere', quindi 'che protegge, che preserva o difende' (forse, in senso cristiano, 'dal male, dal peccato'). *Defendi* (da cui *Defendo*) è già attestato dal Duecento in Toscana come nome augurale, insieme a *Bendefendi*, con il valore di 'che tu ci possa ben difendere' (rivolto al figlio).

Dégna (150) F. Proprio del Sud, riflette il culto di varie sante di questo nome (che continua il tardo nome latino *Dignus* e *Digna*, da *dignus* 'degno, meritevole per le proprie qualità'), e in particolare di Santa Degna di Todi del IV secolo, di Santa Degna martire a Roma sotto Valeriano, e di Santa Degna martire a Augusta in Germania.

Deianira (20) F. VARIANTI: *Dejanira* (40), *Deanira* (40). Accentrato per i $^4/_5$ in Lombardia e per il resto disperso, è un nome di matrice classica, mitologica e letteraria, ripreso dal Rinascimento dal nome della moglie di Èracle, in greco *Dëiáneira* latinizzato in *Deianira*, che involontariamente provocò la morte del marito facendogli indossare una tunica intrisa del sangue del centauro Nesso (mito svolto in varie opere classiche e moderne, che hanno contribuito alla diffusione del nome). Il nome greco è ricostruito in base al mito stesso, ossia *a posteriori*: infatti il significato di *Dëiáneira*, composto di *dē'ios* 'nemico' o *deiûn* 'distruggere', e *anē'r* 'uomo, marito', è appunto 'nemica del marito' o 'che distrugge il proprio marito'.

Delèdda (100) F. Limitato al Nord e

più frequente nel Veneto, è ripreso recentemente dal cognome della scrittrice nuorese Grazia Deledda, largamente nota soprattutto dopo che le fu conferito, nel 1926, il premio Nobel per la letteratura.

Delfino (3.500) M. - F. *Delfina* (20.000). Distribuito tra il Nord e il Centro, può avere origini e tradizioni diverse. In parte risale certamente al tardo soprannome e poi nome latino *Delphinus* (e *Delphina*), da *delphinus* 'delfino' (adattamento del greco *delphís delphînos* derivato da *delphýs* 'utero', in quanto il delfino è un mammifero), sostenuto da un santo di questo nome, vescovo tra il IV e il V secolo di Bordeaux. In parte può essere un nome laico, sempre derivato da *delfino*, come soprannome medievale, quindi italiano, dato, come già quello latino, in relazione alle caratteristiche e ai valori simbolici attribuiti a questo cetaceo: la bontà e la mansuetudine, l'amicizia per l'uomo e in particolare per i bambini, ecc. In parte infine può essere stato irradiato dal francese antico *Dauphin*, soprannome e quindi nome personale, e titolo onorifico dato ai signori del «Delfinato» e poi al figlio primogenito erede al trono della monarchia francese. In qualche caso può anche rappresentare un abbreviato del diminutivo *Adelfino* o *Adelfina* (v. *Adelfo*).

Dèlia (26.000) F. ALTERATI: *Delina* (50). - M. *Dèlio* (5.500). ALTERATI: *Delino* (100). Ampiamente diffuso in tutta l'Italia, è un nome di matrice classica, mitologica e letteraria, ripreso dal Rinascimento dall'epiteto di Artèmide o Diana, *Dēlía* in greco e *Délia* in latino, e di Apollo, *Dē'lios* e *Delius*, in quanto nati e venerati nell'isola di Delo (*Dêlos* e *Delus*) delle Cìcladi, o dal nome *Delia* (forse dal greco *dêlos* 'chiaro') con cui Tibullo cantò la donna amata nel 1° libro delle sue «Elegie» (il nome maschile *Delius* è attestato in iscrizioni latine d'età imperiale). Gli alterati *Delina* e *Delino* possono essere in qualche caso anche forme abbreviate di *Adelina* e *Adelino* (v. *Adele*).

Delizia (700) F. - M. *Delìzio* (50). Accentrato per la metà in Sicilia e per il resto disperso, è un nome affettivo e augurale dato a una bambina (o a un bam-

bino) che costituisce, e sarà, una delizia, una gioia intensa, per i genitori (o anche di per sé, per tutti).

Demètrio (9.000) M. VARIANTI: *Dimitri* (300), *Dimìtrio* (20). - F. *Demètria* (600). VARIANTI: *Dimitra* (100). Distribuito in tutta l'Italia, ma con più alta compattezza in Calabria per il tipo *Demetrio* e in Emilia-Romagna e Toscana per *Dimitri*, è un nome cristiano affermatosi con il culto di vari santi e sante, e in particolare San Demetrio martire a Tessalonica sotto Massimiano, culto soprattutto orientale e irradiato con il rito greco nell'Italia meridionale (in cui è patrono di San Demetrio ne' Vestini AQ, San Demetrio Corone CS dove il nome ha un'altissima frequenza relativa, di Piana degli Albanesi PA, ecc.). Il nome originario greco, *Dēmē'trios*, latinizzato in *Demetrius*, è un derivato di *Dēmē'tēr*, la dea della terra e delle coltivazioni, della fecondità, dell'oltretomba, con il significato di 'sacro', dedicato a Demetra': *Dēmē'tēr* è probabilmente un composto di *dê* 'terra' (da *dâ*, forma dorica per *ghê*) e *mē'tēr* 'madre', cioè 'terra madre'. Il tipo *Dimitri* è il corrispondente slavo di *Demetrio*, e in Italia può rappresentare sia un nome di residenti stranieri sia, soprattutto, un nome di moda recente, esotico o di matrice letteraria (in particolare della letteratura russa).

Demòstene (100) M. Distribuito nel Nord e nel Centro, con più alta frequenza in Toscana e nel Lazio, è un nome di matrice classica ripreso dal Rinascimento dal grande oratore e uomo politico ateniese del IV secolo a.C. Demostene, in greco *Dēmosthénēs* latinizzato in *Demósthenes*, formato da *dêmos* 'contrada, paese; popolo' e *sthenē's* 'forte, potente; valoroso', quindi 'potente, valoroso nella sua patria, nel suo popolo'.

Dèo (250) M. - F. *Dèa* (5.000). Diffuso nel Nord e nel Centro, con più alta frequenza in Emilia-Romagna, nel Lazio e nelle Marche fino all'Abruzzo, può rappresentare, nel femminile, un nome affettivo e augurale formato da *dea* (ossia 'bella, cara come una dea'), ma è soprattutto un ipocoristico abbreviato all'ultimo elemento di *Amedeo*, *Taddeo* e dell'antiquato *Graziadeo*, o al primo elemento di *Deodato* e dell'antiquato

Deograzia.

Dèrna (7.500) F. - M. *Dèrno* (300). ALTERATI: *Dernino* (20). Distribuito nel Nord e nel Centro con maggiore frequenza in Emilia-Romagna e soprattutto in Toscana, è un nome ideologico, patriottico, insorto durante la guerra italoturca del 1911-12 per la profonda eco dell'occupazione, da parte delle truppe da sbarco italiane (16 ottobre 1911) della piazzaforte di *Derna* (adattamento arabo dell'originario nome greco *Dárnis*), città e porto della Cirenaica orientale.

Desdèmona (2.500) F. VARIANTI: *Desdèmone* (150). Distribuito in tutta l'Italia ma accentrato per ¹/₄ in Emilia-Romagna, è un nome di moda, di matrice teatrale, affermatosi nell'Ottocento prima con la conoscenza della tragedia di W. Shakespeare, rappresentata per la prima volta nel 1604, «*Othello, the Moor of Venise*», poi con gli adattamenti dei due melodrammi «Otello» di G. Rossini del 1816 e soprattutto di G. Verdi, su libretto di A. Boito, del 1887: in queste opere Desdemona è la sventurata moglie di Otello, uccisa dal marito perché accusata dal suo perverso alfiere Jago di adulterio (v. *Otello* e *Jago*). Shakespeare riprese la trama da una novella dell'umanista e scrittore del Cinquecento G. B. Giraldi, adattando in *Desdemona* il nome *Disdemona* creato dal Giraldi, per esprimere la sventurata sorte della bella e innocente moglie di Otello, sul modello di un inesistente nome greco *Dysdáimōn*, composto di *dys-*, preverbio negativo, e *dáimōn* 'divinità; sorte, destino', quindi 'che ha un destino avversò.

Desiderato (200) M. - F. *Desiderata* (300). Accentrato nel maschile in Toscana e nel femminile in Sicilia, è un nome gratulatorio dato a un figlio molto atteso e «desiderato», che può continuare il gentilizio latino di età imperiale *Desideratus* e *Desiderata*, o essere una nuova formazione medievale italiana.

Desidèrio (3.100) M. ABBREVIATI: *Dèrio* (250), *Dèro* (100), *Derino* (25); *Dèsio* (300). - F. *Desidèria* (300). VARIANTI: *Desidèra* (75). ABBREVIATI: *Dèra* (75), *Derina* (75); *Dèsia* (100). Diffuso nel Nord e meno nel Centro, continua in parte, sostenuto dal culto di vari santi, il soprannome e poi nome latino d'età imperiale *Desiderius*, e in parte maggiore il nome affettivo e gratulatorio medievale *Desiderio* dato a un figlio atteso con «desiderio» (v. *Desiderato*). Alla base è comunque il latino *desiderium*, derivato di *desiderare* (composto di *de* 'via da' e *sidera* 'costellazione'), propriamente 'constatare, osservando il cielo per trarne auspìci e presagi, la mancanza di costellazioni' e quindi, nell'uso comune e con valore estensivo, 'sentire la mancanza di qualcosa, di qualcuno', e perciò 'desiderare'.

Desolina (3.000) F. VARIANTI: *Dosolina* (2.500), *Dusolina* (900), *Disolina* (250); *Drusolina* (150); *Tesolina* (100), *Tosolina* (100), *Tusolina* (75). ABBREVIATI: *Dùsola* 75). - M. *Desolino* (20). VARIANTI: *Dosolino* (50). Distribuito nel Nord, nel Centro e anche in Sardegna, con più alta compattezza in Emilia-Romagna e in Toscana, è un tipo onomastico che, anche per l'eccezionale quantità di varianti, non consente un'interpretazione storico-etimologica fondata. Il nome latino *Desolinus*, tardo e isolato (da *desolinus* o *desolanus* 'dalla parte del sole, del levante', da *de* e *sol*, da cui il letterario e raro *desolino* 'vento di Levante dell'Adriatico'), non può certo essere la base, soprattutto in mancanza di una tradizione onomastica agiografica (non esistono santi con questi nomi) o letteraria.

Dessiè (100) F. Disperso nel Nord, è un nome ideologico insorto durante la 3ᵃ guerra italo-etiopica del 1935-36 con l'occupazione del grande centro di Dessiè (adattamento dell'aramaico *Dasyē*), situato ai margini orientali dell'altopiano.

Destino (50) M (anche F). Disperso nel Nord, è un nome dato probabilmente a un figlio non voluto o atteso, per significare che era «destino» che nascesse.

Diamante (3.300) F (anche M). VARIANTI: *Diamanta* (50). ALTERATI: *Diamantina* (300). Distribuito in tutta l'Italia nella forma base, con maggiore compattezza in Campania, e nel Centro-Nord per *Diamantina*, è un nome affettivo con cui si augura alla figlia di crescere bella come il diamante, con i pregi propri del diamante. La diffusione di Diamantina può essere stata promossa dal Seicento dalla maschera della commedia dell'arte così denominata, una servetta bella, vivace e astuta.

Diàna (22.000) F. ALTERATI: *Dianèlla* (750). - M. *Diàno* (400). ALTERATI: *Dianèllo* (25). Ampiamente diffuso nell'Italia centro-settentrionale, raro nel Sud, è un nome classico, mitologico e letterario, ripreso dalla dea italica e romana *Diana* dei boschi e della caccia, e divinizzazione della luna (attestato in età imperiale come soprannome e nome, ma non affermatosi, in quanto nome pagano, negli ambienti cristiani), e sostenuto forse in parte dal culto della beata Diana d'Andalò di Bologna, domenicana del Duecento. Il latino *Diana*, probabilmente attraverso una forma **Diviana* da **Divia*, risale a *dia*, femminile di *dius* 'splendente, luminoso'. In qualche caso può tuttavia rappresentare l'ipocoristico aferetico di nomi in *-diano* o *-diana*, come *Frediano*, *Lidiana*, *Secondiano*, *Verdiana*.

Dìaz (100) M. Disperso tra il Nord e la Toscana, è un nome ideologico, patriottico, ripreso dal cognome (di origine spagnola, v. *Diego*) del generale Armando Diaz, il comandante delle forze armate italiane (succeduto a R. Cadorna dopo la ritirata di Caporetto) che organizzò la difesa sulla linea Monte Grappa-Piave e quindi l'offensiva finale che condusse, il 3 novembre 1918, alla vittoria.

Dìdaco (150) M. Proprio dell'Emilia-Romagna e della Toscana, continua il tardo nome latino, esclusivo della Penisola Iberica, *Dídacus* (forse dal greco *Didachós*, da *didáskein* 'istruire', quindi 'istruito'), di etimo incerto, sostenuto dal culto, pur raro in Italia, di San Didaco o Diego, missionario spagnolo del Quattrocento dell'Ordine dei Frati minori (v. *Diego*).

Dìdimo (200) M. - F. *Dìdima* (40). Proprio dell'Emilia-Romagna, riflette in parte il culto di vari santi, e in particolare di San Didimo martire con Santa Teodora a Alessandria d'Egitto sotto Massimiano, in parte l'eco letteraria dello pseudonimo Didimo Chierico con cui Ugo Foscolo pubblicò dal 1813 alcune sue opere (e che è anche un personaggio autobiografico): alla base è il tardo soprannome e nome latino *Didymus*, dal greco *Dídymos*, che propriamente significa 'gemello' (e coincide quindi come semantica onomastica con *Geminiano* e *Tommaso*).

Dìdio (100) M. - F. *Dìdia* (50). Proprio dell'Emilia-Romagna e del Maceratese, riflette il culto di San Didio, uno dei 667 martiri di Alessandria d'Egitto durante le persecuzioni di Galerio Massimiano: alla base è il gentilizio latino già di età repubblicana *Didius*, di etimo incerto.

Diégo (23.000) M. VARIANTI: *Addiégo* (15). - F. *Diéga* (1.300). Diffuso in tutta l'Italia, ma più nel Sud e, soprattutto nel femminile, in Sicilia e in particolare nell'Agrigentino (*Addiego*, con il prefisso rafforzativo *ad-*, è pugliese), è il nome spagnolo *Diego* affermatosi, soprattutto nel Sud, con la lunga dominazione e influenza della Spagna, ma anche per il culto di San Diego de Acevedo, vescovo di Osma, compagno di San Domenico e vissuto anche a Roma, e infine dall'Ottocento, per via letteraria, per l'influsso di personaggi di questo nome di varie opere spagnole. Lo spagnolo *Diego* è l'esito, attraverso le forme antiquate *Diaco* e *Diago* (da cui il comunissimo cognome *Díaz*), del tardo nome latino *Didacus*, proprio dell'Iberia (v. *Didaco*).

Dilètta (1.900) F. - M. *Dilètto* (200). Distribuito nel Nord e nel Centro fino alla Campania, più compatto nel femminile in Lombardia e nel maschile in Toscana, è un nome affettivo dato a un figlio «diletto», molto desiderato e amato.

Dino (94.000) M. ALTERATI: *Dinétto* (20). - F. *Dina* (80.000). Ampiamente diffuso nel Nord e nel Centro, con maggiore compattezza in Toscana, e in Sardegna, è l'ipocoristico aferetico, già comune nel tardo Medio Evo, di nomi terminanti in *-dino* (o *-dina*), come *Armandino*, *Arnaldino*, *Bernardino*, *Corradino*, *Geraldino* o *Gherardino*, *Leonardino*, *Orlandino*, *Osvaldino*, *Riccardino*, *Rolandino*, *Ubaldino*. Nei rari casi in cui *Dina* è israelitico, è il nome, nel «Genesi», della figlia di Giacobbe e Lia, in ebraico *Dīnāh*, 'colei che giudica; giudichessa', adattato in greco e in latino come *Déina* e Dina.

Diocleziàno (100) M. Disperso nel Nord e nel Centro, è un nome classico ripreso dal Rinascimento per il prestigio del grande imperatore romano (dal 284 al 305) Gaio Aurelio Valerio Diocleziano (anche se può essere in parte sostenuto dal culto di San Diocleziano o Dioclezio martire sulla via Salaria con Àntimo). Il *supernomen* o *signum*, ossia il 4° nome, *Diocletianus*, è un derivato in *-ianus* dell'antico nome greco *Dioklês*, in latino *Díocles* (genitivo *Dioclétis*), propriamente 'gloria di Zeus', o 'che ha fama per volere di Zeus', formato da *dio-* (da *Diós*, genitivo di *Zêus*) e *-klês* da *kléon* 'risonanza, fama, gloria'.

Diodòro (300) M. ALTERATI: *Diodorino* (20). - F. *Diodòra* (25). Accentrato per i ³/₅ in Campania e per il resto disperso, riflette il culto di vari santi, tra cui San Diodoro martire in Campania con Santa Lucia, e altri 20 compagni, sotto Diocleziano: il nome greco originario *Diódōros*, latinizzato in *Diodórus*, è composto da *dio-* (v. *Diocleziano*) e *dôron*, 'dono', quindi 'dono di Zeus'.

Diògene (150) M. Disperso nel Nord e nel Centro, è un nome prevalentemente classico, ripreso dal Rinascimento da Diogene di Sìnope, filosofo cinico del IV secolo a.C., noto per le leggende sul suo rifiuto di ogni comodità di vita e formalità sociale, anche se in parte sostenuto dal culto di vari santi minori: il nome originario greco *Dioghénēs*, latinizzato in *Diógenes* e comune come soprannome già in età repubblicana, è formato da *dio-* (v. *Diocleziano*) e *-ghénēs*, da *ghénos* 'nascita, l'essere generato; stirpe', con il significato quindi di 'generato da Zeus'.

Diomède (550) M. Sparso in tutta l'Italia continentale, è una ripresa classica, rinascimentale, anche se sostenuta in minima parte dal culto di vari santi così denominati, dal nome del mitico eroe greco *Diomḗ'dēs*, latinizzato in *Diomedes*, formato da *dio-* (v. *Diocleziano*) e *-mḗ'dēs*, da *mḗ'dein* 'curare, proteggere', quindi 'protetto da Zeus', che partecipa, nell'«Iliade», alla guerra di Troia o, secondo altre tradizioni, viene ucciso da Èracle.

Diomira (2.800) F. VARIANTI: *Deomira* (75), *Dionira* (100). - M. *Diomiro* (250). VARIANTI: *Teodomiro* (25). Diffuso nel Nord e nel Centro continua, sostenuto dal culto, pur raro in Italia, di San Teodemiro monaco, martire a Còrdova, e San Teodemiro abate dell'abbazia di Micy presso Orléans nel VI secolo, il nome germanico, di tradizione gotica, *Teodomiro* o *Teodemaro* (nome del re degli Ostrogoti, padre di *Teodorico*, v. *Teodorico*), composto da **theuda-*, in gotico *thiuda*, 'popolo', e **maru-* 'illustre, celebre', con il significato originario di 'illustre tra il suo popolo'. Mentre la sola variante maschile, rarissima, *Teodomiro*, conserva fedelmente il nome gotico, sotto l'influsso della tradizione semidotta agiografica, le altre forme italiane riflettono le trasformazioni che nelle altre lingue germaniche presenti nei secoli successivi in Italia (longobardo, alamanno, bavarese, francone, tedesco, ecc.) ha assunto questo nome, cioè *Diotmar*, *Diethmar*, *Diemer*.

Dióne (60) M (anche F). ALTERATI: *Dionèllo* (50), *Dionino* (400). - F. *Dionèlla* (100), *Dionilla* (200). Disperso nel Nord, ma accentrato per i ³/₅, per *Dionino*, in Abruzzo, è un gruppo onomastico in cui gli alterati sono riuniti con la forma base *Dione* solo in base a un'ipotesi etimologica (ma potrebbero anche essere ipocoristici di altri nomi). *Dione* può avere alla base sia il nome maschile greco *Díōn* (genitivo *Díōnos*), derivato da *dio-*, dal genitivo *Diós* di *Zêus* (v. *Diocleziano*), latinizzato in *Díon* (genitivo *Diónis*), sostenuto dal culto di San Dione martire in Campania con Lucia e altri 20 compagni (v. *Diodoro*), sia il nome femminile *Diō'nē*, latinizzato in *Dione* o *Diona*, della dea che, con Zeus, avrebbe generato Afrodite, e che sarebbe stata una delle nutrici di Dioniso (v. *Dionisio*): in tutti e due i casi è probabilmente un ipocoristico, abbreviato, di nomi composti con *dio-* 'Zeus'.

Dionìsio (4.100) M. VARIANTI: *Dioniso* (20), *Deonisio* (25); *Donìzio* (15), *Addonìzio* (15); *Dionigi* (3.100), *Dionigio* (600), *Dionisi* (50); *Denisio* (25), *Denis* (1.000). - F. *Dionìsia* (1.500). VARIANTI: *Deonìsia* (75); *Dionìgia* (500); *Denìsia* (50), *Denisa* (300), *Denise* (2.000). Distribuito in tutta l'Italia, con maggiore compattezza per *Dionigi* in Lombardia e per le forme in *De-* nel Nord e in Toscana (e proprio della Puglia per la variante con *ad-* rafforzativo *Addonìzio*), è un nome cristiano diffusosi con il culto di numerosissimi santi così denominati, e in particolare di San Dionigi l'Areopagita, ateniese, convertito da San Paolo, e nell'alto Medio Evo identificato con San Dionigi martire, apostolo della Gallia e primo vescovo di Parigi nel III secolo. Alla base è il nome greco, molto antico, *Dionýsios*, derivato da *Diónysos*, il dio, originario della Tracia, della natura, della vegetazione, del vino e della gioia, formato da *dio-* 'Zeus' (v. *Diocleziano*) e, probabilmente, da un elemento **nys* 'figlio' della lingua tracia: quindi, 'figlio di Zeus'. Il nome, attraverso l'adattamento latino *Dionysius*, presenta nelle lingue moderne due tradizioni e due tipi formali diversi. Le forme del tipo *Dionisio* risalgono direttamente al latino *Dionysius*, mentre quelle del tipo *Dionigi*, *Denisio* o *Denisia*, *Denise*, rappresentano adattamenti vari dell'esito che lo stesso nome latino aveva avuto nel francese, già antico, *Denis* e, nel femminile *Denise* (pronuncia: *dënì* e *dënìs*), che in Italia possono essere nomi di residenti stranieri di lingua francese o inglese, o della Val d'Aosta, o anche nomi di moda recenti.

Dioscòride (50) M. Accentrato per i ²/₃ in Emilia-Romagna e per il resto disperso nel Nord, riflette la notorietà, fin dal Medio Evo, del grande medico greco del I secolo Pedanio Dioscoride, i cui trattati di medicina e di farmacologia erano ampiamente usati dalla scuola medica di Bologna; il nome greco *Dioskorídēs* o *Dioskurídēs*, latinizzato in *Dioscórides* (non raro in Roma in ambienti ellenistici in età imperiale), derivato, con il suffisso patronimico *-ídēs*, da *Dióskuros*, composto da *Diós*, genitivo di *Zêus*, e *kúros* 'figlio', quindi 'figlio di Zeus', si è diffuso in Grecia e in Roma anche per il culto dei due Dioscuri, Càstore e Polluce, figli di Zeus e di Leda (v. *Castore* e *Polluce*).

Diotisalvi (50) M. Accentrato per i ⁴/₅ nel Veneto e per il resto disperso nel Nord, continua il nome augurale medievale *Diotisalvi* 'Dio ti salvi, ti protegga', già comune dall'XI secolo in Toscana e nel Nord e documentato nella forma latinizzata *Deustesalvet*.

Dirce (9.000) F. VARIANTI: *Dircèa* (75). - M. *Dircèo* (25). Diffuso nel Nord, e con maggiore compattezza in Lombardia, e nel Centro, è un nome di matrice classica, mitologica e letteraria, ripreso dal Rinascimento dal nome, in greco *Dírkē*, di etimo incerto, latinizzato in *Dirce*, della regina della Beozia trasformata da Dioniso, di cui era una baccante, in una fonte.

Disma (500) M. VARIANTI: *Dismo* (300); *Dimma* (400), *Dimmo* (50); *Dima* (150), *Dimo* (100). Accentrato per i ³/₅ in Emilia-Romagna e per il resto disperso nel Nord e in Toscana, riflette il culto di San Disma o Dima, in latino *Dismas* e in greco *Dísmas*, nome con cui nel Vangelo apocrifo di Nicodemo è chiamato il «buon ladrone» crocefisso con Gesù, al quale Gesù disse: "Oggi sarai con me in paradiso".

Diva (6.500) F. ALTERATI: *Divina* (700). - M. *Divo* (1.300). VARIANTI: *Dìvio* (100). ALTERATI: *Divino* (150). Diffuso nel Nord e nel Centro, con più alta compattezza in Toscana, è un nome affettivo formato da *diva*, e da *divina* o *divino* (dal latino *diva* e *divus* 'divinità; dea, dio', *divinus* 'divino'), dato ai figli per augurare doti eccezionali o per ringraziamento e affidamento a Dio.

Divinàngelo (100) M. Proprio dell'Abruzzo, è un nome cristiano dato per affidare il figlio all'«angelo divino», forse l'angelo custode, o per augurargli doti angeliche.

Dògali (150) F. ALTERATI: *Dogalina* (75). Proprio dell'Emilia-Romagna e della Toscana, è un nome ideologico insorto durante la 2ᵃ guerra italo-etiopica per la profonda commozione suscitata dallo scontro presso Dogali in Eritrea del 26 febbraio 1887, in cui una colonna di rinforzi di circa 500 uomini al comando del colonnello T. De Cristoforis fu sorpresa e annientata, dopo un'eroica resistenza, dalle forze preponderanti di ras Alula.

Dolcino (100) M. - F. *Dolcina* (40). Disperso nel Nord, può rappresentare un derivato del nome *Dolce* (da *dolce*, dal latino *dulcis*), comune nel Medio Evo con valore gratulatorio e augurale ('che è, che sia dolce', ossia fonte di gioia e conforto per i genitori), o può anche essere un nome ideologico, anticlericale e protestatario, ripreso da Fra Dolcino di Ossola, il capo della setta degli apostoli scomunicato da papa Clemente V, catturato e arso sul rogo a Ravello CN nel 1307.

Dolcìssima (200) F. Esclusivo del Lazio, riflette il culto locale di Santa Dolcissima vergine e martire sotto Aureliano, patrona di Sutri VT (dove su circa 1.600 residenti donne più di 50 hanno questo nome): alla base è il nome medievale formato da *dolcissima*, superlativo di *dolce*, documentato nel tardo Medio Evo nella forma latinizzata *Dulcissima* (per le motivazioni, v. *Dolce* nel lemma *Dolcino*).

Dolòres (21.000) F. VARIANTI: *Dolòris* (50). Ampiamente diffuso in tutta l'Italia, con maggiore compattezza in Campania, è ripreso dal nome cristiano spagnolo *Dolores* (che in minima parte può essere anche di residenti straniere di paesi di lingua spagnola), insorto per la devozione per Maria Santissima dei sette Dolori (in spagnolo *Virgen* o *Nuestra Señora de los Dolores*), sofferti durante la passione e la crocifissione di Gesù (v. *Addolorata*): il nome, già affermatosi durante la lunga presenza politica e culturale spagnola, soprattutto nel Sud, si è recentemente ridiffuso come nome di moda.

Dolorósa (100) F. VARIANTI: *Dolorétta* (1.000), *Dolorina* (50), *Dolorinda* (100). - M. *Dolorino* (20). Proprio del Sud, e in particolare di Corigliano Calabro e del Cosentino per *Dolorosa*, della Sardegna per *Doloretta* e della Campania per *Dolorinda*, è un tipo onomastico formato da *dolorosa* o derivato da *dolore* in relazione alla Madonna dei sette Dolori (v. *Addolorata* e *Dolores*).

Doménico (397.000) M. ALTERATI: *Domenichino* (50), *Domenicùccio* (20). ABBREVIATI E IPOCORISTICI: *Ménico* (25), *Mingo* (25), *Micùccio* (20). NOMI DOPPI: *Doménico Antònio* o *Domenicàntonio* (2.700), — *Angelo* o *Domenicàngelo* (250), — *Giusèppe* (200), — *Màrio* (200). - F. *Doménica* (120.000). VARIANTI: *Domìnica* (250). ALTERATI: *Domenichina* (300). ABBREVIATI E IPOCORISTICI: *Ménica* (75), *Micùccia* (50). NOMI DOPPI: *Doménica Maria* (600). Ampiamente diffuso in tutta l'Italia, con più alta compattezza nel Sud, nella forma base, accentrato in Sardegna nel diminutivo *Domenichino*, è uno dei nomi cristiani più comuni, insorto (nella forma latina *Dominicus* e *Dominica*) agli inizi del IV se-

colo in ambienti cristiani come nome teoforico di dedicazione a Dio, continuatosi nell'alto Medio Evo anche come nome dato a figli nati nel giorno di «domenica» (*Dominica dies*), ma affermatosi soprattutto dal Duecento con il culto per San Domenico di Guzmán (ma la sua appartenenza alla nobile famiglia Guzmán o de Guzmán è incerta), nato a Calaruega in Castiglia nel 1170, morto e sepolto a Bologna nel 1220, fondatore dell'Ordine mendicante dei Frati predicatori, o Domenicani. Alla diffusione del nome ha contribuito, localmente, anche il culto di altri santi e sante, tra cui San Domenico vescovo di Brescia, San Domenico abate di Sora FR, Santa Domenica martire in Campania, patrona di Tropea CZ, dove sono conservate e venerate le reliquie. Il nome latino *Dominicus* (o *Dominica*) è formato da *dominicus*, aggettivo derivato da *dominus* 'padrone', con il significato di 'padronale, del padrone'. Ma in età e in ambienti cristiani il latino *Dominus* viene usato, sul modello del greco *Kýrios* (v. *Ciriaco* e *Cirillo*, corrispondenti greci di *Domenico*), calco a sua volta dell'ebraico *Adonay*, 'padrone, signore', nel senso specifico di 'il Signore (celeste, divino), Dio', e quindi *Dominicus* assume il significato cristiano di 'del Signore', ossia 'dedicato, consacrato, destinato al Signore, a Dio'.

Dominatóre (25) M. Esclusivo del Bresciano, è l'esile riflesso dell'antico culto locale di San Dominatore (in latino *Dominátor Dominatóris*, da *dominare*, 'che domina, potente'), vescovo di Brescia nel VI secolo, le cui reliquie sono conservate e venerate nella cattedrale di Santa Maria.

Domitilla (1.700) F. - M. *Domitillo* (20). Proprio del Nord, riflette il culto di Santa Flavia Domitilla martire a Terracina (nipote di Tito Flavio Vespasiano, imperatore dal 69 al 79), sulla cui proprietà furono scavate le grandi catacombe sulla via Ardeatina denominate appunto «di Domitilla». Il soprannome e nome latino *Domitilla* è un derivato di *Domitia*, femminile di *Domitius*, per cui v. *Domizio*.

Domìzio (650) M. DERIVATI: *Domiziàno* (150). - F. *Domìzia* (300). Proprio del Nord e della Toscana è un nome, nonostante l'esistenza di alcuni santi così denominati, di matrice sostanzialmente classica, ripreso da personaggi della storia romana, in particolare i vari Domizio Enobarbo, consoli e tribuni della plebe, e Tito Flavio Domiziano, imperatore dall'81 al 96. Alla base è l'antico gentilizio latino *Domitius*, probabilmente derivato dal participio perfetto *dómitus* 'mansueto, arrendevole', di *domare* 'rendere obbediente, domare'.

Donato (56.000) M. ALTERATI: *Donatèllo* (1.300), *Donatino* (100), *Donatùccio* (20). NOMI DOPPI: *Donato Antònio* o *Donatantònio* (900). - F. *Donata* (15.000). ALTERATI: *Donatèlla* (23.000), *Donatilla* (100), *Donatina* (1.000). NOMI DOPPI: *Donata Marìa* (500). Ampiamente diffuso in tutta l'Italia, con alta compattezza per *Donato* in Toscana, Lazio e Puglia, per *Donata* in Puglia, per *Donatello* in Toscana, continua il tardo soprannome e poi nome individuale latino di ambienti cristiani *Donatus* (dal participio perfetto di *donare*, ossia 'donato, regalato' da Dio), dato a un figlio molto atteso e desiderato, probabile calco di nomi greci dello stesso significato (v. *Dorotea* e *Teodoro*), sostenuto dal culto di numerosi santi e sante di questi nomi, e in particolare di San Donato vescovo e patrono di Arezzo (e di molti altri centri di tutta l'Italia), confessore del IV secolo o, secondo una *Passio* leggendaria, martire sotto Giuliano l'Apostata. Alla diffusione del diminutivo *Donatello* in Toscana ha anche contribuito il prestigio del grande scultore fiorentino del Quattrocento Donatello (propriamente, Donato di Betto Bardi detto Donatello).

Donnino (550) M. VARIANTI: *Donino* (150). - F. *Donnina* (100). VARIANTI: *Donina* (50). Accentrato per i ²/₅ in Emilia-Romagna e per il resto disperso nel Nord, riflette il culto di vari santi e sante, ma in particolare di San Donnino martire presso Parma, sulla via Claudia, patrono di Fidenza PR (già Borgo San Donnino fino al 1927) e di Castelfranco Emilia MO. Alla base è il tardo soprannome e poi nome individuale latino *Domninus*, derivato da *domnus*, forma apocopata di *dominus* 'padre, signore', con il significato, in ambienti cristiani, di 'del Signore, dedicato al Signore, a Dio'

(v. *Domenico*).

Dóno (20) M. ALTERATI: *Donèllo* (150), *Donèlio* (20), *Donillo* (20). DERIVATI: *Donaldo* (50). - F. *Donèlla* (1.400), *Donétta* (100). Proprio della Toscana, è un nome gratulatorio medievale, formato da *dono*, dal latino *donum*, per significare che il figlio è un dono di Dio ai genitori che l'avevano a lungo desiderato e atteso: è già attestato dal IX secolo, e comune in Toscana nell'XI e nel XII secolo, nelle forme latinizzate *Donus*, *Donellus* e *Doninus* (e *Donino* o *Donina*, qui sopra dati come varianti di *Donnino* in base all'area di distribuzione, possono appartenere in alcuni casi, in Toscana, a questo tipo *Dono*).

Dòra (30.000) F. ALTERATI: *Dorèlla* (100), *Dorétta* (2.000), *Dorina* (13.000), *Dorita* (100). NOMI DOPPI: *Doralba* (100). - M. *Dòro* (350). ALTERATI: *Dorétto* (25), *Dorino* (2.300). Diffuso in tutta l'Italia, è l'ipocoristico, abbreviato, di vari nomi che terminano in *-dòra* o *-dòro*, come, soprattutto, *Teodora* e *Teodoro*, ma anche *Diodora* e *Diodoro*, *Isidora* e *Isidoro*, o che cominciano con *Dora-* o *Doro-*, come *Doralice*, *Dorotea* e *Doroteo*.

Doralice (1.300) F. VARIANTI: *Dolorice* (75). Accentrato per quasi la metà in Lombardia, e per il resto disperso dal Nord al Centro fino all'Abruzzo, è un nome letterario ripreso dal personaggio dell'«Orlando furioso» di L. Ariosto, la saracena Doralice (nome probabilmente inventato dall'Ariosto), figlia del re di Granata, di cui sono innamorati Rodomonte e Mandricardo (v. *Rodomonte* e anche *Licia*).

Dòria (900) F. DERIVATI: *Doriàna* (4.500), *Dorinda* (400), *Dolinda* (150). -M. *Dòrio* (100). DERIVATI: *Doriàno* (3.200), *Dorindo* (200), *Dolindo* (30). Distribuito variamente tra il Nord e il Centro fino all'Abruzzo, e più compatto in Emilia-Romagna e in Toscana, è un gruppo qui riunito in base a una ipotesi etimologica e soprattutto all'area unitaria di distribuzione. Il tipo *Doria* può costituire un nome affettivo e augurale medievale derivato dall'espressione «d'oro», ossia 'bella, preziosa come l'oro', ma può anche rappresentare in alcuni casi un originario etnico, pur raro, *dorio*, già latino e greco (*Dorius* e *Dō'*-

rios), 'della Dòride', regione della Grecia antica (v. *Doris*). Il tipo derivato *Doriana* potrebbe essere anche autonomo, con un etimo incerto, e comunque sostenuto dai corrispondenti nomi francesi e inglesi *Dorian* (e *Doriane*), e forse, in particolare, dal protagonista del diffuso romanzo del 1891 di Ò. Wilde «*The picture of Dorian Gray*» («Il ritratto di Dorian Gray»). Il tipo *Dorinda*, di cui *Dolinda* è un'alterazione fonetica, può essere derivato da *Doria* con la terminazione *-inda* di nomi come *Carmelinda*, *Clorinda*, e è comunque sostenuto dal nome, *Dorinda*, di un personaggio, o di una maschera, della commedia dell'arte, l'innamorata giovane, e dall'identico nome inglese attestato dal Settecento. A questo gruppo possono in parte appartenere anche *Dorina* e *Dorino*, qui riuniti nel lemma di *Dora*.

Dòris (2.600) F. VARIANTI: *Dòride* (500), *Dòri* (500). Distribuito nel Nord e attestato anche nel Centro, è un nome classico, mitologico e storico-letterario, ripreso dal greco *Dōrís Dōrídos*. attraverso l'adattamento latino *Dóris Dóridis*, nome della regione della Doride dell'antica Grecia e etnico di questa regione ('originario, proveniente dalla Doride'), ma anche di una ninfa del mare della mitologia greca, figlia di Oceano e di Teti, e madre delle Nereidi, diventato sia in Grecia sia in Roma anche un nome personale femminile.

Dorotèa (9.000) F. VARIANTI: *Dorothèa* (400). - M. *Dorotèo* (150). Diffuso in tutta l'Italia, ma accentuato per ¹/₃ in Sicilia per *Dorotea* e proprio del Nord per la variante grafica, per lo più straniera, *Dorothea* e per il maschile *Doroteo*, è un nome cristiano affermatosi con il culto di due sante, Santa Dorotea martire con Teofilo a Cesarea in Cappadocia e Santa Dorotea martire a Aquileia durante le persecuzioni di Nerone. Alla base è il nome greco *Dōrótheos* e *Dōrothéa*, latinizzato in *Dorothéus* e *Dorothéa*, comune in età cristiana, formato da *dôron* 'dono' e *theós* 'dio', quindi 'dono di Dio', come nome dato per ringraziare Dio di avere concesso un figlio.

Drago (50) M. - F. *Draga* (50). Esclusivo di Trieste e della provincia, è un nome proprio della minoranza di lingua slovena, *Drago* e *Draga*, formato dallo sloveno *drag* (femminile *draga*) 'caro, amato'.

Drìade (100) F. Raro e disperso, è un nome classico, mitologico e letterario, ripreso dal greco *Dryás Dryádos*, adattato in latino in *Drýas Drýadis*, nome delle ninfe delle piante e dei boschi, derivato da *drŷs* 'quercia, albero'.

Drusiàna (300) F. VARIANTI: *Trusiàna* (20). - M. *Drusiàno* (10). Limitato al Lazio e alla Campania, è ripreso, dal tardo Medio Evo, dal nome dell'amante di Bovo del popolare poema cavalleresco «Bovo d'Antona» e della diffusissima rielaborazione «I reali di Francia» (v. *Bovio*): l'originario nome francese *Drusiane* è probabilmente un derivato del francese *dru* o *drut* (da cui l'italiano *drudo*) 'fedele' e poi 'amante', anche se in latino tardo esiste un gentilizio *Drusianus*, da *Drusus* (v. *Druso*).

Druso (50) M. - F. *Drusilla* (300). Proprio del Nord, è la ripresa classica del gentilizio e soprannome latino, già di età repubblicana, *Drusus*, di origine celtica, e del femminile *Drusilla* da esso derivato, sostenuto dal culto di due santi e una santa così denominati.

Dùccio (550) M. - F. *Dùccia* (100). Distribuito nel Nord e nel Centro, con maggiore compattezza per *Duccio* in Toscana, è l'ipocoristico, abbreviato al secondo elemento, di varie forme vezzeggiative terminanti in *-duccio* (o *-dùccia*) come *Armanduccio*, *Bernarduccio*, *Corraduccio*, *Guiduccio*, *Tebalduccio*.

Duìlio (21.000) M. VARIANTI: *Dovilio* (700), *Dovìglio* (150); *Aduìlio* (25). - F. *Duìlia* (2.700). VARIANTI: *Dovìlia* (200), *Dovìglia* (75). Diffuso in tutta l'Italia nella forma base, limitato al Nord nelle varianti in *Dov-* e alla Puglia per la variante con *a-* rafforzativo *Aduilio*, è una ripresa classica, recente, del gentilizio latino di antica età repubblicana *Duilius*, promossa soprattutto dal prestigio storico del console Gaio Duilio che nel 260 a.C. riportò a Milazzo la prima grande vittoria navale sui Cartaginesi (e questo nome è stato dato a varie grandi navi da battaglia della marina da guerra italiana, a cominciare dalla corazzata *Duilio* del 1876). Il latino *Duilius* ha un etimo oscuro, ma era connesso dai Romani con la forma arcaica *duellum* di *bellum* 'guerra', e interpretato quindi come 'guerriero, capace e valoroso in guerra'.

Duìno (200) M. - F. *Duìna* (100). Distribuito nel Nord e nel Centro, con più alta frequenza nel Veneto, nel Friuli-Venezia Giulia e in Toscana, è la forma abbreviata di nomi come *Arduino*, *Balduino*, ecc. (v. *Arduino* e *Baldo*): in qualche caso isolato, nella Venezia Giulia, può riflettere il toponimo *Duino*, un piccolo centro del Carso triestino (ora aggregato nel comune di Duino-Aurisina).

Dumas (120) M. Proprio della Toscana, riprende il cognome dello scrittore francese Alexandre Dumas padre, i cui romanzi, e soprattutto la trilogia dei tre moschettieri (1844-50, v. *Aramis*) e «Il Conte di Montecristo» (1845-46), hanno avuto grande diffusione e popolarità in Italia, e del figlio, Alexandre Dumas iunior, noto soprattutto per il fortunato dramma «La signora delle camelie» (v. *Alfredo*). La pronunzia corrente, più che quella francese *dümà*, è *dumà*.

Durante (200) M. VARIANTI: *Durando* (150). ALTERATI: *Durantino* (25). Distribuito nella forma base in tutta l'Italia, con maggiore compattezza nell'Abruzzo, e in quella *Durando* nel Centro-Nord, dove è accentrato per i ³/₄ tra Emilia-Romagna e Toscana, continua il tardo nome augurale latino *Durans Durantis*, participio presente di *durare* 'perdurare, perseverare' (quindi 'perseverante, fermo e risoluto', soprattutto, in senso cristiano, nella fede, nel bene), già attestato dal IX secolo nelle forme in latino *Durans*, *Durantus* e *Durandus* (v. *Dante*, che è l'ipocoristico di *Durante*). La variante *Durando* si è formata, sempre nel Medio Evo, per l'influsso del corrispondente nome francese e provenzale, già antico, *Durand*.

Duse (100) F. Esclusivo della Toscana, è un recente nome di moda ripreso dal cognome della celebre attrice drammatica italiana Eleonora Duse, morta nel 1924, dopo 40 anni di grandi successi in Italia e all'estero.

E

Èbe (13.000) F. - M. *Èbo* (50). Diffuso nel Nord e nel Centro (ma il sorprendente maschile *Ebo* è proprio dell'Emilia-Romagna), è una ripresa classica, rinascimentale e moderna, del nome della dea della giovinezza figlia di Zeus e di Era, coppiera degli dei, in greco *Hē'bē*, da *hē'bē* 'giovinezza, bellezza giovanile', latinizzato in *Hebe*.

Eberardo (150) M. VARIANTI: *Everardo* (750), *Everaldo* (100), *Evrardo* (20). - F. *Evararda* (50). Proprio del Nord e nelle varianti in *Ev-* anche del Centro, continua, sostenuto dal culto di vari santi così denominati, il nome tedesco, già antico, *Eberhard*, documentato dall'VIII secolo, composto con *Eber* 'cinghiale' e *hart*, da **hardhu-*, 'forte, valoroso', con il significato quindi di 'cinghiale forte, aggressivo' o 'forte e valoroso come un cinghiale'.

Eccèlsa (100) F. - M. *Eccèlso* (25). Caratteristico del Barese, è un nome cristiano che riflette l'epiteto «Eccelsa» di Maria Vergine o «l'Eccelso» di Dio (dal latino *excelsus*, participio perfetto di *excellere* 'eccellere, essere superiore a tutti').

Èco (90) F (anche M). Proprio della Toscana, è un nome classico, mitologico e letterario, ripreso, soprattutto attraverso le «Metamorfosi» di Ovidio, dalla ninfa dei boschi, in greco *Echō'* e in latino *Écho*, consumatasi d'amore per Narciso tanto che di lei non rimase che la voce e l'«eco» dei suoi lamenti (v. *Narciso*).

Èdda (37.000) F. - M. *Èddo* (450). Distribuito in tutta l'Italia, ma molto raro nel Sud, è un nome di moda, recente, affermatosi con due motivazioni e tradizioni diverse: nel primo Novecento si è diffuso con la grande fortuna che ha avuto in Italia il dramma «*Hedda Gabler*», in italiano «Edda Gabler», di H. Ibsen del 1890, attraverso il nome della protagonista, in norvegese e danese *Hedda*, ipocoristico di *Hedvig* (v. *Edvige*); tra il 1930 e il 1945 si è ridiffuso con matrice ideologica, di adulazione o consenso al fascismo, per il nome Edda della figlia di B. Mussolini sposata nel 1930 con Costanzo Ciano.

Èddi (900) F (anche M). VARIANTI: *Èddy* (1.000); *Èdi* (1.500), *Èdy* (900), *Édie* (150). Disperso soprattutto nel Nord, è un gruppo di ipocoristici (in parte stranieri, soprattutto *Eddy*, *Edy* e *Edie*, da *Edward*, *Edgar*, ecc.) di vari nomi, non tutti accertabili, come *Edda*, *Editta* o *Edith*, *Edvige*, ma in alcune forme può anche concorrere con il gruppo ipocoristico di *Edo*.

Edelbèrto (50) M. VARIANTI: *Edilbèrto* (50). Disperso nel Nord, riflette il raro culto di alcuni santi stranieri, e in particolare di Sant'Edilberto o Etelberto re del Kent, in Inghilterra, nel VI secolo: il nome inglese antico *Aethelbeorht* (moderno *Éthelbert*), composto di *aethel* 'nobile' e *berht* 'illustre', è l'esatto corrispondente, anche come significato originario, del nome longobardico e poi francone *Adalberto*.

Edelweiss (700) F. VARIANTI: *Edelwais* (500), *Edelwaiss* (100), *Edelveis*

(150), *Edelvais* (400). Distribuito nel Nord e nel Centro, è un nome di moda esotica, recente, ripreso dal tedesco *Edelweiss* (pronunzia: *èdelvais*, ma nell'uso italiano *edelvàis*), 'stella alpina', formata da *edel* 'nobile; prezioso' e *weiss* 'bianco' (per la preziosità dei fiori, data la difficoltà di coglierli, e il loro colore bianco).

Èden (1.000) M (anche F). - F. *Èdena* o *Edèna* (75). Distribuito tra il Nord e il Centro, riprende come nome cristiano augurale il nome *Eden* del paradiso terrestre, nel «Genesi», in ebraico *'Ēden* 'campagna, giardino', latinizzato in *Eden*.

Èdera (3.000) F. ALTERATI: *Ederina* (150). ABBREVIATI: *Èdra* (200). - M. *Èdero* (100). ALTERATI: *Ederino* (100). ABBREVIATI: *Èdro* (50). Accentato per la metà in Emilia-Romagna (e negli abbreviati in Toscana), e per il resto distribuito nel Nord e con minore frequenza nel Centro, è un nome ideologico e politico recente, formato da *edera* simbolo del partito repubblicano, o anche augurale, dall'edera simbolo di grande attaccamento affettivo e di fedeltà, sia verso i genitori sia anche, in senso religioso o etico, nella fede e nei princìpi morali.

Edèsio (100) M. - F. *Edèsia* (25). Disperso nel Nord e nel Centro, è l'esile riflesso del culto di due santi orientali, Sant'Edesio martire a Alessandria d'Egitto nel 306 e Sant'Edesio evangelizzatore dell'Etiopia con il fratello Frumenzio nel IV secolo: il nome originario greco-bizantino *Aidésios*, latinizzato in *Aedesius*, è un derivato del verbo *aidéisthai* 'provare vergogna, pudore, rispetto', con il significato di 'che incute rispetto; degno di rispetto, di venerazione'.

Edgardo (7.000) M. - F. *Edgarda* (1.000). Distribuito tra il Nord e il Centro, con maggiore compattezza in Emilia-Romagna, è un nome ripreso dall'inglese *Edgar* (composto dell'anglosassone *ead* 'ricco, potente' e *gar* 'lancia', quindi 'potente con la lancia'), affermatosi per il prestigio di vari personaggi storici e letterari, come Edgardo re d'Inghilterra nel X secolo e Edgardo re di Scozia dal 1097 al 1107, ma soprattutto per il protagonista del romanzo del 1819 di W. Scott «*The Bride of Lammermoor*», che nell'adattamento del libretto di S. Cammarano per il melodramma «Lucia di Lammermoor» di G. Donizetti del 1835 ha appunto il nome di Edgardo.

Edìlio (2.400) M. VARIANTI: *Eduìlio* (100), *Edovìlio* (25). DERIVATI: *Ediliàno* (50). ABBREVIATI: *Dìlio* (450), *Dillo* (50), *Dilo* (50). - F. *Edilia* (1.500). VARIANTI: *Eduìlia* (25). ABBREVIATI: *Dìlia* (600), *Dilla* (150), *Diliàna* (150). Accentato per quasi la metà in Liguria, soprattutto a Genova, abbastanza comune anche in Toscana, sporadico nel resto dell'Italia centro-settentrionale, sembra riflettere un culto locale di un Sant'Edilio non riconosciuto ufficialmente dalla Chiesa, nome di origine incerta, forse latina o, attraverso un ipocoristico, germanica.

Edipo o *Edìpo* (100) M. Proprio dell'Emilia-Romagna e della Toscana, è un nome classico, mitologico e letterario, ripreso dall'eroe tebano *Oidípus*, in latino *Oedipus*, che il padre Laio, alla nascita, avrebbe fatto abbandonare con le caviglie trafitte (di qui l'interpretazione greca del nome come composto di *oidân* 'gonfiare' e *pús* 'piede', ossia 'dai piedi gonfi per le ferite') per lasciarlo morire, poiché l'oracolo di Delfi gli aveva predetto che il figlio lo avrebbe ucciso (come poi avvenne), tragico personaggio di grandi opere drammatiche e musicali antiche e moderne (le tragedie di Sòfocle, Eurìpide, Seneca, P. Corneille, Voltaire, i melodrammi di A. Sacchini, I. Strawinsky, ecc.).

Èdison (100) M. Disperso, ma più frequente in Emilia-Romagna e in Toscana, è ripreso dall'ultimo Ottocento, come nome di moda, dal cognome dell'inventore statunitense Th. A. Edison, morto nel 1931, per la profonda eco suscitata dalle sue grandi scoperte nel campo delle applicazioni pratiche dell'elettrotecnica (telegrafo a più comunicazioni simultanee, fonografo, lampade a filamento, accumulatori, ecc.): il cognome è formato da *Eddy*, ipocoristico di *Edward* (v. *Edoardo*) e *son* 'figlio', quindi, come patronimico, 'figlio di Edoardo'.

Editta (1.300) F. VARIANTI: *Edita* (150), *Edith* (3.000). Diffuso nel Nord e in Toscana, è un nome di moda recente, ripreso in varie forme e con diverse motivazioni, a partire dall'ultimo Settecento, dall'inglese *Edith*, dove è antico e sostenuto dal culto di Santa Edith, o Editta, Edita, figlia di Edgardo re d'Inghilterra, morta a 22 anni nel 984 (culto ignoto o rarissimo in Italia): *Edith* continua il nome anglosassone o inglese antico *Eadgydh*, composto di *ead* 'proprietà, ricchezza; felicità' e *gydh* 'battaglia, lotta', con un significato originario che potrebbe essere 'che lotta per la proprietà', per la felicità (propria, o della sua gente). La forma *Edith* può essere in Italia un nome di residenti di lingua inglese, o di lingua tedesca e anche francese (dove pure è stato adottato questo nome come *Edith* e *Édith*: pronunzia inglese *èdit*, tedesca *édit*, francese *edìt*, ma in Italia la pronunzia corrente è per lo più *èdit*), ma può anche essere un nome di moda sia letteraria, da una delle protagoniste, *Edith*, del romanzo di A. Fogazzaro del 1881 «Malombra», sia musicale e teatrale, dalla grande cantante francese Édith Piaf (pseudonimo di Édith Giovanna Cassion) del 2° dopoguerra, sia semplicemente esotica. La forma *Editta* è l'adattamento italiano più usuale, quella *Edita* riflette la latinizzazione ufficiale della Chiesa.

Edmóndo (12.000) M. ABBREVIATI: *Èdmo* (600), *Edmèo* (150). - F. *Edmónda* (500). ABBREVIATI: *Èdma* (250), *Edmèa* (4.000). Diffuso in tutta l'Italia nella forma fondamentale, con maggiore compattezza in Emilia-Romagna e anche in Campania, proprio dell'Emilia-Romagna negli abbreviati (che sono qui raggruppati per un'ipotesi basata sulla coerenza dell'area di distribuzione, ma potrebbero avere un'origine anche diversa), è una ripresa recente, di matrice storica e letteraria, del nome francese *Edmond*, ripreso a sua volta dall'inglese *Edmund* o *Edmond*, che continua l'anglosassone o inglese antico *Eadmund* composto di *ead* 'proprietà, ricchezza', e *mund* 'protezione, difesa', con il significato quindi di 'che protegge i beni', proprio o del popolo (v. *Editta* e *Edoardo*). L'adozione e la diffusione in Italia è stata promossa, più che dal raro culto dei santi di questo nome, come Sant'Edmondo re dell'Anglia Orientale martire nell'809 e Sant'Edmondo arcivescovo di Canterbury nel primo Duecento, da vari personaggi storici e soprattutto dal protagonista, Edmond Dantès, del diffusissimo e popolare romanzo «Il Conte di Montecristo» di A. Dumas padre del 1845-46, e dei suoi adattamenti teatrali e cinematografici.

Èdo (5.000) M. VARIANTI: *Èdio* (500). ALTERATI: *Edino* (150). - F. *Èda* (6.000). VARIANTI: *Èdia* (150), *Ède* (1.900). ALTERATI: *Edina* (400). Diffuso nel Centro-Nord, con più alta frequenza nella forma base in Toscana, rappresenta per lo più un gruppo di ipocoristici di vari nomi non tutti identificabili, come *Alfredo*, *Goffredo* o *Edgardo*, *Edmondo*, *Edoardo*, ma in alcuni casi può anche concorrere con alcune forme del gruppo di *Eddi*.

Edoàrdo (45.000) M. VARIANTI: *Eduàrdo* (11.000), *Odoàrdo* (3.000). ALTERATI: *Edoardino* (25). - F. *Edoàrda* (1.700). VARIANTI: *Eduàrda* (150), *Odoàrda* (100). ALTERATI: *Edoardina* (300). Diffuso in tutta l'Italia, ma prevalentemente nel Nord, nella forma *Edoardo*, accentuato nel Sud e soprattutto in Campania per quella *Eduardo* (dialettale o modellata sul latino ecclesiastico *Eduardus*), è invece limitato al Centro-Nord, con alta compattezza in Emilia-Romagna, per quella *Odoardo*. La base lontana è il nome anglosassone o inglese antico *Eadward* (in inglese moderno *Edward*), composto di *ead* 'proprietà, beni' e *weard* 'guardiano', quindi 'che vigila sui beni' (v. *Editta* e *Edmondo*). L'adozione e la diffusione in Italia presenta varie motivazioni e tradizioni. Il tipo *Edoardo* o *Eduardo* può avere un'impronta sia storica e letteraria, per la risonanza dei re d'Inghilterra di questo nome (da Edoardo I, del XIII secolo, al contemporaneo Edoardo VIII duca di Windsor), sia religiosa, per il culto, pur raro in Italia, di Sant'Edoardo il Martire, re degli Inglesi, assassinato nel 978, e Sant'Edoardo il Confessore, re degli Inglesi nell'XI secolo: alla penetrazione del nome in Italia ha certo contribuito, almeno in parte, il francese *Édouard*, e forse anche il tedesco *Edward* o *Eduard*. Il tipo *Odoardo*, che continua una variante continentale *Adoward* del nome germanico, si è affermato in Emilia-Romagna per il prestigio della dinastia di Odoardo Farnese duca di Parma e Piacenza nel Seicento.

Edvige (21.000) F. VARIANTI: *Edwige* (500). - M. *Edvìgio* (50). Più compatto nel Nord, raro nel Centro e ancora più nel Sud, è un adattamento recente del nome tedesco *Edwig*, composto dal germanico **hathu-* 'battaglia' e **wiha-* 'santo, sacro', quindi 'battaglia sacra' (se pure ha un effettivo significato originario), in cui poi il 2° elemento è stato sostituito con *wig-* 'battaglia' (senza più quindi un significato d'insieme). Alla diffusione del nome in Italia può avere contribuito il prestigio di grandi personaggi storici (due regine, una di Polonia nel Trecento e una di Svezia nel Seicento), il culto pur raro di Santa Edvige duchessa di Slesia nel primo Duecento, ma soprattutto la protagonista del dramma «L'anitra selvatica» del 1884 del norvegese H. Ibsen, nel testo originario *Hedvig* (prestito anche questo dal tedesco *Hedwig*).

Edvino (250) M. VARIANTI: *Eduino* (300). - F. *Edvina* (100). VARIANTI: *Eduina* (250). Distribuito nel Nord e in Toscana, con più alta compattezza per *Edvino* a Trieste e per *Eduino* nel Trentino, è ripreso recentemente dall'inglese *Ewin*, dall'anglosassone o inglese antico *Eadwine*, composto di *ead* 'proprietà, ricchezza; felicità' e *wine* 'amico', quindi 'amico della ricchezza, della felicità': alla diffusione può avere in parte contribuito il re del Northumberland Edvino, morto in battaglia nel 633, considerato santo e martire dalla Chiesa.

Efisio (9.000) M. VARIANTI: *Efiso* (20), *Effìsio* (50). ALTERATI: *Efisino* (50). ABBREVIATI: *Fìsio* (20). - F. *Efìsia* (3.000). VARIANTI: *Effìsia* (40). ALTERATI: *Efisina* (150). ABBREVIATI: *Fìsia* (25). NOMI DOPPI: *Marìa Efìsia* (200). Peculiare della Sardegna, ma sporadico anche nei grandi centri del Nord e a Roma per immigrazione interna, riflette il culto locale di Sant'Efisio, martire (secondo una tradizione leggendaria) durante le persecuzioni di Diocleziano presso Cagliari, patrono della Sardegna e di Capoterra CA (nei cui pressi, in una cappella a Capo di Pula, sono conservate le reliquie). Il nome e il culto sono tuttavia molto tardi, posteriori al Medio Evo, per cui è probabile che alla base vi sia un santo di tradizione bizantina, *Ephésios* o *Ephísios*, latinizzato in *Ephisius*, formato dall'etnico di *Éphesos*, l'antica città greca di Èfeso dell'Asia Minore, sul mare Egeo.

Èfrem (1.800) M. VARIANTI: *Èffrem* (100), *Èfren* (100), *Èfro* (50), *Efraìm* (25), *Ephraìm* (20), *Efraìn* (20), *Efraìmo* (20). Proprio del Nord e più frequente nel Veneto e soprattutto in Emilia-Romagna, è un nome sia israelitico sia cristiano. Alla base è il nome ebraico *Efrayīm* dato nell'Antico Testamento da Giuseppe al suo secondo figlio, e interpretato con il valore augurale di 'che cresca, che possa diventare grande e importante' (da *farah* 'crescere, fruttificare'), e spesso infatti, in ambienti israelitici italiani, tradotto con *Crescenzo*. Ma il nome è in parte anche cristiano, per l'esistenza di alcuni santi che hanno avuto questo nome biblico, nella forma adattata greca *Ephraím* e latina *Ephraim* o *Ephrem*, come Sant'Efrem Siro, diacono di Edessa nel IV secolo e dottore della Chiesa, e Sant'Efrem vescovo e martire nel Chersoneso.

Egèo (700) M. - F. *Egèa* (500). Distribuito nel Nord e nel Centro fino all'Abruzzo, è la ripresa classica, mitologica e letteraria, del nome del mitico re di Atene, in greco *Aighéus* latinizzato in *Aegeus* (forse dal dorico *âighes* 'onde, flutti', o *aighís* 'tempesta', o più probabilmente di origine pregreca), che credendo erroneamente morto il figlio Teseo nel tentativo di uccidere il Minotauro a Creta, si gettò nel mare che prese da lui il nome di «Mare Egeo» (v. *Teseo* e anche *Arianna*).

Egèria (600) F. - M. *Egèrio* (50). Disperso nel Nord e nel Centro, è la ripresa classica, mitologica e letteraria, del nome dell'antica divinità latina delle fonti, la ninfa *Egeria*, ispiratrice del re Numa: il nome, di origine etrusca, era però considerato dai Romani, per etimologia popolare, derivato dal verbo *egerere* (composto di *e-* 'via da' e *gerere* 'portare') 'portare fuori, fare uscire', in base alla credenza che la dea Egeria aiutasse le gestanti nel parto.

Egìdio (53.000) M. VARIANTI: *Egìlio* (150); *Gìlio* (1.350), *Gillo* (50); *Zilio* (50). ABBREVIATI: *Gìdio* (100). - F. *Egìdia* (6.000). VARIANTI: *Egìda* (150), *Egìde* (300); *Egilia* (75), *Gìlia* (500), *Gilla* (300); *Zilia* (250), *Zilla* (150). Diffuso nella forma base in tutta l'Italia ma con maggiore frequenza in Lombardia, limitato al Nord e in parte al Centro nelle diverse varianti (ma *Gilla*, per il culto locale di una Santa Gilla, è compatto solo in Sardegna nel culto del Cagliaritano), riflette il culto di Sant'Egidio (morto nel 725), di origine ateniese, abate in Provenza dove avrebbe fondato il monastero di Saint-Gilles, intorno al quale sorse poi l'odierna città. Alla base è il tardo nome latino (documentato solo dal V secolo) *Aegidius*, che pur avendo un aspetto formale greco o bizantino (confermato anche dall'origine greca, sia pure leggendaria, del santo), non ha un corrispondente attestato nell'onomastica greca (forse *Aighidíon*, propriamente 'capretto', che però è femminile, poi esteso al maschile nella forma non documentata **Aighídios*, come ha proposto il linguista C. Tagliavini, o ricollegabile con *Aighéus*, v. *Egeo*). Dal latino *Aegidius* si sono svolte due diverse tradizioni onomastiche. Una italiana, dotta o semidotta, da cui si è avuto il tipo *Egidio*. Una francese, per cui come normale evoluzione fonetica del nome latino si è avuto *Gilles* (di qui il nome Saint-Gilles del monastero e della città), che è penetrato, insieme al culto del Santo, nell'Italia del Nord (soprattutto in Val d'Aosta e nel Piemonte), e è stato italianizzato in *Gilio* o *Zilio*, e *Gillo* (mentre la variante *Egilio* è un incrocio tra *Egidio* e *Gilio*). Più tardi, per etimologia popolare, queste forme di impronta francese sono state a volte confuse con quelle formate o derivate da *giglio*, come nome di fiore (v. *Giglio*).

Egisto (7.000) M. ABBREVIATI: *Gisto* (25). - F. *Egista* (250). Accentrato per ¹/₃ in Toscana e per il resto disperso nell'Italia centro-settentrionale, è un nome di matrice letteraria e teatrale, ripreso dal Rinascimento dal mitico usurpatore del regno di Micene e amante della moglie di Agamènnone, Clitemnestra, uccisore di Agamennone e a sua volta ucciso dal figlio di questi Oreste, personaggio di varie tragedie greche e anche moderne (v. *Agamennone* e *Oreste*). Il nome greco *Aighisthos*, latinizzato in *Aegísthus*, è probabilmente una forma abbreviata di *Aighisthénēs*, composto da un 2° elemento certo, *-sthénēs* (da *sthenós* 'forza') 'forte', e da un 1° componente oscuro (forse un tema *aighi-* 'quercia', quindi 'forte come una quercia').

Egìzio (400) M. DERIVATI: *Egiziàno* (450). ABBREVIATI: *Gìzio* (25), *Giziàno* (50). - F. *Egizia* (1.000). DERIVATI: *Egiziàna* (300); *Egiziàca* (20). Diffuso nel Nord e nel Centro, con maggiore frequenza in Emilia-Romagna e in Toscana, è un nome etnico, già latino (*Aegyptius*, dal greco *Aighyptiós*, proprio di servi, liberti e stranieri), che indica l'origine o la provenienza dall'Egitto, promosso, soprattutto nella forma *Egiziaca*, dal culto di Santa Maria Egiziaca (dal latino *Aegyptiaca*, greco *Aighyptiaká*), detta «la Peccatrice», una prostituta di Alessandria d'Egitto del IV-V secolo che, secondo una tradizione leggendaria, si sarebbe redenta e avrebbe vissuto santamente come eremita presso Gerusalemme (compresa nel «Martirologio Romano»).

Eglantina (300) F. VARIANTI: *Eglentina* (100). - M. *Eglantino* (5). Disperso nel Nord e in Toscana, è un nome affettivo e augurale formato dall'antiquata e rara denominazione *eglantina* (prestito dal francese *églantine*, derivato da un latino **aquilentum*) della rosa canina o di macchia, una pianta selvatica dai bei fiori profumati rosei e biancastri, sul modello del francese *Eglantine* (in francese antico *Aiglentine*, eroina delle «Chansons de geste»), e del prestito inglese *Eglentyne*, personaggio delle «Canterbury Tales» di G. Chaucer. La forma *Eglantina* è dovuta a un incrocio con *Egle*.

Ègle (18.000) F. VARIANTI: *Ègla* (75); *Ecle* (100), *Ècla* (150). ALTERATI: *Eglina* (100). - M. *Èglo* (50). Distribuito nel Nord e nel Centro, è un nome di matrice classica, ripreso dal Rinascimento da varie divinità minori della mitologia greca, tra cui la figlia di Elio, il dio del sole, che per il dolore per la morte del fratello Fetonte venne tramutata in un pioppo, una naiade e una delle Espèridi, cantate o ricordate da varie opere letterarie greche e romane (e con questo nome è spesso cantata la donna amata da vari poeti classici). Il nome greco originario, *Aiglē* latinizzato in *Aegle*, è formato da *áiglē* 'splendore, fulgore', con il significato di 'splendente, fulgida'.

Élba (1.600) F. VARIANTI: *Ilva* (9.000), *Ìlvia* (300). DERIVATI: *Elbana*

(150); *Elvana* (75), *Ilvana* (700). - M. *Èlbo* (40). VARIANTI: *Ilvo* (1.700), *Ìlvio* (400). DERIVATI: *Elbano* (450), *Elbànio* (20); *Elvano* (75), *Ilvano* (700). Distribuito nel Nord e nel Centro, con alta compattezza solo in Toscana in particolare a Livorno e nella provincia, risulterebbe, in base alla distribuzione, uno dei rari tipi nominali di origine toponimica o etnica, formato dal toponimo *Elba*, la maggiore isola dell'Arcipelago Toscano prospiciente Piombino, in latino *Ilva* (di origine ligure), e dall'etnico *Elbano* 'di Elba; originario, proveniente dall'isola d'Elba'. Del tutto improbabile l'ipotesi che i derivati riflettano il culto, ignoto in Italia, di due santi Elvano o Eluano, uno eremita in Bretagna e l'altro vescovo di Londra nel II secolo, neppure compresi nel «Martirologio Romano».

Élda o *Èlda* (71.000) F. ALTERATI: *Eldina* (200). - M. *Èldo* o *Èldo* (850). ALTERATI: *Eldino* (50). Diffuso in tutta l'Italia, con maggiore compattezza nel Nord e in Toscana, è una variante affermatasi recentemente, dall'ultimo Ottocento, del nome di origine germanica *Ilda*.

Eleàzaro o *Eleazàro* (15) M. VARIANTI: *Eleàzzaro* o *Eleazzàro* (25), *Elzeàrio* (50). Raro e disperso, è un nome sia israelitico sia cristiano, sostenuto nel primo caso da vari grandi personaggi dell'Antico Testamento e della storia del popolo ebraico (il terzo figlio di Aronne, il guerriero e campione di Israele compagno di David, uno dei capi della rivolta degli Ebrei contro i Romani del 73 d.C., ecc.), e nel secondo caso da vari santi, come Sant'Eleazaro il Vecchio martire nella lotta per la liberazione della Palestina da parte della Siria nel II secolo a.C., e Sant'Eleazaro o Elzeario, terziario francescano della Provenza, vissuto anche in Italia, morto a Parigi nel 1313. Alla base è il nome ebraico *'El'āzār* (formato da *'El*, abbreviazione di *'Elōhīm* 'Dio', e *'āzār* 'aiutare', con il valore di 'Dio ha aiutato', concedendo un figlio molto atteso), adattato in greco e in latino come *Eleázar*. V. anche la forma abbreviata *Lazzaro*.

Èlena (250.000) F. NOMI DOPPI: *Èlena Marìa* (700). - M. *Èleno* (200). Ampiamente diffuso in tutta l'Italia (è il 15° per rango di frequenza tra i femminili), è un nome fondamentalmente cristiano, insorto con il culto di varie sante, e in particolare di Sant'Elena madre dell'imperatore Costantino I il Grande, che ritrovò in Palestina la croce di Cristo (v. *Croce*). Ma in parte è anche un nome laico, di matrice sia classica, mitologica e letteraria, ripreso da Elena figlia di Zeus, divinità solare, moglie di Menelao re di Sparta, che suscitò la guerra di Troia fuggendo con Paride figlio di Prìamo (protagonista di opere letterarie, drammatiche e musicali antiche e moderne), sia ideologica, contemporanea, per il prestigio della regina d'Italia, dal 1900 al 1946, Elena di Savoia principessa del Montenegro. Il nome greco *Helénē* (e al maschile *Hélenos*), latinizzato in *Hélena* o *Hélene* (di qui l'accentazione italiana), diventato già in Grecia e anche in Roma antica nome personale, è quasi certamente un derivato di *hélē* 'splendore, fulgore del sole' (v. *Elio*), significato coerente con una originaria divinità solare.

Eleonardo (50) M. - F. *Eleonarda* (25). Disperso nel Nord, è probabilmente un incrocio di *Leonardo* e *Leonarda* con *Eleo* o *Elio* (e i rispettivi femminili *Elea* o *Elìa*), o *Eleonora*.

Eleonòra (52.000) F. VARIANTI: *Elianòra* (75); *Leonòra* (1.700). ABBREVIATI: *Nòra* (6.500), *Norétta* (300), *Norina* (12.000). - M. *Eleonòro* (50). VARIANTI: *Leonòro* (20), *Leonòrio* (25). ABBREVIATI: *Nòrio* (100), *Norino* (500). Ampiamente diffuso, nella forma base, in tutta l'Italia, limitato al Nord e alla Toscana per *Leonora* e al Nord e al Centro per gli abbreviati (ma *Nora* appare anche al Sud), è un nome insorto in Europa nel tardo Medio Evo, prima, nel XII secolo, in Provenza e in Francia, poi, tra il Duecento e il Trecento, in Inghilterra e in Portogallo, in Spagna e in Italia, ovunque sostenuto, in questi paesi, dal prestigio di imperatrici, regine e sovrane così denominate (tra cui Eleonora giudicessa d'Arborea in Sardegna, morta nel 1404). Il nome, di etimo oscuro, pare sorgere nella Francia del Sud-Est nella forma *Alienor* (forse da un germanico, o più esattamente burgundo, **ali-* 'crescere', con un 2° elemento però sempre oscuro), poi diventata *Eléonor* o *Léonor*, e si afferma in Portogallo (*Leonor*),

in Spagna (*Leonora*), in Inghilterra
(*Eleanor* o *Elinor*), in tedesco (*Leono-
re*). In Italia *Eleonora* e *Leonora* si sono
affermati recentemente, come nomi laici
(anche se esistono varie sante e beate,
ma tutte straniere, non riconosciute ufficialmente dalla Chiesa, di culto rarissimo quindi in Italia), promossi dal prestigio di varie sovrane, e soprattutto,
dall'ultimo Ottocento, dalla protagonista, *Leonora* (o *Eleonora*), di due popolari opere liriche di G. Verdi, «Il Trovatore» del 1853 e «La forza del destino»
del 1862. La diffusione dell'abbreviato
Nora, oltre che dalla brevità e armonia
fonica, è stata promossa dal nome della
protagonista, *Nora*, del fortunato dramma di H. Ibsen del 1879 «Casa di bambo-
la». La variante *Elianora* è sorta per incrocio con *Èlia* (v. *Elio*).

Elètta (1.200) F. - M. *Elètto* (100).
Accentrato per la metà tra Toscana e
Emilia-Romagna e per il resto disperso
nel Nord, è un nome affettivo e augurale
che può essere stato formato nel Medio
Evo (è anche il nome della madre di F.
Petrarca) con *eletta* o *eletto*, ossia destinato a eccellere per doti e qualità (o, in
senso cristiano, eletto da Dio per la salvezza spirituale), ma può anche continuare il gentilizio e poi nome individuale
latino *Electa* e *Electus*, da *electus* 'eletto'.

Elèttra (5.500) F. - M. *Elèttro* (150).
Distribuito nel Nord e nel Centro, con
più alta frequenza in Lombardia, Emilia-Romagna e Toscana, è un nome laico, di matrice sia classica, mitologica e
letteraria, sia ideologica e di moda,
scientifica e anche nazionalistica. In
gran parte infatti è ripreso, sin dal Rinascimento, dal nome della figlia di
Agamènnone che partecipa, con il fratello Oreste, all'uccisione della madre
Clitemnestra (attraverso le grandi opere
tragiche antiche e moderne, e tra queste
l'«Agamennone» e l'«Oreste» di V. Alfieri, e poetiche e musicali, in cui Elettra
è la protagonista e l'eroina): in greco
Élèktra latinizzato in *Electra*, da *ēléktron* 'materiale, oggetto che risplende'
(ma anche 'ambra'), con il significato
quindi di 'splendente'. In parte è ripreso, tra gli anni '20 e '30, dal nome dello
yacht, particolarmente attrezzato, l'«E-
lettra», su cui G. Marconi perfezionò dal

1923, in Gran Bretagna e in Italia, le sue
ricerche e applicazioni pratiche sulle ra-
diotrasmissioni a grandi distanze con onde corte e cortissime: il nome dello yacht
si ricollega a *elettrico* e *elettricità*, termini
creati nel 1600 dallo scienziato inglese
W. Gilbert (*electricus* e *electricitas* in latino scientifico) dal latino *electrum*, dal
greco *ēléktron*, 'ambra' (in relazione
alle proprietà magnetiche dell'ambra).

Eleutèrio (1.700) M. ABBREVIATI: *Leutèrio* (20). - F. *Eleutèria* (300). Accentrato per la metà nel Lazio e per il resto
disperso, riflette il culto di numerosissimi santi di questo nome, e in particolare
di Sant'Eleuterio papa nel II secolo e di
Sant'Eleuterio di Arce, confessore, patrono di Arce FR (dove quasi 200 residenti maschi su circa 3.000 hanno questo
nome): il greco *Eleuthérios*, latinizzato
in *Eleutherius*, è derivato da *eléutheros*
'libero', con il significato quindi di 'liberatore'.

Èlfo (200) M. VARIANTI: *Èlfio*
(150). ALTERATI: *Elfino* (20). - F. *Èlfa*
(150). VARIANTI: *Èlfia* (75), *Èlfi* (200).
ALTERATI: *Elfina* (75). Distribuito dal
Nord al Centro fino all'Abruzzo, è un
nome recente formato da *elfo*, dall'inglese *elf*, in parte attraverso il tedesco
Elf o *Elfe*, un genio o demone della natura, per lo più benigno, dell'antica mitologia germanica (v. *Alfredo*). In casi isolati può anche essere un ipocoristico, abbreviato, di nomi terminanti in -*èlfo*, come *Adelfo*, *Filadelfo*.

Elfrida (700) F. VARIANTI: *Elfride*
(300), *Elfriede* (1.000). - M. *Elfrido*
(10). Distribuito nel Nord e raro anche
nel Centro, è ripreso recentemente dal
nome tedesco *Elfriede* (pronunzia:
elfrìde), che nella forma originale è accentrato infatti per la metà nella provincia autonoma di Bolzano di lingua maggioritaria tedesca, sostenuto dal culto di
Santa Elfrida vergine, martire in Fian-
dra nel IX secolo. Il nome tedesco è ripreso dall'inglese antico *Ealdfrith* (v. *Alfredo*), adattato, nell'elemento finale, al
tedesco *Friede*, 'pace'.

Èlga (500) F. - M. *Èlgo* (25). Disperso nel Nord e in Toscana, è un adattamento recente del nome femminile tedesco *Helga* (che in questa forma originaria è comune in Italia a 3.000 residenti
concentrata nella provincia autonoma di

Bolzano di lingua maggioritaria tedesca), prestito dallo scandinavo *Helga*, propriamente 'santa' (v. il nome di eguale etimo lontano *Olga*).

Elìa (7.000) M. VARIANTI: *Elìas* (100), *Elỳas* (20). Diffuso in tutta l'Italia, ha alla base il nome biblico del primo profeta d'Israele, in ebraico *'Eliyyāhū* o *'Eliyyāh*, grecizzato in *Eléias* o *Elías* e latinizzato in *Elías*, composto di *'Ēl*, forma abbreviata di *'Elōhīm* 'Dio' e *Yāh*, abbreviazione di *Yahweh* 'Iavè' (il nome, non pronunciabile per divieto religioso, del dio d'Israele), con il significato quindi di '(il vero) Dio è Iavè' (v. anche *Gioele*). Può essere un nome israelitico, pur in minima parte (soprattutto nelle varianti), ma per lo più cristiano, non solo perché la Chiesa riconosce il profeta Elia come santo, ma anche per l'esistenza di numerosi altri santi di questo nome, tra cui due monaci della Calabria del IX-X secolo.

Èlide (30.000) F. VARIANTI: *Èlida* (900), *Èllida* (400), *Elìdia* (1.200). -M. *Èlido* (650). VARIANTI: *Elìdio* (650). Distribuito nel Nord e nel Centro, dove è più frequente nel Lazio, è forse un nome classico, formato con valore etnico dal greco *Êlis Ē' lidos* attraverso il latino *Ēlis Êlidis*, nome di un'antica regione del Peloponneso occidentale.

Elìgio (16.000) M. ABBREVIATI: *Lìgio* (50). - F. *Elìgia* (1.300). ABBREVIATI: *Lìgia* (150). Diffuso in tutta l'Italia, riflette il culto di vari santi, in particolare di Sant'Eligio vescovo di Noyon nel VII secolo, venerato in Francia con il nome, frequente come personale, *Éloi* o *Éloy*: risale al latino medievale e ecclesiastico *Eligius*, probabilmente un nome cristiano derivato da *elígere* 'scegliere, eleggere', nel significato di 'scelto, eletto (da Dio)'.

Èlio (90.000) M. VARIANTI: *Èlios* (600), *Èleo* (50), *Èllio* (50). ALTERATI e DERIVATI: *Elìno* (250); *Eliàno* (1.200), *Eleàno* (15); *Elindo* (50). - F. *Èlia* (8.000). VARIANTI: *Èlea* (250), *Èllia* (500). ALTERATI e DERIVATI: *Elina* (2.800); *Eliàna* (13.000), *Elliàna* (75), *Eleàna* (100); *Elinda* (300). Diffuso nella forma base *Elio* o *Elia* in tutta l'Italia, in quella *Elios* e nei derivati *Eleano* o *Eleana*, *Elindo* o *Elinda*, nel Nord e in Toscana, per *Eliano* o *Eliana* nel Cen-

tro-Nord, è un gruppo, costituito soprattutto in base alla distribuzione delle varie forme, che presenta diverse e complesse formazioni e tradizioni. Il tipo fondamentale *Elio* continua, sostenuto dal culto di vari santi, il tardo soprannome e nome individuale latino *Helius* o *Helio*, dal greco *Hē'lios*, il sole e il dio del sole, fonte di vita, della mitologia pagana classica, ma può continuare anche l'antico nome gentilizio romano *Aelius*, di origine incerta, probabilmente etrusca: *Elios* è la forma più letteraria, più aderente al greco *Hē'lios* e alla rara latinizzazione *Helios*. Il tipo derivato *Eliano* o, molto più frequente, *Eliana*, in parte autonomo, continua, sostenuto dal culto di vari santi e sante, il gentilizio e quindi nome personale di età imperiale *Helianus*, o *Aelianus*, *Elianus*, derivato da *Helius* sul modello del greco *Hēlianós* o *Ailianós*: la rara variante *Eleana* o *Eleano* può anche rappresentare un'alterazione di *Ileana* o *Ileano* (v. *Ileana*), o un incrocio tra i due tipi nominali.

Eliodòro (700) M. VARIANTI: *Eleodòro* (25); *Alìdòro* (100). - F. *Eliodòra* (100). VARIANTI: *Alidòra* (25). Disperso in tutta l'Italia, ma nella variante *Alidoro* accentrato in Toscana, è il riflesso del raro culto di alcuni santi, e in particolare di Sant'Eliodoro vescovo di Altino VE nel IV secolo: il nome originario greco *Hēliódōros*, latinizzato in *Heliodórus*, è composto con *Hē'lios* 'Sole' (v. *Elio*) e *dôron* 'dono', quindi 'dono del Sole' (come divinità solare, della luce e della vita).

Elisabétta (92.000) F. VARIANTI: *Elisabeth* (4.500), *Elizabeth* (500). ABBREVIATI e IPOCORISTICI: *Elisa* (102.000), *Elìsia* (50); *Elisétta* (300), *Elisèna* (800); *Lisa* (3.500), *Lisèlla* (75), *Lisétta* (5.500), *Lisina* (75), *Lisi* (75), *Lisy* (100); *Lisèna* (500), *Lisinda* (25). NOMI DOPPI: *Elisabétta Marìa* (300); *Elisa Marìa* (600), *Elisanna* (100), *Elisabèlla* (150); *Lisanna* (200). - M. *Elìso* (25). VARIANTI: *Elìsio* (450). DERIVATI: *Elisèno* (25). ABBREVIATI: *Liso* (25), *Lìsio* (100); *Lisétto* (50); *Lisèno* (50), *Lisindo* (100). Diffuso in tutta l'Italia nella forma «piena» *Elisabetta* (ma *Elisabeth*, che è il corrispondente tedesco, è presente per più della metà nella provincia autonoma di Bolzano di lingua maggioritaria tedesca), accentrato per $^2/_5$ in Toscana e per il resto disperso nel Nord nella forma ridotta *Lisabetta*, è ampiamente diffuso in tutta l'Italia nelle forme ridotte *Elisa* (accentrata tuttavia per $^1/_4$ in Lombardia) e *Lisa* (rara però nel Sud), mentre i derivati *Lisena* e *Lisinda*, che possono anche avere un'altra origine, sono prevalentemente toscani. La base lontana è il nome ebraico dell'Antico Testamento, *'Elīsheba'*, della moglie di Aronne (adattato in greco come *Elisabéth*), composto con *'El* 'Dio' (v. *Elìa*) e *sheba'* 'sette', ma in senso figurato, dato che il 7 era il numero perfetto, 'perfezione', quindi 'il mio Dio è perfezione' (poi reinterpretato come *shabat* 'riposare', quindi 'il mio Dio è riposo'). Il nome riappare nel Nuovo Testamento, nel Vangelo di Luca, per la moglie del profeta Zaccaria e madre di San Giovanni l'Evangelista, nella forma greca *Elisábet* e latina *Elísabet*. Questo nome latino, che poteva essere sia israelitico sia cristiano, perché la Chiesa riconosce la madre dell'Evangelista come santa, passò in tutte le lingue di Europa, dallo spagnolo antico *Isabel* e moderno *Isabel* (v. *Isabella*), al francese *Élisabeth*, al tedesco *Elisabeth*, all'inglese *Elizabeth*, ecc. (e queste forme in Italia sono sia di residenti di lingua straniera sia nomi recenti di moda), e nell'italiano *Elisabetta*, dove si affermò come nome cristiano di numerosissime sante e beate, ma anche come nome di prestigio, portato da varie sovrane di molti stati europei, e infine come nome di moda, assumendo le più brevi, agili e fonicamente gradevoli forme ridotte *Lisabetta*, *Elisa* e *Lisa* (v. anche *Betta* e *Isa*).

Elisèo (8.000) M. ABBREVIATI: *Lisèo* (100). - F. *Elisèa* (400). Distribuito in tutta l'Italia, ma più raro nel Sud, è un nome sia israelitico sia, e soprattutto, cristiano, che continua il nome del 2° grande profeta di Israele, successore di *Elìa*, *'Elīshā'* in ebraico (attraverso l'adattamento greco *Elisaié* dell'Antico Testamento e *Elisâios* del Nuovo, e quindi latino *Elisaeus*), riconosciuto come santo anche dalla Chiesa cattolica: il nome ebraico, composto con *'El* 'Dio' (v. *Elìa*) e *ish'* 'salvare', può significare 'Dio salva, ha salvato' o 'il mio Dio è salvezza'.

Èlla (700) F. VARIANTI: *Èlly* (300). - M. *Éllo* (100). Accentuato in Emilia-Romagna e Toscana, è un ipocoristico, in parte d'impronta inglese, di nomi vari che presentano un gruppo *el(l)*, come *Elena*, *Isabella*, o in inglese *Ethel*, *Helen* o *Ellen*, *Elizabeth* o *Isabel*, ecc.

Ellèno (60) M. VARIANTI: *Ellènio* (50), *Elènio* (150). - F. *Ellèna* (100). VARIANTI: *Ellènia* (75), *Elènia* (40). Sparso nel Nord e nel Centro, è un gruppo che può presentare tradizioni diverse pur avendo fondamentalmente alla base l'etnico greco *Héllēn Héllēnos*, latinizzato in *Héllen Hellénis*, 'appartenente all'Ellade, alla Grecia antica, alle popolazioni dell'Ellade', diventato anche nome personale, sostenuto come nome cristiano dal culto di Sant'Elleno monaco in Egitto nel IV secolo.

Éllero (300) M. VARIANTI: *Éller* (45). - F. *Éllera* (100). Proprio dell'Emilia-Romagna e qui accentrato nel Forlivese, riflette il culto locale di Sant'Ellero o Illaro abate nel V secolo, e patrono, di Galeata FO: il nome potrebbe avere alla base la variante toscana *éllera* di *édera* (v. *Edera*), specialmente se il santo, come risulta dalla tradizione agiografica, era oriundo della Toscana (dove del resto esiste il toponimo Sant'Ellero di Reggello FI), ma potrebbe essere anche collegato con *Ilario*.

Elmiro (150) M. DERIVATI: *Elmirèno* (20). - F. *Elmira* (400). Distribuito nel Nord e in Toscana (ma anche nel Cosentino per *Elmiro*), è probabilmente una forma abbreviata di *Adelmiro*: il femminile *Elmira* può essere stato in parte diffuso dalla commedia di W. Goethe «*Erwind und Elmire*» (v. *Ervino*).

Eloìsa (1.900) F. VARIANTI: *Eloìsia* (40). Distribuito nel Nord e, più raro, nel Centro, si è affermato in Italia nel primo Ottocento, con la diffusione di varie opere letterarie che avevano per tema il tragico amore di Abelardo e Eloisa (v. *Abelardo*): il nome italiano, che solo in minima parte può essere sostenuto dal culto di Santa Eloisa, reclusa nel monastero di Coulombs presso Chartres, è l'adattamento del nome francese di origine germanica *Héloïse*, passato anche all'inglese *Eloisa*.

Elpìdio (1.700) M. VARIANTI: *Erpìdio* (50), *Alpìdio* (50). - F. *Elpidia* (250).

Accentrato nelle Marche (e in particolare nell'Ascolano) e nella Campania, per più della metà complessivamente, e per il resto disperso nel Centro e nel Nord, riflette il culto di vari santi, ma soprattutto, anche in relazione alle due aree di più compatta distribuzione, di Sant'Elpidio abate nel Piceno, patrono di Sant'Elpidio a Mare AP, dove sono conservate e venerate le reliquie (Sant'Elpidio è anche il nome di tre frazioni dell'Ascolano e del Reatino), e Sant'Elpidio vescovo di Atella PZ, uno dei 12 sacerdoti dell'Africa (v. anche *Adiutore*, *Castrese* e *Canio*) che, per sfuggire alle persecuzioni dei Vandali nel V secolo, si rifugiarono in Campania. *Elpidio* continua il nome gentilizio e poi individuale latino di età imperiale *Elpidius* o *Helpidius*, dal greco *Elpídios*, derivato, con valore affettivo e augurale, da *elpís elpídos* 'speranza'.

Élsa (89.000) F. VARIANTI: *Élse* (500), *Élsia* (100), *Élza* (300). ALTERATI: *Elsina*. NOMI DOPPI: *Élsa Marìa* (300). - M. *Élso* (2.500). VARIANTI: *Élsio* (100), *Élzo* (150), *Élzio* (50). ALTERATI: *Elsino* (20). Distribuito nel femminile in tutta l'Italia, ma più raro nel Sud, nel maschile nel Nord e nel Centro, con maggiore frequenza in Piemonte e Valle d'Aosta, è l'ipocoristico di *Elisa*, da *Elisabetta*, affermatosi in Italia sul modello del tedesco *Else* (forma che predomina nella provincia autonoma di Bolzano di lingua maggioritaria tedesca) o *Elsa*, ipocoristico di *Elsbeth* e questo a sua volta di *Elisabeth* (v. *Elisabetta*). La grande diffusione in Italia è avvenuta sia per la brevità e l'armonia fonica, sia per il nome dell'eroina del «Lohengrin» di R. Wagner del 1846-48.

Elvèzia (4.000) F. VARIANTI: *Elvetia* (75). - M. *Elvèzio* (2.200). VARIANTI: *Alvèzio* (150). Diffuso tra il Nord, con più alta frequenza per *Elvezia* in Lombardia, e il Centro, presenta due possibili tradizioni diverse. Può avere alla base il nome letterario della Svizzera, in latino *Helvetia*, come regione storica abitata dagli *Helvetii*, popolazione gallica insediata tra il Reno, il Giura e le Alpi centro-settentrionali, e può avere anche una matrice ideologica, in quanto la Svizzera è stata tra l'Ottocento e il primo Novecento rifugio di anarchici e perseguitati politici italiani. Ma può derivare soprattutto dall'etnico *Elvezio*, *Elvezia*, appartenente al popolo degli *Elvezi*, nome personale già attestato in latino come *Helvetius* e *Helvetia*.

Èlvi (800) F. VARIANTI: *Èlvy* (150). Distribuito tra il Nord e la Toscana, è l'ipocoristico dei nomi femminili *Elva* o *Elvia*, *Elvezia*, *Elviana*, *Elvidia*, *Elvina*, *Elvira*, *Elvisa*.

Èlvio (9.700) M. VARIANTI: *Èlvo* (400). ALTERATI E DERIVATI: *Elvino* (1.750), *Elvìnio* (50), *Elvènio* (25); *Elvìdio* (700); *Elviàno* (25). ABBREVIATI: *Vidio* (50). - F. *Èlvia* (4.500). VARIANTI: *Èlva* (1.500), *Èlvea* (150); *Elvina* (2.500), *Elvìnia* (25), *Elvidia* (75) e *Elvida* (50), *Elviàna* (50). Distribuito nel Nord e nel Centro, con diversa frequenza nelle varie forme, ha alla base il gentilizio latino *Helvius* (al femminile *Helvia*, nome della moglie del filosofo Seneca), un originario soprannome derivato da *helvus* o *helvius* 'di colore giallo-rossastro, o giallastro tendente al verde', dato in relazione ai capelli. Anche gli alterati e derivati continuano nomi gentilizi o soprannomi già latini, come *Helvianus*, *Helvidius*, *Helvinus* con i rispettivi femminili. Ma *Elvino* ha anche un'origine del tutto diversa: è un nome di moda teatrale, accentrato infatti in Emilia-Romagna, ripreso dal protagonista dell'opera lirica «La sonnambula» di V. Bellini, *Elvino*, l'innamorato di Amina (v. *Amina*), che il librettista F. Romani ha probabilmente adottato dal nome germanico *Alfwin* (in danese *Elvin*, in tedesco *Alwin*, in inglese antico *Aelfwin*), composto dell'inglese (e tedesco) *elf* 'elfo', spirito o demone della natura, e *wine* 'amico', quindi 'amico degli elfi' (v. *Elfo* e *Alboino*, che è il corrispondente italiano del germanico *Alwin*).

Elvira (114.000) F. ALTERATI: *Elvirina* (50). - M. *Elviro* (825). VARIANTI: *Elvirio* (25). ALTERATI: *Elverino* (25). Ampiamente distribuito in tutta l'Italia, è un prestito dallo spagnolo *Elvira*, nome femminile affermatosi in Italia non tanto per un influsso diretto, durante la dominazione spagnola, ma soprattutto nell'Ottocento, e specialmente nell'Ottocento, ripreso dal nome della protagonista di varie opere drammatiche e liriche, come il «*Don Juan ou le festin de pierre*»

del 1665 di J. M. Molière e il «Don Giovanni» di W. A. Mozart rappresentato per la 1ª volta a Praga nel 1787 (nelle quali Elvira è l'amante abbandonata di Don Giovanni), «I puritani» di V. Bellini, l'«Ernani» di G. Verdi, ecc. Lo spagnolo *Elvira*, antico *Gelvira*, è un nome di origine germanica di tradizione visigotica, composto di *gail* 'allegro' (o *gails* 'lancia') e dal gotico *wêrs* 'amica cordiale; amichevole', con un significato originario che potrebbe essere 'allegra e cordiale' (o 'amica della lancia', 'che sa usare bene la lancia').
Elvìsio (150) M. VARIANTI: *Elviso* (50), *Elvise* (50). - F. *Elvìsia* (50). VARIANTI: *Elvisa* (100). Disperso nel Nord e nel Centro, e più frequente in Emilia-Romagna, è probabilmente un'alterazione del nome *Alvisio* o *Alvise* (v. *Aloisio*).
Emanuèle (45.000) M. VARIANTI: *Emmanuèle* (200), *Emanuèllo* (20), *Emanuèl* (80) e *Emmanuèl* (50). ALTERATI: *Emanuelito* (25). ABBREVIATI: *Manuèle* (150), *Manuèl* (250), *Manòlo* (50). NOMI DOPPI: *Emanuèle Filibèrto* (100). - F. *Emanuèla* (28.000). VARIANTI: *Emmanuèla* (250), *Emanuèlla* (1.300), *Emmanuèlla* (75). ALTERATI: *Emanuelita* (400). ABBREVIATI: *Manuèla* (200) e *Manuelita* (300), *Manoèla* (250), *Manòla* (2.200). Ampiamente diffuito in tutta l'Italia nella forma fondamentale, è accentrato nel Nord e soprattutto in Toscana in quelle abbreviate, ha alla base il nome ebraico *'Immānū'ēl* 'Dio è con noi' (propriamente 'con noi Dio') con cui il profeta Isaia, nell'Antico Testamento, denomina il futuro Messia, salvatore del popolo di Israele, grecizzato in *Emmanuē'l* e latinizzato in *Emmanuél*: è un nome solo in minima parte israelitico e di norma cristiano, in quanto fu assunto dal cristianesimo come appellativo di Gesù, il Salvatore. *Emanuele Filiberto* non è in realtà un nome doppio, ma unitario, ripreso da Emanuele Filiberto duca di Savoia nel Cinquecento, il grande condottiero degli eserciti imperiali spagnoli che riuscì a rendere indipendente il ducato sia dalla Francia sia dalla Spagna. Le forme abbreviate in *Man-* sono spagnole, e possono essere sia nomi di residenti stranieri in Italia di lingua spagnola, sia anche nomi di Italiani affermatisi

per moda, anche letteraria, teatrale e cinematografica.
Emerenzìàna F (900). - M. *Emerenzìàno* (50). VARIANTI: *Emerènzio* (50). Più frequente nel Nord, e accentrato per i ⁵/₆ per *Emerenzio* in Emilia-Romagna, è un nome cristiano affermatosi con il culto di Santa Emerenziana, sorella di latte, secondo la tradizione, di Sant'Agnese, lapidata durante le persecuzioni di Diocleziano presso il sepolcro di questa santa sulla via Nomentana. L'originario nome latino di età imperiale *Emerentius* e *Emerentianus* è derivato dal participio presente *émerens emeréntis* del verbo *emerére* (composto di *ex* e *merére* 'meritare'), con il significato di 'che ha ben meritato'.
Emerico (500) M. VARIANTI: *Emerigo* (30), *Elmerico* (20). - F. *Emerica* (50). Disperso tra Nord e Centro (ma *Elmerico* è del Napoletano), è un ormai esile riflesso del culto per Sant'Emerico principe di Ungheria, figlio del re Stefano, degli inizi dell'XI secolo, anch'egli santo: il nome, in ungherese moderno *Imre* e antico *Imbreh*, risale al germanico di tradizione gotica *Ambrich* o *Amrich*, composto con *ama-l* 'attivo, valoroso' (v. *Amalia*) o *haimi-* 'patria', e *rikja-* 'potente; signore, ricco', quindi 'valoroso o potente in patria' (corrispondente a *Amerigo*, con la variante *Almerico* da cui si è formata, per incrocio, la rarissima forma *Elmerico*).
Emèrio (30) M. ALTERATI: *Emerino* (50). - F. *Emèria* (25). VARIANTI: *Emèra* (50). ALTERATI: *Emerino* (50). - F. *Emèria* (25). VARIANTI: *Emèra* (50). ALTERATI: *Emerina* (150). Disperso nel Nord, potrebbe essere un esile riflesso del culto di Sant'Emerio, combattente con Carlo Martello o Carlo Magno contro i Saraceni di Francia, da un nome latino tardo *Hemerius*, dal greco *Hēmérios*, oppure da una variante di *Amerio* come diverso adattamento del francese antico *Aimiers* (v. *Amerio*).
Èmi (800) F. VARIANTI: *Èmy* (1.000), *Èmj* (50); *Èmmi* (75), *Èmmy* (500). ALTERATI: *Emina* (75). Distribuito nel Nord e in Toscana, è l'ipocoristico di vari nomi femminili che iniziano per *Em-*, soprattutto *Emilia* ma in qualche caso anche *Emanuela*, *Emidia*, *Emma*.

Emìdio (12.000) M. VARIANTI: *Emìddio* (1.000). ABBREVIATI: *Mìdio* (50). - F. *Emìdia* (1.200). VARIANTI: *Emìddia* (150). Proprio dell'Ascolano e del Teramano, dove è accentrato per quasi la metà, e per il resto disperso soprattutto per antica immigrazione interna (le forme in -*dd*- sono della Campania e in parte della Puglia), è insorto e si è affermato, nell'ultimo Medio Evo, con il culto locale di Sant'Emidio di Treviri che, secondo una tarda «Passione» leggendaria dell'XI secolo, sarebbe stato il primo vescovo di Ascoli Piceno, martirizzato durante l'impero di Diocleziano, patrono di Ascoli (e di Leporano TA) e protettore contro il terremoto. L'origine del nome, che nel latino ecclesiastico è tramandato nelle forme *Emygdius* o *Aemygdius*, è ignota: non esiste alcun nome né greco, né latino, e neppure germanico o gallico (dato che la leggenda lo dice oriundo di Treviri), che possa essere alla base di *Emidio*.

Emiliàno (3.400) M. ABBREVIATI: *Miliàno* (100). - F. *Emiliàna* (5.000). ABBREVIATI: *Miliàna* (300). Accentrato nel Nord e soprattutto in Toscana, raro nel Centro (fuorché a Trevi e nel Perugino), continua il nome gentilizio latino *Aemilianus*, derivato da *Aemilius* (v. *Emilio*), sostenuto dal culto di vari santi e sante di questo nome, e in particolare di Sant'Emiliano vescovo di Nantes, patrono di Trevi PG, Sant'Emiliano vescovo di Vercelli, e Santa Emiliana di Roma, vergine, zia di San Gregorio Magno papa.

Emìlio (138.000) M. ALTERATI: *Emiliétto* (25). - F. *Emìlia* (151.000). ALTERATI: *Emiliétta* (900). ABBREVIATI: *Mìlia* (75). Ampiamente diffuso in tutta l'Italia, con più alta compattezza in Lombardia, è ripreso dall'ultimo Medio Evo e dal Rinascimento dall'antico gentilizio latino *Aemilius* di probabile origine etrusca, sostenuto in parte dal culto di vari santi e sante di questo nome, tra cui Sant'Emilio martire in Sardegna con Prìamo, patrono di Bosa NU, e Santa Emilia di Vialar, fondatrice a Marsiglia, nell'Ottocento, dell'Istituto delle suore di San Giuseppe dell'Apparizione.

Emira (700) F. - M. *Emiro* (200). VARIANTI: *Emirio* (75). Disperso nell'estremo Sud continentale, e più frequente nel Leccese, non consente, per la mancanza di documenti antichi, una spiegazione fondata: potrebbe riflettere un antico culto locale di una santa di cui manca ogni tradizione, o un soprannome da *emiro*, titolo dei califfi e poi dei comandanti turchi (attestato nella Sicilia orientale come *Emirru*).

Èmma (123.000) F. NOMI DOPPI: *Èmma Marìa* (700). - M. *Èmmo* (100). Ampiamente diffuso in Italia, è un nome germanico documentato dal VII secolo nelle forme *Immo*, maschile, e *Imma* e poi *Emma* femminile. L'etimo è incerto: potrebbe essere una forma assimilata di *Irmo* e *Irma*, ipocoristici di nomi composti con il primo elemento **irmin-* 'grande, potente' (v. *Irma*).

Èmo (2.700) M. VARIANTI: *Èmio* (150). - F. *Èma* (100). ALTERATI: *Emina* (75). Accentrato in Toscana e sporadico nel Nord, è l'ipocoristico delle forme abbreviate *Ademo* o *Ademio* e *Adema* o *Ademia* del nome di origine germanica *Ademaro*, propri anch'essi della Toscana (v. *Ademaro*).

Empèdocle (100) M. Specifico della Sicilia, è una ripresa tarda e colta, di prestigio, del nome del grande filosofo, poeta e oratore greco del V secolo a.C. Empedocle di Agrigento, in greco *Empedoklês*, latinizzato in *Empédocles*, formato da *émpedos* 'fermo; risoluto, costante' e -*klês* da *kléos* 'risonanza, fama', quindi con il significato originario di 'famoso, illustre per la sua fermezza, risolutezza'.

Enèa (7.000) M. VARIANTI: *Enèo* (150). Distribuito in tutta l'Italia, ma più frequente nel Nord e soprattutto in Emilia-Romagna, è un nome classico, ripreso dall'ultimo Medio Evo dal nome dell'eroe troiano Enea, figlio del re Prìamo e della dea Afrodite, che dopo la distruzione di Troia sarebbe venuto, con un fortunoso lungo viaggio, nel Lazio, per fondarvi la stirpe da cui sarebbero discesi i Romani: il nome dell'eroe, già presente nell'«Iliade» di Omero e nella poesia epica greca postomerica, si è diffuso soprattutto attraverso l'«Eneide» di Virgilio, rielaborata e tradotta tra il XII e il XVI secolo, e poi, nel Settecento, con la fortuna del melodramma di P. Metastasio del 1724 «Didone abbandonata». Il nome greco *Ainéias* o *Ainéas*, latinizzato in *Aenéas*, e interpretato già nell'antica tradizione greca, per etimologia popolare, come un derivato di *ainós* 'terribile, che incute paura', appartiene certamente a una lingua pregreca dell'Asia anteriore, e il suo etimo e significato originario è ignoto. La variante *Eneo* è tarda, popolare, insorta per riportare il nome in *-a* alla normale terminazione in *-o* dei maschili.

Enedina (1.300) F. VARIANTI: *Enerina* (400). - M. *Enedino* (50). VARIANTI: *Enerino* (50), *Enèrio* (100). Specifico della Sardegna, anche se ora presente sporadicamente in tutta l'Italia per immigrazione interna, risale al culto locale di Santa Enedina, martire in Sardegna, secondo una tradizione leggendaria, durante l'impero di Adriano, insieme a Giusta e Giustina, e sepolta con esse nella chiesa di Santa Giusta presso Oristano (sono forse tre o due martiri africane attribuite poi alla Sardegna). Il nome della santa, tramandato in volgare come *Enedina*, *Enerina* o *Eredina* (e nel latino ecclesiastico *Heredina* e *Herectina*), non ha alcuna spiegazione fondata, e questo, insieme alla varietà delle forme, conferma la leggendarietà della tradizione agiografica.

Enèide (500) F. Disperso tra il Nord e il Centro, è un nome di matrice classica, ripreso dal Rinascimento dal titolo del poema di Virgilio «Eneide», in latino «*Aenéis (Aenéidos)*», dal nome dell'eroe troiano *Aenéas*, v. *Enea*, accolto anche per formare un femminile corrispondente al maschile Enea.

Engelbèrto (25) M. - Accentrato tra l'Emilia-Romagna e la provincia autonoma di Bolzano, è l'italianizzazione del nome tedesco *Engelbert* (1.000) molto diffuso nella comunità di lingua tedesca dell'Alto Adige, sostenuto dal culto di Sant'Engelberto arcivescovo di Colonia, assassinato nel 1225 e considerato dalla Chiesa martire: per la formazione, l'etimo e il significato del nome, v. *Angilberto*, che è una variante francone connessa con un culto diverso.

Èngels (100) M. VARIANTI: *Èngel* (20), *Enghel* (20). Distribuito nel Nord e più frequente in Toscana, è un nome ideologico, di matrice socialista, insorto nel secondo Ottocento in relazione al filosofo e politico tedesco Friedrich Engels, morto nel 1895, fondatore e orga-

nizzatore, con Karl Marx, del materialismo storico e del comunismo. Il cognome tedesco *Engel* o *Engels* (pronunciato con *-gh-* anche negli adattamenti italiani) deriva dall'ipocoristico, o dall'elemento iniziale, di nomi personali come *Engelbert* o *Engelbrecht* (v. *Angilberto*), *Engelhardt*, o di cognomi come *Engelsmann*.

Ènio (4.300) M. - F. *Ènia* (900). VARIANTI: *Èni* (500), *Èny* (300), *Ènni* (500), *Ènny* (300). Accentrato in Toscana e sporadico nel Centro-Nord, costituisce probabilmente un gruppo di ipocoristici di nomi che terminano in *-ènio* o *-ènia*, o in *-èno* e *-èna*, come *Eugenio* e *Eugenia*, i rari *Parmenio*, *Partenio* e *Partenia*, o anche, per le varianti, *Filomena*, *Maddalena*, *Milena*, *Nazareno* e *Nazarena*.

Ènnio (47.000) M. - F. *Ènnia* (2.500). Ampiamente diffuso nel Nord e nel Centro, raro nel Sud, è una ripresa classica, rinascimentale e moderna, del nome gentilizio e poi personale latino *Ennius*, di origine messapica, reso illustre dal primo grande poeta epico e tragico latino Quinto Ennio, nato a Rudiae, presso Lecce, nel 239 a.C.

Ènoch o *Enòch* (100) M. VARIANTI: *Enoc* o *Enòc* (50). Disperso nel Nord, con maggiore frequenza nel Veneto, e in Toscana, è un nome israelitico ripreso da vari personaggi dell'Antico Testamento, figlio uno di Jared, interprete dei misteri del cielo e della terra e assunto in cielo prima della morte, un altro di Caino, e un altro di Ruben: il nome ebraico *Hanōk* (grecizzato in *Enō'ch* e latinizzato in *Henoch* e *Enoch*, deriva dal verbo *hānakh* 'istruì, educò', con il significato di 'iniziato ai culti, erudito'.

Ènos (850) M. Raro e disperso, è un nome prevalentemente israelitico ripreso dal personaggio dell'Antico Testamento Enos (dall'ebraico *'Enōsh*, grecizzato in *Enō's*, 'uomo'), figlio di Set e nipote di Adamo.

Enòtrio (50) M. - F. *Enòtria* (75). Disperso tra il Nord e il Centro, con maggiore frequenza a Roma, è un nome letterario, ripreso dallo pseudonimo classicheggiante adottato da G. Carducci per le sue opere giovanili («*Juvenilia*», «*Levia Gravia*», ecc.) *Enotrio Romano*, dall'etnico greco *Oinōtrós*, latinizzato in *Oenótrius*, 'abitante dell'Enotria', in greco *Oinōtría* in latino *Oenótria*, nome dell'estremo Sud-Est dell'Italia antica e poi, in usi letterari, di tutta l'Italia. E dal nome *Oinōtría*, latino *Oenótria*, della regione italica (che i Greci facevano derivare da un mitico eroe venuto dall'Arcadia, *Oinōtros*, o, fantasiosamente, dal nome del vino, *ôinos*, come 'terra del vino') può essere derivato direttamente, sempre con matrice classica e colta, il nome femminile *Enotria*.

Enrico (207.000) M. VARIANTI: *Errico* (1.700), *Errigo* (50), *Anrico* (25). ALTERATI: *Enrichétto* (300). ABBREVIATI: *Rico* (100), *Richétto* (50). - F. *Enrica* (74.000). VARIANTI: *Errica* (150). ALTERATI: *Enrichétta* (21.000), *Errichétta* (150). ABBREVIATI: *Rica* (200). Ampiamente diffuso nella forma fondamentale in *Enr-* in tutta l'Italia, ma più nel Nord, soprattutto in Lombardia, è invece accentrato nel Lazio e in Campania nella variante assimilata in *Err-* (e in Calabria per *Errigo*). Ha alla base il nome germanico *Haimirich*, composto da **haimi-* 'casa, patria' (in tedesco *Heim*, in inglese *home*) e **rikja-* 'ricco, potente; signore, dominatore', con il significato originario di 'potente, dominatore nella sua patria', affermatosi in Italia, con tradizione prevalentemente tedesca, per il prestigio degli imperatori e re di Germania di questo nome (in tedesco *Heinrich*: da Enrico I a Enrico VII, dal X al XIII secolo), e di numerosissimi santi e sante, beati e beate, così denominati (tra cui, appunto, l'imperatore Enrico II il Santo). Alla stessa base germanica risalgono le varianti *Arrigo*, più adattata al sistema fonetico toscano e italiano, e *Amerigo*, di tradizione già ostrogotica e poi francone.

Enzo (118.000) M. VARIANTI: *Enzio* (1.100). ALTERATI: *Enzino* (50). - F. *Enza* (23.000). VARIANTI: *Enzia* (200). ALTERATI: *Enzina* (200). Ampiamente diffuso in tutta l'Italia, ma più nel Nord e in particolare in Lombardia per *Enzo* e nel Sud e in particolare in Sicilia per *Enza*, continua l'ipocoristico tedesco *Heinz* di *Heinrich* (v. *Enrico*), e si è affermato in Italia per la notorietà di Enzo re di Sardegna, figlio dell'imperatore Federigo II di Svevia, poeta e valoroso difensore dell'Impero, morto prigioniero a Bologna nel 1272.

Eolo (1.650) M. - F. *Eòla* (250). Distribuito nel Nord e nel Centro, è un nome di matrice classica e letteraria, ripreso dal Rinascimento dal dio o signore dei venti Eolo, in greco *Áiolos* latinizzato in *Aeolus*, dall'aggettivo *aiólos* 'rapido, mutevole' (come il vento), identificato con il mitico capostipite degli Eoli, la stirpe greca insediata sulle coste anatoliche dell'Asia Minore, divulgato in ambienti colti soprattutto dall'«Eneide» di Virgilio.

Epaminónda (200) M. Accentrato in Emilia-Romagna per la metà, e per il resto disperso nel Nord, è una ripresa classica, storica, del nome del grande uomo politico e comandante tebano Epaminonda, morto nella battaglia di Mantinèa nel 362 a.C., in greco *Epaminō'ndas* o *Epameinō'ndas*, latinizzato in *Epaminondas*, formato da *epí* rafforzativo e da *améinōn*, 'che eccelle, molto valoroso'.

Epifânio (2.400) M. VARIANTI: *Epifano* (20). - F. *Epifània* (2.500). Accentrato per la metà in Sicilia e per il resto disperso, si è affermato con il culto di Sant'Epifanio vescovo di Pavia e martire nel V secolo e di Sant'Epifanio vescovo di Costanza di Cipro nel IV secolo, e di Santa Epifania, secondo una tradizione leggendaria martire a Lentini SR durante le persecuzioni di Diocleziano. L'originario nome greco, *Epiphánios*, latinizzato in *Epiphanius*, è derivato da *epiphanē's* (dal verbo *epipháinesthai* 'apparire, diventare visibile') 'ben distinto; illustre, nobile'.

Epìmaco (25) M. Rarissimo, disperso in Emilia-Romagna e in Toscana, è l'esile riflesso del culto di Sant'Epimaco martire a Alessandria d'Egitto sotto l'imperatore Decio, nome adottato nel latino *Epimachus* dal greco *Epímachos*, propriamente 'combattente, difensore' (dal verbo *epimachêin* 'combattere in difesa di...'), riferito, in ambienti cristiani, a chi combatte in difesa della fede.

Epimènio (25) M. Attestato sporadicamente nell'Aquilano, riflette probabilmente un culto locale, non ufficiale, per un santo di questo nome originariamente greco, *Epiménios*, latinizzato in

Epimenius, derivato dal verbo *epiménein* 'star fermo, saldo; persistere, perseverare', quindi 'fermo, perseverante', riferito in ambienti cristiani alla perseveranza nella fede.

Èra (300) F. Disperso nel Nord e in Toscana, è un nome classico, mitologico e letterario, ripreso dalla dea suprema del pantheon greco *Héra* (in latino *Hera*, identificata con Giunone), figlia di Crono, sorella e moglie di Zeus, nome di origine incerta, accostato senza sicuro fondamento a *hérōs* 'eroe'. In qualche caso può anche rappresentare l'adattamento morfologico, con la normale terminazione in -*a*, del nome femminile *Ero* (v. *Ero*).

Eràclio (550) M. VARIANTI: *Eraclèo* (25), *Eràlio* (50). - F. *Eràclia* (75). VARIANTI: *Eraclèa* (40). Raro, disperso soprattutto nel Nord e nel Centro, riflette il culto di vari santi e sante di questo nome greco, *Heráklios* o *Herákleios*, adottato anche in latino come *Heráclius* o *Heraclíus*, *Heracléus*, derivato da *Heraklês*, l'eroe Eracle (in latino *Hercules*, v. *Ercole*), con il significato quindi di 'sacro, dedicato a Eracle'.

Eràclito o *Eraclito* (50) M. - F. *Eràclita* o *Eraclìta* (40). Disperso tra il Nord e il Centro, è una tarda ripresa classica del nome del grande filosofo greco del VI-V secolo a.C. Eraclito di Efeso, in greco *Herákleitos* latinizzato in *Heraclítus*, formato da *Héra*, v. *Era*, e da *kleitós* (da *kléos* 'risonanza, fama') 'famoso, illustre', con un significato originario che potrebbe essere 'illustre per la protezione della dea Era'.

Eraldo (11.000) M. VARIANTI: *Erardo* (250). ABBREVIATI: *Raldo* (50). - F. *Eralda* (1.400). Diffuso nel Nord e nel Centro, e con maggiore frequenza in Liguria, continua un nome germanico, di tradizione francone e poi tedesca (in tedesco moderno *Erhard* o *Erard*), composto con *harja 'popolo in armi, esercito' (in tedesco antico *heri*) e *hardhu- 'forte, valoroso', con il significato originario di 'forte, valoroso nell'esercito', oppure, come 2° elemento, *alda- 'anziano, saggio', quindi 'saggio tra il popolo in armi, nella guida dell'esercito'. Il tipo *Eraldo* può anche rappresentare una variante fonetica italiana, o un'alterazione, di *Aroldo*.

Erasmo (7.500) M. VARIANTI: *Èramo* (40), *Èrmo* (300), *Èlmo* (1.800); *Tèlmo* (150). ALTERATI: *Elmino* (50). ABBREVIATI: *Rasmo* (50). - F. *Erasma* (300). VARIANTI: *Èrma* (100), *Èlma* (1.700); *Tèlma* (150), *Thèlma* (100). ALTERATI: *Elmina* (600). Distribuito in tutta l'Italia peninsulare, con diversa frequenza nelle varie forme: *Erasmo* è accentrato per ¹/₃ nel Lazio e nella Campania settentrionale, *Eramo* nel Centro-Sud, *Ermo* nel Nord e in particolare nel Veneto, *Elmo* nel Centro-Nord e così pure *Telmo*, che è più compatto nelle Marche e nella Toscana occidentale. La storia di questo nome, e delle sue varie forme, è particolarmente complessa e interessante. La base lontana è il nome greco *Érasmos*, latinizzato in *Erásmus*, derivato dal verbo *éramai* 'amare, desiderare', con il significato quindi di 'amato, desiderato', riferito al figlio, frequente anche in Roma antica e diffuso poi, nel Medio Evo, con il culto di vari santi e sante così denominati, e soprattutto di Sant'Erasmo vescovo e martire a Formia, le cui reliquie furono trasportate nella cattedrale di Gaeta, patrono appunto di Formia e Gaeta (dove il nome, come pure in tutta la provincia di Latina, ha ancora un'alta frequenza), di Sant'Eramo in Colle BA, di Reitano ME e di altri centri. Ma, soprattutto nel Sud, il nome si era diffuso nella forma greca, e quindi con l'accento originario proparossitono, italianizzata in *Eramo*, poi ridotta, per la caduta della vocale postonica, a *Ermo* (e Sant'Ermo è una piccola frazione di Casciana Terme in provincia di Pisa), poi alterata, per il frequente scambio tra -*r*- e -*l*- o per etimologia popolare, in *Elmo*. Intanto il santo, nelle zone marittime dell'Italia e del Mediterraneo occidentale, era diventato il protettore dei marinai, invocato soprattutto, anche in Spagna, nella forma più popolare Sant'Elmo, tanto che nell'ultimo Medio Evo vennero denominati «fuochi di Sant'Elmo» quei fenomeni luminosi che apparivano di notte in cima agli alberi delle navi, dovuti in realtà all'elettricità atmosferica, ma che i marinai ritenevano diabolici e segno di sciagure per cui invocavano la protezione di Sant'Elmo. Da Sant'Elmo, per errata divisione dei due elementi (cioè San Telmo), è quindi derivata, in Italia e in Spagna, la forma *Telmo*, mentre da Erasmo, soprattutto in Toscana, derivava la forma procopata *Rasmo*, per cui nell'italiano antico è chiamato «mal di San Rasmo» il male di ventre, per la tradizione che il martire fosse stato a lungo torturato e anche sventrato.

Ercolano (200) M. VARIANTI: *Ercoliàno* (100), *Èrculiàno* (50). Raro e disperso, ma più frequente nel Nord, è il riflesso del culto di vari santi di questo nome, in latino *Herculanus*, derivato di *Hercules* con il valore di 'sacro, dedicato a Ercole' (v. *Ercole*).

Èrcole (21.000) M. ALTERATI: *Ercolino* (800). - F. *Èrcola* (100). ALTERATI: *Ercolina* (4.500). Ampiamente diffuso in tutta l'Italia con più alta compattezza nel Nord, è un nome di matrice classica, colta e letteraria, ripreso dall'ultimo Trecento dall'eroe e semidio (in quanto figlio di Zeus e di Alcmena) Ercole, o Eracle, celebre per la sua forza eccezionale (da cui «forza erculea»), per le «12 fatiche» impostegli per espiare la colpa di avere ucciso i figli, e per infinite altre imprese eroiche, protagonista di opere varie, soprattutto tragedie, greche e latine, che motivano la ripresa e la diffusione del nome (promossa, nel Nord, dal prestigio di Ercole I, II e III d'Este, marchesi e duchi di Modena e Reggio Emilia dal XV al XVIII secolo). Il nome greco originario *Heraklês*, di cui il latino *Hercules*, è un adattamento per tramite dell'etrusco *Hercles*, è composto con *Hē'ra* (v. *Era*) e *-klês* da *kléos* 'risonanza, fama', con il significato di 'che ha fama, che è illustre per la protezione della dea Era'.

Erènnio (200) M. VARIANTI: *Erènio* (40). - F. *Erènia* (50). Raro e disperso, ma più frequente nella forma *Erennio* nel Molise, ha alla base il gentilizio latino *Herennius*, derivato dal nome personale *Herennus*, dall'osco *Heirens* o dall'etrusco *Herina* di incerto significato. Il nome può essere stato sostenuto dal raro culto di un leggendario Sant'Erennio, un monaco o eremita inglese o scozzese venuto in Germania nel Medio Evo con Arco e Guardano, il cui nome originario era però *Haindrit* (forse una variante di *Heinrich*, v. *Enrico*), latinizzato nella tradizione ecclesiastica in *Herennius*.

Eribèrto (600) M. VARIANTI: *Aribèrto* (600), *Erbèrto* (500), *Elibèrto* (25). - F. *Eribèrta* (50). Proprio del Nord, raro nel Centro, è un nome di origine germanica di tradizione già longobardica (Ariperto I e II sono re dei Longobardi dal 653 al 712), poi francone e tedesca (*Heribert* o *Herbert* e *Haribert*), composto con **harja-* 'popolo in armi, esercito' e **berhta-* 'illustre, famoso', con il significato di 'illustre nel suo esercito', promosso anche per il culto di vari santi, tra cui Sant'Eriberto arcivescovo di Colonia morto nel 1021 nell'abbazia di Deutz, Sant'Ariberto vescovo di Tortona AL nel IV secolo (secondo una tradizione leggendaria), e Sant'Erberto vescovo e patrono di Conza nella Campania AV.

Èrica (2.800) F. VARIANTI: *Èrika* (3.500). - M. *Èrico* (200). Distribuito nel Nord, dove è accentuato nella provincia autonoma di Bolzano, e nel Centro, è un nome di origine germanica che in Italia può rappresentare sia il nome di residenti stranieri di lingue scandinave, tedesca e inglese, o italiani della comunità di lingua tedesca dell'Alto Adige – dove ha un'alta frequenza anche il maschile tedesco *Erich* (1.150) –, sia e soprattutto come nome di moda affermatosi negli ultimi decenni, nel femminile, per esotismo, per eufonia, o per modelli letterari o dello spettacolo. La base lontana è il nome scandinavo maschile *Erik* (antico *Eirikr*: Eirikr il Rosso fu il colonizzatore normanno della Groenlandia nel X secolo), tradizionale della casa regnante svedese dal Medio Evo al Rinascimento, diffuso anche in tedesco soprattutto nella forma *Erich*, e femminile *Erika-* comune nella forma *Erica* in inglese (anche per moda recente, per l'eroina, *Erica*, di una popolare novella del 1884 di Edna Lyall, pseudonimo di Ada Ellen Bayley, «We Two», in italiano «Noi due»). In Italia e nei paesi di lingua tedesca *Erica* e *Erika* sono stati promossi da un errato accostamento a *erica* e al tedesco *Erika* (dal latino *erica*), una pianta selvatica delle brughiere a volte coltivata per ornamento.

Eridano (200) M. VARIANTI: *Eridànio* (50). - F. *Eridana* (75). Raro e disperso nel Nord, è forse un nome recente, classicheggiante, connesso con il nome mi-

tologico del fiume Po, in greco *Heridanós* e in latino *Heridanus* o *Eridanus* (attestato anche come tardo nome personale e gentilizio), noto per il mito di Fetonte, figlio del Sole, che vi sarebbe precipitato guidando il carro del padre.
Èride (400) F. - M. *Èrido* (100). Sparso nel Nord, può essere un nome classico, mitologico, ripreso per via letteraria dal Rinascimento dalla dea della discordia, in greco *Éris Éridos* latinizzato in *Eris Eridis* (da *éris* 'discordia', di etimo oscuro), già attestato come nome femminile in Grecia e in Roma.
Erilde (250) F. VARIANTI: *Erilda* (50). - M. *Erildo* (25). Disperso nel Centro-Nord, è un nome di impronta germanica, forse formato da un primo elemento **harja-* 'popolo in armi, esercito' e un secondo *-hilde*, adattato in italiano in *-ilde* o *-ilda*, spesso ridotto, nei nomi femminili, a una semplice forma derivativa o compositiva priva di significato proprio (v. *Brunilde*, *Clotilde*, *Matilde*). Nel tedesco antico sono documentati i nomi femminili *Airhildis* e *Hairildis*, *Harihildis*.
Erina (8.000) F. - M. *Erino* (1.600). Ampiamente diffuso, soprattutto nel Nord, non consente, per mancanza di documentazioni antiche, una spiegazione fondata e unitaria: può essere un diminutivo di *Eria* o *Erio*, di *Era* o *Ero*, e nel Leccese il riflesso del culto di Santa Irene martire in Persia forse sotto l'imperatore Licinio, ma ritenuta, secondo una leggenda del X secolo, originaria di Lecce e qui venerata con il nome di Santa Erina.
Erinna (400) F. VARIANTI: *Erinne* (100). - M. *Erinno* (50). Proprio del Nord, è un nome classico e letterario ripreso dal Rinascimento dalla dea della vendetta e dell'espiazione dei delitti di sangue Erinni (in greco *Erinýs*, di etimo oscuro, latinizzato in *Erínys* o *Erínnys*), poi diversificatisi in tre divinità, spesso ricordate in Omero, in Esiodo, nelle tragedie greche e in varie opere antiche e moderne.
Èrio (4.000) M. DERIVATI: *Eriàno* (25). - F. *Èria* (300). DERIVATI: *Eriàna* (40). Accentrato per i ²/₃ in Emilia-Romagna e per il resto disperso tra il Nord e la Toscana, non consente per mancanza di documentazioni un'inter-

pretazione fondata. A livello di ipotesi formali, potrebbe continuare il tardo ma raro gentilizio latino *Herius* o *Erius*, e *Herianus* (forse da *Hera*, v. *Era*), o rappresentare in parte un ipocoristico di nomi che terminano in *-èrio* o *-èria*, e *-eriàno* o *-eriàna*, come *Amerio*, *Desiderio* o *Desideria*, *Saverio*, *Veneria* e *Venerio*.
Eritrèa (150) F. - M. *Eritrèo* (25). Disperso nel Nord, è un nome ideologico, insorto con le imprese e le guerre coloniali italiane dell'ultimo Ottocento conclusesi nel 1890 con la costituzione della Colonia Eritrea, e in séguito con le guerre italo-etiopiche del 1895-96 e 1935-36: il nome storico dell'Eritrea, dal latino *Erytraea*, è connesso con il Mar Rosso, in greco *erythrós* 'rosso', su cui si affaccia tutta la zona costiera.
Erlinda (250) F. - M. *Erlindo* (20). Disperso nel Nord e più frequente nelle Venezie, è un nome di origine germanica, documentato nel tedesco antico *Erlinda*, composto con il 2° elemento *-linda* (v. *Ermelinda*, di cui potrebbe anche rappresentare in qualche caso l'ipocoristico) e un 1° elemento incerto, forse **harja-* 'esercito' (v. *Eriberto*).
Ermàcora (50) M. VARIANTI: *Ermàgora* (10). Proprio dell'Udinese, è l'esile riflesso (dato che il nome è troppo pesante e solenne) dell'antico culto locale per Sant'Ermacora, primo vescovo di Aquileia nel III secolo e, secondo altre tradizioni tarde, martire con Fortunato durante le persecuzioni di Nerone, patroni di Aquileia, Udine e Gorizia. L'originario nome greco *Hermagóras*, latinizzato in *Hermágoras*, è composto probabilmente da *Hermês*, il dio corrispondente al Mercurio dei Romani (v. *Ermes*) e da *agorá* 'piazza; riunione pubblica, assemblea, consiglio', con un significato complessivo incerto, forse 'consiglio di Ermete'.
Ermanno (37.000) M. VARIANTI: *Ermano* (600), *Ermando* (1.400); *Armanno* (300), *Armano* (400). - F. *Ermanna* (3.500). VARIANTI: *Ermana* (300), *Ermanda* (300). Ampiamente diffuso in tutta l'Italia, ma più compatto in Lombardia, specialmente tra Milano e Como, è un nome di origine germanica, di tradizione già longobardica ma soprattutto tedesca, documentato a partire dal

X secolo nelle forme in latino medievale *Harimannus* o *Herimannus*, *Hermannus* e *Armannus*, composto di **harja-* 'popolo in armi, esercito' e **mann(o)-* 'uomo', quindi 'uomo che fa parte dell'esercito, uomo di guerra' (in tedesco moderno i due elementi sono *Heer* e *Mann*, e il nome è *Hermann*). La stessa formazione ha il nome comune *arimanno*, dal longobardico *hariman*, che indicava gli uomini di condizione libera, dotati di beni terrieri inalienabili, cui era affidata la difesa di centri strategici. La forma *Ermando* è insorta per un incrocio recente di *Ermanno* con *Armando*.

Ermelinda (17.000) F. VARIANTI: *Armelinda* (150). ABBREVIATI: *Melinda* (250). - M. *Ermelindo* (1.000). VARIANTI: *Armelindo* (50). ABBREVIATI: *Melindo* (50). Distribuito in tutta l'Italia, con maggiore compattezza nel Nord, è un nome femminile di origine germanica, di tradizione già longobardica, composto da **ermin-* o **irmin-* 'grande, potente' (che è un epiteto del dio celeste Tiwaz) e **linta-* '(legno di) tiglio' e 'scudo di legno di tiglio', con un significato originario (non necessariamente esistente soprattutto nei nomi femminili) che potrebbe essere 'potente con lo scudo', o 'scudo del potente (dio Tiwaz)'. Il nome, che è documentato in Italia dall'VIII secolo nella forma latinizzata *Hermelinda*, dové esaurirsi, anche per la sua pesantezza e solennità, dopo il Medio Evo, e la sua riadozione è recente, di età romantica, quando fu ridiffuso dal nome Ermelinda della protagonista del popolare romanzo del 1834 «Marco Visconti» di Tommaso Grossi.

Ermellina (1.700) F. VARIANTI: *Ermelina* (1.300), *Ermèlla* (100); *Armellina* (200), *Armelina* (150), *Armèlla* (100), *Armèla* (75); *Emmelina* (150). - M. *Ermellino* (100). VARIANTI: *Èrmelino* (150), *Ermèllo* (25); *Armellino* (50), *Armèllo* (100). Proprio del Nord e della Toscana, è un gruppo unitario per distribuzione, che non ha però un'unica e certa origine, ma può presentare, nei diversi tipi, processi diversi di formazione. Una base può essere un soprannome formato da *ermellino*, in italiano antico anche *armellino* (dal latino medievale *[mus] Armeninus* 'topo dell'Armenia'), che nel Medio Evo era simbolo di candore e di innocenza, soprattutto femminile, e di gentilezza e bontà d'animo. Nel tipo in *Arm-* può continuare l'antico nome femminile *Armella* e *Armellina*, attestato nel Nord nel XII secolo, che continua il tardo latino *Anímula*, diminutivo di *anima* 'anima' (con il valore affettivo, come nome, di «anima mia»), e forse, in qualche raro caso, un soprannome derivato dal nome regionale del Nord dell'albicocca, come *armelìn* del Veneto (dal latino [*pomum*] *Armenium* o *Armeninum*, 'frutto dell'Armenia'). E infine vi possono essere stati incroci vari tra le diverse forme con altri nomi (v. *Armenio*, *Ermelinda*, ecc.), o anche tra loro stesse.

Ermenegildo (12.000) M. ABBREVIATI: *Egildo* (600); *Gildo* (6.500). - F. *Ermenegilda* (7.000). VARIANTI: *Ermengilda* (50). ABBREVIATI: *Egilda* (900), *Egilde* (100); *Gilda* (32.000); *Zilda* (150). Ampiamente diffuso in tutta l'Italia, tuttavia più frequente nel Nord e raro nel Sud, continua un nome germanico di tradizione già gotica, attestato in Spagna già dal VI secolo per il re visigotico *Herminigild* fatto giustiziare dal padre, che lo aveva associato al regno, nel 585 perché aveva abiurato, convertendosi al cattolicesimo, la religione ufficiale ariana, e compreso quindi come santo e martire nel «Martirologio Romano» (e questo culto, pur raro in Italia, può avere in parte contribuito alla diffusione del nome). Il significato originario non è del tutto chiaro: il primo elemento è **ermin-* o **irmin-* 'grande, potente' (v. *Ermelinda*), il secondo è **gildi-* 'che vale, che ha consistenza' (in tedesco *Geld* 'denaro'), riferito in origine alla celebrazione dei sacrifici: il senso unitario potrebbe essere 'capace nei sacrifici' o 'potente e valido'. Accanto alla forma piena, lunga e pesante e anche troppo solenne, si è affermata quella ridotta *Gildo* e *Gilda* (con la rara variante settentrionale *Zilda*): *Gilda* ha recentemente prevalso perché ridiffusa dal «Rigoletto» di G. Verdi (*Gilda* è la figlia del buffone di corte disonorata dal duca, v. *Rigoletto*), e poi dal mediocre ma popolare film di Ch. Vidor del 1946 «Gilda», in cui la protagonista, *Gilda*, è Rita Hayworth.

Ermengarda (300) F. - M. *Ermengardo* (10). Raro e disperso nel Nord, è un nome di origine germanica, ormai rarefatto per la sua pesantezza e solennità, anche se sostenuto dal prestigio di varie regine e principesse del Medio Evo, dal culto, pur raro in Italia, di Santa Ermengarda d'Angers morta nel 1141, e soprattutto, nell'Ottocento, dalla protagonista della tragedia «Adelchi» del 1822 di A. Manzoni, la figlia del re Desiderio dei Longobardi, moglie, poi ripudiata, di Carlo Magno. Il nome germanico, attestato in Italia dal IX secolo nelle forme latinizzate *Ermengarda* o *Hirmingarda*, al maschile *Ermengardus*, composto di **ermin-* o **irmin-* (v. *Ermelinda*) e **gard-* 'verga (magica)' (v. *Aldegardo*), non ha un significato unitario convincente (forse 'verga magica potente', con riferimento a riti sacrali e magici). V. anche *Irma*, ipocoristico di *Ermengarda*, in tedesco *Irmgard*, e di altri nomi femminili germanici con lo stesso 1º elemento.

Èrmes (10.000) M. VARIANTI: *Hèrmes* (400), *Èrnes* (25); *Ermète* (4.700), *Ermite* (25). ALTERATI: *Ermentino* (35). -F. *Ermèta* (50). ALTERATI: *Ermesina* (35), *Ermetina* (100), *Ermentina* (250). Ampiamente diffuso nel Nord (e qui accentrato per la metà in Emilia-Romagna e soprattutto nel Bolognese) e raro nel Centro, è un nome di matrice classica, mitologica e letteraria, ma anche cristiana, in quanto proprio di numerosi santi tra cui Sant'Ermete martire con Aggeo e Caio a Bologna durante le persecuzioni di Massimiano nel IV secolo. Alla base è il nome greco *Hermês* (o, raro, *Hermētê's*), latinizzato in *Hérmes Hermétis*, del dio, figlio di Zeus e di Maia, messaggero degli dei, protettore degli araldi, dei viandanti e dei mercanti, dei ladri, delle greggi, corrispondente al Mercurio dei Romani, personaggio di varie opere letterarie e teatrali classiche: è un nome, come il culto, di origine asianica, il cui etimo e significato è ignoto, già comune in Grecia e anche in Roma imperiale, come il corrispondente latino *Mercurius*, come nome gentilizio e personale, soprattutto di schiavi e liberti.

Ermida (1.300) F. VARIANTI: *Ermide* (500), *Ermilda* (150), *Erminda* (500). - M. *Ermido* (500). VARIANTI: *Ermìdio* (100), *Ernido* (25), *Ermildo* (50), *Ermindo* (650). Gruppo ipotetico, fondato

sulla coerenza di distribuzione, il Nord e la Toscana, dei vari tipi per cui manca una spiegazione unitaria e certa, e che sembrerebbero alterazioni e incroci di vari nomi, come *Armida* e *Erminia*, e, in genere, quelli terminanti in *-ilda* o *-ildo* e in *-inda* o *-indo*.

Ermìnia (68.000) F. - M. *Ermìnio* (26.000). Ampiamente distribuito in tutta l'Italia, con maggiore compattezza nel Nord, è un nome recente, di matrice letteraria, ripreso da un'eroina del poema «La Gerusalemme liberata» di T. Tasso, e soprattutto dei suoi vari adattamenti popolari (rappresentazioni sceniche, cantari, ecc.), frequentissimi fino al secolo scorso: Erminia, giovanissima e timida figlia del re di Antiochia, rappresenta l'amore sfortunato, in quanto è innamorata dell'eroe Tancredi che ama invece Clorinda. Il nome fu ripreso dal Tasso dal latino *Herminia*, femminile di *Herminius*, di origine etrusca e di significato ignoto.

Ermino (50) M. - F. *Ermina* (500). Proprio dell'Emilia-Romagna e disperso nel Nord, può essere una variante di *Erminio* e *Erminia*, sia un diminutivo di *Ermo* e *Erma* (v. *Erasmo*), sia, e soprattutto, un nome di origine germanica formato da **ermin-* 'grande, potente', o ipocoristico di nomi composti con questo elemento (v. *Ermelinda*, *Ermenegildo*, *Ermengarda*).

Ermippo (25) M. Disperso nel Nord, è l'esile riflesso del culto di Sant'Ermippo, martire a Nicomedia durante l'impero di Massimiano con i fratelli Ermocrate e Ermolao: il nome originario greco, molto antico, *Hérmippos* latinizzato in *Hermíppus*, è uno dei numerosi composti con *Hermês*, v. *Ermes*, qui con *híppos* 'cavallo', con un valore semantico non più esattamente identificabile ('cavallo del dio Ermes', 'sacerdote, ministro del dio Ermes'?).

Ermòcrate (20) M. Disperso nel Nord, riflette il culto di Sant'Ermocrate martire (v. *Ermippo*): il nome greco, molto antico, *Hermokrátēs* latinizzato in *Hermócrates*, è composto di *Hermês* e *-krátēs* da *kratêin* 'comandare, dominare', con il significato quindi di 'che ha potere, che comanda con la protezione del dio Ermes'.

Ermògene (250) M. - Sporadico nel

Nord e nel Centro, è un esile riflesso del culto di vari santi e martiri così denominati: l'antico nome greco originario, *Hermoghénēs* latinizzato in *Hermógenes*, è anch'esso un composto con *Hermês*, v. *Ermippo*, e *-ghénēs*, da *ghíghnomai* 'nascere', con il significato quindi di 'figlio, discendente del dio Ermes'.

Ermolào (75) M. Disperso tra il Nord e la Toscana, riflette il culto di Sant'Ermolao martire (v. *Ermippo*), patrono di Calci PI: l'originario nome greco, *Hermólaos* latinizzato in *Hermoláus*, è anch'esso un composto con *Hermês* e *laós* 'popolo', con un significato originario incerto ('che appartiene alla comunità del dio Ermes', 'messaggero, araldo del popolo'?).

Ernani (1.300) M. VARIANTI: *Ernano* (100). ALTERATI: *Ernino* (100). Distribuito in tutta l'Italia peninsulare, ma accentrato in Lombardia e, soprattutto per *Ernano* e *Ernino* (che può avere anche un'origine diversa), in Abruzzo, è un nome recente, di matrice letteraria e teatrale, ripreso dal protagonista del poema drammatico di V. Hugo del 1830 «*Hernani*» e quindi dell'opera lirica «Ernani» di G. Verdi del 1844, su libretto di F. M. Piave che rielaborò il poema di V. Hugo ambientato nella Spagna del Cinquecento. Il nome francese *Hernani* è un adattamento del personale spagnolo *Hernán* o *Hernando*, variante più tarda e popolare di *Fernando* (v. *Fernando*).

Ernèsto (102.000) M. ALTERATI: *Ernestino* (1.100). ABBREVIATI: *Èrno* (100). - F. *Ernèsta* (37.000). ALTERATI: *Ernestina* (22.000). ABBREVIATI: *Èrna* (3.000), *Ernèlla* (75). Ampiamente diffuso in tutta l'Italia, con maggiore compattezza nel Nord (*Erna* è accentrato nella provincia di Bolzano), è un nome germanico di tradizione tedesca, affermatosi in Italia dal tardo Medio Evo anche per il prestigio di sovrani e principi e il pur raro culto di santi o beati così denominati: il nome tedesco antico *Ernust*, *Ernest* e *Arnost*, moderno *Ernst* (300, accentrato nella provincia autonoma di Bolzano), risale al germanico **arni-* 'battaglia, combattimento' attraverso il tedesco antico *ernust*, moderno *Ernst*, che dal Seicento assunse però il significato di 'serietà, severità; fermezza'. L'in-

clusione degli abbreviati in questo gruppo è solo un'ipotesi: possono anche rappresentare ipocoristici di nomi composti con **arn-* 'aquila' come *Arnaldo* o *Arnoldo*, ecc.

Èro (600) F. Accentrato per più della metà in Emilia-Romagna, soprattutto a Reggio, e per il resto disperso nel Nord, è un nome di matrice classica, e più letteraria e teatrale moderna, ripreso dalla protagonista, Ero (in greco *Hērō'*, latinizzato in *Héro* o *Éro*), di una tragica storia d'amore che risale a un tardo poemetto greco del IV-V secolo di Museo, «Ero e Leandro», poi ripreso da varie opere letterarie, drammatiche e musicali, moderne, che hanno promosso la diffusione del nome: Leandro, per ritrovarsi con la sua amante Ero, sacerdotessa di Afrodite, attraversava di notte l'Ellesponto, ma una notte perì nei flutti e Ero si uccise gettandosi da una torre.

Eròde (25) M. Disperso nel Nord, è un esile e singolare riflesso del nome dei re di Giudea Erode il Grande e del figlio Erode Antipa, che nei Vangeli di Luca e di Marco sono responsabili il primo della strage degli innocenti e il secondo della condanna di Gesù, che pur riteneva innocente, voluta da Pilato. L'originario nome greco *Hērō'dēs*, latinizzato in *Heródes*, è un derivato di *hē'rōs* 'eroe' 'semidio', ossia uomo e insieme dio.

Erodìade (75) F. Disperso nel Nord, è una ripresa recente, letteraria e teatrale, del nome della moglie di Erode Àntipa e madre di Salomè che, secondo i Vangeli, istigò la figlia a far decapitare Giovanni Battista, fiero riprensore della loro corruzione; il nome greco originario, *Hērōdiás*, latinizzato in *Heródias Herodíadis*, è derivato da *Hērō'dēs*. La diffusione del nome in Italia è dovuta a varie opere letterarie, drammatiche e musicali moderne, in cui è protagonista la lussuriosa e dissoluta regina, come la tragedia «Erodiade» di S. Pellico del 1832, il racconto «*Hérodias*» di G. Flaubert del 1876, il poemetto «*Hérodiade*» di S. Mallarmé del 1876 e l'omonima opera musicale di J.-E.-F. Massenet del 1881.

Èros (6.500) M. VARIANTI: **Hèros** (50). Distribuito nel Nord e nel Centro, con alta compattezza in Emilia-Romagna, è una ripresa classica, recente, colta e letteraria, del nome del dio greco dell'amore *Érōs*, latinizzato in *Eros*, che era diventato nel mondo ellenistico e romano anche nome personale (e in minima parte può già essere insorto con il raro culto di Sant'Eros martire in Armenia): alla base è il nome comune *érōs* 'amore', che ha la stessa radice del verbo *érasthai* 'amare'.

Ersìlia (28.000) F. VARIANTI: *Ersìglia* (75); *Arsìlia* (100). - M. *Ersìlio* (2.400). VARIANTI: *Arsìlio* (50); *Esìlio* (50). Distribuito in tutta l'Italia, ma raro nel Sud, e proprio per la variante in *Ars-* dell'Emilia-Romagna e del Centro per *Esìlio* (che può essere anche un recente nome ideologico, anarchico e libertario, formato da *esilio*, v. *Esule*), è una ripresa classica, storica e letteraria, rinascimentale e moderna, del nome gentilizio e personale latino *Hersilia* (e *Hersilius*), di origine etrusca e di significato ignoto, proprio della matrona sabina che, secondo la tradizione, fu rapita e poi sposata da Romolo.

Èrta (500) F. VARIANTI: *Èrte* (100). - M. *Èrto* (50). Accentrato nel Nord-Est e soprattutto nel Friuli-Venezia Giulia, potrebbe essere l'adattamento italiano del nome femminile tedesco *Herta* o *Hertha*, *Herthe*, ipocoristico di nomi in *Hert-* come *Herthilde*, collegati forse con il basso tedesco antico *herta* (in tedesco moderno *Herz*) 'cuore', o di nomi semplici come *Hertel* o *Härtel* 'caro, amato'.

Ervino (900) M. VARIANTI: *Ervèno* (25), *Ervènio* (20). - F. *Ervina* (300). Accentrato nelle Venezie e soprattutto nel Friuli-Venezia Giulia, è l'adattamento del nome tedesco *Erwin* (probabilmente dal tedesco antico *heri* 'esercito' o *ere* 'onore', moderno *Heer* e *Ehre*, e *win* da **wini-* 'amico'), promosso in parte dalla commedia di W. Goethe «*Erwin und Elmire*», in italiano «Ervino e Elmira», musicata nel 1775 da J. André e nel 1788 da J. F. Reichardt.

Esaù (100) M. Disperso nel Nord e nel Centro, è un nome israelitico che riprende il nome dell'Antico Testamento del figlio di Isacco e di Rebecca che cedé per un piatto di lenticchie la primogenitura al fratello gemello, secondogenito, Giacobbe, in ebraico *'Ēsaw*, propria-mente 'irsuto', grecizzato in *Hesâu* e latinizzato in *Esau*.

Èschilo (100) M. Disperso nel Centro-Nord, è una ripresa classica rinascimentale e moderna, letteraria, del nome del grande tragico greco del VI-V secolo a.C. *Aischýlos*, attraverso la forma latinizzata *Aeschylus*, di etimo oscuro (anche se tradizionalmente connesso con *âischos* 'deformità, onta, vergogna').

Èsdra (35) M. VARIANTI: *Esedra* (20). Disperso nel Nord e nel Centro, è un nome israelitico ripreso dall'ebraico *'Ezrā'*, propriamente '(Dio è) aiuto, soccorso', grecizzato in *Ésras* o *Ésdras* e latinizzato in *Esdras*, sacerdote e profeta, e restauratore dello stato giudaico in Palestina dopo l'esilio babilonese.

Esìodo (25) M. Disperso nel Nord, è una ripresa classica e letteraria rinascimentale e moderna del nome del primo grande poeta della Grecia continentale degli inizi del VII secolo a.C., in greco *Hēsíodos*, latinizzato in *Hesíodus*, di etimo oscuro (anche se tradizionalmente interpretato come 'chè segue la strada giusta', da *aisía* 'giusta, fortunata' e *hodós* 'strada').

Esòpo (20) M. Disperso nel Nord, è una ripresa classica e letteraria, del tardo Medio Evo e del Rinascimento, del nome del primo grande scrittore di favole sugli animali, allegoriche e morali, della Grecia antica, originario (secondo tradizioni leggendarie) della Frigia e di qui condotto schiavo a Samo nel VI secolo a.C.: il greco *Aísopos*, latinizzato in *Aesópus*, di etimo incerto (anche se fantasiosamente interpretato 'dallo sguardo fortunato', da *âisa* 'fortuna' e *ŏ'ps opós* 'occhio, sguardo').

Espedito (2.300) M. ABBREVIATI: *Spedito* (100). - F. *Espedita* (300). Distribuito in tutta l'Italia, ma accentrato in Campania per *Espedito* e nel Cosentino e Catanzarese per *Spedito*, è insorto e si è diffuso per il culto di origine orientale di Sant'Espedito martire in Armenia: l'originario nome e soprannome latino *Expeditus* è formato dal participio perfetto *expeditus* del verbo *expedire*, 'sciogliere, liberare da impedimenti e impacci', nel valore figurato di 'libero, pronto, preparato'.

Espèria (1.900) F. ALTERATI: *Esperina* (50). - M. *Espèrio* (150). VARIANTI:

Èspero o **Espèro** (100). ALTERATI: *Esperino* (50). Distribuito in tutta l'Italia ma frequente solo nel Nord e, per gli alterati, anche nel Centro, può essere un nome di matrice sia cristiana, per il culto pur raro di vari santi così denominati, sia ideologica, patriottica, per la società segreta per la libertà e l'unità d'Italia «Esperia» fondata nel 1841 dai fratelli Attilio e Emilio Bandiera e nel 1842 passata sotto la direzione di G. Mazzini. Alla base è il latino *Hesperia*, prestito dal greco *Hespería* (da *hésperos*, *hespéra*, corradicali del latino *vesper*, 'occidente, tramonto, sera' e 'stella della sera'), nome di paesi situati a occidente e per i Greci dunque, e poi anche per i Romani, dell'Italia (e della Penisola Iberica), e *Hesperius*, dal greco *Hespérios*, con valore etnico, 'originario dell'Italia, di paesi occidentali', diventati poi anche soprannomi e nomi personali.

Espòsito (70) M. Proprio del Napoletano, è un nome, diventato poi cognome diffusissimo nel Sud, dato in origine a bambini abbandonati dai genitori, per lo più «esposti» davanti a chiese, conventi e orfanotrofi: l'etimo della forma napoletana *esposito* è il latino *expositus* 'esposto', participio perfetto del verbo *exponere* 'porre fuori, davanti; esporre'.

Esquìlio (50) M. ALTERATI: *Esquilino* (20). Disperso in Toscana, risale con tradizione non chiara a un antico nome latino *Esquilius* o *Esquilinus*, che denominava chi risiedeva nella zona periferica, poi quartiere urbano, del colle Esquilino (in latino *Esquiliae* e *collis Esquilinus*), o ne era originario.

Èste (400) F. VARIANTI: *Èsta* (75). Proprio del Nord e della Toscana, sembra ripreso dal predicato e poi cognome della famiglia principesca insediata dall'XI secolo a Este, antico centro del Padovano, signori, dall'ultimo Duecento, di varie città e stati del Nord-Est (Ferrara, Mantova, Modena, Parma, Reggio, Rovigo, ecc.).

Ester (59.000) F. VARIANTI: *Èsther* (1.400). ALTERATI: *Esterina* (20.000). NOMI DOPPI: *Èster Marìa* (400). - M. *Èstero* (100). ALTERATI: *Esterino* (1.300). Ampiamente diffuso in Italia, con più alta compattezza nel Nord, ha alla base il nome della bellissima Ebrea, adottata dal cugino Mardocheo, e diventata poi la moglie del re Assuero di Babilonia e quindi regina, protagonista del «Libro di Ester» dell'Antico Testamento: il nome ebraico, *'Estēr*, in greco *Esthē'r* e in latino *Esther*, è probabilmente l'adattamento dell'assiro-babilonese *Ishtar* 'dea' (che poi divenne il nome della dea dell'amore e anche della stella di Venere), e infatti Ester ha anche un secondo nome ebraico, *Hadassah* 'mirto'. Il nome è in minima parte israelitico, in parte cristiano (in quanto la Chiesa riconosce Ester come santa, pur non comprendendola nel «Martirologio Romano»), ma soprattutto un nome di moda, sia eufonica e esotica (la variante *Esther* è propria di molte lingue straniere), sia letteraria, teatrale e musicale, per le molte opere moderne che hanno avuto Esther per protagonista, come la tragedia «*Esther*» di J. Racine del 1689 e l'«*Esther*» di G. F. Händel del 1720.

Èsule (60) M (anche F). Disperso nel Nord e più frequente in Emilia-Romagna, è un nome ottocentesco di matrice ideologica, anarchica e libertaria, formato da *esule*, dato in famiglie di patrioti, anarchici e rivoluzionari costretti a esulare dall'Italia (v. anche *Esilio* sotto *Ersilia*).

Esperànzio (35) M. VARIANTI: *Esuberànzio* (20); *Esupèrio* (10). ABBREVIATI: *Superànzio* (20). - F. *Esupèria* (10). Accentrato nelle Marche, e soprattutto a Cingoli MC, nella forma fondamentale, è l'esile riflesso del culto di Sant'Esuperanzio, evangelizzatore e vescovo nel V secolo, e patrono di Cingoli (e di Montefelcino PS), e anche di altri santi di nome Esuperanzio, Esuperio e Esuperia. Alla base sono i tardi soprannomi e nomi augurali latini *Exsuperantius*, *Exsuperius* e *Exsuperia*, derivati dal verbo *exsuperare* 'essere superiore, eccellere', con il significato quindi di 'che eccelle, destinato a eccellere sugli altri'.

Etelvòldo (30) M. Proprio dell'Emilia, e qui accentrato a Argelato BO, Nonàntola e Spilamberto MO, è l'esile e singolare riflesso di un culto locale di Sant'Etelvoldo, monaco benedettino e vescovo di Winchester in Inghilterra nel X secolo: il nome inglese antico *Ethelwold* o *Ethelwald*, latinizzato in *Ethelwoldus*, è composto con l'anglosassone *aethel* 'nobile' e *weald* 'potente', con il significato quindi di 'nobile e potente' o 'potente per nobiltà'.

Etèocle (100) M. Disperso nel Centro-Nord, in Abruzzo e in Puglia, è un nome di matrice classica, letteraria e teatrale, ripreso nel Rinascimento e in età moderna dal re di Tebe Eteocle, figlio di Edipo e fratello di Polinice, uno dei protagonisti delle tragiche vicende del «ciclo tebano» che, a partire dalla tragedia «I sette contro Tebe» di Èschilo, è stato il tema di varie opere antiche e moderne (v. anche *Edipo*), che hanno contribuito alla diffusione del nome. Il nome greco *Eteoklês*, latinizzato in *Etéocles*, è composto di *eteo-*, dall'aggettivo *eteós* o dall'avverbio *eteón* 'veramente, proprio', e *-klês* da *kléos* 'rinomanza, fama', con il valore quindi di 'veramente, molto illustre, famoso'.

Etrùria (100) F. - M. *Etrùrio* (10). Proprio della Toscana, è ripreso in modo molto singolare dal nome storico della regione, l'Etruria (dal latino *Etruria*), territorio di più antico insediamento degli Etruschi, tra l'Arno e il Tevere (v. anche *Etrusco* e *Tirreno*): l'adozione di questo nome, come del seguente, è stata forse promossa dalla ricerca, in un certo senso campanilistica, delle prestigiose origini lontane della Toscana e dei Toscani.

Etrusco (200) M. - F. *Etrusca* (200). Proprio della Toscana, è ripreso, con la stessa singolarità di *Etruria* e *Tirreno* (v. questi nomi), dall'etnico storico della propria regione, Etrusco (dal latino *Etruscus*), come abitante dell'Etruria, appartenente all'antico popolo degli Etruschi, radice storica della Toscana e dei Toscani.

Étta (1.000) F. Proprio del Nord e più frequente in Liguria, è l'ipocoristico di *Elisabetta* e di altri nomi femminili che terminano in *-étta*, come *Annetta*, *Bicetta*, *Caterinetta*, *Emilietta*, *Enrichetta* (in inglese è appunto l'ipocoristico di *Henrietta*), ecc.

Èttore (81.000) M. ALTERATI: *Ettorino* (450). - F. *Èttora* (150). ALTERATI: *Ettorina* (3.500). Ampiamente diffuso in tutta l'Italia, ma soprattutto nel Nord e in particolare in Lombardia e nel Trentino, è un nome di matrice classica, letteraria, ripreso dall'ultimo Medio Evo dall'eroe troiano figlio di Pràamo, ucciso da Achille, protagonista dell'«Iliade» e ricordato in molte opere antiche e moderne, e ridiffuso nell'Ottocento dal popolare romanzo storico del 1833 di M. d'Azeglio «Ettore Fieramosca» o «La disfida di Barletta». Il nome greco *Héktōr*, latinizzato in *Héctor Héctoris*, interpretato tradizionalmente come 'reggitore (del popolo)' (dal verbo *échein* 'reggere, tenere'), è l'adattamento anche semantico di un precedente nome frigio o anatolico di etimo e significato ignoto.

Eucàrpio (10) M. Disperso nel Sud, è l'esile riflesso del culto di Sant'Eucarpio martire con Tròfimo a Nicomedia nel 300 circa, patrono di Villafranca Sicula AG: il nome originario greco, *Eukárpios*, latinizzato in *Eucarpius*, è formato da *éukarpos* 'ricco di frutti, che dà buoni frutti' (dall'avverbio *êu* 'bene, buono' e *karpós* 'frutto'), con il valore augurale di 'che darà, che dia buoni frutti', riferito, in ambienti cristiani, alle doti spirituali e morali.

Euchèrio (100) M. Disperso nel Centro-Nord, è il riflesso del culto di Sant'Eucherio vescovo di Lione nel V secolo: il nome greco originario, *Euchérios* o *Euchéirios*, latinizzato in *Eucherius*, deriva da *éucheir* 'abile, capace (con le mani)', composto con *êu* 'bene' e *chéir* 'mano', probabilmente incrociato con *euche-rê's* 'resistente al male, alla sventura; forte nell'affrontare pericoli e sventure'.

Euclide (600) M. - F. *Euclida* (40). Distribuito in tutta l'Italia ma raro nel Sud, è un nome di matrice classica ripreso dal grande matematico del 300 circa a.C. di Alessandria d'Egitto Euclide, in greco *Eukléidēs* latinizzato in *Euclídes*, derivato con *êu* 'bene, buono' da *kléos* 'reputazione, fama', quindi 'che ha buona fama, reputazione'.

Eudèmo (25) M. VARIANTI: *Eudèmio* (40). - F. *Eudèmia* (75). Raro e disperso, è un nome classico, ripreso dal greco *Éudēmos* latinizzato in *Eudémus*, composto di *êu* 'bene, buono' e *dêmos* 'paese, regione; popolo', con il significato di 'valido, capace nel proprio paese, nel proprio popolo', sostenuto dal nome di un grande scultore ionico del VI secolo a.C. e di un celebre filosofo di Rodi, discepolo di Aristotele, e forse dal culto di qualche santo locale, non ufficialmente riconosciuto.

Eudòro (50) M. Proprio dell'Emilia-Romagna, è un nome classico, letterario, ripreso dall'eroe greco Eudoro figlio di Ermes e compagno di Achille nella guerra di Troia: il nome greco *Éudōros* è formato da *éudōros* (composto di *êu* e *dôron* 'dono, regalo') 'generoso (nel donare)'.

Eudòssia (50) F. VARIANTI: *Eudòsia* (75), *Eudòxia* (25); *Eudòcia* (10). - M. *Eudòsio* (50). Raro e disperso, ma accentrato per il maschile in Emilia-Romagna e nelle Marche, riflette il culto di vari santi e sante di questi nomi che risalgono a due nomi greci, e poi latini, diversi, ma incrociatisi e confusi in età imperiale per la loro quasi identità fonetica. Il primo è il greco *Eudóxios* e *Eudoxía*, latinizzato in *Eudóxius* e *Eudóxia*, derivato da *éudoxos* (composto di *êu* e *dóxa* 'opinione, fama') 'che ha buona fama, una buona reputazione'. Il secondo è *Eudokía*, in latino *Eudócia*, formato da *eudokía* (composto di *êu* e *dokêin* 'pensare, ritenere'), con il significato di 'benevola, che ha buona disposizione d'animo'. I due nomi, del resto analoghi, rimasti in parte distinti pur essendo spesso scambiati l'uno con l'altro, sono molto comuni nei paesi di lingua greca e anche slava (per la forte influenza bizantina).

Eufèmia (7.500) F. VARIANTI: *Eufèlia* (200). - M. *Eufèmio* (300). VARIANTI: *Eufèlio* (25). Diffuso in tutta l'Italia, con più compattezza in Lombardia, nel Friuli-Venezia Giulia e in Toscana, è insorto per il culto di varie sante, ma soprattutto di Sant'Eufemia martire in Calcedonia durante le persecuzioni di Diocleziano, patrona di Sant'Eufemia d'Aspromonte RC e di altri centri (dove il nome è ancora frequente), e di Sant'Eufemia martire a Aquileia sotto Nerone (venerata con Santa Tecla a Trieste, dove il nome è molto comune). Il nome greco originario, *Euphēmía* (e al maschile *Euphē'mios*) latinizzato in *Euphémia* (e *Euphémius*), è formato da *euphemía* (composto di *êu* 'bene' e *phēmí* 'parlare, dire') che indicava il silenzio imposto ai fedeli nei riti sacri pagani e poi, più genericamente, un modo di parlare giusto, corretto e propizio, e il parlare bene di uno (e quindi l'avere una buone fama e reputazione), e nel cristia-

nesimo di rito greco ha poi denominato la preghiera di grazia rivolta a Dio. Le varianti in -*l*- sono di area settentrionale e toscana, dovute probabilmente a un accostamento con *Elia* e *Elio*. V. anche *Femio*.

Eufràsia (1.900) F. ALTERATI: *Eufrasina* (50). - M. *Eufràsio* (150). Disperso in tutta l'Italia, riflette il culto di un notevole numero di sante e santi di questo nome che continua, attraverso il tardo latino *Euphrásia* (e *Euphrásius*), il greco di età cristiana *Euphrasía* (e *Euphrásios*), formato da *euphrasía* (derivato di *euphráinein* 'rallegrare' da *êu* 'bene' e *phrē'n* 'animo, mente') 'allegrezza, letizia', quindi 'di animo ben disposto e sereno, lieta, allegra'.

Eufròsina (800) F. VARIANTI: *Eufròsine* (40); *Eufròsia* (75). - M. *Eufròsino* (20). VARIANTI: *Eufròsio* (10). Proprio del Nord e della Toscana, più compatto in Piemonte, è un nome di matrice sia cristiana, per il culto di varie sante così denominate, sia classica, mitologica e letteraria, come nome di una delle tre Càriti o Grazie. L'originario nome greco, antico e molto diffuso, *Euphrosýnē* latinizzato in *Euphrósyne*, è formato da *euphrosýnē* 'gioia, allegria' (da *euphráinein* 'rallegrare', da *êu* 'bene' e *phronêin* 'pensare'), e significa quindi 'allegra, piena di gioia' o 'che dà, che infonde gioia, allegria'.

Eugènio (85.000) M. - ABBREVIATI: *Gènio* (100). - F. *Eugènia* (47.000). ABBREVIATI: *Gènia* (25). Ampiamente diffuso in tutta l'Italia, continua il nome greco *Eughénios* e *Eughenía*, latinizzato in *Eugénius* e *Eugénia*, formati il primo da *eughenēs* 'ben nato, di buona nascita, nobile' e il secondo da *eughenía* 'nobiltà di nascita', composti l'uno e l'altro da *êu* 'bene, buono' e *ghénos* 'nascita, stirpe, genere' (*ghíghnomai* 'nascere'). Il nome, comune in Grecia e in Roma in età imperiale, si è affermato in Italia per il culto di numerosissimi santi e sante così denominati, e quindi per il prestigio di papi, sovrani e soprattutto di vari prìncipi di Savoia dell'età moderna, dal grande generale Eugenio di Savoia comandante dal 1693 al 1735 delle forze austriache contro i Turchi e i Francesi, a Eugenio Emanuele principe di Carignano, dell'Ottocento, a Eugenio duca di

Ancona del primo Novecento.

Eulàlia (2.500) F. - M. *Eulàlio* (50). Distribuito in tutta l'Italia, ma più nel Centro-Nord (il maschile è proprio del Sassarese), riflette il culto di varie sante, tra cui Santa Eulalia martire nel 304 a Mérida in Spagna, venerata anche in Italia soprattutto a Ravenna (e spesso confusa con un'altra santa e martire di Barcellona), e anche di Sant'Eulalio vescovo di Siracusa nel V-VI secolo. L'etimo lontano è il greco *éulalos*, derivato con l'avverbio *êu* 'bene' da *lalêin* 'parlare', 'che parla bene; eloquente, facondo', ma il nome è documentato nella Grecia antica solo al maschile, *Eulálios* latinizzato in *Eulalius*, e il femminile, *Eulalía* latinizzato in *Eulália*, è quindi un tardo derivato dal maschile (o anche una formazione latina tarda: l'accento italiano è comunque conforme a quello latino, *Eulália*).

Eulògio (50) M. Disperso nel Sud, è l'esile riflesso del culto di vari santi di questo nome, e in particolare di Sant'Eulogio di Còrdova, martirizzato dai Saraceni nell'859. L'originario nome greco *Eulóghios*, latinizzato in *Eulogius*, è derivato dal verbo *euloghêin* (composto di *êu* 'bene' e *léghein* 'dire, parlare'), che dall'originario significato di 'parlare bene' o 'dire bene di qualcuno, lodare', ha assunto poi in ambienti giudaici e cristiani il senso religioso di 'benedire': il nome quindi ha significato prima 'che parla bene' o 'che è lodato', poi quello di 'benedetto' (concorrendo quindi con *Benedetto* di formazione latina, tutti e due calchi dell'ebraico *Bārūk*).

Eumene (50) M. Disperso nel Nord, ha alla base il nome greco *Eumenê's*, latinizzato in *Éumenes*, 'ben disposto, buono d'animo' (da *êu* 'bene' e *ménos* 'disposizione d'animo'), sostenuto forse dal raro culto di Sant'Eumene vescovo di Alessandria d'Egitto nel II secolo, e dal prestigio storico dei re di Pergamo Eumene I e II del III e II secolo a.C.

Eunice (500) F. Distribuito sparsamente nel Nord, riflette il raro culto di Santa Eunice martire, secondo una tradizione leggendaria, con tutta la famiglia in epoca e località ignota: la base è il nome greco *Euníkē*, latinizzato in *Eunice*, composto con *êu* 'bene' e *níkē* 'vittoria', con il significato quindi di 'che vince facilmente'.

Èuplio (400) M. Disperso nel Centro-Nord, e più frequente nel Sud e specialmente nell'Avellinese, riflette il culto di Sant'Euplio martire a Catania nel 304 durante le persecuzioni di Diocleziano, patrono di Scampitello e di Trevico AV, e di Francavilla di Sicilia ME: il nome greco originario, *Éupleios* latinizzato in *Euplíus*, è formato da *éupleios* (da *êu* e *plêios* o *pléōs* 'pieno'), 'ricolmo, pieno (di doti, di qualità)'.

Euprèpio (150) M. VARIANTI: *Euprèprio* (50); *Euprèmio* (700). - F. *Euprèmia* (75). Caratteristico della Puglia e qui accentuato nel Brindisino, riflette il culto locale, di origine orientale, di Sant'Euprepio (alterato anche in *Eupremio*) martire a Egea in Cilicia con i fratelli Cosma, Damiano, ecc. (v. *Cosma*), venerato per antica tradizione a Francavilla Fontana BR dove il nome è ancora frequentissimo. Il nome originario greco, *Éuprépios* latinizzato in *Euprepius*, è derivato da *euprepê's* (composto di *êu* 'bene' e *prépein* 'essere adatto, conveniente; distinguersi') 'che si distingue per il suo bell'aspetto'.

Eurìalo (100) M. Disperso nel Nord e nel Centro, è un nome di matrice classica, letteraria, ripreso dall'ultimo Medio Evo dal giovane guerriero di Enea che, in un famoso episodio dell'«Eneide» di Virgilio, va incontro alla morte deliberatamente per salvare l'amico Niso, morendo insieme a lui (v. *Niso*). Alla base è l'antico nome greco *Eurýalos*, latinizzato in *Euryalus*, formato da *eurýalos* (composto di *eurýs* 'ampio, largo, grande' e *hálōs* 'scudo, disco del sole'), epiteto del dio solare Apollo, il cui significato poteva essere 'dal grande scudo' o 'dal grande alone' (riferito al disco del sole).

Eurìdice o *Euridìce* (300) F. Disperso nel Nord e in Toscana, è un nome di matrice classica, ripreso dalla ninfa Euridice, in greco *Eurydíkē* latinizzato in *Eurýdice* (da *eurýs* 'ampio, esteso, grande' e *díkē* 'giustizia', quindi 'di grande giustizia, molto giusta'), moglie di Orfeo: secondo un mito, oggetto di grandi opere letterarie e teatrali antiche e moderne che hanno promosso la diffusione dei due nomi, Euridice sarebbe morta per il morso di un serpente, e Orfeo avrebbe invano tentato di riportarla dall'Ade alla vita (v. *Orfeo*).

Eurìpide (50) M. Disperso tra Nord e Centro, è una ripresa classica, letteraria, del nome del grande tragediografo greco del V secolo a.C. *Euripídēs*, in latino *Eurípides*, derivato da *éuripos* 'stretto di mare tempestoso' (e in particolare lo stretto che separa la Beozia dall'Eubea), con il significato forse di 'violento, collerico'.

Èuro (2.000) M. - F. *Èura* (300). Distribuito in tutta l'Italia ma più raro nel Sud, è un nome di matrice classica, ripreso dal nome greco, *Êuros*, latinizzato in *Eurus*, di etimo incerto, del vento di sud-est o di est, e del dio di questo vento, citato in molte opere greche e latine e anche, in usi poetici, moderne.

Euròpa (250) F. DERIVATI: *Europèa* (5). - M. *Europèo* (100). Disperso in tutta l'Italia nel tipo fondamentale, ma accentrato per *Europeo* tra Emilia-Romagna e Marche, è probabilmente un nome ideologico, risorgimentale, insorto in relazione agli ideali della «Giovine Europa», l'associazione politica fondata da G. Mazzini a Berna nel 1834: è tuttavia possibile che *Europa* sia in qualche caso anche un nome classico, letterario, tratto dal mito della principessa fenicia Europa (in greco *Eurō'pē* latinizzato in *Europa*, già usato come nome gentilizio in età repubblicana tarda), rapita da Zeus in forma di toro bianco e portata a Creta dove diventò madre di Minosse e di Radamanto, e dalla quale sarebbe derivato il nome del continente dell'Europa (che all'origine indicava la zona a nord dell'Egeo, e poi del Mediterraneo).

Euròsia (1.400) F. - M. *Euròsio* (100). Accentrato per quasi la metà in Lombardia e per il resto disperso nel Nord, riflette il culto di Santa Eurosia leggendaria martire di Jaca (Spagna di nord-est) del VII secolo, uccisa da un Saraceno, invocata per ottenere la pioggia o per allontanare le tempeste: il nome non ha una tradizione certa, né greca né latina.

Eusànio (100) M. Proprio dell'Abruzzo, riflette il culto locale di Sant'Eusanio di Furci, secondo una tradizione leggendaria originario di Siponto FG e martirizzato a Furci CH, patrono di Castelli TE e di Sant'Eusanio Forconese AQ: anche il nome appare leggendario, in quanto privo di una tradizione greca e latina.

Eusàpia (300) F. Proprio del Barese, e accentrato a Minervino Murge, è il riflesso dell'antico culto locale per una Santa Eusapia in realtà inesistente, in quanto *Eusapia* è quasi certamente un'alterazione di *Eusebia*, e coincide dunque con una delle varie sante di questo nome (v. *Eusebio*).

Eusèbio (2.400) M. VARIANTI: *Eusèpio* (50). - F. *Eusèbia* (500). Distribuito in tutta l'Italia, ma caratteristico dell'Umbria per *Eusepio*, riflette il culto dei numerosissimi santi e sante di questo nome, e in particolare di Sant'Eusebio vescovo di Vercelli nel IV secolo, patrono di Sant'Eusebio VC e del Piemonte (dove il nome ha ancora un'alta frequenza relativa). Il nome greco originario, di età tarda, *Eusébios*, latinizzato in *Eusebius*, è derivato da *eusebé's* (da *êu* 'bene' e *sébein* 'venerare, onorare gli dei') 'che venera gli dei, che rispetta il culto; pio', e si diffuse in ambienti cristiani in riferimento alla nuova fede e all'osservanza del nuovo culto divino.

Eustàchio (2.200) M. VARIANTI: *Eustàcchio* (1.100). - F. *Eustàchia* (25). VARIANTI: *Eustàcchia* (40). Proprio del Sud continentale, e accentrato tra Puglia e Basilicata, riflette il culto di vari santi di questo nome, e in particolare di Sant'Eustachio martire a Roma con la moglie e i figli, durante le persecuzioni di Traiano, patrono di Matera, di Scanno AQ, Ischitella FG, ecc. Alla base è il tardo nome greco *Eustáchios* latinizzato in *Eustachius*, derivato da *eustachýs*, composto di *êu* 'bene' e *stachýs* 'spiga', con il significato augurale di 'che dà, che dia buone spighe, buoni frutti', in senso morale e religioso (analogo semanticamente al più raro *Eucarpio*).

Eustàsio (30) M. È l'esile e disperso riflesso del culto di vari santi di questo nome, di cui uno vescovo di Aosta e un altro discepolo di San Colombano e abate del monastero di Luxeil in Francia: l'originario tardo nome greco *Eustásios*, latinizzato in *Eustasius*, è un derivato con *êu* 'bene' dalla radice **sta-* di *histánai* 'stare', con il significato di 'che sta ben fermo; saldo, costante, risoluto (nella fede)'.

Eustòchia (50) F. È il raro e disperso riflesso del culto di Santa Eustochia, vergine romana discepola di San Girolamo morta a Betlemme nel 419: il nome greco originario, *Eustóchion*, latinizzato in *Eustochium* o *Eustochia*, è derivato con *êu* 'bene' dal verbo *stocházesthai* 'mirare, colpire', nel significato figurato di 'che mira bene, che sa tendere in modo giusto al proprio scopo; sagace, perspicace'. *Eustochia* è stato anche lo pseudonimo – indipendentemente dall'improbabile influsso che può avere avuto sulla diffusione del nome – di Laura Dianti, favorita nel Cinquecento del duca Alfonso I d'Este di Ferrara.

Eustòrgio (100) M. Proprio della Lombardia e accentrato nel Milanese, riflette l'antico culto per due santi e vescovi di Milano, Eustorgio I del IV secolo, patrono di Arcore MI, sepolto nella chiesa a lui dedicata di Porta Ticinese, e Eustorgio II del VI secolo. La base lontana è il raro e tardo nome greco *Eustórghios*, latinizzato in *Eustorgius*, derivato con *êu* 'bene' da *stérghein* e *storghêin* 'amare', con il significato augurale di 'ricco di amore, di affetto; affettuoso'.

Eutèrpe (200) F. Disperso in tutta l'Italia, più frequente nel Torinese e in Lucchesia, è un nome classico, mitologico e letterario, ripreso dal Rinascimento dal nome della musa della poesia melica, accompagnata dal suono del flauto, in greco *Eutérpē*, latinizzato in *Euterpe*, derivato con *êu* 'bene, buono' dal verbo *térpein* 'rallegrare, dare gioia e piacere', quindi 'che rallegra, che dà gioia e dolcezza'.

Eutìchio (60) M. VARIANTI: *Eutìcchio* (25); *Eutìzio* (300). DERIVATI: *Eutichiàno* (25). - F. *Eutìchia* (75). Disperso nel Nord, ma accentrato per *Eutichio* a Messina e per *Eutizio* nel Viterbese, riflette il culto di numerosissimi santi così denominati, tra cui Sant'Eutichio martire a Messina (ucciso nel VI secolo, secondo la leggenda, da pirati saraceni), Sant'Eutizio o Euticio martire a Ferentino FR e patrono di Carbognano VT. Alla base è il nome augurale greco *Eutychē's*, latinizzato in *Eutýchius* (adattato a volte in *Euticius*, da cui la variante *Eutizio*, e

ampliato nel nome gentilizio *Eutychianus*), formato da *êu* 'bene, buono' e *týchē* 'fortuna', con il significato quindi di 'che ha, che abbia buona fortuna', corrispondente semanticamente a *Bonifacio* e a *Fortunato*.

Eutìmio (300) M. - F. *Eutìmia* (25). Più frequente nel Centro e soprattutto nel Perugino, riflette il culto di vari santi di tradizione orientale: il nome originario greco *Euthýmios*, latinizzato in *Euthymius*, è derivato con *êu* 'bene, buono' da *thymós* 'animo', e significa quindi 'di animo buono'.

Eutròpio (20) M. Specifico del Perugino, riflette il culto locale di uno dei numerosi santi di questo nome greco, *Eutrópios*, derivato da *éutropos* (da *êu* 'bene, buono' e *trépein* 'essere rivolto, disposto'), 'che ha buona disposizione d'animo, di animo buono', adottato in latino in età imperiale come *Eutropius*, noto per lo storiografo del IV secolo Eutropio, autore del sommario di storia romana «*Breviarium ab urbe cóndita*».

Èva (27.000) F. VARIANTI: *Èwa* (100). ALTERATI E IPOCORISTICI: *Evita* (100); *Èvi* (500), *Èvy* (100). NOMI DOPPI: *Eva Marìa* (500). - M. *Èvo* (500). Ampiamente diffuso in tutta l'Italia nella forma fondamentale *Eva*, più compatta tuttavia nel Nord (dove sono specifici la variante *Ewa*, d'impronta straniera, l'alterato propriamente spagnolo *Evita*, gli ipocoristici *Evi* o *Evy*, e il singolare maschile *Evo*, che però è più frequente in Toscana), è un nome in minima parte israelitico o protestante, e di norma cristiano o laico, di moda, ripreso dalla madre di tutti il genere umano *Eva*, la compagna di Adamo, che la Chiesa riconosce, sia pure non ufficialmente (non è compresa nel «Martirologio Romano»), come santa. Il nome ebraico originario *Hawāh*, adattato in greco e latino ecclesiastico come *Éua* e *Heva* o *Eva*, è interpretato nel «Genesi» come 'madre dei viventi' (da *hāyāh* 'vivere'), ma è certo un'interpretazione secondaria, e il reale etimo e significato resta oscuro.

Evaldo (650) M. VARIANTI: *Evardo* (150). - F. *Evalda* (150). Distribuito tra Nord e Centro, con maggiore compattezza per *Evaldo* in Toscana e per *Evalda* nel Modenese, riflette il raro culto dei due fratelli Evaldo il Bianco e Evaldo il

Nero, santi e martiri, evangelizzatori dei Sàssoni nel VII secolo. È un nome di origine germanica, in tedesco *Ewald*, documentato in Francia nel VII secolo nella forma in latino medievale *Eoaldus*, composto di **ewa-* 'legge' e **walda-* 'potere, comando', con un significato che potrebbe essere 'che ha potere, che governa in base alla legge'.

Evandro (2.600) M. ABBREVIATI: *Vandro* (50). - F. *Evandra* (300). ALTERATI: *Evandrina* (75). Distribuito tra Nord e Centro con maggiore frequenza in Lombardia e nel Lazio, è un nome classico, letterario, ripreso dal Rinascimento dal leggendario eroe àrcade, re del Pallantèo sul Palatino, alleato, nell'«Eneide» di Virgilio, di Enea, in latino *Euander* o *Euandrus*, dal greco *Éuandros*, composto di *êu* 'bene, buono' e *anê'r andrós* 'uomo, guerriero', con il significato di 'uomo di alte doti virili, guerriero valoroso'.

Evangèlo (50) M. ALTERATI E DERIVATI: *Evangelino* (50); *Evangelista* (1.300), *Evangelisto* (10). - F. *Evangèla* (75). VARIANTI: *Evangèlia* (250). ALTERATI: *Evangelina* (1.000). Distribuito in tutta l'Italia con diversa frequenza nelle varie forme (*Evangelia* è più compatto in Puglia, *Evangelina* in Emilia-Romagna e nel Centro, *Evangelino* nel Cagliaritano), è un nome cristiano di devozione per i Vangeli e gli Evangelisti, gli autori dei Vangeli (in particolare San Giovanni Evangelista) e i primi predicatori, con gli apostoli, del Vangelo (la diffusione di *Evangelina* può essere stata tuttavia promossa, recentemente, da una delle protagoniste del popolare romanzo del 1851 «La capanna dello zio Tom» di H. Beecher Stowe, in inglese *Evangeline*, la dolce fanciulla bianca che ama e protegge gli schiavi negri). Alla base sono i nomi latini *evangelium* e *evangelista*, dal greco *euanghélion* e *euanghelistë's* (da *êu* 'bene, buono' e *anghéllein* 'annunziare'), propriamente 'buona novella, buon annunzio', con cui si denominarono i testi del cristianesimo e i loro autori e predicatori.

Evànzio (25) M. Disperso tra Lombardia e Piemonte, riflette il culto di uno dei numerosi santi di questo nome, derivato dal latino *Evanthius*, adattamento del greco *Euánthios* da *euanthë's* (de-

rivato con *êu* 'bene, buono' e *ánthos* 'fiore'), 'fiorito, fiorente; di bell'aspetto; nobile'.

Evaristo (6.000) M. ABBREVIATI: *Varisto* (50). - F. *Evarista* (400). Ampiamente distribuito, con maggiore frequenza in Emilia-Romagna e nel Lazio, riflette il culto di Sant'Evaristo papa e martire sotto l'imperatore Adriano: il nome originario greco *Euárestos* (composto di *êu* 'bene' e *árestos* 'che piace'), quindi 'che piace molto, molto grato e amato', si è poi alterato, per un incrocio dovuto a etimologia popolare con *áristos* 'il migliore' (v. *Aristo*), in *Euáristos*, e il latino lo ha adottato e tramandato soprattutto in questa seconda e più tarda forma, *Evaristus*.

Evàsio (2.100) M. - F. *Evàsia* (100). Proprio del Piemonte e in parte minore della Lombardia, riflette il culto di Sant'Evasio vescovo e martire di Casale Monferrato AL (o di Asti), qui ucciso nell'VIII secolo dai Longobardi ariani, e di Sant'Evasio vescovo di Brescia: il nome latino tardo *Evasius* deriva probabilmente dall'appellativo greco *Éuas* del dio Bacco, dato in relazione all'esclamazione di giubilo *euái* gridata dalle Baccanti nei riti dionisiaci.

Evelina (30.000) F. VARIANTI: *Avelina* (400), *Avellina* (300), *Averina* (100); *Evèlia* (300), *Avèlia* (300). - M. *Evelino* (1.600). VARIANTI: *Avelino* (400), *Avellino* (600), *Averino* (200); *Evèlio* (150), *Avèlio* (150), *Avèrio* (10), *Avièro* (100). Distribuito nel Nord e nel Centro (ma *Evelina* anche nel Sud), è un nome di moda, recente, ripreso dall'inglese *Evelyn* (o dal tedesco *Eveline*, francese *Éveline*), e in particolare dal nome della protagonista del popolare romanzo «*Evelina*» del 1778 della scrittrice inglese Fanny Burney, poi alterato in varie forme per la mancanza di una tradizione affermata e per incroci con altri nomi simili. Alla base è il nome inglese antico *Aveline*, femminile di *Avelin*, di importazione normanna, derivato dal nome germanico *Avila*, documentato nel VI secolo, diminutivo di **awi-*, 'ringraziamento' (soprattutto per un desiderio esaudito).

Evènzio (100) M. VARIANTI: *Evènzo* (10). Disperso nel Nord e nel Centro, riflette il raro culto di Sant'Evenzio martire a Roma durante l'impero di Adriano, in latino ecclesiastico *Eventius*: sia il martirio sia il nome mancano di una tradizione fondata.

Èvio (600) M. ALTERATI: *Evino* (20). - F. *Èvia* (75). ALTERATI: *Evina* (25). Distribuito sparsamente nel Centro-Nord, non consente, per mancanza di documentazioni antiche, una spiegazione univoca e fondata. Può continuare un raro e tardo nome latino formato forse dall'appellativo *Evius* o *Euhius*, dal greco *Éuios*, del dio Bacco (v. *Evasio*), oppure può essere un'alterazione, per *Èvia*, *Evina* e *Evino*, di *Eva* e *Evo*, o di un nome di origine germanica in *Ew-*, come l'inglese *Ewin* (v. *Edvino*).

Ezechìa (25) M. Disperso nel Nord e propriamente israelitico, continua il nome del re di Giuda dal 715 al 685 a.C. Ezechia, in ebraico *Hizqiyyāh*, adattato in greco e in latino in *Ezekías* e *Ezechías*, un nome teoforico, formato con *hāzaq* 'essere forte' e *Yāh*, forma abbreviata di *Yahweh* 'Iavè, Dio', con il significato di '(colui che) Dio rende forte'.

Ezechièle (500) M. VARIANTI: *Ezechièllo* (50). - F. *Ezechièla* (40). VARIANTI: *Ezechièlla* (40). Accentrato in Lombardia e nel Modenese, prevalentemente israelitico ma anche cristiano, in quanto la Chiesa riconosce il profeta come santo e martire, continua il nome del terzo dei grandi profeti d'Israele del VII-VI secolo a.C., Ezechiele, in ebraico *Yehezqē'l*, adattato in greco e in latino come *Iezekiē'l* e *Ezechiél*: anche questo è un nome teoforico, formato con *hāzaq*

'essere forte' e *'Ēl* abbreviazione di *'Elōhīm* 'Dio', con lo stesso significato di *Ezechia*.

Èzio (64.000) M. - F. *Èzia* (3.500). Ampiamente diffuso nel Nord e nel Centro, raro nel Sud, è un nome recente di matrice storica, letteraria e teatrale, ripreso dal nome gentilizio, Flavio Ezio, del ministro e generale dell'imperatore Valentiniano III che combatté contro i Goti, i Franchi, i Burgundi e gli Unni di Attila, e fu assassinato nel 453 in una congiura di palazzo: alla diffusione del nome ha contribuito prima un melodramma di P. Metastasio del 1728, poi, e soprattutto, l'opera lirica «Attila» del 1846 di G. Verdi, in cui Ezio, protagonista, era interpretato come un eroico difensore dell'indipendenza dell'Italia contro gli invasori stranieri. Il gentilizio e poi nome personale latino *Aetius* è un adattamento del greco *Aétios*, derivato di *aetós* 'aquila'.

Ezzelino (650) M. VARIANTI: *Ezelino* (150), *Ezelindo* (20). - F. *Ezzelina* (400). VARIANTI: *Ezelina* (250), *Ezelinda* (100). Proprio del Nord, e qui accentrato in Lombardia e nel Veneto, continua il nome medievale di origine germanica *Ezzelino* noto perché tradizionale nella grande famiglia feudale del Veneto del XII-XIII secolo, Ezzelino I, Ezzelino II e Ezzelino III da Romano, che estese il suo potere da Treviso a Vicenza, Verona e Padova, fino a Trento e a Brescia. Alla base è il nome tedesco antico *Ezzilo* (moderno *Etzel*), derivato da *Atto* o *Azzo* (v. *Azzo* e anche *Attila*).

F

Fabiàno (1.600) M. - F. *Fabiàna* (1.100). Distribuito in tutta l'Italia, ma più frequente nel Nord e in Toscana, continua il gentilizio e soprannome latino *Fabianus* e *Fabiana*, derivato di *Fabius*, v. *Fabio*, sostenuto dal culto di vari santi, e in particolare di San Fabiano papa nel III secolo, martire durante la persecuzione di Decio, patrono di Valsinni MT, dove il nome ha ancora un'alta frequenza relativa (circa 70 residenti maschi su 1.200).

Fàbio (32.000) M. NOMI DOPPI: *Fàbio Màssimo* (300). - F. *Fàbia* (900). ALTERATI: *Fabìola* (2.300). Ampiamente diffuso nel Nord e nel Centro, raro nel Sud (ma comune in Sardegna nel Cagliaritano), continua o riprende, con tradizione colta o semidotta, l'antico nome gentilizio latino *Fabius* e *Fabia* (forse un originario soprannome derivato da *faba* 'fava', oppure di origine etrusca e di significato ignoto), reso illustre dalla grande *gens* patrizia *Fabia*, da cui discese il famoso Quinto Fabio Massimo detto «il Temporeggiatore», comandante delle forze romane nella guerra annibalica (per cui *Fabio Massimo* non è in realtà un nome doppio, ma unitario, ripreso da questo e da altri grandi personaggi così denominati, *Fabius Maximus*, del IV-I secolo a.C.). Il nome, oltre che classico, storico-letterario, può essere in qualche caso anche cristiano, collegato con il culto di alcuni santi di questo nome. *Fabìola*, che riflette il diminutivo già latino di identica forma e pronunzia, deve la sua insorgenza e notevole diffusione, come nome di moda, alla protagonista del popolare romanzo del 1853-54 «Fabiola o la Chiesa delle catacombe» del cardinale (di origine irlandese e di lingua inglese) N. P. Wiseman, la matrona romana del IV secolo Fabiola, discepola di San Girolamo e considerata santa, sia pure non ufficialmente, dalla Chiesa, e soprattutto ai due film sulla stessa tematica e di notevole successo dello stesso titolo, «Fabiola», il primo di E. Guazzoni del 1917 e il secondo di A. Blasetti del 1949.

Fabrìzio (21.000) M. - F. *Fabrìzia* (2.800). Diffuso nel Nord e nel Centro, raro nel Sud, è un nome di matrice classica, storica e letteraria, ripreso dall'ultimo Medio Evo dall'antico gentilizio latino *Fabricius*, di probabile origine etrusca e di significato ignoto (anche se gli antichi lo derivavano da *faber* 'fabbro, artefice'), reso illustre dal console e censore Gaio Fabrizio Luscino durante la guerra tarantina, esempio di capacità e di eccezionale rettitudine.

Facóndo (25) M. ALTERATI: *Facondino* (20). Disperso nel Centro-Nord, riflette forse il culto, pur raro, di San Facondo martire in Galizia con Primitivo, in latino *Facundus* da *facundus* 'facondo, che parla molto bene' (da *fari* 'parlare'), nome gentilizio e poi personale di età imperiale.

Falàride (20) M. Disperso nel Nord e nel Centro, è un nome di matrice classica ripreso dal nome del tiranno di Agrigento del VI secolo a.C., *Phálaris Phaláridos* in greco e *Phálaris Phaláridis* in latino, noto, anche attraverso la citazione nell'«Inferno» di Dante, per la sua crudeltà (uccideva gli avversari arrostendoli vivi in un toro di bronzo, che così, per il risonare delle urla, sembrava muggire). L'etimo del nome è incerto, anche se è tradizionalmente ricollegato a *phálara* 'borchia, punta in metallo dell'elmo o della tiara, strisce laterali del casco'.

Falco (150) M. Proprio dell'Abruzzo, continua il nome personale dell'alto Medio Evo Falco, formato, attraverso un originario soprannome dato in relazione all'aggressività, alla rapidità e all'acutezza di vista e di mente, da *falco*, uccello dei rapaci (dal latino tardo *falco falconis*, accostato a *falx falcis* 'falce', probabilmente per etimologia popolare, per gli artigli e il becco adunchi, arcuati a falce), attestato anche come nome gentilizio e personale in età imperiale tarda, incrociato con lo stesso nome longobardico e francone *Falco* (in tedesco *Falke*), sostenuto in Abruzzo dal culto locale di un leggendario San Falco di Palena CH del X-XI secolo.

Falièro (1.900) M. VARIANTI: *Fallièro* (25), *Falèrio* (25). - F. *Falièra* (75). Accentrato per i $^2/_3$ in Toscana, soprattutto a Firenze, e per il resto disperso, riprende il cognome di una famiglia veneziana, *Faliero* (in veneziano *Falièr*, in documenti antichi *Faletro*, anche come nome personale), che ebbe tra l'XI e il XIV secolo tre dogi, di cui l'ultimo, Marino Faliero, giustiziato dall'oligarchia patrizia nel 1355. Il nome si è tuttavia diffuso attraverso le varie opere moderne sulla tragica sorte di quest'ultimo doge, e in particolare per il dramma in versi del 1821 «*Marino Faliero doge of Venice*» di G. Byron e il melodramma «Marin Faliero» del 1835 di G. Donizetti.

Famiàno (150) M. - F. *Famiàna* (50). Proprio del Lazio, e qui accentrato nel Viterbese, riflette il culto locale di San Famiano, monaco cisterciense morto nel 1150, di ritorno da un pellegrinaggio in Terra Santa, a Gallese VT, di cui è patrono: il nome del monaco, secondo la tradizione, era Gerardo, ma sarebbe stato ridenominato Famiano per la «fama» dei miracoli da lui operati dopo la morte.

Fanfulla (20) M. Rarissimo e disperso, è un nome recente di matrice storica, letteraria, e patriottica, ripreso dal leggendario uomo d'arme Giovanni Bartolomeo, detto Fanfulla da Lodi, campione italiano nella disfida di Barletta del 1503, conosciuto soprattutto come protagonista dei due popolari romanzi storici di M. D'Azeglio «Ettore Fieramosca» del 1833 e «Niccolò de' Lapi» del 1841. L'originario soprannome è formato dalla voce regionale lombarda *fanfulla* 'fanfaluca; fanfarone'.

Fànio (50) M. - F. *Fània* (75). Raro e disperso, è l'ipocoristico di *Epifania*, *Stefanio* o *Stefania*.

Fanny (9.000) F. VARIANTI: *Fannj* (500), *Fanni* o *Fannì* (400); *Fany* (250), *Fani* o *Fanì* (150). Diffuso nel Nord e nel Centro, rarissimo nel Sud, è l'ipocoristico, propriamente inglese ma adottato anche dal francese e di qui dall'italiano e da altre lingue, del nome femminile *Frances* (e del francese *Françoise*), corrispondente all'italiano *Francesca* (v. *Francesco*): può avere contribuito alla diffusione di questo nome esotico anche il film francese «*Fanny*» del 1932 del regista M. Allégret su un testo teatrale di M. Pagnol. In Italia, tuttavia, è stato interpretato e adottato prevalentemente come ipocoristico di *Stefania* (v. *Stefano*).

Fantino (100) M. - F. *Fantina* (150). Disperso nel Nord e nel Centro, continua il nome medievale *Fantino* (e *Fantina*), dal nome comune antiquato o regionale *fantino* (e *fantina*) 'bambino, ragazzo', diminutivo di *fante*, forma aferetica di *infante* (da latino *infans infantis* 'bambino che ancora non sa parlare', da *fari* 'parlare'), di eguale significato. In alcuni casi può essere anche l'ipocoristico dei diminutivi *Belfantino* e *Bonfantino* dei nomi augurali antiquati *Belfante* e *Bonfante*, composti con *fante*.

Faóne (25) M. È un raro nome di matrice classica e letteraria, ripreso dal bellissimo giovane, in greco *Pháōn* (da *pháos* 'luce, splendore') latinizzato in *Phaon Phaónis*, di cui si sarebbe innamorata Saffo, la poetessa di Lesbo, che, non corrisposta, si sarebbe suicidata (v. *Saffo*).

Fara (1.300) F. - M. *Faro* (400). Accentrato in Sicilia e in particolare nel Palermitano, ma abbastanza frequente anche nel Napoletano e in Toscana, riflette il culto di Santa Fara (o *Burgundofara*) badessa nel VII secolo dell'abbazia benedettina di Faremoutiers presso Meaux nella Francia settentrionale, patrona di Cinisi PD (dove il nome ha un'altissima frequenza relativa: circa 200 residenti femmine e 60 maschi su 7.000), e anche di San Faro o Farone vescovo di Meaux, fratello di Fara. È un nome germanico, ipocoristico di nomi composti con *fara- (in longobardico *fara*) che indicava un corpo di spedizione, formato da un gruppo etnico e per lo più familiare, come *Faroaldo*, *Faramondo* e, appunto, *Burgundofara*.

Fàtima (1.000) F. VARIANTI: *Fàthima* (75), *Fàtina* (250); *Fatma* (900). Distribuito nel Nord e nel Centro con più alta compattezza in Emilia-Romagna, è un recente nome di devozione insorto con il culto della Madonna di Fatima, un piccolo centro del Portogallo, ora sede di un grande santuario e meta di pellegrinaggi da tutto il mondo, dove nel 1917 Maria Vergine sarebbe ripetutamente apparsa a tre pastori.

Fàusto (47.000) M. ALTERATI: *Faustino* (6.000). NOMI DOPPI: *Fàusto Marìa* (150). - F. *Fàusta* (21.000). ALTERATI: *Faustina* (7.000). Ampiamente diffuso in tutta l'Italia, con maggiore compattezza in Lombardia, riflette in parte il culto per vari santi e sante così denominati, in particolare per i martiri San Fausto di Milano, di Roma e di Messina, per le martiri Santa Fausta di Lucca, di Roma e di Narni TR, per San Faustino martire con San Giovita a Brescia durante l'impero di Adriano, patroni di Brescia, Chiari BS e Pontedera PI, e Santa Faustina di Como. Ma in parte forse maggiore è un nome di matrice classica, storica e letteraria, ripreso dal Rinascimento da vari personaggi di Roma antica denominati con l'antico nome augurale gentilizio *Faustus* e *Fausta*, *Faustinus* e *Faustina* (che sono anche la base degli agionimi), formati o derivati dall'aggettivo latino *faustus* 'fausto; felice, prospero'. In parte minore è un recente nome di matrice letteraria e teatrale, ripreso dal cognome del dottore Johannes Faust, taumaturgo e mago tedesco del Cinquecento diventato poi leggendario, protagonista di numerose opere letterarie, teatrali e musicali moderne europee, e in particolare del «*Faust*» di W. Goethe, dei

drammi di Ch. Marlowe e di G. E. Lessing, delle opere musicali di H. Berlioz, R. Wagner, C. Gounod, F. Liszt, F. Busoni: in questo caso l'etimo è il tedesco *Faust* 'pugno'.

Fàustolo (520) M. È un rarissimo e disperso nome di matrice classica, storica e letteraria, ripreso dal nome latino *Faustolus* (da *faustus*, v. *Fausto*) del pastore che, secondo la leggenda, avrebbe raccolto e allevato Romolo e Remo abbandonati nel Tevere.

Favorita (300) F. - M. *Favorito* (10). Distribuito nel Nord e in Toscana, ma presente anche nel Salento, è un nome recente di moda teatrale ripreso dalla protagonista dell'opera lirica «La favorita» di G. Donizetti del 1840: l'etimo è *favorita* (participio passato del verbo *favorire*), che indica l'amante «favorita», prediletta e privilegiata, di sovrani e di alti personaggi.

Fèbo (450) M. - F. *Febèa* (150). Distribuito sporadicamente nel Nord e nel Centro, e più compatto in Toscana, è un nome di matrice classica, mitologica e letteraria, ripreso dal Rinascimento dall'epiteto del dio del sole Apollo e della dea della luna Artemide, in greco *Phôibos* e *Phóibē*, latinizzati in *Phoebus* e *Phoebe*, formati dall'aggettivo *phôibos* 'risplendente, luminoso' o 'puro'.

Febrònia (700) F. VARIANTI: *Febbrònia* (150). - M. *Febrònio* (150). Proprio della Sicilia, e qui più frequente nel Catanese e nel Messinese, riflette il culto locale di Santa Febronia vergine e martire durante le persecuzioni di Diocleziano, patrona di Palagonìa CT e di Patti ME: la tradizione agiografica non ha sicuri fondamenti (la martire di Patti pare identificarsi con una martire persiana), e anche il nome manca di una tradizione accertata (forse dalla dea delle malattie *Febris*, o da *februare* 'purificare').

Féde (2.800) F. VARIANTI: *Fides* (1.400). ALTERATI: *Fedina* (100). - M. *Fédo* (10). ALTERATI: *Fedino* (10). Distribuito nel Nord, con maggiore compattezza per *Fede* in Piemonte e per *Fides* nel Friuli-Venezia Giulia, e raro anche nel Centro, riflette il culto di Santa Fede, vergine e martire a Roma sotto l'imperatore Adriano con la madre Sofia e le sorelle Speranza e Carità (i nomi latini sono *Fides*, conservato nella variante *Fi-*

des per tradizione ecclesiastica, *Spes* e *Caritas*, nomi delle tre virtù teologali, e quello della madre è *Sapientia*: in greco sono rispettivamente *Pístis*, *Elpís*, *Agápē* e *Sophía*): l'etimo è il latino *fides* 'fede', qui come fede cristiana, 'fiducia, fedeltà'.

Fedéle (10.000) M (anche F). ALTERATI: *Fedelino* (20). - F. *Fedéla* (500). ALTERATI: *Fedelina* (500). Ampiamente diffuso in tutta l'Italia, è un antico nome cristiano che continua il tardo soprannome e poi nome personale latino *Fidelis*, maschile e femminile, formato da *fidelis* (derivato di *fides* 'fede', v. *Fede*) 'fedele, fidato', che in ambienti cristiani denominava chi aveva fede in Dio, nel vero Dio, ossia chi era cristiano. Alla diffusione del nome ha in parte contribuito il culto di alcuni santi, in particolare di San Fedele martire a Como durante l'impero di Massimiano.

Federico (46.000) M. VARIANTI: *Federigo* (1.300). - F. *Federica* (8.000). VARIANTI: *Federiga* (100). Ampiamente diffuso in tutta l'Italia, con maggiore compattezza nel Nord e in particolare in Lombardia per *Federico* (mentre *Federigo* è proprio della Toscana), è un nome germanico, in Italia di tradizione tedesca, attestato dall'alto Medio Evo nella forma *Frithurik* (in tedesco moderno *Friedrich*), e quindi nelle forme in latino medievale *Fredericus* o *Frederigus*: è composto con **frithu-* 'pace, sicurezza' (in tedesco *Friede*), e **rikja-* 'potente, ricco', con un significato originario che potrebbe essere 'potente nella pace, nell'assicurare la pace'. Alla diffusione del nome ha contribuito il prestigio di imperatori, sovrani e prìncipi, anche italiani, del Medio Evo e dell'età moderna, di questo nome: l'attuale forma italiana rappresenta l'esito, per la caduta per dissimilazione della prima *-r-*, della forma antica *Frederigo* o *Frederico*.

Fedòra (15.000) F. - M. *Fedòro* (100). ALTERATI: *Fedorino* (20). Distribuito in tutta l'Italia, accentuato per ¹/₃ in Toscana e raro invece nel Sud, è un nome di moda esotica, teatrale e musicale, ripreso dall'ultimo Ottocento dalla protagonista, una principessa russa, del dramma «*Fédora*» di V. Sardou del 1882 e soprattutto dall'opera lirica «*Fedora*» di U. Giordano del 1898, il cui libretto,

di A. Colautti, è tratto dal dramma francese. Il nome russo *Fedora*, femminile di *Fedor*, è il corrispondente dell'italiano *Teodora*, e come questo significa, nell'originario nome greco *Theódōros* e *Theodō'ra*, 'dono di Dio': nelle lingue slave il *th* (*theta*) del greco è normalmente continuato e adattato in *f*.

Fèdra (700) F. - M. *Fèdro* (400). Accentrato per quasi la metà in Toscana e per il resto disperso nel Nord, è un nome di matrice classica e letteraria, recente. Il femminile riprende la mitica figlia di Minosse e moglie di Tèseo, innamorata del figliastro Ippolito, che, respinta, si uccide e lo fa uccidere, protagonista di tragedie greche, latine e moderne (tra cui «*Phèdre*» di J. Racine del 1677 e «*Fedra*» di G. D'Annunzio del 1909), e anche di varie opere musicali (di Ch. W. Gluck, G. Paisiello, J. Massenet, I. Pizzetti, ecc.). Nel maschile riprende – oltre a poter rappresentare un'estensione di genere dal femminile – il nome del grande scrittore di favole latino Fedro, un liberto di Augusto di origine macèdone, imitatore di Esopo. Il nome originario greco, *Pháidra* e *Pháidros*, latinizzato in *Phaedra* e *Phaedrus*, deriva da *phaidrós* 'brillante, splendente; vivace'.

Felice (81.000) M. VARIANTI: *Felicio* (100). ALTERATI e DERIVATI: *Felicétto* (200), *Felicino* (500); *Feliciàno* (2.100), *Feliziàno* (150). ABBREVIATI: *Liciàno* (50). NOMI DOPPI: *Felice Antònio* (400). -F. *Felìcia* (14.000). ALTERATI e DERIVATI: *Felicétta* (5.000), *Felicina* (7.500); *Feliciàna* (900). Ampiamente diffuso in tutta l'Italia con diversa frequenza nelle varie forme (*Felicetto* predomina nel Lazio, *Feliciano* nell'Umbria, *Felicino* in Sardegna), continua il soprannome e poi nome augurale latino *Felix Felicis*, da *felix* 'felice, contento' (ma originariamente 'fertile, ricco di mèssi e frutti'), e il derivato *Felicianus*, comuni soprattutto in età cristiana con riferimento alla felicità della vita eterna. L'alta diffusione è motivata dal culto di numerosissimi santi e sante di questo nome (più di 100 in tutto), patroni di molti centri di tutta l'Italia.

Felìcita (18.000) F. VARIANTI: *Felicità* (400). Accentrato tra Piemonte e Lombardia e sporadico nel Nord, continua il tardo nome augurale *Felícitas Felicitá-*

tis (in forma più colta di tramite ecclesiastico, e molto più frequente, dal nominativo, accentato quindi *Felìcita*, in forma più popolare, e più rara, di tramite italiano, dall'accusativo, accentato quindi *Felicità*), che in Roma era anche il nome di una dea dell'abbondanza, della ricchezza e della fecondità, formato da *felicitas*, felicitatis, derivato da *felix felicis*, v. *Felice*. La diffusione del nome è stata promossa soprattutto dal culto di varie sante, e in particolare di Santa Felicita martire a Roma con i suoi sette figli durante l'impero di Marco Aurelio o di Antonino, e di Santa Felicita martire a Cartagine con Perpetua nel 207.

Felino (100) M. - F. *Felina* (75). Disperso nel Nord e nel Lazio, è l'esile riflesso del culto di San Felino martire con Gratiniano a Perugia durante l'impero di Decio: sia il martirio sia i nomi dei santi sembrano leggendari, dovuti a un errore di lettura per cui nella «Passione» si è letto San Felino invece di Santa Felicissima, martire con San Gratiliano (v. *Gratiliano*).

Fèmio (50) M. - F. *Fèmia* (15). Disperso in Toscana e nelle Marche, può essere un nome di matrice classica ripreso dal cantore di Itaca costretto, nell'«Odissea», a rallegrare i Proci durante l'assenza di Ulisse, in greco *Phē'mios*, latinizzato in *Phemius* (da *phē'mē* o *phêmis* 'buona reputazione, fama': *Phē'me* era anche la dea della Fama), sia una forma abbreviata di *Eufemio* o *Eufemia*.

Fenìsia (900) F. VARIANTI: *Finìsia* (150); *Fenìzia* (150), *Finìzia* (300). - M. *Fenìsio* (50). VARIANTI: *Finìsio* (50); *Finìzio* (25). È un gruppo ipotetico, fondato su un apparente coerenza formale, ma incoerente per distribuzione (maggiore compattezza di *Fenisia* in Toscana, di *Fenizia* in Lombardia, di *Finizia* in Campania) e senza una sicura interpretazione etimologica (manca anche una qualsiasi tradizione agiografica). Nel tardo latino sono esistiti alcuni nomi come *Finitia*, *Finitus* e *Finitianus*, anch'essi di etimo incerto, che potrebbero essere la base lontana di questo gruppo.

Ferdinando (74.000) M. VARIANTI: *Fernando* (75.000), *Ernando* (250). ALTERATI: *Fernandino* (25). ABBREVIATI: *Fèrdi* (25); *Nando* (7.000), *Nandino*

(300). - F. *Ferdinanda* (5.000). VARIANTI: *Fernanda* (84.000). ABBREVIATI: *Nanda* (3.000), *Nandina* (500). Ampiamente diffuso in tutta l'Italia, con maggiore compattezza in Lombardia e minore nel Sud, è ripreso dall'ultimo Medio Evo dal nome spagnolo *Fernando*, antiquato e raro *Ferdinando*, con le varianti più popolari *Fernán*, *Hernando* o *Hernán* (con il passaggio di *f-* a *h-*), che risale a un nome germanico, di tradizione visigotica, **Frithunanths*, composto di **frithu-* 'sicurezza, amicizia, pace' e **nanths* 'audace, coraggioso', con un significato che potrebbe essere 'coraggioso nell'assicurare la pace', e documentato dal X secolo nelle forme in latino medievale *Fredenandus*, *Frenandus* e, per metatesi, *Fernandus*. La grande affermazione del nome in Italia è dovuta sia alla lunga dominazione e presenza spagnola, sia al prestigio di numerosi re e imperatori, prìncipi e duchi, di vari stati europei e anche italiani (Spagna e Portogallo, Austria, Regno di Napoli e delle due Sicilie, Toscana, ecc., e, come dinastie, Asburgo, Borbone, Lorena, Medici, Gonzaga), sia al culto di vari santi, tra cui San Ferdinando III, re di Castiglia, che condusse una lunga e vittoriosa guerra contro gli Arabi, morto nel 1252.

Férmo (3.800) M. VARIANTI: *Firmo* (550). ALTERATI E DERIVATI: *Fermino* (600), *Fermìnio* (200); *Firmìno* (1.800), *Firmìnio* (200); *Firmano* (40), *Firmando* (100). - F. *Férma* (150). VARIANTI: *Firma* (60). ALTERATI E DERIVATI: *Fermina* (1.700), *Fermìnia* (600); *Firmina* (1.900), *Firmìnia* (400). Accentato nelle forme fondamentali *Fermo* e *Firmo* in Lombardia e sporadico nel Nord e in Toscana, presente in tutta l'Italia negli alterati e nei derivati, si è affermato e diffuso con il culto di vari santi e sante di questi nomi, in particolare di San Fermo martire con Rustico a Cartagine durante l'impero di Decio o di Massimiano, le cui reliquie sono conservate e venerate a Verona (di qui è insorta la tradizione leggendaria che fossero originari di Bergamo e martirizzati a Verona), patroni di Caravaggio BG, San Fermo di Grone BG, San Fermo di Varese, San Fermo della Battaglia CO, Albiate MI, di San Firmino vescovo e martire di Amiens nel III secolo, patrono di San Firmino CN, e di Santa Fermina o Firmina di Amelia TR, patrona di Amelia e di Civitavecchia. Alla base sono i nomi gentilizi e personali latini *Firmus* e *Firminus*, *Firma* e *Firmina*, formati o derivati dall'aggettivo *firmus* 'fermo; costante, perseverante', che in età e in ambienti cristiani venne riferito alla fermezza e perseveranza nella fede, e ebbe una notevole diffusione.

Ferrante (1.500) M. VARIANTI: *Ferrando* (300); *Ferrèro* (1.000), *Ferrièro* (100); *Ferriàno* (50); *Ferrantino* (20), *Ferrino* (200). - F. *Ferranda* (40); *Ferrèra* (150). ALTERATI: *Ferrina* (250). Variamente distribuito nelle diverse forme nel Nord e nel Centro, più frequente in Lombardia e Emilia-Romagna per *Ferrante* e in Toscana per *Ferrando*, *Ferrero* e *Ferriano*, rappresenta un gruppo di originari soprannomi derivati, con vari motivazioni, da *ferro*. *Ferrante* e *Ferrando* si ricollegano all'antico nome del mantello grigio-ferro dei cavalli, sostenuti dal modello del francese *Ferrant* o *Ferrand*: *Ferrante* è inoltre promosso dal modello spagnolo e dal prestigio di Ferrante I, II e III duchi di Gonzaga tra il Cinquecento e il Seicento, e in qualche caso Ferrante può essere anche un nome israelitico, come traduzione del nome biblico ebraico Barzilai che ha lo stesso significato di 'ferro'; *Ferrando* in alcuni casi può anche essere una variante assimilata di *Fernando* (v. *Ferdinando*). *Ferrero* può essere derivato dall'antiquato o regionale *ferrero* o *ferèr* 'fabbro ferraio', sostenuto dal catalano *Ferrer* e dal francese *Ferrier*.

Ferrùccio (45.000) M. - F. *Ferrùccia* (700). Ampiamente distribuito tra Nord e Centro, con maggiore compattezza in Lombardia, e raro nel Sud, continua un soprannome medievale, già attestato nel tardo latino come *Ferrutius*, derivato da *ferro* (con varie motivazioni, anche come ipocoristico di nomi composti con *ferro*) che è alla base di un nome ormai antiquato *Ferro*. Alla notevole diffusione del nome, più che il culto di San Ferruzio o Ferruccio martire nel IV secolo a Magonza o di un altro santo e martire in Francia, ha contribuito il cognome dell'eroico condottiero della Repubblica fiorentina Francesco Ferrucci, ucciso, benché gravemente ferito, dal coman-

dante imperiale Maramaldo nella difesa di Firenze del 1530, a Gavinana.

Fèrvido (50) M. - F. *Fèrvida* (50). Disperso nel Nord, e più frequente nel Veneto, è un nome senza tradizione che potrebbe essere formato da *fèrvido*, dal latino *fervidus* 'ardente, fervente', di fede e amore cristiano.

Fiàmma (1.400) F. ALTERATI: *Fiammétta* (4.000). Distribuito nel Centro-Nord con maggiore frequenza in Toscana, ha alla base un soprannome e poi nome medievale formato da *fiamma* 'che ha la luminosità, l'ardore (di sentimenti, di fede, ecc.) della fiamma': la notevole diffusione del vezzeggiativo *Fiammetta* è dovuta al nome dato da G. Boccaccio in varie sue opere (tra cui il romanzo «Elegia di Madonna Fiammetta») alla donna amata, e forse anche al nome di una maschera della commedia dell'arte, soprattutto toscana, Fiammetta, una bella e scaltra servetta.

Fidèlio (150) M. - F. *Fidèlia* (400). Distribuito nel Nord e nel Centro, è un nome d'impronta latina (esiste nel latino il tardo soprannome o 3° nome *Fidelius* derivato da *Fidelis*, v. *Fedele*), affermatosi nell'Ottocento per il falso nome che la protagonista della celebre opera musicale di L. van Beethoven «*Fidelio oder die eheliche Liebe*» (in italiano «Fidelio o l'amore coniugale»: 1ª stesura 1805, 2ª 1806, 3ª 1814), Leonora, assume travestendosi da uomo per salvare il marito Fernando Florestano.

Fidènzio (700) M. VARIANTI: *Fidènzo* (25). - F. *Fidènzia* (25). Accentato per ¹/₃ nel Veneto e in particolare nel Padovano e per il resto disperso, è il riflesso del culto di San Fidenzio vescovo di Padova e – secondo una tradizione leggendaria – martire durante l'impero di Marco Aurelio a Polverara PD: alla base è il tardo soprannome e poi nome personale latino *Fidentius*, derivato dal participio presente *fidens fidentis* di *fidere* 'avere fede, confidare, fidarsi', con il significato di 'che ha fiducia, che fida' (riferito a Dio in ambienti cristiani).

Fìdia (180) M. VARIANTI: *Fìdio* (50). Accentato per ¹/₃ nel Lazio e per il resto disperso, è un nome di matrice classica ripreso dal grande scultore ateniese Fidia del V secolo a.C., *Pheidías* in greco, latinizzato in *Phídias*, connesso con *pheidós* 'parsimonioso, frugale', soprattutto come ipocoristico di nomi composti con *Pheidi-* (*Pheidíanax*, *Pheidikrátēs*, ecc.).

Fido (50) M. DERIVATI E COMPOSTI: *Fidardo* (100), *Fidaldo* (25); *Fidalmo* (100) e *Fidalmino* (50), *Fidèlmo* (100) e *Fidelmino* (20). - F. *Fida* (40). DERIVATI e COMPOSTI: *Fidalba* (100); *Fidalma* (2.800), *Fidèlma* (500); *Fidùcia* (100). Distribuito nel Nord e nel Centro con più alta frequenza in Toscana, è un gruppo fondato sul nucleo etimologico comune, l'aggettivo latino *fidus* 'fedele, fidato' e di qui l'italiano *fido* (v., per le motivazioni, *Fede* e *Fedele*). Da questo nucleo si sono sviluppati, con processi non sempre chiari e accertabili, i derivati *Fiducia* (dal latino *fiducia* 'fiducia'), e, con il suffisso *-ardo* alterato anche in *-aldo*, *Fidardo* o *Fidaldo*, e i probabili composti *Fidalba*, *Fidalma* e *Fidalmo* (forse con *Alba* e *Alma*), e *Fidelmo* e *Fidelma*, di incerta interpretazione.

Fièro (150) M. Distribuito tra Nord e Centro con maggiore frequenza in Toscana, è una forma abbreviata di *Cafiero* anche se, in alcuni casi, può continuare un soprannome formato da *fiero*.

Filadèlfo (1.800) M. VARIANTI: *Filadèlfio* (700), *Filodèlfo* (50). ABBREVIATI: *Fidèlfo* (50) - F. *Filadèlfa* (50). VARIANTI: *Filadèlfia* (100). Accentrato nella Sicilia orientale, e in particolare a Lentini SR (dove il nome *Filadelfo* è comune a più di 800 residenti maschi su circa 15.000), è il riflesso del culto locale di San Filadelfio o Filadelfo martire con Alfio e Cirino, patroni di Lentini e di Sant'Alfio CT (v. *Alfio*). L'originario nome greco *Philádelphos*, latinizzato in *Philadelphus*, è composto con *philo-*, da *philêin* 'amare', e *adelphós* 'fratello, sorella', e significa quindi 'che ama il fratello, la sorella, i fratelli' (anche in senso cristiano, riferito ai fratelli in Cristo), e nell'antichità classica è stato anche soprannome e epiteto di sovrani uniti in matrimonio con un fratello o una sorella, come Tolomeo II Filadelfo re di Egitto nel III secolo a.C., che aveva sposato la sorella Arsìnoe.

Filandro (150) M. Accentrato per quasi la metà nell'Abruzzo e per il resto disperso, dovrebbe riflettere il culto locale di un santo che però non ha alcuna tradizione agiografica: alla base è il nome greco *Phílandros*, composto di *philo-* da *philêin* 'amare' e *anē'r andrós* 'uomo', quindi 'che ama gli uomini, ricco di umanità e bontà'.

Filastro (50) M. Proprio del Bresciano, riflette il culto di San Filastro o Filastrio vescovo di Brescia nel IV secolo: alla base è il raro e tardo nome greco *Philástrios*, adattato in latino come *Philastrius* o *Filastrius*, di incerta interpretazione (forse da *philo-*, da *philêin* 'amare' e *ástron* 'stella', quindi 'che ama le stelle').

Filèmone (50) M. Disperso nell'Italia centrale, riflette il culto di alcuni santi di questo nome, in greco *Philē'mōn*, latinizzato in *Philémon Philémonis*, formato da *philē'mōn* 'affettuoso, affezionato' (derivato da *phílēma* 'bacio; amore'), con il significato di 'affettuoso, pieno di amore' (anche in senso cristiano). La diffusione del nome può essere stata promossa, in casi isolati, anche dal nome del contadino della Frigia Filemone, personaggio, con la moglie Bauci, di un antico mito (e simbolo dell'amore coniugale) tramandato da vari scrittori classici, e in particolare da Ovidio nelle «Metamorfosi».

Filèno (300) M. - F. *Filèna* (50). Proprio dell'Abruzzo e sporadico nel Centro e nel Nord, dovrebbe riflettere un culto locale che però, così come il nome, manca di una sicura tradizione.

Filibèrto (7.000) M. - F. *Filibèrta* (200). Diffuso nel Nord e nel Centro, è un nome di origine germanica, in Italia di tradizione francone, affermatosi tuttavia recentemente, per il prestigio che dopo l'unità ha avuto come nome tradizionale della dinastia dei Savoia (Filiberto I e II e Emanuele Filiberto, duchi nel XV e XVI secolo): in parte può essere stato anche sostenuto dal raro culto di San Filiberto abate in Francia nel VII secolo e San Filiberto martire in Spagna. Il nome germanico, documentato in Francia dall'alto Medio Evo nella forma latinizzata *Filibertus*, è composto di **filu-* 'molto' (in tedesco *viel*) e **berhta-* 'splendente, illustre', con il significato di 'molto illustre, famoso'.

Filidèo (25) M. - F. *Filidèa* (75). Disperso tra Nord e Centro, è forse, in mancanza di una qualsiasi tradizione onomastica e agiografica, un'alterazione di *Filotèo* e *Filotèa* (accentati, nell'uso popolare, sulla penultima, e quindi raccostati a *deo* 'Dio').

Filidòro (75) F (anche M). Proprio di Firenze e della Toscana centrale, può essere sia un originario soprannome formato da *fili d'oro*, riferito ai capelli biondi, sia una ripresa del nome greco *Philódōros*, latinizzato in *Philodórus*, composto con *philo-* da *philêin* 'amare' e *dôron* 'dono', quindi 'che ama fare doni; generoso, liberale'.

Filippo (98.000) M. VARIANTI: *Firpo* (25). ALTERATI: *Filippino* (50). ABBREVIATI: *Lippo* (25). NOMI DOPPI: *Filippo Marìa* (100); *Filippo Nèri* (65), *Filipponèri* (150). - F. *Filippa* (17.000). ALTERATI: *Filippina* (2.500). Ampiamente diffuso in tutta l'Italia con diversa frequenza nelle varie forme (*Filippo* e *Filippa*, con *Filippo Neri*, predominano nella Sicilia centro-orientale, *Firpo* nel Nord, *Lippo* è proprio di Firenze e della Toscana), continua, attraverso l'adattamento latino *Philippus*, il nome greco *Phílippos*, formato da *philo-* da *philêin* 'amare' e *híppos* 'cavallo', quindi 'che ama i cavalli, le corse di cavalli'. Il nome si è affermato già nel primo cristianesimo per il culto di San Filippo apostolo (patrono con San Giacomo di Frascati e Nemi di Roma) e di San Filippo di Agira del V secolo (patrono di Calatabiano CT e Agira EN), si è poi ridiffuso dal Medio Evo al Rinascimento per il culto di vari altri santi e per il prestigio di sovrani e prìncipi di stati antichi (Macedonia) e moderni (Francia, Germania, Spagna, ducato di Savoia, ecc.), e infine, dal Seicento, per il culto, radicato soprattutto nel Sud, di San Filippo Neri, fondatore della Congregazione dell'Oratorio, morto a Roma nel 1595 (patrono di Lacedonia AV, Gioia del Colle BA, Tursi MT, ecc.). La variante *Firpo* è l'esito regionale, con *Filpo*, del nome di tradizione diretta bizantina, con l'accentazione originaria sulla terzultima, *Phílippos*.

Fillide (100) F. VARIANTI: *Filide* (200). Disperso tra Nord e Centro, è un nome di matrice classica e letteraria, ripreso dalla mitica principessa di Tracia Fillide, trasformata in mandorlo, prediletto dai poeti dell'Arcadia come nome

delle pastorelle e delle donne amate e adottato come figura e maschera dell'innamorata giovane dalla commedia dell'arte. L'originario nome greco *Phyllís* o *Phylís*, latinizzato in *Phýllis Phýllidis*, è un derivato di *phýllon* 'foglia; petalo di fiori' (e *phyllís* ha poi anche assunto il significato di 'mandorlo'), o anche, più difficilmente, di *phylē'* 'stirpe', cioè 'che appartiene alla stirpe'.

Filodèmo (25) M. Rarissimo, disperso ma più comune a Salerno, è un nome di matrice classica e letteraria, ripreso dal filosofo epicureo e poeta greco Filodemo di Gàdara del I secolo a.C., vissuto a lungo a Ercolano, in greco *Philódēmos* latinizzato in *Philodémus*, composto da *philo-* da *philêin* 'amare' e *dêmos* 'paese; popolo', con il valore quindi di 'che ama il popolo o il proprio popolo, il proprio paese'.

Filomèna (121.000) F. NOMI DOPPI: *Filomèna Marìa* (25). - M. *Filomèno* (1.400). Accentato per più di $^1/_3$ nel Sud continentale e per il resto disperso, riflette il culto di Santa Filomena vergine del Piceno (di dubbia storicità), venerata a San Severino Marche MC, e di Santa Filomena martire – secondo una tradizione leggendaria – a Roma sotto Diocleziano, le cui reliquie, trasportate a Mugnano del Cardinale AV (di cui è compatrona con Santa Maria delle Grazie), sono qui venerate. Il nome risale al greco *Philoménēs*, latinizzato in *Philoménus* e al femminile in *Philoména*, composto con *philo-* da *philêin* 'amare' e *-ménēs* da *ménein* 'restare', con il significato di 'che resta affezionato, fedele all'amore e all'amicizia': ma con esso, al femminile, si è incrociato e confuso l'altro nome greco *Philomē'la* o *Philomē'lē*, la mitica sventurata principessa di Atene trasformata dagli dei in usignolo, nome tradizionalmente ricollegato a *mélos* 'canto, melodia; musica per canto', quindi 'dal bel canto' (e in usi poetici Filomela o Filomena indica, per metonìmia, l'usignolo), ma in realtà composto con *mêlon* 'gregge' con il significato di 'che ha cura del gregge'.

Filorèto (100) M. Proprio della Calabria, riflette il culto locale di San Filarete di Calabria, asceta basiliano dell'XI secolo (alterato per analogia con i molti nomi greci in *Filo-* in Filorete), in greco tardo e bizantino *Philarétēs*, da *philáretos* (composto di *phil-* da *philêin* 'amare' e *aretē'* 'virtù, valore'), 'che ama la virtù, il coraggio; valoroso'. **Filòteo** o *Filotèo* (150) M. - F. *Filòtea* o *Filòtea* (200). Accentrato per ²/₃ tra Abruzzo e Puglia e per il resto disperso, riflette il culto di vari santi e martiri di origine orientale dal tardo nome greco *Philótheos*, latinizzato in *Philótheus* (ma accentato in italiano, in usi popolari, anche *Filotèo*), composto di *philo-* da *philêin* 'amare', e *theós* 'dio', con il significato pagano di 'che ama gli dei' e cristiano di 'che ama Dio': corrisponde come senso e componenti al tipo opposto *Teofilo*.

Fina (1.400) F. ALTERATI: *Finèlla* (200), *Finétta* (150). - M. *Fino* (100). ALTERATI: *Finétto* (10). DERIVATI: *Finaldo* (100). Attestato sparsamente, con diversa frequenza nelle varie forme (più comune *Fina* in Sicilia, *Finella* in Abruzzo e Puglia, *Finetta* con *Fino* e *Finaldo* in Toscana), è la forma abbreviata di *Serafina* (in qualche caso anche di *Alfina*, *Adolfina*, *Rodolfina*, ecc.), sostenuta in Toscana dal culto di Santa Fina (o Serafina) di San Gimignano SI, morta a 15 anni nel 1253, venerata nella zona (e a San Gimignano le è dedicata una splendida cappella del Quattrocento della Collegiata).

Finalba (500) F. - M. *Finalbo* (15). Proprio del Lazio centro-settentrionale, è probabilmente un composto dell'ipocoristico *Fina* o *Fino* con *Alba* o *Albo*.

Fine (1.000) F (anche M). VARIANTI: *Finis* (20), *Fines* (100). DERIVATI: *Finita* (60), *Finìmola* (250). Accentrato per la metà in Toscana e per il resto disperso nel Centro-Nord, è un nome dato a un figlio per esprimere il proposito e il desiderio di non averne più altri: ossia *fine*, e in un latino popolare e più o meno corretto *finis* e *fines*, oppure *(è) finita* o *finìmola* (dialettale per 'finiamola'), di avere figli. In alcuni casi tuttavia, nel Senese, *Fine* può essere una variante di *Fina*.

Finimóndo (70) M (anche F). Sporadico in Emilia-Romagna, Toscana e Marche, è un originario nome scherzoso o polemico dato a un figlio che è 'un finimondo', che viene a sconvolgere la quiete familiare.

Fioramante (300) M (anche F). Accentrato nel Catanzarese, può essere un composto di *Fiore* o *Fiora* con *amante*, 'che ama i fiori', o una forma alterata per etimologia popolare di *Fioramonte* o di *Fioravante*.

Fioramónte (50) M. Disperso nel Sud, è un nome ripreso nel tardo Medio Evo dal protagonista del poema cavalleresco in francese antico di Aymon de Varenne del 1188 «*Florimont*» (che è l'avo di Alessandro Magno nel «ciclo dei cavalieri antichi»), molto popolare per le traduzioni e gli adattamenti italiani.

Fioravante (6.000) M (anche F). VARIANTI: *Fioravanti* (800). Distribuito in tutta l'Italia, con maggiore compattezza nel Veneto, in Toscana e in Abruzzo, è un nome diffuso, a partire dal Quattrocento, dal popolare romanzo cavalleresco «I Reali di Francia» di Andrea da Barberino del Trecento, e dai numerosi adattamenti e rifacimenti, in cui Fioravante è il figlio del re Fiorello e di Bianciadore (nome d'impronta francese ma di formazione incerta, forse dal francese antico *fier* 'fiero', o dal nome *Fleurant*, ossia 'fiorente', v. *Fiore*).

Fiordalisa (200) F. VARIANTI: *Fiordalice* (250), *Fiordiligi* (20). ABBREVIATI: *Fiorigi* (700), *Florigi* (75), *Florige* (100), *Fiorigia* (150); *Alisa* (100), *Alisia* (75). - M. *Fiordaliso* (100). ABBREVIATI: *Fiorìgio* (50); *Daliso* (50); *Aliso* (30), *Alìso* (50). Distribuito tra il Nord e il Centro, con maggiore compattezza per *Fiordalisa* in Lombardia, per *Fiordaliso* e *Aliso* in Toscana, per il tipo *Fiorigi* in Emilia-Romagna, è un nome affettivo e augurale medievale formato da *fiordaliso* (con le varianti antiquate *fiordaligio* o *fiordiligi* o *fiordiligio*), prestito dal francese antico *fleur de lis* 'fiore di giglio', che indicava una varietà di giglio e in particolare i gigli d'oro dell'arme della casa reale di Francia. In particolare, *Fiordiligi* si è diffuso per il personaggio dell'«Orlando innamorato» di M. M. Boiardo e poi dell'«Orlando furioso» di L. Ariosto, la bella e dolce moglie del compagno di Orlando Brandimarte, che quando il marito viene ucciso dal saraceno Gradasso muore di dolore.

Fióre (5.500) M (anche F). VARIANTI: *Fióri* (150). ALTERATI: *Fiorèllo* (2.200), *Fiorétto* (200), *Fiorillo* (100),

Fiorino (3.100). DERIVATI: *Fioraldo* (25), *Fiorito* (300). NOMI DOPPI: *Fioralbo* (20), *Fioràngelo* (400), *Fiormarìa* (50: anche F). - F. *Fióra* (1.900). ALTERATI: *Fiorèlla* (31.000), *Fiorétta* (1.900), *Fiorina* (13.000). DERIVATI: *Fioralda* (75), *Fiorisa* (400), *Fiorita* (700). NOMI DOPPI: *Fioralba* (600), *Fioràngela* (1.300), *Fioranna* (300). Diffuso in tutta l'Italia continentale con diversa frequenza secondo le varie forme, è un nome affettivo e augurale che in parte continua il tardo nome latino *Flos Floris* (da *flos* 'fiore') e in parte molto maggiore è nuovamente formato nel Medio Evo dall'italiano *fiore*, sostenuto anche dal culto di santi e sante così denominati, tra cui San Fiore martire a Catania, un leggendario San Fiore vescovo di Pola, Santa Fiora o Flora martire a Roma con Lucilla e altri 21 compagni sotto l'imperatore Gallieno (Santa Flora e Lucilla sono patrone di Santa Fiora GR e di Santa Fiora frazione di Sansepolcro AR), Santa Fiorina vergine di Roma del IV secolo, e da nomi di personaggi della letteratura cavalleresca medievale (v. anche *Flora*).

Fiorènzo (16.000) M. VARIANTI: *Florènzo* (400), *Florènzio* (100); *Fiorènto* (25). ALTERATI: *Fiorenzino* (25), *Fiorentino* (3.300). - F. *Fiorènza* (16.000). VARIANTI: *Florènza* (400), *Florènzia* (75); *Fiorènte* (100: anche M). ALTERATI: *Fiorenzina* (150), *Fiorentina* (5.500). Ampiamente diffuso in tutta l'Italia, con diversa frequenza nelle varie forme, continua i soprannomi e poi nomi personali augurali latini di età imperiale *Florens Florentis* (participio presente del verbo *florére* 'fiorire'), il derivato *Florentius* o *Florentia* con il diminutivo *Florentinus* o *Florentina* (che in qualche caso può essere anche l'etnico di *Florentia* 'Firenze'), tutti sostenuti dal culto di numerosi santi e sante di questi nomi.

Firènze (200) M (anche F). Proprio della Toscana, riflette il culto di San Florenzio (v. *Fiorenzo*), alterato nell'uso popolare toscano in San Firenze, cui è dedicata una chiesa nel centro della città (Piazza San Firenze).

Fiùme (90) F (anche M). DERIVATI: *Fiumana* (100). - M. *Fiumano* (50). Raro e disperso, è un nome ideologico, patriottico e nazionalistico, insorto nell'ultimo Ottocento, e soprattutto dopo la 1ª guerra mondiale, con le aspirazioni italiane all'annessione di Fiume, città e porto dell'Istria (annessa all'Italia nel 1924, dopo l'impresa fiumana di G. D'Annunzio del 1919, in base agli accordi di Roma, e riannessa quindi alla Iugoslavia nel 1947 con il trattato di Parigi).

Flamìnio (3.000) M. - F. *Flamìnia* (2.700). Diffuso nel Nord e nel Centro, raro nel Sud, è un nome di matrice classica, rinascimentale, ripreso dall'antico gentilizio latino *Flaminius* (derivato da *flamen* 'sacerdote') reso illustre da vari personaggi tra cui il console Gaio Flaminio, costruttore della Via Flaminia che attraverso l'Umbria e le Marche porta da Roma a Rimini, vincitore dei Galli Insubri, sconfitto e ucciso nel 217 a.C. da Annibale nella battaglia del Trasimeno.

Flàvio (26.000) M. DERIVATI: *Flaviàno* (2.700). - F. *Flàvia* (1.800). DERIVATI: *Flaviàna* (1.400). Diffuso nel Centro-Nord e raro nel Sud, è una continuazione o ripresa del gentilizio latino *Flavius* (derivato dal soprannome *Flavus*, da *flavus* 'biondo, giallo dorato'), proprio di vari imperatori del I secolo (Tito Flavio Vespasiano, che fece costruire la Via Flavia da Trieste a Pola, il figlio omonimo, Tito Flavio Domiziano), e il derivato, come 3° nome o soprannome, *Flavianus*. Alla diffusione ha contribuito sia il culto di numerosi santi e sante (tra cui San Flavio Clemente martire a Roma, cugino di Domiziano, Santa Flavia Domitilla martire a Terracina alla fine del I secolo, San Flaviano martire a Roma sotto Giuliano l'Apostata), sia il prestigio di personaggi storici romani, sia la commedia dell'arte in cui *Flavio* e *Flavia* erano spesso il nome degli innamorati.

Flòra (50.000) F. VARIANTI: *Flòria* (1.300). ALTERATI: *Florétta* (150), *Florina* (400). DERIVATI: *Floriàna* (8.500), *Floreàna* (100); *Florinda* (5.000), *Fiorlinda* (100), *Fiorinda* (1.400), *Flòrida* (1.300), *Flòride* (250), *Florìdia* (100), *Floridèa* o *Floridea* (150), *Florisa* (400), *Florise* (100), *Florita* (75). NOMI DOPPI: *Floralba* (50), *Floranna* (200). - M. *Flòro* (600). VARIANTI: *Flòrio* (3.100), *Flòres* (700), *Flòris* (700). ALTERATI: *Florino* (150). DERIVATI: *Floriàno* (6.000), *Floreàno* (50);

Florindo (5.500), *Fiorlindo* (25), *Fiorindo* (1.700); *Flòrido* (850), *Florìdeo* o *Floridèo* (50); *Floriso* (10). Ampiamente diffuso in tutta l'Italia con varia frequenza nelle diverse forme (*Flores* o *Floris* è proprio del Veneto, *Floridea* o *Florideo* dell'Abruzzo, *Florio* predomina in Toscana e *Floriana* in Emilia-Romagna), è un tipo che, pur avendo un etimo lontano unico, presenta tuttavia molteplici tradizioni e processi di formazione. Alla base è il nome della divinità romana (di origine italica) della primavera *Flora* (derivato da *flos floris* 'fiore', come dea dei fiori, della fioritura primaverile), diventato nome femminile e poi esteso anche al maschile nella forma *Florus*, molto comune come soprannome o 3° nome. Di qui sono derivati in età imperiale, sempre come soprannomi ma poi diventati nomi unici, *Florius* o *Floria* con il diminutivo *Florinus* o *Florina*, *Florianus* o *Floriana*, *Floridus* o *Florida* (da *floridus* 'fiorente'), e *Floris Floridis* (con il suffisso nominale -*is* d'impronta greca): e da questi tipi si sono poi svolte le varie forme italiane. La diffusione della maggior parte di questi nomi italiani è stata promossa dal culto di vari santi e sante così denominati: per *Florio*, tuttavia, ha contribuito la popolarità dei romanzi, poemi e cantari medievali (ma sopravvissuti fino all'età moderna) sulla romantica vicenda dell'amore tra Florio e Biancofiore (la fonte è il poemetto dell'XI secolo in francese antico «*Floire et Blanceflor*»); e per *Florindo* e *Florinda* il fatto che, dal Cinquecento, sono stati uno dei più frequenti nomi dell'innamorato e dell'innamorata della commedia dell'arte goldoniana, e *Florindo* è ancora un personaggio dell'opera lirica «Le maschere» di P. Mascagni del 1901. V. anche *Fiore*.

Florestano (300) M. VARIANTI: *Forestano* (50). Accentrato in Toscana e in Calabria per quasi la metà, e per il resto disperso, è un nome di matrice spagnola (da *floresta* 'foresta', v. *Foresto* per il significato), che si è diffuso in parte recentemente, per il «Fidelio» di L. van Beethoven in cui Fernando Florestano è il marito di Leonora (v. *Fidelio*).

Fòca (500) M. Accentrato nel Catanzarese, riflette il culto locale di San Foca martire a Sinope nel Ponto durante le persecuzioni di Traiano o di Diocleziano, venerato in Calabria e soprattutto a Francavilla Angitola CZ di cui è patrono: *Phokâs*, latinizzato in *Phócas*, è un nome greco e bizantino molto diffuso a partire dal IV secolo e fino all'età moderna, proprio di vari imperatori d'Oriente, tradizionalmente ricollegato a *phõ'kẽ* 'foca' (le foche del genere *Monachus* erano molto comuni nel passato nel Mediterraneo).

Fólco (700) M. VARIANTI: *Fulco* (150), *Fulgo* (50). DERIVATI: *Fulcèri* (25), *Fulcièri* (25), *Fulgèro* (25). Accentrato per quasi ⅓ in Toscana e per il resto disperso, continua un tipo nominale germanico, già longobardico e poi francone, formato con **fulca-* 'popolo (in armi)', in tedesco *Volk* e in inglese *folk*, normalmente unito a un altro componente, **haira-*, in tedesco *Herr*, 'signore, capo' o **gaira-* 'lancia': di qui deriva *Fulceri*, mentre *Folco* è l'ipocoristico, diventato nome autonomo, sia di *Folkheri* 'Fulceri' sia di altri composti come *Folkhard*, *Folkmar*. Il nome è documentato in Italia dall'VIII secolo nelle forme latinizzate *Fulcus*, *Fulcherius* o *Fulcarius*, ma è diventato raro, aristocratico, già nell'ultimo Medio Evo: *Folco* si è però poi ridiffuso con la conoscenza più approfondita di Dante e della sua vita – Beatrice è figlia di Folco Portinari –, e forse recentemente per l'omonimo personaggio dell'opera lirica di P. Mascagni «*Isabeau*» del 1911.

Folgóre (25) M. È l'esile e disperso riflesso della notorietà del poeta di corte del primo Trecento Giacomo di San Gimignano, soprannominato *Folgore*, da *fulgore* 'splendore' (dal latino *fúlgor fulgóris* da *fulgére* 'risplendere, rifulgere'), in relazione alla sua fama e bravura poetica.

Fónte (600) F. ALTERATI: *Fontina* (50). VARIANTI: *Fontana* (150). Accentrato in Puglia, soprattutto nel Barese e nel Brindisino, è un nome di devozione insorto con il culto locale di Maria Santissima della Fonte, patrona di Conversano BA, e della Fontana, patrona di Francavilla Fontana BR.

Forése (100) M. Esclusivo della Toscana, continua un nome medievale, reso noto da Forese Donati, rimatore e amico di Dante (rievocato in un episodio del «Purgatorio»), formato, attraverso un originario soprannome, dal toscano antico *forese* 'che viene dal contado, dalla campagna; che si è inurbato recentemente', che ha alla base il latino tardo *forensis*, un etnico derivato da *forum* 'mercato, centro agricolo e commerciale situato alla periferia o nelle vicinanze della città'.

Forèsto (700) M. - F. *Forèsta* (300). VARIANTI: *Florèsta* (20). ALTERATI: *Forestina* (50), *Florestina* (150). Peculiare della Toscana nelle forme in *Fo-*, dell'Emilia-Romagna e del Nord in quelle in *Flo-* (probabile incrocio con *Flora*), continua un soprannome medievale formato dal termine regionale *foresto* (dal latino tardo *forestus* e *forestis*, 'che viene da fuori, dalla campagna e dai boschi', dall'avverbio *foris* 'fuori'), che in Toscana ha il significato di 'campagnolo, rustico, rozzo e scontroso' e nel Nord quello di 'forestiero'.

Fòrte (25) M. ALTERATI: *Fortino* (40). Disperso nel Centro e nel Nord, continua in parte il tardo nome latino *Fortis* da *fortis* 'forte, fermo e risoluto', soprattutto in senso morale e cristiano, e in parte è l'ipocoristico di nomi medievali composti, formati con il 1° elemento *Forte-*, come *Fortebraccio* (v. *Braccio*): può avere localmente influito sulla diffusione il pur raro culto di San Forte, vallombrosano a Sant'Andrea di Loro Ciuffenna AR nel XII secolo.

Fortuna (6.500) F. - M. *Fortuno* (10). Accentuato per ⁴/₅ in Campania e soprattutto nel Napoletano, e per il resto disperso in tutta l'Italia, riflette in gran parte il culto di Santa Fortunata, nella tradizione popolare anche Fortuna, martire sotto Diocleziano a Cesarea in Palestina, le cui reliquie furono trasportate a Napoli, e in parte è un nome augurale: alla base è il latino *fortuna*, nome anche della divinità che amministra la fortuna, la buona e la cattiva sorte, diventato in età tarda anche nome personale femminile. V. anche *Fortunio* e *Fortunato*.

Fortunato (26.000) M. VARIANTI: *Affortunato* (150). - F. *Fortunata* (19.000). VARIANTI: *Affortunata* (100). ALTERATI: *Fortunatina* (300). Ampiamente diffuso in tutta l'Italia ma più compatto nel Sud (dove sono specifiche, soprattutto in Pu-

glia, le varianti in *Aff-* con *a-* rafforzativo), è un nome augurale, già latino (*Fortunatus* è un soprannome e poi nome derivato da *fortuna*), ma reinsorto anche nel Medio Evo (da *fortunato*), sorretto dal culto di numerosi santi e di Santa Fortunata martire a Cesarea (v. *Fortuna*).

Fortùnio (50) M. - F. *Fortùnia* (75). Disperso nel Centro-Nord, è un nome di matrice teatrale e letteraria, già diffuso dalla commedia dell'arte, poi anche dal protagonista del romanzo «*Fortunio*» del 1838 di Th. Gautier e da varie opere musicali che si sono ispirate a questo romanzo (di J. Offenbach del 1861, di N. Werterhout del 1895): alla base è il soprannome latino di età imperiale *Fortunius*, derivato da *fortuna* (v. *Fortuna*).

Fósco (4.800) M. VARIANTI: *Fusco* (100). ALTERATI e DERIVATI: *Fóscolo* (500); *Fóscaro* (200) e *Foscarino* (50). - F. *Fósca* (8.000). ALTERATI e DERIVATI: *Foscarina* (300). Gruppo qui costituito in base alla coerenza della distribuzione – è accentrato in Toscana e disperso nel Centro-Nord – e all'etimo lontano unitario – il latino *fuscus* 'di colore scuro', riferito alla carnagione e ai capelli come soprannome e poi nome di età imperiale, *Fuscus* e, nel diminutivo, *Fusculus* –: ma le motivazioni dell'insorgenza e della diffusione delle varie forme sono diverse. *Fosco* e *Fosca* sono promossi dal culto di San Fosco martire a Roma e di Santa Fosca martire con Maura a Ravenna durante l'impero di Decio. *Foscolo* ci si ridiffuso recentemente, dall'Ottocento, per il cognome del poeta e scrittore Ugo Foscolo, e per il suo prestigio anche civile e politico nel Risorgimento. *Foscaro*, che risale a un nome medievale già documentato dall'VIII secolo nelle forme latinizzate *Fuscari* e *Foscherius*, e che rivela sia nell'accento sia nella terminazione un'impronta germanica (una composizione o derivazione da *Fuscus* con un elemento *-harja-* 'esercito' o comunque con un elemento *-ari* e *-arius*), può essere stato promosso dal cognome Foscari di una grande famiglia veneziana del Medio Evo e del Rinascimento, e in particolare *Foscarina* si è ridiffuso nel primo Novecento per il nome della protagonista (Foscarina, che adombrava la grande attrice drammatica Eleonora Duse) del romanzo di G. D'Annunzio «Il fuoco» del 1900.

Francèsco (838.000) M. ALTERATI: *Franceschino* (700). ABBREVIATI e IPOCORISTICI: *Césco* (150); *Cécco* (50), *Cecchino* (100), *Ceccardo* (50); *Chécco* (30), *Checchino* (50); *Chicco* (50); *Chino* (140); *Cìccio* (100), *Ciccillo* (50). NOMI DOPPI: *Francésco Pàolo* o *Francescopàolo* (15.000), *Francésco Savèrio* (3.000), — *Antònio* o *Francescantònio* (3.000), — *Marìa* (650). - F. *Francésca* (300.000). VARIANTI: *Francisca* (400). ALTERATI: *Franceschina* (4.500). ABBREVIATI e IPOCORISTICI: *Cecchina* (200); *Chicca* (25). NOMI DOPPI: *Francésca Pàola* (4.500), *Francésca Marìa* (1.500). È uno dei nomi di più alta frequenza in Italia – il 6° per rango nazionale tra i maschili e l'11° tra i femminili –, ampiamente diffuso nella forma fondamentale in tutta l'Italia e variamente distribuito nelle altre forme: *Franceschino* e *Chicco* sono accentrati in Sardegna, con i rispettivi femminili; *Cesco* è più compatto nelle Venezie, *Chino* nel Nord e in particolare nell'Emilia-Romagna; *Ceccardo* è proprio della Toscana e soprattutto del Carrarese. La base lontana è l'etnico latino, tardo e medievale, *Franciscus*, dal germanico *frankisk*, che indicò prima l'appartenenza al popolo germanico dei Franchi (v. *Franco*), poi a quello dei Francesi e in genere l'origine dalla Francia o una relazione (di lavoro, ecc.) con la Francia: con questo valore etnico fu usato come soprannome e come nome personale dall'XI al XIII secolo. Ma dal Trecento da nome laico si trasformò in nome prevalentemente religioso, cristiano, per il prestigio e il culto sempre più diffuso di San Francesco d'Assisi (Giovanni di Pietro di Bernardone, mercante di tessuti spesso impegnato in Francia, che per questo ridenominò il figlio Francesco), patrono d'Italia, dell'Umbria e di numerosi centri, e in séguito per il culto di moltissimi santi e sante così denominati (più di 50), tra cui San Francesco di Paola CS eremita francescano del Quattrocento, San Francesco Caracciolo di Villa Santa Maria d'Abruzzo e San Francesco Saverio missionario gesuita di Xavier in Navarra del Cinquecento, San Francesco di Geronimo di Grottaglie TA e San Francesco di Sales in Navarra del

Seicento. In particolare il derivato in *-ardo* d'impronta germanica, longobardica, *Ceccardo*, è insorto e si è diffuso per il culto locale di San Ceccardo vescovo nel IX secolo e patrono di Luni SP (e il nome è attualmente accentrato per i ⁴/₅ nel Carrarese); i nomi doppi *Francesco Paolo* e *Francesco Saverio*, accentrati nel Sud, sono in realtà unitari e autonomi, ripresi da San Francesco di Paola e da San Francesco Saverio (v. *Saverio*).

Frància (75) F. ALTERATI: *Francina* (100). Accentrato in Lombardia, è l'esile riflesso del soprannome etnico e poi nome *Francia*, dato per una qualsiasi relazione (origine, residenza, ecc.) con la Francia.

Franco (400.000) M. ALTERATI: *Franchino* (300). - F. *Franca* (230.000). ALTERATI: *Franchina* (500). NOMI DOPPI: *Franca Marìa* (1.400). Nome di altissima frequenza – è il 12° rango nazionale dei maschili e il 19° dei femminili –, ampiamente diffuso in tutta l'Italia, ha come etimo lontano (quando non sia una forma abbreviata di *Francesco*) il germanico *franka-*, di significato originario incerto, diventato poi l'etnico del popolo dei Franchi e quindi fissatosi nel valore di 'uomo di condizione libera' (in quanto nei paesi da essi dominati nell'alto Medio Evo solo i Franchi godevano dei pieni diritti di liberi cittadini). In Italia il nome è attestato dal IX secolo nella forma latinizzata *Francus*, ma già esisteva da secoli un latino medievale *Francus* e *francus* che indicava sia l'appartenenza al popolo dei Franchi sia la condizione di libero: e *franco* ha avuto nell'italiano antico, e ha ancora in alcune locuzioni, il significato di 'libero'. Il nome si è dunque affermato in Italia prima come etnico, 'appartenente al popolo dei Franchi', poi come determinativo della condizione politico-sociale di 'uomo libero', infine per il culto di vari santi e sante di questo nome, tra cui San Franco di Assergi AQ del XII secolo, nato a Roio del Sangro CH, patrono di Francavilla al Mare CH, e Santa Franca badessa di Piacenza del XII-XIII secolo.

Franklin (50) M. - F. *Franklina* (15). Rarissimo e disperso, è un nome di matrice ideologica, libertaria, ripreso dal cognome del politico, scrittore e fisico Benjamin Franklin (cognome derivato dal nome *Frank*, v. *Franco*), nato a Boston nel 1706 e morto nel 1790, sostenitore della libertà e dell'indipendenza del popolo americano e degli ideali democratici.

Frànzio (20) M. ALTERATI: *Franzino* (20). - F. *Franzina* (70). Disperso nel Nord, rappresenta l'adattamento italiano del nome tedesco *Franz* (5.500), corrispondente a *Francesco*, accentrato nella provincia autonoma di Bolzano di lingua maggioritaria tedesca, ma presente in tutta l'Italia come nome di residenti stranieri di lingua tedesca.

Frediàno (550) M. - F. *Frediàna* (150). Accentrato per quasi la metà al maschile in Toscana e al femminile in Emilia-Romagna, e per il resto disperso nel Nord e anche nel Centro, riflette il culto di San Frediano del VI secolo che, secondo una tradizione scarsamente fondata, sarebbe venuto dall'Irlanda in Italia e, dopo essere stato eremita nei pressi di Lucca, fu eletto vescovo della diocesi. L'origine del nome, come la tradizione agiografica, è incerta: forse è un derivato dal germanico **frithu-* 'sicurezza; amicizia, pace' (v. *Frida*), con il suffisso latino *-ianus*, quindi *Fridianus* o *Fredianus*, con il significato di 'amante della pace'.

Frida (4.000) F. VARIANTI: *Fride* (100), *Frieda* (2.500). - M. *Frido* (100). Distribuito in tutta l'Italia, con maggiore compattezza per *Frida* nel Trentino-Alto Adige e nel Friuli-Venezia Giulia, rappresenta l'italianizzazione grafica del nome femminile tedesco *Frieda* proprio delle zone alloglosse tedesche e soprattutto di residenti italiane della provincia autonoma di Bolzano ma anche di residenti straniere di lingua tedesca, formato dal germanico **frithu-* 'sicurezza; amicizia, pace' (in tedesco *Frieden* o *Friede*, anche come ipocoristico di nomi composti con questa base, come *Elfriede*, ecc.).

Fridolino (25) M. Accentrato nella provincia autonoma di Bolzano, è l'esile riflesso del culto di San Fridolino, evangelizzatore della Renania tra il VI e il VII secolo, venerato, oltre che in Renania, in Alsazia, in Baviera e in Svizzera: il nome, in tedesco antico *Fridulin* e moderno *Fridolin*, è derivato dal germanico **frithu-* (v. *Frediano* e *Frida*) con il suffisso diminutivo e vezzeggiativo *-ilin*.

Frine (300) F. - M. *Frino* (15). Accentrato tra Emilia-Romagna e Toscana, è una ripresa classicheggiante, recente, del nome della bellissima cortigiana del IV secolo a.C. Frine, celebre per essere stata ritratta in due statue dal grande scultore Prassìtele e difesa dal grande oratore Iperide, che l'avrebbe fatta assolvere denudandola davanti ai giudici per invocare, a discolpa, la sua eccezionale bellezza. Il nome greco *Phrýnē*, latinizzato in *Phryne*, è formato da *phrýnē*, che indica una specie di rana o rospo dal dorso di colore brunastro, e che è frequente come sopranname dato a prostitute per il colore scuro, abbronzato, della carnagione.

Frugolino (25) M. Raro, più comune nelle Venezie, è un nome affettivo formato da *frugolino*, appellativo familiare di bambini molto vivaci, che 'frugolano' dappertutto.

Fruttuóso (100) M. - F. *Fruttuósa* (25). Accentrato per i $^3/_5$ in Lombardia e per il resto disperso nel Nord, riflette il culto di San Fruttuoso vescovo di Braga in Galizia nel VII secolo e fondatore del monachesimo iberico, e di San Fruttuoso vescovo e martire di Tarragona nel III secolo: risale al tardo soprannome augurale latino *Fructuosus* e *Fructuosa*, derivato da *fructus* 'frutto' con il significato di 'che dia, che dà buoni frutti, buoni risultati' (e forse, nel femminile, di 'fertile, feconda; che abbia molti figli').

Fulbèrto (150) M. Distribuito nel Centro-Nord con maggiore compattezza in Toscana e in Emilia-Romagna, è un nome di origine germanica e di tradizione francone (*Volbrecht*, *Fulbert*), composto con **fulca-* 'popolo (in armi)', in tedesco *Volk*, e **berhta-* 'illustre, famoso', con il significato originario di 'illustre nel suo popolo': alla sua conservazione ha contribuito il pur raro culto di San Fulberto vescovo di Chartres dal 1006 al 1028, teologo e scrittore, che ricostruì la cattedrale di Chartres distrutta da un incendio.

Fulda (150) F. - M. *Fuldo* (10). Disperso nel Nord e in Toscana, è probabilmente ripreso dalla città di Fulda nell'Assia, nella Germania occidentale, celebre per la grandiosa abbazia dell'VIII secolo, ma può essere anche un ipocoristico di un nome germanico in *Fuld-* come *Fuldrada* e *Fuldrado* (da **fulca-* e **radha-*, propriamente 'che consiglia, che guida il suo popolo').

Fulgènzio (700) M. VARIANTI: *Fulgènzo* (20). - F. *Fulgènzia* (250). Distribuito in tutta l'Italia, ma nel femminile limitato al Nord, riflette il culto di San Fulgenzio di Ruspe presso Tunisi, abate e poi vescovo tra il V e il VI secolo, vissuto a lungo a Roma, in Sicilia e in Sardegna: continua il tardo soprannome e poi nome augurale latino *Fulgentius*, derivato in *-ius* dal participio presente *fulgens fulgentis* del verbo *fulgére* 'rifulgere, risplendere' (sul tipo dei più comuni nomi augurali *Fiorenzo, Gaudenzio, Prudenzio, Vincenzo*, ecc.).

Fùlgido (200) M. - F. *Fùlgida* (300). Proprio del Nord, è un nome affettivo e augurale formato da *fulgido* 'splendente, luminoso' (v. *Fulgenzio*).

Fùlvio (31.000) M. VARIANTI: *Fulvo* (20). DERIVATI: *Fulviàno* (50). - F. *Fùlvia* (19.000). Ampiamente diffuso in tutta l'Italia, ma più raro nel Sud, è un nome di matrice classica, storica e letteraria, ripreso dal Rinascimento dal gentilizio di numerosi personaggi della storia di Roma, come Quinto Fulvio Flacco console della guerra annibalica, Marco Fulvio Nobiliore vincitore dell'Etolia, ecc., e Fulvia moglie di Marco Antonio, mentre *Fulviano* può continuare il culto di un leggendario principe di Etiopia San Fulviano, miracolosamente convertito dall'apostolo San Matteo dopo la sua morte. Il latino *Fulvius* è derivato da *Fulvus*, un soprannome formato dall'aggettivo *fulvus* 'biondo acceso, rossiccio', riferito al colore dei capelli.

Fùrio (4.500) M. DERIVATI: *Furiàno* (25). - F. *Fùria* (150). Diffuso nel Nord e più nel Centro, soprattutto in Toscana e a Roma, è una ripresa classica, rinascimentale, dell'antico gentilizio latino *Furius* (derivato attraverso *Fusius* dal nome personale *Fusus*, di origine incerta, forse etrusca), reso celebre da Marco Furio Camillo che nel 396 a.C. conquistò come dittatore Veio e nel 390 avrebbe liberato Roma dai Galli, chiamato «il secondo fondatore di Roma».

G

Gabrièle (54.000) M. VARIANTI: *Gabbrièle* (25), *Gabrièlle* (80); *Gabrièllo* (1.000), *Gabbrièllo* (130); *Gàbriel* (170). ABBREVIATI: *Gàbrio* (700). - F. *Gabrièla* (1.300). VARIANTI: *Gabrièlla* (154.000), *Gabbrièlla* (400). ALTERATI: *Gabrielina* (100). ABBREVIATI e IPOCORISTICI: *Gàbria* (50); *Gabri* (100), *Gabry* (100); *Gaby* (200). Ampiamente diffuso in tutta l'Italia nelle forme fondamentali *Gabriele* o *Gabriela* e *Gabriello* o *Gabriella*, proprio della Toscana nella variante *Gabbriello* o *Gabbriella*, prevalente in Lombardia e in genere nel Nord per *Gabrio* e gli ipocoristici, e nella provincia autonoma di Bolzano per la forma tedesca (ma anche ebraica e latineggiante) *Gabriel*, è un nome di devozione cristiana per l'angelo (e nella tradizione più tarda arcangelo) Gabriele, già nominato nell'Antico Testamento, che nel Vangelo di Luca annuncia a Maria che è destinata a essere la madre di Cristo. L'ebraico *Gabrī'ēl*, adattato in greco e in latino come *Gabriē'l* e *Gabriel*, è composto con *gabar* 'essere forte' o con *gheber* 'uomo' e *'Ēl* abbreviazione di *'Elōhīm* 'Dio': può significare 'Dio è stato forte' oppure 'uomo di Dio' (per le sembianze umane assunte dall'angelo nelle sue apparizioni).

Gaetano (173.000) M. ALTERATI: *Gaetanèllo* (10), *Gaetanino* (150). - F. *Gaetana* (40.000). ALTERATI: *Gaetanèlla* (150), *Gaetanina* (2.500). Proprio del Sud, e più compatto in Campania e in Sicilia, si è diffuso nel Sud dall'ultimo Cinquecento con il culto di San Gaetano da Thiene

VI, attivo soprattutto a Napoli dove morì nel 1547, creatore di opere assistenziali, delle compagnie del Divino Amore e fondatore nel 1524 della Congregazione dei chierici regolari detti Teatini (in quanto l'altro fondatore Giampietro Carafa era vescovo di Chieti). Il nome continua e riprende il soprannome etnico e poi nome personale latino *Caietanus* 'abitante, oriundo di Gaeta' (in latino *Caieta*).

Gagliàrdo (100) M. VARIANTI: *Galiàrdo* (15). Disperso nel Nord e più frequente in Toscana, continua un soprannome medievale, già documentato dal X secolo nelle forme latinizzate *Galiardus* e *Gaiardus*, tratto da *gagliardo*, un prestito dal provenzale *galhard* e francese antico *gaillard*, nel significato di 'robusto e vigoroso' e 'forte, valoroso'.

Galante (100) M. ALTERATI: *Galantino* (25). Disperso nell'Italia continentale, è un soprannome medievale formato da *galante* (dal francese antico *galant*) nel significato antiquato di 'onesto, leale; valente'.

Galatèa (75) F. Disperso nel Nord, è un nome di matrice classica, mitologica e letteraria, ripreso dalla ninfa del mare Galatea (in greco *Galáteia*, latinizzato in *Galatéa*, forse da *gála* 'latte' riferito alla spuma delle onde del mare bianca come il latte), una Nereide amata dal ciclope Polifemo, mito cantato da molti poeti classici.

Galdino (2.200) M. VARIANTI: *Galdo* (25). - F. *Galdina* (150). Accentuato per ¹/₃ in Lombardia, soprattutto nel Comasco, e per il resto disperso nel Nord e in Toscana, è un nome di origine germanica ripreso, per tramite del francese antico *Galdin*, dal francone *Waldinus* e *Waldo* (in latino medievale) documentato a partire dall'VIII secolo, formato da *walda*- 'potere, comando', con il significato quindi di 'che ha potere, che esercita il comando'. La sua diffusione e conservazione è stata sostenuta dal culto per San Galdino arcivescovo di Milano dal 1166 al 1176, sostenitore della lega contro Federico Barbarossa, che promosse la riedificazione di Milano e la fondazione di Alessandria, e, recentemente, anche dal personaggio del romanzo «I promessi sposi» di A. Manzoni, Fra Galdino, il frate cappuccino che va alla questua di noci per il convento di padre Cristoforo.

Galeàzzo (1.000) M. Distribuito nel Nord e nel Centro, con alta frequenza in Lombardia, in Emilia-Romagna e in Toscana, è un nome d'incerta origine e tradizione (connesso senza sicuro fondamento con il latino *gálea* 'elmo' ma di probabile origine germanica), affermatosi dal Quattrocento, come nome di prestigio, aristocratico, in quanto tradizionale nelle. famiglie dei Visconti e poi degli Sforza, signori di Milano, a partire dall'ultimo Duecento.

Galèno (300) M. Accentrato in Toscana, è una ripresa rinascimentale, classica, del nome del grande anatomista e medico greco Claudio Galeno di Pergamo del II secolo, che operò a lungo anche a Roma: il tardo nome greco *Galēnós*, latinizzato in *Galenus*, è un originario soprannome formato da *galēnós* 'calmo; mite, moderato, gentile'.

Galgano (15) M. Documentato solo nel Senese, è l'esile riflesso del culto di San Galgano, eremita e monaco cisterciense di Chiusdino SI del XII secolo, cui è intitolata la grande abbazia di San Galgano presso Chiusdino: è una variante toscana di *Galvano*, e come questo può essere in parte anche un nome di tradizione cavalleresca.

Galilèo (2.000) M. - F. *Galilèa* (300). Distribuito dal Nord al Centro fino all'Abruzzo, con maggiore compattezza in Toscana, è insorto dapprima come nome cristiano, a ricordo della regione in cui visse Gesù Cristo, la Galilea (in greco *Galiláia*, in latino *Galilaea*, dall'ebraico *Gālīl*), nell'altipiano centrale della Palestina (dove è appunto Nazareth, v. il tipo analogo *Nazzareno*), di qui denominato a volte «(il) Galileo» (in latino *Galilaeus*), ma in parte è un nome ideologico recente, ripreso in ambienti di liberi pensatori e anarchici da Galileo Galilei, come vittima dell'intransigenza dogmatica della Chiesa, o anche per il solo prestigio del grande scienziato e filosofo di Pisa.

Gallo (100) M. VARIANTI: *Gàllio* (10). DERIVATI: *Galliàno* (3.900), *Galiàno* (300), *Gagliàno* (150), *Galeàno* (25); *Gallièno* (35), *Galièno* (25). - F. *Gàllia* (75). DERIAVATI: *Galliàna* (250), *Galiàna* (75), *Galeàna* (100). Distribuito tra il Nord e il Centro con diversa frequenza nelle varie forme, ha come base lontana il soprannome etnico latino di età repubblicana *Gallus* 'abitante, oriundo della Gallia' (la *Gallia* romana comprendeva sia la Gallia vera e propria o Transalpina, sia la Gallia Cisalpina, ossia l'Italia a nord della linea Pisa-Rimini), diventato poi nome personale e ampliato nei tardi derivati *Gallius* e *Gallianus*: è anche possibile che alla base del soprannome originario, latino o italiano, sia *gallus* o *gallo*, il maschio dei gallinacei. Il tipo *Gallieno* può riflettere con tradizione dotta e tarda il 4° nome o titolo latino *Gallienus*, dato all'imperatore Publio Licinio Egnazio del III secolo, che combatté a lungo in Gallia per difenderla dagli Alamanni e dall'usurpatore Pòstumo. L'ormai raro *Gallo* è sostenuto dal culto di vari santi di questo nome, in particolare di San Gallo abate del VII secolo, discepolo di San Colombano e fondatore del grande monastero, da lui chiamato di San Gallo, in Svizzera.

Galvano (50) M. Disperso nel Centro-Nord, è un nome di matrice letteraria ripreso, dall'ultimo Medio Evo, dall'eroe di vari poemi cavallereschi del ciclo bretone, *Gauvain* in francese antico (forse un adattamento del nome celtico, bretone, *Gwalchmei*), nipote del re Artù che muore combattendo contro il ribelle Mordred (v. anche *Galgano*).

Gandòlfo (1.200) M. - F. *Gandòlfa* (700). Accentrato nella Sicilia occidentale, soprattutto nel Palermitano, sporadico nel Nord e in Toscana, riflette il culto del beato Gandolfo da Binasco MI (dove nacque intorno al 1200), predicatore dei frati minori in Sicilia, patrono di Polizzi Generosa PA (dove morì nel 1260 e dove il nome ha un'alta frequenza relativa soprattutto nel femminile). Alla base è il nome di origine germanica, e di tradizione longobardica e poi francone, documentato in Italia dall'VIII secolo nelle forme latinizzate *Candolfus* e *Gandulfus*, composto con **gand-* 'bacchetta, verga magica' e **wulfa-* 'lupo', con un significato originario che, considerando che il lupo era nel mondo germanico un animale sacrale, dotato di forza e ardimento sovrumani, potrebbe essere 'lupo dotato di forza magica'.

Gardènia (300) F. - M. *Gardènio* (100). VARIANTI: *Cardènio* (50). Distribuito nel Centro-Nord, è un nome affettivo e augurale recente, dato, come altri nomi femminili formati da fiori (*Dalia*, *Rosa*, *Viola*, ecc.), in rapporto alla bellezza, alla freschezza e al profumo del fiore, in questo caso la *gardenia*, così chiamata dal cognome del botanico A. Garden (in latino scientifico *Gardenia*).

Gardino (100) M. - F. *Gardina* (75). Accentuato tra Emilia-Romagna, Toscana e Marche, è l'ipocoristico già medievale di nomi di origine germanica terminanti in -*gardo*, come *Aldegardo*, *Edgardo*, *Ermengardo*, *Gherardo*, e dei rispettivi femminili.

Garibaldo (450) M. VARIANTI: *Garibaldi* (500). - F. *Garibaldina* (25). Distribuito nel Centro-Nord con alta frequenza in Toscana, continua nella forma *Garibaldo* il nome di origine germanica e di tradizione longobardica *Garipald*, *Gairipald* e *Garibald* documentato dall'inizio dell'VIII secolo, composto con **gaira-* 'lancia' e **baltha-* 'audace, coraggioso', quindi 'coraggioso, valoroso con la lancia'. Nella forma *Garibaldi* è un nome ideologico recente, risorgimentale e patriottico, ripreso dal cognome di Giuseppe Garibaldi (e analogamente, *Garibaldina*, da *garibaldino*).

Gàspare (23.000) M. VARIANTI: *Gasparre* (25), *Gàsparo* (50), *Gàspero* (450). ALTERATI: *Gasparino* (250), *Gasperino* (200). - F. *Gàspara* (300). VARIANTI: *Gàspera* (75). ALTERATI: *Gasparina* (500), *Gasperina* (500). Ampiamente

diffuso in tutta l'Italia, con maggiore compattezza in Sicilia, riflette la devozione per i tre re Magi che, secondo una tarda tradizione posteriore ai Vangeli, vennero dall'Oriente per portare doni (oro, incenso e mirra) a Gesù Bambino a Betlemme, Gaspare, Baldassarre e Melchiorre (v. *Baldassare* e *Melchiorre*). *Gaspare*, tramandato in latino come *Gaspar* o *Gasparus*, potrebbe risalire al nome iranico *Gathaspar* che, attraverso la forma più antica *Windafarmah*, pare avere alla base l'aggettivo *windahwarena* 'splendente', epiteto di una divinità dell'aria, *Wayna*, della religione iranica.

Gastóne (20.000). Ampiamente diffuso nel Centro-Nord fino all'Abruzzo, con più alta frequenza in Toscana, è un nome di moda esotica ripreso dall'Ottocento dal francese *Gaston*, di origine incerta (forse dal germanico **gastiz*, gotico *gasts* e tedesco *Gast*, 'straniero, ospite', declinato secondo il tipo *Gasto Gastonis*.

Gaudènzio (4.500) M. VARIANTI: *Gaudènzo* (25). - F. *Gaudènzia* (700). ALTERATI: *Gaudenzina* (150). Proprio del Nord, e qui accentrato nel Novarese e nel Forlivese, e nel femminile frequente anche in Sicilia, riflette il culto di vari santi e sante, tra cui San Gaudenzio primo vescovo di Novara nel IV secolo, patrono di Novara e di Varallo VC, San Gaudenzio vescovo e martire di Rimini nel III secolo, e una leggendaria Santa Gaudenzia, vergine e martire a Roma: continua il tardo soprannome e poi nome augurale latino *Gaudentius*, derivato in -*ius* dal participio presente *gaudens gaudentis* del verbo *gaudere* 'godere, essere felice' (sul tipo di *Fulgenzio*, *Vincenzo*, ecc.).

Gàudio (150) M. ALTERATI: *Gaudino* (50). DERIVATI: *Gaudióso* (100). - F. *Gaudina* (40). DERIVATI: *Gaudiósa* (40). Disperso in tutta l'Italia, è un nome affettivo, augurale e gratulatorio, formato da *gaudio* (dal latino *gaudium* da *gaudere*, v. *Gaudenzio*), semanticamente uguale a *Gioia*, e dal derivato *gaudioso*, quest'ultimo sostenuto dal culto di vari santi, tra cui San Gaudioso vescovo in Africa nel V secolo rifugiatosi a Napoli per sottrarsi alle persecuzioni di Genserico re dei Vandali, e forse anche dalla devozione per i «misteri gaudiosi» del rosario, in cui si contemplano le allegrezze della Madonna.

Gavino (7.000) M. VARIANTI: *Gabino* (25). IPOCORISTICI: *Baìngio* (800). NOMI DOPPI: *Baìngio Marìa* (25), — *Màrio* (60). - F. *Gavina* (3.500). ALTERATI: *Gavinùccia* (75). IPOCORISTICI: *Baìngia* (300). NOMI DOPPI: *Baìngia Marìa* (70). Proprio della Sardegna e qui accentrato nel Sassarese, riflette l'antico e diffuso culto locale per San Gavino, martire nel IV secolo a Porto Torres, dove militava come soldato, con il diacono Gennaro o Gianuario e il prete Proto (nomi anche questi diffusi nel Sassarese), o, secondo un'altra tradizione, martire sempre a Porto Torres durante le persecuzioni di Diocleziano insieme a San Crìspolo (ma questo nome non risulta continuato): San Gavino, San Proto e San Gianuario sono i patroni di Sassari, di Elini, Monti e Porto Torres SS, e di Gavoi NU. Alla base è un soprannome e nome personale latino *Gabinus* o *Gavinus* (l'alternanza tra *-b-* e *-v-* è frequente nel latino tardo), attestato in documenti sardi medievali, di origine incerta (forse etnico di *Gabii*, antica città presso Roma, oppure etrusco): l'ipocoristico *Baingio* e *Baingia* presenta un passaggio da *g-* a *b-* e un'evoluzione fonetica normali nel Sardo.

Gedeóne (300) M. Accentrato per la metà nelle Venezie e per il resto disperso nel Nord, è un nome sia israelitico sia cristiano ripreso dall'Antico Testamento, dal quinto giudice d'Israele Gedeone (considerato santo, insieme a Giosuè, dalla Chiesa), in ebraico *Gid'ōn*, grecizzato in *Ghedeō'n* e latinizzato in *Gedeon*: il nome ebraico è probabilmente un originario soprannome derivato da *gaʿdaʿ* 'tagliare', con il significato di 'mutilato, monco (di una mano)'.

Gelàsio (300) M. - F. *Gelàsia* (25). Distribuito nell'Italia centrale fino all'Emilia-Romagna e all'Abruzzo, è un ormai esile riflesso del culto di numerosi santi di questo nome, che continua il latino *Gelasius*, adattamento del greco *Ghelásios* derivato dal verbo *ghelân* 'ridere' con il significato di 'sorridente, allegro' (corrispondente quindi, come senso originario, a *Ilario*).

Gelindo (3.000) M. VARIANTI: *Gilindo* (50); *Zelindo* (1.100). - F. *Gelinda* (800). VARIANTI: *Zelinda* (6.000). Accentrato,

per il tipo *Gelindo*, nelle Venezie e disperso nel Nord, per *Zelindo* tra Emilia-Romagna e Toscana, e disperso nel resto d'Italia, è un gruppo qui costituito in base all'ipotesi che rappresenti due varianti dialettali dello stesso nome originario, forse di origine germanica (*Geilindis*, attestato dall'VIII secolo come nome femminile, composto con il 2° elemento *linta-* 'scudo di legno di tiglio' e un 1° elemento incerto). Il tipo in *G-* potrebbe ricollegarsi a una maschera del teatro popolare piemontese, il pastore Gelindo (o Gilindo, Gilendo), semplice ma ricco di buon senso, che appare dal Cinquecento soprattutto nelle sacre rappresentazioni per il Natale. Il tipo in *Z-* è stato certamente promosso dal teatro goldoniano, in cui Zelinda è spesso il nome dell'innamorata (per lo più di *Lindoro*).

Gelsomina (9.000) F. ABBREVIATI: *Gèlsa* (300), *Gelsina* (300). - M. *Gelsomino* (1.500). ABBREVIATI: *Gèlso* (150), *Gelsino* (25). Accentrato nella Campania, e soprattutto nel Napoletano, per quasi la metà, e per il resto disperso nel Centro-Nord (dove sono più comuni le forme abbreviate), è uno dei numerosi nomi femminili, augurali, formati da nomi di fiori (*Dalia, Gardenia, Rosa, Viola*, ecc.), qui da *gelsomino*, una pianta di origine asiatica (il nome è infatti un prestito dal persiano *yāsamīn*) coltivata per i fiori bianchi intensamente profumati.

Geltrude (6.000) F. VARIANTI: *Gertrude* (700). - M. *Geltrudo* (10). Distribuito in tutta l'Italia continentale, ha alla base un nome femminile di origine germanica, di tradizione già francone e poi tedesca, composto con *gaira-* 'lancia' e *druda-* 'caro, amico' (in tedesco *traut*, e il nome *Gertraud* o *Gertrud*), con un significato che potrebbe essere 'amica della lancia'. La forma più antica del nome italiano è *Gertrude* (*Geltrude*, che è poi diventata la forma più comune, presenta la dissimilazione della prima *-r-* in *-l-*), ripresa dal tedesco per tramite, almeno parziale, del francese *Gertrude*, e la sua diffusione è stata promossa dal culto di varie sante e beate così denominate, in particolare da due monache cisterciensi tedesche del Duecento.

Gemèllo (150) M. VARIANTI: *Gèmino* (150), *Geminìo* (50). - F. *Gemèlla* (75).

VARIANTI: *Gèmina* (100). Proprio nel tipo *Gemello* dell'Emilia-Romagna e della Toscana, disperso per quello *Gemino* nel Centro-Nord, ha alla base i tardi nomi latini *Gemellus* e *Geminus*, formati da *geminus* e dal diminutivo *gemellus* 'gemello' (dati quindi a bambini gemelli), promosso dal culto di vari santi di questi nomi, tra cui i due martiri San Gemello e San Gemino (patrono di Sangemini TR).

Gemiliàno (150) M. - F. *Gemiliàna* (75). Proprio della Sardegna, soprattutto del Cagliaritano e dell'Oristanese, è il riflesso del culto di San Gemiliano martire in Sardegna con Priamo e vari altri compagni: il tardo nome latino *Gemilianus* o *Gemellianus*, se non è una variante di *Geminianus*, è derivato da *Gemellus* (v. *Gemello* e *Geminiano*).

Geminiàno (900) M. VARIANTI: *Gemignano* (20). - F. *Geminiàna* (40). Accentrato in Emilia-Romagna, in particolare nel Modenese, e disperso nel Nord e nel Centro, riflette il culto di San Geminiano vescovo di Modena nel IV secolo, patrono di Modena, di Pontremoli MS e di San Gimignano SI (che ne riprende il nome in forma popolare). Alla base è il soprannome e nome personale latino tardo *Geminianus*, derivato di *Geminus* (v. *Gemino* sotto *Gemello*).

Gemisto (50) M. Disperso in Toscana, pare una singolare ripresa del nome greco-bizantino *Ghemistós*, latinizzato in *Gemistus*, da *ghemistós* 'pieno, carico (di doti, di qualità, ecc.)', del filosofo neoplatonico Giorgio Gemisto Pletone di Costantinopoli, che fondò a Firenze nel 1459 l'Accademia neoplatonica fiorentina poi diretta, sempre sotto la protezione dei Medici, da Marsilio Ficino.

Gèmma (56.000) F. ALTERATI: *Gemmina* (150). - M. *Gèmmo* (50). ALTERATI: *Gemmino* (150). Ampiamente diffuso nel Centro-Nord, e raro nel Sud, è la continuazione del soprannome e nome unico latino dell'ultimo Impero *Gemma* (e *Gemmula*), formato da *gemma* 'bottone, germoglio della vite (e di altre piante)' e poi 'pietra preziosa', con il valore affettivo e augurale di 'che sia, che sarà bella, preziosa e cara (come una gemma)', come *Margherita*, *Perla*, ecc. In alcuni casi può essere anche stato riformato nel Medio Evo dall'italiano

gemma, con lo stesso valore: *Gemma*, nell'ultimo Duecento, è il nome della moglie di Dante, della famiglia dei Donati (v. *Forese*). Alla diffusione ha contribuito il culto di alcune sante, in particolare in Toscana di Santa Gemma Galgani di Capànnori LU, morta a 25 anni nel 1903, venerata in Lucchesia, e l'opera di G. Donizetti «Gemma di Vergy» del 1834.

Generóso (3.700) M. - F. *Generósa* (1.300). Distribuito in tutta l'Italia ma accentuato per quasi la metà in Campania, riflette il culto di San Generoso martire nel VI secolo a Tivoli presso Roma (dove il nome è ancora molto frequente, soprattutto al femminile) e di Santa Generosa, una dei 12 martiri Scillitani (così detti perché originari di Scillium in Numidia), decapitati nel 180 a Cartagine. Alla base è il tardo nome latino *Generosus*, formato da *generosus*, derivato di *genus generis* 'nascita, stirpe' con il significato di 'nobile per nascita, di nobili sentimenti'.

Genèsio (3.100) M. VARIANTI: *Ginèsio* (500), *Genìsio* (50). - F. *Genèsia* (900). VARIANTI: *Genisia* (75). Distribuito nel Nord e nel Centro, con alta frequenza nelle Marche, e inoltre nella Sardegna meridionale, dove è più compatto il femminile *Genesia*, riflette il culto di vari santi e sante, tra cui San Genesio martire a Roma sotto Diocleziano, San Genesio martire a Arles nel VI secolo, spesso confusi tra loro – la tradizione agiografica è leggendaria –, e anche con un San Genesio di Brescello PV del IV-V secolo: il culto è comunque molto diffuso in Italia, come comprovano i numerosi toponimi San Genesio o San Ginesio (TO, PV, BZ, RE e PV, MC) e i molti patroni di questi santi festeggiati per lo più il 25 agosto (oltre che dei centri così intitolati, di Brescello PV e di San Miniato PI). Alla base è il tardo nome greco *Ghenésios*, adottato in latino come *Genesius*, dall'aggettivo *ghenésios* 'natalizio, della nascita' (da *ghénesis* 'nascita'), riferito al giorno della nascita o al nume, al genio tutelare della discendenza di una stirpe o di una famiglia.

Geniàle (200) M. Disperso in tutta l'Italia, più frequente nelle Marche e nel Lazio, potrebbe essere un recente nome ideologico, laico, formato da *geniale* nel quadro della rivoluzione romantica e positivistica del «genio» individuale.

Gennaro (81.000) M. ALTERATI: *Gennarino* (900). - F. *Gennara* (500). VARIANTI: *Gennàia* (75). ALTERATI: *Gennarina* (1.000). Accentrato per ²/₃ in Campania, per il resto distribuito nel Sud continentale e, soprattutto per immigrazione interna, anche nel Nord, nel Centro e nelle isole, è il riflesso dell'antico e profondo culto per San Gennaro, vescovo di Benevento e martire nel 304 circa a Pozzuoli, le cui reliquie furono portate a Napoli dove, nel Duomo, è conservato il sangue solidificato che si liquefà periodicamente in modo miracoloso: è patrono di Napoli (con Sant'Agnello, San Francesco di Paola, Sant'Alfonso Maria de' Liguori), e di altri centri della Campania (Somma Vesuviana e Torre del Greco NA, Cervinara AV, ecc.). Il nome risale al latino *Ianuarius* (attraverso una forma tarda e popolare *Ienuarius), un derivato di *Ianus* 'Giano', dio bifronte dell'inizio (dell'anno, del mese, di attività varie) e del passaggio (delle porte e delle case), nome sia dell'11° e poi, dal II secolo a.C., del 1° mese dell'anno, sia personale, soprattutto di schiavi e liberti, dato a bambini nati in gennaio. V. *Gianuario*.

Gènni (300) F. VARIANTI: *Gènny* (300), *Gèni* (200), *Gènj* (100). ALTERATI: *Genina* (75). Distribuito nel Nord e con maggiore compattezza in Toscana, può essere l'ipocoristico di diversissimi nomi femminili (*Giovanna* o *Gianna*, *Germana*, *Giacinta*, *Ginevra*, *Eugenia*, ecc.), ma soprattutto è un adattamento all'italiano, per moda esotica, degli ipocoristici stranieri, in particolare inglesi, *Jenny* o *Jennj* (v. *Jenny*).

Gènova (100) F (anche M). ALTERATI: *Genovina* (300). M. *Genovino* (100). Disperso tra Nord e Centro, può ricollegarsi alla città di Genova con motivazioni varie, e non sempre accertabili, come la nascita in questa città (nell'antica famiglia comitale piemontese Thaon di Revel fu dato il nome di *Genova*, perché nato e battezzato a Genova nel 1817, a Genova Giovanni Thaon di Revel, deputato, senatore e ministro del Regno d'Italia).

Genovèffa (15.000) F. VARIANTI: *Genoèffa* (800). - M. *Genovèffo* (20). Distribuito in tutta l'Italia con più alta compattezza in Campania, è un nome di matrice sia cristiana sia letteraria e teatrale che ha tuttora un'alta diffusione nonostante la pesantezza e una certa venatura di ridicolo determinata da personaggi femminili di una recente produzione umoristica e satirica. In parte riflette il culto di Santa Genoveffa vergine di Nanterre che nel 451 contribuì coraggiosamente a salvare Parigi dalla minaccia degli Unni di Attila, e quindi a superare pestilenze e carestie, patrona di Parigi e di altre città francesi. In parte forse maggiore riflette la popolarità di un'eroina di una leggenda popolare già elaborata nella «Leggenda aurea» del XIII secolo di Iacopo da Varazze e quindi ripresa fino all'età moderna da numerose opere letterarie, teatrali e musicali, e anche da racconti, cantari, ecc., di larga diffusione popolare: Genoveffa duchessa di Brabante, ripudiata dal marito Sigfrido, conte palatino, per una falsa accusa di adulterio, riconosciuta poi innocente ma morta sùbito dopo per le sofferenze patite. Il nome originario francese *Geneviève*, affermatosi in Italia attraverso la forma in latino medievale *Genovefa*, sembra risalire a un nome ibrido, composto da un primo elemento gallico, *geno* 'stirpe, discendenza', e da un secondo germanico, *wifa- (in tedesco *Weif*, inglese *wife*) 'donna', con un significato che potrebbe essere 'donna di stirpe elevata, di nobile discendenza'.

Genserico (50) M. Rarissimo e disperso, è un singolare nome di matrice storica ripreso dal re dei Vandali e degli Alani che nel V secolo fondò il Regno vandalico d'Africa e di Spagna: il nome (in tedesco *Geiserich*) è composto con *gais- da *gaiza- 'lancia' e *rikja- 'potente', e il suo significato originario può essere 'potente, valoroso con la lancia'.

Gentile (1.300) M (anche F). VARIANTI: *Gentìlio* (50). ALTERATI: *Gentilino* (50). - F. *Gentila* (40). VARIANTI: *Gentìlia* (500). ALTERATI: *Gentilina* (900). Distribuito in tutta l'Italia con maggiore compattezza nel Nord, accentrato nel tipo *Gentilio* e *Gentilia* in Lombardia, è un nome di lontana e complessa tradizione. La base lontana è il tardo soprannome latino *Gentilis*, maschile e femminile, formato da *gentilis* (derivato di *gens gen-*

tis 'stirpe, popolo') nel significato di 'della stessa stirpe o casata, dello stesso popolo' e più tardi di 'pagano', cioè di religione non cristiana o giudaica. Ma nel Medio Evo reinsorge come nome affettivo e augurale formato dall'italiano *gentile* 'nobile, cortese, di alti sentimenti', e così si afferma sostenuto in parte pur limitata dal culto del beato Gentile da Matelica MC, missionario francescano in Africa e Asia del Trecento, e della beata Gentile da Ravenna del Cinquecento.

Genùnzio (150) M. VARIANTI: *Genùzio* (50). - F. *Genùzia* (40). Proprio dell'Emilia-Romagna, è un nome privo di tradizione, forse una forma alterata di *Giannuzzo*, vezzeggiativo di *Gianni*.

Genziàna (150) F. - M. *Genziàno* (25). Sparso nel Nord, dove è più frequente, e nel Centro, è uno dei numerosi nomi femminili, affettivi e augurali, formati da nomi di fiori (come *Dalia, Gardenia, Gelsomina, Rosa, Viola*, ecc.), in questo caso i fiori azzurri e gialli della *genziana* (dal latino *gentiana*), una pianta selvatica aromatica.

Gènzio (10) M. ALTERATI: *Genzino* (10). - F. *Genzina* (75). Disperso nel Nord, è probabilmente una forma abbreviata di *Fulgenzio* e *Fulgenzia*, o anche di *Argenzio* e *Argenzia*.

Gèo (700) M. VARIANTI: *Zèo* (150). - F. *Gèa* (700). VARIANTI: *Zèa* (100). Distribuito nel Nord e nel Centro, con alta compattezza in Emilia-Romagna, è la forma abbreviata, ipocoristica, di nomi terminanti in *-gèa* o *-gèo* (come *Argea* o *Argeo* (v. *Argia*), *Agea* o *Ageo* e *Aggeo*, *Igea* o *Igeo*: ma in parte può anche essere una ripresa classicheggiante, mitologica, del nome della dea greca della terra, e in particolare delle profondità della terra e dell'oltretomba, Gea, in attico *Ghê* e in ionico *Gâia*, che come nome significa appunto 'terra'. Le forme con *Z-*, qui riunite soprattutto in base alla coerenza di distribuzione, possono costituire una variante dialettale nord-orientale.

Gerardo (35.000) M. VARIANTI: *Girardo* (150); *Gelardo* (150), *Gilardo* (50); *Geraldo* (450), *Giraldo* (150); *Gherardo* (2.000), *Gheraldo* (25); *Galardo* (25). ALTERATI: *Gerardino* (200); *Galardino* (20). IPOCORISTICI: *Gaddo* (250). - F. *Gerarda* (4.500). VARIANTI: *Geralda*

(50), *Giralda* (25); *Gherarda* (75). ALTERATI: *Gerardina* (3.200); *Geraldina* (500). Distribuito in tutta l'Italia con diversa frequenza nei vari tipi e forme (*Gerardo* è accentrato in Campania e in Basilicata, *Geraldo* e *Giraldo* in Toscana dove è caratteristico l'ipocoristico *Gaddo*, *Gherardo* nel Centro-Nord e soprattutto in Emilia-Romagna e Toscana), è un gruppo che, pur avendo una comune origine germanica, presenta etimi e tradizioni storiche differenti, ma che non può essere trattato se non unitariamente dati i processi di interferenza e di incrocio che si sono verificati tra i vari tipi. Il 1° tipo, *Gerardo* e *Gherardo*, ha alla base un nome germanico formato da *gaira-* 'lancia, giavellotto' e *hardhu-* 'forte, valoroso', con il significato quindi di 'forte, valoroso con la lancia', documentato in Italia dal IX secolo nelle forme latinizzate *Gherardus* o *Girardus*, *Gairardus* o *Gariardus*, *Garardus* e poi *Gherardus*. Ma mentre queste ultime forme, ossia *Gherardo* (e *Galardo*), sono di tradizione germanica diretta, francone o alamannica e bavarese (conservano infatti la *g* germanica, come il tedesco moderno *Gerhard*), quelle in *Ge-* o *Gi-* (con la *g* palatalizzata in *ǧ*) sono invece di tradizione indiretta, mediata dal francese antico *Gerard* (moderno *Gérard*). Il 2° tipo, *Geraldo* o *Giraldo*, ha alla base un nome germanico *Gairowald* formato con lo stesso primo elemento mentre il secondo è *walda-* 'che domina, che ha potere', con il significato quindi di 'che domina, potente con la lancia', ma di tradizione sempre indiretta, mediata ossia dal francese antico (o provenzale), sempre per la palatalizzazione di *ǧ* in *ǧ*, *Gerald* o *Girald*, *Geraud* o *Giraud* (moderno *Gérald* o *Géraud*). All'interno dei due tipi, e delle due tradizioni, si sono verificati poi vari incroci, per cui a volte non è più possibile una netta distinzione. Alla diffusione di questo gruppo nominale hanno contribuito sia modelli letterari e teatrali, medievali e moderni, sia il culto di vari santi e beati, e in particolare, per la Campania e la Basilicata, di San Gerardo vescovo (forse nel XII secolo) e patrono di Potenza, e di San Geraldo Maiella della Congregazione del Santissimo Redentore di San Alfonso Maria de' Liguori, nato a Muro Lucano

PZ nel 1726 e morto nel 1755 a Materdomini di Caposele AV, patrono di questi centri e anche di Corato BA.

Geràsimo (20) M. Disperso tra Nord e Centro, è l'ormai esile riflesso del culto di San Gerasimo anacoreta e abate in Palestina nel V secolo, culto molto diffuso, come il nome (in greco e bizantino *Gherásimos*, da *ghéras* 'vecchiaia', 'anziano, vecchio' ma anche 'degno di rispetto, onore'), nel cristianesimo orientale anche slavo.

Gerbìna (150) F. - M. *Gerbino* (20). Proprio della Toscana, dove è già documentato nel 1260 come *Gerbinus* nel «Libro di Montaperti» di Firenze, non consente una interpretazione fondata: potrebbe essere, a livello di ipotesi, un derivato di un termine toscano *gerbo* 'smorfia, moina' (che però non risulta antico), o un ipocoristico di nomi di origine germanica come *Gerberga*, *Gerberto*, ecc. (però non sopravvissuti nell'onomastica italiana moderna).

Geremìa (3.500) M. Distribuito in tutta l'Italia, ha alla base il nome del profeta Geremia dell'Antico Testamento, vissuto nel VII secolo, e riconosciuto come santo anche dalla Chiesa (per cui è un nome in minima parte israelitico e soprattutto cristiano, anche per il culto di altri santi così denominati). L'originario nome ebraico *Yermeyāh(ū)*, adattato in greco e in latino come *Ieremías*, è d'incerta interpretazione: il 2° elemento è *Yāh*, abbreviazione di *Yahweh* 'Dio, Iavè', ma il 1° è oscuro, forse da *yarīm*, per cui il significato sarebbe 'Dio ha sollevato, ha innalzato'.

Gèri (100) M. VARIANTI: *Gèro* (100), *Gèrio* (50). ALTERATI: *Gerino* (100). - F. *Gerina* (150). Distribuito in tutta l'Italia, con diversa compattezza nelle varie forme (*Geri* con *Gerino* è più frequente in Toscana, *Gerio* nelle Marche, *Gero* e *Gerina* in Toscana e in Sicilia), è la forma abbreviata di *Ruggeri* o *Ruggero* e, in casi isolati, di *Uggeri* o *Uggero* (v. *Ruggero* e *Oggero*).

Gèrico (50) M. Disperso nel Nord e più frequente in Toscana, è probabilmente un nome di tradizione biblica ripreso dalla città cananea di Gerico nella Palestina (in ebraico *Yerihō*, adattato nel greco *Hierichō'* e nel latino *Iéricho*), che il popolo di Israele conquistò

facendo crollare le mura con il suono delle trombe.

Gerlando (3.600) M. VARIANTI: *Girlando* (50), *Giorlando* (50). - F. *Gerlanda* (1.300). VARIANTI: *Giorlanda* (25). ALTERATI: *Giorlandina* (40). Proprio della Sicilia, e qui accentrato per i $^3/_5$ nell'Agrigentino, riflette il culto locale di San Gerlando vescovo di Agrigento, di origine francese, dell'XI secolo, patrono di Agrigento e di Porto Empedocle AG: è una variante, già francese, di *Gernando*, con la dissimilazione della prima *-n-* in *-l-*.

Germano (20.000) M. VARIANTI: *Germànio* (25). ALTERATI E DERIVATI: *Germanino* (25); *Germànico* (100). - F. *Germana* (28.000). VARIANTI: *Germània* (250). Diffuso in tutta l'Italia con maggiore compattezza nel Nord, continua, sostenuto dal culto di vari santi e sante così denominati, il soprannome e poi nome unico latino di età imperiale *Germanus* e *Germana*, che può avere una duplice origine: può rappresentare l'etnico *Germanus*, 'abitante, oriundo della Germania; appartenente a popolazioni germaniche', oppure *germanus* e *germana* 'fratello, sorella (nati dagli stessi genitori)', affermatosi in questo secondo valore in età cristiana con riferimento alla fratellanza in Cristo, nella fede. *Germanico* ha anche una matrice classica, storica, in quanto può essere ripreso da Giulio Cesare Germanico, figlio adottivo dell'imperatore Tiberio, che nel 16 sconfisse i Germani comandati dal capo dei Cherusci Arminio (v. *Arminio*).

Germinàl (200) M (anche F). VARIANTI: *Germinale* (10). - F. *Germinalina* (15). Disperso nel Centro-Nord, con maggiore compattezza in Toscana, è un nome di matrice ideologica, socialista e libertaria, ripreso dal titolo, «*Germinal*», di un romanzo del 1885 di É. Zola, tradotto e molto diffuso anche in Italia, che aveva per oggetto la lotta della classe operaia contro lo sfruttamento economico e l'oppressione, ripreso nell'omonimo film francese di A. Capellani del 1914. Il titolo del romanzo e del film è tratto dal settimo mese dell'anno del calendario repubblicano francese, *germinal* (adattato nell'italiano *germinale*), simbolo rivoluzionario, derivato dal latino *germinalis* (da *germen germinis* 'germe, germoglio'), con il valore di 'mese in cui germogliano le messi, le piante'.

Germóndo (20) M. Disperso, attestato soprattutto a Roma, è probabilmente ripreso dal cognome del protagonista dell'opera lirica «La traviata» di G. Verdi del 1853, Alfredo Germont (v. *Alfredo* e *Armando*): il cognome francese continua un nome germanico composto con *gaira-* 'lancia, giavellotto' e *munda-* 'protezione, difesa', con il significato quindi di 'che protegge (il suo popolo) con la lancia'.

Gernando (150) M. VARIANTI: *Germando* (50). Disperso nell'Italia peninsulare, continua un nome medievale di origine germanica composto con *gaira-* 'lancia, giavellotto' e *nanths* 'audace, valoroso', quindi 'audace, valoroso con la lancia' (v. *Gerlando*).

Gerónzio (50) M. VARIANTI: *Gerónzo* (25). Accentrato in Lombardia, ma attestato anche in Sardegna, riflette il culto di vari santi, tra cui San Geronzio vescovo di Milano nel V secolo: alla base è il nome greco *Gheróntios*, adottato in latino in età imperiale come *Gerontius*, un originario soprannome affettivo formato da *gheróntion*, diminutivo di *ghérōn ghérontos* 'vecchio'.

Gervàsio (1.600) M. VARIANTI: *Gervaso* (150). - F. *Gervàsia* (150). VARIANTI: *Gervasa* (25). Distribuito in tutta l'Italia, ma accentrato in Lombardia, riflette il culto di San Gervasio, martire con il fratello Protasio a Milano nel III o IV secolo: San Gervasio e Protasio sono compatroni di Milano e patroni di vari centri lombardi (Bormio SO, San Gervasio Bresciano BS) e di altre regioni (Domodossola NO, Rapallo GE, Città della Pieve PG). Per il nome *Gervasio*, diffusissimo in Francia nella forma *Gervais*, e attestato nel tardo latino *Gervasius*, non esiste un'interpretazione etimologica sufficientemente fondata: è certamente non latino, ha un'impronta che potrebbe essere sia greca sia germanica (anche se un nome germanico nel III o IV secolo sarebbe eccezionale), ma manca di una sicura tradizione onomastica in tutte e due le lingue.

Gesù (100) M. ALTERATI E DERIVATI: *Gesuìno* (2.900), *Gesumino* (200); *Ge-*

suàldo (3.000). - F. *Gesuìna* (6.000), *Gesumina* (150); *Gesuàlda* (2.500), *Gèsua* (100). Accentrato per *Gesù* nel Sud continentale, proprio della Sardegna nel tipo *Gesuino* o *Gesumino* e della Sicilia orientale e Calabria meridionale per *Gesualdo* e dell'Agrigentino per *Gesua*, è il nome di Gesù Cristo, rarissimo in Italia (forse per rispetto e quasi tabu per il nome di Cristo) nella forma fondamentale, che però è comune in altre lingue, come nello spagnolo *Jesús* (che può avere influito sulla diffusione di Gesù nell'Italia meridionale): il derivato *Gesualdo* è sostenuto dal culto locale del venerabile Gesualdo (Giuseppe Malacrinò, frate cappuccino), morto nel 1802 a Reggio Calabria. Il nome del Cristo risale, attraverso l'adattamento latino *Iesus* e greco *Iesûs*, all'ebraico *Yeshūaʿ*, forma ridotta di *Yeʾhōshūaʿ* 'Dio salva, è salvezza' (v. *Giosuè*), per cui Gesù è anche denominato 'il Salvatore' (in greco *Sōtēʾr*, in latino *Salvator*, v. *Salvatore*).

Getùlio (650) M. VARIANTI: *Gettùlio* (300), *Getùllio* (150). - F. *Getùlia* (150). VARIANTI: *Gettùlia* (25). Proprio dell'Italia centrale (ma raro in Toscana), riflette il culto di San Getulio che, secondo una tradizione agiografica leggendaria, sarebbe stato martirizzato sulla via Tiburtina o Salaria sotto l'imperatore Adriano: alla base è il tardo soprannome etnico e poi nome latino *Gaetulius* 'abitante, oriundo della Getulia', regione storica dell'Africa nord-occidentale, che poi aveva assunto il valore generico di 'africano, libico'.

Ghigo (25) M. Proprio dell'Emilia-Romagna e della Toscana, è un ipocoristico, già medievale, di vari nomi come *Alberigo*, *Alderigo*, ecc., e soprattutto *Arrigo* e *Federigo*.

Ghino (500) M. - F. *Ghina* (100). Proprio del Centro-Nord e qui più compatto in Emilia-Romagna e in Toscana, è l'ipocoristico, già medievale, di forme affettive e diminutive come *Arrighino*, *Ughino*, ecc., e in particolare di *Ugolino* (v. *Arrigo* e *Ugo*), come è già attestato in un documento di Firenze in latino medievale del 1266: "Ugolinus qui Ghinus dicitur". Alla diffusione può avere contribuito il nome del gentiluomo senese del Duecento, poi diventato un noto brigante di strada, Ghino di Tacco, ricorda-

to da Dante nel «Purgatorio» e protagonista di una novella del «Decameron» di
G. Boccaccio.
Giacinto (18.000) M. - F. *Giacinta*
(11.000). Ampiamente diffuso in tutta
l'Italia con più alta compattezza nel
Nord (e qui più frequente, soprattutto
nel femminile, in Piemonte), continua il
tardo latino *Hyacínthus* (e *Hyacintha*)
ripreso dal greco *Hyákìnthos*, che come
nomi comuni indicano il fiore del giacinto, una pianta delle gigliacee: la diffusione è stata promossa dal culto di vari santi
e sante così denominati, e in qualche caso isolato dal mito greco del giovinetto
Giacinto amato e ucciso per errore da
Apollo, ripreso in varie opere letterarie
classiche.
Giàcomo (148.000) M. VARIANTI:
Iàcopo (650), *Jàcopo* (650); *Giacòbbe*
(750). ALTERATI: *Giacomino* (2.900); *Iacopino* (25). ABBREVIATI E IPOCORISTICI:
Còmo (25); *Lapo* (450); *Pùccio* (50). - F.
Giàcoma (11.000). VARIANTI: *Iàcopa*
(25); *Giacòbba* (75). ALTERATI: *Giacométta* (100), *Giacomina* (23.000); *Iacopina* (75), *Iacobèlla* (50). IPOCORISTICI:
Pucci (120). È un gruppo qui costituito
in base al comune etimo lontano onomastico, in cui tuttavia i vari tipi presentano
processi di formazione e di tradizione diversi, e una diversa distribuzione. L'etimo lontano è l'ebraico *Ya'aqóbh*, che
nel «Genesi» è il nome del figlio di Isacco e di Rebecca nato in un parto gemel-
lare dopo il fratello Esaù, lì interpretato
come derivato da *'āqebh* 'tallone' in
quanto, nascendo, teneva per mano il
tallone del fratello, e da *'āqab* 'sop-
piantare', perché soppiantò Esaù nella
primogenitura: ma probabilmente è un
nome teoforico composto con la radice
verbale *'qb* 'proteggere' con il significato
di 'Dio ha protetto'. Dal nome ebraico,
attraverso l'adattamento greco *Iakṓ'b*
e latino *Iacób*, deriva il raro tipo *Giacobbe*, distribuito in tutta l'Italia, nome
sia israelitico sia cristiano in quanto la
Chiesa riconosce come santo, sia pure
non ufficialmente, il patriarca Giacobbe
dell'Antico Testamento, e per il culto di
altri santi così denominati. Il nome ebraico riappare nel Nuovo Testamento per
due apostoli, San Giacomo Maggiore,
fratello di Giovanni Evangelista, e San
Giacomo Minore, martiri a Gerusalem-

me, nella forma greca *Iákōbos* e in
quella latina *Iacóbus*, accentata anche
per influsso greco *Iácobus*, con la tarda
variante *Iácomus*: di qui derivano le
forme antiquate *Giàcobo* e *Giàcoba*, gli
ormai rari *Iacopo* e *Iacopa*, propri della
Toscana (dove sono specifici gli ipocoristici già medievali *Lapo* e *Puccio*, questo
da *Iacopuccio*) e dell'Emilia-Romagna,
e il tipo *Giacomo* diffuso in tutta l'Italia
(ma più compatto nel Sud per *Giacoma*,
Giacometta e per l'abbreviato *Como*) e
sostenuto dal culto, oltre che dei due
apostoli, di vari altri santi e beati, e anche dal prestigio di sovrani e prìncipi così
denominati.
Giàda (150) F. Disperso nel Nord, è
un nome affettivo recente ripreso da *gia-
da*, minerale orientale prezioso per la
sua lucentezza cerea e per i colori luminosi, per augurare una bellezza e preziosità morale simili a quelle della pietra
(come *Diamante*, *Margherita*, *Perla*).
Giaèle (500) F. Accentrato con la
metà in Emilia-Romagna e per l'altra
metà disperso nel Nord, è un nome di
tradizione biblica, solo in parte israelitico, ripreso dall'eroina, moglie di Eber,
che uccise il comandante dei Cananei Si-
sara, in ebraico *Yā'ēl* (grecizzato in *Ia-
ē'l* e latinizzato in *Iahél*), probabilmente 'che giova, è utile'.
Giànni (83.000) M. VARIANTI: *Giàni*
(50), *Giànno* (20). ALTERATI: *Giannèllo*
(100), *Gianèllo* (20), *Giannétto* (2.100),
Gianétto (50), *Giannìco* (50), *Giannino*
(10.000), *Giannòzzo* (20). NOMI DOPPI:
Gian Battista, *Gianbattista* o *Giambattista*, *G. Battista* (21.000) e *Giombattì-
sta* (200); *Gian Carlo* o *Giancarlo*
(186.000); *Gian Franco* o *Gianfranco*
(131.000); *Gian Pièro*, *Gianpièro* o
Giampièro (31.000), *Gian Luìgi* o *Gianluìgi* (22.000), *Gian Piètro*, *Gianpiètro* o
Giampiètro (16.000), *Gian Pàolo*,
Gianpàolo o *Giampàolo* (15.000), *Gian
Mário*, *Gianmàrio* o *Giammàrio*
(7.000), *Gian Marìa* o *Giànni Marìa*,
Gianmaria, *Giammarìa* o *Giamarìa*
(3.000), *Gian Doménico* o *Giandoménico* (3.000), *Gian Galeàzzo* o *Giangaleàzzo* (300). - F. *Giànna* (56.000). ALTE-
RATI: *Giannèlla* (300), *Giannétta* (900),
Giannina (25.000). NOMI DOPPI: *Gian
Carla* o *Giancarla* (18.000), *Gian Franca*
o *Gianfranca* (9.000), *Gian Pièra*, *Gian-*

pièra o *Giampièra* (1.800), *Gianpàola* o *Giampàola* (1.600), *Giànna Marìa* (700). Ampiamente diffuso in tutta l'Italia, è il più frequente degli ipocoristici di *Giovanni* (v. *Ianni*, *Nanni*, *Vanni* e *Zani*), già documentato nella forma base e in molti alterati e composti dalla fine del XII secolo, soprattutto in Toscana. Dei nomi doppi – che sono per il maschile moltissimi, e di cui sono qui stati dati solo i più frequenti o rilevanti –, sono effettivamente unitari, sorti con autonoma motivazione, *Gian Battista* (con le varianti grafiche, tra cui *G. Battista* che rappresenta anche *Giovanni Battista*) che distingue San Giovanni Battista da San Giovanni Evangelista (v. *Giovanni*), e *Gian Galeazzo*, nome di prestigio storico tradizionale nelle famiglie ducali dei Visconti e degli Sforza, noto soprattutto per Gian Galeazzo Visconti duca di Milano e signore di gran parte dell'Italia centro-settentrionale nella 2ª metà del Trecento.
    Giàno (250) M. - F. *Giàna* (150). Distribuito nel Nord e nel Centro, e nel femminile anche in Sicilia, non consente una spiegazione fondata se non per l'area toscana, dove è una forma abbreviata, comune già dal Duecento (noto è il capo della parte popolare di Firenze Giano della Bella per i suoi «Ordinamenti di giustizia» del 1293), di soprannomi o nomi come *Montigiano*, *Torrigiano* o *Bonciano*, *Feliciano*, *Luciano* (qui con la normale oscillazione tra *č* e *ğ*). Per le altre aree non si possono formulare che ipotesi da accertare: una variante di *Gianni*, una ripresa del nome della divinità romana Giano (v. *Gennaro* e *Gianuario*), un ipocoristico di nomi vari (*Giuliano*, ecc.). V. anche *Iano*.
    Gianuàrio (450) M. VARIANTI: *Genuàrio* (25). - F. *Genuària* (15). Proprio della Sardegna, e qui accentrato nel Sassarese, riflette il culto locale di San Genuario diacono, martire a Porto Torres durante le persecuzioni di Diocleziano con Proto (anche questo nome tipicamente sardo, v. *Proto*): è l'adattamento semidotto della forma latina *Ianuarius* o **Ienuarius*, di tradizione ecclesiastica, corrispondente all'esito più popolare *Gennaro*.
    Giasóne (50) M. Rarissimo e disperso, è un nome classico, mitologico e letterario, ripreso dall'eroe greco Giasone (in greco *Iásōn* latinizzato in *Iason*, tradizionalmente ricollegato a *iáesthai* 'curare, guarire' con il significato di 'che guarisce, medico'), capo della spedizione degli Argonauti che sposò e poi abbandonò Medea (v. *Medea*): all'affermazione del nome hanno contribuito le numerose opere letterarie e teatrali classiche e moderne ispirate al mito di Giasone e Medea.
    Gibèrto (150) M. Accentrato in Lombardia e in Toscana e sporadico nel Nord, è un prestito medievale dal francese antico *Gibert*, promosso da vari cavalieri di questo nome delle «*Chansons de geste*», che a sua volta è ripreso dal nome germanico composto con **wig-* 'combattimento, battaglia' e **berhta-* 'illustre' (in tedesco *Wigbert*), con il significato quindi di 'illustre in battaglia'.
    Gìglio (1.600) M (anche F). ALTERATI e DERIVATI: *Gigliòlo* (20); *Gigliàno* (25), *Giliàno* (100), *Gigliànte* (100: anche F), *Giliànte* (100: anche F), *Ziliànte* (50: anche F). - F. *Gìglia* (500). ALTERATI e DERIVATI: *Gigliétta* (75), *Gigliòla* (16.000), *Giliòla* (1.200); *Gigliàna* (150), *Giliàna* (900). Distribuito nella forma fondamentale *Giglio* e negli alterati *Gigliolo* e *Gigliola* in tutta l'Italia ma più frequente nel Nord, accentrato nelle altre forme in Emilia-Romagna e in Toscana e sporadico nel Nord, è un gruppo che presenta due etimi e processi di formazione diversi. È infatti fondamentalmente una variante di *Gilio*, adattamento del francese antico *Gilles* corrispondente all'italiano Egidio (v. *Egidio*), insorta per un incrocio con *giglio*, come fiore simbolo di candore, di purezza e innocenza. Ma in parte può essere insorto direttamente dal nome del fiore (come *Dalia*, *Gardenia*, *Gelsomina*, *Rosa*, *Viola*, ecc.), di antico valore simbolico anche cristiano, per cui non è più attualmente possibile distinguere quanto *giglio* abbia influito al livello di incrocio paretimologico e quanto direttamente, come etimo onomastico autonomo.
    Gilbèrto (22.000) M. VARIANTI: *Gilibèrto* (150), *Cilibèrto* (25); *Egilbèrto* (150); *Gisbèrto* (1.700). - F. *Gilbèrta* (2.000). VARIANTI: *Gisbèrta* (150). ALTERATI: *Gilbertina* (50). Diffuso nel Nord e in Toscana (ma nelle forme *Giliberto* e

Ciliberto proprio della Campania), è un nome di origine germanica composto con **gisil-* 'freccia, dardo, asta' (da **gaiza-* o **gaira-*, v. *Gerardo*) e **berhta-* 'illustre, famoso', con il significato di 'famoso, illustre per la bravura nel lanciare dardi, l'asta'. Questo nome germanico, comunque sostenuto dal culto di vari santi stranieri, si è affermato in Italia con due tradizioni diverse: una longobardica, nella forma *Ghisalberto*, che ormai sopravvive solo nel cognome *Ghisalberti*; l'altra francone, ma mediata dal francese antico *Gilbert* per la *ǧ-* palatale (documentato già nel Medio Evo come *Gislebertus*, *Gisilbertus*, *Gillebertus*, *Gilbertus*), da cui il nome è passato anche nell'inglese *Gilbert*. La variante *Egilberto* è probabilmente modellata su *Edelberto* o anche su *Egidio*, *Egilio*.

Gilfrédo (200) M. VARIANTI: *Gelfrido* (50), *Gisfrédo* (25). Sparso tra Nord e Centro, è un nome di origine germanica, ma di tramite francese antico, che, in mancanza di una sicura tradizione onomastica, sembra avere lo stesso 1º elemento di *Gilberto* qui sopra trattato, con **frithu-* 'pace' per 2º componente, quindi 'che assicura la pace con l'asta' (v. *Vilfredo*).

Ginépro (50) M. - F. *Ginépra* (75). Disperso nel Nord (soprattutto fra Verona, Modena e Reggio), è probabilmente un nome di devozione connesso con la popolare figura di Fra Ginepro, un compagno di San Francesco di grande bontà, candore e semplicità, molto conosciuto in base a narrazioni leggendarie della sua vita di larga fortuna popolare, che risalgono a una «*Vita fratris Iuniperi*» del primo Trecento in latino medievale (*iuniperus*, attraverso la variante volgare **ieniperus*, è l'etimo latino di *ginepro*).

Ginévra (8.500) F. - M. *Ginévro* (50). Diffuso nel Nord e nel Centro, è un nome di matrice letteraria ma ampiamente popolare, affermatosi dall'ultimo Medio Evo per Ginevra moglie di re Artù di Bretagna, amante di Lancillotto – tema centrale delle «*Chansons*» del ciclo bretone e degli adattamenti e rifacimenti continuati fino all'età moderna, v. *Arturo* e *Lancillotto* –, e ridiffuso a partire dal Cinquecento per la commovente storia della gentildonna fiorentina Gine-

vra degli Almieri, creduta morta e sepolta ma poi uscita dal sepolcro, tema di un poemetto anonimo dell'ultimo Quattrocento e di numerosissimi rifacimenti di larga diffusione a livello popolare (racconti, cantari, spettacoli, e ancora nel Novecento una commedia del 1926 e poi un film del 1935 di G. Forzano, e un'opera del 1937 di M. Peregallo). Il nome della moglie del re Artù è in anglonormanno e in antico francese *Guenievre*, adattamento del gallese *Gwenhwyfar* con il probabile significato di 'spirito, elfo luminoso' o 'che splende tra gli elfi' (v. *Alfredo*).

Gìnia (250) F. - M. *Gìnio* (20). Distribuito nel Nord con maggiore frequenza in Lombardia, è la forma abbreviata di *Virginia*, e anche di *Iginia* (v. *Igino*), e dei rispettivi maschili.

Gino (190.000) M. ALTERATI: *Ginétto* (700). - F. *Gina* (128.000). ALTERATI: *Ginétta* (8.000). Ampiamente diffuso in tutta l'Italia con più alta frequenza nel Nord e in Toscana, è la forma abbreviata dei diminutivi in *-ino*, e al femminile *-ina*, di vari nomi terminanti in *-gi* o *-gio* come *Luigi* o *Biagio*, *Eligio*, *Giorgio*, *Remigio* (ossia *Luigino* o *Luigina*, ecc.), o anche l'ipocoristico di *Angelino* o *Angiolino* e *Angelina* o *Angiolina*, *Giovannino* o *Giovannina*, già comune nell'ultimo Medio Evo (in documenti fiorentini del 1284 e 1292 in latino medievale un "Angiolinus de Malliis" riappare come "Ginus de Malliis"). Il nome ha avuto recentemente una nuova diffusione per la larga popolarità del campione di ciclismo Gino Bartali, nato a Ponte a Ema FI nel 1914, e dell'attrice cinematografica Gina Lollobrigida, nata a Subiaco nel 1927.

Gioacchino (24.000) M. VARIANTI: *Gioachino* (2.300), *Giacchino* (150), *Giachino* (50); *Giovacchino* (1.700). - F. *Gioacchina* (2.000). VARIANTI: *Gioachina* (100); *Giovacchina* (40). Ampiamente diffuso in tutta l'Italia, con più alta frequenza per il tipo *Gioacchino* in Sicilia e per *Giovacchino* in Toscana, è un nome insorto nel tardo Medio Evo con matrice religiosa, cristiana, e riaffermatosi dall'Ottocento con matrice laica, ideologica. La base lontana è il nome ebraico *Yōhāqīm* (da *Yāh*, abbreviazione di *Yahweh* 'Iavè, Dio' e forse *qūm* 'raddrizzare, sollevare', quindi 'Dio fa sollevare, mette sulla buona strada'), che attraverso l'adattamento greco *Iōakím* e latino *Ioachím* si è affermato prima in Oriente e poi, soprattutto con il movimento francescano, in Occidente, con il culto di San Gioacchino marito di Sant'Anna e padre di Maria Vergine (non nominato nei Vangeli canonici, ma solo nel tardo e apocrifo «Protovangelo di Giacomo»). Dal Duecento ha contribuito all'affermazione del nome anche la notorietà del monaco cisterciense, esegeta e profeta, Gioacchino da Fiore, fondatore del convento di San Giovanni in Fiore CS, morto nel 1202, e quindi il culto locale di San Gioacchino da Siena dell'ordine mendicante agostiniano dei Servi di Maria Vergine fondato nel 1233, morto nel 1306. In età risorgimentale il nome ha avuto una sia pur parziale ridiffusione d'impronta laica e patriottica per il re di Napoli Gioacchino Murat, sostenitore della libertà e dell'indipendenza d'Italia, fucilato dai Borbonici nel 1815 a Pizzo di Calabria CZ dove era sbarcato per tentare di sollevare le popolazioni contro i Borboni.

Giòbbe (200) M. Raro e disperso, risale al protagonista del libro dell'Antico Testamento (intitolato appunto «Libro di Giobbe»), modello di rassegnazione e di sopportazione per la forza d'animo con cui sopportò le sventure e le avversità con cui lo perseguitava il demonio: è un nome israelitico ma in alcuni casi anche cristiano, perché Giobbe è riconosciuto come santo dalla Chiesa. Il nome originario ebraico *Iyyòbh*, adattato in greco e latino come *Iō'b* e *Iob*, è tradizionalmente interpretato come un derivato del verbo *'ayah* 'avversare', quindi 'l'avversato, il perseguitato' (dal demonio), dato dunque per definire la figura e la vicenda stessa del personaggio biblico: è possibile perciò che esista una forma più antica, come *Yōbh*, con significato diverso (forse 'Dio ha dato in cambio, ha restituito', riferito alla nascita di un altro figlio dopo la morte di un figlio precedente).

Giobèrto (200) M. Proprio della Toscana ma disperso anche nell'Italia centro-settentrionale, è prevalentemente un nome di moda, ideologico, ripreso nel Risorgimento dal cognome del sacerdote, filosofo e uomo politico torinese Vincenzo Gioberti, morto nel 1852, sostenitore dell'indipendenza dell'Italia come stato federale o unitario, costituzionale e liberale, guidato dal Piemonte e sorretto dal papato. In parte può tuttavia costituire anche una variante – che è poi alla base del cognome stesso Gioberti – di nomi personali come *Gilberto* o *Giamberto*, *Gioberto* (composti questi con *Gianni* o *Giovanni* e *Berto*).

Giocóndo (4.100) M. VARIANTI: *Giocondino* (75). - F. *Giocónda* (14.000). ALTERATI: *Giocondina* (100). Ampiamente diffuso in tutta l'Italia, continua il soprannome e personale augurale latino di età imperiale *Iucundus* e *Iucunda*, formato dall'aggettivo *iucundus* 'giocondo, lieto, felice', sostenuto dal culto di numerosi santi e sante così denominati e ridiffuso dal tardo Ottocento, nel femminile, dal nome della protagonista della popolare opera lirica di A. Ponchielli «La Gioconda» del 1876 (su libretto di A. Boito tratto dal dramma «*Angelo, tyran de Padoue*» di V. Hugo del 1835), e della tragedia del 1899 di G. D'Annunzio «La Gioconda».

Gioèle (300) M. VARIANTI: *Gioièle* (50). - F. *Gioèla* (50). Raro e disperso, è ripreso dal profeta minore dell'Antico Testamento, in ebraico *Yō'ēl*, adattato in greco e in latino come *Iōē'l* e *Ioël*, composto con *Yōh* o *Yāh*, abbreviazione di *Yahweh* 'Iavè' e *'El*, abbreviazione di *'Elōhīm* 'Dio', con il significato quindi di 'Iavè è (il solo, il vero) Dio', identico a quello di *Elìa* (in cui i due componenti sono invertiti: 'Dio è Iavè'). È un nome non solo israelitico ma anche cristiano, in quanto la Chiesa riconosce come santo il profeta Gioele (e, localmente, per il culto del beato Gioele di Monte Sant'Angelo FG, abate nel XII secolo del convento di Pulsano TA).

Giòia (3.000) F. VARIANTI: *Zòia* (150). ALTERATI e DERIVATI: *Gioièlla* (400), *Gioiétta* (600), *Gioìna* (150); *Gioiósa* (100). - M. *Gioièllo* (150), *Gioino* (25). Accentrato per quasi la metà in Toscana e per il resto disperso (ma *Gioiosa* è più frequente nel Salento, e la forma dialettale *Zoia* è propria del Nord-Est), è un nome affettivo, gratulatorio e augurale, già medievale, formato da *gioia* 'che è, che sarà la gioia dei genitori' (anche nel significato di 'gioiello, pietra preziosa', quindi con la stessa motivazione di *Gemma, Diamante, Perla*), e da *gioioso* 'che dà gioia' o 'pieno di gioia'.

Giòna (300) M. VARIANTI: *Iòna* (20). Raro e disperso (ma più compatto nell'Udinese), risale al nome del profeta dell'Antico Testamento inghiottito, secondo la tradizione, da una balena e poi rigettato dopo tre giorni sulle spiagge della Palestina per volere di Dio, assunto poi dal cristianesimo come simbolo della morte e della resurrezione di Cristo: in ebraico *Yōnāh*, ossia 'colombo, colomba', grecizzato in *Iōnâs* o *Iōnás* e latinizzato in *Ionas*. Il nome è non solo israelitico ma anche cristiano, non solo perché la Chiesa riconosce come santo il profeta ma anche per il culto di vari santi così denominati, tra cui San Giona, monaco della «Grande Laura» (un'organizzazione monastica bizantina) fondata nel V-VI secolo in Palestina (a Gerusalemme, poi nel Sinai, nel Monte Athos, ecc.) da San Saba: e il culto triestino e friulano di San Saba e San Giona spiega la compattezza nell'Udinese del nome.

Giordano (25.000) M. NOMI DOPPI: *Giordano Bruno* (550). - F. *Giordana* (4.500). Ampiamente diffuso nell'Italia centro-settentrionale, con più alta compattezza in Lombardia, Emilia-Romagna e Toscana, continua il nome latino di ambienti cristiani *Iordanus* e *Iordana*, derivato dal nome del fiume Giordano (in ebraico *Yardēn*, in greco *Iordánēs* e in latino *Iordanes* o *Iordanis*), sacro perché vi fu battezzato Cristo: il nome si è poi ridiffuso con le crociate e la nuova conoscenza del Giordano e della Giordania in Terrasanta, e quindi con il culto di vari santi e beati così denominati. *Giordano Bruno* non è effettivamente un nome doppio, ma rappresenta unitariamente il nome e il cognome del domenicano Giordano Bruno (al secolo Filippo dei Bruni), filosofo e scrittore arso sul rogo per eresia in Campo dei Fiori a Roma nel 1600, ripreso dall'Ottocento in ambienti di liberi pensatori e anarchici che esaltavano il Bruno come vittima dell'Inquisizione e dell'oscurantismo, martire e simbolo della libertà di pensiero (e con questa motivazione sono stati

spesso dati anche i nomi *Giordano* o *Bruno*).

Giórgio o *Giòrgio* (278.000) M. ALTERATI: *Giorgétto* (150), *Giorgino* (300). - F. *Giórgia* o *Giòrgia* (10.000). VARIANTI: *Geòrgia* (200). ALTERATI: *Giorgétta* (1.800), *Giorgiétta* (100), *Giorgina* (16.000), *Georgina* (75). DERIVATI: *Giorgiàna* (150), *Georgiàna* (50). Ampiamente diffuso in tutta l'Italia, con maggiore compattezza in Sicilia per *Giorgio* e *Giorgia* e nel Veneto per *Giorgina*, continua il nome latino di età imperiale *Georgius*, ripreso dal greco tardo e bizantino *Gheō'rghios* derivato da *gheōrgós* 'agricoltore', sostenuto dal culto di vari santi, e in particolare di San Giorgio martire a Lydda in Palestina nel III secolo, soldato a cavallo che avrebbe ucciso con la lancia il drago, simbolo del male, e anche dal prestigio di sovrani di vari stati europei (Russia, Bulgaria, Serbia, Grecia, Danimarca e, soprattutto, da Giorgio I a Giorgio VII, Gran Bretagna). La forma *Georgia* può essere in parte di residenti straniere e in parte adottata anche per italiane come nome di moda esotica, modellato in particolare sull'inglese *Georgia*.

Giosafatte (450) M. VARIANTI: *Giòsafat* o *Giosafàt* (250), *Giosaffatte* (100), *Giosaffatto* (20), *Giosafatto* (50), *Giosefatto* (20), *Giosofatto* (50). Accentrato nel Sud e a Roma per più di 2/3 e per il resto disperso, è un nome biblico, ripreso dal re di Giuda e riformatore religioso del IX secolo a.C. Giosafat, in ebraico *Yehōshāfat*, attraverso l'adattamento greco *Iōsaphát* e latino *Iosaphat*, derivato con *Yāh* abbreviazione di *Yahweh* 'Iavè, Dio' da *shafat* 'giudicare', con il significato quindi di 'Dio ha giudicato': è un nome sia israelitico sia diffuso in ambienti protestanti e inoltre, per l'esistenza di due santi orientali così denominati, anche cristiano.

Giosuè (7.000) M. VARIANTI: *Giòsue* (150), *Gesuè* (100); *Giosuèle* (75), *Gesuèle* (500). - F. *Gesuèla* (100). VARIANTI: *Gesuèlla* (75). Diffuso in tutta l'Italia ma più frequente nel Sud, e proprio della Sicilia nel tipo *Gesuè* e *Gesuele*, è un nome biblico ripreso dal condottiero Giosuè, succeduto a Mosè nella guida del popolo d'Israele, che occupò la Palestina vincendo i Cananei e in particolare è noto per aver fatto fermare il sole per potere rendere totale e definitiva la vittoria sul nemico. Il nome ebraico, *Yeʿhōshūaʿ* 'Dio salva, è salvezza' (v. *Gesù*), si è diffuso in Italia, fuorché in ambienti israelitici, attraverso l'adattamento latino *Iosue* (il greco ha *Iēsûs* in cui ha adattato anche la forma ridotta *Yēshūaʿ*, ossia *Gesù*), assumendo la duplice accentazione *Giosuè*, molto più comune, e *Giòsue*, rara, più conforme alla pronunzia tradizionale del latino ecclesiastico *Iosue*: le varianti in *Ge-* sono insorte probabilmente da un incrocio con *Gesù*, e quelle del tipo *Giosuele* o *Gesuele* da incroci con altri nomi biblici ebraici come *Daniele*, *Samuele*, ecc. Il nome è in Italia solo in minima parte israelitico, normalmente cristiano, sia perché la Chiesa riconosce Giosuè come santo sia, nel Molise, per il culto del beato Giosuè abate tra l'VIII e il IX secolo dell'abbazia di San Vincenzo al Volturno (ora Castel San Vincenzo IS), ma anche laico, come recente nome di moda letteraria e politica ripreso da Giosuè Carducci (che negli ultimi anni preferì accentare il suo nome *Giòsue*).

Giòtto (800) M. Accentato in Toscana per i ³/₅ e per il resto disperso nel Nord, continua l'ipocoristico medievale *Giotto* di forme diminutive come *Ambrogiotto*, *Angiolotto*, ecc. (v. *Ambrogio*, *Angelo*), sostenuto dal prestigio del grande pittore fiorentino Giotto di Bondone dell'ultimo Duecento e del primo Trecento.

Giovanni (1.105.000) M. VARIANTI: *Iovanni* (20). ALTERATI E DERIVATI: *Giovannino* (4.600); *Giovannico* (150). NOMI DOPPI: *Giovanni Battista*, *Giovanbattista* o *Giovambattista*, *G. Battista* (40.000), *Gio Battista* o *Giobattista* (450), *Gio Batta* o *Giobatta* (6.000); *Giovanni Marìa*, *Giovan Marìa*, *Giovanmarìa* o *Giovammarìa*, *Gio Marìa*, *Giomarìa* o *Giommarìa* (6.500), *Giovanni Antònio* o *Giovannantònio* (4.200), — *Carlo* o *Giovancarlo* (1.200), — *Franco* (1.200), — *Màrio* (1.200), — *Piètro* (1.200). - F. *Giovanna* (520.000). VARIANTI: *Gioànna* (75), *Ioàna* (150). ALTERATI E DERIVATI: *Giovannèlla* (700), *Giovannina* (22.000); *Giovannica* (300). NOMI DOPPI: *Giovanna Marìa* (6.000), — *Angela* o *Giovannàngela* (1.000). È

uno dei nomi di più alta frequenza in Italia – il 2° per rango nazionale tra i maschili e il 6° tra i femminili –, diffuso in tutte le regioni con varia ma sempre alta compattezza (ma il derivato *Giovannico* o *Giovannica* è proprio della Sardegna). Dei nomi doppi, numerosissimi e qui limitati ai più frequenti, *Giovanni Battista* (con le varianti grafiche, tra cui *G. Battista* può rappresentare anche *Gian Battista*, v. *Gianni*) è in realtà unitario, sorto con autonoma motivazione da San Giovanni Battista anche per distinguerlo da San Giovanni Evangelista. L'etimo onomastico lontano è l'ebraico *Yōhānān* o *Yehōhānān*, composto di *Yōh* o *Yāh*, abbreviazioni di *Iahweh* 'Iavè, Dio', e *ḥānan* (v. *Anna*), con il significato di 'Dio ha avuto misericordia' (concedendo un figlio molto atteso), adattato nella tradizione ecclesiastica in greco come *Iōánnēs* e in latino *Iohannes*, poi diventato, nell'uso comune, *Ioannis*, forma continuata dall'italiano *Giovanni* e dalla maggior parte delle altre lingue europee. La diffusione del nome è stata promossa già dal primo periodo del cristianesimo dal culto di San Giovanni Battista, precursore di Gesù e suo battezzatore nel Giordano (v. *Battista*), e di San Giovanni Evangelista fratello di Giacomo, l'apostolo prediletto da Gesù e da Maria Vergine, l'uno e l'altro patroni di molte città d'Italia. Nel Medio Evo e nel Rinascimento, fino all'età moderna, il nome è stato ridiffuso da numerosissimi (più di 100) santi e sante, beati e beate, tra cui i più rilevanti come culto in Italia sono San Giovanni Crisostomo padre della Chiesa (v. *Crisostomo*), San Giovanni Damasceno dottore della Chiesa dell'VIII secolo, San Giovanni l'Elemosiniere patriarca di Alessandria di Egitto morto nel 619, San Giovanni Battista de la Salle nato a Reims nel 1651 fondatore del Sodalizio dei Fratelli delle scuole cristiane, San Giovanni Bosco fondatore della Congregazione dei Salesiani, morto a Torino nel 1888, e Santa Giovanna d'Arco arsa sul rogo come eretica a Rouen dagli Inglesi nel 1431. In minima parte ha contribuito alla diffusione anche il prestigio di vari sovrani e sovrane di nome *Giovanni* o *Giovanna* di molti stati europei. V. anche gli ipocoristici *Gianni*, *Ianni*, *Nanni*, *Vanni* e

Zani.
Giòve (150) M. Accentrato per la metà a Roma e nel Viterbese e per il resto disperso, sembra, nell'assenza di ogni altra tradizione onomastica, un nome di matrice classica e mitologica ripreso dal dio supremo della religione romana, Giove, in latino *Iovis* (propriamente, 'luminoso, risplendente'): già in latino sono frequenti soprannomi, gentilizi e nomi personali derivati da *Iovis*, come *Iovius*, *Iovianus*, *Iovinus*.

Giovenale (1.100) M. Proprio del Piemonte, e qui accentrato per ⁵/₆ nel Cuneese e a Torino, ma attestato anche nel Viterbese e in provincia di Terni, riflette il culto locale di San Giovenale vescovo di Narni nel III secolo, patrono di Fossano CN, di San Giovenale frazione di Peveragno CN e di Narni TR: alla base è il tardo soprannome o 3° nome latino *Iuvenalis* (noto per il poeta satirico Decimo Giulio Giovenale del I-II secolo), diventato poi nome personale, formato da *iuvenalis* (derivato da *iuvenis*) 'giovanile, giovane'.

Giovènzio (25) M. DERIVATI: *Gioventino* (25). Disperso nel Nord, è l'esile riflesso del culto di San Giovenzio vescovo di Pavia nel II secolo e di San Gioventino martire a Roma (o a Antiochia) sotto Giuliano l'Apostata: alla base è il gentilizio e poi nome personale latino *Iuventius* e *Iuventinus*, derivato con valore augurale da *iuventus* o *iuventas* 'gioventù; età, vigore giovanile'.

Giovina o **Gióvina** (4.000) F. VARIANTI: *Iovina* o *Ióvina* (50). - M. *Giovino* o *Gióvino* (150). È un gruppo qui costituito per la coerenza della distribuzione, l'area sud-orientale dall'Abruzzo alla Puglia, ma, data l'impossibilità di distinguere e quantificare le forme piane e sdrucciole, comprensivo di due tradizioni diverse, spesso incrociate tra loro. Il tipo piano pare riflettere un culto locale per San Giovino (dal latino *Iovinus*, v. *Giove*), martire sulla via Latina durante l'impero di Valeriano e Gallieno, o di una Santa Giovina priva di tradizione agiografica. Il tipo sdrucciolo, *Gióvina* o *Gióvino*, potrebbe riflettere un originario soprannome formato da *giovina* e *giovino*, varianti antiquate e regionali di *giovane*.

Giovita (200) M. VARIANTI: *Giovito*

(25). Accentrato in Lombardia e soprattutto nel Bresciano per ²/₃ e per il resto disperso, riflette il culto locale di un leggendario San Giovita (o Santa Giovita?) martire con Faustino a Brescia durante l'impero di Adriano. Incerta è anche la tradizione onomastica, dato che la forma ecclesiastica *Iovita* è tarda, medievale, e anch'essa non sicura: potrebbero essere, a livello di pura ipotesi formale, un derivato di *Iovis*, v. *Giove*.

Girardéngo (50) M. Accentrato in Toscana, è il superstite riflesso della passione sportiva per il corridore ciclistico Costante Girardengo (un cognome derivato da *Girardo*, v. *Gerardo*) nato nel 1893 a Novi Ligure AL, più volte campione d'Italia e vincitore del Giro d'Italia dal 1913 al 1925.

Giròlamo (23.000) M. VARIANTI: *Geròlamo* (8.500); *Geronimo* (25), *Geròmino* (25). - F. *Giròlama* (8.000). VARIANTI: *Geròlama* (1.400), *Geròlima* (150); *Geronima* (1.400), *Geròmina* (800). ALTERATI: *Gerolamina* (20), *Gerolomina* (50). Diffuso in tutta l'Italia, più frequente nel Sud e soprattutto in Sicilia e in Sardegna (*Geronimo* e *Geronima* sono però liguri e *Gerolima* dell'Imperiese), riflette il culto di vari santi e in particolare di San Girolamo di Aquileia, dottore della Chiesa, morto a Betlemme nel 420, e di San Girolamo Miani fondatore della Congregazione dei chierici regolari di Somasca, o dei «Somaschi», morto a Somasca BG nel 1537. Il nome originario greco, *Hieró'nymos*, è composto con *hierós* 'sacro' e *ónoma* 'nome', e ha quindi il significato di 'nome sacro, sacrale': adottato nel latino imperiale, soprattutto in ambienti cristiani, come *Hieronymus*, ha poi subìto alcune alterazioni (dissimilazione di *n* in *l*, passaggio di *y* a *a*, metatesi tra *n* e *m*, ecc.) per cui nel latino medievale e nel volgare italiano si sono affermate le forme *Girolamo* o *Gerolamo*, *Gerolima*, *Geromina*, mentre il tipo più fedele al modello greco-latino *Geronimo* è rimasto nettamente minoritario.

Gisa (600) F. VARIANTI: *Cisa* (75). ALTERATI: *Cisèlla* (150). - M. *Ciso* (50). Disperso tra Nord e Centro, è una forma abbreviata di *Adalgisa* e delle numerose varianti e alterazioni (v. *Adalgisa*), ma in qualche caso può anche rappresentare un ipocoristico di *Gisella* e *Giselda* (anche già germanico: *Gisa* è documentato in Germania sin dall'VIII secolo).

Gisèlda (10.000) F. - M. *Gisèldo* (50). Diffuso dal Nord al Centro fino all'Abruzzo, è un nome di origine germanica, *Giselhilda*, formato con un 1º elemento *gisil-* 'freccia' e un 2º componente *hildjo-* 'battaglia', che non può tuttavia rappresentare se non in parte, data l'altissima frequenza e diffusione del femminile, una continuazione diretta di un remoto e raro nome germanico, privo di tradizione storica e agiografica, ma è invece più spesso, oltre che una possibile alterazione di *Gisella*, un nome di matrice letteraria e teatrale, ma anche patriottica risorgimentale, ripreso dall'Ottocento dal personaggio femminile della popolare opera lirica di G. Verdi «I Lombardi alla prima crociata» del 1843, il cui libretto era stato tratto da T. Solera dall'omonimo poema di T. Grossi del 1826.

Gisèlla (21.000) F. VARIANTI: *Gisela* (900). - M. *Gisèllo* (50). Diffuso in tutta l'Italia con frequenza più alta nel Nord e molto minore nel Sud, è un nome di lontana origine germanica, già documentato dall'VIII secolo in Italia nelle forme *Gisa*, *Gisela*, *Gisila* e *Gisla*, formato da *gisil-*, diminutivo di *gaiza-* o *gaira-* 'lancia, freccia' (v. *Gilberto*), sorto come nome autonomo o come ipocoristico di nomi composti con questo stesso componente (come *Adalgisa*, *Gismonda*, ecc.). La conservazione e la diffusione del nome può essere stata solo in minima parte promossa da personaggi femminili di rilievo, sia storico (così si chiamavano la sorella e la figlia dell'imperatore Carlo Magno) sia agiografico (la beata Gisella di Baviera dell'XI secolo, moglie di Stefano I il Santo re di Ungheria), che però non possono avere determinato una così alta, e anche recente, diffusione. Le motivazioni determinanti sono varie e complesse: innanzi tutto si deve presupporre, per la palatalizzazione della *ǧ-* e per lo spostamento dell'accento sulla penultima, un influsso già antico del francese *Gisèle*; quindi un adattamento ai diminutivi femminili in -*ella*, sia paretimologico sia come reale diminutivo di *Gisa* (e *Adalgisa*, *Algisa*, ecc.); infine una ridiffusione recente come nome di moda,

letteraria, teatrale o musicale, o anche semplicemente esotica (come dimostra la variante *Gisela* che solo in parte è propria di residenti di lingua tedesca dell'Alto Adige o di paesi stranieri, ma per la maggior parte è adottata, con cambiamento d'accento e di pronunzia (da *gìsela* a *ǧisèla*), anche da Italiane).

Gislèno (200) M. - F. *Gislèna* (75). Disperso nel Nord e nel Centro, è l'esile riflesso del culto di San Gisleno o Gisileno, monaco e apostolo nel VII secolo dello Hainaut, provincia vallone del Belgio: nonostante la tradizione, leggendaria, dell'origine del monaco basiliano dalla Grecia, il nome è di evidente impronta germanica, *Gislin* latinizzato in età medievale in *Gislenus*, derivato da *gisil-* 'freccia'.

Gismóndo (300) M. - F. *Gismónda* (250). Accentuato per più della metà in Toscana e nel Lazio e per il resto disperso, può essere sia un nome autonomo di origine germanica, composto con *gis-* 'freccia, lancia' e *munda-* 'protezione' (documentato nelle forme medievali *Gisimund* o *Gismund*), con il significato di 'che protegge con la lancia', sia una forma abbreviata di *Sigismondo*, di analoga formazione germanica. In ogni caso la sua diffusione è stata promossa anche da modelli letterari: Ghismonda, figlia del principe di Salerno Tancredi, è la protagonista di una delle più note novelle del «Decameron» di G. Boccaccio, e «Gismonda da Mendrisio» è il titolo, ripreso dalla protagonista, di una tragedia di S. Pellico del 1831.

Gisulfo (25) M. Proprio dell'Udinese, è un nome di origine longobardica, *Gisulf*, composto da *gis-* 'freccia, dardo' e *wulfa-* 'lupo', quindi 'lupo dalla freccia' (il lupo era un animale sacro, simbolo di valore guerriero), noto per i vari duchi longobardi così denominati (Gisulfo I duca del Friuli nel VI secolo, e quindi Gisulfo I e II duchi di Benevento, Gisulfo duca di Spoleto, Gisulfo I e II duchi di Salerno).

Giùda (5) M. VARIANTI: *Giùdo* (100). Rarissimo e disperso, riflette il culto di San Giuda Taddeo (v. *Taddeo*), apostolo e, secondo tradizioni leggendarie, evangelizzatore della Mesopotamia e martire in Persia: l'estrema rarità del nome *Giuda*, la molto maggiore frequenza dell'adattamento morfologico (al normale *-o* del maschile) *Giudo*, sono conseguenti al rifiuto di un nome più noto per l'altro apostolo, Giuda Iscariota, il traditore di Gesù Cristo. Alla base è il nome ebraico dell'Antico Testamento *Yehūdāh* del figlio di Giacobbe, propriamente 'il leone', fondatore eponimo della tribù del leone o di Giuda, da cui prese il nome di «Giudei» tutto il popolo d'Israele e si chiamò «Giudea» la loro patria.

Giuditta (26.000) F. VARIANTI: *Judith* (600), *Judit* (70). - M. *Giuditto* (5). Ampiamente diffuso in tutta l'Italia per *Giuditta*, che è però accentrato per ²/₅ in Lombardia, e proprio del Nord per la forma straniera (soprattutto inglese, tedesca, francese) e adottata per moda esotica *Judith*, è un nome biblico, *Yehūdīt* in ebraico, propriamente 'giudea, ebrea' (ossia un etnico femminile insorto durante l'esilio e la schiavitù degli Ebrei o dato da non ebrei), diffusosi attraverso l'adattamento greco e latino *Iudíth*. Il nome è in minima parte israelitico, in parte maggiore cristiano per il culto di Santa Giuditta martire a Milano con San Vittore durante le persecuzioni di Massimiano (e i due nomi sono appunto accentrati a Milano e in Lombardia), ma soprattutto laico, di moda, ripreso dalle numerose opere letterarie, drammatiche e musicali, che hanno avuto per protagonista la Giuditta dell'Antico Testamento, la giovane vedova di Betulia che salva la propria città assediata da Oloferne, generale assiro di Nabucodonosòr, seducendolo e poi uccidendolo nel sonno, tagliandogli la testa (v. *Oloferne* e *Nabucco*).

Giuliàno (86.000) M. VARIANTI: *Giugliàno* (25). - F. *Giuliàna* (128.000). ALTERATI: *Giulianèlla* (100). Ampiamente diffuso in tutta l'Italia, continua il soprannome o 3° nome latino *Julianus* (e *Juliana*), derivato dal gentilizio *Julius* (v. *Giulio*), sostenuto dal culto di numerosissimi santi e sante (più di 40) così denominati.

Giùlio (133.000) M. ALTERATI: *Giuliétto* (300), *Giulino* (15); *Zulino* (100). NOMI DOPPI: *Giùlio Césare* (2.200). - F. *Giùlia* (148.000). VARIANTI: *Jùlia* (500). ALTERATI: *Giuliétta* (13.000); *Zulina* (25). NOMI DOPPI: *Giùlia Maria*

(600). Ampiamente diffuso in tutta l'Italia nelle forme fondamentali, è più compatto nel Nord e a Roma per la variante latineggiante o esotica *Julia*, in Emilia-Romagna per gli alterati d'impronta dialettale in Z-, e nel Lazio per *Giulio Cesare*, che non è in realtà un nome doppio ma unitario, ripreso dall'uomo politico e condottiero romano Gaio Giulio Cesare (v. *Cesare*). È la continuazione, sostenuta dal culto di numerosi santi e sante e dal prestigio di vari grandi personaggi storici, dell'antico gentilizio latino *Iulius*, proprio della *gens Iulia* da cui sarebbe disceso Giulio Cesare (e il cui capostipite sarebbe stato *Iulus*, Iulo o Ascanio, figlio di Enea), diventato poi nome personale o unico in età imperiale: ma *Iulius* è probabilmente un derivato di *Iovis*, v. *Giove*, attraverso una forma precedente **Iovilios* 'sacro, dedicato a Giove'. L'alta frequenza del diminutivo femminile *Giulietta*, e la sua concentrazione in Toscana e nel Nord, è in parte motivata dalla grande risonanza, dall'Ottocento, della tragedia di W. Shakespeare «*Romeo and Juliet*» del 1597, e dalle numerose opere drammatiche, liriche e cinematografiche, a essa ispirate.

Giulivo (200) M. VARIANTI: *Giolivo* (25). - F. *Giuliva* (400). Distribuito nel Centro-Nord con più alta compattezza in Umbria, è un nome affettivo e augurale formato da *giulivo* 'lieto, gioioso', prestito dal francese antico *jolif* (moderno *joli*).

Giùnio (400) M. VARIANTI: *Giùgno* (20). - *Giùnia* (50). VARIANTI: *Giùgna* (25). Distribuito nel Centro-Nord con più alta frequenza in Umbria, ha alla base l'antico gentilizio latino *Iunius* (derivato da *Iuno* 'Giunone', la massima divinità femminile della religione romana, con il significato di 'sacro, dedicato a Giunone'), ripreso recentemente per il prestigio storico e anche ideologico di Lucio Giunio Bruto, liberatore di Roma, con Collatino, dalla dominazione etrusca nel 509 a.C., e di Marco Giunio Bruto, uno dei congiurati e degli uccisori, nel 44 a.C., di Giulio Cesare considerato un tiranno oppressore della libertà, personaggi di varie opere letterarie e teatrali moderne (v. *Bruto*). In alcuni casi, soprattutto nella variante *Giugno* e *Giugna*, può essere un nome dato in relazione al mese della nascita, *giugno* (come *Aprile*, *Maggio*, *Settembrino*, *Ottobrino*).

Giùnta (35) M (anche F). VARIANTI: *Giùnto* (25). ALTERATI: *Giuntino* (20). Accentrato per la metà in Toscana e per il resto disperso, è la forma abbreviata del nome augurale e gratulatorio medievale *Bonagiunta* o *Bonaggiunta*, ossia 'buona giunta, buon arrivo' o 'buona aggiunta', dato a un figlio molto atteso o che costituisce un aumento desiderato della famiglia.

Giusèppe (1.717.000) M. VARIANTI: *Giusèpe* (150). ALTERATI: *Giuseppino* (3.400). IPOCORISTICI: *Geppino* (300); *Bèppe* (800), *Bèppi* (50), *Bèpi* (150), *Beppino* (2.000); *Pèppe* (20), *Pèppi* (50), *Pèpi* (150), *Pèppo* (20), *Peppino* (7.500), *Pepino* (50), *Peppinétto* (20), *Peppùccio* (50); *Pino* (6.500), *Pinèllo* (50), *Pinétto* (20), *Pinòtto* (50), *Pinùccio* (500). NOMI DOPPI: *Giusèppe Antònio* o *Giuseppantònio* (2.500). - F. *Giusèppa* (200.000). ALTERATI: *Giuseppina* (652.000). IPOCORISTICI: *Geppina* (400); *Giùsi* (1.700), *Giùsy* (1.600), *Giùsj* (150), *Giùse* (900), *Giósi* (150); *Bèppa* (50), *Beppina* (900); *Pèppa* (75), *Peppina* (4.000); *Pina* (32.000), *Pinèlla* (400), *Pinétta* (400), *Pinùccia* (9.000). NOMI DOPPI: *Giusèppa Marìa* (800), *Giuseppina Marìa* (700). È il nome più frequente in Italia, il 1º assoluto per rango nel maschile, il 27º nel femminile per *Giuseppa* ma il 3º per *Giuseppina*: è diffuso in tutta l'Italia, con diversa compattezza nelle varie forme di ipocoristici. La matrice più antica e fondamentale è religiosa, cristiana: il culto per San Giuseppe, «reputato» sposo di Maria Vergine e padre di Gesù – culto insorto in Oriente nel IV secolo e affermatosi in Occidente dall'XI secolo, soprattutto con San Tommaso d'Aquino –, e quindi il culto di numerosi altri santi, tra cui San Giuseppe da Copertino LE, frate cappuccino in Umbria e nelle Marche del Seicento, patrono di Copertino e di Osimo AN, e San Giuseppe Calasanzio, spagnolo, morto a Roma nel 1648, fondatore delle «scuole pie» dell'Ordine degli Scolòpi, patrono di Isili NU. Una matrice secondaria, e recente, è laica: il prestigio di Giuseppe I e II, e di Francesco Giuseppe, imperatori d'Austria, di Giuseppe Bonaparte re di Napoli e poi di Spagna, di Giuseppina Beauharnais moglie di Napoleone I e imperatrice dei Francesi, il nome, ripreso per ideologia patriottica nel Risorgimento, di Mazzini, Garibaldi e Verdi. L'etimo onomastico lontano è l'ebraico *Yōsēph*, derivato da *yasaph* 'aggiungere' con il valore augurale di 'Dio aggiunga, accresca' (la famiglia, con questo e altri figli), nome, nell'Antico Testamento, del figlio di Giacobbe e di Rachele venduto per gelosia dai fratelli come schiavo e deportato in Egitto, adottato in greco come *Iōsē'ph* e poi *Iō'sēphos* o *Iō'sēpos* e in latino come *Ioseph* e poi *Ioséphus*, e in forma più popolare *Ioseppus* (da cui si è svolto l'italiano *Giuseppe*). Il tipo ipocoristico *Pino* può anche riflettere, in alcuni casi, le forme vezzeggiative di altri nomi come *Filippino*, *Iacopino* (v. *Filippo* e *Giacomo*).

Giustiniàno (500) M. - F. *Giustiniàna* (100). Accentrato per ¼ nel Veneto e per il resto disperso, continua il soprannome o 3º nome latino, diventato poi nome individuale, *Iustinianus*, derivato di *Iustinus* (v. *Giustino*), sostenuto dal prestigio storico dell'imperatore d'Oriente Giustiniano I del VI secolo e, nel Veneto, di Giustiniano duca di Venezia nel IX secolo, che fece trasportare le reliquie di San Marco Evangelista, patrono della città e della Repubblica, da Alessandria d'Egitto a Venezia.

Giustino (6.000) M. - F. *Giustina* (17.000). Ampiamente diffuso in tutta l'Italia, con maggiore compattezza per *Giustino* in Abruzzo e per *Giustina* in Sardegna, riflette il culto di numerosi santi e sante di questo nome, e in particolare di San Giustino apologeta e martire a Roma nel 165, San Giustino vescovo di Chieti nel IV secolo, patrono di Chieti e di Cercola NA, Santa Giustina martire in Sardegna (v. *Enedina* e *Giusta*): continua il 3º nome e poi nome unico latino di età imperiale *Iustinus*, derivato di *Iustus*, v. *Giusto*.

Giùsto (5.500) M. - F. *Giùsta* (1.000). Distribuito in tutta l'Italia ma più compatto per il maschile in Sicilia e per il femminile in Sardegna, riflette il culto di vari santi tra cui San Giusto martire a Trieste sotto Diocleziano e patrono della città, San Giusto martire in località e epoca incerta patrono di Misilmeri PA (dove il nome ha un'alta frequenza relativa), e Santa Giusta martire in Sardegna con Giustina e Enedina (v. *Enedina*), patrona di Calangianus SS e Uta CA: è la continuazione del soprannome e poi nome latino di età imperiale *Iustus*, da *iustus* (derivato di *ius iuris* 'diritto') 'giusto', che in ambienti cristiani aveva assunto il valore di 'che è nella giusta fede, che si conforma alla rettitudine cristiana'.

Glàuco (4.500) M. VARIANTI: *Clàuco* (50). - F. *Glàuca* (300). Distribuito in tutta l'Italia, con maggiore compattezza per il maschile nel Friuli-Venezia Giulia, nel Veneto e nel Lazio, e per il femminile in Liguria, è un nome di matrice classica, letteraria e teatrale, ripreso recentemente dal mitico pescatore della Beozia Glauco, innamorato di Scilla (v. *Scilla*) che però perde perché viene trasformato in un dio marino, ricordato da Virgilio e da Dante, protagonista di una lirica di G. D'Annunzio («Ditirambo II», in «Alcyone» 1903) e della tragedia «Glauco» di E. L. Morselli del 1919. Il nome greco originario, *Glâukos* latinizzato in *Glaucus*, deriva dall'aggettivo *glaukós* 'scintillante, brillante', riferito soprattutto agli occhi e al mare, e quindi 'di colore verde-azzurro'.

Glicèrio (300) M. VARIANTI: *Clicèrio* (50), *Licèrio* (25). - F. *Glicèria* (250). VARIANTI: *Clicèria* (25). Proprio del Nord, con più alta frequenza in Emilia-Romagna, riflette il culto di alcuni santi e sante di tradizione agiografica e onomastica molto incerta (v. anche *Clerio*), e in particolare San Clicerio vescovo di Milano nel V secolo, San Glicerio martire a Nicomedia sotto Massimiano o Diocleziano, Santa Gliceria martire sotto Antonino a Eraclea o a Roma. L'etimo lontano è il nome greco femminile *Glykéra* e, nel diminutivo o vezzeggiativo, *Glykérion*, e il più raro maschile *Glýkeros*, derivati dall'aggettivo *glykerós*, variante di *glykýs*, 'dolce' (quindi 'la dolce'). Il nome è passato in latino, come grecismo, nella forma *Glycera* e al maschile *Glycerus*, poi adattato, sul modello del vezzeggiativo greco *Glykérion*, in *Glyceria* e *Glycerius*: è possibile che nel femminile sia in qualche caso una ripresa letteraria, rinascimentale e mo-

derna, del nome della celebre cortigiana ateniese Glìcera del IV secolo a.C., o delle donne amate e cantate dai poeti Orazio e Tibullo.

Glisènte (50) M. Peculiare del Bresciano (come il cognome *Glisenti* che ne è derivato), riflette un culto locale, insorto nel tardo Medio Evo, per un leggendario San Glisente, un soldato di Carlo Magno, venerato tra la Val Camonica e la Val Trompia: è un nome, come il culto, privo di una qualsiasi fondata tradizione.

Glòria (14.000) F. VARIANTI: *Glòri* (100). ALTERATI: *Gloriétta* (75). DERIVATI: *Gloriàna* (1.000). - M. *Glòrio* (10). DERIVATI: *Gloriàno* (400). Ampiamente diffuso nel Nord e in Toscana, presenta molteplici e complesse possibilità di insorgenza e di motivazioni, pur risalendo a un unico etimo lontano, il latino *gloria* 'gloria'. Può essere un nome cristiano, ripreso dalla parola iniziale dell'antico inno liturgico di glorificazione a Dio e alla Trinità *Gloria in excelsis Deo...*, 'Gloria negli eccelsi cieli a Dio...', o della formula di lode della Trinità (della Messa, e dell'Ufficio come chiusura dei salmi) *Gloria Patri...*, 'Gloria al Padre...'. Ma può anche essere un nome laico medievale (già esistente tuttavia nel latino del tardo Impero), formato da *gloria* per augurare alla figlia gloria, fama e onore. E infine, soprattutto per la forma *Glori* e per il rarissimo maschile *Glorio*, può anche rappresentare un nome ideologico, patriottico, ripreso da Villa Glori o Gloria, un'altura e una villa a nord di Roma (ora nella città) dove il 23 ottobre del 1867 un gruppo di patrioti al comando di Enrico e Giovanni Cairoli che tentavano di entrare in Roma furono sopraffatti, dopo un'eroica resistenza, dalle forze francesi (episodio celebrato nel poema di 25 sonetti in romanesco «Villa Gloria» del 1886 di C. Pascarella).

Goffrédo (9.500) M. VARIANTI: *Golfrédo* (100); *Giuffrido* (20), *Giuffrida* (50). - F. *Goffréda* (150). Distribuito nella forma *Goffredo* in tutta l'Italia ma con più alta compattezza in Toscana, accentrato per *Giuffrida* per i ³/₅ in Emilia-Romagna e Toscana e per il resto disperso, proprio della Calabria per *Giuffrido*, è un tipo nominale che, pur avendo la stessa origine germanica e formazione (*gudha- 'Dio' e *frithu- 'sicurezza, amicizia, pace', quindi 'in pace con Dio' o 'amico di Dio'), presenta però diverse tradizioni. La più antica in Italia è longobardica, Godefritus o Godefridus documentati dal VII secolo, potenziata dal IX secolo da quella francone, Godafridus, e poi francese antica, con le forme Godefroy o Godfroy: con questa più antica tradizione si è sviluppato l'antiquato Gottifredo e l'ancora comune Goffredo, sostenuto dal modello del tedesco antico Gottifried e moderno Gottfried, dal culto pur raro di vari santi non italiani, e soprattutto dal prestigio di Goffredo di Buglione, liberatore del Santo Sepolcro nel 1099 durante la 1ª crociata, eroe dei poemi «Gerusalemme liberata» e «Gerusalemme conquistata» di T. Tasso e di molti e diffusi cantari, spettacoli, ecc., di larga popolarità a essi ispirati. La tradizione più recente, tra l'XI e il XIII secolo, è francese e provenzale, caratterizzata dalla palatalizzazione di ǧ- iniziale in ǧ-, ossia con i nuovi tipi francesi Geffroy o Geoffroy, provenzali, savoiardi e lionesi Jaufret e Jauffred, italianizzati negli antiquati Giaffredo o Gioffredo (v. anche Chiaffredo), Gioffré o Giuffré, e nell'ancora sopravvissuto Giuffrida (e nel letterario Giaufredo usato da G. Carducci nel testo della sua poesia del 1888 «Giaufré Rudel», ispirata all'amore per Melisenda, v. Melisenda, del poeta provenzale del XII secolo Jaufré Rudel).

Gòito (50) M. - F. Gòita (15). Proprio della Toscana, è un nome ideologico, risorgimentale, ripreso dal piccoclo centro di Goito MN presso il quale il 30 maggio 1848 le forze piemontesi respinsero l'attacco degli Austriaci al comando del maresciallo J.-J.-F.-K. Radetzky.

Golfièro (50) M. È l'esile sopravvivenza, accentrata in Emilia-Romagna e in Umbria, del nome germanico Wulfhar, in Italia di tradizione francone e poi francese e documentato dal IX secolo in latino medievale come Gulfarius e quindi, dal Duecento, come Golferius e in italiano Golfieri: è composto con *wulfa- 'lupo' e *harja- 'popolo in armi, esercito', con un significato non chiaro ma comprensibile se si considera che il lupo era per i Germani un animale sacro e magico, in cui si immedesimava il guer-

riero prima del combattimento.

Golìa (20) M. Rarissimo e disperso, riprende il nome del gigante filisteo che, nell'Antico Testamento, viene affrontato e ucciso dal giovane David con un colpo di fionda (v. Davide), in ebraico Golyat (in greco Goliáth e in latino Góliat o Golías), di incerta interpretazione (tradizionalmente interpretato come 'grosso, di enorme statura' o 'esule'), nome ripreso e divulgato da E. Sue per un personaggio del suo popolare romanzo del 1844 «Le Juif errant» («L'ebreo errante»).

Goliàrdo (950) M. VARIANTI: Gogliàrdo (150). - F. Goliàrda (200). Accentrato per più della metà in Emilia-Romagna e in Toscana e per il resto disperso tra Nord e Centro, è ripreso dal nome medievale goliardi di quegli studenti, per lo più religiosi, che vagavano da un'università all'altra (detti perciò anche clerici vagantes) conducendo una vita sregolata e dissipata: il latino medievale goliardus è un derivato con il suffisso spregiativo d'impronta germanica -ardo di un singolare incrocio tra gula 'gola, golosità' e Golias nel valore figurato di 'ribelle; ribaldo; diavolo', e è stato diffuso attraverso il francese antico goliard.

Gonàrio (600) M. - F. Gonària (500). Esclusivo della Sardegna e in particolare del Nuorese, può essere la continuazione di un nome medievale Gonario o, localmente, Gunnari (un Gonario è giudice di Torres e un Gunnari Bardane è canonico di Bosa nel XII secolo), di incerta origine e interpretazione (l'ipotesi di una derivazione dal bizantino gunnários 'mercante di pellicce' è poco vinccente), ma può anche riflettere un antico nome di culto o di devozione, come conferma l'alta concentrazione nel Nuorese e l'esistenza presso Sarule NU di un Santuario di Nostra Signora di Gonare (v. Bonaria).

Gòndar (70) F (anche M). Disperso tra Piemonte e Lombardia, è un nome ideologico, d'impronta nazionalistica, insorto per la risonanza dell'occupazione da parte delle truppe italiane durante la guerra contro l'Etiopia, l'1 aprile 1936, della città di Gondar (in etiopico Guondàr) nell'Amhara, che fu poi l'ultimo presidio costretto a arrendersi alle preponderanti forze inglesi il 28 novem-

bre 1941, durante la 2ª guerra mondiale.
Gontrano (150) M. VARIANTI: *Contrano* (50). Accentrato per la metà tra Toscana e Emilia-Romagna e per il resto disperso nell'Italia centro-settentrionale, continua un nome medievale di origine germanica e di tradizione francone, formato da *guntha-* 'battaglia, combattimento' e *hrabhan* 'corvo' (in tedesco *Raben*), con il significato originario di 'corvo della battaglia' (comprensibile nel quadro delle tradizioni germaniche in cui il corvo, come l'aquila, era un animale sacro al dio Odino o Wotan che seguiva i guerrieri in battaglia): la diffusione e la sopravvivenza del nome, tramandato nelle forme in latino medievale *Gunthramnus* e *Gontramnus*, è stata in parte sostenuta dal pur raro culto di San Gontrano o Gontranno re di Borgogna e dei Franchi nel VI secolo.
Gordiàno (50) M. - F. *Gordiàna* (150). Proprio dell'Italia centrale, riflette il culto di San Gordiano martire con Epimaco a Roma, secondo una passione leggendaria, durante le persecuzioni di Diocleziano o Valeriano: il soprannome o 3º nome latino *Gordianus* d'età imperiale (proprio di tre imperatori romani del III secolo, Marco Antonio Gordiano I, II e III) deriva da *Gordius*, in greco *Górdios*, nome etnico da *Gordium* o *Gordus*, in greco *Górdion*, l'antica capitale della Frigia.
Gorgònio (50) M. Disperso nel Lazio, è l'esile riflesso del culto di San Gorgonio martire a Roma sotto Diocleziano, in latino *Gorgonius* dal greco *Gorgónios*, collegato con Gòrgone o Medusa (v. *Medusa*), in greco *Gorgó'* e poi *Gorgónē*, da *gorgós* 'terrificante', latinizzato in *Gorgo*, o *Gorgon Górgonis*, la prima delle tre mostruose divinità marine dai capelli formati da serpenti, che impietravano chi le guardava, uccisa da Pèrseo o da Atena, tema di opere letterarie e scultorie classiche.
Gorìzia (2.250) F. - M. *Gorìzio* (200). DERIVATI: *Goriziàno* (100). Distribuito nell'Italia centro-settentrionale con più alta frequenza in Toscana e soprattutto nel Lazio, è un nome insorto per la profonda eco e commozione destata durante la 1ª guerra mondiale dalle sanguinose battaglie dell'Isonzo, e specialmente la 7ª, 8ª e 9ª del 1916 e la 10ª e

11ª del 1917, combattute per l'occupazione di Gorizia o comunque sul fronte di Gorizia (v. anche *Gradisca*, *Oslavia* e *Sabotino*).
Gottardo (1.250) M. ALTERATI: *Gottardino* (20). - F. *Gottarda* (25). ALTERATI: *Gottardina* (50). Proprio del Nord e qui accentrato in Lombardia, riflette il culto di San Gottardo monaco benedettino e vescovo di Hildesheim nella Germania occidentale dal 1022 al 1038, patrono di Trenzano BS: il nome originario germanico (in latino medievale *Godehardus* e in tedesco *Godehard* e poi *Gotthard*) è composto con *gudha-* 'Dio' (in tedesco *Gott*) e *hardhu-* 'forte, valoroso', con un significato che potrebbe essere 'forte con l'aiuto, per il volere di Dio'.
Gracco (200) M. Accentrato in Emilia-Romagna e in Toscana, è un nome di matrice ideologica ripreso dall'Ottocento dai due tribuni della plebe Gaio e Tiberio Sempronio Gracco, difensori dei diritti delle classi popolari (v. anche *Cornelia* sotto *Cornelio*), suicidatosi il primo nel 121 a.C. e ucciso il secondo nel 133 a.C., vittime del potere aristocratico e conservatore, considerati eroi e simboli dei valori di libertà e di uguaglianza e della difesa del popolo, e protagonisti di varie opere drammatiche e liriche (con lo pseudonimo *Gracchus* firmava i suoi scritti il rivoluzionario giacobino Fr.-N. Babeuf, giustiziato nel 1797). Il soprannome o 3º nome latino, *Gracus* nella forma più antica e poi *Graccus* o *Gracchus*, è formato da *graculus*, diminutivo di *gracus*, nome di origine onomatopeica di una varietà di corvo, il gracchio.
Gradisca (200) F. - M. *Gradisco* (10). Accentrato per quasi la metà in Emilia-Romagna e per il resto disperso nel Nord, ha la stessa motivazione di *Gorizia*, in riferimento a Gradisca d'Isonzo presso cui si svolsero varie aspre battaglie nella 2ª guerra mondiale.
Gradito (100) M. - F. *Gradita* (50). Disperso nel Centro-Nord e in Abruzzo, è un nome di ringraziamento e di accettazione del figlio nato, «gradito».
Gratiliàno (100) M. Proprio di Roma e del Viterbese, riflette il culto di San Gratiliano, patrono di Bassano Romano VT (dove il nome è relativamente molto frequente), martire con Felicissima sotto Decio presso Perugia: il tardo sopran-

nome e poi nome latino *Gratilianus* è un derivato, attraverso *Gratilius*, di *Gratus*, v. *Grato*.

Grato (300) M. VARIANTI: *Grado* (100). - F. *Grata* (75). Accentrato per i ³/₄ nell'alto Piemonte per *Grato* e nel Bergamasco per *Grata*, riflette i culti locali di San Grato, vescovo del V secolo e patrono d'Aosta, e di Santa Grata, vedova di Bergamo dell'VIII secolo: alla base sono i tardi soprannomi e poi nomi affettivi e di lieta accettazione del figlio *Gratus* e *Grata*, formati dall'aggettivo *gratus* 'gradito, bene accetto, caro'.

Gràzia (150.000) F. ALTERATI: *Grazièlla* (110.000), *Graziétta* (3.000), *Grazina* (75). NOMI DOPPI: *Gràzia Marìa* (3.000). - M. *Gràzio* (900). ALTERATI: *Grazièllo* (200), *Graziétto* (25), *Graziòlo* (30), *Graziùccio* (25). È uno dei nomi femminili, con il diminutivo *Graziella* e il nome doppio *Grazia Maria* e *Maria Grazia* (v. *Maria*), più diffusi in Italia, con più alta frequenza in Sicilia per *Grazia*, in Sardegna per *Grazietta* e in Puglia per la singolare trasposizione al maschile *Grazio*. È un nome fondamentalmente cristiano, anche se in parte può essere anche laico, affettivo, dato per augurare alla bambina di avere *grazia*, ossia bellezza e leggiadria, sul modello del soprannome e nome già latino di età imperiale *Gratia*, connesso anche con le tre *Gratiae* (in greco *Chárites*) della mitologia classica, dispensatrici della bellezza e dell'armonia all'umanità e alla natura. Con matrice cristiana è insorto e si è affermato fin dal Medio Evo (anche come maschile: Grazia d'Arezzo è un noto canonista del Duecento) in riferimento alla grazia divina (in latino *gratia*, calco del greco *cháris* e questo dell'ebraico *ḥēn*), la concessione per lo più straordinaria e miracolosa di un aiuto agli uomini, e l'aiuto stesso, da parte di Dio, dei santi, e in particolare di Maria Vergine, distributrice e intermediaria presso il figlio Cristo di grazie, e per questo denominata e venerata come Maria Santissima o Madonna delle Grazie. E proprio per questa devozione, e per la gratitudine per una grazia ricevuta alla Madonna delle Grazie, patrona di regioni e città di tutta l'Italia (Toscana, San Donà di Piave VE, Nettuno e Marcellina di Roma, Minturno LT, Belvedere, Mo-

rano e Spezzano Calabro CS, Decimoputzu e Sanluri CA, ecc.), ha avuto una così ampia diffusione *Grazia* con i derivati, tanto da derivarne anche il singolare maschile *Grazio*.

Graziadìo (100) M. Proprio del Nord e più compatto nel Veneto, continua il nome gratulatorio e augurale medievale *Graziadio* o *Graziadei* formato sul modello del latino cristiano *Gratiadei*, ossia *gratia Dei* 'grazia, dono di Dio' (riferito alla concessione di un figlio molto desiderato): in alcuni casi è anche israelitico, come traduzione italiana di nomi teoforici ebraici che esprimono lo stesso ringraziamento a Dio, a Iavè, come *Chananià*, *Elchanàn* (così il 1° nome del grande linguista di Gorizia, morto nel 1907, Graziadio Isaia Ascoli).

Graziàno (26.000) M. - F. *Graziàna* (6.000). Ampiamente diffuso in tutta l'Italia, con maggiore compattezza nel Veneto, in Emilia-Romagna e in Toscana, continua il 2° o 3° nome latino *Gratianus*, derivato dal gentilizio *Gratius* da *gratus* 'grato, gradito, caro', affermatosi già nei primi ambienti cristiani con riferimento alla grazia divina (v. *Grazia*), e sostenuto in parte dal culto di alcuni santi così denominati.

Graziósa (2.500) F. - M. *Grazióso* (500). Distribuito nel Centro-Nord, è un nome augurale e affettivo medievale formato da *grazioso* 'pieno di grazia, di bellezza e leggiadria'.

Grèca (1.000) F. - M. *Grèco* (50). Proprio della Sardegna e soprattutto del Cagliaritano (ma sporadico nel maschile anche in Emilia-Romagna e in Toscana), riflette l'antico culto locale di una leggendaria Santa Greca (del IV secolo?) di Decimomannu CA, dove *Greca* ha un'alta frequenza relativa: alla base è il nome etnico già latino *Graecus* (e *Graeca*), ossia 'Greco, oriundo della Grecia, dell'Impero bizantino'.

Gregòrio (14.000) M. ABBREVIATI: *Gòrio* (5), *Gòro* (25), *Gorèllo* (20), *Gorétto* (50), *Gorino* (100), *Goriàno* (50). - F. *Gregòria* (800). ALTERATI: *Gregorina* (100). ABBREVIATI: *Gorétta* (150), *Gorina* (75). Diffuso in tutta l'Italia con maggiore compattezza in Sicilia e, per gli abbreviati, in Toscana, continua il nome latino di età imperiale *Gregorius* adattamento del greco *Grēgórios* 'sveglio;

pronto d'ingegno, nell'agire' (dal verbo *grĕgorêin* 'essere sveglio, desto'), diffusosi in ambienti cristiani forse perché interpretato come 'destato alla nuova fede, pronto nella fede', e sostenuto dal culto di numerosissimi santi tra cui San Gregorio I papa, o Gregorio Magno, del VI secolo, patrono di molte città italiane, San Gregorio Nazianzeno (di Nazianzo in Cappadocia) e San Gregorio Nisseno (vescovo di Nissa in Cappadocia), padri della Chiesa del IV secolo, San Gregorio vescovo di Agrigento nel VI secolo, San Gregorio il Taumaturgo del Ponto del III secolo.

Grèta (500) F. VARIANTI: *Gréte* (700), *Gréti* (300). Distribuito nel Nord (per *Greta*, mentre *Grete* e *Greti*, forme propriamente tedesche e quindi in realtà autonome sono accentrate per più di ³/₅ nella provincia autonoma di Bolzano di lingua maggioritaria tedesca), è un nome di moda recentissimo, ripreso da Greta Garbo (nome d'arte di Greta Louisa Gustafsson, nata nel 1905 a Stoccolma), la maggiore e più popolare diva del cinema a livello internazionale, protagonista di celebri film soprattutto degli ultimi anni '20 e degli anni '30: *Greta* è l'ipocoristico svedese di *Margaret*, come *Grete* e *Greti* lo sono del tedesco *Margarete* o *Margareta*, v. *Margherita*.

Grimaldo (150) M. VARIANTI: *Grimoàldo* (50). - F. *Grimalda* (40). VARIANTI: *Grimoàlda* (25). Accentrato in Toscana, nel Lazio meridionale e in Campania, continua un nome germanico di tradizione prima longobardica, poi francone e anche sassone, composto con *grima*- 'elmo' e *walda*- 'essere potente, dominare', con il significato di 'potente con l'elmo' o 'capo, comandante munito di elmo' (spesso riferito a un elmo magico o sacro), documentato in Italia a partire dal VII secolo nelle forme in latino medievale *Grimoaldus* e poi *Grimaldus*. Alla diffusione e alla sopravvivenza del nome hanno contribuito il prestigio del re longobardo *Grimoaldo*, e dei duchi e poi principi longobardi di Benevento *Grimoaldo* I e II, del VII-IX secolo, dell'antica famiglia guelfa genovese, originaria della Provenza, dei Grimaldi (un cui ramo, con Grimaldo il Grande, divenne dal Quattrocento e è tuttora la dinastia regnante nel Principa-

to di Monaco), e, per il Lazio, il culto di San Grimoaldo prete e confessore nel XII secolo a Pontecorvo FR (dove *Grimoaldo* ha ancora un'alta frequenza relativa).

Grisèlda (300) F. Disperso tra Nord e Toscana, continua forse un nome medievale di origine germanica e di tradizione francone, probabilmente composto con *grisja*-, in francone *gris*, 'grigio' e *hildjo*- 'combattimento, battaglia', senza un significato proprio in quanto spesso i nomi femminili germanici (e specialmente quelli in -*ilde* o -*elda*, v. *Clotilde*, *Matilde* o *Matelda*, ecc.) sono composti con due elementi ripresi indipendentemente da altri nomi o derivati da maschili. La sopravvivenza del nome è dovuta a un'antica leggenda medievale (in cui una povera contadina, sposata dal marchese di Saluzzo, viene sottoposta dal marito a durissime prove che alla fine attestano la sua grande bontà e nobiltà d'animo), ripresa da G. Boccaccio nell'ultima novella del «Decameron» e da numerose altre opere, anche drammatiche e liriche, tra cui «Griselda» di A. Scarlatti del 1721, di C. Goldoni e A. Zeno del 1735, di J.-E. Massenet del 1891. È anche possibile che il nome *Griselda* sia stato creato da G. Boccaccio sul modello di *Criseide* e *Matelda*.

Guadalupe (75) F. Raro e disperso, riflette la devozione per Maria Santissima di Guadalupe, così denominata (in spagnolo *Nuestra Señora de Guadalupe*) dal culto che le è tributato, per le sue miracolose manifestazioni, a Guadalupe nell'Estremadura, dove nel Trecento fu eretto il celebre santuario, e quindi a Villa Guadalupe (ora Guadalupe-Hidalgo) presso Città del Messico, dove sarebbe apparsa nel 1551 a un indio, e dove pure esiste un grande santuario: la Madonna di Guadalupe ha un culto particolare sia in Spagna sia nell'America di lingua spagnola, è patrona, oltre che di varie città spagnole, del Messico e di tutta l'America latina, e anche di Santo Stefano d'Àveto CE (prova della grande diffusione del culto). Il nome può essere quindi in qualche caso non solo di straniere di lingua spagnola ma anche di residenti italiane.

Gualbèrto (1.200) M. VARIANTI: *Valbèrto* (50), *Valpèrto* (25). - F. *Gualbèrta*

(50). Distribuito nel Nord e nel Centro, con più alta frequenza per *Gualberto* in Toscana e per *Valberto* o *Valperto* in Emilia-Romagna e soprattutto nel Ferrarese, è un nome di origine germanica, di tradizione già longobardica e forse gotica e poi francone, composto con *walda-* 'comandare, essere potente' (o, meno probabilmente, con *walha-* 'di nazionalità, di origine celtica o romanza'), e *berhta-* 'illustre, famoso', con il significato quindi di 'illustre, famoso nel comandare, come capo'. Alla conservazione dell'antico nome ha contribuito il pur raro culto, in Toscana, di San Giovanni Gualberto, fondatore della Congregazione dell'Ordine benedettino dei Vallombrosani, morto nel 1073 nel monastero di Passignano di Tavarnelle Val di Pesa FI, patrono delle guardie forestali, e in Piemonte del beato Gualberto di Savoia, domenicano del XIII secolo.

Gualfrédo (50) M. VARIANTI: *Gualfardo* (200); *Valfrédo* (300), *Valfrido* (200), *Valfré* (50); *Walfrédo* (300), *Walfrido* (300). - F. *Valfréda* (75), *Valfrida* (75). Distribuito nell'Italia centro-settentrionale, con alta compattezza in Toscana e, per *Gualfardo*, in Emilia-Romagna e nelle Marche, è un nome di origine germanica, di tradizione forse già longobardica ma soprattutto francone, documentato dal X secolo nelle forme in latino medievale *Walfredus* e *Gualfredus*, composto con *walha-* 'di nazionalità o di origine celtica, romanza, comunque non germanica' (in tedesco moderno *Walache* 'Valacco'), o più probabilmente con *walda-* 'essere potente, comandare', e *frithu-* 'amicizia, pace', quindi 'che è amico, che assicura la pace tra i popoli non germanici' o 'potente nella pace, con la pace'. Il tipo *Gualfredo*, con la variante *Gualfardo* (formatasi per metatesi romanza di *frith-* in *ferth-* e per successivo incrocio con *-ardo*, e sostenuta dal culto locale di San Gualfardo, un eremita di origine tedesca del XII secolo di incerta tradizione agiografica), è più antico e di impronta toscana; il tipo in *V-* o *W-* è più recente, d'impronta settentrionale e con probabile influsso di modelli provenzali o francesi.

Gualtièro (13.000) M. VARIANTI: *Gualtièri* (25), *Gualtèrio* (25). - F. *Gualtièra* (100). ALTERATI: *Gualtierina* (50).

Diffuso nel Nord e nel Centro, sporadico nel Sud, è un nome di origine germanica, di tradizione già longobardica (è infatti attestato dal VI secolo nella forma *Walthari*) ma soprattutto francone (dal X secolo *Gualterius*) con più tardo influsso francese (per la terminazione *-ièro* e *-ièri* da *-ier*), composto con *walda-* 'essere potente, comandare' e *harja-* 'popolo in armi, esercito', con il significato quindi di 'che è potente, che comanda nell'esercito'. V. anche *Walter*, che pur avendo lo stesso etimo onomastico presenta una diversa e più recente tradizione.

Guarino (250) M. VARIANTI: *Guerino* (7.500), *Guerrino* (34.000). - F. *Guarina* (25). VARIANTI: *Guerina* (1.100), *Guerrina* (900). Accentrato nel tipo fondamentale *Guarino* in Emilia-Romagna per più di ¹⁄₃ e per il resto disperso nel Nord, diffuso in tutta l'Italia in quello *Guerino* o *Guerrino* con alta compattezza nel Nord e soprattutto in Lombardia, è un nome di origine germanica, formato da *wara-* 'difesa, protezione' (in tedesco *wahren* e *bewahren*, in inglese *beware* 'conservare, proteggere'), attraverso *Warin* 'difensore, protettore' (nome personale autonomo o ipocoristico di nomi composti con questo 1° elemento, v. *Guarniero*), che presenta tuttavia processi di formazione e diffusione diversi. Il tipo *Guarino* è il più antico, documentato in Italia già dal VII secolo nelle forme in latino medievale *Varinus* o *Guarinus*, e quindi di tradizione longobardica: è in parte sostenuto dal culto di vari santi, e in particolare di San Guarino da Bologna, canonico regolare di Sant'Agostino di Pavia, vescovo di Palestrina di Roma, dove morì nel 1158, e cardinale. Il tipo *Guerino* è più tardo, di tradizione francone, modellato sul francese antico *Guerin* (moderno *Guérin*), e diffuso con le «Chansons de geste» carolingiche e in particolare con il «*Guérin de Montglave*». Infine il tipo *Guerrino* si è formato, già nel tardo Medio Evo, per un incrocio dovuto a etimologia popolare di *Guerino* con *guerra* (v. *Guerra*), e la sua grande diffusione è dovuta alla larga popolarità del romanzo cavalleresco di Andrea da Barberino (nato a Barberino Val d'Elsa FI intorno al 1370) «Guerin Meschino» (v. anche *Meschino*): è tuttavia possibile che in casi isolati il nome di *Guerrino* sia stato dato a un figlio nato o concepito durante una guerra, soprattutto la 1ª guerra mondiale.

Guarnièro (50) M. VARIANTI: *Varnièro* (25), *Varnèro* (25). Accentrato per più della metà in Toscana e per il resto disperso tra Nord e Centro, è un nome di origine germanica e di tradizione francone (con influsso francese per la terminazione -*ièro*), documentato nelle forme in latino medievale *Warnerius* dal IX secolo e dal X, in Toscana, *Guarnerus* o *Guernerius*: il nome germanico *Warinhari* è composto con *wara- 'protezione, difesa' (v. *Guarino*) e *harja- 'popolo in armi, esercito', quindi 'che protegge l'esercito', e si è diffuso anche per l'eroe *Garnier* della letteratura cavalleresca in francese antico. V. anche la variante *Irnerio*.

Gùccio (25) M. Limitato alla zona della Toscana compresa tra Firenze, Siena e Lucca, è l'ipocoristico abbreviato, già medievale, dei vezzeggiativi *Arriguccio* e *Uguccio* di *Arrigo* e *Ugo* (e in qualche caso dell'antiquato *Berlinguccio*).

Guèlfo (1.600) M. ALTERATI: *Guelfino* (20). - F. *Guèlfa* (150). Proprio della Toscana e dell'Emilia-Romagna, sporadico nel Nord e nel Centro, continua il nome medievale *Guelfo*, ripreso dal tedesco antico *Welf*, il nome del capostipite della famiglia dinastica di Baviera, Guelfo I dell'VIII secolo: l'etimo è probabilmente il tedesco *Welf* 'cucciolo', da *welfen* 'partorire, avere una cucciolata' riferito a cani e altri animali. La diffusione è motivata nel tardo Medio Evo dal prestigio di vari prìncipi di questo nome, e soprattutto di Guelfo IV figlio di Alberto Azzo d'Este dell'XI secolo e Guelfo VI duca di Spoleto e margravio di Toscana nel XII secolo, e dal valore assunto alla fine del XII secolo da *guelfo* come fautore del papato (in contrapposizione a *ghibellino* fautore degli imperatori della casa di Svevia).

Guendalina (800) F. ABBREVIATI: *Guènda* (75). Accentrato per la metà a Roma e per il resto disperso, riflette più che il culto di una Santa Guendolina del Galles del VI secolo, di incerta tradizione agiografica, la recente ripresa per moda esotica del nome inglese *Gwendolin* o *Gwendolyn* con l'ipocoristico

Gwenda, sostenuta da antiche leggende, già brettoni, in cui appare un personaggio femminile di questo nome (è tra l'altro, nella «*Vita Merlini*» medievale, la moglie del mago Merlino), e soprattutto da racconti, romanzi e film recenti di larga diffusione. Il nome originario è gallese, *Gwendelan* o *Gwendolen*, derivato dall'aggettivo *gwen* (femminile di *gwyn*) 'bianca; luminosa, splendente'.

Guèrra (30) M. DERIVATI: *Guerrazzo* (50), *Guerrando* (400), *Guerrièro* (1.800). - F. *Guerranda* (100), *Guerrièra* (250). Disperso nella forma fondamentale *Guerra* e nei derivati *Guerriero* e *Guerriera* tra Nord e Centro, proprio della Toscana per *Guerrazzo*, *Guerrando* e *Guerranda*, ha alla base soprannomi e poi nomi medievali formati o derivati da *guerra*, con riferimento a doti e imprese di guerra della persona così denominata, già documentati nel XII secolo nelle forme in latino medievale *Guerra*, *Guerraccius* e *Guerrerius* (e *Guerra* è il 2° nome tradizionale nella famiglia dei conti Guidi di Toscana, in particolare di Guido Guerra II e VI, questo più noto perché ricordato da Dante nell'«Inferno»).

Guglièlmo (52.000) M. VARIANTI: *Villèlmo* (200), *Vilèlmo* (70), *Villèrmo* (20); *Willèlmo* (75), *Wilèlmo* (75), *Willèm* (100). IPOCORISTICI: *Gèlmo* (50) e *Gelmino* (1.000), *Gilmo* (250); *Zèlmo* (20) e *Zelmino* (10); *Lèlmo* (10), *Lèmmo* (100), *Lèmo* (60); *Mèmmo* (200), *Mèmo* (100); *Vèlmo* (50) e *Velmino* (5); *Vilio* (200). - F. *Guglièlma* (5.500). VARIANTI: *Villèlma* (500), *Vilèlma* (300), *Willèlma* (250), *Wilèlma* (75). ALTERATI: *Guglielmina* (13.000); *Villelmina* (100), *Villermina* (75), *Willelmina* (75), *Wilhelmina* (100). IPOCORISTICI: *Gèlma* (75) e *Gelmina* (1.200), *Gilma* (250); *Zèlma* (300) e *Zelmina* (25), *Azèlma* (75); *Mèmma* (75), *Mèma* (50), *Mèmi* (400); *Vèlma* (400) e *Velmina* (75), *Wèlma* (300); *Vilia* (500), *Wilia* (100), *Villa* (150). Ampiamente diffuso in tutta l'Italia nel tipo fondamentale *Guglielmo*, ha una distribuzione diversa nei vari tipi secondari: il tipo in *V*- o *W*- è centro-settentrionale e gli ipocoristici *Velmo* e *Vilio* sono più frequenti in Emilia-Romagna e in Toscana; il tipo ipocoristico *Gelmo* o *Gilmo* è proprio delle Venezie e *Zelmo* con

Azelma dell'Emilia-Romagna; *Lemmo* è toscano e *Memmo* è diffuso dal Nord fino all'Abruzzo con più alta compattezza nel Lazio. L'etimo onomastico lontano è il germanico *Willihelm*, in Italia di tradizione francone e documentato infatti solo dal IX secolo nelle forme in latino medievale *Guilihelmus, Guillelmus, Guilgelmus* e *Wilielmus*, e dal XII secolo per gli ipocoristici *Lemnus, Memmus, Welmus* e *Willus* (derivati anche dalla forma antiquata *Wiligelmo* o *Viligelmo*, nome del grande scultore di formazione germanica e aquitana operoso a Modena e a Cremona agli inizi del XII secolo). Il significato originario del nome, composto di **wilja-* 'volontà' e **helma-* 'elmo, protezione', non risulta nel complesso convincente ('elmo della volontà', 'volontà che protegge'?): ma i nomi germanici sono spesso formati con due componenti autonomi, senza un significato d'insieme. Alla grande diffusione del nome hanno contribuito, oltre il culto di alcuni santi per lo più non italiani, il prestigio di prìncipi e sovrani di vari stati antichi e moderni d'Italia e di Europa, e recentemente la leggendaria figura dell'eroe dell'indipendenza elvetica Wilhelm Tell (del Trecento?), conosciuta soprattutto attraverso l'opera lirica «Guglielmo Tell» del 1829 di G. Rossini, il cui libretto è ispirato alla tragedia «*Wilhelm Tell*» di F. Schiller del 1804. Le forme in *W-* possono rappresentare sia una situazione di tradizione linguistica e onomastica tedesca, sia una moda esotizzante. V. anche *William*, che è la corrispondente forma inglese.

Guicciàrdo (20) M. VARIANTI: *Guizzardo* (20). Rarissimo e disperso (ma *Guizzardo* è accentrato in Abruzzo), è l'esile sopravvivenza di un nome medievale ripreso dal francese *Guichard* di origine germanica e di tradizione francone, affermatosi con l'epica cavalleresca, probabilmente composto con **wig-* 'combattimento, battaglia', o **wisa-* 'esperienza', e **hardhu-* 'forte, valoroso', quindi 'forte, valoroso in battaglia' o 'forte e esperto': v. anche *Guiscardo* con cui può essersi in parte incrociato.

Guìdo (187.000) M. VARIANTI: *Guidóne* (50). ALTERATI: *Guidino* (25), *Guidùccio* (25). NOMI DOPPI: *Guìdo Albèrto* o *Guidalbèrto* (250), *Guidobaldo*

(100). - F. *Guìda* (700). ALTERATI: *Guidétta* (75), *Guidina* (200). Ampiamente diffuso in tutta l'Italia nella forma base, è proprio della Toscana e sporadico nel Nord negli alterati e nei composti. Continua, sostenuto dal culto di vari santi e beati tra cui San Guido vescovo nell'XI secolo e patronò di Acqui AL e San Guido abate di Pomposa FE nel X-XI secolo, il nome germanico *Wito* o *Wido*, in Italia di tradizione prima longobardica e poi francone, documentato infatti dal VII secolo per un vescovo di Volterra *Wido* e dal IX come *Guidus* o *Guido* (genitivo *Guidónis*, ecc., da cui l'ormai rara variante *Guidone*). L'originario nome germanico è un ipocoristico di nomi composti con il 1° elemento **widu-* 'legno; bosco, foresta' oppure **wida-* 'lontano', come *Widbald, Widberht, Widman* (v. anche *Vito*). *Guidobaldo*, più che un nome doppio, è una ripresa colta, storica e di prestigio, del nome del duca di Urbino Guidobaldo da Montefeltro, morto nel 1508, famoso più che come principe e uomo d'armi per la raffinata corte di Urbino e per il suo mecenatismo.

Guiscardo (250) M. VARIANTI: *Viscardo* (900). Distribuito nel Nord e nel Centro con alta compattezza nell'Emilia-Romagna e nelle Marche settentrionali, è un nome di tradizione franco-normanna affermatosi per il prestigio storico del duca di Puglia, Calabria e Sicilia, Roberto I il Guiscardo (in francese *Robert le Guiscard*), figlio di Tancredi d'Altavilla, morto nel 1085. La forma originaria normanna, ossia germanica settentrionale o nordica, **Wiscard*, **Whiskard*, è probabilmente composta da *viska* 'scaltrezza, prontezza d'ingegno' e *hardhur* 'forte', con un significato che potrebbe essere 'forte e scaltro' o 'molto scaltro' (adeguato, come soprannome, alle qualità proprie del personaggio storico). Nell'antico francese esiste il termine *guische* o *guiche* con il valore, appunto, di 'scaltrezza, furbizia; inganno'.

Gustavo (12.000) M. - F. *Gustava* (75). Diffuso in tutta l'Italia, è un nome penetrato in Italia, attraverso il francese *Gustav*, ripreso a sua volta dal tedesco *Gustav* (pronunzia: *gùstaf*), nel Settecento e affermatosi nell'Ottocento anche per il prestigio dei vari re di Svezia dell'antica dinastia dei Vasa così denominati (da Gustavo I del Cinquecento al contemporaneo Gustavo VI) e per vari personaggi di opere letterarie e teatrali. Il nome svedese è *Gustaf*, da un più antico *Götstaf*, con l'ipocoristico *Gösta*, composto con un 2° elemento certo, il nordico antico *stafr* 'sostegno; bastone' (in tedesco *Staf*), e un 1° componente incerto, forse l'etnico svedese *Got* o *Göt* 'Goto', con un significato originario che potrebbe essere 'sostegno, capo e protettore dei Goti' (nel loro primo stanziamento nella Scandinavia meridionale).

I

Ìa (75) F. - M. *Ìo* (5). Rarissimo e disperso, non consente un'interpretazione sicura per mancanza di documentazioni: potrebbe essere una forma abbreviata di nomi in *-ìa* o *-ìo*, o il riflesso del raro culto per Santa Ia martire in Persia sotto il re Sàpore II, nome formato dal greco-bizantino *ía* 'violetta' (v. *Iole, Ione* e *Viola*), come documenta la traduzione armena dell'agionimo *Manoušak* 'viola del pensiero'.

Ìàcono (10) M. Disperso, può essere sia una variante dell'antiquato *Iàcomo*, v. *Giacomo*, sia una forma regionale del Sud *iacono* di *diacono*, nome di ufficio religioso e soprannome, e cognome, frequente nell'Italia meridionale.

Iàfet (50) M. VARIANTI: *Jàfet* (15). Raro e disperso, proprio della tradizione israelitica, riprende il nome ebraico dell'Antico Testamento *Yàfet* o *Yefet* (in greco e latino *Iáphet*), figlio di Noè, che con i due fratelli Sem e Cam avrebbe dato origine alle tre stirpi umane (Iafetidi, Semiti e Camiti): il nome ebraico è già nel «Genesi» interpretato tradizionalmente 'Dio accresca', con riferimento alla grande diffusione che avrà la stirpe di Iafet.

Iànni (30) M. VARIANTI: *Jànni* (50). - F. *Iànna* (75). VARIANTI: *Jànna* (150). Accentrato per quasi ¹/₃ in Emilia-Romagna e per il resto disperso, è una variante di *Gianni*, ipocoristico di *Giovanni*.

Iàno (150) M. VARIANTI: *Jàno* (100). - F. *Iàna* (600). VARIANTI: *Jàna* (300). Accentrato per la metà tra Emilia-Romagna e Toscana (e per *Iano* anche in Sicilia) e per il resto disperso, consente solo alcune ipotesi non documentabili di interpretazione: una variante di *Giano* nel maschile e di *Diana* nel femminile (già esistente, questa, nel tardo nome latino *Iana*); un adattamento all'italiano di nomi stranieri equivalenti a *Giovanni*, come *Jan* polacco, cecoslovacco, neerlandese, *Iános* ungherese, ecc.).

Ìcaro (250) M. Distribuito nel Nord e nel Centro con alta compattezza in Emilia-Romagna e in Toscana, è un nome classico, mitologico e letterario, ripreso dal figlio di Dedalo che, fuggendo in volo col padre da Creta, cadde in mare e morì (v. *Dedalo*): il nome originario greco, *Íkaros*, latinizzato in *Icarus*, non consente un'interpretazione etimologica fondata.

Icìlio (1.450) M. - F. *Icìlia* (250). Distribuito nel Nord e nel Centro con alta frequenza in Emilia-Romagna e in Toscana, è una ripresa classica, rinascimentale, dell'antico gentilizio latino *Icilius* di probabile origine etrusca, noto soprattutto per Lucio Icilio tribuno della plebe nel 456 a.C., fidanzato di Virginia che, insidiata dal decèmviro Appio Claudio, fu uccisa dal padre per sottrarla al disonore (v. *Virginia*), e che sollevò il popolo contro gli abusi degli aristocratici e accusò pubblicamente il decemviro (può anche avere, quindi, una matrice libertaria molto più recente).

Ico (100) M. - F. *Ica* (160). Accentrato per quasi la metà in Sardegna, e soprattutto nel Sassarese, e per il resto disperso, è l'ipocoristico abbreviato di derivati in *-ìco* e *-ìca*, caratteristici appunto della Sardegna, di nomi vari, come *Antonico*, *Giovannico*, *Paolico*, *Salvatorico* con i rispettivi femminili, e, fuori della Sardegna, di nomi come *Enrico*, *Federico*, *Lodovico*, *Ulderico* o *Ulrico*, anche questi con i rispettivi femminili.

Icònio (50) M. Peculiare del Catanzarese, e in particolare di Cessaniti CZ, riflette il culto locale di San Cono martire di Iconio (in greco *Ikónion*), antica città della Frigia (v. *Cono*), con un probabile incrocio tra il nome del martire e quello della città del martirio.

Ida (196.000) F. ALTERATI: *Idina* (150). NOMI DOPPI: *Ida Marìa* (1.200), *Idalba* (250), *Idanna* (200). - M. *Ido* (3.000). ALTERATI: *Idino* (25). Ampiamente diffuso in tutta l'Italia per *Ida*, accentrato in Emilia-Romagna e in Toscana per *Ido* e per *Idalba* e *Idanna*, è un nome di origine germanica, formatosi come ipocoristico di nomi composti con un 1° elemento *Id-* (probabilmente **id-* 'opera, lavoro, attività', v. *Idalberto*), di tradizione francone, sostenuto dal culto di varie sante e beate, tra cui la beata Ida di Lorena, madre di Goffredo di Buglione, morta nel 1115. Ma l'altissima frequenza del nome femminile è motivata anche da una ridiffusione più recente, sul modello del più radicato corrispondente inglese e francese, *Ida*.

Idalbèrto (40) M. VARIANTI: *Idelbèrto* (25). Proprio della Toscana e sporadico nel Nord, è un nome di origine germanica di incerta tradizione, che può essere un composto di **id-* 'opera, attività' (v. *Ida*) e **berhta-* 'illustre, famoso', quindi 'illustre per la sua attività', o piuttosto un'alterazione di altri nomi germanici più comuni come *Adalberto*, *Edelberto* o *Edilberto*, raccostati al germanico **hildjo-* 'battaglia, combattimento'.

Idalgo (1.000) M. VARIANTI: *Idalco* (50), *Hidalgo* (30). - F. *Idalga* (75). Distribuito nel Nord e nel Centro con alta frequenza in Emilia-Romagna e in Toscana, è un nome di moda esotica recente, ripreso dallo spagnolo *hidalgo*, diffuso anche come cognome, per via soprattutto letteraria e inoltre con matrice ideologica, libertaria e indipendentistica, dal patriota messicano Miguel Hidalgo y Costilla, capo della lotta e del movimento popolare per l'indipendenza del Messico dalla Spagna e per l'abolizione della schiavitù, fucilato dagli Spagnoli a Chihuahua nel 1811. Lo spagnolo *hidalgo* è propriamente un titolo di nobiltà minore, composto con *hi-*, abbreviazione di *hijo* 'figlio' ma anche 'individuo, persona', e *de algo* 'di qualche cosa' e 'di qualche sostanza, di una certa ricchezza', ossia 'persona che possiede dei beni, che ha una certa ricchezza'.

Idàlia (400) F. ALTERATI: *Idalina* (75). - M. *Idàlio* (50). VARIANTI: *Idalo* (50). Distribuito nell'Italia centro-settentrionale con maggiore compattezza in Lombardia e Piemonte, è probabilmente un nome di matrice classica recente, letteraria, ripreso dall'epiteto *Idalia* di Afrodite, per il grande e antico tempio che la dea aveva presso la città di Idalio (in greco *Idálion*, di origine pregreca, latinizzato in *Idalium*) nell'isola di Cipro.

Idalma (100) F. ABBREVIATI: *Dalma* (1.000) e *Dalmina* (100). - M. *Idalmo* (5). ALTERATI: *Idalmino* (25). ABBREVIATI: *Dalmo* (100) e *Dalmino* (25). Distribuito dal Nord al Centro, e più compatto negli abbreviati nel Veneto e nelle Marche, è probabilmente un nome composto con *Ida* e *Alma*.

Idèa (1.200) F. - M. *Idèo* (600). VARIANTI: *Ideàle* (2.000: anche F), *Ideàl* (35: anche F). Accentrato per ¹/₃ in Emilia-Romagna per *Idea* e *Ideo* e in Toscana per *Ideale*, e per il resto disperso tra Nord e Centro, è un nome ideologico recente, di impronta prima mazziniana e poi libertaria, anarchica e socialista, ripreso da *idea* e *ideale* come affermazione di fede politica.

Idèlma (2.700) F. ALTERATI: *Idelmina* (150). - M. *Idèlmo* (300). ALTERATI: *Idelmino* (200). Accentrato in Lombardia e nel Veneto per quasi i ²/₃ e per il resto disperso nel Nord, è un nome che, pur avendo una evidente impronta germanica, non consente per mancanza di una tradizione sicura un'interpretazione fondata: potrebbe essere un incrocio di *Adelma* e *Adelmo* con *Ida* o *Ido*, o un'alterazione di nomi, sempre germanici, formati con **hildjo-* 'battaglia' e **helma-* 'protezione', come *Ilda* e *Ildegarda*, o, appunto *Adelmo*, o *Anselmo*, *Guglielmo*.

Ìdio (300) M. DERIVATI: *Idiàno* (30);

Idìlio (1.200), *Idìllio* (150), *Idèlio* (100). - F. *Ìdia* (250). DERIVATI: *Idiàna* (300); *Idìlia* (1.100), *Idìllia* (150). È un gruppo qui formato soprattutto in base alla coerenza di distribuzione areale, l'alto accentramento in Toscana e la dispersione nel Centro-Nord dei vari tipi, e anche per la comune mancanza di una tradizione onomastica e agiografica e quindi di una interpretazione fondata: l'ipotesi di una forma abbreviata di *Egidio*, *Elpidio*, *Elvidio*, *Emidio* è contraddetta dall'area non toscana di questi nomi; più probabile è quella di una forma ridotta di *Lido* e *Lida* tipicamente toscani (v. anche *Lidia*). I derivati *Idillio* o *Idillia* possono anche essere, in casi isolati, nomi affettivi autonomi formati da *idillio*, data anche la loro minore concentrazione in Toscana.

Ìdolo (950) M. - F. *Ìdola* (300). ALTERATI: *Idolina* (150). Distribuito dal Nord all'Abruzzo, non ha una sicura tradizione onomastica: potrebbe essere un nome affettivo e augurale abbastanza recente, formato da *idolo* nel senso figurato di cosa molto cara e amata, adorata, riferito al figlio.

Idomenèo (20) M. Rarissimo e disperso, è un nome di matrice classica, letteraria, ripreso nel Rinascimento o in età moderna dall'eroe cretese dell'«Iliade» Idomeneo (in greco *Idomenéus*, di etimo incerto), nipote di Minosse.

Ièlla (150) F. VARIANTI: *Jèlla* (100); *Iétta* (75). - M. *Ièllo* (40). Proprio del Nord e della Toscana, è probabilmente una forma affettiva e familiare abbreviata di nomi in -*ièlla* o -*iétta* come *Mariella* e *Marietta*, *Graziella* e *Grazietta*, *Antonietta*, ecc.

Ieróne (10) M. Rarissimo e disperso, è l'esile riflesso del culto di San Ierone martire con Nicandro e altri 31 compagni a Melitene in Armenia sotto Diocleziano: il nome greco *Hiérōn* è derivato da *hierós* 'santo, sacro; consacrato a una divinità'.

Ifigènia o *Ifigenìa* (300) F. VARIANTI: *Efigènia* o *Efigenìa* (200). Disperso in tutta l'Italia, è un nome di matrice classica, letteraria e teatrale, ripreso nel Rinascimento e più in età moderna dalla figlia del re Agamènnone che, mentre il padre sta per sacrificarla per propiziare la partenza della flotta greca dall'Àulide per Troia, viene scambiata dagli dei con una cerbiatta e trasportata in Tàuride, protagonista di tragedie antiche e moderne (di Eurìpide, J. Racine, W. Goethe, ecc.) e opere liriche (di D. Scarlatti, Ch. W. Gluck, N. Piccinni, ecc.), che ne hanno diffuso il nome, in greco *Iphighéneia* (da *iphi*- 'forte, fortemente' e -*ghéneia* da *ghen*- 'nascere', quindi 'forte dalla nascita, per nascita'), latinizzato in *Iphigenía*, adottato in italiano nell'uso letterario e colto con l'accentazione piana del latino *Ifigenía*, ma nell'uso corrente con l'accentazione sdrucciola del greco *Ifigènia* (anche per influsso dell'analogo e più comune *Eugènia*).

Igèa (1.900) F. - M. *Igèo* (200). Distribuito in tutta l'Italia continentale con maggiore compattezza in Emilia-Romagna, è una ripresa recente, classicheggiante e letteraria, del nome della dea greca e romana della salute, in greco *Hyghíeia*, da *hyghiē's* 'sano', in latino *Hygía*, ridiffuso in parte nel tardo Ottocento dalla lirica «Canto d'Igea» di G. Prati compresa nel poema «Armando» del 1868.

Igìdio (100) M. VARIANTI: *Igìlio* (75), *Igildo* (25). - F. *Igilda* (75). Distribuito tra Nord e Centro, con più alta frequenza nel Veneto per *Igidio* e nel Lazio per *Igildo*, è un gruppo che sembra derivare, in mancanza di una sicura tradizione onomastica, da una serie di alterazioni e da un complesso incrocio analogico di forme nominali come *Egidio* e *Egilio*, *Egildo*, *Igino* e *Iginio* (v. *Egidio*, *Ermenegildo*, *Igino*).

Igino (14.000) M. VARIANTI: *Igìnio* (4.400). - F. *Igina* (3.000). VARIANTI: *Igìnia* (2.500). Ampiamente diffuso nel Nord e nel Centro, raro nel Sud, continua il soprannome e poi nome latino dell'ultima età repubblicana *Hyginus* (dal greco *Hyghînos* da *hyghieinós* 'sano', v. *Igea*), e *Hyginius*, con i rispettivi femminili, sostenuto dal culto di Sant'Igino di Atene, papa e forse martire a Roma nel II secolo.

Ignàzio (38.000) M. - F. *Ignàzia* (9.000). ALTERATI: *Ignazina* (100). Accentrato per più della metà in Sicilia e, in misura molto minore, in Sardegna, per il resto disperso, continua l'antico gentilizio latino di origine etrusca *Egnatius*, diventato poi nome personale nella forma *Ignatius* (dovuta a un accostamento paretimologico a *ignis* 'fuoco'), sostenuto e ridiffuso dal culto di vari santi tra cui Sant'Ignazio di Antiochia martire sotto Traiano, Sant'Ignazio da Làconi NU (di cui è compatrono con Sant'Ambrogio) fratello laico cappuccino del Settecento, e soprattutto Sant'Ignazio di Loyola, fondatore nel 1539 della Compagnia di Gesù, patrono di Pedemonte Etneo CT (il cui nome era *Íñigo*, considerato equivalente a *Ignazio*, ma che poi cambiò in *Ignacio*).

Igor (300) M. Accentrato per quasi la metà a Trieste e per il resto disperso, è un nome di matrice letteraria e teatrale ripreso dal russo *Igor*, nome di un personaggio storico, un principe dell'antica Russia del X secolo, reso noto dal poema russo «Canto della schiera di Igor» della fine del XII secolo, e soprattutto dall'opera musicale a esso ispirata «Il principe Igor» di A. Borodin del 1890. Il nome, ancora in uso (così si chiama il grande musicista contemporaneo russo Igor F. Stravinskij), è di origine scandinava, *Ingvarr* o *Yngvarr*, derivato da *Ing* o *Yngvi*, una divinità nordica (nell'XI secolo i Variaghi, popolazione scandinava, si erano stanziati nella Russia centro-meridionale).

Ilàrio (14.000) M. VARIANTI: *Ìlaro* o *Ilàro* (50), *Illàrio* (100); *Ilarióne* (250). ALTERATI: *Ilarino* (10). ABBREVIATI: *Làrio* (50). - F. *Ilària* (2.000). ALTERATI: *Ilarina* (50). Diffuso in tutta l'Italia, con maggiore compattezza per *Ilario* in Calabria e per *Ilaria* in Toscana, per *Ilarione* nel Barese, riflette il culto di vari santi e sante di questi nomi, e in particolare di Sant'Ilario o Ilarione asceta e monaco a Gaza in Palestina nel IV secolo, patrono di Caulonia e di Sant'Ilario dello Jonio CZ, Sant'Ilario o Ilaro papa di origine sarda del V secolo. Alla base è il nome latino di età imperiale *Hilarius*, derivato di *hílaris* (prestito dal greco *hilarós*) 'allegro, sereno e gaio', e il nome greco-bizantino *Hilaríōn*, latinizzato in *Hilárion*, dello stesso etimo.

Ilda (10.000) F. VARIANTI: *Ilde* (10.000). - M. *Ildo* (1.600). Diffuso nel Nord e nel Centro con più alta frequenza in Emilia-Romagna e in Toscana, è un nome di origine germanica (in tedesco *Hilde* o *Hilda*) formato con **hildjo-*

'battaglia, combattimento', ma più che autonomamente come ipocoristico dei numerosi nomi femminili composti con questo 1° o 2° elemento, come *Ildegarda*, *Ildegonda* e *Brunilde*, *Clotilde*, *Grimilde*, *Matilde*, ecc.

Ildefònso (20) M. VARIANTI: *Idelfònso* (150). Peculiare della Lombardia, è il riflesso del culto per Sant'Ildefonso monaco e arcivescovo di Toledo, morto nel 667, che diffuse in Spagna il culto di Maria Vergine e ne sostenne fermamente la verginità perpetua: il nome, affermatosi durante la dominazione spagnola, risale, attraverso il latino medievale *Hildefonsus*, al visigotico *Hildifuns* composto con **hildjo-* 'battaglia, combattimento' e **funza-* 'pronto, veloce, valoroso', quindi 'valoroso in battaglia'. In Spagna *Idelfonso* si è spesso incrociato con *Alfonso*, di uguale o analogo etimo e significato (v. *Alfonso*), tanto che a volte i due nomi possono essere stati intercambiabili.

Ildegarda (600) F. - M. *Ildegardo* (100). Proprio del Nord e qui accentrato in Emilia-Romagna, è un nome di origine germanica, di tradizione longobardica e francone e quindi tedesca, composto con **hildjo-* 'battaglia, combattimento' e **gard-* 'verga (magica)' (v. per il significato *Aldegardo* e *Ermengarda*), e sostenuto dal culto, pur raro in Italia, ma anche dal prestigio di Santa Ildegarda (in tedesco *Hildegard*) badessa benedettina di Bingen in Germania nel XII secolo, autrice di opere mistiche, morali e anche di scienza e letterarie.

Ildegónda (700) F. - M. *Ildegóndo* (5). Distribuito nel Centro-Nord con maggiore compattezza a Roma, è un nome germanico composto con **hildjo-* 'battaglia, combattimento' e **guntha-* 'battaglia', privo di un significato unitario perché spesso i nomi femminili sono formati per giustapposizione di due elementi onomastici autonomi. La sopravvivenza di un nome così pesante è stata promossa non tanto dal culto, raro in Italia, della beata Ildegonda di Germania del XII secolo – che visse sempre travestita da uomo, anche come monaco del monastero cisterciense di Schönau da lei fondato –, quanto dall'eroina della novella in ottave «Ildegonda» di T. Grossi del 1820.

Ileàna (8.500) F. VARIANTI: *Illeàna*

(150). - M. Ileàno (150). Accentrato nel Nord, raro nel Centro e rarissimo nel Sud, è un nome di moda abbastanza recente ripreso dal rumeno *Ileana* (v. *Elena*), soprattutto attraverso opere letterarie, teatrali e musicali diffuse anche a livello popolare: Ileana Cozinzeana è un personaggio tipico – la regina piuttosto semplice – della letteratura popolare rumena antica e moderna (favole, racconti, poemetti, cantari, ecc.).

Ilìade (200) F. Disperso tra Nord e Centro, è una ripresa classicheggiante e letteraria del nome del poema omerico «Iliade», in greco *Iliás Iliádos* (latinizzato in *Ilias Ilíadis*), derivato di *Ilios* o *Ilion* (in latino *Ilios* o *Ilium*) con il significato di '(il poema, la presa, ecc.) di Ilio, di Troia': il nome sarà insorto con la più nota traduzione in italiano, in endecasillabi, di V. Monti del 1810.

Ilio (6.500) M. VARIANTI: *Ìllio* (500), *Illo* (150), *Ilo* (800). DERIVATI: *Iliàno* (1.100), *Ilìano* (25); *Illìdio* (30). - F. *Ilia* (6.000). VARIANTI: *Illia* (6.000), *Illa* (100), *Ila* (200). DERIVATI: *Iliàna* (4.500); *Ilide* (250), *Illide* (100); *Ilèna* (150). Gruppo ipotetico, qui costituito in base a una relativa coerenza formale e soprattutto di distribuzione areale, l'accentramento tra Emilia-Romagna e Toscana e la dispersione nell'Italia centro-settentrionale: in mancanza di una tradizione onomastica sicura, si possono formulare solo alcune ipotesi interpretative. *Ilio* e *Ilia*, con *Iliano* e *Iliana*, possono rappresentare in parte forme abbreviate di nomi come *Attilio*, *Duilio*, *Emilio*, ecc., o *Danilo*, con i rispettivi femminili e derivati: *Ilia* è stato ridiffuso recentemente dal romanzo «Ilia ed Alberto» del 1931 di A. Gatti. *Iliana* e *Iliano* possono essere varianti di *Ileana* e *Ileano*; *Illidio* è in parte sostenuto dal culto, pur raro, di Sant'Illidio vescovo di Clermont-Ferrand nel IV secolo. L'impronta dei nomi di questo gruppo appare comunque greco-latina, senza però una tradizione accertabile e una motivazione fondata della continuazione o della ripresa dei nomi classici che potrebbero essere alla base (come i nomi mitologici e letterari *Ilius* e *Ilia*, *Ilus*, *Hyllos*).

Illuminato (500) M. - F. *Illuminata* (900). Accentrato per più della metà in Sicilia (soprattutto a Bronte e nel Cata-

nese) e per il resto disperso, riflette il culto locale, anche non ufficiale, di santi e sante, beati e beate, che però nella tradizione agiografica sono vissuti e hanno operato tra l'Umbria e le Marche, come Sant'Illuminato di San Severino Marche MC e di Città di Castello PG, Santa Illuminata di Todi PG e la beata Illuminata di Montefalco PG. Alla base è il tardo nome latino *Illuminatus* e *Illuminata*, dal verbo *illuminare*, che nel cristianesimo antico era riferito a chi aveva ricevuto il battesimo, e era quindi 'illuminato' dalla vera fede. In qualche caso può essere insorto in relazione alla setta mistica spagnola del Cinquecento e Seicento degli *Alumbrados*, ossia «Illuminati», che ritenevano di poter contemplare l'essenza divina per illuminazione dello Spirito Santo (ma condannata dall'Inquisizione).

Imèlda (5.000) F. VARIANTI: *Imèlde* (4.500); *Inèlda* (150), *Inèlde* (100). - M. *Imèldo* (25). VARIANTI: *Inèldo* (20). Diffuso nel Nord e sporadicamente anche nel Centro, con alta frequenza per *Imelda* nel Veneto e per *Imelde* in Emilia-Romagna (le forme in *In-*, dovute a un'alterazione fonetica, sono proprie della Lombardia), è un nome di origine germanica e di tradizione francone e poi francese, documentato dall'VIII secolo in Francia nelle forme *Emihild* e *Emhild* e in Italia dal 1063 come *Imilda*, composto con **ermin-* o **irmin-* 'grande, potente' (v. *Ermenegildo*, *Ermengarda*) e **hildjo* 'battaglia, combattimento', senza un significato convincente unitario per un nome femminile (spesso i femminili germanici sono formati con due componenti autonomi, privi perciò di un significato proprio unitario). Alla conservazione e alla diffusione di questo nome hanno contribuito il culto locale della beata Imelda Lambertini di Bologna morta nel 1333; la leggenda, tema di varie opere popolari, di Imelda dei Lambertazzi di Bologna del XIII secolo, suicidatasi accanto al cadavere del proprio amante Bonifazio dei Geremei; e recentemente il personaggio femminile così denominato della tragedia lirica di G. Verdi del 1849 «La battaglia di Legnano», su libretto di S. Cammarano.

Imèrio (1.200) M. VARIANTI: *Imèro* (100), *Imèr* (300). - F. *Imèria* (150). VA-

RIANTI: *Imèra* (100). Distribuito tra Nord e Centro, con più alta compattezza in Emilia-Romagna (dove è specifico, soprattutto nel Modenese, *Imer*), ha alla base il nome greco *Himérios*, latinizzato in *Himerius*, derivato da *hímeros* 'desiderio ardente' (anche come nome di divinità), sostenuto dal culto di alcuni santi tra cui Sant'Imerio eremita e evangelizzatore alla fine del VI secolo nel Giura (in francese *Himier* o *Imier*), e Sant'Imerio vescovo di Amelia TR intorno al V secolo.

Immacolata (38.000) F. ABBREVIATI: *Imma* (900), *Ima* (75). NOMI DOPPI: *Immacolata Concètta* (75), — *Marìa* (75). - M. *Immacolato* (100). ABBREVIATI: *Immo* (5). Proprio del Sud, e qui concentrato per più della metà in Campania, riflette la devozione, più antica e radicata nel Sud, per l'Immacolata Concezione di Maria Vergine (v. *Concetta*): il nome è formato da *immacolata*, dal latino *immaculata* composto in *in* e *maculata* (da *macula* 'macchia'), 'non macchiata (dal peccato originale)'.

Ìmola (1.900) F. - M. *Ìmolo* (400). ABBREVIATI: *Imo* (500). Accentrato per più della metà in Toscana e per il resto disperso nel Nord, non consente, in mancanza di una tradizione onomastica e neppure agiografica, altra possibilità di interpretazione che l'ipotesi (solo formale e scarsamente convincente per la rarità di nomi personali derivati da toponimi senza una specifica motivazione) di una derivazione dalla città emiliana di Imola BO.

Imperatóre (20) M. - F. *Imperatrice* (150). Accentrato per il rarissimo maschile in Lombardia e per il femminile a Roma e in provincia, risale a un soprannome scherzoso o ironico, con varia matrice ideologica, al titolo *imperatore* e *imperatrice* di sovrani di un impero (v. anche *Imperia*).

Impèria (2.700) F. VARIANTI: *Impèra* (100). - M. *Impèrio* (500). VARIANTI: *Impèro* (1.000: anche F). DERIVATI: *Imperiàle* (40: anche F). NOMI DOPPI: *Impèro Romano* (25). Diffuso nel Centro-Nord, con alta compattezza in Toscana e per *Imperia* anche nel Lazio, è un recente nome ideologico di impronta nazionalistica (in particolare dell'ultimo periodo fascista), celebrativo della proclamazione (9 maggio 1936) dell'Impero italiano d'Etiopia, e in qualche caso dell'antico Impero Romano (base questa del raro nome, in realtà non doppio ma unitario, *Impero Romano*).

Incoronata (5.000) F. VARIANTI: *Coronata* (40). - M. *Incoronato* (20). VARIANTI: *Coronato* (50). Diffuso soprattutto nell'Italia del Sud peninsulare, con alta compattezza nella Puglia settentrionale, nella forma fondamentale, e proprio del Nord per *Coronata* e *Coronato*, riflette la devozione per la Madonna o Maria Santissima Incoronata, affermatasi dal Quattrocento con il riconoscimento della regalità della Madonna e della incoronazione, come Regina del cielo, da parte di Cristo o della Trinità. Il culto è particolarmente diffuso nel Foggiano, dove la Madonna Incoronata è patrona di Apricena e dove sorge il grande santuario che celebra l'apparizione a un pastorello della Madonna Incoronata con tre corone d'oro.

Indo (100) M. Disperso tra Nord e Centro, è la forma abbreviata di nomi in *-indo* come *Amerindo*, *Fiorindo*, *Gelindo* o *Zelindo*, anche se in casi isolati può riflettere la singolare scelta dei genitori di dare al figlio il nome del grande fiume dell'India nord-occidentale, l'Indo, con motivazioni non accertabili (letture, spettacoli, altre forme di conoscenza occasionale).

Indro (100) M. Proprio della Toscana, e in particolare di Firenze e della provincia, potrebbe essere (come ipotizzava il filologo G. Pasquali) un nome occasionalmente ripreso dai genitori, con motivazioni varie (v. *Indo*), dal dio supremo celeste della più antica religione brahmanica vedica dell'India, *Indra*, alterato in *Indro* per adeguarlo alla normale terminazione in *-o* dei nomi maschili.

Ines (127.000) F. VARIANTI: *Jnes* (100). NOMI DOPPI: *Ines Marìa* (400). Più ampiamente diffuso nel Nord, meno nel Centro e meno ancora nel Sud, è un nome ripreso recentemente dallo spagnolo *Inés*, corrispondente di *Agnese*, ma per via indiretta, attraverso la conoscenza in Italia, dall'Ottocento, di opere letterarie e teatrali spagnole e di ambiente spagnolo, o di loro adattamenti, in cui così si chiamava la protagonista o un personaggio femminile: lo spostamento dell'accento dall'ultima, come è in spagnolo, all'iniziale (*Inés* > *Ìnes*), conferma che il nome è stato ripreso per via scritta, indiretta, e non direttamente, per via cioè orale, durante la presenza e dominazione spagnola (più lunga del resto e profonda nel Sud che non nel Nord, dove il nome è invece molto più frequente). **Inga** (80) F. - M. *Ingo* (60). Disperso nelle grandi città, soprattutto Milano e Roma, è l'adattamento del nome femminile tedesco *Inge* (1.000) ipocoristico di *Ingeborg* (1.100) [pronunzia: *ìnge* e *ìngebork*], che in Italia sono sia nomi di residenti straniere di lingua tedesca (o svedese e danese) o italiane della provincia autonoma di Bolzano di lingua maggioritaria tedesca (dove *Ingeborg* e *Inge* sono accentrati per quasi un terzo). *Ingeborg* è composto con *Ing*, un'antica divinità della religione scandinava (v. *Igor*), e da *berga- 'proteggere', con il significato quindi di 'protetta dal dio Ing'.

Ingenuìno (15) M. VARIANTI: *Genuìno* (230). - F. *Ingenuìna* (20). VARIANTI: *Genuìna* (180). Proprio nel tipo *Ingenuino* della provincia autonoma di Bolzano e in quello *Genuino* disperso in tutta l'Italia continentale con più alta frequenza nel Lazio e in Abruzzo, riflette il culto di vari santi, e in particolare di Sant'Ingenuino o San Genuino vescovo, tra la fine del VI e i primi anni del VII secolo, della diocesi di Sabiona (poi trasferita a Bressanone BZ), in tedesco *Ingenuin* (20: pronunzia *ingénuin*). Alla base è il tardo nome latino *Genuinus* (da *genuinus* 'vero, puro; oriundo del luogo'), dal quale, sul modello di *Ingenuus* (da *ingenuus* 'di condizione libera'), si è derivato, con lo stesso significato, *Ingenuinus*.

Ínigo (250) M. Accentrato per più della metà in Toscana e per il resto disperso, riflette il culto di Sant'Ignazio di Loyola (v. *Ignazio*), il cui vero nome era appunto *Íñigo* (Yáñez de Oñaz y Loyola), che lui stesso cambiò con *Ignacio* negli anni in cui fondò la Compagnia di Gesù: *Íñigo*, che nei casi in cui è disperso può essere anche il nome di residenti stranieri di lingua spagnola, viene considerato ormai un corrispondente di *Ignacio*, anche se la sua reale etimologia

e formazione è del tutto diversa, germanica di tradizione visigotica o risalente al sostrato prelatino della Penisola iberica.
Innocènte (5.500) M (anche F). ALTERATI: *Innocentino* (10). - F. *Innocènta* (700). ALTERATI: *Innocentina* (500). Diffuso soprattutto nel Nord, con altissima frequenza in Lombardia, meno nel Centro, raro nel Sud, riflette il culto dei santi Innocenti, i bambini di Betlemme che Erode, per sopprimere Gesù, fece trucidare in massa (la «strage degli innocenti»), ma in qualche caso continua il nome di battesimo dato a bambini abbandonati, figli di ignoti. Già nel latino tardo e cristiano esisteva il nome *Ínnocens Innocéntis*, formato da *ínnocens*, composto di *in-* privativo e *nocens* (participio presente di *nocére* 'fare del male, aver colpa'), con il significato quindi di 'senza colpa alcuna, innocente'.

Innocènzo (5.700) M. VARIANTI: *Innocènzio* (150). - F. *Innocènza* (4.500). VARIANTI: *Innocènzia* (150). Diffuso in tutta l'Italia con alta frequenza in Sicilia, riflette il culto di vari santi e sante, beati e beate, tra cui – come motivazione dell'alta frequenza in Sicilia – il beato Innocenzo da Caltagirone CT, ministro generale dei Cappuccini morto nel 1665 a Caltagirone. Alla base è il tardo soprannome e poi nome augurale *Innocentius*, affermatosi in ambienti cristiani (è stato anche il nome di 13 papi), derivato in *-ius* da *innocens innocentis*, v. *Innocente*.

Ino (300) M. VARIANTI: *Ìnio* (50). - F. *Ina* (2.800). VARIANTI: *Ìnia* (25), *Inna* (150). ALTERATI: *Inùccia* (50). Distribuito nel Nord e nel Centro (con più alta compattezza per *Inio* in Toscana e per *Inna* in Liguria), è però prevalente in Sicilia nella forma *Ina*. Questo gruppo ha un fondamento solo congetturale, data l'assenza di una sicura tradizione onomastica e anche per la scarsa coerenza della distribuzione stessa, e sull'origine non si può formulare che l'ipotesi che al meno in parte si tratti di forme familiari abbreviate di nomi, e diminutivi, terminanti in *-ino* o *-ina* e *-ìnio* o *-ìnia*, come *Albino*, *Arduino*, *Angelino*, *Lorenzino* o *Carolina*, *Caterina*, *Teresina*, ecc., e *Iginio*, *Lavinio*, *Virginia*, ecc. (la forma *Inna*, propria della Liguria, può riflettere la pronunzia ligure più intensa della *n* velare di *-ina*).

Iolanda (112.000) F. VARIANTI: *Jolanda* (45.000), *Yolanda* (200). - M. *Iolando* (550). VARIANTI: *Jolando* (200). Ampiamente diffuso in tutta l'Italia, con più alta compattezza nel Nord per le varianti, si è solo recentemente affermato sia per il prestigio di nome tradizionale di casa Savoia (dal Trecento fino alla figlia primogenita di Vittorio Emanuele III), sia per la notorietà del dramma storico in versi, di ambientazione medievale, «Una partita a scacchi» del 1873 del piemontese G. Giacosa, la cui eroina si chiama appunto Iolanda. Il nome, spesso identificato e usato alternativamente con *Violante*, è un adattamento già medievale del francese o franco-provenzale antico *Yolant* o *Yolans* e *Yolande* comune nella Savoia e nella Val d'Aosta, di origine certamente germanica ma di incerta identificazione (forse un composto in *-lind*, v. *Ermelinda*).

Iòle (46.000) F. VARIANTI: *Jòle* (28.000), *Yòle* (150). ALTERATI: *Iolétta* (50). NOMI DOPPI: *Iòle Marìa* (300). - M. *Iòlo* (20). Ampiamente diffuso in tutta l'Italia, è un nome d'impronta classica, mitologica e letteraria, ripreso con il Rinascimento e in età moderna dal greco *Iólē* o *Ióleia*, forse derivato da *íon* 'viola', latinizzato in *Iole*, nome dell'amante di Èracle e personaggio di varie opere, soprattutto tragedie, classiche (v. anche *Ione* e *Viola*).

Iòne (5.500) F. VARIANTI: *Jòne* (3.000); *Iònia* (150). - M. *Iònio* (100). VARIANTI: *Jònio* (100). ALTERATI: *Ionèllo* (50). Distribuito nel Nord e nel Centro, è un nome di matrice letteraria e teatrale ottocentesca, diffuso dal popolare romanzo di E. G. Bulwer-Lytton del 1834 «Gli ultimi giorni di Pompei» (nella traduzione italiana), e dai vari adattamenti teatrali (tra cui l'opera lirica «Ione» di E. Petrelli del 1858) e poi cinematografici, in cui la protagonista, una greca romanizzata, ha questo nome, già attestato nella Grecia antica come *Iō'nē* (e *Iō'nios* o *Íōn* al maschile), dal valore etnico di 'appartenente alla stirpe greca degli Ioni' (insediata nell'Attica, nell'Eubea e nell'Asia Minore), anche se tradizionalmente derivato da *íon* 'viola', v. *Iole* e *Viola*. Nei rari casi in cui *Ione* è stato e può essere usato come nome maschile, come era prevalentemente

in Grecia, il modello è il greco *Íōn* *Íōnos*, nome del mitico capostipite della stirpe degli Ioni e di vari personaggi storici e letterari della Grecia antica.

Iòrio (450) M. VARIANTI: *Jòrio* (200). Accentrato per $^3/_4$ tra Emilia-Romagna e Toscana e per il resto disperso nel Nord e nel Centro, è una forma regionale meridionale di *Giorgio*, insorta già nel Medio Evo anche per influsso bizantino e neogreco. Ma *Iorio* non è collegato direttamente con questa variante meridionale, come dimostra la sua distribuzione e anche la recentissima affermazione: la motivazione è letteraria, e l'epicentro di diffusione è la tragedia in versi del 1904 «La figlia di Iorio» di G. D'Annunzio, di ambiente abruzzese, che ha avuto grande risonanza soprattutto a livello borghese nella prima metà del Novecento (v. anche *Aligi* e *Mila*, nomi di altri personaggi della tragedia dannunziana).

Iòsto (200) M. VARIANTI: *Jósto* (80). Esclusivo della Sardegna, è un nome ideologico ripreso nel clima romantico dell'Ottocento da uno dei capi del tentativo di insurrezione sardo-punica contro i Romani del 216 a.C., il giovane figlio di Ampsicora Iosto, caduto in battaglia, e assunto, come il padre, a simbolo dell'indipendenza e autonomia sarda (v. *Ampsicora*): il nome è tramandato da Tito Livio nella forma *Hiostus* e da Silio Italico in quella *Hostus*, latinizzazioni di un nome di origine punica o libica.

Ipèride o *Iperìde* (50) M. Disperso tra Nord e Centro, è una ripresa classica del nome del grande oratore e uomo politico ateniese del IV secolo a.C. Iperide, amante della bellissima etera Frine (v. *Frine*), in greco *Hyperéidēs* latinizzato in *Hyperídes*, formato da *hypér* 'al di sopra, oltre, superiore' e *-éides* da *êidos* 'aspetto, forma', quindi 'superiore per aspetto, per doti'.

Ippàzio (650) M. - F. *Ippàzia* (200). Proprio del Leccese, riflette il culto locale, di origine orientale, di Sant'Ippazio o Ipazio, vescovo e martire, ucciso dai seguaci dell'eresia di Novato e Novaziano nel 325 a Gangra in Paflagonia (Asia anteriore), mentre stava ritornando dal I Concilio di Nicea, patrono di Tiggiano LE. L'originario nome greco *Hypátios*, latinizzato in *Hypatius*, è derivato da *hýpatos* 'altissimo, elevatissimo, supre-

mo', un epiteto del dio supremo Zeus.
Ippòlito (2.900) M. - F. *Ippòlita*
(3.200). Distribuito in tutta l'Italia ma
con più alta frequenza nel Sud continentale, dove il maschile è accentrato in Calabria e il femminile nel Barese, ha alla
base l'antico nome personale greco
Hippólytos e *Hippolýtē*, latinizzato
in *Hippólytus* e *Hippólyta*, composto
di *híppos* 'cavallo' e *lýein* 'sciogliere',
con il significato quindi di 'che scioglie,
che sfrena i cavalli'. Il nome si è affermato in Italia con tradizioni e motivazioni
diverse: nel Sud per la lunga e continuata presenza e influenza greco-bizantina,
dall'età imperiale a quella moderna;
quindi, con la ripresa umanistica della
cultura classica, per i personaggi mitologici e letterari di questo nome, come Ippolito figlio di Tèseo, di cui provocò la
morte la matrigna Fedra che se ne era
innamorata e era stata da lui respinta (v.
Fedra), e Ippolita regina delle Amazzo-
ni; infine, e soprattutto, per il culto di
vari santi di origine greca o orientale, tra
cui Sant'Ippolito martire a Roma sotto
Valeriano, e Sant'Ippolito scrittore cristiano nel III secolo, martire in Sardegna.

Irène (62.000) F. VARIANTI: *Irèna*
(300). - M. *Irèno* (250). VARIANTI: *Irènio*
(100). Diffuso in tutta l'Italia, ma limitato nel maschile al Centro-Nord, riflette il
culto di varie sante di questo nome, anche se in parte può continuare, soprattutto nel Sud, il nome greco originario
Eirē'nē, adottato in latino in età imperiale come *Irene*, 'pace', significato reinterpretato in ambienti cristiani con il
nuovo valore di pace in terra tra tutti gli
uomini fratelli in Cristo e pace celeste.

Irenèo (2.200) M. ABBREVIATI: *Renèo*
(100). - F. *Irenèa* (50). Distribuito in tutta l'Italia, ma accentrato per *Reneo* in
Toscana, riflette il culto dei numerosi
santi di questo nome che risale, attraverso il gentilizio e poi nome personale latino di età imperiale *Irenaeus*, al greco *Ei-
rēnáios*, derivato da *eirē'nē* 'pace;
dea della pace', quindi 'dedicato, sacro
alla pace', in ambienti cristiani reinterpretato in riferimento al valore di 'pace
cristiana', v. *Irene*.

Ìria (1.200) M. ALTERATI: *Irina*
(500). - M. *Ìrio* (1.100). VARIANTI: *Ìreo*
(100), *Iro* (250). ALTERATI E DERIVATI: *Iri-*

no (150), *Iriàno* (50). Distribuito nel
Nord e nel Centro con maggiore compattezza in Toscana, non consente, per
la mancanza di una sicura tradizione
onomastica, un'interpretazione certa: in
parte può essere una variante di *Irene* (di
tradizione forse bizantina, neogreca o
orientale, ossia con la pronunzia *irìni* di
Eirē'nē); alcune forme potrebbero essere delle alterazioni di *Iride*.

Ìride (20.000) F. VARIANTI: *Iris*
(19.000), *Ires* (500), *Ìreos* (200). - M.
Irido (50). VARIANTI: *Irìdio* (50). Ampiamente diffuso ma accentrato nel
Nord e soprattutto in Lombardia, è in
parte una ripresa colta, rinascimentale e
moderna, del nome greco *Íris Irídos*,
latinizzato in *Iris Iridis*, da *íris* 'arcobaleno' (e anche 'giaggiolo'), che era anche
la personificazione dell'arcobaleno e la
messaggera degli dei, e in parte formato
dall'italiano *iris*, nome scientifico e elevato del giaggiolo. Ma la forma *Iris* è soprattutto un recente nome di moda teatrale ripreso dall'eroina della popolare
opera lirica di P. Mascagni del 1898
«Iris», su libretto di L. Illica, in cui è un
nome di fantasia dato che l'opera è ambientata in Giappone.

Irlanda (600) F. - M. *Irlando* (50).
Distribuito nel Centro-Nord con più alta
frequenza in Toscana e nel Lazio, è uno
dei rari nomi ripresi da stati, regioni o
città, con motivazioni varie, spesso occasionali e non accertabili: in questo caso
la motivazione potrebbe anche essere
ideologica, per l'eco che dall'Ottocento
ha avuto la lotta di indipendenza dell'Irlanda dalla Gran Bretagna.

Irma (92.000) F. VARIANTI: *Irmina*
(75). - M. *Irmo* (1.100). VARIANTI: *Irmi-*
no (20); *Irno* (100). Diffuso in tutta l'Italia nella forma *Irma*, rara tuttavia nel
Sud, e nelle altre limitato al Centro-
Nord con più alta frequenza in Emilia-
Romagna e Toscana, è un nome penetrato dalla Germania prima nella forma
Irmina e poi, dall'Ottocento, *Irma* (questa anche inglese), sostenuta da personaggi di opere letterarie, teatrali e recentemente anche cinematografiche
(«Irma la dolce» con Shirley Mc Lean): è
l'ipocoristico di nomi germanici composti, come *Ermengarda*, con il 1° elemento **irmin-* o **ermin-* 'grande, potente'
(che è anche l'epiteto del dio celeste del-

l'antica religione germanica Tiwaz).

Irnèrio (1.100) M. VARIANTI: *Inèrio* (150). Accentrato per più della metà in Emilia-Romagna e per il resto disperso nel Nord, è un riflesso storico e culturale del grande prestigio del giurista Irnerio, fondatore alla fine dell'XI secolo della celebre scuola di diritto di Bologna: il nome, documentato nelle forme in latino medievale *Warnerius* o *Wernerius*, *Yrnerius* o *Irnerius*, è una variante del nome di origine germanica *Guarnerio*, v. *Guarniero*.

Irvana (500) F. - M. *Irvano* (100). Disperso nel Nord e in Toscana, con più alta compattezza in Emilia-Romagna, non consente, per la mancanza di documentazioni antiche, che l'ipotesi di un'alterazione di *Ilvana* e *Ilvano*, v. *Elba*, o di *Nirvana* o *Mirvana*.

Irzio (200) M. Accentrato per quasi la metà in Emilia-Romagna e per il resto disperso nel Nord, può essere un nome di matrice classica, storica o anche ideologica, libertaria, ripreso dal generale cesariano Aulo Irzio (in latino *Aulus Hirtius*, antico gentilizio plebeo derivato da *hirtus* 'peloso, irsuto'), morto nel 43 a.C. combattendo presso Modena contro M. Antonio.

Isa (9.000) F. ALTERATI: *Isèlla* (1.000), *Isétta* (200). NOMI DOPPI: *Isadòra* (100), *Isanna* (250). - M. *Iso* (100). Diffuso in tutta l'Italia, ma più frequente nel Nord e soprattutto in Emilia-Romagna, è una forma abbreviata, affettiva, sia di *Elisa* e *Lisa*, v. *Elisabetta*, sia di *Isabella*. *Isadora* può essere anche un incrocio tra *Isidora* e *Isa*.

Isabèlla (54.000) F. - M. *Isabèllo* (5). Diffuso in tutta l'Italia ma accentrato per ¹/₅ in Puglia, è una variante di *Elisabetta* di tradizione però indiretta, spagnola, dell'ultimo Medio Evo: il nome originario ebraico *'Elīsheba'* passa, attraverso il latino *Elisabet(h)*, nella maggior parte delle lingue europee (v. *Elisabetta*), e in spagnolo antico come *Elisabet* poi normalizzato nella terminazione più comune *Elisabel*, e ridotto quindi a *Isabel*, che penetra e si afferma nell'adattamento *Isabella* (forse inteso anche come 'Isa bella') in Italia, sostenuto in parte dal francese *Isabelle*. La grande diffusione di *Isabella* è stata promossa da fattori vari e complessi: il culto di varie

sante; il prestigio di sovrane di molti stati europei e italiani, e in particolare – come motivazione dell'alta frequenza in Puglia – di Isabella del Balzo regina di Napoli nel primo Cinquecento; alcune protagoniste di opere letterarie, come l'Isabella della novella del «Decameron» di G. Boccaccio che conserva in un vaso di basilico la testa dell'amante uccisole, ripresa nel poemetto «*Isabella*» di J. Keats del 1820, e l'Isabella dell'«Orlando furioso» di L. Ariosto che si fa uccidere per restare fedele al suo innamorato Zerbino.

Isacco (1.100) M. VARIANTI: *Isaàc* (50); *Isàc* (25). Disperso tra il Nord e il Centro, soprattutto nelle grandi città, è un nome tipicamente israelitico e solo eccezionalmente cristiano (in quanto esistono numerosi santi, anche italiani, così denominati), che continua il nome dell'Antico Testamento del figlio e erede di Abramo, Isacco, marito di Rebecca e padre di Esaù e Giacobbe. Il nome originario ebraico *Yishāq* o *Yizhāq*, adattato in greco e in latino come *Isaák* e *Isaac*, è derivato dal verbo *zahāq* e significa quindi 'ride' (riferito, nella tradizione biblica, alla madre Sara o al padre Abramo che, all'annunzio della nascita di un figlio, ridono o per incredulità, perché ormai centenari, o per gioia), interpretabile come nome augurale, ossia 'Dio sorride, possa sorridere', sia cioè benigno verso il bambino.

Isaìa (1.900) M. Disperso in tutta l'Italia, è un nome israelitico ma in parte anche cristiano, in quanto la Chiesa riconosce il profeta Isaia come martire e santo, e inoltre esistono due altri santi, tra cui Sant'Isaia d'Egitto martire a Cesarea in Palestina sotto Galerio Massimino. Il nome ebraico del profeta, *Ysha'yāh* o *Ysha'yāhū* (in greco e in latino *Isaías*), è derivato dal verbo causativo *ysh'* 'far salvare, rendere salvo' con *Yāh* abbreviazione di *Yahweh* 'Iavè, Dio', e ha quindi il significato di 'Dio fa salvare, dà salvezza'.

Isàuro (200) M. - F. *Isàura* (700). Disperso in tutta l'Italia, e più compatto in Emilia-Romagna, in Toscana e nel Cagliaritano, pare riflettere il culto di Sant'Isauro diacono ateniese, martire a Apollonia (forse in Macedonia): il nome originario greco *Ísauros*, latinizzato in

Isáurus, è l'etnico dell'antica regione dell'Asia Minore, l'Isauria, e della capitale Isaura (in greco *Isauría* e *Isáura*, in latino *Isáuria* e *Isáura*, nome di origine pregreca, asianica), romanizzata dalla fine del I secolo a.C. e quindi aggregata all'impero bizantino.

Isèo (800) M. - F. *Isèa* (100). Proprio del Nord e qui accentrato nel Veneto e soprattutto nel Trevigiano, può essere una forma abbreviata di *Eliseo* e, in qualche caso, una ripresa classica del nome del grande oratore greco del IV secolo a.C., maestro di Demostene, Iseo, in greco *Isâios* latinizzato in *Isaeus*, propriamente 'eguale' (da *ísos*), per doti, diritti, ecc.

Ìside (9.500) F. VARIANTI: *Ìsida* (25). - M. *Isido* (50). Più frequente nel Nord, meno nel Centro e raro nel Sud, è una ripresa classica del nome della suprema divinità femminile della religione dell'antico Egitto, moglie di Osiride, culto penetrato tra il III e il II secolo a.C. anche in Grecia e in tutto il mondo ellenistico e quindi in Roma, con la conseguente diffusione, anche nell'onomastica personale, del nome della dea, in greco *Ísis Ísidos* e in latino *Isis Isidis*. Ma la sola matrice classica non giustifica l'alta frequenza del nome, anche se si considera la grande rarità del maschile Osiride (v. *Osìride*): la diffusione è stata incentivata dall'ultimo Ottocento dal titolo di una raccolta di liriche di G. Prati, «Iside», pubblicata nel 1878, e soprattutto dall'«Aida» di G. Verdi in cui il nome della dea è spesso invocato o nominato (v. *Aida*).

Isidòro (13.000) M. VARIANTI: *Isodòro* (25). ABBREVIATI: *Sidòro* o *Sìdoro* (25). - F. *Isidòra* (1.500). Accentrato per ¹/₅ in Sicilia e soprattutto nel Catanese, compatto in tutto il Sud continentale e frequente anche nel Nord (soprattutto per recente immigrazione interna dal Sud), riflette il culto di vari santi e sante, tra cui Sant'Isidoro vescovo di Siviglia e dottore della Chiesa, morto nel 636, Sant'Isidoro l'Agricoltore di Madrid, morto nel 1130, patrono di Giarre CT, e Santa Isidora martire di Lentini SR con Alfio e Filadelfio (v. *Alfio*). Il nome originario greco, *Isídōros*, composto con *Ísis* e *dôron* 'dono' con il significato di 'dono della dea Iside' (v. *Ìside*), si è diffuso in Italia attraverso l'adattamento latino *Isidórus*, e quindi con l'accentazione piana *Isidòro*: ma la variante accentativa *Sìdoro*, come il cognome *Papasìdero* 'prete Isidoro', propri dell'estremo Sud, attestano l'esistenza locale della forma greco-bizantina *Isídōros* con l'accento sulla terzultima (che è anche alla base dello spagnolo *Isidro*).

Ismaèle (700) M. VARIANTI: *Ismaèl* (20). - F. *Ismaèla* (25). Distribuito nel Nord e in Toscana, è il nome biblico, in ebraico *Yishmā'ē'l* o *Yishmā'ēl* (propriamente 'Dio ascolti'), adattato in greco e latino come *Ismaél*, del figlio di Abramo e della sua schiava e concubina Agar, progenitore di tutte le popolazioni arabe (e il nome è adottato e comune anche in arabo nella forma *Ismā'īl*): è un nome israelitico ma anche cristiano, data anche l'esistenza di un Sant'Ismaele martire in Calcedonia sotto Giuliano l'Apostata.

Ismène (900) F. - M. *Ismèno* (50). Disperso nel Nord e nel Centro, è una ripresa classica del nome dell'eroina del ciclo tebano Ismene, figlia di Edipo e Giocasta, sorella di Antigone e di Eteocle e Polinice, e con essi personaggio di varie tragedie greche (Èschilo, Sòfocle, Eurìpide) e latine, e anche moderne: il nome greco, *Ismē'nē* latinizzato in *Ismene*, sembra ricollegarsi al mitico eroe eponimo di Tebe e della Beozia *Ismēnós*, immedesimatosi con il fiume Ismeno che scorre presso Tebe.

Isnardo (100) M. Disperso nel Nord ma più frequente in Lombardia, è l'esile sopravvivenza di un nome medievale di origine germanica composto di *isan-* 'ferro' e *hardhu-* 'duro, forte', quindi, forse, 'forte come il ferro', documentato nel Medio Evo nelle forme *Isanhard*, *Isenhard* e *Isnard* e già attestato anche come cognome per l'antica famiglia piemontese degli Isnardi di Caraglio CN. Alla sopravvivenza e diffusione in Lombardia può avere contribuito il culto del beato Isnardo da Chiampo VI, domenicano vissuto a Milano e a Pavia e qui rettore, nel primo Duecento, della chiesa di Santa Maria di Nazareth.

Isòcrate (25) M. Rarissimo e disperso, è l'esile sopravvivenza della ripresa classicheggiante del nome del grande oratore ateniese del IV secolo a.C., Isocrate, in greco *Isokrátēs* latinizzato in *Isócrates*, da *isokratē's*, composto di *ísos* 'uguale' e *krátos* 'forza', con il significato di 'che ha uguale potere, che gode di uguali diritti' (rispetto a altri).

Ìsola (2.500) F. VARIANTI: *Ìsora* (1.500). ALTERATI: *Isolétta* (500), *Isolina* (12.000). - M. *Ìsolo* (30). VARIANTI: *Isoro* (15). ALTERATI: *Isolino* (150). DERIVATI: *Isolièro* (100). Diffuso nel Centro-Nord con più alta frequenza in Toscana e in Emilia-Romagna, consente la sola ipotesi (da accertare) che sia collegato, attraverso varie forme di derivazione, di alterazione o di incroci analogici, con *Isa* e quindi con *Lisa*, *Elisa*.

Isónzo (150) M (anche F). - F. *Isónza* (25). Accentrato tra Emilia-Romagna e Toscana e disperso nel Nord, è un nome ideologico insorto durante la 1ª guerra mondiale per la profonda eco e commozione suscitata dalle grandi e sanguinose battaglie combattute sulla linea del fiume Isonzo (v. *Gorizia*).

Isòtta (2.500) F. VARIANTI: *Isòlda* (500), *Isòlde* (250); *Isèlda* (300), *Isèlde* (25). - M. *Isòtto* (10). VARIANTI: *Isèldo* (25). Accentrato per più della metà in Toscana e soprattutto in Emilia-Romagna e disperso per il resto nel Nord e anche nel Centro, è un nome di matrice letteraria ripreso dall'antica leggenda del tragico amore di Tristano e Isotta: Tristano, mentre accompagna per mare la principessa d'Irlanda Isotta «la bionda» che va in sposa al re Marco di Cornovaglia, beve per errore con lei un filtro che li fa innamorare perdutamente; Isotta sposa re Marco, che esilia Tristano che sapeva amante della moglie, e Tristano sposa in esilio Isotta «dalle bianche mani» ma in punto di morte chiama Isotta la bionda che accorre; ma per l'inganno della moglie Tristano crede che l'amante non venga, muore e Isotta la bionda, sopraggiunta, muore con lui. La leggenda, elaborata dal XII secolo in varie versioni, e in particolare in poemi e romanzi in prosa in francese antico (il «*Tristan*» di Thomas, di Béroul, «*La folie Tristan*», «*Le roman de Tristan*», ecc.), e di qui ripresa in tutte le letterature europee, e in particolare in quella italiana (i vari «Tristano», Corsiniano, Riccardiano, Veneto, la «Tavola Rotonda»,

ecc.), anche a livello popolare, viene infine rielaborata da W. R. Wagner nel suo dramma musicale «*Tristan und Isolde*» compiuto nel 1859 ma rappresentato per la prima volta a Monaco nel 1865, che diede una nuova e grande diffusione anche in Italia ai due nomi. Il nome dell'eroina appare nei testi in francese antico come *Yseult* o *Iseult*, *Yseut*, *Ysolt* o *Isolt*, *Isolde* (che è anche la forma tedesca, per cui in Italia è per lo più un nome di residenti straniere di lingua tedesca), adattati in italiano come *Isotta* e più raramente *Isolda*, di impronta anche recente tedesca. L'origine è incerta e discussa: l'ipotesi più fondata è che derivi da un nome germanico composto con **isan-* 'ferro' (in tedesco *Eisen*), o con **is-* 'ghiaccio' (in tedesco *Eis*), e **hildjo* 'battaglia, combattimento', con un significato tuttavia non convincente come spesso accade per i nomi composti femminili germanici ('guerriera dura come il ferro, come il ghiaccio'?), ossia *Isanhild*, documentato, o **Ishild*, non documentato. Da quest'ultima forma può essersi sviluppata la variante italiana *Iselda*, che però può essere stata formata anche indipendentemente sul modello di *Matelda*, *Griselda* e *Elda*.

Israèle (150) M. VARIANTI: *Israèl* (50). - F. *Israèlla* (25). Disperso nelle grandi città del Nord e del Centro, è un nome israelitico ripreso dal 2º nome che nel «Genesi» viene dato da un angelo o da Dio stesso a Giacobbe, figlio di Isacco e Rebecca, perché aveva avuto il coraggio di lottare con l'angelo o Dio presentatosi come uno sconosciuto per metterlo alla prova ("Non ti chiamerai più Giacobbe ma Israele, perché hai combattuto con Dio e con gli uomini e hai vinto"): l'interpretazione tradizionale del nome ebraico *Yisrā'ēl* (con *'Ēl* abbreviazione di *'Elōhīm* 'Dio') è quindi 'egli lotta con Dio' (ma più probabilmente 'Dio lotta con noi'). *Israele* è stato poi assunto come nome del regno settentrionale e del popolo ebraico, e dal 1949 del nuovo stato ebraico della Palestina.

Ìstria (150) F. Accentrato per ¼ in Toscana e per il resto disperso nel Nord, è un nome di matrice ideologica, patriottica e irredentistica, insorto nell'Ottocento e soprattutto con la 1ª e 2ª guerra mondiale con le aspirazioni all'italianità dell'Istria, già austriaca e poi annessa fino a Fiume all'Italia nel 1924, e quindi alla Iugoslavia con il trattato di Parigi del 1947 e il compromesso di Londra del 1954 (v. anche *Fiume* e *Pola*).

Ita (600) F. - M. *Ito* (150). Prevalente nel Nord, è la forma abbreviata, familiare, di nomi terminanti in *-ita* e *-ito*, come *Anita*, *Margherita*, *Rosita* e *Benito*.

Itàlia (45.000) F. NOMI DOPPI: *Itàlia Marìa* (300). - M. *Itàlio* (10). Ampiamente diffuso, ma meno frequente nel Sud (il rarissimo maschile è disperso e occasionale), è un nome ideologico, patriottico e nazionalistico, insorto soprattutto nel Risorgimento e durante la 1ª guerra mondiale in relazione agli ideali, alle aspirazioni e alle guerre, per l'indipendenza e l'unità dell'Italia.

Ìtalo (75.000) M. VARIANTI: *Italiàno* (850), *Itàlico* (900). ALTERATI: *Italino* (400). - F. *Itala* (10.000). VARIANTI: *Italiàna* (200). ALTERATI: *Italina* (3.500). Diffuso ampiamente in tutta l'Italia, ma più frequente nel Nord e nel Centro, soprattutto in Friuli-Venezia Giulia e in Toscana, è un nome insorto e affermatosi con le stesse motivazioni qui sopra esposte per *Italia*, di cui costituisce propriamente l'etnico (già documentato dall'ultimo Medio Evo come nome, ma senza motivazioni ideologiche, nella forma più usuale *Italiano*).

Ìtria (600) F. Caratteristico della Sicilia, e qui accentrato nel Siracusano, e della Sardegna, dove è più frequente nel Nuorese (insieme al tipo doppio *Maria Itria* 500), riflette il culto locale di Maria Santissima d'Itria (patrona di Portoscuso CA) di origine greca e orientale, irradiato da Costantinopoli in Occidente, prima in Sicilia e di qui in Sardegna e nel Sud, dopo la conquista turca della città nel 1453 e la diaspora di Greci in vari paesi europei e in particolare in Italia. È l'antico culto per la Madonna *Hodēghḗ'tria* (pronunzia: *odiġítria*), composto di *hodós* 'strada, viaggio' e *heghêisthai* 'condurre, guidare', quindi 'che guida sulla retta strada, nel viaggio', con l'abbreviazione all'ultimo elemento *Itria*, culto riflesso nel Sud dalle molte immagini di tipo bizantino di questa Madonna, dalle numerose chiese dedicatele (tra cui una presso Nureci OR, oltre la chiesa dei Siciliani di Roma di Santa Maria d'Itria), e dalle tradizioni popolari sulla sua miracolosità ancora vive in Sicilia e in Sardegna.

Ivàn o *Ivan* (8.000) M. VARIANTI: *Yvàn* o *Ÿvan* (20). Accentrato per la metà tra Emilia-Romagna e Toscana e per il resto disperso soprattutto nel Nord (con una certa compattezza nel Friuli-Venezia Giulia), è il corrispondente slavo (in particolare russo, sloveno e serbocroato) di *Giovanni*, la cui alta diffusione in Italia ha motivazioni diverse e complesse. In parte minima è il nome di residenti stranieri di lingua slava o italiani delle minoranze linguistiche slovene del Friuli-Venezia Giulia. In parte rilevante è un nome d'impronta letteraria, teatrale e cinematografica, ripreso da personaggi di opere dell'Ottocento e del primo Novecento (o allora conosciute in Italia), tra cui lo Zar di Russia Ivan IV il Terribile del Cinquecento protagonista del romanzo storico «Il principe Serebrjanyi» del 1863 e della trilogia drammatica «La morte di Ivan il Terribile» del 1867 del mediocre scrittore russo A. K. Tolstoj, e il film «Ivan il Terribile» del 1945 del grande regista sovietico S. M. Eisenstein. In parte infine è un nome di moda esotica e estetizzante generica.

Ivano (21.000) M. VARIANTI: *Ivànio* (50). - F. *Ivana* (43.000). VARIANTI: *Ivània* (100), *Iviàna* (100), *Ivane* (100). Accentrato per quasi la metà tra Emilia-Romagna e Toscana e per il resto distribuito nel Centro-Nord, è un gruppo che può appartenere, senza possibilità di distinzione (neppure quantitativa e di distribuzione areale) a due tipi del tutto diversi. Rappresenta da un lato il femminile slavo *Ivana* o *Ivania* equivalente a *Giovanna*, e per il maschile l'adattamento italiano *Ivano* di *Ivan* (v. *Ivan*). Ma è anche in misura certamente maggiore per il maschile) l'adattamento italiano, già dell'ultimo Medio Evo, del francese antico *Yvain*, eroe con Lancillotto del ciclo cavalleresco bretone o del re Artù (v. *Arturo*, *Ginevra* e *Lancillotto*), e in particolare del poema di Chrétien de Troyes della fine del XII secolo «*Yvain ou le chevalier au lion*», derivato dal bretone *Yves* (v. *Ivo*).

Ivànoe (600) M. VARIANTI: *Ivànohe* (100), *Ivanoè* (20). Accentrato per la metà tra Lombardia e Emilia-Romagna e per il resto disperso nel Nord, è ripreso dal protagonista del romanzo storico del 1819 «*Ivanhoe*» [pronunzia inglese *àivënhou*] dello scrittore scozzese W. Scott (diffuso anche in Italia nella traduzione e in adattamenti vari, anche cinematografici), ambientato nell'Inghilterra del XII secolo di Riccardo Cuor di Leone, di cui Ivanhoe – nome creato probabilmente dall'autore sul modello di *Ives*, *Ivain* o *Ivan*, v. *Ivo* – è l'eroico paladino.

Ivo (40.000) M. VARIANTI: *Ìvio* (450); *Ives* (400); *Ivóne* (1.300), *Ivònio* (50). ALTERATI: *Ivonétto* (20). DERIVATI: *Ivaldo* (1.600) e *Ivaldino* (25), *Isvaldo* (50), *Isaldo* (100); *Ivardo* (20). - F. *Iva* (10.000). VARIANTI: *Ìvia* (200); *Ivóna* (500), *Ivònia* (100); *Ivonne* (11.000), *Jvonne* (600), *Yvonne* (1.900). ALTERATI: *Ivétta* (600), *Ivette* (500), *Yvette* (500); *Ivina* (100); *Ivonétta* (150). DERIVATI: *Ivalda* (700); *Ivanda* (150), *Ivanna* (600), *Ivanne* (100). IPOCORISTICI: *Ivy* (75). Ampiamente diffuso nelle forme fondamentali *Ivo* e *Iva* in tutta l'Italia, con maggiore compattezza nel Nord e nel Centro e in Sardegna, ha invece una distribuzione diversa nelle varianti, negli alterati e nei derivati (tra cui *Ives* propriamente inglese o, con grafia italianizzata per *Yves*, francese, *Yvonne* e *Yvette* francesi), che però sono frequenti in linea di massima in Toscana e anche in Emilia-Romagna. La base lontana è il latino medievale *Ivo Ivonis* dell'VIII secolo, adattamento di un nome di origine celtica formato da *ivos 'albergo, legno di tasso', o meno probabilmente germanica, di tradizione francone, da **ihwa-* dello stesso significato (o forse da incrocio e sovrapposizione tra celtico e germanico): il tasso era un albero sacro, con cui venivano fabbricate le armi più importanti, come lo scudo, la lancia, l'arco. Il nome si afferma in Francia, con epicentro forse in Bretagna, nelle forme *Yve* o *Yves* (caso retto, corrispondente alla latinizzazione *Ivo*) e *Yvon* (caso obliquo, corrispondente a *Ivónis*, ecc.), e nel femminile *Yvonne*, e dalla Francia si diffonde nell'ultimo Medio Evo in varie lingue d'Europa e in particolare in italiano, promosso e sostenuto dal paladino di Carlo Magno *Yve* (v. anche *Ivano*) delle «*Chansons de geste*» carolingiche, dal culto di Sant'Ivo o Ivone vescovo di Chartres morto nel 1116 e di Sant'Ivo prete in Bretagna nel Duecento (Ives Hélory de Kermartin), e, recentemente, per *Yvette* con gli adattamenti italiani *Ivette* e *Ivetta*, dalla protagonista di una novella, «*Yvette*», di Guy de Maupassant (che ha dato il titolo a tutta la raccolta pubblicata nel 1884), molto nota anche in Italia.

Ivrèa (200) F. - M. *Ivrèo* (50). Disperso tra Nord e Centro ma più frequente in Emilia-Romagna e Toscana, pare un nome ideologico risorgimentale connesso con la città di Ivrea TO (in latino *Eporedia*), possesso dal 1313 dei Savoia e ricca di prestigio, come importante piazzaforte, per vari fatti d'arme.

J

Jàder (500) M. VARIANTI: *Iàder* (300). Accentrato per ²/₃ in Emilia-Romagna, per ¹/₄ in Toscana, per il resto disperso nel Nord, riflette il culto di Santo Jader vescovo e martire di Numidia nel III secolo: il nome è di origine punica, e è tramandato dal latino, anche per altri personaggi storici, nella forma *Iáder Iáderis*. In casi isolati può essere una ripresa classica o ideologica del nome latino *Iáder*, greco *Iádera*, dell'antica città di Zara.

Jàgo (250) M. VARIANTI: *Iàgo* (200). Accentrato per ²/₃ tra Emilia-Romagna e Toscana e per il resto disperso nel Centro-Nord, è un nome di matrice teatrale ripreso nell'Ottocento dall'«Otello» di W. Shakespeare (e dai successivi adattamenti melodrammatici e anche cinematografici) in cui Iago è l'alfiere di Otello che accusa di adulterio e fa uccidere Desdemona (v. *Desdemona* e *Otello*): il nome è inventato da Shakespeare, forse sul modello del gallese *Jago* dal latino *Iacobus* (v. *Giacomo*) o dello spagnolo *Yagüe* o *Santiago* (dal latino *Sancte Iacobe*, vocativo), ossia il santuario di Santiago de Compostela centro di un antico e grande culto per l'apostolo Giacomo lì sepolto (nome ritenuto forse da Shakespeare di origine italiana e non spagnola).

Jenny (1.000) F. VARIANTI: *Jennj* (100), *Jenni* (100). Distribuito nel Nord e nel Centro, è propriamente l'ipocoristico inglese (nelle forme *Jenny* e *Jennj*: pronunzia *gèni* o più rara *gini*) di vari nomi femminili corrispondenti a Gio-vanna (*Jane*, *Janet*, *Joan* e scozzese *Jean*), adottato tuttavia come nome di moda, breve e eufonico, anche in Italia (con una pronunzia *gènni*, v. *Genni*), dove tuttavia sarà in parte il nome di residenti straniere di lingua inglese.

Jèssica (1.000) F. VARIANTI: *Gèssica* (30). Disperso nel Nord e più compatto a Roma, è un nome recente, di matrice teatrale, ripreso dal dramma «Il mercante di Venezia» di W. Shakespeare del 1594 o 1596 in cui Jessica è la figlia dell'usuraio ebreo Shylock, innamorata del cristiano Lorenzo: il nome è stato probabilmente ripreso da Shakespeare, per caratterizzarlo come israelitico, dall'Antico Testamento, dove appare solo per una sorella di Abramo, *Iskâh* (forse da *sakah* 'guardare', quindi 'Dio ha guardato'), adattato in greco e in latino come *Ieschá* e *Iescá*. In Italia il nome può essere in parte, nella forma inglese *Jessica* (pronunzia: *gèsikë*), di residenti straniere di lingua inglese, mentre l'adattamento della traduzione italiana del dramma scespiriano *Gessica* è, naturalmente, solo di residenti italiane.

José (1.500) M (anche F). - F. ALTERATI: *Iosèlla* (150), *Josétta* (100), *Giosétta* (200). Diffuso nell'Italia centro-settentrionale con maggiore frequenza in Toscana, è in parte, nella forma fondamentale *José*, il nome maschile di residenti stranieri di lingua spagnola (o portoghese) corrispondente all'italiano *Giuseppe* [pronunzia: *khosé*], ma in parte maggiore (e totalmente per gli alterati) è un recente nome ideologico femminile [pronunzia: *josè* all'italiana, *žosè* alla francese o *ǵosè*] ripreso da Maria José di Sassonia Coburgo, figlia del re del Belgio Alberto I, che nel 1930 sposò il principe ereditario Umberto di Savoia (come dimostra il più diffuso nome *Maria Josè* o *Iosè* comune a più di 2.000 italiane).

Josefine (900) F. VARIANTI: *Joséphine* (600). ALTERATI: *Josette* (700). Distribuito nel Nord e in Toscana, è in parte, per *Joséphine* con il suo ipocoristico *Josette* [pronunzia: *žosefìn* e *žosèt*], femminile di *Joseph* (900) corrispondente dell'italiano *Giuseppe* (ma *Joseph* può essere, con diversa pronunzia, oltre che francese anche tedesco, scandinavo, inglese), il nome di residenti straniere di lingua francese (corrispondente dunque a *Giuseppina*), ma in parte, e totalmente per la forma italianizzata *Josefine*, un nome di moda di Italiane, che in alcuni casi può anche essere stato ripreso dall'imperatrice di Francia Giuseppina Bonaparte, originaria della Martinica francese, il cui nome era Marie-Josèphe-Rose Tascher detta però *Joséphine*.

Jùcci (150) F. VARIANTI: *Iùcci* (100), *Jùccia* (50). Distribuito nel Nord con maggiore frequenza nel Piemonte, è l'ipocoristico di vezzeggiativi di nomi femminili che terminano in *-iùccia*, e soprattutto di *Mariuccia*.

L

Ladislào (650) M. VARIANTI: *Vladislào* (50). - F. *Ladislava* (100). Accentrato in Friuli-Venezia Giulia per i ²/₃ e per il resto disperso nel Nord, è l'italianizzazione del nome di origine slava, composto di *vlad-* 'dominare' e *slava* 'gloria', quindi 'domina con gloria', documentato nel latino medievale come *Ladislavus* o *Ladislaus* e ancora vivo nell'onomastica di vari paesi di lingua slava (*Wl'adisl'aw* in polacco, *Vladislav* o *Ladislav* in ceco, *Vladislav* in serbo-croato, ecc.) e adattato in ungherese come *László*. In Italia il nome – a parte la sua diffusione tra le minoranze di lingua serbo-croata e slovena del Friuli-Venezia Giulia – è stato sostenuto dal culto di San Ladislao re di Ungheria nell'XI secolo, e dal prestigio di sovrani di questo nome di vari stati europei, e anche del Regno di Napoli (Ladislao d'Angiò-Durazzo del Trecento).

Laèrte (800) M. VARIANTI: *Laèrzio* (20). Distribuito nel Centro-Nord con alta frequenza in Toscana e soprattutto in Emilia-Romagna, è una ripresa classica e letteraria del nome del padre di Ulisse, in greco *Laértēs* latinizzato in *Laertes* (con il derivato *Laértios*, in latino *Laertius*), composto da *laós* 'popolo' e *éirein* 'legare insieme' o *er-* di *éreto* 'incitare, sollevare', quindi 'che unisce o che incita il popolo'. In alcuni casi può essere ripreso dal personaggio dell'«Amleto» di W. Shakespeare, Laerte, fratello di Ofelia (v. *Amleto*).

Làlage (75) F. Disperso nel Nord, è un nome di matrice classica e letteraria, ripreso dal nome dato da Orazio a una donna amata e cantata nelle sue «Odi», *Lalage*, formato dal greco *lalaghē'* dal verbo *lalaghêin* 'parlare molto, chiacchierare' con il significato di 'che parla molto, in modo grazioso e amabile'.

Lalla (1.500) F. - M. *Lallo* (100). Distribuito nel Nord e nel Centro con più alta frequenza in Emilia-Romagna e in Toscana per *Lalla* e nel Lazio per *Lallo*, è l'ipocoristico familiare di numerosi nomi, come *Angela* o *Angelica*, *Italia*, e *Angelo*, *Gabriele*, ecc. In alcuni casi può essere un nome di moda letteraria e teatrale ripreso dalla raccolta di novelle orientali in versi «Lalla Rookh» del 1817 dello scrittore irlandese Th. Moore, che ebbe notorietà anche in Italia per la trasposizione musicale di G. L. P. Spontini del 1821.

Lambèrto (13.000) M. VARIANTI: *Ambèrto* (150). - F. *Lambèrta* (400). VARIANTI: *Ambèrta* (25). ALTERATI: *Lambertina* (100). Diffuso nel Nord e nel Centro con alta frequenza in Emilia-Romagna e soprattutto in Toscana, continua il nome di origine germanica e di tradizione longobardica e quindi francone, documentato in Italia dall'VIII secolo come *Lampert* e in latino medievale *Lampertus*, *Landepertus* e *Lantbertus*, composto con *landa-* 'terra; paese, stato' e *berhta-* 'illustre, famoso', quindi 'illustre nel suo paese', sostenuto dal culto pur raro di vari santi stranieri e dal prestigio di sovrani e prìncipi anche italiani. La variante *Amberto* si è formata probabilmente per un incrocio con *Alberto*, o per deglutinazione della *l-* iniziale sentita come articolo determinativo.

Lancillòtto (50) M. VARIANTI: *Lanciòtto* (600). Accentrato per ²/₃ in Toscana e per il resto disperso nel Nord, è un nome di matrice letteraria ripreso da un personaggio del ciclo cavalleresco della «Tavola Rotonda», *Lancelot*, amante della regina Ginevra moglie di re Artù (v. *Ginevra*). Il nome francese è un doppio diminutivo (in *-él* e *-ot*) di *Lance*, dal germanico *Lanzo* ipocoristico in *-(i)zo* di nomi composti con il 1° elemento **land(a)-* 'terra; paese' (v. *Landolfo*, *Lanfranco*), oppure formato da *lance* 'lancia' con il valore di 'armato di lancia'.

Lando (2.600) M. ALTERATI: *Landino* (300), *Landùccio* (100). - F. *Landa* (800). ALTERATI: *Landina* (300). Accentrato per la metà in Toscana e disperso per il resto tra Centro e Nord, è l'ipocoristico abbreviato di *Orlando* e *Rolando*, e in alcuni casi di *Landolfo*, già comune nel tardo Medio Evo in Toscana.

Landòlfo (50) M. Disperso nel Nord e più frequente in Toscana, è l'esile sopravvivenza, sostenuta forse dal culto del beato Landolfo vescovo di Asti nel XII secolo, del nome germanico di tradizione longobardica *Landulf* (*Landulfus* o *Landulphus* nel latino medievale), reso illustre dai vari prìncipi di Benevento (da Landolfo I a Landolfo VI, tra IX e X secolo): è composto di **landa-* 'terra; paese' e **wulfa-* 'lupo', e il significato originario, considerando che il lupo è un animale sacro e magico, che si immedesima con il guerriero in battaglia, è 'lupo, guerriero valoroso del proprio paese'.

Lanfranco (7.500) M. - F. *Lanfranca* (400). Diffuso in tutta l'Italia nel maschile con più alta frequenza nel Centro-Nord, limitato al Nord nel femminile e più compatto in Emilia-Romagna, è un nome di origine germanica e di tradizione francone ma soprattutto tedesca, documentato dal IX secolo nella forma in latino medievale *Lanfrancus*, composto di **landa-* 'terra; paese' e **franka-* 'di condizione libera (non servile)', quindi 'uomo libero nel suo paese'.

Lào (100) M. Accentrato per la metà tra Emilia-Romagna e Toscana e per il resto disperso, è probabilmente l'abbre-

viazione di nomi terminanti in *-lao*, come *Stanislao* e i pur rari *Agesilao* e *Ermolao*.

Lara (3.000) F. ALTERATI: *Larina* (100). - M. *Laro* (35). ALTERATI: *Larino* (100). Accentrato per i ³/₄ in Emilia-Romagna e soprattutto in Toscana, e per il resto disperso tra Nord e Centro, è un recente nome di moda insorto con due o tre motivazioni diverse. Una prima diffusione può averla avuta in età romantica per la protagonista della novella in versi «*Lara*» di G. G. Byron del 1814. Alla fine dell'Ottocento è stato ripreso dallo pseudonimo, Contessa Lara, della poetessa Eva Cattermole, nota e popolare sia per le sue poesie di facile presa sentimentale sia, e soprattutto, per la sua vita sessualmente tumultuosa e piena di scandali negli ambienti letterari romani (fu uccisa nel 1896 a Roma da uno dei suoi amanti). Dal 1957 si è ridiffuso per il nome russo *Lara* (ipocoristico di *Larissa* o *Larisa*) della protagonista del romanzo «Il dottor Živago» dello scrittore sovietico B. L. Pasternak (pubblicato per la 1ᵃ volta in Italia e in traduzione italiana), molto diffuso, anche se più diffuso a livello popolare è stato negli anni '60 il film omonimo che ne è stato tratto. Gli alterati *Larina* e *Larino* possono essere anche forme aferetiche di *Ilarina* e *Ilarino*, v. *Ilario*.

Latino (450) M. VARIANTI: *Ladino* (250). - F. *Latina* (250). VARIANTI: *Ladina* (75). Distribuito nel Nord e nel Centro, con più alta frequenza in Toscana e nel Lazio per *Latino*, continua un nome medievale formato dall'etnico *Latino* (dal latino *Latinus*, derivato di *Latium*, quindi 'del Lazio') che indicava chi era di origine, tradizione e lingua latina o neolatina, ossia non greca, germanica, slava, ecc. (di qui il cognome di Brunetto Latini, notaio e scrittore fiorentino del Duecento e maestro di Dante). In alcuni casi, tuttavia, può essere una ripresa classica e letteraria dal nome del mitico re degli Aborigeni del Lazio Latino (*Latinus*), padre di Lavinia che diverrà moglie di Enea, conosciuto attraverso l'«Eneide» di Virgilio. La variante *Ladino* sembra una forma antiquata e dialettale settentrionale, senza uno specifico riferimento ai Ladini come gruppo etnico-linguistico delle valli dolomitiche (nome più moderno, sempre derivato da *Latinus*).

Lattànzio (100) M. Disperso tra Nord e Centro, è l'esile sopravvivenza del soprannome e poi nome personale latino *Lactantius* (derivato in -*ius* da *lactans lactantis*, participio presente di *lactari* 'prendere, succhiare il latte', o da *Lactans*, divinità che nutre di succhi le piante, comunque di tradizione e significato non chiari), sostenuto forse dal prestigio del grande apologista cristiano di origine africana del III-IV secolo L. C. F. Lattanzio.

Laudice (150) F. VARIANTI: *Laodice* (100). - M. *Laudicino* (20). Disperso nel Centro-Nord, è una ripresa classicheggiante del nome di personaggi femminili della mitologia e della storia greca (come la bellissima figlia di Prìamo re di Troia e varie regine e principesse della Macedonia, del Ponto e della Siria del III-II secolo a.C.), in greco *Laodíkē*, composto di *laós* 'popolo' e *díkē* 'giustizia', con un significato originario che potrebbe essere 'che amministra il popolo con giustizia'.

Laudomìa o *Laudòmia* (500). F. VARIANTI: *Laudonìa* o *Laudònia* (100). Accentrato in Toscana e a Roma per ²/₃ e per il resto disperso, pare un'alterazione del nome classico, in greco *Laodámeia* o *Laodamía* latinizzato in *Laodamía* o *Laodámia* (composto di *laós* 'popolo' e *damázein* 'domare', quindi 'che doma il popolo'), di vari personaggi femminili storici e mitologici della Grecia antica: forse sulla diffusione ha influito la protagonista della prima tragedia di S. Pellico «Laudamia».

Làura (205.000) F. ALTERATI e DERIVATI: *Laurétta* (5.000), *Laurina* (2.000); *Laurisa* (150), *Laurita* (100); *Laurana* (75). NOMI DOPPI: *Làura Marìa* (700). - M. *Làuro* (6.500). ALTERATI E DERIVATI: *Laurétto* (50), *Laurino* (550); *Laurindo* (100); *Laurano* (25), *Laureàno* (25), *Lauriàno* (50); *Laureàto* (100). Ampiamente diffuso in tutta l'Italia nella forma fondamentale (rara tuttavia nel Sud per il maschile *Lauro*) e negli alterati *Lauretta* e *Laurina*, ha una distribuzione e frequenza diversa negli altri alterati e nei derivati, tra cui *Laurisa* predomina nelle Venezie e *Laurano* in Emilia-Romagna. L'etimo lessicale lontano è il latino *laurus* 'alloro, lauro' e *laurea* (*arbor*, *corona*) 'alloro, corona di alloro', diventati in età imperiale nomi personali, con motivazioni estetiche, mitologiche e religiose, civili, con riferimento augurale alla bellezza della pianta, sacra a Apollo, alla corona di alloro emblema e simbolo di vittoria (e in ambienti cristiani di martirio): e a *Laurus* e *Laurea* si affiancò e poi predominò *Laura*, calco del greco *Dáphnē (v. Dafne)*. Il tipo onomastico si ampliò e rafforzò nel Medio Evo, in forme ormai italiane con con numerosi alterati e derivati, ma la grande affermazione del femminile *Laura* è dovuta alla Laura cantata dal Petrarca nel «Canzoniere» e nei «Trionfi».

Lavìnia (7.000) F. VARIANTI: *Lavina* (60). - M. *Lavìnio* (550). VARIANTI: *Lavino* (25). Diffuso nell'Italia peninsulare ma raro nel Sud, è un nome di matrice classica e letteraria ripreso dal Rinascimento, soprattutto con la conoscenza dell'«Eneide» di Virgilio attraverso la traduzione di A. Caro, dalla figlia del re Latino e moglie di Enea *Lavinia*, di etimo incerto, prelatino (v. *Latino*). In qualche caso può riflettere il nome del personaggio dell'innamorata, Lavinia, della commedia dell'arte del XVI-XVII secolo.

Làzzaro (4.500) M. VARIANTI: *Làzzero* (50). ALTERATI: *Lazzarino* (100). - F. *Làzzara* (100). ALTERATI: *Lazzarina* (250). Diffuso in tutta l'Italia nella forma fondamentale *Lazzaro*, proprio della Toscana per *Lazzero*, accentrato nel Salento nel femminile *Lazzara* e *Lazzarina*, riflette il culto di vari santi così denominati, e soprattutto di San Lazzaro di Betània, fratello di Maria e di Marta, resuscitato, secondo il «Vangelo» di Giovanni, da Gesù. Il nome originario evangelico, *Lázaros* in greco e *Lazarus* in latino, è l'adattamento dell'aramaico *Lāʿzār*, forma abbreviata dell'ebraico *'Elʿāzār* 'Dio ha soccorso', v. *Eleazaro*.

Leàle (25) M. Disperso a Roma e nel provincia, sembra, in mancanza di una tradizione onomastica, un nome affettivo o ideologico formato da *leale* 'dotato di lealtà', a meno che rifletta un culto locale di un santo non ufficialmente riconosciuto.

Leàna (300) F. - M. *Leàno* (200). Accentrato in Emilia-Romagna e anche nelle Marche e disperso nel Nord e nel Centro, è una forma abbreviata di *Ileana* (o *Ileano*), anche se in qualche caso può essere un'alterazione, influenzata da *Lea* (o *Leo*), di *Liana* (o *Liano*).

Leàndro (11.000) M. VARIANTI: *Aleàndro* (2.000). ALTERATI: *Leandrino* (50). - F. *Leàndra* (1.600). VARIANTI: *Aleàndra* (400), *Aldeàndra* (400). ALTERATI: *Leandrina* (400). Diffuso in tutta l'Italia, con più alta frequenza a Roma per *Leandra* e in Toscana per *Aleandro*, è un nome di matrice classica e letteraria ripreso dal Rinascimento dal mitico giovane di Àbido annegato nell'Ellesponto mentre lo traversava a nuoto per raggiungere di notte l'amante Ero che abitava sull'altra sponda, mito ripreso da molte opere letterarie e teatrali antiche e moderne (v. *Ero*). Il nome greco originario, *Léandros*, adattato nel latino *Leánder* o *Leándrus* (attestato come soprannome in età imperiale), è probabilmente composto di *leō's*, variante attica e anche ionica di *laós* 'popolo', e *anē'r andrós* 'uomo', quindi 'uomo del popolo, che appartiene al popolo (libero)'. In alcuni casi può anche riflettere il nome dell'attore che impersona l'innamorato nella commedia dell'arte. Le varianti *Aleandro* e *Aldeandra* si sono forse formate per influsso di *Aleardo* e *Alda*.

Leàrco (1.500) M. VARIANTI: *Aleàrco* (50). - F. *Leàrca* (25). Distribuito nel Nord e nel Centro con più alta frequenza in Emilia-Romagna e Toscana, è insorto con il Rinascimento, ripreso, con matrice classica e letteraria, dal mitico figlio di Atamante e di Ino ucciso per errore dal padre, ma si è affermato recentemente, dagli anni '30, per la popolarità del corridore ciclista, campione d'Italia e vincitore del Giro d'Italia, Learco Guerra, nato a San Nicolò Po MN nel 1902. Il nome greco originario, *Léarchos* latinizzato in *Leárchus*, è composto di *leō's*, variante ionico-attica di *laós* 'popolo', e *árchein* 'comandare, guidare', con il significato di 'capo, guida del popolo'.

Lèda (29.000) F. ALTERATI: *Ledina* (25). - M. *Lèdo* (1.000). ALTERATI: *Ledino* (100). Accentrato per ²/₃ in Emilia-Romagna e in Toscana e per il resto disperso, è un nome di matrice classica,

mitologica e letteraria, insorto dal Rinascimento in relazione alla Leda amata da Zeus trasformato in un cigno bianco, dalla cui unione nacquero i dioscuri Castore e Polluce, mito oggetto di molte opere letterarie e figurative antiche e moderne (e ridiffuso recentemente, insieme al nome, dal racconto «La Leda senza cigno» di G. D'Annunzio pubblicato nel 1916). Il nome greco *Lē'da* o *Lē'dē*, latinizzato in *Leda*, è di significato e etimo incerto, probabilmente pregreco.

Legìttimo (25) M. Proprio di Padova e di alcuni centri vicini (Rubano, Saccolongo, Teolo), pare, proprio per quest'area specifica e ristretta, più che un nome ideologico o occasionale formato da *legittimo* 'conforme alla legge' o 'figlio legittimo', il riflesso di un culto locale per un santo (tuttavia non riconosciuto e non documentato) di questo nome già esistente nel tardo latino *Legitimus*.

Lèida (500) F. - M. *Lèido* (10). Disperso nel Centro-Nord, può essere un'alterazione di *Leda* ma in alcuni casi può riflettere, con una motivazione non chiara, il nome della città dell'Olanda Leida (in neerlandese *Leiden*).

Lèila (3.000) F. VARIANTI: *Lèyla* (250), *Làila* (2.200). Diffuso nel Nord e nel Centro con più alta frequenza in Emilia-Romagna e in Toscana, è un nome di moda letteraria e teatrale (ma poi anche semplicemente esotica e eufonica) insorto nell'Ottocento prima per il nome inglese, *Leila*, della protagonista della novella in versi «The Giaour» («Il Giaurro») di G. G. Byron del 1813, poi per il personaggio, *Leila*, dell'opera lirica «I pescatori di perle» di G. Bizet del 1863, e quindi nel primo Novecento per l'enigmatica e inquieta protagonista del romanzo «Leila» di A. Fogazzaro del 1910. Il nome è ripreso dall'eroina della romanzesca leggenda arabo-persiana dell'amore tra *Laila* e il poeta *Magnūn*, tema di numerose opere arabe, persiane e turche, e in particolare di due poemi, noti anche in Europa, dei poeti persiani Nizāmī della fine del XII secolo e Giāmī del Quattrocento.

Lèlio (5.500) M. VARIANTI: *Lèllio* (50). - F. *Lèlia* (5.000). Diffuso in tutta l'Italia ma raro nel Sud, è un nome d'impronta classica ripreso dall'ultimo Medio Evo o dall'Umanesimo dal gentilizio latino *Laelius* e *Laelia* (forse una variante di *Laevius* da *laevus* 'sinistro', v. *Levio*), noto soprattutto per il console Gaio Lelio il Minore, amico di Scipione l'Emiliano, studioso di filosofia, al quale M. T. Cicerone intitolò il noto dialogo «*Laelius, de amicitia*» («Lelio, dell'amicizia»). Alla diffusione ha poi contribuito il nome Lelio dell'innamorato della commedia dell'arte e goldoniana (in particolare «Il bugiardo»), e per il femminile la romantica e tormentata protagonista del romanzo di G. Sand «*Lélia*» (1833 e in 2ª redazione 1839). In alcuni casi può anche essere l'ipocoristico di *Aurelio* e *Aurelia*, v. *Lello*.

Lèllo (1.500) M. - F. *Lèlla* (3.000). VARIANTI: *Lèla* (150), *Lèle* (200: anche M). Distribuito in tutta l'Italia ma più raro nel Sud, è l'ipocoristico di diversissimi nomi che presentano una *-l-* o *-ll-* interna (raramente *L-* iniziale), come *Raffaello*, *Gabriello*, *Leonello*, *Donatello* e *Aurelio* con i rispettivi femminili, o *Novella*, *Elena*, ecc. *Lele* è più spesso ipocoristico di *Emanuele* o *Emanuela*.

Lèna (6.000) F. VARIANTI: *Lèni* (500). ALTERATI: *Lenùccia* (150). - M. *Lèno* (300). VARIANTI: *Lènio* (100). Diffuso in tutta l'Italia ma raro nel Sud, è l'ipocoristico di *Maddalena* e, in misura molto minore, di *Marilena* e in alcuni casi di *Leonora*.

Lènin (50) M. VARIANTI: *Lenino* (25). - F. *Lenina* (150). Disperso in tutta l'Italia, è un nome ideologico, insorto in famiglie di socialisti e comunisti a partire dal primo Novecento, come manifestazione di solidarietà e di devozione per il rivoluzionario, teorico del marxismo, fondatore e capo del comunismo sovietico, Nikolaj Lenin pseudonimo di Vladimir Il'ič Ul'janov, morto nel 1924.

Lèo (13.000) M. NOMI DOPPI: *Lèo Luca* o *Leoluca* (750). - F. *Lèa* (30.000). NOMI DOPPI: *Leoluchina* (200). Diffuso nelle forme fondamentali in tutta l'Italia, ma più frequente in Emilia-Romagna e in Toscana e più raro nel Sud, accentrato per il tipo doppio nel Palermitano e soprattutto a Corleone, continua o riprende per via semidotta il soprannome e poi nome latino di età imperiale *Leo* (nella forma del nominativo, quella dei casi

obliqui *Leonis* ecc. è continuata o ripresa da *Leone*), formato da *leo* (*leonis*), antico prestito dal greco *léōn* (*léontos*) 'leone', e nel femminile *Lea* da *lea* 'leonessa'. *Leo* si è affermato, in ambienti cristiani, per il culto di alcuni santi denominati in italiano con questa forma (per l'altra forma, molto più comune nell'agiografia, v. *Leone*), in particolare San Leo di Africo patrono di Africo e di Bova RC, San Leo di Montefeltro patrono di San Leo e di Pennabili PS, tutti e due forse del IV secolo, e San Leo (o Leone) Luca di Corleone, monaco basiliano del X secolo nel monastero di San Filippo di Agira EN e poi nella Calabria settentrionale, patrono di Vibo Valentia CZ e di Corleone PA. Si è affermato inoltre in ambienti israelitici (più di *Leone*), come già negli ambienti giudaici greci e romani, come traduzione italiana dell'ebraico *Yehûdā*, v. *Giuda*, tradizionalmente inteso come 'leone' e come nome israelitico il femminile *Lea* può essere a volte una variante di *Lia*, la prima moglie di Giacobbe (v. *Lia*).

Leocàdia (200) F. - M. *Leocàdio* (10). Accentrato per ¹/₅ nel Lazio e soprattutto nel Viterbese, e per il resto disperso, pare riflettere il culto di Santa Leocadia vergine e martire a Toledo durante le persecuzioni di Diocleziano e Massimiano: il nome latino di età tarda *Leocadia* può essere un adattamento del greco *Leukadía*, derivato da *Leukás* (*Leukádos*) 'la bianca, la splendente', da *leukós* 'bianco luminoso'.

Leonardo (72.000) M. VARIANTI: *Leonaldo* (25). ALTERATI: *Leonardino* (25). ABBREVIATI: *Nardo* (600), *Nardino* (850), *Nardùccio* (50). NOMI DOPPI: *Leonardo Antònio* o *Leonardantònio* (400). - F. *Leonarda* (14.000). ALTERATI: *Leonardina* (500). ABBREVIATI: *Narda* (250), *Nardina* (500). Diffuso in tutta l'Italia con alta compattezza in Puglia e in Sicilia, è un nome germanico e di tradizione francone (in tedesco *Leonhard*), documentato nell'alto Medio Evo nelle forme in latino medievale *Leonardus*, *Lionardus* o *Lonardus*, composto di *lewo-* o *leo-* 'leone', prestito dal latino *leo* (in tedesco *Löwe*) e *hardhu-* 'forte, valoroso', quindi 'forte, valoroso come un leone' o 'leone valoroso'. Alla grande diffusione ha contribuito il culto di vari santi, tra i quali San Leonardo abate, nel VI secolo, del monastero di *Nobiliacum* (ora Saint-Léonard-de-Noblat, presso Limoges nella Francia occidentale), il cui culto è stato diffuso nel Sud dai Normanni, e San Leonardo da Porto Maurizio minorita del Settecento. Il tipo abbreviato *Nardo* può riflettere anche il nome *Bernardo*.

Leóne (12.000) M. ALTERATI: *Leonèllo* (8.000), *Leonétto* (1.500), *Leoncino* (25), *Leonillo* (25), *Leonino* (700); *Lionèllo* (6.000), *Lionétto* (100). DERIVATI: *Leònio* (200), *Leonièro* (300). - F. *Leóna* (150). ALTERATI: *Leonèlla* (3.500), *Leonétta* (2.000), *Leoncina* (50), *Leonilla* (300), *Leonina* (1.400); *Lionèlla* (1.900), *Lionétta* (75). DERIVATI: *Leònia* (1.900). Diffuso in tutta l'Italia nella forma fondamentale *Leone* e variamente distribuito o accentrato nelle altre forme (più comuni *Leonello*, *Leonetto* o *Lionetto*, *Leonia*, *Leoniero* in Toscana, *Leonio* nel Veneto), continua il raro e tardo soprannome e poi nome personale latino *Leo Leonis*, da *leo leonis* 'leone', prestito antico dal greco *léōn léontos* (anch'esso nome personale), sostenuto dal culto di numerosi santi e beati, tra cui San Leone I Magno papa e dottore della Chiesa nel V secolo, i papi Leone II, III, IV e IX, San Leone vescovo di Catania nell'VIII secolo, e il beato Leone di Assisi compagno di San Francesco (e per gli alterati e i derivati San Leonino o Leolino martire in Val di Sieve sotto Diocleziano e patrono di Rignano sull'Arno FI, San Leonino o Leolino vescovo di Padova nel III secolo, Santa Leonilla martire in Oriente). È frequente anche in ambienti israelitici come traduzione italiana di *Yehūdā*, v. *Giuda* e *Leo*.

Leonice (250) F. Raro e disperso, risale con tradizione incerta al tardo nome latino *Leonice* o *Leonica*, adattamento del greco *Leōníkē* composto con *leó's* variante di *laós* 'popolo' e *níkē* 'vittoria', con un significato che potrebbe essere 'che predomina nel suo popolo'.

Leònida (5.000) M (anche F). VARIANTI: *Leònido* (100), *Leònide* (300: anche F). Diffuso nel Nord e nel Centro, è un nome di matrice classica, storica e letteraria, ripreso dal Rinascimento e in età

moderna dall'eroico re di Sparta che nel 480 a.C. difese con 300 soldati spartani le Termopili contro il preponderante esercito persiano di Serse, morendo con tutti i suoi uomini: in alcuni casi isolati può anche riflettere il culto di vari santi così denominati, e in particolare di San Leonida padre di Origène, martire in Egitto nel 202. Il nome greco originario, *Leōnídās* o *Leōnídēs*, latinizzato in *Leónidas* o *Leónides*, tradizionalmente interpretato come un composto di *léōn* 'leone' e *-éides* da *êidos* 'forma, aspetto', con il significato di 'che ha l'aspetto di un leone', è in realtà derivato, come patronimico, da *Léōn* come nome personale (v. *Leo* e *Leone*) con *-ídes* suffiso in discendenza, quindi 'figlio, discendente di Leone' (e *Leone* era appunto il nome del nonno del re Leonida). *Leonida* e *Leonide*, data la desinenza in *-a* o in *-e* più normale nei femminili, sono a volte anche nomi di donna.

Leonilde (10.000) F. VARIANTI: *Leonilda* (5.000). - M. *Leonildo* (1.000). Diffuso dal Nord al Centro fino alla Campania, con maggiore frequenza nel Lazio, viene tradizionalmente interpretato come la continuazione di un nome di origine germanica composto con **lewo(n)-* 'leone' e **hildjo-* 'battaglia, combattimento', ossia un *Leonichildis* (che però manca di una tradizione sicura, in quanto è documentato solo nell'VIII secolo per una santa leggendaria), con il significato di 'che combatte come un leone, da leonessa'. Ma, considerando anche l'alta diffusione che ha in Italia, è più probabilmente un nome formato, pur con un'impronta germanica, da *Leonia*, *Leonella* e soprattutto *Leonilla*, con il suffisso *-ilde* o *-ilda* ripreso da nomi germanici femminili molto comuni e antichi come *Brunilde*, *Clotilde*, *Matilde*.

Leonìsio (50) M. - F. *Leonìsia* (60). Disperso tra Nord e Centro, è probabilmente un derivato di *Leone* e *Leona* con il suffisso *-isio*, sul modello di *Aloisio*, *Donisio*, *Elisio* e dei rispettivi femminili.

Leònzio (950) M. DERIVATI: *Leontino* (400), *Leondino* (200). - F. *Leònzia* (75). DERIVATI: *Leontina* (4.500), *Leondina* (1.000). Distribuito in tutta l'Italia, con più alta frequenza nei derivati in Emilia-Romagna, nelle Marche e in

Abruzzo, continua il nome greco *Leóntios* per lo più attraverso il tardo adattamento latino *Leontius*, sostenuto dal culto di numerosi santi e sante di questo nome, tra cui San Leonzio martire con Carpoforo a Aquileia durante le persecuzioni di Diocleziano, molto venerato a Vicenza dove furono trasportate nel VI secolo le reliquie (e dove il nome ha un'alta frequenza relativa). Il nome greco *Leóntios* può essere formato sia dall'aggettivo *leóntios* (derivato di *léōn léontos* 'leone') 'da leone, leonino', sia dal diminutivo *leóntion* 'leoncino' che era anche nome personale femminile (per esempio della bellissima etèra ateniese amante del filosofo Epicuro), e infine può anche essere derivato dal nome stesso *Léōn Léontos* o da suoi composti. I derivati *Leontino* e *Leontina*, con le varianti regionali in *-d-* centro-meridionali, dovrebbero risalire a un diminutivo già latino *Leontinus* e *Leontina*, che però non ha una tradizione onomastica accertata.

Leopardo (50) M. VARIANTI: *Leopardi* (10). - F. *Leoparda* (25). Documentato nelle Marche e nel Lazio centro-settentrionale è un nome sostenuto in parte dal culto di alcuni santi, come San Leopardo martire a Roma sotto Giuliano l'Apostata, un vescovo di Osimo AN e un monaco di Bobbio PC dell'VIII secolo (ma tutti privi di una tradizione agiografica sicura), e in parte, e totalmente per *Leopardi*, ripreso dall'Ottocento dal cognome di Giacomo Leopardi. L'origine è problematica, non univoca e complessa. Può essere infatti un originario soprannome formato, già in latino o nel primo Medio Evo, da *leopardus* (in greco *leópardos*), composto di *leo* 'leone' e *pardus* 'pantera' (in quanto il leopardo era ritenuto un incrocio di leone e pantera): un soprannome ripreso da animali, diventato poi nome, così come *Leone*, *Lupo*, ecc. Può d'altra parte continuare il nome di origine germanica e di tradizione già longobardica e poi franconne, documentato dall'VIII secolo come *Lupard* e *Lepard* e, in latino medievale, *Lopardus* e *Leopardus*, composto probabilmente con *leubha-* 'amico, caro' e *hardhu-* 'forte, valoroso', quindi 'amico valoroso'. Quasi certamente l'uno e l'altro etimo coesistono, e nel Medio

Evo le due tradizioni, neolatina e germanica, si sono incrociate e sovrapposte.

Leopòldo (17.000) M. ALTERATI: *Leopoldino* (25). ABBREVIATI: *Pòldo* (25) e *Poldino* (50). - F. *Leopòlda* (3.000). ALTERATI: *Leopoldina* (1.600). ABBREVIATI: *Pòlda* (100) e *Poldina* (300). Diffuso in tutta l'Italia nelle forme fondamentali, con maggiore compattezza in Toscana, Lazio e Campania, accentrato per quasi la metà in Toscana negli abbreviati e per il resto disperso nel Nord, è un nome di origine germanica, documentato dal VI secolo nelle forme *Leudbold*, *Liutbald*, e poi *Leupold* (che è la forma del tedesco moderno), affermatosi in Germania e soprattutto in Austria – dove è nome tradizionale, dall'XI secolo, delle dinastie di Asburgo e di Babenberg –, e di qui penetrato in Italia già dall'ultimo Medio Evo come nome di prestigio e di moda esotica: dall'ultimo Settecento alla metà dell'Ottocento ha avuto in Toscana una particolare diffusione per la larga popolarità dei granduchi di Toscana Leopoldo I e II. Il nome germanico è composto di *leudi-* 'gente, popolo' e *baltha-* 'audace, coraggioso' (in tedesco *Leute* e *bald*), con il significato di 'audace, valoroso nel (suo) popolo'.

Lèpanto (200) M. Proprio del Centro, con più alta frequenza in Toscana, riflette ancora la profonda eco della battaglia combattuta tra le flotte cristiana (Venezia, Spagna, Chiesa, ecc.) e turca il 7 ottobre 1517 nelle acque di Lepanto, la prima grande battaglia navale vinta contro i Turchi: *Lepanto* è il nome medievale (derivato dal bizantino *Épaklos*) della città e del porto sullo stretto che divide il golfo di Corinto da quello di Patrasso, che nell'antichità aveva il nome di Naupatto.

Lèpido (100) M. Accentato per 2/5 in Emilia-Romagna e per il resto disperso nel Nord, è una ripresa rinascimentale e moderna, classica e storica, del *cognomen* o soprannome di alcune antiche *gentes* romane, tra cui l'*Aemilia*, noto soprattutto per il console Marco Emilio Lepido, triumviro dal 43 al 36 a.C. con M. Antonio e C. Ottaviano, marito di Giunia sorella di Giunio Bruto (v. *Bruto*).

Lèro (50) M. VARIANTI: *Lèrio* (50). ALTERATI: *Lerino* (150). - F. *Lerina*

(150). Proprio della Toscana per *Lero* e disperso tra Nord e Centro nelle altre forme, non consente, in assenza di una tradizione sicura, che ipotesi da accertare: potrebbe essere una forma abbreviata familiare di *Falerio* (v. *Faliero*) e *Valerio*, o più probabilmente un nome ideologico, patriottico, insorto nella guerra italo-turca per l'occupazione, il 12 maggio 1912, dell'isola di Lero nell'Egeo (in greco *Léros*), base navale italiana nella 2ª guerra mondiale.

Lèsbia (100) F. - M. *Lesbino* (10). Disperso soprattutto nel Nord, è un riflesso ormai sempre più raro della ripresa classicheggiante e letteraria del nome fittizio con cui nei suoi «*Carmina*» Catullo ha cantato la donna amata (forse Clodia, sorella del tribuno Publio Clodio Pulcro), in latino *Lesbia*, derivato dal greco *Lésbos*, in latino *Lesbus*, l'isola dell'Egeo patria di Saffo e di altri grandi poeti (Alceo, Terpandro, ecc.). Il nome, nonostante sia stato ridiffuso nell'ultimo Settecento dal nome arcadico Lesbia Cidonia della contessa Paolina Gismondi, protettrice di artisti e letterati, e dal poemetto del 1793 a lei dedicato di L. Mascheroni «Invito a Lesbia Cidonia», e recentemente dal romanzo di A. Panzini «Il bacio di Lesbia» del 1937, è decaduto per la tradizione di omosessualità di Saffo e delle sue compagne e per il sempre più noto significato dei termini *lesbica* e *lesbismo* (v. *Saffo*).

Letànzio (20) M. Disperso nel Nord, è l'esile riflesso del culto di San Letanzio, uno dei 12 martiri Scillitani (da *Scilium* in Numidia), decapitati a Cartagine nel 180: il tardo nome augurale latino *Laetantius* è derivato, con il suffisso *-ius*, dal participio presente *laetans laetantis* di *laetari* 'rallegrarsi, essere lieto', con il valore di 'che abbia una vita lieta'.

Letìzia (41.000) F. - M. *Letìzio* (100). DERIVATI: *Letiziàno* (25). Diffuso in tutta l'Italia, e accentrato nelle Marche per *Letiziano*, continua il tardo nome affettivo e augurale latino *Laetitia* (nome anche di una dea della fertilità e dell'abbondanza), formato da *laetitia* 'letizia, gioia' (da *laetus* 'lieto; fertile'), forse sostenuto nel primo Ottocento dal nome della madre di Napoleone, Maria Letizia Ramolino Bonaparte, morta a Roma nel 1836.

Lèto (250) M. - F. *Lèta* (100). Accentrato per la metà in Toscana e per il resto disperso, è un nome di matrice classica rinascimentale ripreso dal tardo soprannome augurale latino *Laetus* (da *laetus* 'lieto, felice'), sostenuto dal prestigio dell'umanista Pomponio Leto, fondatore nell'ultimo Quattrocento dell'Accademia romana, e forse anche dal raro culto di tre santi non italiani di questo nome.

Lettèria (6.000) F. VARIANTI: *Lettèra* (75). ALTERATI: *Letterina* (250). - M. *Lettèrio* (4.500). VARIANTI: *Letèrio* (25), *Littèrio* (250). ALTERATI: *Letterìno* (50). Proprio della Sicilia nord-orientale, è insorto con l'antica devozione locale per la Madonna o Maria Santissima della Lettera, patrona di Messina e di Itala ME.

Lèucio (450) M. - F. *Lèucia* (25). Accentrato per più della metà nel Beneventano e nel Casertano e per il resto disperso nel Sud, riflette il culto di vari santi, e in particolare di San Leucio primo vescovo della diocesi di Brindisi (forse nel II secolo), patrono di San Leucio nel Sannio e San Salvatore Telesino BA, San Leucio frazione di Caserta, e Atessa CH: il nome greco originario, *Léukios* latinizzato in *Leucius*, è derivato da *leukós* 'bianco splendente, luminoso', con lo stesso valore e etimo lontano di *Lucio*.

Levànte (100) M (anche F). DERIVATI: *Levantino* (20). - F. *Levantina* (75). Disperso, più comune in Toscana e per *Levantino* in Abruzzo, pare, in assenza di una tradizione sia onomastica sia agiografica, connesso come originario etnico con *Levante* e *Levantino*, un soprannome insorto nel tardo Medio Evo per denominare chi era oriundo del Levante, ossia dai paesi del Mediterraneo centro-orientale (Grecia, Turchia e Anatolia, Siria, Egitto, ecc.).

Lèvi (150) M. - F. *Lèva* (40). Raro e disperso, è un nome israelitico – molto frequente come cognome – ripreso dal terzo figlio di Giacobbe e di Lia, da cui si denominò la tribù dei Leviti, caratterizzata da mansioni di culto, in ebraico *Lēwī*, adattato in greco e in latino come *Leuéi* e *Levi*, interpretato tradizionalmente come 'congiunto' già nel «Genesi», dove Lia, che sarebbe stata sessualmente trascurata da Giacobbe, alla nascita del figlio dice "Questa volta mio marito si congiungerà a me, perché gli ho partorito tre figli". Nell'ebraico postbiblico *lēwī* assume il significato di 'sacerdote minore, cantore di salmi'.

Lèvio (100) M. DERIVATI: *Levino* (300). - F. *Lèvia* (25). DERIVATI: *Levina* (100). Accentrato per *Levio* in Emilia-Romagna e Toscana, per *Levino* in Abruzzo, e nelle altre forme disperso, pare un nome di matrice classica ripreso, con motivazione non chiara, dall'antico gentilizio latino *Laevius* con il derivato *Laevinus* (l'unico personaggio di rilievo è il poeta Levio del II secolo a.C.), da un antiquato *Laevus* che ha alla base l'aggettivo *laevus* 'sinistro, mancino' e anche 'propizio, fausto, favorevole' (in quanto nell'arte augurale di origine etrusca gli auspìci che venivano da oriente, che per gli àuguri rivolti a sud era alla sinistra, erano favorevoli).

Lia (26.000) F. VARIANTI: *Lỳa* (400). ALTERATI: *Liétta* (700). - M. *Lìo* (900). Diffuso in tutta l'Italia ma più raro nel Sud e più compatto in Toscana, presenta motivi e processi d'insorgenza e di diffusione diversi. In parte minima è un nome israelitico (che in alcuni casi compare anche nella forma *Lea*, v. *Lea*) ripreso dalla prima moglie di Giacobbe, in ebraico *Lē'āh*, adattato in greco come *Léia*, pronunziato prima *léa* e poi *lìa*, e quindi in latino come *Lia*, che secondo l'interpretazione tradizionale che risale all'Antico Testamento, dove Lia è modello di attività e operosità (e come simbolo della vita attiva è assunta da Dante nel «Purgatorio»), significherebbe 'stanca, affaticata' (da *leah* 'stancarsi'): ma più probabilmente il significato è 'vacca', così come quello della sorella Rachele e seconda moglie di Giacobbe è 'pecora' (v. *Rachele*), in coerenza con la tradizione per cui i figli di Giacobbe e Lia avrebbero dato origine agli allevatori di bovini e quelli di Giacobbe e Rachele agli allevatori di ovini. In minima parte è poi un nome cristiano, riflesso del pur raro culto di Santa Lia martire in Lucania dei Saraceni insieme al marito Stefano e ai figli. E sempre in misura non rilevante, in Sicilia, è una forma abbreviata di *Rosalia*. Ma nella maggior parte dei casi è un nome recente di moda, affermatosi per una certa esoticità e per la preferenza per i nomi dell'Antico e del Nuovo Testamento (come *Daniele*, *Luca*, *Matteo* o *Marta*, *Rachele*, ecc.), e per la sua brevità e eufonia.

Liàla (150) F. Disperso nel Nord, è un nome di moda ripreso dallo pseudonimo *Liala* (creato da G. D'Annunzio) della scrittrice Liana Negretti, nata a Como nel 1897, autrice tra gli anni '30 e '60 di circa un centinaio di romanzi «rosa», sentimentali e avventurosi (molti di aviatori, come «Brigata di ali», «Fiaccanuvole», ecc.) di grandissima diffusione e popolarità soprattutto tra il pubblico femminile.

Liàna (15.000) F. VARIANTI: *Lyàna* (150). - M. *Liàno* (500). Ampiamente diffuso nel Nord e nel Centro, è probabilmente una forma abbreviata, aferetica, di *Eliana*, anche se in parte può essere un derivato di *Lia*.

Liberale (50) M. Disperso nel Nord, qui con maggiore compattezza nel Trevigiano, e nel Centro, riflette il culto di alcuni santi così denominati, e in particolare di San Liberale vescovo nel IV secolo e patrono di Treviso: alla base è il tardo soprannome latino *Liberalis*, maschile e femminile, formato da *liberalis* 'di modi, sentimenti liberali, nobili e generosi'.

Liberato (4.500) M. VARIANTI: *Liberatóre* (450), *Liberante* (100). - F. *Liberata* (5.500). ALTERATI: *Liberatina* (100). Diffuso nel Centro e soprattutto nel Sud, con più alta frequenza in Campania, e proprio della Sicilia per *Liberante*, riflette il culto di vari santi di non certa tradizione, in particolare di San Liberato martire a Cartagine nel 483, San Liberato o Liberale martire a Roma forse nel III secolo, Santa Liberata suora e martire, forse nel VI secolo, in Spagna, San Liberatore o Eleuterio vescovo dell'Illiria e martire, venerato a Benevento. Alla base sono i tardi soprannomi e poi nomi personali latini *Liberatus* e *Liberata*, *Liberator*, derivati con motivazioni varie da *liberare* 'liberare, rendere libero' (riferito in ambienti pagani alla liberazione dalla schiavitù e cristiani dal peccato, con il battesimo).

Libèrio (550) M. - F. *Libèria* (150). Distribuito nel Nord e nel Centro con più alta frequenza in Emilia-Romagna, è in parte un nome cristiano sostenuto dal culto di alcuni santi, tra cui San Liberio vescovo di Ravenna nel IV secolo, in parte un nome ideologico dell'Ottocento, risorgimentale e libertario, in quanto ricollegato con *libero* (come è effettivamente derivato da *liber* 'libero' il tardo soprannome latino *Liberius* che è alla base dell'agionimo): il femminile può essere formato in alcuni casi, con questo valore, dallo stato della Liberia nell'Africa occidentale sorto con l'apporto degli schiavi negri d'America affrancati, indipendente dal 1847. V. anche *Libero*, *Libertà*, *Libertario* e *Libertino*.

Libero (16.000) M. ALTERATI: *Liberino* (100). - F. *Libera* (14.000). ALTERATI: *Liberina* (700). NOMI DOPPI: *Libera Marìa* (900). Distribuito in tutta l'Italia, ma con più alta compattezza per il maschile nel Nord e per il femminile nel Sud, soprattutto in Puglia e in particolare nel Gargano (dove è specifica, a Manfredonia, Mattinata, Monte Sant'Angelo, Foggia, la forma doppia), ha due tradizioni e motivazioni del tutto diverse. Nel maschile e in parte anche nel femminile è un nome ideologico recente, risorgimentale e libertario, formato da *libero*, come diritto di libertà politica, civile, economica e sociale (v. *Libertà* e *Libertario*, *Libertino*). Nel femminile, come comprova il nome doppio *Libera Maria*, è prevalentemente un nome cristiano di devozione per Maria Vergine «libera» dal peccato originale. L'etimo lontano, lessicale, è comunque il latino *liber* 'libero, di condizione libera', usato in età tarda anche come soprannome.

Libertà (500) F. VARIANTI: *Libèrtas* (75). Diffuso nel Nord e nel Centro con più alta compattezza per *Libertà* in Toscana, è un nome ideologico recente, risorgimentale e libertario, anarchico e di liberi pensatori, dato anche da G. Carducci a una delle figlie, formato da 'libertà' (politica, civile, economica, di pensiero, ecc.), ma nella forma latina *Libertas* di matrice anche più recente e partitica, come manifestazione di adesione al movimento popolare cattolico e quindi alla Democrazia Cristiana, il cui simbolo è uno scudo crociato con sopra la parola latina *Libertas* 'libertà'.

Libertàrio (400) M. - F. *Libertària* (200). Proprio della Toscana, è un nome ideologico insorto dall'Ottocento come proclamazione dei propri ideali «libertari», soprattutto in ambienti anarchici e di liberi pensatori.

Libertino (300) M. - F. *Libertina* (75). Mentre il maschile è proprio della Sicilia, e soprattutto dell'Agrigentino (e sporadico nel Nord per immigrazione interna), il femminile è proprio della Toscana e sporadico nel Centro e nel Nord. Le motivazioni dei due generi sono infatti diverse, anche se l'etimo lessicale è unico. Il maschile riflette il culto locale di San Libertino vescovo di Agrigento e martire nel III (o II) secolo, venerato in particolare a Favara. Il femminile, con qualche caso del maschile, è un nome ideologico, di ambienti anarchici e di liberi pensatori, insorto dall'Ottocento in relazione al significato che il termine *libertino* aveva assunto nel Seicento e Settecento, ossia sostenitore della libertà di pensiero, anche politico e religioso (e in alcuni casi *Libertina* può essere anche il diminutivo di *Libertà*). L'etimo lontano è il latino *libertinus*, che indicava la condizione di liberto o la discendenza da un liberto (v. *Liberto*), e era già usato come soprannome e nome nell'età imperiale.

Libèrto (550) M. - F. *Libèrta* (250). Distribuito in tutta l'Italia, con più alta compatezza per *Liberto* in Sicilia, riflette in parte il culto pur raro di San Liberto martire e San Liberto vescovo di Cambrai (ma in Sicilia di San Libertino, v. *Libertino*, di cui rappresenta una variante), e in parte è un nome ideologico della stessa sfera di *Liberio*, *Libero*, *Libertà*, *Libertario* e *Libertino*: alla base è il tardo soprannome e poi nome latino *Libertus*, formato da *libertus* (derivato di *liber* 'libero'), che indicava lo schiavo affrancato, di condizione semi-libera. In alcuni casi, tuttavia, è una forma abbreviata di *Aliberto*, v. *Alberto*.

Lìbia (1.400) F. DERIVATI: *Libiàna* (75). - M. *Lìbio* (130). DERIVATI: *Libiàno* (40), *Lìbico* (25). Accentrato per quasi la metà in Toscana e disperso per il resto nel Nord e meno nel Centro, è un nome ideologico e patriottico insorto durante la guerra di Libia del 1911-12 (v. anche *Ain Zara*, *Bengasi*, *Derna*, *Tripoli*).

Libòrio (6.500) M. - F. *Libòria* (3.000). Accentrato per più della metà in Sicilia e per il resto distribuito in tutta l'Italia peninsulare, riflette il culto di San Liborio vescovo di Le Mans in Francia e amico di San Martino di Tours, morto nel 397, invocato contro i calcoli renali: il culto si è ampiamente irradiato anche in Germania e in Italia, e in Sicilia sarà stato diffuso da Normanni e Angioini. Il tardo nome latino *Liborius* non ha una tradizione sicura (salvo quella ecclesiastica, anch'essa incerta), e non consente quindi un'ipotesi etimologica fondata.

Licandro (25) M. Rarissimo e disperso, sembra un nome d'impronta greca, un *Lýkandros* latinizzato in *Lycándrus*, composto di *lýkos* 'lupo' e *anē'r andrós* 'uomo', quindi 'uomo-lupo', che però non ha una tradizione onomastica né greca né latina.

Lìcia (29.000) F. VARIANTI: *Lỳcia* (150), *Lìccia* (75), *Lice* (700). DERIVATI: *Licèna* (400). - M. *Lìcio* (2.000). VARIANTI: *Lico* (50). Diffuso in tutta l'Italia nella forma base, ma più comune nel maschile *Licio* in Friuli-Venezia Giulia, in Toscana e in Abruzzo, è insorto e si è affermato in due epoche e con due motivazioni diverse. Dal Rinascimento all'età moderna ha avuto una limitata diffusione in ambienti colti come ripresa classica dal nome greco *Lýkios* e *Lykía*, latinizzato in *Lýcius* e *Lýcia*, da un originario etnico di Licia (in greco *Lykía*, in latino *Lýcia*), regione storica dell'Asia anteriore, cioè 'originario, oriundo della Licia'. Ma la grande diffusione di *Licia* è recente, dei primi anni del Novecento, conseguente alla grande fortuna che hanno avuto in Italia il romanzo storico dello scrittore polacco H. Sienkiewicz «*Quo vadis?*» (dalla frase rivolta da Pietro che fugge da Roma a Gesù che gli è apparso "*Quo vadis, Domine?*", "Dove vai, o Signore?") del 1894-96 (1ª traduzione in italiano 1899), e poi dagli adattamenti anche cinematografici, nei quali l'eroina è la cristiana *Licia*, amata dal pagano ma poi convertito Vinicio. Il derivato *Licena*, proprio della Toscana, è qui proposto come pura ipotesi, e può anche avere altre interpretazioni (come un latino *Lycaena* da un greco *Lýkaina* 'lupa', tuttavia non attestati come nomi personali).

Licìnio (1.600) M. - F. *Licìnia* (900). Distribuito nel Nord e nel Centro con

più alta frequenza in Emilia-Romagna, è un nome in parte cristiano, riflesso del culto per San Licinio martire a Como con Carpoforo sotto l'imperatore Massimiano, Santa Licinia suora di Vercelli nel V secolo e Santa Licinia martire a Roma, e in parte minore di matrice classica, storica e letteraria, ripreso dall'antico gentilizio latino *Licinius*, noto per i vari grandi personaggi tra cui Gaio Licinio tribuno della plebe nel 494 a.C., l'oratore Lucio Licinio Crasso e Marco Licinio Crasso, triumviro con Cesare e Pompeo nel 60 a.C. Il gentilizio *Licinius* è derivato dal 3° nome *Licinus*, un originario soprannome, di curioso significato, formato dall'aggettivo *licinus* che, come attesta il tardo grammatico Servio, indicava i buoi dalle corna arcuate verso l'alto, molto ricurve, e che trasferito a persone dové indicare chi aveva i capelli molto ondulati e ricadenti all'indietro.

Licurgo (600) M. - F. *Licurga* (25). Accentrato per ²/5 in Toscana e per il resto disperso tra Centro e Nord, è un nome di matrice classica ripreso dal Rinascimento da vari personaggi mitologici e storici della Grecia antica, e in particolare dal primo legislatore spartano dell'inizio del I millennio a.C. e dal grande oratore ateniese del IV secolo a.C., allievo di Iperide. L'antico nome greco, *Lykóergos* poi contratto in *Lykûrgos* (latinizzato in *Lycurgus*), presenta due possibilità di etimi, probabilmente sovrapposti l'uno all'altro: nella forma più antica potrebbe essere un composto di *lyko-*, variante di *leukós* 'luminoso' presente in *lykóphōs* 'penombra, luce indistinta', con la radice *erg-* di *érgon* 'lavoro, produzione', con il significato di 'che crea, che produce la luce' coerente con l'antica tradizione di originaria divinità solare del leggendario legislatore spartano; ma in un'interpretazione più recente, forse popolare, è sentito come un composto di *lýkos* 'lupo' e *érghein* 'tenere lontano', con il significato quindi di 'che tiene lontani i lupi, che difende dai lupi'.

Lidano (500) M. VARIANTI: *Lidamo* (100). - F. *Lidana* (50). Proprio del Lazio, e accentrato a Latina e provincia, riflette il culto locale di San Lidano abate di Cassino e qui morto nel 1118, patrono di Sezze LT dove furono trasportate nel

Duecento le reliquie, e dove il nome ha un'altissima frequenza relativa.

Lìdia (145.000) F. VARIANTI: *Lỳdia* (7.500), *Lȷ̀dia* (300), *Lìdya* (300); *Lida* (10.000), *Lyda* (900), *Ljda* (75), *Lide* (500). DERIVATI: *Lidiàno* (250). DERIVATI: *Lidiàna* (900). - M. *Lidio* (4.000). VARIANTI: *Lido* (10.000). Ampiamente diffuso in tutta l'Italia, ma più raro nel Sud, nelle forme fondamentali *Lidia* e *Lidio* (con le varianti grafiche classicheggianti o esotiche in *-y-* o *-j-*), è invece proprio della Toscana per *Lida* o *Lido* e *Lidiana* o *Lidiano*. Presenta due diverse possibilità di insorgenza e di motivazione, anche se l'etimo onomastico lontano è unitario: il nome greco *Lýdios* e *Lydía*, o *Lýdos* e *Lýdē*, etnico della Lidia (in greco *Lydía*), regione storica dell'Asia anteriore (quindi con il valore di 'originario, proveniente dalla Lidia'), adottato nel latino come *Lydius* e *Lýdia*, *Lydus* e *Lyda*, comune già nell'ultima età repubblicana soprattutto al femminile e come nome di etère, schiave o liberte (di origine orientale). La motivazione fondamentale è classica, letteraria, una ripresa rinascimentale e moderna promossa dalla *Lydia* cantata dai poeti latini Orazio e Marziale: il nome si è poi affermato per moda, per la sua brevità e armonia fonica. Secondaria, e limitata a *Lidia*, è la motivazione religiosa, cristiana: il culto, pur raro in Italia, di Santa Lidia martire con il marito Fileto e i figli nell'Illirico durante l'impero di Adriano, e di Santa Lidia «Porporaria», venditrice di porpora, di Filippi in Macedonia, la prima convertita al cristianesimo da San Paolo apostolo. In casi isolati *Lida* (e *Lido*) possono anche essere forme abbreviate di nomi come *Alida*, *Nelida*, ecc.

Liduìna (1.500) F. VARIANTI: *Lidovina* (400), *Lodovina* (600), *Ludovina* (400). - M. *Liduìno* (100): VARIANTI: *Lidovino* (25), *Lodovino* (30). Distribuito nel Nord e nel Centro, con maggiore compattezza in Emilia-Romagna e in Toscana, e per *Ludovina* in Piemonte, riflette il culto di Santa Lidwina monaca di Schiedam presso Rotterdam, morta nel 1433, e forse anche di San Ludwino (o in tedesco *Leodewin*) vescovo di Treviri in Germania agli inizi dell'VIII secolo. Il nome originario germanico, attestato dall'alto Medio Evo nelle forme *Leudwin*, *Leutwin*, *Lidwin* per il maschile e solo più tardi nelle corrispondenti forme femminili *Leudwina* e *Liudwina*, è composto di **leudi-* 'popolo' e **wini-* 'amico', con il significato quindi di 'amico, amica del popolo'.

Lièto (300) M. - F. *Lièta* (400). Proprio del Nord e della Toscana, e più frequente nell'Udinese, è un nome insorto nel Medio Evo per augurare lietezza, una vita lieta, formato quindi da *lieto* dal latino *laetus* 'lieto; fecondo' (v. anche *Letizia*), già attestato in età imperiale anche come soprannome e poi nome individuale (*Laetus*, proprio anche di tre santi stranieri che non sembrano avere influito sulla diffusione del nome in Italia, e al femminile *Laeta*).

Lìlia (16.000) F. VARIANTI: *Lìllia* (700). - M. *Lilio* (450). Distribuito nel Centro con maggiore compattezza in Toscana (ma per *Lillia* in Emilia-Romagna), è fondamentalmente una forma abbreviata di *Liliana*, o un adattamento diretto dell'inglese *Lilian* (v. *Liliana*), anche se in parte può essere una variante latineggiante di *Giglia* (v. *Giglio*).

Liliàna (147.000) F. VARIANTI: *Lilliàna* (1.300). - M. *Liliàno* (1.800). VARIANTI: *Lilliàno* (50). Ampiamente diffuso in tutta l'Italia centro-settentrionale, raro nel Sud, è un nome di moda recente ripreso dall'inglese *Lilian* o *Lillian*, ipocoristico di *Elizabeth*, corrispondente a *Elisabetta*, affermatosi per la sua esoticità ed eufonia, e in parte per una suggestiva connessione, a livello di etimologia popolare, con *liliale* 'candido, puro come il giglio' o anche con il latino *lilium* 'giglio' (v. *Giglio* e *Lilia*, *Lilly*).

Lilla (1.600) F. ALTERATI: *Lillina* (800). - M. *Lillo* (550). ALTERATI: *Lillino* (150). Proprio del Sud con più alta compattezza in Sicilia (e per *Lillino* nella Sardegna settentrionale), è un ipocoristico di nomi diversissimi che contengono una o più *l*, come *Angela*, *Giglia* o *Lilia*, *Raffaela*, ecc., con i rispettivi maschili, ma in alcuni casi può anche essere un nome o soprannome di matrice infantile, di uso familiare, di incerta identificazione lessicale.

Lilly (1.000) F. VARIANTI: *Lilli* (800),

Lillj (50), *Lily* (400), *Lili* (100), *Lila*
(100). Distribuito in tutta l'Italia, ma raro nel Sud, è in parte il nome di residenti
straniere, soprattutto di lingua inglese
(per *Lily*, ipocoristico di *Elizabeth* e *Lilian*, v. *Lilia* e *Liliano*) o tedesca (per *Lili* e *Lilli*, ipocoristici di *Elisabeth*, presente anche tra le minoranze italiane di
lingua tedesca). Ma in parte è anche un
nome ormai italiano, affermatosi dall'Ottocento come ipocoristico sia diretto
di *Liliana* e *Lilia*, sia ripreso dall'inglese
Lily o anche dal tedesco *Lili* o *Lilli* e variamente adattato, affermatosi recentemente per moda esotica e per la sua eufonia e brevità, e inoltre per due modelli
specifici: il nome *Lili* usato da W. Goethe, in liriche e drammi, per la donna
amata, Anna Elisabeth Schönemann;
la grande diffusione e popolarità che ha
avuto in Italia, oltre che in Germania,
durante la 2ª guerra mondiale, la sentimentale canzone tedesca «*Lili Marlene*»
(v. *Marilena*).

Lincoln (100) M. Accentrato per la
metà in Emilia-Romagna e Toscana e
per il resto disperso nel Nord, è un nome
ideologico, democratico e equalitario,
ripreso alla fine dell'Ottocento dal cognome di Abraham Lincoln (formato
con valore etnico da *Lincoln*, città capoluogo della contea del Lincolnshire
nell'Inghilterra orientale, l'antica *Lindum Colonia* romana, da cui è derivato il
toponimo), il presidente degli Stati Uniti
di America durante la guerra di secessione, sostenitore dell'abolizione della
schiavitù (abolita poi con il suo proclama
del 1863 di emancipazione dei Negri),
assassinato nel 1865.

Linda (32.000) F. - M. *Lindo*
(1.600). Ampiamente diffuso in tutta l'Italia ma più raro, soprattutto nel maschile, nel Sud, è la forma abbreviata di nomi femminili di origine germanica come
Adelinda, *Ermelinda*, *Teodolinda*, o anche *Gelinda* o *Zelinda* (v. anche *Rosalinda*): la diffusione è recente, promossa
dalla brevità, dall'eufonia e dall'accostamento per etimologia popolare a *lindo*
'pulito e molto curato', e in particolare
dalla protagonista della popolare opera
lirica «Linda di Chamounix» di G. Donizetti, su libretto di G. Rossi, rappresentata per la prima volta a Vienna nel 1842.

Lindòro (250) M. - F. *Lindòra* (40).
Accentrato per quasi la metà tra Emilia-Romagna e Toscana e per il resto disperso nel Centro-Nord, è un nome diffuso
prima dal personaggio dell'innamorato
della commedia dell'arte (dal Cinquecento al Settecento) e quindi dal protagonista di tre commedie del Goldoni
(«Gli amori di Zelinda e Lindoro» 1763,
«Le gelosie di Lindoro» 1763, «Le inquietudini di Zelinda» 1765), infine dal
nome che assume il Conte d'Almaviva
nel suo corteggiamento di Rosina nell'opera lirica «Il barbiere di Siviglia» di G.
Paisiello del 1782 e soprattutto di G.
Rossini del 1816. *Lindoro* è un nome di
fantasia creato per la figura dell'innamorato, sul modello anche di *Florindo* o di
Leandro, nella ricerca di un nome gradevole e suggestivo per suono e significato
(evocazione di *lindo*, di *oro*, ecc.).

Linnèo (150) M. VARIANTI: *Linèo*
(50). Disperso tra Nord e Centro con
maggiore frequenza in Lombardia, è un
nome ideologico, ripreso nell'Ottocento
come affermazione dei valori della ragione e delle scienze sperimentali, e della libertà di pensiero, dal grande naturalista svedese Carlo Linneo (dalla latinizzazione *Linnaeus* del cognome svedese,
Carl von Linné), morto nel 1778, creatore della nomenclatura binomia delle specie animali e vegetali nella sistematica
biologica.

Lino (75.000) M. ALTERATI: *Linùccio*
(50). - F. *Lina* (200.000). ALTERATI:
Linétta (250), *Linùccia* (500). NOMI DOPPI: *Lina Maria* (700). Ampiamente diffusò in tutta l'Italia, ma molto più compatto in Lombardia, presenta due processi
di formazione diversi, e di diversa rilevanza per il maschile e il femminile (e
questo spiega la molto più ampia frequenza e diffusione di *Lina* rispetto a *Lino*). Il maschile è in parte forse maggiore
di matrice religiosa, riflette il culto per
San Lino papa, successore di San Pietro,
originario di Volterra: il nome latino *Linus* è tardo e non ha alcuna tradizione né
in latino né in italiano né in etrusco; esiste un antico nome greco, *Lînos*, di personaggi mitologici e leggendari, ma anche questo non consente alcuna spiegazione all'interno del greco e pare di origine pregreca, asianica, oscura. Il femminile solo in minima parte è derivato
dal maschile, data la scarsa rilevanza del

culto di San Lino: è nella maggioranza dei casi la forma abbreviata di nomi terminanti in *-lina*, come *Adelina*, *Angelina* o *Angiolina*, *Carolina*, *Evelina*, *Michelina*, *Natalina*. E anche il maschile *Lino* ha in parte questa stessa derivazione (da *Angelino*, *Michelino*, *Natalino*, ecc.), soprattutto in Sicilia dove è spesso l'abbreviazione di *Rosolino*.

Lisìmaco (50). Proprio della Toscana, è un raro nome di matrice classica, rinascimentale e moderno, ripreso dal generale di Alessandro Magno Lisimaco, poi re di Macedonia, Tracia e gran parte dell'Asia Minore, morto nel 282 a.C., ma in casi isolati può anche riflettere il raro culto di San Lisimaco, uno dei martiri di Sebaste in Armenia sotto l'imperatore Licinio. Il nome greco *Lysímachos*, latinizzato in *Lysimachus*, composto con *lysi-* da *lýein* 'sciogliere, risolvere' e *máchē* 'battaglia', ha il significato originario di 'che risolve (che fa vincere) la battaglia'.

Lisippo (20) M. Rarissimo e disperso, è la ripresa classicheggiante rinascimentale e moderna del nome greco *Lýsippos* (composto di *lysi-* da *lýein* 'sciogliere' e *híppos* 'cavallo', quindi 'che scioglie, che sfrena i cavalli': è il composto inverso ma di identico significato di *Ippolito*), latinizzato in *Lysippus*: è stato il nome di un commediografo del V secolo a.C. e di un grande scultore del IV secolo a.C.

Littòrio (300) M. ALTERATI: *Littorino* (25). DERIVATI: *Littoriàno* (25). - F. *Littòria* (500). Distribuito tra il Nord e il Centro con maggiore compattezza in Toscana, è un nome ideologico insorto durante il periodo fascista come manifestazione di consenso al regime: è ripreso da (*fascio*) *littorio*, emblema e simbolo del fascismo, ripreso a sua volta dal latino *fascis lictorius* o *lictoris*, un fascio di verghe di olmo o betulla cui è fissata una scure, portato da inservienti (*lictores*) che precedevano vari alti magistrati come insegna, di origine etrusca, del loro potere coercitivo, di comminare la pena della fustigazione o della decapitazione.

Liù (200) F. Accentrato per ¹/₃ in Toscana e per il resto disperso tra Centro e Nord, è un recente nome di matrice teatrale ripreso dalla popolare opera lirica «Turandot» di G. Puccini, su libretto di

G. Adami e R. Simoni tratto da un'antica leggenda persiana, rappresentata per la 1ª volta alla Scala di Milano nel 1926: Liù (nome inventato, di una vaga impronta cinese o mongola) è la dolce fanciulla innamorata del principe Khalaf, che si sacrifica per salvarlo.

Liùccia (100) F. - M. *Liùccio* (10). Disperso nel Nord, è il vezzeggiativo in *-ùccia* di *Lia* e, in forma abbreviata, di *Amalia*, *Amelia*, *Aurelia*, *Èlia*, *Emilia*, ecc.

Liutprando (25) M. Disperso nel Nord, è l'esile riflesso del nome di origine germanica e di tradizione longobardica *Luitprand* o *Liutprand*, composto di **leudi-* 'popolo' e **branda-* 'spada (risplendente)' quindi 'spada (difesa armata) del suo popolo', storicamente noto per Liutprando, re dei Longobardi dal 712 al 744, cattolico, che tentò la fusione dei due popoli, longobardico e italiano.

Livènza (100) F. - M. *Livènzo* (10). Accentrato in Toscana per ¹/₃ e per il resto disperso nel Nord, è un nome ideologico insorto durante la 1ª guerra mondiale per l'eco delle dure battaglie combattute nella zona del fiume Livenza, tra il Piave e il Tagliamento.

Lìvio (43.000) M. VARIANTI: *Livo* (100). ALTERATI: *Livino* (100), *Livìnio* (25). DERIVATI: *Liviàno* (700), *Livano* (50). - F. *Lìvia* (44.000). ALTERATI: *Liviétta* (200). DERIVATI: *Liviàna* (5.500). Diffuso nelle forme fondamentali in tutta l'Italia, ma più raro nel Sud, accentrato per i derivati in Emilia-Romagna e in Toscana, è un nome di matrice classica, rinascimentale e moderno, ripreso da personaggi storici e letterari di Roma antica (soprattutto da Tito Livio, il grande storico dell'età di Augusto, come dimostra l'esistenza del nome apparentemente doppio *Tito Livio*, v. *Tito*). In latino *Livius* e *Livia* sono antichi gentilizi derivati da un soprannome o nome **Livus*, non attestato, di origine etrusca, o meno probabilmente derivato di *livére* 'essere livido di colorito' oppure 'essere astioso, pieno di livore'.

Lodolétta (150) F. Accentrato per ³/₄ in Toscana e per il resto disperso nel Nord, è un recente nome di moda teatrale ripreso dalla dolce e sventurata protagonista dell'opera lirica «Lodoletta» del 1917 di P. Mascagni, su libretto di G.

Forzano, anche se in casi isolati il nome poteva anche preesistere, come originario soprannome affettivo formato da *lodoletta*, diminutivo di *lodola*, variante prevalentemente toscana di *allodola*.

Lodovico (13.000) M. VARIANTI: *Ludovico* (7.000). - F. *Lodovica* (3.500). VARIANTI: *Ludovica* (2.500). Diffuso dal Nord al Centro fino alla Campania, è un nome di origine francone e di tradizione francone (soprattutto merovingica), documentato dall'alto Medio Evo nelle forme in latino medievale *Clodovicus* e *Clodoveus* e quindi, in ambiente ormai romanzo, *Lodovicus* o *Ludovicus*, adattamenti del francone *Hlodowig*, composto con **hloda-* 'fama, gloria' e **wigaz* da **wig-* 'battaglia' con il significato di 'combattente valoroso'. Da questa base nominale francone derivano ben quattro tipi diversi italiani: *Lodovico*, direttamente da *Hlodowig* attraverso la romanizzazione in *Lod-*, sostenuto dal prestigio di vari imperatori, re, prìncipi e duchi anche d'Italia, dal culto di vari santi, dalla forma tedesca *Ludwig* (soprattutto per *Ludovico*); *Clodoveo*, ancora più antico, sempre direttamente ma in forma dotta, dalla latinizzazione *Clodoveus* dell'età e della dinastia dei Merovingi; *Luigi*, *Luise* e *Aloisio*, di tramite indiretto, mediati ossia dal francese antico *Looïs* (da *Clovis*, dalla forma latinizzata *Clodovicus*) e quindi *Louis* (v. *Aloisio*, *Clodoveo*, *Luigi* e *Luisa*).

Loffrédo (50) M. Proprio della Toscana e anche della città di Roma, è un nome di origine germanica documentato in Francia e in Germania dall'alto Medio Evo nelle forme *Leodefrid*, *Leutfrid*, *Lutfrid* (in tedesco *Liutfrid*), composto con **leudi-* 'popolo' e **frithu-* 'amicizia; protezione, pace' quindi 'che assicura protezione e pace al suo popolo'. In Italia il nome è di tradizione francone e quindi normanna, come attesta la maggiore diffusione del cognome *Loffredo*, proprio anche di un'antica famiglia feudale della Lucania.

Lòhengrin (60) M. Attestato quasi esclusivamente in Emilia-Romagna e in Toscana, è un nome recente di moda teatrale ripreso dal protagonista del «*Lohengrin*» di W. R. Wagner, rappresentato la 1ª volta a Weimar nel 1850 e diretto da F. Liszt: Lohengrin (forse da

*leuh- 'luce, fiamma', in tedesco *Lohe*, e **grima-* 'elmo', quindi 'elmo lucente, fiammeggiante'), figlio di Parsifal, è uno degli eroi bretoni della ricerca del Santo Graal (dal nome del calice dell'ultima cena o del recipiente che contiene il sangue di Cristo), simbolo di purezza e degli ideali cavallereschi (v. *Parsifal*).

Lòira (200) F. Proprio del Nord e più della Toscana, è ripreso, come nome di moda esotica recente, dal fiume e dalla regione della Francia centro-occidentale la Loira (in francese *Loire*, pronunzia *luàr*), noti per la bellezza naturale, per i castelli, e per l'«armata della Loira» costituita nel 1870-71 dal governo repubblicano francese per un'ultima resistenza contro l'invasione tedesca.

Lòla (7.000) F. ALTERATI: *Lolétta* (100), *Lolita* (800). - M. *Lòlo* (20). Accentrato per la metà in Toscana e per il resto disperso (ma rarissimo nel Sud), nella forma fondamentale *Lola* è sporadicamente l'ipocoristico spagnolo di *Dolores* e anche di *Carlota* (e può essere il nome di residenti straniere di lingua spagnola), ma soprattutto l'ipocoristico siciliano di *Lorenza*, mentre il diminutivo *Lolita* è spagnolo ma adottato come nome di moda, diffuso da opere letterarie e cinematografiche, anche in Italia (come dimostra il suo accentramento in Toscana). La grande diffusione di *Lola* è comunque recente, dovuta a una delle protagoniste, Lola, dell'opera lirica di P. Mascagni «Cavalleria rusticana» rappresentata per la 1ª volta a Roma nel 1890, cui libretto è tratto dal dramma omonimo di G. Verga del 1884 a sua volta rielaborazione dell'omonima novella pubblicata nel 1880 in «Vita dei campi» (l'uno e l'altra hanno però minimamente influito sulla diffusione del nome). Lola è la moglie di Turiddu, diventata amante di Alfio; Turiddu, che s'era innamorato di Santuzza, ritorna poi a Lola, ma Santuzza per gelosia avverte Alfio che in un duello «rusticano» al coltello uccide il rivale: l'opera di Mascagni ha diffuso anche i nomi di *Santuzza*, meno di *Turiddu* o *Turiddo* e meno ancora di *Alfio*, forse perché più fortemente marcati come regionali, siciliani: v. *Alfio*, *Santo* e *Salvatore*.

Lombardo (250) M. ALTERATI: *Lombardino* (20). - F. *Lombardina* (100). Distribuito nel Nord e nel Centro fino all'Abruzzo, con maggiore compattezza in Toscana, continua in parte un soprannome medievale Lombardo, sia etnico, che indicava l'origine e la provenienza dalla Lombardia (che allora comprendeva tutta l'Italia settentrionale e la Toscana), sia professionale, che indicava chi faceva il mercante, il cambiavalute, il banchiere o anche l'usuraio, e in parte minore è un nome di moda letteraria e teatrale, o ideologico risorgimentale, insorto nell'Ottocento per il poema di T. Grossi del 1826 «I Lombardi alla prima crociata» e soprattutto per la popolare opera lirica omonima di G. Verdi del 1883, su libretto di T. Solera tratto dal poema del Grossi.

Longino (300) M. Accentrato per più della metà tra Veneto e Friuli-Venezia Giulia e per il resto disperso nel Nord, riflette il culto di San Longino, il soldato che, secondo una tradizione leggendaria, trafisse con la lancia il costato di Cristo in croce, poi convertito e martire a **Cesarea** in Cappadocia, spesso confuso con il centurione che riconobbe la divinità di Cristo morente sulla croce: il latino *Longinus* è un tardo gentilizio e soprannome, e poi nome unico, derivato dall'antico soprannome *Longus*, da *longus* 'lungo, alto', dato originariamente in relazione alla notevole altezza della persona (ma l'etimo tradizionale, per il nome greco *Longhînos* del soldato, è *lónchē* 'lancia').

Lòra (1.800) F. VARIANTI: *Lòre* (500), *Lòri* (900). ALTERATI: *Lorèlla* (1.700), *Lorétta* (19.000), *Lorina* (100). DERIVATI: *Lorisa* (100). - M. *Lòro* (10). VARIANTI: *Lòrio* (100); *Lòris* (17.000), *Lòres* (200). ALTERATI: *Lorétto* (100), *Lorino* (100). Accentrato per più della metà in Emilia-Romagna e in Toscana e per il resto disperso nell'Italia centro-settentrionale, è un gruppo problematico sia per le possibili diverse etimologie onomastiche sia per le motivazioni di insorgenza e diffusione. *Lora* o *Lore*, con gli alterati e i derivati femminili, è fondamentalmente l'ipocoristico di *Eleonora*, ma in parte anche di *Laura*, *Lorenza*, *Loredana*; *Loretta*, in particolare, può essere una variante di *Loreta*, sul modello del francese *Lorette*, e la sua alta diffusione è stata in parte promossa dal nome d'arte

Loretta dell'attrice statunitense Gretchen Young, interprete, dagli anni '30 ai '50, di film di grande successo anche in Italia. Il maschile *Loris*, qui raggruppato per la coerenza della sua distribuzione, ha certamente, dato l'alto rango di frequenza, anche altre ascendenze etimologiche, tuttavia non accertabili sicuramente.

Lorando (50) M. - F. *Loranda* (40). Accentrato per ²/₃ in Toscana e per il resto disperso tra Nord e Centro, è forse un adattamento del francese *Laurend* o *Laurent*, corrispondente di *Lorenzo*, anche se in casi isolati può essere un derivato in *-ando* di *Loro* e soprattutto di *Lora*.

Loredana (42.000) F. VARIANTI: *Oredana* (200). - M. *Loredano* (2.300). VARIANTI: *Oredano* (100). Accentrato per più di ²/₃ in Toscana e in Emilia-Romagna (dove è specifica la variante in *O*-, formatasi per deglutinazione di *L*-sentito come articolo determinativo: *Loredana* = *l'Oredana*), è un nome insorto nel primo Novecento con la grande diffusione, anche a livello piccolo borghese, del romanzo di L. Zuccoli «L'amore di Loredana» del 1908, nome inventato dall'autore, che in quegli anni viveva a Venezia, forse sul modello del cognome *Loredàn*, ancora esistente, di un'antica famiglia aristocratica veneziana resa illustre da vari dogi, ammiragli, uomini politici e letterati (derivato, come etnico, dal paese di origine Loredo, ora Loreo RO, ossia 'laureto'). *Loredana* si è poi affermato anche per moda generica, estetica e di prestigio, e in parte è stato anche sentito come una variante regionale del nome di devozione cristiana per la Madonna di Loreto *Loretana* o *Lauretana* (v. *Loreta*).

Loreley (75) F. VARIANTI: *Lorely* (50). Proprio dell'Emilia-Romagna e della Toscana, è un nome insorto alla fine dell'Ottocento con il successo dell'opera lirica «Loreley» di A. Catalani del 1890, il cui tema è ripreso da un'antica leggenda germanica cantata anche da C. von Brentano e H. Heine. *Lorelei* o *Loreley* [pronunzia: *lórelai*, che è anche quella del nome italiano] è la bellissima fanciulla bionda che dall'alto della rupe sul Reno dello stesso nome affascina i naviganti facendoli naufragare: l'etimo del nome tedesco è oscuro, ma è riconnesso almeno per etimologia popolare con le forme antiquate e dialettali *lür* 'lastrone' e *lei* 'roccia di ardesia', e inoltre con *lüren* o *lauern*, 'stare alla posta, insidiare', con riferimento ai nani, coboldi e elfi che con Lorelei insidiavano i naviganti, difendendo l'oro del Reno che era custodito sotto la rupe.

Lorèna (8.500) F. - M. *Lorèno* (1.400). Proprio della Toscana, anche se attestato sporadicamente nel Centro-Nord, è un nome ideologico insorto nell'ultimo Settecento e affermatosi nella prima metà dell'Ottocento come manifestazione di consenso e di solidarietà con i granduchi di Toscana della dinastia di Lorena (dal 1737 al 1860), e in particolare per Ferdinando III e Leopoldo II benvoluto per la sua politica liberale, riformista e progressista (fino al 1850): la Lorena, o Lotaringia, è una regione storica della Francia orientale, e i duchi di Lorena, poi di Lorena-Asburgo, risalgono all'XI secolo.

Lorènzo (118.000) M. VARIANTI: *Laurènzo* (20), *Laurènzio* (50), *Laurènto* (20). ALTERATI: *Lorenzino* (700); *Laurentino* (150), *Lorentino* (100). ABBREVIATI: *Rènzo* (121.000), *Riènzo* (250), *Riènzi* (100), *Ariènzo* (100); *Renzino* (50). - F. *Lorènza* (23.000). VARIANTI: *Laurènza* (150), *Laurènzia* (100). ALTERATI: *Lorenzina* (7.000); *Laurentina* (80), *Lorentina* (100). ABBREVIATI: *Rènza* (4.000), *Renzina* (250). Diffuso nel tipo fondamentale *Lorenzo* in tutta l'Italia, e variamente distribuito nelle forme secondarie, continua l'antico gentilizio e soprannome etnico latino *Laurentius* e *Laurentia*, ossia 'cittadino, oriundo di Laurento', in latino *Laurentum*, nome prelatino di un'antichissima città del Lazio (forse Lavinio o vicina a Lavinio) che i Romani collegavano, per etimologia popolare, con *lauretum* 'bosco di lauri' (v. *Loreta*). Nel tardo Impero il nome si affermò in ambienti cristiani con il culto di molti santi e sante, e in particolare di San Lorenzo arcidiacono di Roma martire nel 258, arrostito, secondo la tradizione, su una grande graticola, patrono di moltissime città italiane e anche di altri paesi (il nome è infatti comune in varie lingue, *Laurent* in francese, *Laurence* o *Lawrence* in inglese, *Lorenz* in tedesco, *Lorenzo* in spagnolo, ecc.). Le varianti del tipo *Laurento*, proprie del Centro-Nord e dell'Abruzzo, riflettono una forma più elevata e latineggiante, mentre *Rienzo* e *Rienzi*, propri dell'Emilia-Romagna e della Toscana, sono nomi di matrice ideologica o letteraria, ripresi dal tribuno e capopopolo romano Cola di Rienzo, ossia Nicola di Lorenzo, ucciso in un tumulto nel 1354, protagonista di varie opere letterarie e musicali come il romanzo «*Rienzi*» del 1835 dello scrittore inglese E. G. Bulver-Lytton e l'opera a esso ispirata «Rienzi, l'ultimo dei tribuni» di W. R. Wagner, rappresentata per la 1ª volta a Dresda nel 1842.

Loréta (8.000) F. VARIANTI: *Lorita* (600). DERIVATI: *Loretana* (200), *Lauretana* (300), *Lauredana* (75). - M. *Loréto* (6.000: anche F). VARIANTI: *Lorito* (50). DERIVATI: *Lauretano* (20). Diffuso in tutta l'Italia peninsulare, con alta frequenza nel Lazio e in Puglia, riflette il culto per la Madonna di Loreto (in latino ecclesiastico *Lauretana sacra domus*: di qui le forme latineggianti o elevate *Lauretana* o *Loretana*), ossia per la casa di Nazareth di Maria Vergine che, secondo una tradizione leggendaria del Quattrocento, sarebbe stata miracolosamente trasportata prima a Tersatto presso Fiume poi, il 10 dicembre 1294, in un boschetto di lauri presso Recanati AN, denominato poi *Loreto* (dalla latinizzazione *Lauretum*, da *laurus* 'lauro, alloro'), dove già sorgeva la chiesa del XII secolo di Santa Maria, meta di pellegrinaggi, e dove dal XV secolo si è cominciato a edificare l'attuale grande santuario. V. anche *Loredana*.

Lòria (200) F. DERIVATI: *Loriàna* (5.500); *Lorinda* (75). - M. *Loriàno* (2.600), *Lorano* (50); *Lorindo* (20). Proprio della Toscana, anche se sporadicamente attestato nel Centro e nel Nord, sembra collegato, in assenza di una tradizione onomastica e agiografica (anche se nel tardo latino esiste un soprannome *Lorius*, probabile variante di *Laurius* da *Laurus*), con *Laura* e *Lauro*, *Laurana* e *Laurano*, *Laureano*.

Losanna (300) F. Proprio dell'Emilia-Romagna e della Toscana, anche se sporadico nel Centro-Nord, è un nome ideologico ripreso dalla città svizzera di Losanna in cui nel 1912 si firmò la pace che concluse la guerra italo-turca, e che riconobbe la conquista italiana della Libia.

Lotàrio (300) M. VARIANTI: *Lottàrio* (50). Accentrato per più della metà in Emilia-Romagna e anche in Toscana, e per il resto disperso nel Centro-Nord, dovrebbe continuare il nome germanico *Chlodochar*, e poi *Chlothar* e infine *Lothar* (che è la forma attuale tedesca), composto di **hloda-* 'fama, gloria' e **harja-* 'popolo in armi, esercito', quindi 'glorioso nell'esercito' (v. anche *Lutero*), sostenuto dal prestigio di vari imperatori, re e prìncipi del Medio Evo, tra cui Lotario I e II re d'Italia. Ma la distribuzione, ossia l'accentramento in Emilia-Romagna e Toscana, comprovano che è prevalentemente un nome di matrice teatrale ripreso recentemente dal personaggio, Lotario (in francese *Lothaire*), dell'opera lirica di Ch.-L.-A. Thomas del 1866 «*Mignon*», ripresa, come libretto, dal «*Wilhelm Meister*» e dalla lirica «*Mignon*» di W. Goethe, in cui *Mignon* è la ragazza rapita dagli zingari in Italia (e riscattata appunto da Wilhelm Meister).

Luàna (9.000) F. - M. *Luàno* (150). Diffuso nel Nord e nel Centro, con più alta compattezza in Emilia-Romagna e Toscana, è il caso più esemplare dell'influsso che il cinema ha avuto sull'insorgenza e sulla diffusione dei nomi: «Luana, la vergine sacra» è il titolo italiano con cui venne presentato in Italia il film di King Vidor del 1932, di ambiente polinesiano, «*Cynara, bird of paradise*», e Luana è il nome, forse di origine polinesiana, della protagonista, interpretata da Dolores Del Rio; il successo del film, pur mediocre, falso e sentimentale, ha portato alla rilevantissima affermazione – promossa dall'eufonia e dalla suggestività esotica – del nome Luana, e anche alla derivazione del singolare maschile *Luano*.

Lubiàna (500) F. - M. *Lubiàno* (100). Accentrato per ³/₄ in Toscana e per il resto disperso nel Nord, riflette il nome della città di Lubiana (in sloveno *Ljubljana*), capitale della Slovenia, con motivazioni non chiare, ma prevalentemente ideologiche (come il Congresso di Lubiana del 1821 che diede all'Austria il diritto di intervenire nel Regno di Napoli per restaurare, contro la volontà del re

Ferdinando I, l'assolutismo).

Luca (12.000) M. ALTERATI: *Luchino* (100). NOMI DOPPI: *Luca Antònio* o *Lucàntonio* (200). - F. *Luchina* (75). Diffuso per *Luca* in tutta l'Italia con maggiore compattezza in Campania, e più frequente per *Luchino* in Puglia, riflette l'antico culto per San Luca evangelista, medico di Antiochia, e per vari altri santi così denominati. L'originario nome greco *Lukâs*, latinizzato in *Lucas* o *Luca*, è un ipocoristico di *Lukanós* o, meno probabilmente, di *Lúkios*, v. *Lucano* e *Lucio*.

Lucano (50) M. Disperso nel Nord e in Toscana, è l'esile riflesso della ripresa classica, rinascimentale e moderna, del nome latino *Lucanus* e greco *Lukanós*, etnico di *Lucania*, regione storica e attuale dell'Italia peninsulare del Sud, quindi 'abitante, oriundo della Lucania' (o forse da *lucanus* 'alle prime luci, del primo mattino', derivato da *lux lucis* 'luce', con il significato di 'nato all'alba, di primo mattino'): la ripresa è sostenuta dal prestigio del poeta latino della prima età imperiale Marco Annèo Lucano, e forse dal nome *Lucano* con cui è a volte chiamato negli antichi testi ecclesiastici l'evangelista Luca (v. *Luca*).

Luce (1.800) F. NOMI DOPPI: *Luce Maria* (100). Accentrato per ¹/₃ nel Salento e per il resto disperso (anche per immigrazione interna recente), è ricollegato a *luce* con motivazioni diverse e non sicuramente identificabili: devozione cristiana («luce eterna, perpetua», o «Maria Santissima, Madonna della Luce», come sembrano comprovare i nomi doppi *Luce Maria* e *Maria Luce*); di affettività o di augurio ('che è, che sarà come la luce; che è la nostra luce', riferito dai genitori al figlio); ideologia progressista, ossia 'la luce della scienza, del progresso' (*Luce* è il nome dato alla figlia dal capo del futurismo F. T. Marinetti). Ma in alcuni casi può essere un'alterazione o una variante di *Lucia*, con l'accentazione antiquata o dialettale *Lùcia* (come sembrano attestare il toponimo Santa Luce di Pisa, con Pieve di Santa Luce, centri di cui è patrona Santa Lucia, il veneto *Lùsia*, e infine il nome antiquato inglese *Luce* sopravvissuto come cognome).

Lucìa (380.000) F. ALTERATI: *Luciétta*

(1.000), *Lucétta* (1.000). IPOCORISTICI: *Lucy* (500), *Luci* (150). È uno dei nomi femminili di più alto rango di frequenza in Italia – l'8° –, diffuso in tutte le regioni ma con maggiore compattezza in Sicilia. L'etimo onomastico lontano è il latino *Lúcia* (femminile di *Lucius*, un antico *praenomen*, v. *Lucio*), adottato anche in greco con l'accentazione *Lukía*, che è poi quella che ha prevalso, con un processo non chiaro, in italiano (anche se il Veneto conserva *Lùsia*, v. *Luce*). Le motivazioni della grande diffusione del nome *Lucia* sono almeno due. La prima, anche in ordine di tempo, è il culto di varie sante, e in particolare di Santa Lucia, martire a Siracusa nel 303, patrona di Siracusa e di Carlentini SR dove il nome ha un'alta frequenza relativa, protettrice degli occhi e della vista: una santa di tradizione greca, di nome quindi greco, ossia *Lukía*, fatto che può spiegare, ma solo in parte, l'accentazione *Lucìa* dell'italiano (in Italia esiste qualche *Lùcia*, ma come moderna ricreazione sul maschile *Lùcio*). La seconda è di moda recente, teatrale e letteraria: la protagonista della fortunata opera lirica «Lucia di Lammermoor» di G. Donizetti del 1835, su libretto di S. Cammarano tratto dal romanzo «*Tre Bride of Lammermoor*» del 1819 dello scrittore scozzese W. Scott; la protagonista e l'eroina del romanzo «I promessi sposi» di A. Manzoni, 1827 e 1840-42 (ma già della prima stesura «Fermo e Lucia»), Lucia Mondella. L'ipocoristico *Lucy* (con l'adattamento grafico *Luci*) è propriamente inglese, ma largamente adottato in italiano con pronunzie diverse (*lùči* all'italiana, *lùsi* all'inglese).

Luciàno (258.000) M. ABBREVIATI: *Ciàno* (200). - F. *Luciàna* (161.000). ABBREVIATI: *Ciàna* (50). Ampiamente diffuso in tutta l'Italia nelle forme fondamentali, proprio del Nord e in particolare del Veneto negli abbreviati, continua il tardo soprannome latino *Lucianus* derivato da *Lucius* (v. *Lucio*), forse con il significato di 'nato al mattino, alle prime luci', grecizzato in *Lukianós*, sostenuto dal culto di numerosi santi e sante, tra cui San Luciano vescovo di Lentini SR (qui e nel Siracusano il nome ha un'alta frequenza relativa). L'abbreviato *Ciana* può essere stato in minima parte promosso dal melodramma «Madama Ciana» di A. Valle, rappresentato per la 1ª volta a Roma nel 1738.

Lucìdio (100) M. VARIANTI: *Lucèdio* (50). - F. *Lucìdia* (40). Disperso tra Nord e Centro, potrebbe risalire a un tardo nome latino *Lucidius* derivato da *Lucidus*, a sua volta formato da *lucidus* 'luminoso, splendente', v. *Lucido*, e sorretto dal culto di San Lucidio vescovo di Verona; ma la tradizione onomastica è incerta e quella agiografica leggendaria.

Lùcido (150) M. Accentrato in Campania, soprattutto nel Salernitano, riflette il culto locale di San Lucido – non compreso nel «Martirologio Romano» –, nato a Acquara AV e monaco, nell'XI secolo, in un monastero dipendente da Montecassino (la tradizione è leggendaria, e il santo è anche chiamato Lucidio, v. *Lucidio*).

Lucìfero (50) M. Disperso tra il Sud continentale e la Sardegna, è l'esile riflesso del culto di San Lucifero vescovo nel IV secolo di Cagliari (dove esiste un'antica chiesa a lui intitolata), scrittore e intransigente avversario dell'arianesimo, patrono di Vallermosa CA dove il nome ha ancora una certa frequenza (nonostante sia anche il nome del principe dei demoni, Satana). Il latino *Lúcifer Lucíferi* era la denominazione, calco del greco *Phōsphóros*, ossia 'portatore di luce', del pianeta Venere particolarmente risplendente sul fare del mattino, diventato in età imperiale un soprannome e poi un nome individuale abbastanza diffuso.

Lucìlio (150) M. - F. *Lucìlia* (50). Disperso tra Nord e Centro, è una ripresa classica, rinascimentale e moderna, dell'antico gentilizio romano *Lucilius* derivato da *Lucius*, v. *Lucio*, sostenuto dal prestigio letterario del poeta satirico latino Gaio Lucilio del II secolo a.C.

Lucìlla (7.000) F. - M. *Lucìllo* (700). Diffuso nel Nord e nel Centro, con alta compattezza per il femminile in Lombardia e per il maschile nel Veneto, riflette il culto di alcune sante di questo nome, tra cui una martire in Africa e due martiri di Roma del III secolo, e di San Lucillo vescovo di Verona (dove il nome ha un'alta frequenza relativa): il femminile si è poi affermato recentemente come nome di moda. Alla base è il sopran-

nome e poi nome personale latino d'età imperiale *Lucilla* e *Lucillus*, diminutivo di *Lucia* e *Lucius*, v. *Lucia* e *Lucio*.
Lucina (1.500) F. - M. *Lucino* (75). VARIANTI: *Lucìnio* (40). Proprio del Nord, presenta possibilità etimologiche e di motivazione diverse e complesse: può essere un diminutivo di *Lucia* o *Lucio*, o anche di *Luce*; un nome di matrice classica, ripreso dall'epiteto latino *Lucina* di Giunone come dea che assiste e protegge le partorienti (interpretato come un derivato di *lux lucis* 'luce', in quanto aiuta a dare, a venire alla luce, anche se più probabilmente è connesso con *lucus* 'bosco sacro'); può infine riflettere il culto di una Santa Lucina martire a Roma nel I secolo, di tradizione leggendaria.
Lucinda (600) F. - M. *Lucindo* (200). Accentrato per ²/₃ nel Veneto e per il resto disperso nel Nord, potrebbe essere, in assenza di una tradizione onomastica, un derivato in *-inda* e *-indo*, sul modello comune nel Veneto di *Florinda* e *Florindo*, *Gelinda* e *Gelindo*, ecc., di *Lucia* e *Lucio*.
Lùcio (36.000) M. - F. *Lùcia* (non quantificabile). Ampiamente diffuso in tutta l'Italia, continua l'antico *praenomen* latino, usato più tardi anche come gentilizio, *Lucius*, di etimo incerto (ma riconnesso tradizionalmente con *lux lucis* 'luce', con il significato di 'nato nelle prime ore di luce, il mattino o durante il giorno'), sostenuto dal culto di numerosissimi santi di questo nome. Il femminile *Lùcia* non è quantificabile in quanto la base di rilevamento è scritta e non consente di distinguere *Lùcia* da *Lucìa* (v. *Lucia*): è comunque raro, e rappresenta la trasposizione al femminile, relativamente recente, di *Lucio*.
Lucrèzia (16.000) F. - M. *Lucrèzio* (150). Diffuso in tutta l'Italia, con più alta compattezza nel Sud e in particolare in Puglia, risale, con tre motivazioni diverse, all'antico gentilizio romano *Lucretius* e *Lucretia*, di origine etrusca e di significato incerto. In parte, solo nel femminile, riflette il culto, diffuso dagli Spagnoli nel Sud d'Italia, di Santa Lucrezia martire a Mérida in Spagna durante le persecuzioni di Diocleziano. In parte maggiore è la ripresa classica, rinascimentale, di matrice storica e letteraria, del nome del grande poeta e filosofo del I secolo a.C. Tito Lucrezio Caro, e della moglie Lucrezia di Lucio Tarquinio Collatino che nel 509 a.C., violentata da Sesto figlio del re etrusco Tarquinio il Superbo, si uccise, fatto che determinò la cacciata dei re etruschi da Roma e l'istituzione della repubblica (v. *Bruto* e *Collatino*). Infine, nell'Ottocento, il femminile è stato ridiffuso dalle varie opere ispirate alla complessa e drammatica figura di Lucrezia Borgia, duchessa di Ferrara, e in particolare dal melodramma «Lucrezia Borgia» di G. Donizetti del 1834, su libretto di F. Romani tratto dall'omonimo dramma di V. Hugo del 1833.
Ludmilla (1.300) F. VARIANTI: *Ludmila* (300). Accentrato per la metà nel Friuli-Venezia Giulia e per il resto disperso, è un nome slavo (*Ludmila* in sloveno e croato, *Ludmila* o *Lidmila* in ceco, ecc.), proprio quindi della minoranza di lingua slovena delle province di Trieste e Gorizia ma adottato anche nell'uso italiano, come nome di moda, soprattutto nella forma *Ludmilla* sostenuto dal culto di Santa Ludmila o Ludmilla duchessa di Moravia, assassinata nel 921 e considerata martire, le cui reliquie sono conservate nel Castello di Praga. Il nome, composto con **ljod-* 'popolo' e **mil-* 'amato, caro', ha il significato originario di 'amata dal popolo'.
Lugano (140) F (anche M). Accentrato per la metà in Toscana e per il resto disperso, è un nome ideologico, patriottico, anarchico e libertario, insorto dall'Ottocento con riferimento alla città svizzera del Canton Ticino Lugano, asilo già di patrioti profughi dall'Italia (tra cui C. Cattaneo), e quindi di anarchici e altri perseguitati politici, ricordata anche nella popolare canzone anarchica «Addio, Lugano bella».
Luìgi (875.000) M. ALTERATI: *Luigino* (14.000). IPOCORISTICI: *Gigi* (1.500), *Gigio* (25), *Gigétto* (450), *Gigino* (550). NOMI DOPPI: *Luìgi Antònio* (750), — *Màrio* (700), — *Filippo* (200). - F. *Luigia* (193.000). ALTERATI: *Luigina* (73.000). IPOCORISTICI: *Gìgia* (100), *Gigétta* (400), *Gigina* (900). NOMI DOPPI: *Luìgia Maria* (700). È uno dei nomi di più alta frequenza assoluta, il 5° per rango nel maschile *Luigi*, ampiamente diffuso in tutta

l'Italia, il 26° per il femminile *Luigia*, accentrato per ²/₅ in Lombardia e frequente in tutto il Nord, più raro nel Centro e nel Sud: *Luigino* è più frequente nel Centro-Nord, *Luigina* nel Nord e soprattutto in Lombardia. La base onomastica lontana è il nome di origine germanica e di tradizione francone *Hlodowig* dal quale sono derivati, con diversi processi, anche i tipi *Aloisio*, *Clodoveo*, *Lodovico* e *Luise* (v. in particolare *Clodoveo* dove è delineata la diversa evoluzione delle varie forme): *Luigi* non è ripreso direttamente dal nome francone, ma dal francese antico *Looïs* e poi *Louis*, svoltosi da *Clovis* attraverso la latinizzazione medievale *Clodovicus* di *Hlodowig*, così come *Luigia* è il parallelo adattamento italiano del femminile *Looïse* e poi *Louise*, sul modello del maschile *Luigi* (v. *Luisa*). La grande diffusione di *Luigi* è stata promossa dal culto di vari santi, e in particolare di San Luigi IX re di Francia, morto presso Tunisi nel 1270 durante la 2ª crociata, e di San Luigi Gonzaga, gesuita, morto a 23 anni di peste, mentre soccorreva gli ammalati, nel 1591. Il nome doppio *Luigi Filippo* è in realtà un nome ideologico unitario, ripreso in ambiente liberale da Luigi Filippo (in francese *Louis-Philippe*) d'Orléans, re di Francia dal 1830 al 1848, che svolse una politica moderata e liberaleggiante anche se ambigua.

Luìsa (207.000) F. VARIANTI: *Loìsia* (100). ALTERATI: *Luisèlla* (8.500), *Luisétta* (500), *Luisina* (400), *Luisita* (400). NOMI DOPPI: *Luisa Anna* o *Luisanna* (1.000), — *Marìa* (900). - M. *Luìse* (1.000: anche F). VARIANTI: *Luìsi* (20), *Luìso* (20), *Luìsio* (20). ALTERATI: *Luisétto* (25), *Luisito* (150). *Luisa* è uno dei nomi femminili di più alto rango di frequenza, il 21°, diffuso in tutta l'Italia, mentre gli alterati sono più comuni nel Nord (e *Luisita* con *Luisitò*, in particolare, in Liguria); *Luise*, proprio del Nord, è in gran parte femminile, come forma tedesca corrispondente all'italiano *Luisa* o *Luigia*, e come femminile è specifico infatti della provincia autonoma di Bolzano di lingua maggioritaria tedesca.
Luisa è un prestito relativamente recente dal francese *Louise*, per il cui processo di derivazione dal nome germanico, francone, *Hlodowig*, v. *Luigi* e soprat-

tutto *Lodovico*: la sua grande diffusione, che supera quella della variante *Luigia*, è dovuta, oltre che a una moda recente fondata sulla sua brevità e armonia, al culto di Santa Luisa de Marillac di Parigi, che istituì nel 1629, insieme a San Vincenzo de' Paoli, la congregazione delle «Figlie della carità», e alla protagonista dell'opera lirica di G. Verdi «Luisa Miller», su libretto di S. Cammarano ispirato al dramma «Amore e raggiro» di F. Schiller, rappresentato per la 1ª volta al San Carlo di Napoli nel 1849.

Luna (100) F. ALTERATI: *Lunèlla* (250), *Lunétta* (100). Disperso tra Nord e Centro, sembra, in mancanza di una tradizione sicura, un nome affettivo e augurale formata da *luna* (v. il più comune *Stella*), dato a una figlia con l'augurio che sia luminosa e bella come la luna.

Lupo (100) M. Proprio del Beneventano, è l'esile riflesso del culto locale per San Lupo vescovo di Benevento (di leggendaria tradizione, forse identificabile con San Lupo vescovo di Troyes nel V secolo), patrono appunto di San Lupo BN. Alla base è il soprannome latino *Lupus*, da *lupus* 'lupo' (i soprannomi formati da nomi di animali sono frequenti, v. *Leone*, *Orso*), diventato in età imperiale nome unico, rafforzato nel Medio Evo dal tipo *Wolf* germanico di identico significato ma poi decaduto, pur recatando comune come cognome (*Lupi* e *Lupo*).

Lusitània (200) F. Disperso nel Nord e nel Centro, è un nome ideologico, insorto durante la 2ª guerra mondiale per la profonda eco, commozione e reazione, destata dall'affondamento (7 maggio 1915) da parte di un sommergibile tedesco, al largo dell'Irlanda, del transatlantico inglese «*Lusitania*» di ritorno dagli Stati Uniti d'America, che provocò la morte di 1.400 membri dell'equipaggio e passeggeri (di cui 124 statunitensi), e influì sull'atteggiamento interventistico a favore dell'Intesa degli Stati Uniti. Il nome del transatlantico era tratto dal latino *Lusitania*, nome della Penisola Iberica occidentale (Portogallo e provincia di Salamanca).

Lussòrio (300) M. - F. *Lussòria* (150). Peculiare della Sardegna, riflette il culto locale di San Lussorio, un soldato martire (secondo una tradizione leggendaria) con Camerino e Cisello a Fordongianus (la romana *Forum Traiani*) durante le persecuzioni di Diocleziano, patrono di Bòrore NU e Olìena NU, di Fordongianus OR e, in particolare, di Santu Lussurgiu OR, che riflette la continuazione popolare sarda, *Lussurgiu*, del nome latino *Luxorius*, continuato invece per tradizione ecclesiastica semidotta e italiana come *Lussorio*. Il tardo e raro soprannome e poi nome individuale latino *Luxorius* o *Luxurius* sembra ricollegarsi – ma senza un fondamento sicuro, data l'incertezza e l'epoca molto tarda della documentazione: il primo personaggio sicuramente storico è il poeta latino *Luxorius* del VI secolo, oltre tutto di Cartagine in Africa – con *luxus* e *luxuria* 'rigogliosità; esuberanza; eccesso e sfrenatezza nel vivere', con un significato (poco convincente) che potrebbe essere 'rigoglioso, esuberante' o 'sfrenato'.

Lutèro (25) M. Rarissimo e disperso, è un recente nome di matrice ideologica ripreso, in ambienti anticlericali e di liberi pensatori, dal cognome del teorico e promotore della Riforma (da lui detta «luterana» o più genericamente «protestante») Martino Lutero (in tedesco *Martin Luther*), morto nel 1545. Per la formazione del cognome, dal nome tedesco *Lothar*, v. *Lotario*.

Lutgarda (150) F. Raro e disperso, ma più frequente nel Sud e in Puglia, sembra un riflesso del culto, pur rarissimo in Italia, di Santa Lutgarda, patrona dei Fiamminghi, e della beata Lutgarda fondatrice della comunità religiosa di Wittichen in Germania, del XIII e XIV secolo: è un nome di origine germanica (in tedesco e neerlandese *Luitgard* o *Lutgarde*), composto con *leudi*- 'popolo' e *garda*- 'difesa', quindi 'difesa del popolo'.

M

Macallè (25) F (anche M). Disperso tra il Nord e il Centro, è un nome ideologico, patriottico, insorto nella 1ª guerra italo-etiopica per la profonda eco suscitata dalla lunga e coraggiosa resistenza, dal dicembre 1895 al gennaio 1896, della guarnigione italiana del forte di Macallè (capoluogo dell'Endertà, in tigrino *Mäqälä'*), comandata dal maggiore G. Galliano, contro preponderanti forze abissine.

Macàrio (300) M. - F. *Macària* (25). Sparso in tutta l'Italia, riflette il culto di vari santi e sante di questo nome greco, *Makários* e *Makaría*, adottato in latino come *Macarius* e *Macária*, formato da *makários* 'beato, felice' con valore augurale, ma affermatosi soprattutto in età cristiana con il nuovo valore di beatitudine, felicità eterna, celeste.

Macedònio (150) M. - F. *Macedònia* (40). Disperso nel Nord e in Toscana, continua o riprende il tardo nome greco *Makedónios* e *Makedonía*, etnico di *Makedonía*, ossia 'cittadino, originario della Macedonia' (regione storica e moderna dei Balcani), attraverso l'adattamento latino *Macedónius* e *Macedónia*. Le motivazioni della continuazione o ripresa non sono chiare: esistono alcuni santi orientali di questo nome, ma il loro culto è ignoto o rarissimo in Italia; non esistono grandi personaggi che abbiano potuto, col loro prestigio, causare la ripresa del nome.

Macèo (150) M. Distribuito dal Centro all'Abruzzo, con maggiore frequenza in Toscana e Umbria, è un nome ideologico, libertario e progressista, ripreso nell'ultimo Ottocento dal cognome dei fratelli Antonio e José Rafael Maceo, patrioti e rivoluzionari cubani caduti nel 1896 combattendo contro gli Spagnoli per la liberazione di Cuba. In casi isolati, specialmente in Abruzzo, potrebbe anche essere un'alterazione di *Masseo* o *Mazzeo*, variante di matrice bizantina di *Matteo* (v. *Mattèo*).

Macrina (200) F. Proprio della Campania, riflette il culto di tradizione greca e bizantina per Santa Macrina madre e Santa Macrina sorella di San Basilio Magno di Cesarea del IV secolo (v. *Basilio*), nome evidentemente di tradizione greca, *Makrínē*, derivato da *makrós* 'lungo, alto', un originario soprannome (il cui corrispondente latino è *Macer*) riferito alla corporatura.

Maddalèna (121.000) F. VARIANTI: *Magdalèna* (600). ABBREVIATI E IPOCORISTICI: *Màgdala* (100), *Magda* (10.000), *Madda* (100), *Màida* (500); *Mady* (150), *Madina* (100). - M. *Maddalèno* (5). ABBREVIATI E IPOCORISTICI: *Màgdalo* (50), *Màido* (25). Ampiamente diffuso in tutta l'Italia per *Maddalena* e *Magda*, proprio del Nord e della Toscana per la variante e gli altri abbreviati e ipocoristici (per cui v. anche *Lena*), riflette il culto, affermato dal Duecento dopo il preteso ritrovamento delle reliquie, di Santa Maria Maddalena (identificata da alcuni agiografi con Maria Maddalena, la peccatrice pentita del Vangelo di Luca), che, liberata da Gesù dal demonio da cui era invasata, lo seguì fedelmente e fu presente, con Maria Vergine, ai piedi della croce, presso il sepolcro e alla resurrezione. Il nome greco, nei Vangeli, è *María he Magdalēnē'*, latinizzato in *Maria Magdaléna*, in cui *Magdalēnē'* è l'etnico di Màgdala (in greco *Magdôlon*, in ebraico *Migdal*, propriamente 'torre'), un villaggio presso le rive del lago di Tiberiade nella Galilea, quindi 'di Màgdala; nativa, oriunda di Màgdala'. Il nome, oltre che dal fondaméntale culto di questa santa, è stato poi sostenuto anche dal culto di varie altre sante così denominate. La variante *Magdalena*, con *Magda*, è d'impronta dotta, greco-latina, e più esotica (tedesco *Magdalena* o *Magdalene* e *Magda*, inglese *Magdalen* o *Magdelen*, ecc.); *Maida* è prevalentemente friulano e sloveno; alcuni ipocoristici possono anche riflettere nomi femminili diversi.

Madèra (300) F. - M. *Madèro* (25). Distribuito nel Centro-Nord con maggiore frequenza in Toscana, non consente, per mancanza di tradizione e di documentazione, che due ipotesi: può essere ripreso, soprattutto nel femminile, dal nome delle isole di Madera dell'Atlantico occidentale, con una motivazione non chiara, oppure, soprattutto nel maschile, dal cognome del rivoluzionario e poi presidente del Messico F. I. Madero, assassinato nel 1913, un nome dunque ideologico, libertario e progressista, insorto con l'eco della rivoluzione messicana.

Màdia (1.000) F. - M. *Màdio* (20). Proprio della Puglia, e qui accentrato nel Barese e Brindisino, riflette il culto locale per Maria Santissima della Madia, patrona di Monopoli BA, dove il nome ha un'alta frequenza relativa.

Mafalda (38.000) F. - M. *Mafaldo* (400). Diffuso in tutta l'Italia (il maschile soprattutto in Emilia-Romagna), è un nome fondamentalmente ideologico, recente, ripreso da Mafalda di Savoia, figlia di Vittorio Emanuele III, morta nel campo di concentramento tedesco di Buchenwald nel 1944 (v., per altri nomi di consenso alla monarchia e alla casa sabauda, *Aimone*, *Amedeo*, *Filiberto*, *Umberto* e *Iolanda*, *Maria Iosè*, ecc.). Il nome, tradizionale nella casa Savoia, ha un singolare e complesso processo di formazione. Nel 1146 il re del Portogallo Alfonso I sposa Matilde di Savoia, figlia di Amedeo III e di Matilde d'Albon: ma il nome Matilde è l'adattamento italiano dell'originario nome germanico (v. *Matilde*), mentre il nome reale della contessa di Savoia e regina del Portogallo era allora in forma savoiarda, ossia franco-provenzale, *Mahalt*, con *h* spirante velare. In Portogallo, poiché questa spirante non esisteva nella fonetica portoghese, la *h* fu adattata in *f* e *Mahalt* divenne quindi *Mafald* e *Mafalda*, diffusosi in Europa e anche in Italia sia perché la regina stessa venne riconosciuta come beata, sia per il prestigio di altre principesse portoghesi dello stesso nome.

Magènta (200) F. Proprio della Toscana e del Nord, è un nome ideologico, risorgimentale, ripreso dal piccolo centro di Magenta MI presso il quale, nella 2ᵃ guerra d'indipendenza, il 4 giugno 1859 Napoleone III sconfisse le forze austriache del generale F. Gyulay, vittoria che aprì ai Franco-Piemontesi la strada per Milano.

Màggie (50) F. Ipocoristico inglese di *Margaret*, v. *Margherita*, adottato anche in Italia come nome di moda esotica: la pronunzia inglese è *mä'ği*, quella corrente in Italia, dove Maggie può anche essere l'ipocoristico di altri nomi, è *màğği*.

Màggio (150) M. DERIVATI: *Maggino* (150), *Maggiolino* (50). - F. *Maggina* (100), *Maggiolina* (300). Distribuito nel Nord e nel Centro, con maggiore compattezza per *Maggio* in Emilia-Romagna e per *Maggino* o *Maggina* in Toscana, è probabilmcnte un nome dato da *maggio* come mese di nascita (v. anche *Aprile*, *Giugno*, *Settembre*, *Ottobrino*).

Maggiorino (3.000) M. ABBREVIATI: *Maggióre* (150). - F. *Maggiorina* (3.200). Proprio del Piemonte, riflette il culto locale di San Maggiorino 1° vescovo di Acqui AL, forse del III secolo: alla base è uno dei numerosi e per lo più molto tardi soprannomi latini derivato da *Maior* 'maggiore, più anziano (tra due)', come, oltre questo, *Maiorinus*, *Maioranus* e *Maiorianus* (che è il 3° nome di uno degli ultimi imperatori romani d'Occidente, Giulio Valerio Maggioriano, assassinato nel 461 a Tortona).

Magno (500) M. Accentato per quasi la metà nel Lazio e per il resto disperso, riflette il culto di vari santi e in particolare (oltre dei santi cui Magno è giustapposto come epiteto, San Gregorio Magno, San Leone Magno, ecc.) di San Magno vescovo di Anagni e martire sotto l'imperatore Decio, patrono di Anagni e di Colle San Magno FR, di Cittaducale RI. Alla base è il latino *Magnus*, da *magnus* 'grande' (in senso fisico, morale, sociale e politico, ecc.), usato soprattutto in età imperiale come *signum* o ulteriore soprannome distintivo, e poi come semplice nome individuale.

Màia (200) F. VARIANTI: *Màja* (400), *Màya* (300). - M. *Màio* (30). Distribuito in tutta l'Italia con maggiore frequenza nel Nord e in Toscana, è una ripresa rinascimentale e moderna, mitologico-letteraria, della bellissima Plèiade, figlia di Atlante, che da Zeus generò Ermes (v. *Ermes*), in greco *Mâia* da *mâia*, 'nutrice, levatrice; madre', identificata poi in Roma con la dea italica Maia, compagna di Vulcano. Alla diffusione può avere in minima parte contribuito il titolo del 1° libro delle «Laudi» di G. D'Annunzio, «*Maia: laus vitae*», del 1903.

Mainardo (100) M. VARIANTI: *Maghinardo* (25), *Mainaldo* (20). Disperso in Emilia-Romagna e in Toscana, è un nome di origine germanica e di tradizione longobardica, è più francone e tedesca, composto di **magan-* o **magin-* 'forza, potenza' e **hardhu-* 'duro, coraggioso, valoroso', quindi 'valoroso e forte' o 'duro, temibile per la sua forza': il nome, che già dal VII secolo appare in area germanica come *Maganhart* o *Maginhart* e poi *Mainard* (in tedesco *Meinhard*), è documentato in Italia a partire dal 929 nelle forme latinizzate *Mainardus* e, ancora nel Duecento, *Maghinardus* (una forma che sopravvive, forse promossa da un modello tedesco antico, nel raro *Maghinardo*). La variante *Mainaldo* può anche riflettere un analogo composto con il 2° elemento **walda-* 'potente; capo'.

Màino (100) M. Accentrato per 2/3 nel Modenese e per il resto disperso nel Nord, è un ipocoristico germanico, di tradizione longobardica e poi francone, di nomi composti con **magan-* o **magin-* 'forza, potenza', come *Mainar-*do e *Manfredo*.

Malachìa (500) M. Attestato in tutta l'Italia con più alta compattezza in Lombardia, è un nome prevalentemente israelitico (o protestante, e in alcuni casi anche cattolico in quanto la Chiesa riconosce come santo il profeta ebraico e esiste inoltre San Malachia primate d'Irlanda nel XII secolo), ripreso dal titolo di un libro dell'Antico Testamento che è forse anche il nome dell'autore, *Mal-'ākī* in ebraico, adattato in greco e in latino come *Malachías* (o, in latino, *Malachía*), propriamente 'il mio messo', da *mal'āk* 'messo, messaggero'.

Malvina (6.500) F. - M. *Malvino* (200). Diffuso nel Nord e nel Centro, è un nome insorto, dall'ultimo Settecento, con la grande diffusione, attraverso la traduzione o il rifacimento in italiano di M. Cesarotti del 1763, dei poemi «ossianici» pubblicati tra il 1760 e il 1765 (tra cui «*Fingal*» del 1761, il più noto) dallo scrittore scozzese James Macpherson come traduzioni di testi in gaelico del III secolo di Ossian, figlio del bardo Fingal, da lui ritrovati (ma in realtà sue composizioni), in cui appare appunto, per una protagonista, il nome di *Malvina* (in inglese, nelle traduzioni francesi *Malvine*), nome inventato dal Macpherson con elementi gaelici (*maol* 'fronte' e *mhin* 'liscia'?). La notevole affermazione del nome in Italia è dovuta alla grande fortuna che nel primo periodo romantico ebbe la poesia ossianica, e poi alla suggestiva eufonia che ne ha fatto un nome di moda.

Mamante (100) M. Disperso nel Nord, riflette il culto di San Mama o Mamante martire a Cesarea sotto Aureliano, in greco (e in latino) *Mámas* o *Máma*, nome di etimo oscuro, forse asianico (come incerta, del resto, è la tradizione agiografica di questo santo pur popolare in Oriente).

Mambrino (50) M. - F. *Mambrina* (25). Accentrato per 1/3 in Toscana e disperso nel Nord, è un nome di matrice cavalleresca, ripreso da un personaggio di vari poemi e cantari, il campione saraceno Mambrino di cui, nel tardo e popolare poema in ottave «Il Mambriano» di Francesco Cieco da Ferrara del Quattrocento, il nipote Mambriano cerca di uccidere l'uccisore, il cristiano Rinaldo.

Mamèli (150) M. Accentrato per quasi la metà in Toscana e per il resto disperso tra il Centro e il Nord, è un nome ideologico, risorgimentale, ripreso dal patriota genovese (ma di origine sarda) Goffredo Mameli, autore dell'inno «Fratelli d'Italia» musicato da M. Novaro (dal 1946 inno nazionale della Repubblica Italiana), volontario nella 1ª guerra d'indipendenza, morto nel 1849 in séguito alle ferite riportate al Gianicolo, come aiutante di Garibaldi nella difesa della Repubblica Romana.

Màmmola (100) F. - M. *Màmmolo* (15). Disperso nel Nord e nel Centro, è un nome affettivo recente, formato da *mammola*, la viola mammola, simbolo di modestia e semplicità e insieme di bontà e bellezza, con l'influsso, soprattutto nel maschile, del nome Mammolo di uno dei sette nani del diffusissimo film di cartoni animati «Biancaneve e i sette nani» del 1937 di W. Disney, ripreso da una novella di J. e W. Grimm.

Manasse (25) M. Nome israelitico disperso tra Nord e Centro, ripreso dall'ebraico *Menashesheh* (in greco *Manassês* e in latino *Manasses*), che nell'Antico Testamento è il nome del figlio di Giuseppe, capostipite della tribù dei «Manassiti», e del re di Giudea del VII secolo a.c., figlio e successore di Ezechia.

Manétto (50) M. VARIANTI: *Mainétto* (25). Proprio della Toscana, è un nome di matrice letteraria e cavalleresca, molto diffuso nel tardo Medio Evo e ancora frequente in Toscana nel cognome Manetti. Alla base è il nome francese antico *Mainet* che, nell'epica carolingica, assume il giovane Carlo Magno in esilio per non farsi riconoscere e lottare contro gli usurpatori del trono: *Mainet* (diminutivo di *Magno*), viene adottato in toscano prima come *Mainetto* e poi come *Manetto* più conforme alle tendenze fonetiche toscane. Il tema avventuroso e il nome è stato diffuso soprattutto dalla «*chanson de geste*» del XII secolo «*Mainet*», molto nota anche in Italia.

Manfrédo (3.200) M. VARIANTI: *Manfrédi* (1.400). - F. *Manfréda* (75). ALTERATI: *Manfredina* (75). Diffuso in tutta l'Italia, con maggiore frequenza per *Manfredi* in Campania, è un nome di origine germanica e di tradizione già longobardica e poi francone documentato dall'VIII secolo nelle forme in latino medievale *Magnifredus* e dal IX *Maginfredus*, *Mainfredus* e infine *Manfredus*: la forma e l'area stessa delle più antiche documentazioni attestano che è un composto con **magin-* 'forza, potenza' (e non con **mann(o)-* 'uomo') e **fridhu-* 'amicizia; pace', quindi 'che assicura la pace con la forza' o 'potente e amante della pace'. All'affermazione del nome hanno contribuito il prestigio di Manfredi re di Sicilia e figlio dell'imperatore Federico II, morto nel 1266 nella battaglia di Benevento contro gli Angioini (aumentato dalla commossa e celebre rievocazione che ne fa Dante nel «Purgatorio»), e in minima parte anche il protagonista del dramma in versi «Manfredi» di G. G. Byron del 1877.

Manila (500) F. VARIANTI: *Manilla* (300). - M. *Manilo* (100). VARIANTI: *Manillo* (50). Accentrato in Emilia-Romagna e in Toscana, è un nome ideologico, democratico e libertario, insorto negli ultimi anni dell'Ottocento con l'eco della rivoluzione del 1896 di Manila (antiquato *Manilla*, in spagnolo *Manila*, città dell'isola di Luzon capitale delle Filippine) capeggiata da J. Rizal, e quindi, nel quadro della guerra ispano-americana, della lotta di liberazione delle Filippine dalla dominazione spagnola condotta dal rivoluzionario, e poi presidente della Repubblica Filippina, E. Aguinaldo (v. *Aguinaldo*).

Manìlio (150) M. - F. *Manìlia* (300). Distribuito tra Nord e Centro, e accentrato per *Manilia* in Lombardia, è un nome d'impronta classica ripreso dal Rinascimento dall'antico gentilizio latino *Manilius* (derivato in *-ilius* da *Manius*, v. *Manio*), proprio di due grandi personaggi romani come Manio Manilio console durante la 3ª guerra punica, il tribuno Gaio Manilio del I secolo a.C. e il poeta Marco Manilio dell'età di Augusto.

Manìn (50) M. - F. *Manina* (40). Disperso tra Nord e Centro, è un nome ideologico, patriottico e risorgimentale, ripreso dal cognome del patriota e uomo politico Daniele Manìn, promotore dell'insurrezione di Venezia del 1848 contro gli Austriaci e presidente della libera Repubblica veneziana, animatore dell'eroica resistenza della città e, dopo la capitolazione nel 1849, esule a Parigi dove morì nel 1857.

Mànio (50) M. - F. *Mània* (75). Disperso tra Nord e Centro, è una ripresa classica, rinascimentale e moderna, dell'antico prenome romano *Manius*, derivato da *Manes* (dall'aggettivo arcaico *manus* 'buono, propizio'), nome degli spiriti degli antenati familiari, venerati come divinità dell'oltretomba e invocati con culti propiziatori a tutela della famiglia (v. *Manilio* e *Manlio*).

Mànlio (14.000) M. - F. *Mànlia* (150). Ampiamente diffuso in tutta l'Italia, ma più raro nel Sud e limitato nel femminile al Nord, è una ripresa classica, rinascimentale e moderna, del gentilizio latino *Manlius* noto per vari personaggi storici, come il console Marco Manlio Capitolino che nel 390 a.C. avrebbe respinto l'assalto notturno dei Galli al Campidoglio dove si erano asserragliati i Romani assediati, e il console e dittatore Tito Manlio Imperioso Torquato vincitore nel IV secolo a.C. dei Galli e dei Latini (v. *Torquato*). Il latino *Manlius* è un'antica variante di *Manilius* (v. *Manilio*), formatasi per la sincope della -*i*- postonica (quando ancora *Mánilius* aveva l'accento sulla sillaba iniziale) oppure per influsso e su modello etrusco.

Manno (30) M. ALTERATI: *Mannino* (50), *Mannùccio* (25). - F. *Manna* (25). Raro e disperso nell'Italia continentale, è l'ipocoristico, già medievale, di *Alemanno* o *Alamanno*, *Ermanno*, sostenuto forse in parte in Umbria dal culto del beato Manno di Perugia del Duecento.

Manon (500) F. Accentrato per la metà in Toscana e per il resto disperso, è in minima parte un nome di residenti straniere di lingua francese (in francese *Manon*, pronunzia *manõ'*, è un ipocoristico di *Marie*, 'Maria'), ma fondamentalmente un recente nome di moda italiano (pronunziato *manòn*), di matrice letteraria, teatrale e cinematografica, ripreso dalla protagonista del racconto di A. F. Prévost «*Histoire du chevalier Desgrieux et de Manon Lescaut*» del 1731, delle opere liriche a esso ispirate «*Manon*» di J.-E.-F. Massenet del 1884 e soprattutto «Manon Lescaut» di G. Puccini rappresentata per la 1ª volta a Torino nel 1893, e dei rifacimenti cinematografici «Manon Lescaut» del 1939 di C. Gallone e «*Manon*» del 1949 di H.-G. Clouzot.

Manrico (1.500) M. VARIANTI: *Marrico* (50), *Marrigo* (25). - F. *Manrica* (200). Accentrato per la metà in Toscana e per il resto disperso nel Nord e nel Centro, è un nome di matrice teatrale ripreso dal protagonista della popolare opera lirica «Il trovatore» di G. Verdi (su libretto di S. Cammarano tratto dal dramma «*El trovador*» del 1836 dello scrittore spagnolo A. García Gutiérrez), rappresentata per la 1ª volta a Roma nel 1853. Il nome spagnolo *Manrique*, di origine germanica, è attestato già nel tardo Medio Evo, ma nel libretto di S. Cammarano è forse un'arbitraria fusione di *Mario* con *Enrico*.

Mansuèto (2.200) M. - F. *Mansuèta* (250). Accentrato per ⅓ in Lombardia e per il resto distribuito nel Nord e in Toscana (e sporadicamente nel Centro), risale al tardo nome personale latino *Mansuetus* (da *mansuetus* 'di carattere mite, docile'), sostenuto dal culto di vari santi e in particolare in Lombardia, dove il nome ha la più alta compattezza, di San Mansueto vescovo di Milano, forse nel VII secolo, le cui reliquie sono conservate e venerate nell'antica chiesa di Santo Stefano.

Mara (30.000) F. ALTERATI: *Marèlla* (300), *Marétta* (200). - M. *Maro* (120). ALTERATI: *Marèllo* (25), *Marétto* (50). Accentrato per ⅓ in Toscana e per il resto distribuito nel Nord e nel Centro, è in minima parte un nome israelitico ripreso dal personaggio biblico Noemi, moglie di Elimelech e suocera di Ruth, che dopo la morte nel paese di Noab del marito e dei due figli (v. *Noemi*) volle assumere il nuovo nome di Mara: essa stessa, nel «Libro di Ruth», motiva la sostituzione del nome e ne dà l'interpretazione, dicendo "non chiamatemi Noemi ma Mara", in quanto Noemi, che significa 'gioia', non le si addice più, e le si addice invece l'ebraico *Marah*, da *marah* 'amaro' e, in senso figurato, 'amareggiato, infelice'. La grande affermazione del nome è dovuta a un fatto di moda, per la brevità e l'armoniosità fonica del nome, e anche, più recentemente, alla diffusa raccolta di poesie «Il libro di Mara» di A. Negri del 1919. In alcuni casi il maschile

Maro con gli alterati può anche essere una forma abbreviata di *Ademaro* o *Aldemaro*.

Marat (50) M. Proprio della Toscana, è un nome di matrice ideologica, libertaria e rivoluzionaria, ripreso dal cognome del medico di origine svizzera, sostenitore, durante la Rivoluzione francese, della linea giacobina più intransigente, Jean-Paul Marat, assassinato a Parigi nel 1793 da Carlotta Corday, rievocato da varie opere letterarie e teatrali. Il cognome Marat è l'adattamento francese [pronunzia: *marà*] del cognome sardo del padre Giovanni Mara o Marra, originario di Cagliari.

Marcèllo (94.000) M. ALTERATI: *Marcellino* (2.200). DERIVATI: *Marcelliàno* (50). ABBREVIATI: *Cellino* (50), *Celino* (100). - F. *Marcèlla* (80.000). ALTERATI: *Marcellina* (7.500). ABBREVIATI: *Cellina* (200), *Celina* (1.300), *Celìnia* (100). Ampiamente diffuso in tutta l'Italia (*Marcello* è tuttavia accentrato per quasi la metà in Toscana e nel Lazio, gli abbreviati sono quasi esclusivi del Nord), presenta nelle varie forme processi di derivazione e di diffusione diversi. Il tipo *Marcello* e *Marcella* risalgono al soprannome o 3° nome latino *Marcellus* e *Marcella*, un antico gentilizio derivato, come originario diminutivo, dal prenome *Marcus* (v. *Marco*): è sostenuto, come nome classico ripreso dal Rinascimento, da vari grandi personaggi della storia romana, e come nome cristiano da vari santi e sante, tra cui San Marcello I papa e martire a Roma sotto Massenzio. *Marcellino* e *Marcellina* sono in parte diminutivi italiani di *Marcello* e *Marcella*, ma in parte continuano o riprendono i nomi latini di età imperiale *Marcellinus* e *Marcellina*, diminutivi anch'essi di *Marcellus* e *Marcella*, sostenuti dal culto di vari santi e sante. *Marcelliano* continua il soprannome e poi nome individuale latino di età imperiale *Marcellianus*, derivato da *Marcellus*, sostenuto dal culto di San Marcelliano martire presso Roma, sulla via Ardeatina, sotto Diocleziano. Gli abbreviati presentano una situazione più complessa: *Cellino* e *Cellina* sono forme affettive realmente abbreviate, italiane, di *Marcellino* e *Marcellina*; *Celina*, con almeno in parte il raro maschile *Celino*, rappresenta fondamentalmente un adattamento recente del francese *Céline* o *Celine*, ipocoristico abbreviato di *Marceline* variante di *Marcelline*, forse sostenuto anche dalla notorietà dello scrittore antisemita e filonazista francese Louis-Ferdinand Céline (pseudonimo di Louis-Fuch Destouches); ma *Celina* e soprattutto *Celinia* possono anche riflettere il culto, pur raro, di Santa Celinia e Celina (nome di probabile origine celtica), del V secolo, madre di San Remigio vescovo di Reims.

Marchìsio (20) M. Proprio del Piemonte, è un recente nome insorto dalla devozione per il servo di Dio (in corso di beatificazione) Clemente Marchisio da Racconigi TO, prevosto di Rivalba Torinese dove morì nel 1903, fondatore nel 1877 dell'Istituto delle Figlie di San Giuseppe o «Suore dell'Ostia» (in quanto dedite alla preparazione delle ostie, del vino e dei paramenti per la Messa): il cognome Marchisio è una variante regionale del diffusissimo Marchese o Marchesi.

Marciàno (200) M. Accentrato per ¹/₃ in Campania e per il resto disperso, riflette il culto di vari santi e in particolare di San Marciano vescovo (nel V secolo?) di Frigento AV (di cui è patrono e dove il nome ha un'alta frequenza relativa), che forse si identifica con San Marciano vescovo di Siracusa e martire (sotto Valeriano?). La tradizione agiografica è incerta mentre quella onomastica è chiara: alla base è il gentilizio e poi nome individuale latino *Marcianus* derivato di *Marcius* e questo da *Marcus*, v. *Marco*.

Marcìlio (10) M. DERIVATI: *Marciliàno* (25). Proprio della Lombardia e soprattutto di Varese e della provincia, continua o riprende, con una tradizione e motivazione non chiara (non esiste alcun santo, con culto ufficiale, di questi nomi), il tardo gentilizio e poi nome individuale latino *Marcilius* con il derivato *Marcilianus*, che a sua volta deriva da *Marcius* e *Marcus*, v. *Marco*.

Marco (88.000) M. ALTERATI: *Marchétto* (35), *Marchino* (20), *Marcolino* (30), *Marcùccio* (25). NOMI DOPPI: *Marco Antònio* o *Marcantònio* (850), — *Aurèlio* (200), — *Tùllio* (200). - F. *Marca* (75). ALTERATI: *Marchina* (300), *Marcolina* (400), *Marcùccia* (75). Ampiamente diffuso in tutta l'Italia nella forma fondamentale *Marco* (più compatta tuttavia in Lombardia e in Toscana e più rara nel Sud) e nei tipi doppi, proprio del Nord per *Marca, Marchino* e *Marchina,* e del Veneto per *Marchetto, Marcolino* e *Marcolina,* continua l'antico prenome romano *Marcus,* forma sincopata di **Marticos* derivato da *Mars Martis* con il valore religioso di 'sacro, dedicato al dio Marte' (divinità italica della primavera e del rifiorire della terra e, in particolare, della guerra). Alla grande diffusione del nome ha contribuito soprattutto il culto di numerosissimi santi e beati così denominati, primo fra tutti San Marco Evangelista, compagno degli apostoli Pietro e Paolo, patrono di Venezia e di molti altri centri, e, recentemente, la moda onomastica di riprendere nomi del Nuovo e dell'Antico Testamento (come *Andrea, Giacomo, Luca, Matteo, Mattia, Simone* o *Simona,* e rispettivamente *Daniele, Davide, Emanuele* e *Debora, Ester, Giuditta, Lia, Mara, Marta, Noemi, Rachele, Ruth, Sara*). I nomi doppi sono in realtà nomi unitari e autonomi di matrice classica, ripresi a partire dal Rinascimento da personaggi di altissimo rilievo della storia romana: *Marco Antonio* dal grande uomo politico e comandante militare Marco Antonio, amante di Cleopatra, sconfitto da Ottaviano e uccisosi nel 30 a.C. (protagonista di varie opere tra cui il dramma «Antonio e Cleopatra» di W. Shakespeare rappresentato forse nel 1607); *Marco Aurelio* dall'imperatore Marco Aurelio Antonino (161-180); *Marco Tullio* dal grande oratore, scrittore e uomo politico Marco Tullio Cicerone, fatto uccidere da Marco Antonio nel 43 a.C.

Marèno (150) M. - F. *Marèna* (100). Proprio della Toscana, non consente, in mancanza di una tradizione, che l'ipotesi, non documentabile, di una variante di *Moreno* e *Morena.*

Marèsa (500) F. Distribuito nel Nord e nel Centro con maggiore compattezza in Piemonte, rappresenta probabilmente la fusione del nome doppio *Maria Teresa.*

Marfisa (700) F. VARIANTI: *Marfisia* (100). - M. *Marfisio* (10). Accentato per $^1/_3$ in Toscana e per il resto disperso tra Centro e Nord, è un nome di matrice letteraria, ripreso da un'eroina, la giovane e valorosa guerriera Marfisa, sorella di Ruggiero, dell'«Orlando innamorato» di M. M. Boiardo e quindi dell'«Orlando furioso» di L. Ariosto (e forse, in minima parte, anche del poema satirico di G. Gozzi del 1774 «La Marfisa bizzarra»): il nome, come il personaggio, è quasi certamente inventato dal Boiardo (che avrebbe forse potuto avere come modello il nome Marpessa, in greco *Márpessa* e in latino *Marpéssa,* di una ninfa dell'Etolia amata dal dio Apollo).

Margherita (240.000) F. VARIANTI: *Margarita* (250). IPOCORISTICI: *Marga* (700), *Margit* (900); *Ghita* (500). NOMI DOPPI: *Margherita Marìa* (250). - M. *Margherito* (25). È uno dei nomi femminili di più alta frequenza in Italia – il 18° per rango –, più compatto nella forma fondamentale nel Nord e soprattutto in Piemonte; la variante *Margarita,* dispersa nel Centro-Nord, può essere sia il nome di residenti straniere di lingua spagnola sia una forma italiana latineggiante; *Marga* e *Ghita,* del Centro-Nord, sono comuni soprattutto in Toscana; *Margit* (pronunzia: *màrgit* o *màgit*) è accentrato per i $^2/_3$ nella provincia autonoma di Bolzano di lingua maggioritaria tedesca (e può essere, oltre l'ipocoristico del corrispondente tedesco *Margarete* o *Margareta,* anche l'adattamento dell'ipocoristico inglese *Margyt* di *Margaret,* e in casi isolati l'ungherese *Margit* 'Margherita'). La base lontana è il tardo nome individuale latino, di ambienti soprattutto cristiani, *Margarita,* formato da *margarita* prestito dal greco *margarítēs,* maschile (di origine indiana o orientale), 'perla', dato in riferimento alla bellezza, luminosità e purezza (analogamente a *Perla* e *Diamante, Gemma,* ecc.): dall'ultimo Medio Evo l'italiano *margherita* assunse anche il significato attuale di pianta e fiore di varie specie, soprattutto la margherita dei campi e la margheritina (mentre quello di 'perla' diventava antiquato o letterario), e il nome proprio venne da allora sentito come riferito al fiore. La grande diffusione è stata promossa, in epoche diverse, da vari fattori: il culto di numerose sante e beate, e in particolare di Santa Margherita vergine e martire a Antiochia sotto Domiziano, patrona di Montefiascone VT e Olevano Romano, e Santa Margherita da Cortona, terziaria francescana morta nel 1297, patrona di Cortona AR (dove il nome ha un'alta frequenza relativa); il prestigio di varie sovrane e principesse di Europa e anche d'Italia, qui soprattutto della dinastia sabauda, e in particolare Margherita di Savoia, moglie di Umberto I e regina d'Italia, morta nel 1926; la notorietà della protagonista, Margherita (in tedesco *Margarete*), del «*Faust*» di W. Goethe e delle varie opere successive a esso ispirate (tra cui l'opera lirica «*Faust*» di Ch.-F. Gounod del 1859, molto nota anche in Italia a partire dalla 1ª rappresentazione di Milano del 1862). **Marìa** (2.500.000) F (come 1° o 2° elemento di nomi doppi, anche M). AL-TERATI: *Marièlla* (24.000), *Mariétta* (6.500) e *Mariettina* (100), *Mariòla* (500) e *Mariolina* (2.700), *Mariùccia* (26.000) e *Mariuccina* (50), *Mariùzza* (100). AB-BREVIATI e IPOCORISTICI: *Marì* (400); *Mary* (13.000), *Marj* (300), *Mèry* (2.500), *Mèri* (550), *Mèris* (400); *Marion* (600), *Mariù* (200). NOMI DOPPI: *Marìa Terèsa o Mariaterèsa* (153.000), — *Luisa* o *Marialuisa* (149.000), — *Gràzia* o *Mariagràzia* (107.000), — *Ròsa* o *Mariaròsa* e *Mariròsa* (93.000), — *Pìa* o *Mariapìa* (69.000), — *Àngela* o *Mariàngela*, — *Angiola* o *Mariàngiola* (51.000), — *Antoniétta* o *Mariantoniétta* (44.000), — *Rosària* o *Mariarosària* (32.00), — *Antònia* o *Mariantònia* (24.000), — *Cristina* o *Mariacristina* (24.000), — *Giovanna* o *Mariagiovanna* (18.000), — *Concètta* (17.000), — *Assunta* o *Mariassunta* (14.000), — *Carmèla* (13.000), — *Rita* o *Mariarita* (13.000), — *Stélla* o *Mariastélla* e *Maristélla* (13.000), — *Luìgia* o *Marialuìgia* (12.000), — *Maddalèna* (11.000), — *Anna* (10.000), — *Èlena* (5.500), — *Elisa* e — *Lisa*, o *Marialisa*, *Marilisa* e *Marlisa* (5.500), — *Ida* o *Marida* (3.000), — *Bonària* (2.500), — *Elisabétta* (2.500), — *Josè* o — *Iosè* (2.200), — *Caténa* (2.000), — *Lina* o *Marialina* (2.000), — *Immacolata* (1.500), — *Néve* o *Marianéve* e — *Nives* (1.200), — *Bambina* (1.100), — *Novèlla* (900), — *Anita* o *Marianita* e — *Annita* (650), — *Ìtria* (500), — *Luce* (500), — *Lèna* o *Marialèna* (450), — *Gavina* (400), — *Incoronata* (400), — *Mercèdes* (400), — *Clèofe* (300), — *Ilva* (80), — *Gorétta* o — *Gorétti* (75). *Maria* è il nome femminile

più frequente e diffuso in Italia – 1° assoluto per rango e nettamente distaccato dal 2°, *Anna* –; con gli alterati, gli ipocoristici e i nomi doppi (di cui qui sono stati dati solo i più comuni o rilevanti) denomina circa tre milioni e mezzo di Italiane, ossia il 12% dei residenti di sesso femminile in Italia. È il nome cristiano fondamentale, insorto e affermatosi con il culto di «iperdulìa» (superiore cioè per grado a quello di tutti gli altri santi) per Maria Vergine madre di Dio, culto diffusosi soprattutto dopo il concilio di Efeso del 431 e, in Occidente, dopo il concilio del Laterano del 649 e quindi, nel tardo Medio Evo, per opera di Sant'Anselmo d'Aosta, di Sant'Antonio di Padova, di San Bernardo di Chiaravalle e di San Tommaso d'Aquino. In parte non rilevante, nei nomi doppi, è connesso con particolari culti e devozioni, anche locali, della Madonna (*Maria Assunta, Bambina, Bonaria, Carmela, Catena, Concetta, Gavina, Grazia, Immacolata, Incoronata, Itria, Maddalena, Mercedes, Nives, Rosaria, Stella*: v. questi nomi), o a culti di altre sante (*Maria Cleofe*, v. *Cleofe*; *Maria Goretta*, per Santa Maria Goretti di Corinaldo AN, uccisa a 12 anni da un bruto, nel 1902, simbolo di purezza; *Maria Maddalena*, v. *Maddalena*), e in un caso isolato è un nome laico ideologico, di consenso e devozione per la casa Savoia (*Maria Josè* o *Iosè*, v. *José*). *Maria* ha come lontano etimo onomastico l'ebraico *Maryām* (e più recente *Miryām*, v. *Miriam*), adattato in greco come *Mariám* o *María* e in latino come *María* o *Mária*, che nell'Antico Testamento è il nome della sorella di Mosè e profetessa, Maria di Amram, vissuta in Egitto durante la cattività del popolo ebraico ma poi tornata in Palestina: il nome, come quello di Mosè e di altri Ebrei nati o vissuti in cattività nell'Egitto dei Faraoni, è di origine egizia, è cioè un derivato dell'egizio *mrj(t)* 'amato, caro' con il suffisso diminutivo femminile ebraico *-ām*. Nel Nuovo Testamento è il nome, appunto, di Maria, figlia di Gioacchino e di Anna, eletta a essere la madre di Dio, e inoltre di altre donne che seguirono Gesù fino alla sua morte e resurrezione (Maria di Cleofa, Maria di Màgdala o Maddalena, Maria la peccatrice redenta). Tra gli ipocoristici *Mary* è propriamente inglese [pronunzia: *mä'ri*], ma ampiamente adottato come nome di moda anche da Italiane (come documentano le forme graficamente e foneticamente adattate *Marj*, *Mery* o *Meri* e *Meris*), e *Marion* è propriamente francese [pronunzia: *mariŏ'*, ma all'italiana *mariòn*] ma anche inglese. *Maria* è spesso un componente di nomi doppi maschili, più raro come 1° elemento (tra i più frequenti *Marìa Agostino* 10, — *Antònio* 200, — *Franco* 10, — *Giovanni* 25, — *Giusèppe* 200, — *Luìgi* 25, — *Vincènzo* 10), più frequente come 2° elemento (come *Albèrto Marìa*, 150, *Àngelo* — 1.000, *Antònio* — 1.200, *Carlo* — 700, *Filippo* — 100, *Francésco* — 650, *Franco* — 170, *Giórgio* — 120, *Giovanni* — 4.000, *Giàn* — 1.600 e *Giammarìa* 320, *Giusèppe* — 600, *Luìgi* — 300, *Vincènzo* — 120). V. anche *Marilde*, *Marilena*, *Marilina*, *Marilù*, *Marusca*, *Marussa*, *Maruzza*.

Mariànna (54.000) F. VARIANTI: *Marianne* (2.500). ALTERATI: *Mariannina* (4.000). - M. *Mariànno* (85). ALTERATI: *Mariannino* (40). Ampiamente diffuso nella forma fondamentale in tutta l'Italia, limitato per *Marianne* al Nord con alta compattezza nella provincia autonoma di Bolzano di lingua maggioritaria tedesca, disperso nel Nord nel singolare maschile, è la forma graficamente unita del nome doppio *Maria Anna* (v. *Maria*), trattata tuttavia qui a parte perché in casi isolati può anche riprendere il tardo nome femminile greco *Mariámnē* di ambienti giudaici, adattamento dell'egizio *mrj - imn* 'amata dal dio Ammone'. *Marianne* è propriamente il corrispondente tedesco e francese di *Marianna*, ma adottato anche in Italia come nome di moda o in casi isolati ideologico, risorgimentale e libertario, ripreso dalla società segreta repubblicana francese *«La Marianne»* costituitasi nel 1851 contro l'impero di Napoleone III e soppressa nel 1854, di cui fu animatore da Londra anche G. Mazzini.

Mariàno (34.000) M. - F. *Mariàna* (500). ALTERATI: *Marianèlla* (250). Diffuso nel maschile in tutta l'Italia e nel femminile nel Nord e nel Centro con maggiore compattezza in Toscana, riflette in parte il culto di vari santi di questo nome (che continua il soprannome e poi nome

individuale latino *Marianus* derivato dal gentilizio *Marius*, v. *Mario*), e in parte maggiore la devozione per Maria Vergine, il culto da lei appunto detto «mariano».

Marilda (120) F. VARIANTI: *Marilde* (150). Disperso tra Nord e Toscana, con più alta frequenza in Emilia-Romagna, può essere sia la forma graficamente unita e fusa del nome doppio *Maria Ilda* o *Ilde* (75 e 50), sia un derivato con il suffisso -*ilda* o -*ilde* di *Maria*.

Marilèna (19.000) F. VARIANTI: *Marlèna* (200), *Marlène* (1.000). - M. *Marilèno* (25). Più frequente nel Nord, meno nel Centro e molto raro nel Sud, *Marilena* è la forma grafica unita o l'ipocoristico abbreviato per sincope interna e fusione dei nomi doppi *Maria Lena*, *Maria Maddalena* o anche, in qualche caso, *Maria Elena* (v. *Maria* e *Lena*), affermatosi poi indipendentemente come nome unitario e autonomo di moda per la sua armonia fonica. *Marlena* è l'adattamento morfologico italiano del nome tedesco *Marlene*, corrispondente a *Marilena*, proprio di residenti di lingua tedesca ma affermatosi come nome di moda durante la 2ª guerra mondiale per la grande notorietà e fortuna, anche in Italia, della sentimentale e nostalgica canzone tedesca «Lili Marlene», e forse in parte per il film «*Lily Marlene*» del regista inglese H. Jennings ispirato alla diffusione della canzone in Inghilterra (v. anche *Lilly*), e inoltre per l'attrice tedesca Marlene Dietrich (nota soprattutto per il film «L'angelo azzurro» del 1930 di J. von Sternberg, tratto da un romanzo di H. Mann), pseudonimo di Maria Magdalena von Losch, nata a Berlino nel 1904.

Marilina (300) F. Disperso nel Nord e in Toscana, anche se in casi isolati può essere la forma graficamente unita e fusa del nome doppio *Maria Lina* (v. *Maria*), è fondamentalmente un nome di moda di matrice cinematografica ripreso dall'attrice statunitense Marilyn Monroe (nome d'arte di Norma Jean Baker), interprete di film di grande successo anche in Italia degli anni '50 (tra cui «Fermata d'autobus» del 1955): *Marilina* è appunto l'adattamento e il corrispondente italiano dell'inglese *Marilyn* [pronunzia: *mä'rilin*], diminutivo e vezzeggiativo di *Mary* 'Maria', comune in Italia a circa 200 residenti per lo più straniere di lingua inglese (ma in qualche caso anch'esso nome italiano di moda).

Marilù (300) F. Disperso in tutta l'Italia, è un ipocoristico di *Maria Luisa* e in qualche caso di *Maria Luigia* o *Lucia*, *Luciana*, *Luce* (v. *Maria*).

Marino (63.000) M. ALTERATI: *Marinèllo* (150), *Marinùccio* (25). - F. *Marina* (78.000). ALTERATI: *Marinèlla* (17.000), *Marinétta* (900). Diffuso in tutta l'Italia ma raro nel Sud e soprattutto nelle isole, continua il soprannome latino già repubblicano, e poi nome individuale, *Marinus*, derivato di *Marius* (v. *Mario*), ma già nel latino tardo e poi in italiano sentito come collegato con *mare*, cioè 'che viene dal mare, d'oltremare; che vive e lavora in mare; che abita sul mare': la diffusione è stata sostenuta dal culto di vari santi e sante così denominati, tra cui San Marino diacono di Rimini o, secondo una tradizione leggendaria, un tagliapietre di origine dalmata che avrebbe fondato sul monte Titano una prima comunità cristiana, patrono appunto della città e della Repubblica di San Marino.

Màrio (894.000) M. - ALTERATI: *Mariétto* (50), *Mariolino* (100), *Mariùccio* (100). È uno dei nomi di più alta frequenza – 4° per rango tra i maschili –, diffuso in tutta l'Italia ma più raro nel Sud, fuorché in Sardegna dove è abbastanza comune (come pure il diminutivo *Mariolino*). È una ripresa prima classicheggiante, rinascimentale, dell'antico gentilizio romano *Marius* (dall'etrusco *maru*, titolo di un alto sacerdote o magistrato), noto soprattutto per il grande comandante militare e uomo politico Gaio Mario, di origini e tendenze popolari e avverso all'aristocratico Lucio Silla, morto nell'86 a.C., ripresa diventata dal primo Ottocento ideologica, libertaria e democratica, in quanto Gaio Mario venne considerato allora un difensore dei diritti delle classi popolari e della democrazia. Gli alterati rappresentano in parte la trasposizione al maschile dei corrispondenti e molto più diffusi alterati femminili di *Maria*, e cioè *Marietta*, *Mariolina* e *Mariuccia*.

Marisa (158.000) F. ALTERATI: *Marisèlla* (400), *Marisétta* (50). - M. *Mariso*

(100). VARIANTI: *Marìsio* (20). Diffuso in tutta l'Italia nella forma base e nel Centro-Nord negli alterati, proprio della Toscana per il singolare maschile, è l'ipocoristico sincopato del nome doppio *Maria Luisa* e in qualche caso di *Maria Isa* (v. *Maria*), ma affermatosi recentemente come nome di moda autonomo, per la sua armonia fonica e suggestività.

Marna (700) F. - M. *Marno* (25). Accentrato in Emilia-Romagna e più in Toscana, è un nome ideologico insorto durante la 1ª guerra mondiale per la profonda eco suscitata dalle dure e sanguinose quattro battaglie della Marna (1914 la 1ª, 1918 la 2ª, 3ª e 4ª), fiume della Francia nord-occidentale, sostenute dai Francesi per contenere e respingere le offensive tedesche per la presa di Parigi.

Maro (110) M. ALTERATI: *Marétto* (50). Proprio della Toscana, è probabilmente la forma abbreviata di *Ademaro* o *Aldemaro* (v. *Ademaro* e anche *Marone*).

Maróne (150) M. Proprio delle Marche, e in particolare di Macerata e della provincia, è probabilmente il riflesso del culto di San Marone o Maro, martire nel Piceno sotto Traiano con Eutiche e Vittorino, patrono di Civitanova Marche MC e di Monteleone di Fermo AP: il nome può continuare l'antico soprannome o 3° nome latino *Maro Marónis*, proprio del poeta Publio Virgilio Marone, derivato dall'etrusco *maru*, titolo di un alto sacerdote o magistrato.

Maròzia (75) F. Documentato a Roma e anche a Firenze, pare una singolare continuazione o ripresa del nome dell'alto Medio Evo *Marozia* (in latino medievale *Marotia*, di origine incerta), noto per alcune figure storiche femminili di grandi e potenti famiglie feudali del Lazio e dell'Umbria del IX e X secolo.

Marsìlio (3.100) M. VARIANTI: *Marzìlio* (100), *Marsìglio* (50). - F. *Marsìlia* (1.700). VARIANTI: *Marsìglia* (250). Distribuito nel Nord e più nel Centro, con più alta concentrazione in Umbria e in Toscana, riflette due tradizioni diverse: fondamentalmente continua l'etnico di *Marsiglia* (antiquato *Marsilia*), città e porto della Francia che ha avuto intensi rapporti con la Toscana nel tardo Medio Evo; in parte continua il tardo latino

Marcilius derivato di *Marcus* (v. *Marco*). Sulla diffusione può avere influito, per via letteraria, il nome Marsilio (in francese antico *Marsilie, Marsile* o *Marsiliun*), il re saraceno di Spagna della «Chanson de Roland» e dell'«Orlando furioso» di L. Ariosto.

Marta (47.000) F. VARIANTI: *Martha* (2.200). NOMI DOPPI: *Marta Marìa* (500). - M. *Marto* (5). Ampiamente diffuso in tutta l'Italia, riflette l'antico culto di Santa Marta (e anche di alcune sante minori), sorella di Lazzaro e di Maria di Betània, discepola di Cristo, e in casi isolati può essere anche ripreso dallo pseudonimo Marta che assume la protagonista, lady Enrichetta, dell'omonima opera lirica di F. von Flotow del 1847. Alla base è il nome aramaico (e siriaco) *Martā* (propriamente 'signora, padrona, dominatrice', femminile di *mār*'), adottato in greco e in latino come *Mártha*, già attestato, prima che nei Vangeli, in iscrizioni e in testi antichi, soprattutto per donne di origine orientale. La variante *Martha* può essere sia il nome di residenti di lingua inglese o tedesca (e infatti è frequente nella provincia autonoma di Bolzano di lingua maggioritaria tedesca), sia una forma latineggiante e più preziosa, o un nome di moda esotica. V. anche *Martina* sotto *Martino*.

Martano (50) M. Proprio della Toscana, pare, in assenza di qualsiasi tradizione, un nome sportivo ripreso dal cognome del campione di ciclismo su strada degli anni '30 Giuseppe Martano.

Martino (20.000) M. DERIVATI: *Martiniàno* (25). - F. *Martina* (9.000). ALTERATI: *Martinèlla* (50). Diffuso in tutta l'Italia con maggiore compattezza nel Nord (e qui accentrato, per *Martina*, in Lombardia, e per *Martiniano* nel Torinese), riflette il culto di vari santi e sante di questi nomi, e in particolare di San Martino di Tours, un legionario della guardia imperiale a cavallo originario della Pannonia, apostolo della Gallia e fondatore del monachesimo occidentale, primo vescovo di Tours morto nel 397, molto popolare soprattutto per la leggenda che, vedendo un mendicante quasi nudo e intirizzito dal freddo, tagliò con la spada il suo mantello e ne diede la metà al povero (e inoltre di Santa Martina martire a Roma sotto Alessandro Severo, e San Martiniano martire con Processo presso Roma, carcerieri di San Pietro e di San Paolo da questi convertiti): il culto di San Martino di Tours, già diffuso in Francia nell'VIII secolo, si è affermato anche in Italia e in vari altri paesi a partire dal IX-X secolo. Alla base è l'antico soprannome o 3° nome latino *Martinus* derivato da *Mars Martis* con il significato originario di 'sacro, dedicato al dio Marte' (come *Marziale* e *Marzio*), con il tardo gentilizio di età imperiale *Martinianus*. Il femminile *Martina* può anche essere, in alcuni casi, il diminutivo di *Marta*.

Màrtire (250) M (anche F). - F. *Màrtira* (100). Accentrato per più della metà in Puglia e soprattutto nel Barese, riflette il culto di tutti i santi martiri commemorati dalla Chiesa l'1 novembre, e in particolare della Madonna Santissima dei Martiri, patrona di Molfetta BA: il nome comune *martire* continua il latino ecclesiastico *mártyr mártyris*, prestito dal greco *mártys mártyros*, propriamente 'testimone (della fede cristiana)'.

Marusca (1.800) F. VARIANTI: *Maruska* (400). - M. *Marusco* (100). Accentrato per più dei ²/₃ in Toscana e per il resto disperso nel Nord, è un nome di moda insorto con la grande fortuna e popolarità, nei tardi anni '20, della canzone d'amore «Maruska», un derivato del nome *Maria* di generica impronta ungherese-tedesca.

Marussa (100) F. VARIANTI: *Marùssia* (150). Disperso tra il Nord e il Centro, è l'adattamento italiano del diminutivo e vezzeggiativo sloveno (e anche serbo-croato) *Maruša* dell'ipocoristico *Mara* di *Marija*, corrispondente all'italiano *Maria*.

Maruzza (300) F. - M. *Màruzzo* (20). Accentrato per la metà in Toscana e per il resto disperso nel Nord, è il vezzeggiativo di *Mara*, anche se in casi isolati può anche essere una variante di *Mariuzza* (v. *Maria*).

Marx (25) M. - F. *Marxina* (40). Disperso tra Nord e Centro, è un nome recente di matrice ideologica, socialista, ripreso dal cognome del filosofo, economista, rivoluzionario tedesco, fondatore del socialismo «scientifico» e del comunismo, H. Karl Marx, morto in esilio a Londra nel 1883: il cognome israelitico è la forma abbreviata *Marx* del nome *Markus* 'Marco', fusasi con il nome biblico *Mardocheo* dello zio di Ester (v. *Mordechai*), comune soprattutto tra gli Ebrei aschenaziti tedeschi.

Màrzio (4.200) M. ALTERATI: *Marzino* (100), *Marsino* (100). DERIVATI: *Marziàle* (450), *Marziàno* (1.300). - F. *Màrzia* (8.500). ALTERATI: *Marzina* (100), *Marsina* (75). DERIVATI: *Marzialina* (50), *Marziàna* (300). Distribuito nel tipo base nel Nord e nel Centro con più alta compattezza in Toscana, nel tipo derivato *Marziale* accentrato per ¹/₃ in Lombardia e per il resto disperso, in quello *Marziano* nel Nord, è un gruppo legittimato dall'etimo comune, il nome del dio della primavera e della guerra *Mars Martis*, dal quale sono formati, con il significato fondamentale di 'dedicato, sacro a Marte', il gentilizio antico *Martius* (e *Martia*), il soprannome o 3° nome *Martialis* e il gentilizio *Martianus*, poi diventati nomi individuali (e spesso, in italiano, incrociatisi e confusi con *Marcius* e *Marcianus* da *Marcus*; v. *Marciano, Marcilio* e *Marco*). La diffusione di *Marzio* può essere stata anche promossa dal personaggio Don Marzio della commedia «La bottega del caffè» di C. Goldoni del 1750; quella di *Marzia* dalla moglie di Catone l'Uticense, *Marcia*, ma ricordata come *Marzia* da Dante nell'«Inferno» e nel «Purgatorio»; quella di *Marziale* da vari santi (e in particolare San Marziale vescovo di Limoges nel III secolo) e dal poeta latino Marco Valerio Marziale del I secolo, noto già nel tardo Medio Evo e soprattutto a partire dal Rinascimento; quella di *Marziano* da San Marziano (o Marciano) vescovo di Tortona AL, di cui è patrono, e vescovo di Pamplona nel VII secolo, e dallo scrittore latino del V secolo Minneo Felice Marziano Capella di Cartagine, molto noto nel Medio Evo.

Masanièllo (50) M. Accentrato per quasi la metà in Toscana e per il resto disperso nel Nord, è un nome ideologico, libertario e rivoluzionario, ripreso dal giovane e violento capopopolo napoletano Masaniello (fusione del nome *Maso*, forma abbreviata di *Tommaso*, e del cognome *Aniello*, v. *Tommaso* e *Agnello*), che guidò la rivolta contro il viceré spagnolo nel 1647 e fu ucciso in quell'anno dai suoi stessi compagni.

Masièro (50) M. Proprio del Forlivese e sporadico nel Nord, pare, in assenza di qualsiasi tradizione onomastica e agiografica, formato dal settentrionale *masièr* 'colono, mezzadro' o derivato in *-ièro* di *Maso*, v. *Tommaso*.

Massènzio (100) M. Raro e disperso, continua o riprende il soprannome latino e poi nome individuale *Maxentius* (di etimo probabilmente analogo a quello di *Maximus*, v. *Massimo*), sostenuto dal culto pur raro di due santi stranieri, e soprattutto dal ricordo classico dell'imperatore romano Marco Aurelio Valerio Massenzio, sconfitto e ucciso da Costantino il Grande nella battaglia del ponte Milvio nel 312.

Màssimo (66.000) M. ALTERATI e DERIVATI: *Massimino* (1.400), *Massimillo* (20); *Massimiliàno* (7.500), *Massimiàno* (25). - F. *Màssima* (1.000). ALTERATI e DERIVATI: *Massimina* (2.500), *Massimilla* (400); *Massimiliàna* (1.500), *Massimiàna* (75). Distribuito in tutta l'Italia per *Massimo* con alta concentrazione a Roma e nel Lazio, nel Nord e in Toscana per *Massima*, nel Nord e meno nel Centro per *Massimino* e *Massimina*, nel Nord e qui accentrato per la metà in Lombardia per *Massimillo* e *Massimilla*, nel Nord e meno nel Centro per *Massimiliano* e *Massimiliana*, disperso per *Massimiano* e *Massimiana*, è un gruppo che, pur avendo un etimo lessicale unitario, il latino *maximus*, superlativo di *magnus* 'grande', nel significato di 'il primo, il maggiore dei figli', o 'grandissimo, superiore a tutti', presenta tuttavia nei vari tipi basi onomastiche già latine, formazioni e motivazioni, diverse. Il tipo *Massimo* continua o riprende il soprannome e poi nome individuale latino *Maximus* come nome sia cristiano affermatosi con il culto di numerosissimi santi (e sante), per lo più d'Italia, sia laico, per il prestigio di vari personaggi storici romani, tra cui Quinto Fabio Massimo «il Temporeggiatore» console nella guerra annibalica (v. *Fabio*), e dell'antica famiglia feudale e aristocratica medievale, rinascimentale e moderna, dei *Massimo*. Il tipo *Massimino* può rappresentare sia il diminutivo di *Massimo* sia il soprannome e poi nome latino *Maximinus*, anch'esso sostenuto dal culto di vari santi. Il tipo *Massimillo* continua il diminutivo già latino *Maximillus*, affermatosi nel femminile *Massimilla* per la profetessa della corrente cristiana del II secolo di Montano (dichiarata poi eretica), e forse in Lombardia per il culto di una santa locale non riconosciuta ufficialmente. Il tipo *Massimiliano* continua il soprannome e poi nome latino di età imperiale *Maximil(l)ianus* sostenuto dal culto di vari santi, e riaffermatosi in età moderna per il prestigio di Massimiliano I d'Asburgo (dinastia in cui questo nome è tradizionale), imperatore dal 1486 al 1519, e nell'Ottocento per l'eco suscitata dalla fucilazione a Querétaro nel 1867 di Massimiliano d'Asburgo, fratello di Francesco Giuseppe e imperatore del Messico, da parte del governo delle forze di liberazione messicane presieduto da Benito Juárez (v. *Benito*). Il tipo *Massimiano*, infine, continua il 3° o 4° soprannome e poi nome latino di età imperiale *Maximianus* (proprio dell'imperatore Marco Aurelio Valerio Massimiano morto nel 310, padre di Massenzio), sostenuto dal culto di vari santi, tra cui San Massimiano primo arcivescovo di Ravenna nel VI secolo.

Matèrno (50) M. Disperso tra Nord e Centro, è la continuazione o ripresa classicheggiante del tardo soprannome latino *Maternus* (da *maternus*, derivato di *mater* 'madre'), sostenuto dal culto di San Materno vescovo di Milano nel IV secolo, e dal prestigio di Giulio Firmico Materno scrittore e apologista cristiano del IV secolo.

Matilde (56.000) F. VARIANTI: *Matilda* (75), *Matèlda* (1.100), *Metilde* (700). -M. *Matildo* (5). VARIANTI: *Matìldio* (20). Ampiamente distribuito nella forma base in tutta l'Italia, accentrato per ⅓ in Toscana e per il resto disperso nel Nord per *Matelda*, proprio del Piemonte e della Liguria per *Metilde*, continua il nome di origine germanica e di tradizione già francone ma soprattutto tedesca composto con **mahti-* 'forza, potenza' (in tedesco *Macht*) e **hildjo-* 'battaglia, combattimento' (quindi 'potenza e combattimento', ma spesso per i nomi femminili composti non esiste un significato unitario). Il nome è documentato in Germania dall'VIII secolo nelle forme *Mahthildis* e poi *Mathilda*, *Mechtild* (questa alla base della rara variante *Metilde*), e in Italia, dall'XI secolo, *Matthilda* o *Mattilda*: è continuato in tedesco moderno e in francese come *Mathilde* e in inglese come *Matilda* (che può dunque appartenere in Italia anche a residenti straniere di lingua inglese, v. *Mauda*). La grande diffusione del nome è di matrice sia cristiana sia laica: il culto di varie sante, tra cui Santa Matilde regina di Germania e madre di Ottone I imperatore, e Santa Matilde di Hackeborn mistica cisterciense del primo Duecento; il prestigio di varie sovrane, tra cui Matilde di Canossa, marchesa di Toscana, morta nel 1115, sostenitrice del papato contro l'Impero, e inoltre la ripresa recente per moda aristocratica di questo nome. La variante *Matelda* è insorta, oltre che per l'alternanza in italiano dell'esito *-ilde* o *-èlda* del 2° componente germanico **hildjo-*, dal nome Matelda che Dante dà nel «Purgatorio» alla sua accompagnatrice e guida spirituale (simbolo della vita attiva, forse identificabile con Matilde di Canossa o con Matilde di Hackeborn).

Matròna (300) F. Proprio del Casertano, riflette il culto locale di Santa Matrona vergine di Capua CE: il nome continua il soprannome o epiteto aggiuntivo (anche della dea Giunone) *Matrona*, da *matrona* (derivato di *mater* 'madre') che indicava la donna sposata di condizione libera e per lo più elevata.

Mattèo (51.000) M. VARIANTI: *Mattìa* (4.900), *Mattìo* (25); *Maffèo* (450), *Màffio* (20); *Mazzèo* (5). ABBREVIATI: *Fèo* (25). - F. *Mattèa* (4.500). Ampiamente distribuito per *Matteo* in tutta l'Italia, più frequente nel Sud per *Mattea* e *Mattìa* (accentrato il 1° in Puglia e in Sicilia e il 2° in Campania), proprio del Veneto e soprattutto della Lombardia per *Maffeo* e della Toscana per *Mazzeo*, è un nome fondamentalmente cristiano insorto con il culto di San Matteo (chiamato anche *Levi*) apostolo, evangelista e martire, e di San Mattia, l'apostolo eletto in sostituzione del traditore Giuda Iscariota dopo la morte di Cristo, martire secondo tradizioni incerte in Etiopia o in Palestina. *Matteo* è l'italianizzazione del latino dei Vangeli *Mattheus* dal greco *Maththâios*, adattamenti del nome teoforico dell'ebraico biblico *Matithyāh* abbreviato in *Mathathāh* (in medio ebraico *Matyā*), composto di *matath* 'dono' e *Yāh* abbreviazione di *Yahweh* 'Dio, Iavè', quindi 'dono di Dio', adottato poi in aramaico. *Mattia* continua invece la variante latina e greca, sempre dei Vangeli, *Matthías* e *Maththías*, adattamento diverso dello stesso nome aramaico e ebraico. Le rare varianti *Maffeo* e *Mazzeo* sono invece adattamenti diretti del greco tardo e bizantino *Maththâios* in cui il *th* che in greco classico era un'aspirata sorda era diventato una spirante interdentale sorda che non esisteva in italiano, e che è stata quindi adattata nella spirante o nell'affricata sorda *f* o *z* delle parlate italiane (v. anche *Maceo*). La notevole diffusione di *Matteo* e *Mattia* è stata recentemente incrementata dal fatto che i due nomi, come tanti altri dell'Antico e del Nuovo Testamento, sono diventati di moda (v. *Marco*).

Matteòtti (20) M. Rarissimo e disperso, è un nome ideologico recente, democratico e antifascista, ripreso dal cognome del deputato socialista di Ferrara Giacomo Matteotti (dal diminutivo e vezzeggiativo *Matteotto* di *Matteo*), integerrimo sostenitore delle libertà democratiche e irriducibile oppositore del fascismo, sequestrato e ucciso a pugnalate a Roma nel 1924 da sicari fascisti.

Maturino (100) M. Accentrato in Val d'Aosta ma anche in Abruzzo, riflette il culto di San Maturino (in francese *Maturin*, in franco-provenzale *Mathurin* con la *-h-* ripresa da *Mathieu* 'Matteo') di Sens del III secolo, evangelizzatore della Gallia e protettore dei folli: alla base è il soprannome e poi nome individuale *Maturinus* derivato dal raro e tardo soprannome latino *Maturus*, formato dall'aggettivo *maturus* 'maturo, ben sviluppato fisicamente e intellettualmente', o anche 'attempato, anziano'.

Màuda (75) F. - M. *Màudo* (10). Disperso nel Nord e nelle Marche, è l'adattamento, come nome di moda esotica, letteraria, teatrale e cinematografica, dell'ipocoristico inglese *Maud* (200) o *Maude* (100) di *Matilda* (v. *Matilde*).

Màuro (95.000) M. ALTERATI: *Maurétto* (20), *Maurino* (300). DERIVATI: *Màurico* (50); *Maurìlio* (2.600), *Maurillo* (50), *Maurèlio* (150), *Marìlio* (25); *Maurìzio* (79.000), *Mauriziàno* (20). - F. *Màura* (17.000). ALTERATI: *Maurèlla* (250), *Maurétta* (300), *Maurina* (1.100).

DERIVATI: *Maurìlia* (500), *Maurilla* (50), *Marilia* (300), *Marilla* (300), *Marila* (150); *Maurìzia* (6.000). Diffuso in tutta l'Italia ma più raro nel Sud, è un gruppo che, pur avendo uno stesso etimo onomastico e lessicale, ha formazioni e motivazioni diverse nei vari tipi. Il tipo base *Mauro* con *Maura* risale, con tradizione dotta o semidotta (attestata dalla conservazione del dittongo *au*, v. la forma popolare *Moro*), al latino *Maurus*, un soprannome e poi nome personale etnico con il valore di 'abitante, oriundo della Mauritania (l'attuale Marocco), dell'Africa nord-occidentale', sostenuto dal culto di vari santi e sante tra cui San Mauro abate, discepolo e compagno di San Benedetto da Norcia, patrono di vari centri italiani e in particolare di Cesena FO e Casoria NA, dove il nome ha un'alta frequenza relativa, San Mauro, vescovo e patrono di Bisceglie BA, e Santa Maura martire a Ravenna sotto Decio. Il tipo *Maurilio* continua il tardo soprannome e poi nome latino *Maurilius* derivato in *-ilius* da *Maurus*, sostenuto dal culto del beato Maurilio eremita e monaco benedettino in Italia e poi, dal 1055 al 1067, arcivescovo di Rouen. Il tipo *Maurizio* continua un altro derivato in *-icius* o *-itius* di *Maurus*, il tardo soprannome e poi nome individuale latino *Mauricius* o *Mauritius*, sostenuto dal culto di vari santi tra cui San Maurizio, uno dei martiri di *Agaunum* (ora, appunto, Saint-Moritz in Svizzera) della «legione tebana» (6.000 soldati cristiani, tutti sterminati per non avere attuato la persecuzione ordinata dall'imperatore Massimiano nel III secolo), patrono di San Maurizio Canavese TO, San Maurizio d'Opaglio NO, Porto Maurizio d'Imperia, ecc., protettore della fanteria e titolare dell'Ordine cavalleresco di San Maurizio fuso nel 1572 con quello di San Lazzaro nell'Ordine sabaudo e poi italiano di San Maurizio e Lazzaro.

Max (1.700) M. Accentrato per circa la metà nella provincia autonoma di Bolzano di lingua maggioritaria tedesca e per il resto disperso, è l'ipocoristico del nome tedesco *Maximilian* e francese *Maximilien*, corrispondenti all'italiano *Massimiliano* (v. *Massimo*): è quindi proprio di residenti stranieri o italiani di lingua soprattutto tedesca (in Germania e in Austria *Maximilian*, tradizionale nelle dinastie di Baviera e di Asburgo, è molto frequente) ma anche francese, e inoltre un recente nome italiano di moda esotica, promosso dalla sua brevità e forse anche dalla popolarità del film del 1937 «Il signor Max» interpretato da V. De Sica.

Mazzino (400) M. VARIANTI: *Mazzini* (200), *Mazzìnio* (25). - F. *Mazzina* (400). Esclusivo per *Mazzino* e *Mazzina* della Toscana, e accentrato per *Mazzini* in Toscana e soprattutto nel Lazio, ha due processi di formazione e di motivazione diversi: *Mazzino* e *Mazzina* possono essere sia diminutivi di *Mazzeo* (v. *Matteo*) sia adattamenti morfologici (-o per il maschile e -a per il femminile) di *Mazzini*, che è invece un nome ideologico risorgimentale, ripreso dal cognome (a sua volta derivato da *Mazzino* e *Mazzeo*) del patriota, rivoluzionario, uomo politico e scrittore Giuseppe Mazzini, triumviro e difensore della Repubblica romana del 1849 con A. Saffi e C. Armellini, morto a Pisa nel 1872 dopo quasi 50 anni di lotte e persecuzioni, e di esilio in vari paesi d'Europa.

Medardo (2.600) M. VARIANTI: *Metardo* (50). ABBREVIATI: *Dardo* (100). - F. *Medarda* (200). Accentrato per ²/₃ in Emilia-Romagna e per il resto disperso nel Nord (mentre *Dardo*, che può essere anche l'abbreviazione di *Odoardo*, è attestato in tutto il Centro-Nord), è ripreso dal francese *Médard*, di origine germanica, formato con un 1° componente incerto (forse *maed- 'onore' o il celtico *matu 'buono') e un 2° *hardhu- 'forte, valoroso', e documentato nel Medio Evo come *Madachart* e in latino *Medardus*. Il nome si è diffuso per il culto, prevalentemente francese, di San Medardo vescovo di Noyon e Tournai, morto nel 545, le cui reliquie sono conservate nell'abbazia di Saint-Médard a Soissons.

Medèa (700) F. - M. *Medèo* (50). Accentrato per ¹/₃ in Emilia-Romagna e per il resto disperso tra Nord e Centro, è una ripresa classica e letteraria, recente, del nome della maga della Colchide Medea (in greco *Mē'deia* latinizzato in *Medéa*, raccostato tradizionalmente a *mē'domai* 'ordire astute macchinazioni, essere molto abile e scaltro'), sposata e poi abbandonata dal capo della spedizione de-gli Argonauti Giasone (v. *Giasone*), di cui si vendicò uccidendone la nuova moglie Glauce, il padre Creonte e i due piccoli figli. Il mito è stato argomento di numerose opere letterarie e teatrali classiche e moderne (tra cui le tragedie *«Médée»* di P. Corneille del 1635 e «Medea» di G. B. Niccolini del 1814, e l'opera lirica «Medea» di L. Cherubini del 1797), che hanno promosso la diffusione del nome.

Medina (250) F. - M. *Medino* (15). Disperso nel Nord e in Toscana, riprende probabilmente, con motivazioni non chiare, il nome della città (ora nell'Arabia Saudita) di Medina (in arabo *al-Madīna* 'la città'), nota perché ci visse, vi morì e fu sepolto Maometto, oppure di varie città della Spagna di questo nome o il cognome che ne è derivato.

Medòro (400) M. - F. *Medòra* (40). Accentrato per ¹/₃ in Emilia-Romagna e per il resto disperso, è una ripresa letteraria del personaggio dell'«Orlando furioso» di L. Ariosto, Medoro (nome probabilmente inventato, come molti altri del poema), il giovane saraceno per la cui salvezza sacrifica la propria vita l'amico Cloridano, ferito gravemente ma curato da Angelica che poi se ne innamora e lo sposa, provocando la follia di Orlando (v. *Angelica* e *Cloridano*).

Medusa (200) F. Proprio dell'Emilia-Romagna e del Lazio, è una ripresa classica e letteraria, rinascimentale e moderna, del nome della più potente e terribile delle Gòrgoni (v. *Gorgonio*), Medusa, in greco *Médusa* e in latino *Medúsa*, dal femminile *médusa* del participio presente maschile *médōn* di *médein* (affine al latino *medéri*), con il significato di 'che domina, che ha il più alto potere'.

Melània (3.500) F. - M. *Melànio* (50). Più frequente nel Nord e nel Centro, raro nel Sud, riflette in minima parte il culto di Santa Melania, una ricca matrona romana del V secolo che, donati tutti i suoi averi ai poveri, si ritirò a vita monacale a Gerusalemme, mentre fondamentalmente è un recente nome di moda cinematografica (e poi anche generica, eufonica) ripreso da una delle due protagoniste (v. *Rossella*) del film del 1939 di V. Fleming «Via col vento» (in inglese *«Gone with the wind»*), che ebbe in Italia un enorme successo negli anni successivi alla fine della 2ª guerra mondiale (come anche, ma molto meno, il romanzo da cui è tratto il film). Alla base è il nome greco *Melanía* o *Melánē*, derivato da *mélas mélanos* 'nero, molto scuro' (di capelli, di carnagione), attraverso la latinizzazione *Melánia*, un tardo soprannome e poi nome individuale frequente soprattutto per donne di origine greca o orientale.

Melchidesécco (25) M. VARIANTI: *Melchideséch* (10). Rarissimo e disperso, è un nome israelitico ripreso dal re cananeo di Salèm (forse Gerusalemme), che nell'Antico Testamento è ricordato come protettore di Abramo, in ebraico *Malkīsedeq*, propriamente 'il mio Dio è giustizia', adattato in greco e in latino come *Melchisedék* e *Melchisedéc(h)*. Nella forma italiana *Melchidesecco* la parte finale è alterata per etimologia popolare o per eufonia: è inoltre il nome italiano più lungo, il solo composto da 13 lettere (salvo gli alterati o i composti).

Melchiòrre (3.700) M. VARIANTI: *Melchiòre* (100), *Melchiòr* (20). - F. *Melchiòrra* (500). VARIANTI: *Melchiòra* (150). ALTERATI: *Melchiorrina* (80), *Melchiorina* (50). Accentrato nel Sud e soprattutto in Sicilia per *Melchiorre* e *Melchiòr* e per il femminile, nel Nord per *Melchiore*, è un nome di devozione cristiana ripreso da uno dei tre re Magi (v. *Baldassarre* e *Gaspare*) che vennero dall'Oriente a portare doni e a venerare Gesù Bambino: alla base è probabilmente l'ebraico **Melki'or* (da *melki* 're' e *'or* 'luce'), però non attestato, con un significato che potrebbe essere 'il mio re (ossia Iavè) è luce'.

Melèzio (50) M. Raro e disperso, soprattutto nel Nord, riflette il culto di San Melezio arcivescovo di Antiochia e di San Melezio vescovo di Sebastopoli nel Ponto, del IV secolo: il tardo nome latino *Meletius* è l'adattamento del greco *Melétios*, derivato dal verbo *mélein* 'stare a cuore, avere cura o premura per qualcuno o qualcosa', con il significato di 'che ha cura, diligente, premuroso'.

Meliàna (75) F. Accentrato in Toscana, è forse una variante di *Miliana*, forma abbreviata di *Emiliana* (v. *Emiliano*).

Melina (3.000) F. VARIANTI: *Mellina* (75). - M. *Melino* (100). Proprio del Sud, e qui accentrato in Sicilia, è probabilmente la forma abbreviata di *Carmelina* e *Carmelino* (v. *Carmela*).

Melisènda (100) F. Disperso nel Nord e in Sardegna, è un recente nome di matrice letteraria ripreso dalla leggendaria contessa di Tripoli di Siria Melisenda di cui, pur non conoscendola, si sarebbe innamorato il trovatore provenzale Jaufré Rudel del XII secolo (tema della poesia di G. Carducci del 1888 «Giaufré Rudel», v. *Goffredo*): il nome, di origine germanica e di tradizione prevalentemente francone, documentato dal X secolo come *Milesindis* e *Milesendis*, è composto con **mil-* 'misericordioso; caro, amato' e **sintha-* 'via, entrata', con un significato unitario non chiaro (che del resto, nei nomi femminili, spesso manca, perché formati da due componenti autonomi), che potrebbe essere 'cara, favorevole e propizia, a chi va in guerra, a chi entra in combattimento'.

Melissa (75) F. Disperso nel Nord, è la ripresa classica, rinascimentale e moderna, del nome greco *Mélissa*, latinizzato in *Melíssa* (da *mélissa* 'ape', derivato di *méli* 'miele'), di vari personaggi mitologici e soprattutto di sacerdotesse di culti e riti misterici.

Melita o **Mèlita** (800) F (anche M). VARIANTI: *Melitta* (300). - M. *Melito* o *Mèlito* (50). Accentrato nel Nord e soprattutto a Trieste, presenta varie tradizioni e motivazioni: riflette fondamentalmente il culto, vivo a Trieste, di San Melita o Melitone, egumeno nel VI secolo della «Laura» di San Saba e successore di Saba (in greco *Melitâs* o *Melítōn*, derivati di *méli*, latino *mel*, 'miele'), v. *Saba*, e in casi isolati il prestigio del vescovo di Sardi e apologista cristiano Mèlito o Melitone del II secolo (di etimo analogo); come femminile è invece una ripresa classica, dotta e rinascimentale o moderna, del nome di una Nereide e anche della madre del dio Festo o Vulcano, Melita o Mèlita, in greco *Melítē* e in latino *Mélita* (sempre derivato da *méli* 'miele' con il significato di 'dolce, buona come il miele').

Memè (50) M (anche F). VARIANTI: *Mème* (40). Raro e disperso, è l'ipocoristico di nomi vari, soprattutto di *Domenico* o *Domenica*.

Mèmore (150) M. Proprio dell'Emilia-Romagna, è un nome ideologico, di matrice socialista e comunista, insorto nel primo Novecento, e soprattutto nel periodo fascista, per affermare che si è «memori» della propria fede politica anche nei periodi in cui è perseguitata e repressa.

Mèna (600) F. ALTERATI: *Menina* (150), *Menùccia* (100). - M. *Mèno* (20). Accentrato nel Sud continentale, è la forma abbreviata di *Filomena* (e in alcuni casi anche di *Domenica*). V. però anche *Menna*, di cui *Mena*, come nome maschile, è una variante.

Mèndes o *Mendès* (300) M. Accentrato per più della metà in Emilia-Romagna e per il resto disperso tra Nord e Centro, pare almeno in parte riflettere la popolarità negli ambienti democratici e antifascisti del socialista francese Pierre Mendès-France, esponente del fronte popolare e quindi della resistenza, ministro e capo del governo dal 1954 al 1955: il cognome francese *Mendès* [pronunzia: *mëdès*] è ripreso dal portoghese *Mendes* (di origine oscura, forse araba), e è un cognome israelitico frequente, soprattutto di Ebrei fuggiti dal Portogallo nel XVI secolo.

Menènio (50) M. Raro e disperso, è la ripresa classica dell'antico gentilizio romano *Menenius*, di etimo e significato incerto, reso noto dal console Agrippa Menenio che, nel 494 a.C., convinse la plebe che s'era ritirata per protesta contro lo sfruttamento sull'Aventino a rientrare in città e a riprendere il lavoro con il famoso apologo delle membra (la plebe) che, perché tutto il corpo viva e stia bene, devono collaborare con lo stomaco (i patrizi).

Mènna (100) M. VARIANTI: *Mèna* (250); *Mennato* (200). Accentrato nel Sud, e soprattutto per *Mena* e *Mennato* in Campania, riflette il culto di vari santi e in particolare di San Menna di Vitulano BN, eremita nel Sannio nel VI secolo, patrono appunto di Vitulano e di Santomenna SA: alla base è il greco *Menâs*, latinizzato in *Ménas Menátis* e poi anche *Ménnas Mennátis*, probabilmente derivato da *mē'n mēnós* 'luna, mese', nome, comune in Roma in età imperiale, soprattutto di liberti.

Menòtti (1.700) M. VARIANTI: *Menòtto* (25). Accentrato in Emilia-Romagna e soprattutto in Toscana, è un nome ideologico, risorgimentale, ripreso dal cognome del patriota Ciro Menotti di Carpi, giustiziato a Modena nel 1831, e dato per la prima volta da G. Garibaldi (v. anche *Ricciotti*) al figlio primogenito nato in Brasile nel 1840, e ridiffuso appunto da Menotti Garibaldi, valoroso combattente e comandante nella campagna del 1859, nella spedizione dei Mille, nella guerra del 1866, e infine del corpo dei volontari che combatterono nel 1870 con i Francesi contro i Prussiani, distinguendosi soprattutto a Digione. Il cognome Menotti è formato da *Menòtto*, ipocoristico di *Domenico* (v. *Meno* sotto *Mena*).

Mentana (700) F. - M. *Mentano* (15). Distribuito nel Nord e nel Centro, è un nome ideologico, risorgimentale, ripreso dalla piccola cittadina di Mentana, su una collina presso Roma (l'antica *Nomentum* latina), teatro del combattimento del 3 novembre 1867 tra i volontari di G. Garibaldi che tentavano di occupare Roma e le preponderanti forze pontificie e francesi.

Mèntore (1.000) M. ALTERATI: *Mentorino* (20). - F. *Mentorina* (50). Accentrato per ³/₄ tra Lombardia e Emilia-Romagna e per il resto disperso nel Nord e in Toscana, è una ripresa letteraria, rinascimentale e poi moderna, del nome del fedele e saggio amico di Ulisse, e guida del figlio Telemaco durante la lunga assenza dell'eroe dell'«Odissea», Mentore, in greco *Méntōr* latinizzato in *Mentor*, e quindi del personaggio del trattato pedagogico, politico e teologico, «*Les aventures de Télémaque*» pubblicate nel 1699, di François Fénelon: l'antico nome greco è derivato da *ménos* 'mente, intelligenza', quindi 'dotato di intelligenza, di prontezza', o meno probabilmente da *ménein* 'essere fermo, costante'.

Mèo (100) M. ALTERATI: *Meùccio* (50). - F. *Mèa* (150). ALTERATI: *Meùccia* (50). Disperso nel Centro-Nord ma proprio negli alterati dell'Emilia-Romagna, è la forma abbreviata di *Tolomeo*, o in casi isolati l'ipocoristico di *Amedeo* e *Matteo*, e dei rispettivi femminili, già comune nel Medio Evo.

Merano (60) M (anche F). Disperso

nel Nord, è ripreso recentemente, con motivazioni occasionali e non sicuramente accertabili, dalla città di Merano BZ.

Mercedes (10.000) F. VARIANTI: *Mercède* (3.500). - M. *Mercèdo* (5). Diffuso in tutta l'Italia, con maggiore compattezza per *Mercede* in Lombardia e in Emilia-Romagna, ha un etimo e una motivazione cristiana unici ma due diversi processi di insorgenza e diffusione. *Mercedes* è propriamente spagnolo [pronunzia: *merthédes*, e all'italiana *mercèdes*], e può essere, in minima parte, un nome di residenti straniere di lingua spagnola, ma soprattutto un nome italiano ripreso per devozione o per moda recente dallo spagnolo (v. *Dolores*): riflette il culto per la *Virgen* o *Nuestra Señora de las Mercedes*, patrona dell'ordine maschile e femminile per il riscatto degli schiavi e la redenzione dei prigionieri e degli sfruttati fondato nel 1218 a Barcellona da San Pietro Nolasco, e l'attributo della Madonna riflette il plurale dello spagnolo *merced*, ossia *mercedes*, 'ricompensa, prezzo', dal latino *merces mercedis* derivato di *merx mercis* 'merce; prezzo di una merce, di un bene'. *Mercede*, con la rarissima e singolare trasposizione al maschile *Mercedo*, può essere sia di antica tradizione italiana, da *mercede* di uguale etimo e significato (ma anche, anticamente, 'misericordia, pietà') e di analoga motivazione religiosa, sia una italianizzazione della forma spagnola, attraverso l'appellativo Beata Maria Vergine della Mercede, devozione e festività (24 settembre) ufficialmente riconosciuta dalla Chiesa.

Mercùrio (600) M. - F. *Mercùria* (50). Accentrato nel Sud, e soprattutto in Sicilia, riflette il culto di vari santi così denominati, e in particolare di San Mercurio martire a Cesarea in Cappadocia nel III secolo (forse da identificare con San Mercurio martire a Mirabella Eclano AV), patrono di Serracapriola FG e Seminara RC, e San Mercurio, uno dei martiri di Lentini SR (v. *Alfio*). Il tardo nome latino *Mercurius*, proprio di schiavi e liberti e poi anche di liberi, riprende il nome dell'antica divinità italica *Mercurius*, dio dei mercanti poi identificato, dal IV secolo a.C., con il dio greco Ermes o Ermete (v. *Ermes*), di cui assunse

tutti gli attributi: l'etimo tradizionale, già riconosciuto da scrittori romani, è *merx mercis* 'merce', ma poiché il suffisso *-urius* è estraneo al latino è più probabile che sia un antico nome etrusco (in cui è documentato, per Ermes, il nome *Turms*), accolto direttamente o tramite l'italico in Roma.

Mèrope (1.300) F. Accentato per $^1/_3$ in Emilia-Romagna e per il resto disperso nel Nord e anche nel Centro, è una ripresa del nome di personaggi femminili della mitologia greca, e in particolare di Merope d'Arcadia, che uccise il secondo marito Polifonte, usurpatore del trono di Messene, che le aveva ucciso il primo marito e i figli, protagonista di una tragedia perduta di Euripide e di varie tragedie e opere liriche moderne (S. Maffei, Voltaire, V. Alfieri; G. Scarlatti, ecc.), che hanno motivato la diffusione del nome insieme al titolo del 4° libro, «Merope», del 1912, delle «Laudi» di G. D'Annunzio (ripreso da una delle Plèiadi, figlia di Atlante), che celebra l'impresa della guerra di Libia. Il nome originario greco *Merópē*, latinizzato in *Mérope* (da cui è ripresa l'accentazione italiana sulla sillaba iniziale), è derivato dall'aggettivo *mérops* di incerto significato (forse 'dal viso che esprime intelligenza, pensieroso').

Meschino (50) M. Disperso, ma più compatto nel Centro, è una ripresa del soprannome del protagonista di popolari romanzi e cantari cavallereschi medievali Guerrino detto il Meschino (v. *Guerrino* sotto *Guarino*), da *meschino* 'sventurato, sfortunato' (per le sue disavventure), dall'arabo *miskīn* 'povero, infelice'.

Messalina (400) F. - M. *Messalino* (10). Disperso tra Nord e Centro con maggiore compattezza nel Lazio, riflette in parte il culto di Santa Messalina martire a Foligno PG nel 251, ma fondamentalmente è una ripresa classicheggiante del gentilizio di Valeria Messalina, nota per la sua dissolutezza e per vari delitti, fatta uccidere dal marito, l'imperatore Claudio, nel 48 d.C., protagonista di varie opere e anche di un film storico, mediocrissimo ma di successo, del 1920, italiano, intitolato appunto «Messalina», che ha contribuito alla diffusione di un nome pur ingrato e scomodo. Il latino

Messalina è derivato dall'antico soprannome (proprio della *gens* patrizia *Valeria*) *Messalla*, derivato da *Messana* 'Messina', che per primo ebbe il console Mario Valerio Massimo Messalla che nel 263 a.C., durante la 1ª guerra punica, conquistò Messina occupata dai Cartaginesi.

Messina (150) F. ALTERATI: *Messinèlla* (250). Accentrato per più della metà in Toscana e per il resto disperso tra Centro e Nord, è un nome ideologico ripreso dalla città di Messina (in latino *Messana* dal greco *Messā'nē*) nel Risorgimento in relazione alla partecipazione, anche popolare, di Messina ai moti liberali e costituzionali del 1820-21 e soprattutto del 1848 contro i Borboni, e ridiffuso nel primo Novecento per la profonda eco e commozione suscitata dal terremoto del 28 dicembre 1908 che distrusse la città uccidendo più di 80.000 persone.

Meta (200) F. Accentrato per la metà a Roma e per il resto disperso nel Nord, è l'ipocoristico inglese di *Margaret* 'Margherita' [pronunzia: *mìtë*] proprio di residenti straniere di lingua inglese, e in casi isolati adottato come nome di moda esotica.

Metàuro (25) M. Proprio dell'Emilia-Romagna, è la ripresa classica, storico-letteraria, del nome del fiume delle Marche Metauro (in latino *Metaurus*), con riferimento alla decisiva battaglia qui combattuta e vinta dai Romani al comando dei consoli M. Livio Salinatore e T. Claudio Nerone nel 207 a.C. contro i Cartaginesi comandati da Asdrubale, che morì in combattimento con più di 20.000 dei suoi soldati.

Metèllo (750) M. - F. *Metèlla* (1.000). Accentrato per ⅔ in Toscana, soprattutto a Firenze, e per il resto disperso tra Centro e Nord, è un nome di matrice classica, storico-letteraria (anche se esiste un San Metello martire a Neocesarea o a Nicomedia, di culto però rarissimo in Italia), ripreso dal soprannome *Metellus*, proprio della *gens Caecilia*, reso illustre e noto da grandi personaggi dell'età repubblicana (consoli, censori, tribuni, comandanti militari, ecc.), e, nel femminile *Metella*, da Cecilia Metella del I secolo a.C., figlia di Q. Cecilio Metello Cretico, nota per la monumentale tomba sulla Via Appia. Il soprannome *Metellus* risale al latino arcaico *metellus* di significato incerto ('servo, operaio stipendiato; mercenario'?) e di probabile origine etrusca. Recentemente il nome è stato ridiffuso dal protagonista del romanzo del 1955 «Metello» di V. Pratolini e del film che ne è stato tratto, tutti e due di alto valore e di grande successo.

Metòdio (50) M. Proprio delle minoranze slovene di Trieste e Gorizia, riflette il culto dei Santi Cirillo e Metodio evangelizzatori, nel IX secolo, dei popoli slavi (v. *Cirillo*): alla base è il nome greco e bizantino *Methódios*, latinizzato in *Methodius*, derivato di *méthodos* 'ricerca, indagine, scienza; metodo di ricerca' (composto di *metá* 'dopo, al di là' e *hodós* 'via', quindi 'via per giungere a un luogo, a un fine'), con il significato quindi di 'che ricerca la via giusta, la verità'.

Michèle (306.000) M. ALTERATI: *Michelino* (3.000). IPOCORISTICI: *Michi* (25). NOMI DOPPI: *Michèle Àngelo* (250) o — *Angiolo* (30) e *Michelàngelo* (17.000) o *Michelàngiolo* (10), — *Arcàngelo* o *Michelarcàngelo* (400), — *Antònio* o *Michelantònio* (1.000). - F. *Michèla* (28.000). VARIANTI: *Micaèla* (1.200). ALTERATI: *Michelina* (46.000). Ampiamente diffuso nella forma fondamentale *Michele* in tutta l'Italia ma accentrato nel Sud nel femminile *Michela*, negli alterati e nei nomi doppi (fuorché *Michelangiolo* proprio della Toscana), riflette il culto per l'angelo, o arcangelo, dell'Antico Testamento Michele, capo degli angeli fedeli a Dio e vincitore di Satana e degli angeli ribelli, culto riconosciuto dalla Chiesa e affermatosi prima in Oriente e dal V secolo in Occidente, poi riaffermatosi con le apparizioni, nel VI secolo, di San Michele arcangelo nel Gargano e sul Mausoleo di Adriano a Roma (di qui ridenominato Castel Sant'Angelo). I nomi doppi con *Angelo* o *Angiolo* e *Arcangelo* sono in realtà unitari, composti cioè da *Michele* e dall'attributo *Angelo* o *Arcangelo*; la variante *Micaela* è propriamente spagnola, ma adottata come nome di moda soprattutto per il personaggio femminile così denominato della popolare opera musicale «Carmen» di G. Bizet (v. *Carmen* sotto *Carmela*). Il nome originario ebraico, *Mīkā'ēl*, adattato in greco e in latino come *Michaë'l* e *Michaél*, è formato da *mī* 'chi?', *ke* 'come' e *'Ēl* forma abbreviata di *'Elōhīm* 'Dio', con il significato di 'chi (è grande, potente) come Dio?'.

Micol o *Micòl* (75) F. Raro e disperso in ambienti israelitici, riprende il nome dell'Antico Testamento della figlia di Saul e moglie di David, in ebraico *Mikāl*, adattato in greco e latino come *Melchól* e *Michól* (v. *Michele*).

Miétta (500) F. Accentrato per ¹/₄ in Toscana e disperso nel Nord, è l'ipocoristico, diminutivo e vezzeggiativo, di vari nomi come *Eufemia* o anche *Amalia*, *Emilia*, *Erminia*, ecc.

Migliôre (45) M (anche F). ALTERATI: *Migliorino* (50). - F. *Migliorina* (50). Disperso nel Nord-Est, in Toscana, nelle Marche e in Abruzzo, continua il soprannome augurale medievale *Migliore*, da *migliore*, comparativo di *buono*, con il valore di 'che sia, che divenga il migliore', che a sua volta può continuare in parte il tardo soprannome e poi nome latino *Melior* (da *melior melióris* 'migliore').

Mila (4.000) F. Accentrato per la metà in Toscana e in Emilia-Romagna e per il resto distribuito tra Nord e Centro, è ripreso nei primi decenni del Novecento per via teatrale e letteraria dalla protagonista della tragedia «La figlia di Iorio» di G. D'Annunzio del 1904, Mila di Codra (nome probabilmente inventato dall'autore), di cui si innamora il pastore Aligi per il quale Mila si sacrifica per salvarlo dalla condanna a morte per aver ucciso il padre (v. *Aligi* e anche *Iorio*).

Milano (300) M. - F. *Milana* (60). Accentrato nel maschile per ¹/₃ in Toscana e disperso nel Nord, nel femminile esclusivo della provincia di Gorizia e della Toscana, presenta origini, tradizioni e motivazioni diverse e complesse. Nel Friuli-Venezia Giulia è l'adattamento del nome sloveno o anche serbo-croato *Milan* [pronunzia: *mìlan*] (360 residenti), femminile *Milana*, derivato dalla base onomastica *Mil-* dallo slavo antico *milu* 'benigno, di animo buono, caro' (*milost* 'clemenza, benignità', *milostljiv* e *milostiv* 'clemente, benigno': v. anche *Milena*). In Toscana e nel Nord può avere alla base il nome della città di Milano, con motivazioni non identificabili, e in casi isolati può essere un'alterazione di *Miliano* o *Miliana*, forme abbreviate di *Emiliano* e *Emiliana* (v. *Emiliano*).

Mildred (150) F. Raro e disperso, è proprio di residenti straniere di lingua inglese adottato tuttavia in casi isolati anche in Italia come nome di moda esotica o per modelli letterari: risale all'inglese antico *Mildthryth*, composto di *milde* 'dolce, buono d'animo' e *tryth* 'forza', con un significato originario che potrebbe essere 'di animo buono e insieme forte'.

Milèdi (150) F. VARIANTI: *Milèda* (100). Disperso nel Nord e in Toscana, è l'adattamento grafico, fonetico e morfologico, all'italiano del titolo e appellativo di riguardo *my lady* o *milady* [pronunzia: *milèidi*] 'mia signora', usato, soprattutto nel secolo scorso e sul continente europeo e in opere letterarie, nel rivolgersi o riferirsi a signore aristocratiche, o di alta condizione, inglesi.

Milèna (37.000) F. - M. *Milèno* (300). Ampiamente diffuso nel Centro-Nord con più alta compattezza in Toscana, è un prestito recente, di matrice ideologica (devozione alla casa Savoia) dal serbo *Milena* [pronunzia: *mìlena*, ma in italiano, data la tradizione prevalentemente scritta, adattata nella pronunzia normale piana *milèna*], nome della regina del Montenegro la cui figlia Elena, nel 1900, sposò Vittorio Emanuele III, divenendo regina d'Italia (v. *Elena*). In serbo *Milena* può essere sia un derivato di *milen*, variante del più comune *mio* (in slavo antico *milu*) 'benigno, di animo buono, caro' (v. *Milano*), sia l'ipocoristico di nomi composti con questa base, come *Miloslava* (propriamente 'illustre, gloriosa per la sua bontà e clemenza'). Ma in alcuni casi il nome può essere stato dato, in Italia, perché erroneamente inteso come un ipocoristico dei nomi doppi *Maria Elena* o *Maria Maddalena*.

Milko (30) M. - F. *Milka* (600). VARIANTI: *Milca* (150). Proprio del Nord-Est, e più compatto nel Friuli-Venezia Giulia, nel Veneto e in Emilia-Romagna, è l'ipocoristico sloveno o anche serbo-croato di *Miloslav*, composto dallo slavo antico *milu* 'benigno, misericordioso' (v. *Milano* e *Milena*) e *slava* 'gloria', quindi 'che ha gloria per la sua misericordia, bontà': oltre che come nome della minoranza di lingua slovena del Friuli-Venezia Giulia si è affermato anche come nome italiano di moda. V. anche *Mirko*, sotto *Miroslavo*, di cui può essere in alcuni casi un'alterazione.

Milly (1.300) F. VARIANTI: *Milli* (150), *Millj* (50). Distribuito nel Nord e in Toscana, è l'ipocoristico di vari nomi femminili che terminano in -*milla* o -*mila*, come *Camilla* (v. anche *Milla* sotto *Camillo*), *Ludmilla*, o che contengono -*m*- e -*l*-, come *Amalia*, *Carmela*, *Emilia*, *Milena*.

Milo (500) M. Accentrato per la metà in Toscana e per il resto disperso nel Nord, è fondamentalmente la trasposizione al maschile del nome femminile *Mila*, ma può essere in alcuni casi la continuazione del soprannome e poi nome latino *Milo* o *Milon*, sostenuto dal culto pur raro di alcuni santi (v. *Milone*), o anche l'adattamento del nome serbocroato e sloveno *Milan*, *Milen* e *Milovan* (v. *Milano* e *Milena*).

Milóne (25) M. Disperso nel Nord, può riflettere il culto, pur raro, di alcuni santi (*Milone* o *Milo*), e in casi isolati può essere una ripresa classicheggiante, recente, dell'antico nome greco *Mílōn*, noto per un famoso lottatore di Crotone del VI secolo a.c. (forse da *milós* 'lento, tardo'), e del 3° nome o soprannome latino *Milo* *Milónis*, proprio della *gens* Annia, noto per l'uomo politico sillano Tito Annio Milone, difeso da Cicerone con l'orazione «*Pro Milone*» dall'accusa di avere fatto uccidere l'avversario Publio Clodio Pulcro.

Milton (200) M. VARIANTI: *Milto* (50). Disperso nel Nord e anche nel Centro, è una recente ripresa letteraria del cognome dello scrittore inglese del Seicento John Milton, noto in Italia soprattutto per il poema «*The Paradise lost*» (in italiano «Il Paradiso perduto») pubblicato nel 1667.

Milva (1.600) F. DERIVATI: *Milvana* (200). - M. *Milvo* (50). DERIVATI: *Milvano* (50). Distribuito nel Nord e nel Centro, è l'ipocoristico del nome doppio *Maria Ilva* e *Ilvana* (v. *Maria* e, sotto *Elba*, *Ilva* e *Ilvana*): la popolarità della cantante *Milva* (nome d'arte di Maria Ilva Biolcati di Goro FE) ha recentemente contribuito, dagli anni '70, alla diffusio-

ne del nome.

Mìlvia (7.000) F. - M. *Mìlvio* (600). Accentrato per ¼ in Toscana e per il resto distribuito nel Centro-Nord, può essere, nel femminile, l'ipocoristico del nome doppio *Maria Ilvia* (v. *Milva* e *Elba*), ma anche, soprattutto nel maschile, una ripresa di matrice classica e cristiana recente del nome del Ponte Milvio (in latino tardo *Milvius pons*) che scavalca il Tevere sulla Via Flaminia, noto perché nel 312 vi si svolse la battaglia decisiva tra Costantino e Massenzio che determinò, con la vittoria di Costantino, preannunziata da una visione miracolosa, il riconoscimento ufficiale, con l'editto di Milano del 313, del cristianesimo nell'Impero romano (v. anche *Massenzio*).

Milzìade (300) M. VARIANTI: *Melchìade* (200). Disperso nel Nord e più compatto nel Centro, ha un processo di insorgenza e una motivazione duplice. In parte è una ripresa classica, storico-letteraria, recente, del nome del grande strato e uomo politico ateniese Milziade (in greco *Miltiádēs*, latinizzato in *Miltíades*, derivato come soprannome da *míltos* 'rosso vivo', riferito al colore dei capelli e della barba), vincitore dei Persiani a Maratona, morto a séguito delle ferite nel 489 a.C. In parte riflette il culto di San Milziade o Melchiade (alterazione già documentata nel tardo soprannome e poi nome individuale latino *Melchiades*), papa di origine africana dal 311 al 314.

Mimì (1.200) F (anche M). VARIANTI: *Mimi* (600), *Mimy* (200), *Mimj* (15); *Mima* (400). ALTERATI: *Mimina* (500). - M. *Mimo* (200). ALTERATI: *Mimino* (100). Distribuito in tutta l'Italia, ma più frequente nel Sud e in particolare in Puglia e in Sicilia, ha due etimi e processi di insorgenza e affermazione diversi. Come femminile, ma soprattutto come maschile, *Mimì* con le varianti è l'ipocoristico, proprio del Sud, di *Dòmenico*, *Beniamino*, *Emilio* (con i rispettivi femminili) e anche di *Mario* e *Maria*. Come femminile *Mimì* (ma non le varianti) si è affermato solo recentemente come nome di moda teatrale e letteraria ripreso dalla protagonista delle due opere liriche «Bohème» di G. Puccini del 1896 (su libretto di L. Illica e G. Giacosa tratto dal romanzo «*Scènes de la vie de bohème*» di H. Murger del 1848) e di R. Leoncavallo del 1897 (la giovane fioraia amante di Rodolfo, che muore di tisi), e inoltre dal soprannome della protagonista, la ballerina Cecilia Malespano, del popolare romanzo d'amore di G. da Verona «Mimì Bluette, fiore del mio giardino» del 1917 (v. *Bluetta*). Le forme *Mima* e *Mimina* o *Mimo* e *Mimino* possono anche essere varianti di *Mimma* e *Mimmina* o *Mimmo* e *Mimmino*.

Mimma (5.500) F. ALTERATI e DERIVATI: *Mimmina* (200). - M. *Mimmo* (1.500). ALTERATI: *Mimmino* (25), *Mimmìa* (150). Distribuito nelle forme fondamentali in tutta l'Italia, con alta frequenza relativa in Sardegna, dove nel Sassarese è specifico *Mimmia*, è l'ipocoristico di vari nomi con una o più *m*, e in particolare di *Domenica*, *Beniamina*, *Emilia*, *Erminia*, *Guglielmina*, con i rispettivi maschili (v. *Mimì*), e di *Giovanni Maria* per *Mimmia*, ma può riflettere anche la voce onomatopeica infantile e familiare, propria dell'uso toscano, *mimma* e *mimmo* per 'bimba, bimbo' e 'bambina, bambino'.

Mimósa (200) F. Accentrato per più di ⅓ in Toscana e per il resto disperso nel Centro-Nord, è uno dei numerosi nomi femminili ripresi da piante e fiori (come *Dalia*, *Gardenia*, *Rosa*, *Viola*, ecc.) per la bellezza e il profumo, in questo caso la *mimosa*, una pianta delle leguminose dai piccoli fiori gialli profumati e dalle foglie che reagiscono al minimo contatto, simbolo di pudore e di delicata sensibilità femminile.

Mina (10.000) F. ALTERATI: *Minèlla* (150), *Minétta* (100), *Minùccia* (200). - M. *Mino* (2.300). ALTERATI: *Minèllo* (50), *Minùccio* (100). Distribuito nelle forme fondamentali in tutta l'Italia, con maggiore compattezza nel Nord e soprattutto in Lombardia, accentrato negli alterati in Toscana e anche in Sardegna, è l'ipocoristico abbreviato alla parte finale di *Guglielmina* e anche *Gelsomina*, *Gerolamina*, *Giacomina*: *Mina* è stato recentemente ridiffuso, come nome di moda, dalla popolare cantante di musica leggera Mina (Anna Maria Mazzini, nata a Busto Arsizio VA nel 1941). In casi isolati può essere, come nome di residenti straniere di lingua inglese, l'ipoco-

ristico *Mina* di *Wilhelmina* 'Guglielmina'.

Minèrva (1.000) F. ALTERATI: *Minervina* (50). - M. *Minervino* (20). Accentrato per più di ⅓ in Toscana e per il resto disperso, è una ripresa classicheggiante, rinascimentale e moderna, del nome latino *Minerva* di una dea italica – di probabile origine etrusca come il nome – e quindi, dal VI secolo a.C., romana, protettrice delle arti e dei mestieri, identificata dal III secolo a.C. con la greca Atena, e perciò divenuta una divinità guerriera e della sapienza, tutrice di Roma e del popolo romano.

Mìnia (75) F. - M. *Mìnio* (10). Raro e disperso, è la forma abbreviata di *Erminia* e *Erminio* e al maschile, in casi isolati, anche di *Arminio*.

Miniàto (25) M. Proprio della Toscana, riflette il culto locale di San Miniato martire nel 250, secondo una tarda «passione» leggendaria, sul colle sopra Firenze su cui sorse la basilica romanica di San Miniato al Monte (e a San Miniato sono dedicate in Toscana circa 40 altre chiese). La tradizione del nome è incerta come quella agiografica: esisteva nel tardo latino un nome *Minius*, anch'esso di incerta origine, che però non risulta essere stato continuato.

Minna (150) F. Disperso tra Nord e Centro, è un nome di matrice letteraria e teatrale, recente, ripreso dalla protagonista, Minna Troil, del romanzo «*The pirate*» del 1822 di W. Scott, e soprattutto dell'opera lirica «Il pirata» di V. Bellini del 1827, il cui libretto, di F. Romani, è tratto dal romanzo di Scott: il nome *Minna* è probabilmente una variante di *Minnie* (v. *Minnie*). In casi isolati, soprattutto nell'Alto Adige, può anche riflettere l'ipocoristico tedesco *Minna* o *Minni* di *Wilhelmine* 'Guglielmina' o *Hermine* 'Erminia'.

Minnìa (75) F. Esclusivo della Sardegna e qui accentrato nel Sassarese, è un ipocoristico di *Giovanna Maria*, e in alcuni casi isolati, forse, anche di altri nomi con *m* e *n*, come *Domenica* (v. *Mimmia* sotto *Mimma*).

Minnie (500) F. VARIANTI: *Minny* (50). Accentrato per più della metà in Toscana e disperso nel Nord, presenta processi di insorgenza e di motivazione diversi, pur avendo un unico etimo onomastico, l'ipocoristico scozzese *Minnie* [pronunzia: *mìni*, «all'italiana» *mìnni*] di *Mary* 'Maria', affermatosi nell'Ottocento in tutta l'Inghilterra e negli altri paesi di lingua inglese. In parte è il nome di residenti straniere di lingua inglese, ma in parte maggiore è un nome di moda recente italiano affermatosi dal primo Novecento prima per la protagonista Minnie (la proprietaria del *saloon* innamorata del fuorilegge Johnson) della popolare opera lirica «La fanciulla del West» di G. Puccini rappresentata per la prima volta a New York nel 1910 (con libretto tratto da un dramma di D. Belasco e J. L. Long), poi per la compagna di Topolino o Mickey Mouse dei cartoni animati di W. Disney e dei fumetti e altri tipi di pubblicazioni che riprendono questi personaggi, infine per la popolarità, a partire dagli ultimi anni '60, della ballerina, cantante e soubrette televisiva Minnie Minoprio.

Minòlfa (75) F. Esclusivo della Toscana, è un nome di origine germanica e di tradizione longobardica e poi francone, documentato al maschile dall'VIII secolo come *Minulf*, una variante o alterazione di *Magnolfo* (che sopravvive in Toscana nel cognome *Magnolfi*), composto di **magan-* o **magin-* 'forza' e **wulfa-* 'lupo', con il significato di 'forte come un lupo' o 'lupo temibile per la sua forza' (il lupo era un animale sacro e magico, con cui si identificava il combattente in battaglia).

Miranda (20.000) F. - M. *Mirando* (450). ALTERATI: *Mirandino* (20). Diffuso in tutta l'Italia con più alta compattezza in Toscana, è un nome di moda, di matrice teatrale e cinematografica, recentemente ripreso prima dal personaggio *Miranda*, la figlia di Prospero, del dramma di W. Shakespeare «La tempesta» (v. *Ariele* e *Prospero*), poi dalla protagonista del poemetto narrativo «Miranda» di A. Fogazzaro del 1874, infine dal cognome dell'attrice, affermatasi soprattutto nel cinema in film italiani di successo degli anni '30-'70, Isa Miranda (nome d'arte di Ines Isabella Sampietro nata a Milano nel 1917). Alla base è comunque il nome augurale *Miranda*, dal gerundivo del verbo latino *mirari* 'ammirare', cioè 'che sarà, che deve essere degna di ammirazione'.

Mirèlla (82.000) F. - M. *Mirèllo* (300). Ampiamente diffuso in tutta l'Italia ma più raro nel Sud, pur potendo continuare un nome autonomo e più antico derivato da *(am)mirare*, in latino *mirari*, con il significato di 'bella, da ammirare' (v. *Miro*), si è tuttavia affermato solo nell'Ottocento per moda letteraria e teatrale, per la giovane e sventurata protagonista del poema narrativo in provenzale «*Mirèio*» (nella versione italiana «Mirella») di F. Mistral del 1859, e per l'opera lirica, a esso ispirata, «*Mireille*» del 1864 di Ch. F. Gounod. Il nome *Mirèio*, dal provenzale *mirar* 'ammirare', venne tuttavia spiegato da F. Mistral come un ipocoristico del nome *Miriam* di una giovinetta di Beucaire di cui era il padrino.

Mìriam (11.000) F. VARIANTI: *Mỳriam* (2.300), *Mìryam* (500), *Mìrjam* (150), *Mjriam* (150), *Mirian* (200), *Mìria* (3.500), *Mỳria* (100). - M. *Mìrio* (550). Diffuso nel Nord e nel Centro e anche in Abruzzo, è un nome in minima parte israelitico e fondamentalmente cristiano e laico, di moda esotica o fonica, ripreso dalla variante dell'ebraico moderno (propria della tradizione biblica masoretica del V-X secolo d.C.) *Miryām* dell'ebraico antico *Maryām*, v. *Maria*.

Mirna (2.000) F. VARIANTI: *Myrna* (150). - M. *Mirno* (25). Accentrato per la metà tra Emilia-Romagna e la Toscana e disperso nel Centro-Nord, anche se nella forma propriamente inglese *Myrna* [pronunzia: *më'në*, «all'italiana» *mìrna*], ipocoristico di *Marilyn* o di *Mary*, *Miriam* ecc., può appartenere a residenti straniere di lingua inglese, è in Italia (totalmente nell'adattamento *Mirna*) un recente nome di moda cinematografica ripreso dall'attrice statunitense Myrna Loy (nome d'arte di Myrna Williams nata nel 1905), interprete di film di grande successo anche in Italia, soprattutto nella serie dell'«uomo ombra» (con il partner W. Powell) degli anni '30 e '40.

Miro (1.200) M. DERIVATI: *Miraldo* (200), *Meraldo* (50), *Mirano* (130), *Miriàno* (200), *Mirèno* (450). - F. *Mira* (2.700). VARIANTI: *Myra* (100). ALTERATI E DERIVATI: *Mirétta* (700), *Mirina* (150); *Miralda* (300) e *Miralba* (75), *Mirèna* (300), *Miriàna* (1.100), *Mìrjàna* (300).

Distribuito nel Nord e nel Centro, con maggiore compattezza per *Miro* in Lombardia e nel Friuli-Venezia Giulia, per *Mira* nelle province di Trieste e Gorizia, e per gli alterati e i derivati in Toscana (dove sono quasi esclusivi *Mirano, Mireno* e *Mirena, Miriano* e *Miriana*), è un gruppo costituito per la coerenza formale e di distribuzione che presenta tuttavia etimi e motivazioni diversi e complessi. *Miro* e *Mira* continuano in massima parte il tardo nome augurale latino *Mirus* e *Mira*, da *mirus* 'ammirevole, degno di ammirazione', sostenuto in Lombardia dal culto di San Miro da Canzo, eremita del XIV secolo venerato a Sòrico CO, ma nel Friuli-Venezia Giulia, dove sono propri delle minoranze di lingua slovena o croata, riflettono la forma abbreviata *Miro* (e *Mira*) di nomi composti con lo slavo antico *měr* 'gloria, fama' o *mir* 'pace' come *Miroslavo* e *Vladimiro* (v. questi nomi). Gli alterati riflettono per lo più il nome augurale di tradizione latina, ma in casi isolati, e sempre per *Mirjana* accentato a Trieste, il nome di tradizione slava.

Mìrocle (30) M. VARIANTI: *Miroclèto* (50). Accentrato per la metà in Lombardia e disperso tra Nord e Toscana, riflette il culto locale di San Mirocle vescovo di Milano nel IV secolo: alla base è il raro e tardo nome latino *Mírocles* o *Miroclétus*, dal greco *Miroklês* o *Mirókleitos*, forse da *méiromai* 'avere come propria parte, per destino' e *-klês* o *kleitós*, da *kléos* 'risonanza; fama', quindi 'destinato a essere illustre, famoso'.

Miróne (25) M. Disperso nel Nord, è una ripresa tarda, classicheggiante, del nome del grande scultore greco del VI-V secolo a.C. Mirone, in greco *Mýrōn* latinizzato in *Myron Myrónis* (probabilmente da *mýron* 'olio, unguento profumato', quindi 'profumato con oli, unguenti'): in casi isolati può anche riflettere il culto di alcuni santi e martiri orientali di questo nome.

Miroslavo (100) M. VARIANTI: *Miroslào* (40). IPOCORISTICI: *Mirko* (3.400), *Mirco* (3.100). - F. *Miroslava* (200). IPOCORISTICI: *Mirka* (3.000), *Mirca* (1.800). Proprio nelle forme fondamentali delle minoranze di lingua slovena (o croata) delle province di Trieste e Gorizia, este-

so negli ipocoristici anche al Veneto e all'Emilia-Romagna e sporadico nel resto del Nord e nel Centro (soprattutto negli adattamenti grafici all'italiano *Mirco* e *Mirca*), è il nome sloveno e serbocroato, in genere slavo meridionale, *Miroslav* (30), composto con lo slavo antico *měr* 'gloria, fama', poi identificato con *mir* 'pace', e *slava* 'gloria' (v. *Casimiro* e *Vladimiro*), con il significato quindi di 'famoso per la sua gloria; ricco di gloria' o 'glorioso per (avere assicurato) la pace'.

Mirra (300) F. - M. *Mirro* (50). Accentrato per ⅓ in Toscana e disperso nel Nord, è una recente ripresa di matrice teatrale del nome della protagonista della tragedia «Mirra» di V. Alfieri del 1789, ispirata al mito della figlia del re di Cipro, in greco *Mýrrha* latinizzato in *Myrrha*, che amò incestuosamente il padre e fu trasformata nell'albero dal quale si estrae la mirra (una gommoresina aromatica, usata come profumo nell'antichità e offerta dai re Magi a Gesù Bambino), albero dal cui tronco nacque Adone.

Mirta (3.500) F. VARIANTI: *Mirte* (350), *Mirti* (100). ALTERATI: *Mirtilla* (100). - M. *Mirto* (1.000). VARIANTI: *Mirtèo* (20). Diffuso tra Nord e Centro con alta frequenza in Emilia-Romagna e in Toscana, è un nome recente, classicheggiante, ripreso dal tardo nome latino *Myrta* a sua volta derivato dalla pianta e dai fiori bianchi e profumati del mirto (in greco *mýrtos*, in latino *myrtus*), soprattutto in quanto questa pianta, sacra a Afrodite o Venere, è simbolo dell'amore e della poesia d'amore (v. anche *Ester*, il cui 2° nome, *Hadassah*, significa appunto 'mirto'). *Mirtilla* può anche essere derivato da *mirtillo*.

Misaèle (45) M. Disperso nel Nord e in Toscana, è in parte israelitico e in parte cristiano, in quanto risale a uno dei compagni di Daniele deportati a Babilonia (v. *Azaria*), considerato dalla Chiesa santo e martire: il nome teoforico ebraico *Mishā'ēl*, adattato nel greco *Misaē'l* e nel latino *Misaél*, significa 'chi (è) ciò che (è) Dio?'.

Mìsia (100) F. VARIANTI: *Misa* (100). DERIVATI: *Misiàna* (100). - M. *Misio* (5). DERIVATI: *Misiàno* (30). Disperso per la maggior parte in tutto il Centro-Nord, è probabilmente una forma familiare abbreviata di *Artemisia*, pur se il derivato, prevalentemente toscano, può avere un'origine anche diversa.

Mìstica (600) F. Accentrato per ³/₄ in Lombardia e per il resto disperso nel Nord, è un nome di devozione cristiana ripreso dall'attributo «Rosa mistica» della Madonna nelle litanie.

Mita (200) F. VARIANTI: *Mite* (300). -M. *Mito* (20). Accentrato per la metà in Toscana e per il resto disperso nel Nord, è l'ipocoristico di *Margherita* (e in casi isolati di *Maria Anita*, *Maria Rita*, ecc.).

Mitridate (20) M. - Rarissimo e disperso, è la ripresa classicheggiante, storico-letteraria, del nome di vari re orientali, e in particolare di Mitridate VI Eupàtore re del Ponto, sconfitto da Gneo Pompeo e suicidatosi nel 63 a.C., protagonista di varie opere drammatiche e musicali moderne (J. Racine 1873; A. Scarlatti 1707, N. Porpora 1738, A. W. Mozart 1770). Il nome greco *Mitridátēs*, latinizzato in *Mitridates*, significa 'dono di Mitra', il dio celeste dell'antica religione indoiranica, protettore dei giusti e garante dei patti (in greco e latino *Míthras*, dal vedico *mitra-* 'amico').

Mitzi (200) F. VARIANTI: *Mizzi* (100). Distribuito nel Nord ma accentrato nell'Alto Adige, è uno dei molti ipocoristici tedeschi di *Maria* o *Marie* 'Maria', proprio di residenti straniere, o della maggioranza della provincia autonoma di Bolzano, di lingua tedesca.

Moderato (20) M. Proprio del Veneto, riflette il culto di San Moderato vescovo, secondo una tradizione leggendaria, di Verona: il tardo nome augurale latino *Moderatus* è formato da *moderatus* 'equilibrato, che sa evitare ogni eccesso; saggio, assennato'.

Modèrno (50) M. Disperso nel Centro-Nord con maggiore compattezza in Emilia-Romagna, è un singolare nome ideologico, recente, formato da *moderno* per affermare o augurare modernità, novità di idee e di vita.

Modèsto (6.500) M. DERIVATI: *Modestino* (1.700). - F. *Modèsta* (4.000). DERIVATI: *Modestina* (900). Accentrato nel Sud continentale, soprattutto nell'Avellinese, e disperso nel Nord e nel Centro per recente immigrazione interna, riflette il culto di vari santi e sante e in particolare di San Modesto martire a Napoli nel III secolo, San Modestino vescovo e martire – secondo una tradizione leggendaria – sotto Diocleziano, venerato a Avellino (dove sarebbe stato miracolosamente trasportato morente e dove sono conservate, nella cattedrale, le reliquie). Alla base è il tardo soprannome e poi nome latino *Modestus*, con il derivato gentilizio *Modestinus*, affermatisi come nomi individuali in ambienti cristiani proprio perché esprimevano umiltà e modestia in quanto formati da *modestus* (derivato di *modus* 'moderazione') 'moderato, mite; dotato di pudore, di modestia'.

Mòira (150) F. Disperso tra Nord e Toscana, è un ipocoristico inglese, *Moira* o *Moyra*, di *Mary* 'Maria' (adattamento grafico della forma irlandese *Maire*), di residenti straniere di lingua inglese, ma anche recente nome italiano di moda sia esotica e eufonica sia dello spettacolo dagli anni '60, per la popolarità di Moira Orfei comproprietaria e direttrice di un grande circo internazionale, attrice di varietà e anche cinematografica e televisiva.

Monaldo (400) M. - F. *Monalda* (400). Accentrato per la metà in Toscana e per il resto disperso nel Centro (e isolatamente anche nel Nord), continua il nome di origine germanica e di tradizione già longobardica *Munuald* o *Monald* (documentato in Italia dall'VIII secolo nelle forme in latino medievale *Munualdus*, *Munaldus* e *Monaldus*), composto di *muni- 'pensiero, saggezza' e *walda- 'avere potere, dominare', con il significato di 'che governa con saggezza, potente per la sua intelligenza'. La continuazione e l'affermazione del nome è stata sostenuta dal culto del beato Monaldo da Ancona, missionario francescano martire nel 1314 in Armenia. *Monaldo* è il nome del padre di Giacomo Leopardi.

Mondiàle (20) M. Disperso tra Emilia-Romagna, Toscana e Umbria, ha alla base l'aggettivo *mondiale*: può essere un recentissimo nome scherzoso o augurale (dal valore superlativo che *mondiale* ha assunto nell'uso contemporaneo) o, sempre con singolare e stravagante scelta, dato in una famiglia dal cognome Guerra per influsso di 'guerra mondiale'.

Móndo (50) M. ALTERATI: *Mondino* (100). - F. *Mondina* (100). Disperso, con maggiore frequenza in Sardegna, è la forma abbreviata di vari nomi in -*mondo*, come *Raimondo*, *Edmondo*, *Boemondo*, ecc., e dei rispettivi femminili.

Mònica (7.000) F. VARIANTI: *Monika* (1.200). Diffuso nella forma base nel Nord e nel Centro con più alta frequenza in Lombardia e Toscana, accentrato per più della metà per *Monika* nella provincia autonoma di Bolzano di lingua maggioritaria tedesca, presenta tradizioni etimologiche e formali, e anche motivazioni, diverse. In parte, per *Monica*, è un nome cristiano che riflette il culto di Santa Monica o Monnica di Tagaste in Africa settentrionale, madre di Sant'Agostino, morta nel 387 a Ostia, presente anche nell'onomastica cristiana di altri paesi europei, come in tedesco *Monika* (che è appunto accentrato nell'Alto Adige), nel francese *Monique* (300) e nell'inglese *Monica*. Ma a partire dagli anni '60 si è riaffermato, nelle due forme *Monica* e *Monika*, come nome di moda neutra, esotica o di ricerca di originalità. L'etimo è complesso: la forma del latino tardo e medievale *Monica* dové essere considerata un prestito dal greco *Moníka* (e più tardo *monachē'*, latinizzato in *mónacha*) 'monaca, eremita' (derivato di *mónos* 'solo; che vive solo, solitario'). Ma la coesistenza della forma con -*nn*-, *Monnica*, che risulta più antica, rende improbabile questa derivazione e, insieme al fatto che l'origine di Sant'Agostino e della madre era africana, avvalora l'ipotesi che il nome *Monnica* sia l'adattamento latino di un nome punico.

Monserrato (200) M (anche F). - F. *Monserrata* (150). Specifico della Sardegna, riflette il culto, d'importazione catalana, per la Madonna o Maria Santissima di Monserrato, patrona di Monserrato, frazione di Cagliari, e, sempre in provincia di Cagliari, di Burcei, Samassi e Tratalìas, e di Barì Sardo e Girasole in provincia di Nuoro. Questo culto ha avuto e ha il suo epicentro, in Catalogna, nell'antica abbazia in cui è custodita un'immagine miracolosa della Madonna (*Virgen* o *Nuestra Señora de Montserrat*), eretta nell'XI secolo (e poi ampliata) su un ripiano del gruppo montuoso del *Montserrat* (dal catalano *mont* 'monte' e *serrat* 'a sega') presso Barcellona, così denominato per il suo profilo seghettato.

Montagna (150) F. ALTERATI: *Montagnina* (75). Proprio del Reggino, riflette il culto locale di Maria Santissima della Montagna, patrona di Taurianova RC dove il nome ha un'altissima frequenza relativa.

Montano (100) M. Raro e disperso, più frequente nel Lazio e in Campania, riflette il culto di vari santi e in particolare di San Montano martire a Terracina sotto Adriano: alla base è il soprannome o 3° nome latino di età imperiale e poi nome individuale *Montanus*, etnico di *mons montis* 'monte', cioè 'originario di una zona di montagna'.

Montèllo (50) M (anche F). Disperso tra Nord e Toscana, è un nome ideologico insorto alla fine della 2ª guerra mondiale per la decisiva battaglia del Montello (un colle dell'alta pianura veneta sulla destra del Piave) del giugno 1918 che segnò l'inizio della ritirata e della sconfitta austriaca.

Moràvio (150) M. Proprio dell'Emilia-Romagna e della Toscana, è un nome ideologico connesso con la Moravia, regione storica e moderna dell'Europa centrale (ora nella Repubblica Cecoslovacca), con motivazioni non chiare (forse per la ribellione del 1618 contro gli Asburgo e per la lunga lotta per la propria indipendenza raggiunta solo dopo la 1ª guerra mondiale).

Mordechài (20) M. VARIANTI: *Mordechày* (5). Nome israelitico raro e disperso, ripreso dal cugino e padre adottivo di Ester dell'Antico Testamento, in ebraico *Mordekhay* 'uomo di Marduk' (dio supremo babilonese), adattato in greco e latino come *Mardochâios* e *Mardochaeus* (v. *Marx*).

Morèno (7.500) M. - F. *Morèna* (5.000). Diffuso nel Nord e nel Centro con alta compattezza in Toscana (e per il femminile anche in Emilia-Romagna), è ripreso dallo spagnolo e catalano *Moreno* o *Morena*, soprannome già medievale formato dall'aggettivo *moreno* 'bruno, scuro di carnagione, occhi, capelli' (derivato dal latino *Maurus*, v. *Mauro* e *Moro*, con il raro suffisso -*eno*), affermatosi recentemente, soprattutto in Toscana, come nome di moda esotica e per la sua eufonia.

Morfèo (50) M. Proprio della Toscana, è una ripresa rinascimentale e moderna del dio del sonno e dei sogni della mitologia classica, in greco *Morphéus* latinizzato in *Morpheus*, da *morphē'* 'forma umana' e 'immagine', in quanto il dio appariva in forma umana nel sonno e suscitava nei dormienti le immagini dei sogni.

Morgana (100) F. Disperso nel Nord, è un nome di antica matrice letteraria ripreso dalla maga Morgana, già ricordata nella «*Vita Merlini*» del 1150 ma poi personaggio di vari poemi del ciclo bretone, come sorella del re Artù, e di gran parte della poesia cavalleresca francese e italiana (in francese, antico *Morgain la fee*, e di qui in italiano «la fata Morgana»). Il nome, di origine certamente celtica, può essere raccostato all'irlandese *Muirgen*, un derivato di *mor* 'mare'.

Mòro (60) M. ALTERATI e DERIVATI: *Morèllo* (300), *Morétto* (25), *Morino* (50); *Moraldo* (50), *Morando* (700), *Morano* (50), *Moriàno* (50). - F. *Mòra* (25). ALTERATI e DERIVATI: *Morèlla* (150), *Morina* (75); *Moranda* (150). Proprio della Toscana, ha alla base un soprannome già medievale, *moro* (esito popolare del latino *Maurus*, v. *Mauro*), 'di colore nero o tendente al nero, molto scuro', riferito sia alla carnagione sia ai capelli: il derivato *Morando* ha avuto una maggiore affermazione per l'influsso di un personaggio della letteratura epico-cavalleresca francese antica *Morand* o *Morans*, di identico etimo.

Morosina (130) F. - M. *Morosino* (20). Raro e disperso nel Centro-Nord, ha alla base la forma regionale *morosa* e *moroso* (aferesi di *amoroso*) 'ragazza, giovane con cui si è fidanzati, si fa all'amore': in casi isolati può anche essere incrociato con *Mora* e *Moro* oppure con *Amoroso* e *Amorosa*.

Mosè (2.800) M. VARIANTI: *Mòse* (50); *Moisè* (100); *Moshè* (100), *Mòshe* (20), *Mòsshe* (20). Distribuito in tutta l'Italia con più alta compattezza nel Nord, e qui soprattutto in Lombardia e nel Veneto, è un nome fondamentalmente israelitico ma anche cristiano (la Chiesa riconosce come santo il liberatore d'Israele, cui è dedicata l'antica chiesa di San Mosè a Venezia, e inoltre esistono altri santi così denominati), ridiffuso recentemente anche dalle numerose opere letterarie, teatrali e musicali di cui

è protagonista (in particolare l'opera lirica «Mosè» di G. Rossini nelle due versioni del 1818 e 1827). Il nome del liberatore, profeta e legislatore del popolo di Israele è interpretato «a *posteriori*», quindi erroneamente, nell'Antico Testamento: nell'«Esodo» la figlia del faraone che salva il bambino Mosè dalle acque del Nilo dice che gli dà questo nome perché lo ha tirato fuori dalle acque, ricollegando quindi il nome ebraico *Mōsheh* (adattato in greco come *Mōsē's* o *Mōysē's* e in latino come *Moses* o *Moyses*) al verbo *mashah* 'estrarre, tirare fuori'. Ma il nome di Mosè, come quello della sorella Maria (v. *Maria* e *Miriam*), è egizio, forse derivato da *mshj* 'partorire' con il significato di 'figlio', magari attraverso un nome composto teoforico.

Mughétta (150) F. - M. *Mughétto* (20). Accentrato per $^2/_5$ in Toscana e per il resto disperso nel Nord, è uno dei numerosi nomi personali derivati da piante e fiori (come *Dalia*, *Gelsomina*, *Rosa*, *Viola*) per la bellezza e il profumo, in questo caso il «mughetto» (dal francese *muguet*), una pianta delle gigliacee dai piccoli fiori bianchi in racemo intensamente profumati.

Musétta (150) F. Proprio della Toscana, è ripreso per moda teatrale dal nome (in francese *Musette*) dell'amica di Mimì della «Bohème» di G. Puccini (v. *Mimì*).

Mùzio (700) M. - F. *Mùzia* (75). Disperso nel Centro-Nord e più frequente in Toscana, è una ripresa classicheggiante, rinascimentale e moderna, dell'antico gentilizio latino *Mucius*, proprio di vari personaggi storici tra cui il più noto è il leggendario eroe Gaio Muzio Scevola che alla fine del VI secolo a.C. si era recato nel campo del re etrusco Porsenna, che assediava Roma, per ucciderlo, e avendo sbagliato, uccidendo invece del re un suo funzionario, arse su un braciere la mano destra (restando così mancino: *scaevola*, in latino, significa appunto 'mancino'). Il nome latino *Mucius* [pronunzia: *mùkius*], di origine etrusca ma di oscuro significato, è stato adattato graficamente, quando in età imperiale la pronunzia era ormai *mùzius*, in *Mutius*, e così è stato adottato come *Muzio* in italiano.

N

Nabor (1.000) M. VARIANTI: *Nàbore* (100), *Nabòrre* (100). Proprio del Nord e qui accentrato in Lombardia (e per *Nabore* in Emilia-Romagna), riflette il culto per San Nabor o Naborre martire a Lodi Vecchia con San Felice nel 313, patroni di Griante CO, originari della Mauritania. Il nome, attestato nel tardo latino e in ambienti cristiani come *Nabor Náboris*, dovrebbe quindi essere libico, ma poiché non esistono nelle lingue berbere convincenti raffronti è più probabile che sia un nome teoforico semitico, di origine babilonese e di tradizione aramaica (dove è documentato come *Nabōr'ī*), con il significato di 'mio amico è Nebo' (dio assiro-babilonese, v. *Abdenago* e *Nabucco*).

Nabucco (20) M. Disperso nel Nord, riflette la forma abbreviata *Nabucco* del nome del grande imperatore di Babilonia Nabucodonosòr o Nabucodònosor del VI secolo a.C., affermatasi con l'opera lirica di G. Verdi, su libretto di T. Solera, rappresentata per la 1ª volta alla Scala di Milano nel 1842, che nel Risorgimento fu simbolo dell'indipendenza italiana (soprattutto per il coro 'Va pensiero...' degli Ebrei schiavi a Babilonia). L'originario nome babilonese, *Nabū-kudurri-ushur*, 'il dio Nabu protegga l'erede, il sovrano' (v. *Abdenago*), è stato tramandando attraverso gli adattamenti ebraici *Nebūkadre'shshar* e quindi greco e latino *Nabuchodonósor* e *Nabuchodónosor*.

Nàdia (38.000) F. VARIANTI: *Nàdja* (150), *Nàdya* (150), *Nady* (50), *Nàdea* (150), *Nàdeia* (75); *Nada* (6.000). ALTERATI E DERIVATI: *Nadina* (700), *Nadine* (300); *Nadiàna* (50). - M. *Nàdio* (300). VARIANTI: *Nado* (100), *Naddo* (25). ALTERATI: *Nadino* (100). Distribuito nel Nord e nel Centro, con più alta frequenza in Toscana, è un recente nome di moda esotica, letteraria, teatrale e cinematografica, ripreso dal russo *Nadja*, ipocoristico di *Nadežda* 'Speranza'. *Nada* e *Nado*, propri della Toscana, possono anche avere origini diverse, come *Naddo* che almeno in parte è l'ipocoristico già medievale di *Rinaldo* e anche di *Bernardo*. La forma *Nadine* può essere il nome di residenti straniere di lingua inglese e francese, ma anche nome di moda italiano ripreso dall'inglese e francese *Nadine*, che ha la stessa origine.

Nadir o *Nadir* (1.000) M. - F. *Nadìria* (25). Disperso tra Nord e Centro, con più alta frequenza in Lombardia e in Emilia-Romagna, è un recente nome di moda esotica, letteraria e teatrale, che ha alla base il persiano e iranico *Nādir*, ripreso prima dal protagonista dell'opera musicale «I pescatori di perle» di G. Bizet del 1863 (qui arbitrario, perché ambientata nell'isola di Ceylon; v. anche *Leila*), poi del romanzo d'avventure ambientato in Asia Minore e in Persia «Il re della montagna» di E. Salgari.

Nàide (500) F. VARIANTI: *Nàida* (500). Distribuito nel Nord e nel Centro con maggiore compattezza in Emilia-Romagna e in Toscana, è forse una ripresa classica, mitologica e letteraria, delle ninfe dei fiumi e delle acque, figlie di Zeus, le «Naiadi», dal greco *Naï's* (o *Nēï's*, poetico *Naiás*) *Naïdós*, latinizzato in *Nais Náidis* (poetico *Náias*), derivato dal verbo *nân* 'scorrere, fluire'. In casi isolati può anche essere un'alterazione di *Nadia*.

Naldo (300) M. ALTERATI: *Naldino* (50). - F. *Nalda* (250). ALTERATI: *Naldina* (100). Distribuito nel Centro-Nord, è la forma abbreviata di *Arnaldo*, *Monaldo*, *Reginaldo* e *Rinaldo*, e dei rispettivi femminili.

Nanà (75) F. Raro e disperso, è l'ipocoristico francese, *Nana*, di *Anne*, *Annette* 'Anna, Annina', affermatosi anche in Italia per il romanzo *«Nana»* di É. Zola del 1880 e dell'omonimo film a esso ispirato di J. Renoir del 1926, la cui protagonista è la bella ballerina parigina Anne Coupeau.

Nanni (450) M. VARIANTI: *Nani* (50). ALTERATI: *Nannino* (100). - F. *Nanna* (150). ALTERATI: *Nannina* (700). Disperso in tutta l'Italia, con maggiore compattezza in Liguria, Toscana, Lazio e Sardegna, è l'ipocoristico di *Giovanni* e *Giovanna* (ma, per *Nannina*, anche di *Marianna*).

Napoleóne (2.900) M. Distribuito in tutta l'Italia con più alta frequenza nel Nord, è un nome di matrice ideologica affermatosi con la potenza e la celebrità di Napoleone (in francese *Napoléon*) I Bonaparte imperatore di Francia, anche se in alcuni casi può continuare il nome già diffuso dal XII secolo nell'Italia centrale *Napoleone* (comune a Siena) o *Nepoleone*, *Nepolone* (e in Emilia-Romagna *Nevolone*), che fu appunto introdotto in Corsica dalla famiglia Buonaparte che vi si trasferì da Sarzana nel Cinquecento. L'etimo del nome è incerto, forse di origine germanica: ma sulle sue forme ha certamente influito il raccostamento, per etimologia popolare, a *leone* (soprattutto come terminazione di nomi), e alla città di Napoli.

Nàpoli (90) F (anche M). ALTERATI: *Napolina* (75). - M. *Napolino* (150). Proprio della Toscana, è formato o derivato, con motivazioni non più identificabili, da *Napoli*, città della Campania.

Nara (5.500) F. - M. *Naro* (20), *Nàrio* (50). Accentrato per più della metà in Toscana e per il resto disperso nel Nord e anche nel Centro, sembra, in mancanza di una tradizione e documentazione sicura, un nome di moda recente, dell'Ottocento, ripreso forse da personaggi letterari, del teatro e dello spettacolo.

Narciso (9.500) M. VARIANTI: *Narcìsio* (300). - F. *Narcisa* (3.500). Diffuso nel Nord e nel Centro, qui con alta compattezza in Toscana, e raro nel Sud, riflette in parte il culto di San Narciso martire a Tomi nel Ponto nel IV secolo con i fratelli Argeo e Marcellino, ma in parte maggiore è una ripresa classica, mitologica e letteraria, del mitico giovane che, vedendo la propria immagine rispecchiata in una fonte, se ne innamorò fino a morire d'amore e a trasformarsi nel fiore che da lui prese nome, il narciso o giunchiglia dai fiori gialli o bianchi e delicatamente profumati (e anche dal fiore può essere insorto in alcuni casi il nome personale). Alla base è il greco *Nárkissos* adottato in latino come *Narcíssus* (frequente come nome di schiavi, liberti e di cristiani in età imperiale), derivato dall'identico nome della pianta e del fiore, di origine pregreca ma riaccostato per etimologia popolare al greco *nárkē* 'sopore, torpore' perché veniva usato come sedativo, calmante e ipnotico.

Narsète (100) M. Accentrato per la metà in Emilia-Romagna e Toscana e disperso nel Nord, riflette in casi isolati il culto di vari santi orientali così denominati ma fondamentalmente è un nome di matrice classica, ripreso dal generale dell'Impero d'Oriente che combatté contro i Goti e nel 553 liberò definitivamente l'Italia dal loro dominio: il nome greco e bizantino *Narsês Narsêtos*, latinizzato in *Narses Narsétis*, è un prestito dal nome persiano *Narses* e armeno *Nerses*.

Nascimbène (20) M. È l'esile relitto del nome augurale e gratulatorio medievale *Nascimbene*, ossia 'nasci in bene', per avere una sorte felice e fortunata.

Natale (59.000) M. VARIANTI: *Natalio* (150). ALTERATI E DERIVATI: *Natalino* (11.000); *Natalizio* (100). - F. *Natala* (3.000). VARIANTI: *Natalìa* (15.000). ALTERATI E DERIVATI: *Natalina* (63.000); *Natalìzia* (1.600). Ampiamente diffuso in tutta l'Italia, con più alta frequenza per *Natale* e soprattutto *Natala*, *Natalizio* e *Natalizia*, in Sicilia, per *Natalia* in Emilia-Romagna e in Toscana, è un antico nome cristiano che continua il latino *Natalis* (da *dies natalis*, da *natus* participio perfetto di *nasci* 'nascere', 'giorno della nascita'), insorto e affermatosi nei primi ambienti cristiani in riferimento al giorno del martirio e della morte (come nascita alla vita eterna), poi, dal IV-V secolo, al giorno della nascita di Gesù, quindi come nome di battesimo dato a figli nati il giorno di Natale e, in alcuni casi, anche per il culto di vari santi e sante così denominati. Il femminile *Natalia* è di tradizione greco-bizantina, e quindi molto diffuso nei paesi slavi (*Natalija* in russo, in serbo, in croato, in sloveno, ecc.: v. *Natascia*).

Natàscia (300) F. Distribuito nel Nord, è l'adattamento grafico del russo *Nataša*, ipocoristico di *Natalija* (v. *Natale*), ripreso dall'ultimo Ottocento dalla protagonista del romanzo «Guerra e pace» di L. N. Tolstoj del 1878, e poi, dal Novecento, per altri modelli russi o slavi analoghi, letterari, teatrali, cinematografici, ecc., e in alcuni casi come nome ideologico, di adesione alla rivoluzione sovietica, oppure di moda esotica e eufonica.

Navarino (50) M. VARIANTI: *Navarrino* (20). Proprio della Toscana, può essere sia il diminutivo di *Navarro* o l'etnico di *Navarra* (v. *Navarro*), sia, soprattutto nella forma *Navarino*, un nome ideologico, risorgimentale, insorto per l'eco della battaglia di Navarino, sulla costa ionica della Messenia, del 1827, in cui la flotta turca fu distrutta da quella alleata, nel quadro più ampio della lotta per la liberazione della Grecia dal dominio dell'Impero turco, cui parteciparono come volontari il poeta inglese G. G. Byron, morto a Missolungi nel 1824, e lo scrittore e patriota piemontese Santorre di Santarosa caduto nell'isola di Sfacteria, di fronte a Navarino, nel 1825.

Navarro (100) M. VARIANTI: *Navaro* (50). Accentrato per la metà in Toscana e per il resto disperso nel Nord, riprende il nome etnico spagnolo di Navarra, regione storica e provincia moderna della Spagna settentrionale, *Navarro*, affermatosi soprattutto come cognome anche in Italia (v. anche *Navarino*).

Nazàrio (2.700) M. VARIANTI: *Nazzàrio* (250); *Nazaro* (50), *Nazzaro* (400). ALTERATI: *Nazzarino* (20). NOMI DOPPI: *Nazàrio Sàuro* (50). - F. *Nazària* (75). VARIANTI: *Nazzària* (50). Diffuso in tutta l'Italia, con più alta compattezza per *Nazario* a Milano e provincia e per *Nazzario* in Puglia, continua il personale greco e latino di età e ambienti cristiani *Nazários* e *Nazáreus*, originariamente etnico della città di Nazareth in Palestina (greco *Nazaréth* e in latino *Názareth*, adattamento dell'ebraico *Nasrat*), dove Maria Vergine ricevé l'annunciazione e dove trascorse la giovinezza Gesù, diventato poi sinonimo di 'cristiano' in quanto seguace di Gesù di Nazareth o Nazareno (v. *Nazzareno*): il nome si è continuato e diffuso con il culto di vari santi, e in particolare di San Nazario martire con San Celso, forse sotto Nerone, le cui reliquie furono ritrovate a Milano da Sant'Ambrogio nel 393, e di San Nazario vescovo del VI secolo, e patrono, di Capodistria. *Nazario Sauro* non è un nome effettivamente doppio, ma unitario, ideologico e patriottico, adottato per la profonda eco e commozione suscitata dall'impiccagione a Pola nel 1916, da parte degli Austriaci, del patriota e irredentista di Capodistria Nazario Sauro, arruolatosi come ufficiale della marina italiana e caduto prigioniero nel tentativo di penetrare con il suo sommergibile nel porto di Fiume.

Nazzarèno (22.000) M. VARIANTI: *Nazaréno* (3.600). - F. *Nazzarèna* (7.000). VARIANTI: *Nazarèna* (1.400). Diffuso in tutta l'Italia con maggiore compattezza nelle Marche e nel Lazio e, per *Nazarena*, in Sicilia, riflette la devozione per Gesù di Nazareth o Nazareno (chiamato appunto, assolutamente, il Nazareno), dall'altro etnico greco e latino *Nazarēnós* e *Nazarénus* di Nazareth, v. *Nazario*.

Neàrco (150) M. Accentrato per la metà in Emilia-Romagna e per il resto disperso nel Nord, è una ripresa classica del nome greco *Néarchos* (da *néos* 'nuovo, giovane', o da *nâus neō's* 'nave', e *archós* 'capo, comandante', quindi 'giovane capo, principe' o 'comandante della nave'), latinizzato in *Nearchus*, di vari grandi personaggi della Grecia antica: ma alla diffusione deve avere recentemente contribuito il famoso cavallo da corsa italiano Nearco, più volte cam-

pione nei più prestigiosi premi negli anni
'30 e '40.

Nèdda (2.500) F. - M. *Nèddo* (50).
Diffuso nel Nord e meno nel Centro, ha
alla base l'ipocoristico siciliano *Nedda*
(corrispondente a *Nella*, v. *Nello*) ma
per tramite indiretto, di matrice letteraria recente – come dimostra l'assenza del
nome in Sicilia e nell'estremo Sud –, ripreso ossia dalla protagonista della novella «Nedda» del 1874 di G. Verga, che
segna l'inizio della sua nuova maniera
«veristica».

Nèdo (3.800) M. VARIANTI: *Nèdio*
(50). - F. *Nèda* (3.000). VARIANTI: *Nèdi*
(200). ALTERATI: *Nedina* (100). Accentrato per più della metà in Toscana e disperso nel Nord, non consente, in mancanza di tradizione e di documentazioni
antiche, alcuna ipotesi di spiegazione
fondata: pare un ipocoristico di nomi
non identificabili, o una creazione eufonica recente, mentre non è probabile,
data la notevole frequenza, che sia una
ripresa del poco noto nome mitologico
latino *Neda*, dal greco *Nédē* (propriamente 'onda, flutto') di una ninfa oceanina nutrice di Zeus.

Neèra (200) F. - M. *Neèro* (10). Disperso nel Nord e più compatto in Emilia-Romagna, è una ripresa letteraria recente dello pseudonimo Neera della
scrittrice milanese di romanzi di largo
successo in ambienti alti e medi Anna
Radius Zuccari, morta nel 1918. Alla base è il nome greco *Néaira* (da *nearós*
'giovane'), latinizzato in *Neaera*, proprio di vari personaggi mitologici e adottato da vari poeti (Virgilio, Orazio, Tibullo) per denominare la donna amata:
il nome italiano può avere in parte anche
questa matrice mitologica e letteraria
classica.

Nèlda (4.000) F. - M. *Nèldo* (200).
Diffuso tra Nord e Centro con più alta
compattezza in Emilia-Romagna, pare,
in assenza di una tradizione sicura, un
ipocoristico, o un nome eufonico di fantasia, derivato da un nome, forse doppio, non identificabile.

Nèlia (1.100) F. ALTERATI: *Nelina*
(100). DERIVATI: *Nelida* (700), *Nelide*
(600), *Nellida* (100), *Nelita* (50). - M.
Nèlio (450). VARIANTI: *Nèllio* (50). Distribuito nel Centro-Nord, non consente
una spiegazione fondata e certa, ma solo

alcune ipotesi. Può essere, per *Nelia* e
Nelio, la forma abbreviata di *Cornelia* o
Onelia e dei rispettivi maschili. Più difficilmente può rappresentare una ripresa
classica del latino *Néleus* dal greco
Nēléus, il re di Pilo in Messenia padre
di Nestore, personaggio dell'«Iliade» e
dell'«Odissea» (v. *Nestore*), o del patronimico *Neléius* e *Nelídes*, dal
greco *Nēlē̂ïos* e *Nēlídēs*, 'figlio,
discendente di Neleo', appellativo di
Nestore. Nel tipo *Nelida* – se è autonomo –, può essere un nome di matrice letteraria recente ripreso dalla protagonista del breve romanzo «Nélide» della
scrittrice francese Daniel Stern (pseudonimo di Marie-Catherine-Sophie de Flavigny, contessa d'Agoult, amica di letterati, artisti e politici anche italiani, come
D. Manin e G. Mazzini, morta nel 1876),
sul rapporto d'amore tra lei e il musicista
Franz Liszt.

Nèllo (45.000) M. ALTERATI: *Nellino*
(50). - F. *Nèlla* (61.000). ALTERATI: *Nellina* (600), *Nellùccia* (75). IPOCORISTICI:
Nèlly (5.500), *Nèllj* (300), *Nèlli* (400) e
Nellì (75). NOMI DOPPI: *Nèlla Marìa*
(300). Diffuso in tutta l'Italia ma più raro nel Sud (dove sono però frequenti in
Sicilia *Nellina* e *Nelluccia*), è la forma
abbreviata o ipocoristica di vari nomi in
-*nèllo* o -*nèlla* come *Antonello*, *Brunello*,
Donatello, *Leonello* o *Lionello*, *Ottonello*, *Stefanello* e dei rispettivi femminili (e
tra i femminili anche *Annella* e *Annarella*, *Giovannella*, *Ornella*). *Nelly* è propriamente l'ipocoristico inglese, ma
adottato anche in Italia, di *Eleanor*, *Elden*, *Helen*, ecc.

Nèlson (800) M. VARIANTI: *Nèlso*
(450). - F. *Nèlsa* (250). Distribuito nel
Nord, con maggiore frequenza in Emilia-Romagna, e raro nel Centro, è un nome ideologico, ripreso dal primo Ottocento dal cognome del celebre ammiraglio inglese Horatio Nelson (composto
di *Nell* o *Neil*, personale irlandese, e *son*
'figlio', quindi, come patronimico, 'figlio di Neil'), comandante della flotta
del Mediterraneo e vincitore della decisiva battaglia navale contro i Francesi di
Trafalgar, dove trovò la morte, nel 1805.

Nelusco (300) M. VARIANTI: *Nelusko*
(20), *Nellusco* (200); *Anelusco* (100). -F.
Nelusca (50). Accentato per ²⁄₃ in Emilia-Romagna e in Toscana e per il resto

disperso nel Nord, è un nome di moda teatrale ripreso alla fine dell'Ottocento dal protagonista Nelusco dell'opera musicale «*Africaine*» (in italiano «L'Africana»), rappresentata per la 1ª volta a Parigi nel 1865, del berlinese Jakob Meyerbeer.

Némbo (20) M. Proprio della Toscana, è forse ripreso da *nembo* 'banco di nuvole temporalesche', attraverso il nome, «Nembo», di unità e formazioni militari d'assalto, o il soprannome di persone impetuose come un nembo.

Nemèsio (550) M. VARIANTI: *Nemèzio* (20). - F. *Nemèsia* (75). Distribuito nel Nord e anche nel Centro, riflette il culto di vari santi così denominati, dal tardo personale greco *Nemésios* (latinizzato in *Nemesius*), derivato da *Némesis*, la dea della giustizia punitiva: forse alla diffusione del nome in ambienti libertari e anarchici dell'Ottocento può avere contribuito il raccostamento ideologico alla «nemesi storica», come ristabilimento della giustizia sociale.

Nèmo (300) M. - F. *Nèma* (40). Accentrato per più della metà in Emilia-Romagna e in Toscana e per il resto disperso nel Centro-Nord, è un nome di matrice letteraria ripreso dal protagonista, il capitano Nemo, del diffusissimo romanzo di avventure e pre-fantascientifico «Ventimila leghe sotto i mari» del 1870 dello scrittore francese Jules Verne: l'autore l'avrà adottato, per il misterioso comandante indiano del sottomarino *Nautilus*, dal falso nome che, nell'«Odissea», Ulisse dà al ciclope Polifemo per sfuggirgli, in latino *Nemo* (e in greco *Útis*) 'Nessuno'.

Nemorino (100) M. VARIANTI: *Nèmore* (125). - F. *Nemorina* (40). Disperso nel Centro-Nord con maggiore compattezza in Emilia-Romagna, è un nome di moda teatrale ripreso dall'Ottocento dal protagonista, Nemorino, dell'opera lirica di G. Donizetti, su libretto di F. Romani, «L'elisir d'amore», rappresentata per la 1ª volta a Milano nel 1832. Questo nome, come la variante *Nemore*, risale al tardo personale latino *Nemorius*, nome di un santo martirizzato nel 451 in Gallia dagli Unni di Attila, derivato da *nemus némoris* 'bosco' con il significato di 'che vive nei boschi, che viene dai boschi'.

Nèna (300) F. VARIANTI: *Nène* (500) e *Nenè* (300), *Nèni* (50). ALTERATI: *Nenèlla* (100), *Nennèlla* (200), *Nennèle* (150). -M. *Nèno* (100). Distribuito nel Centro-Nord (ma *Nenè* è accentrato in Sicilia), è la forma abbreviata e ipocoristica di vari nomi, e in particolare di *Maddalena* e *Nazzarena* (e *Nazzareno*).

Nèo (200) M. - F. *Nèa* (200). Accentrato per la metà in Emilia-Romagna e per il resto disperso nel Nord, può essere la forma abbreviata di *Ireneo* e *Irenea* (e dei pur rari *Idomeneo* e *Linneo*).

Nepomucèno (20) M. VARIANTI: *Nepomicèno* (10). Rarissimo e disperso, è l'esile riflesso del culto, molto diffuso in Boemia e Moravia, di San Giovanni Nepomuceno (in ceco Jan Nepomucký, latinizzato in *Nepomucenus*, così denominato perché nato a Nepomuk in Boemia), che studiò notariato anche a Padova e divenne capo della cancelleria arcivescovile di Praga: qui, nel 1393, il re Venceslao IV, nella lotta per sopraffare l'arcivescovato, lo fece gettare nella Moldava, e per questo è considerato martire.

Nèra (1.300) F. ALTERATI: *Nerèlla* (500). - M. *Nèro* (50). Accentrato in Emilia-Romagna e in Toscana e disperso nel Nord, può essere sia il femminile di *Neri* (di cui *Nero* è allora un adattamento al maschile), sia una variante di *Neera*.

Nerèide (700) F. VARIANTI: *Neride* (150). Distribuito nel Nord e anche nel Centro, è una ripresa classica, mitologica e letteraria, del nome delle Nereidi, le divinità del mare figlie di Nereo, in greco *Nēreḯdes*, e in latino *Neréides* (v. *Nereo*).

Nèreo o *Nerèo* (5.800) M. - F. *Nèrea* o *Nerèa* (1.400). Diffuso nel Nord, soprattutto nel Veneto e nel Friuli-Venezia Giulia, raro nel Centro e sporadico nel Sud, riflette il culto di San Nereo e Sant'Achilleo martiri a Terracina intorno al 300, ma in parte può essere anche una ripresa classica, mitologica e letteraria, del nome del dio marino padre delle Nereidi, in greco *Nēréus* e in latino *Néreus* (di qui le due diverse accentazioni in italiano), derivato di *narós* 'che scorre' da *nân* 'scorrere, fluire', riferito al mare e a acque correnti. Di questo stesso nome, diventato un personale nella tarda latinità, è la continuazione il nome di San Nereo.

Nèri (450) M. Proprio della Toscana, soprattutto nord-occidentale, è la forma abbreviata di *Ranieri* o dell'antiquato *Raneri*, e solo in casi isolati di *Guarnieri*, anch'esso antiquato (v. *Raniero* e *Guarniero*).

Nerina (29.000) F. - M. *Nerino* (3.800). Diffuso nel Nord e nel Centro (qui più in Toscana), ha due possibili etimologie e motivazioni: in minima parte può essere il diminutivo di *Neri*; fondamentalmente è una ripresa classica, rinascimentale, del nome femminile latino *Nerina* o *Nereina*, dal greco *Nēréinē*, di una Nereide (v. *Nereide* e *Nereo*), diventato anche nome personale, affermatosi tuttavia solo per via letteraria, prima per un personaggio femminile del dramma pastorale «Aminta» di T. Tasso (del 1573, edito nel 1581), poi e soprattutto per Nerina (nella realtà una ragazza di umile condizione di Recanati, Maria Belardinelli), cantata e compianta da G. Leopardi nel canto «Le ricordanze» del 1829.

Nèrio (3.900) M. - F. *Nèria* (300). Accentrato per la metà in Emilia-Romagna e distribuito per il resto nel Nord e meno nel Centro, può essere sia una forma abbreviata di *Irnerio*, o *Rainerio* e dell'antiquato *Guarnerio* (v. *Raniero* e *Guarniero*), sia una variante di *Nèreo* (già in latino *Nereus* si era confuso con l'antico nome di origine italica *Nerius*: v. *Nereo* e *Nerone*).

Neróne (250) M. Disperso nel Nord, è una ripresa del nome dell'imperatore romano dal 54 al 68 Nerone Claudio Cesare Druso Germanico, non tanto classica ma più letteraria, teatrale e cinematografica, per le molte e diffuse opere moderne di cui questo drammatico personaggio è stato protagonista (il romanzo «*Quo vadis?*» di H. Sienkiewicz con i vari adattamenti cinematografici, v. *Licia*, le opere liriche di A. Boito, P. Mascagni, A. Rubinstein, ecc.). L'antico nome gentilizio latino *Nero Neronis*, proprio della *gens* Claudia, continua, probabilmente per tramite sabino, la base indeuropea **ner-* con il valore di 'uomo' con la qualificazione, implicita, di 'forte, valoroso'. V. anche *Nerio*.

Nèstore (2.400) M. - F. *Nestorina*

(50). Diffuso nel Nord e nel Centro, con maggiore compattezza in Emilia-Romagna e soprattutto nel Lazio, in parte può riflettere il culto, pur raro in Italia, di alcuni santi e martiri orientali così denominati, ma fondamentalmente è la ripresa classica del personaggio dell'«Iliade» e dell'«Odissea» Nestore, il vecchissimo, eloquente e saggio, re di Pilo che ricorda fatti lontanissimi: il nome greco *Néstōr*, latinizzato in *Nestor*, come probabile abbreviazione di *Eunéstōr* (da *éu* 'bene' e *nêisthai* 'andare, venire; ritornare'), significa 'che procede, che ritorna felicemente', ma potrebbe anche essere una forma aferetica di *mnéstōr* con il significato di 'memore, che ricorda bene'.

Nettuno (100) M. Disperso tra Nord e Centro, è una ripresa classica, mitologica e letteraria, del dio romano delle acque e del mare *Neptunus*, nome di origine incerta (forse dall'etrusco *Nethuns*).

Neville (50) M. Disperso nel Nord, è derivato dal cognome, Neville o Nevill [pronunzia: *nèvil*] di un'antica famiglia aristocratica che risale al normanno Gilbert de Nevil, compagno di Guglielmo il Conquistatore, così denominato perché originario di Neville o Neuville in Normandia: il nome può appartenere a residenti stranieri di lingua inglese e può anche essere un nome di moda o ideologico italiano, e in questo caso può avere influito il capo del governo inglese Arthur Neville Chamberlain, che tra il 1937 e il 1939 svolse una politica favorevole all'Italia fascista e alla Germania nazista (patto di Monaco e riconoscimento dell'impero di Etiopia).

Nèvio (6.500) M. DERIVATI: *Neviàno* (25), *Nevìlio* (50). - F. *Nèvia* (2.500). DERIVATI: *Nevìlia* (100). Diffuso nel Nord, e più tra Veneto, Friuli-Venezia Giulia e Emilia-Romagna, meno nel Centro e raro nel Sud, è una ripresa classica dell'antico gentilizio latino *Naevius* (derivato da *naevus* 'neo', come soprannome per caratteristiche fisiche, 'che ha dei nei'), reso illustre dallo scrittore del III secolo a.C. Gneo Nevio, autore di commedie, tragedie e di un poema epico-storico, «*Bellum Poenicum*», sulla 1ª guerra punica.

Nicandro (900) M. - F. *Nicandrina* (50). Proprio del Sud, e qui accentrato a

Isernia e provincia, riflette il culto di vari santi e, in particolare, di San Nicandro o Nicardo martire a Venafro IS sotto Massimiano, patrono di Venafro e di Sannicandro Garganico FG: l'originario nome greco *Níkandros*, latinizzato in *Nicander Nicandri*, è un composto di *níkē* 'vittoria' e *anē'r andrós* 'uomo', con il significato di 'vittorioso'.

Nicànore (25) M. Disperso in Lombardia, riflette il culto di San Nicanore (in greco *Nikánōr* latinizzato in *Nicanor Nicanoris*, con lo stesso etimo e significato di Nicandro), un diacono eletto dagli apostoli forse martire a Cipro.

Nicàsio (500) M. - F. *Nicàsia* (150). Proprio della Sicilia e qui accentrato nel Palermitano e in particolare a Càccamo, riflette il culto, portato in Sicilia da Normanni e Angioni, di due santi, uno (di tradizione incerta) della Gallia, vescovo di Rouen e martire nel I o III secolo, l'altro vescovo di Reims martirizzato dai Vandali o dagli Unni nel V secolo. Il nome (in francese *Nicaise*) risale, attraverso il latino *Nicasius*, al greco *Nikásios*, derivato di *níkē* 'vittoria', quindi 'vincitore, vittorioso'.

Nicèa (30) M. VARIANTI: *Nicèo* (20). Proprio di Udine e Trieste e delle due province, è l'esile riflesso del culto di San Nicea martire, secondo una tradizione leggendaria, con Paolo a Antiochia: il nome greco originario, *Nikáias* latinizzato in *Nicaeas*, è un derivato di *níkē* 'vittoria' attraverso *nikâios* con il significato di 'che riporta, che dà la vittoria'.

Nicèta (200) M. VARIANTI: *Nicèto* (50). Proprio della Puglia e qui accentrato nel Leccese, riflette il culto di San Niceta Goto, martire presso Costantinopoli nel IV secolo durante una persecuzione del re dei Goti d'Oriente Atanarico: il nome greco-bizantino *Nikē'tas*, latinizzato in *Nicetas*, è una variante di *nikē'tē's*, derivato di *níkē* 'vittoria', con il significato di 'vittorioso; vincitore (in gare, giochi, ecc.)'.

Nicodèmo (2.800) M. VARIANTI: *Niccodèmo* (100). - F. *Nicodèma* (75). Proprio del Sud – e di qui importato nel Nord e nel Centro per recente immigrazione interna – e accentrato in Calabria, riflette il culto di vari santi e in particolare di San Nicodemo dottore della legge e

membro del sinedrio, seguace di Gesù, e San Nicodemo da Cirò CZ, asceta e poi monaco nel X secolo nel Pollino, patrono di Mammola RC e venerato nel Reggino anche a Cirò e Grotterìa, centri in cui il nome ha un'alta frequenza relativa. L'originario nome greco *Nikódēmos*, latinizzato in *Nicodémus*, formato da *nikân* 'vincere' e *dêmos* 'popolo', significa 'vincitore tra il popolo'.

Nicòla (206.000) M (anche F, specialmente nei nomi doppi come *Marìa Nicòla* 1.300). VARIANTI: *Niccòla* (25); *Nicòlas* (160); *Nicòlo* (400); *Nicolào* (600), *Nìcolò* (30.000), *Niccolò* (900); *Nìcolo* (400), *Nìccolo* (25). ALTERATI: *Nicolétto* (70), *Nicolino* (6.000), *Niccolino* (200). ABBREVIATI E IPOCORISTICI: *Nico* (1.300), *Nicco* (20); *Niclo* (90); *Còla* (20) e *Colétto* (15). NOMI DOPPI: *Nicola Angelo* o *Nicolàngelo* (1.000), — *Antònio* o *Nicolantònio* (1.000). - F. *Nìccola* (150). ALTERATI: *Nicolétta* (37.000) e *Niccolétta* (100), *Nicolina* (25.000) e *Niccolina* (700). DERIVATI: *Nicolósa* (700). ABBREVIATI E IPOCORISTICI: *Nica* (400), *Nicla* (4.000); *Colétta* (300), *Colette* (700). Ampiamente diffuso per *Nicola* e gli alterati in tutta l'Italia, ma più nel Sud e soprattutto in Puglia, presenta invece una distribuzione diversa nelle varie altre forme: sono propri della Toscana *Nicòlo*, *Niccòla*, *Niccolò* e *Nìccolo*, *Niclo* e *Nicla*, *Colette* (propriamente francese, ma anche nome di moda esotica italiano); *Nicolas* è del Centro-Nord ma più comune in Lombardia, *Nicolao* piemontese, *Nicolò* siciliano insieme a *Nìcolo*, *Nicolosa* sardo, *Nicco* veneto e anche ligure, mentre *Nico* e *Nica* sono distribuiti in tutta Italia ma accentrati per $1/4$ in Sardegna, soprattutto nel Sassarese, dove però riflettono la forma abbreviata dei diminutivi e vezzeggiativi sardi (in *-ico* e *-ica*) *Antonìco* e *Giovannìco* e dei rispettivi femminili. Riflette il culto di numerosi santi e sante così denominati (più di 30), ma in particolare di San Nicola vescovo di Mira in Licia nel IV secolo, le cui reliquie sarebbero state portate a Bari nel X secolo, patrono di Bari e della Puglia e di molti altri centri; San Nicola il Pellegrino, asceta greco dell'XI secolo, morto a Trani BA di cui è patrono; San Nicola o Niccolò di Tolentino MC, asceta e mistico agostiniano del Duecento. Alla base è il nome greco e bizantino *Nikólaos*, composto con *nikân* 'vincere' e *laós* 'popolo', con lo stesso significato, 'vincitore tra il popolo', di *Nicodemo*, adottato in latino come *Nicoláus*, affermatosi in tutti i paesi di Europa, con tradizione greca in Oriente e più recente latina in Occidénte soprattutto per il culto di San Nicola di Mira (che nel Nord e nell'Est corrispondeva a Babbo Natale): *Nikólaos* in greco, *Nikolaj* in russo e *Nikola* in serbocroato, *Nicolae* in rumeno, *Miklós* in ungherese, *Nikolaus* in tedesco, *Niels* in danese, *Nicolas* in inglese e francese, *Nicolás* in spagnolo, *Nicolau* in catalano e portoghese.

Nicomède (150) M. Accentrato per ¹/₃ in Emilia-Romagna e per il resto disperso dal Nord alla Puglia, riflette il culto di San Nicomede martire, secondo una tradizione leggendaria, sulla Via Nomentana durante le persecuzioni di Diocleziano: alla base è il nome greco *Nicomē'-dēs*, composto di *nikân* 'vincere' e *mēdos* 'discernimento, meditazione', quindi 'che vince per il suo discernimento', latinizzato in *Nicomedes*.

Niétta (400) F. Disperso nel Centro-Nord, più frequente in Campania e in Sardegna, è la forma abbreviata di *Antonietta* e, in casi isolati, di *Erminietta*, *Eugenietta*.

Nièvo (100) M. Disperso nel Centro-Nord, è un nome ideologico, risorgimentale, ripreso dal cognome del patriota e scrittore padovano Ippolito Nievo (questo da *nièvo*, forma antiquata o regionale per 'nipote'), morto nel 1861 a 30 anni in un naufragio nel viaggio di ritorno dalla spedizione dei Mille, autore del romanzo autobiografico «Le confessioni di un italiano» del 1858 (ma pubblicato postumo, nel 1867, con il titolo «Le confessioni di un ottuagenario»).

Nilde (3.100) F. VARIANTI: *Nilda* (1.300). - M. *Nildo* (600). Distribuito nel Nord e nel Centro con più alta frequenza in Emilia-Romagna, è la forma abbreviata di *Brunilde* o *Benilde*, *Cleonilde*, *Leonilde*, e delle loro varianti in -*a*.

Nilla (2.500) F. - M. *Nillo* (500). Proprio dell'Emilia-Romagna e del Veneto, è la forma abbreviata di nomi in -*nilla* come *Petronilla* (o anche *Antonilla*, *Dionilla*, *Manilla*, ecc.), forse affermatasi a partire dagli anni '50 per la popolarità della cantante emiliana di musica leggere Nilla (anagraficamente Neolida) Pizzi.

Nilva (700) F. VARIANTI: *Nìlvia* (75). - DERIVATI: *Nilvana* (250). - M. *Nilvo* (50). VARIANTI: *Nìlvio* (30). DERIVATI: *Nilvano* (30). Proprio della Toscana (e per *Nilva* anche dell'Emilia-Romagna) e disperso nel Nord, non consente, per mancanza di una sicura tradizione e di documentazioni, una spiegazione fondata: potrebbe essere, nelle forme base, l'ipocoristico di nomi doppi con un 1° componente in -*na* o -*nia* (come *Antonia*, *Bruna*, *Elena*, *Giovanna*, *Giuseppina*, *Rosina*, ecc.) e come 2° *Elva* o *Ilvia* (v. *Elba* e anche *Milva*), e nei derivati anche un'alterazione di *Nirvana*.

Ninfa (5.500) F. - M. *Ninfo* (25). Proprio della Sicilia occidentale, riflette il culto locale di Santa Ninfa martire – secondo una tradizione leggendaria – con Respicio e Trifone in Frigia, patrona di Santa Ninfa TP e venerata anche nel Palermitano e nell'Agrigentino: alla base è il nome greco *Nýmphē*, latinizzato in *Nympha* (propriamente 'fanciulla in età di sposarsi, donna appena sposata; giovinetta', di etimo oscuro) di divinità femminili minori dei boschi, dei monti, dei fiumi e dei laghi, ecc., diventato poi anche nome personale.

Nìnive (150) F. Disperso nel Nord, è una ripresa classica, di oscura motivazione, del nome dell'antica capitale dell'Assiria, in accadico *Ninuwā*, adattato in greco e in latino come *Nineuē'* e *Nínive*.

Nino (27.000) M. ALTERATI: *Ninétto* (150), *Ninùccio* (50). NOMI DOPPI: *Nino Bìxio* (50). - F. *Nina* (10.000). ALTERATI: *Ninétta* (2.200), *Ninùccia* (150). IPOCORISTICI: *Ninì* (1.200), *Nini* (350), *Niny* (180), *Ninj* (70); *Ninni* (400), *Ninny* (100), *Ninnj* (50). Diffuso in tutta l'Italia, è la forma abbreviata o ipocoristica di numerosissimi nomi e dei loro diminutivi e vezzeggiativi, come *Antonino*, *Battistino*, *Gerolamino*, *Giovannino* o *Giannino*, *Lucianino*, *Stefanino*, *Ugolino*, ecc., e dei rispettivi femminili (e anche di altri femminili autonomi, come *Annina*, ecc.): negli ulteriori ipocoristici del tipo *Ninì* o *Niny*, ecc., è spesso, soprattutto nel Sud, anche maschile. *Nino*

Bixio è in effetti un nome unitario, ideologico e risorgimentale, ripreso dal patriota genovese Nino (ma propriamente Gerolamo) Bixio, cospiratore e poi combattente nella difesa garibaldina di Roma del 1848, comandante nella campagna del 1859 e nell'impresa dei Mille.

Nìobe (300) F. Disperso tra Nord e Centro, è una ripresa classica, mitologica e letteraria, del nome (in greco *Nióbē* latinizzato in *Níobe*, di origine e significato incerti) della figlia di Tàntalo di Lidia cui la dea Latona, per punirla della superbia per la numerosa prole, fece uccidere tutti i figli dai propri figli Apollo e Artemide, e che si trasformò per il dolore in una statua di pietra che continuava però a piangere, personaggio di varie opere letterarie.

Nirvana (1.000) F. VARIANTI: *Mirvana* (150). - M. *Nirvano* (100). VARIANTI: *Mirvano* (50). Distribuito nel Nord e anche nel Centro, con più alta frequenza nel Friuli-Venezia Giulia, è forse ripreso nell'Ottocento dal termine religioso *nirvana* (dal sanscrito *nirvana* composto di *nir-* e *-vana* 'senza fiamma o soffio di vita') che nel buddismo canonico indica lo stato di felicità negativa consistente nell'annientamento individuale o nell'assenza assoluta di ogni passione e sensazione, ma che nell'uso corrente indica uno stato di indifferenza e distacco dalla realtà, di abbandono e quindi serenità. Le varianti in *M-* possono anche avere un'origine diversa.

Nìsio (100) M. - F. *Nìsia* (160). Disperso nel Nord e nel Centro, è la forma abbreviata di *Dionisio*.

Niso (200) M. - F. *Nisa* (50). Disperso tra il Nord e il Centro, è un nome di matrice classica, letteraria, ripreso dal giovane guerriero che in un celebre episodio dell'«Eneide» di Virgilio muore combattendo insieme al carissimo amico Eurialo che aveva tentato di salvarlo (v. *Eurialo*): il nome latino *Nisus* è l'adattamento del greco *Nîsos*, di etimo e significato incerto.

Nita (300) F. - M. *Nito* (25). Disperso nel Nord, anche se in qualche caso può riflettere il culto di una leggendaria Santa Nita martire con il padre Terenzio, la madre Neonilla e 6 fratelli, è fondamentalmente la forma abbreviata di *Anita* o *Annita*, *Antonita*, ecc., e anche dello

spagnolo *Juanita* diminutivo e vezzeggiativo di *Juana* 'Giovanna'.

Nivardo (30) M. VARIANTI: *Nivaldo* (20). - F. *Nivarda* (100). Disperso nel Nord e più frequente in Emilia-Romagna, riflette il culto di San Nivardo vescovo di Reims nel VII secolo e del beato Nivardo compagno di San Bernardo di Chiaravalle: il nome italiano è l'adattamento del nome francese di origine germanica *Nivard*, in latino medievale del VI-VII secolo *Nivardus*, composto di **nivja-* 'nuovo, diverso' (in tedesco *neu*) e **hardhu-* 'forte, valoroso', quindi 'diverso e valoroso'.

Nives (14.000) F. VARIANTI: *Nìeves* (150), *Nìeve* (75), *Nive* (150), *Niva* (500), *Nivia* (300), *Nivea* (800); *Néves* (170), *Néve* (350), *Névi* (80), *Néva* (4.000). - M. *Nivo* (250). VARIANTI: *Nìvio* (150), *Nìveo* (100). Diffuso nel Nord e in Toscana, con più alta frequenza nel Friuli-Venezia Giulia e in Emilia-Romagna, raro nel Centro, riflette il culto, frequente nelle zone montane e più innevate, della Madonna della Neve, e in particolare la devozione per Santa Maria della Neve o Maria Santissima *ad Nives*, cui è dedicata a Roma la basilica di Santa Maria Maggiore sull'Esquilino dove cadde una forte nevicata il 5 agosto, miracolosa in quella stagione, patrona di vari centri e titolare di molte chiese in tutta l'Italia. Alcune forme, come *Neva* di frequenza singolarmente alta, possono tuttavia anche avere origini e spiegazioni diverse.

Nizza (100) F. - M. *Nizzardo* (20). Disperso nel Nord, è un nome ideologico risorgimentale, patriottico e anche irredentistico, ripreso da Nizza come città natale di G. Garibaldi e per la reazione suscitata dalla sua cessione da parte dell'Italia alla Francia con il trattato del 24 marzo 1860, e dall'etnico *nizzardo*, sempre riferito, anche come appellativo antonomastico («il Nizzardo»), a G. Garibaldi.

Nòbile (200) M. - F. *Nobìlia* (75). ALTERATI: *Nobilina* (40). Accentrato per $^1/_3$ in Campania e per il resto disperso, continua il soprannome medievale *Nobile* da *nobile* 'che si distingue, che è noto per le sue qualità; di alta condizione', riaffermatosi in parte, come nome ideologico, per l'eco delle imprese del costruttore e comandante aeronautico Umberto Nobile, nato a Avellino, che nel 1926 e 1928 sorvolò il Polo Nord e vaste regioni artiche inesplorate con i due dirigibili da lui progettati «Norge» e «Italia» (v. *Norge*).

Noè (1.700) M. VARIANTI: *Nòe* (50). Distribuito nel Nord e nel Centro, è un nome prevalentemente israelitico ripreso dal patriarca Noè (in ebraico *Nōah*, tradizionalmente interpretato 'ha alleviato' da *niham* 'alleviare', in greco *Nōé* e in latino *Noe*), che nel diluvio universale si salvò nell'arca con la moglie, i figli e le nuore, e con le coppie di vari animali, perpetuando così il genere umano e le specie animali.

Noèmi (20.000) F. VARIANTI: *Noèmia* (400). - M. *Noèmo* (25). VARIANTI: *Noèmio* (200). Diffuso nel Centro-Nord con alta compattezza in Toscana e in Emilia-Romagna, è un nome solo in minima parte israelitico ma per lo più laico, di moda recente (come molti nomi dell'Antico e Nuovo Testamento, v. *Marco*), ripreso dal personaggio biblico che dopo la morte del marito e dei due figli cambiò il suo nome Noemi (dall'ebraico *Noʿomī* da *noʿam* 'gioia', adattato in greco e in latino come *Nōemín* e *Noémi*) in quello di Mara ('amarezza, tristezza', v. *Mara*).

Nòla (250) F. - M. *Nolano* (20). VARIANTI: *Nolasco* (30). Disperso nel Centro-Nord con più alta compattezza in Toscana, riflette, senza una motivazione accertabile, il nome della città di Nola NA e l'etnico Nolano 'abitante, oriundo di Nola': la variante *Nolasco* riflette invece il culto di San Pietro Nolasco, fondatore nel 1218 dell'ordine della Mercede, v. *Mercedes*.

Nòno (20) M. - F. *Nòna* (25). Rarissimo e disperso, è un nome già medievale dato al 'nono' figlio.

Norandino (25) M. VARIANTI: *Noradino* (70), *Noredino* (20); *Nordino* (50). -F. *Nordina* (40). Disperso tra Nord e Centro, pare una ripresa medievale del nome arabo, *Nūr ad-dīn*, dell'emiro di Aleppo e Damasco contro il quale fu combattuta la 2ª crociata del 1146-48.

Norbèrto (4.500) M. VARIANTI: *Nolbèrto* (35), *Nobèrto* (50). - F. *Norbèrta* (300). Diffuso nel Nord e nel Centro, qui con alta frequenza nel Lazio, riflette in parte il culto di San Norberto, arcivescovo di Magdeburgo dove morì nel 1134, fondatore dell'ordine dei Premostratensi, ma in parte è un nome di moda, di prestigio per la sua presunta aristocraticità. Alla base è il nome germanico già documentato dal VII secolo in Germania come *Nordobert*, composto da un 2° elemento certo, *bertha-* 'famoso, illustre', e da un 1° incerto, forse *northa-* 'forza', oppure 'Nord', quindi 'illustre per la sua forza' o 'illustre nel Nord, uomo illustre del Nord'.

Nòrge (260) M (anche F). Disperso nel Centro-Nord con maggiore compattezza in Emilia-Romagna, è una ripresa recente del nome dato da Umberto Nobile al dirigibile con cui sorvolò nel 1926 il Polo Nord, «Norge», dal norvegese *Norge* [pronunzia: *nòrgë*, ma «all'italiana» *nòrĝe*] 'Norvegia' (v. *Nobile*).

Nòrico (100) M. Accentrato per la metà in Toscana e disperso nel Nord, potrebbe essere l'etnico (in latino *Noricus*, già documentato come tardo soprannome) della provincia romana del Norico (in latino *Noricum*) compresa tra le Alpi orientali e il Danubio, o il nome stesso di questa regione storica.

Nòris (4.500) F. VARIANTI: *Nòri* (700). Diffuso nel Centro-Nord, e accentrato per *Nori* nel Veneto, è un nome recente di moda ripreso dall'attrice cinematografica italiana Assia Noris (nome d'arte di Anastasia von Gerzfeld nata a Pietrogrado nel 1915), nota per vari film di successo degli anni '30 e '40.

Nòrma (39.000) F. - M. *Nòrmo* (10). Diffuso nel Centro-Nord con più alta compattezza in Emilia-Romagna e in Toscana, è una ripresa recente del nome della protagonista, una sacerdotessa dei Drùidi nella Gallia romana, della popolare opera lirica «Norma» di V. Bellini rappresentata per la 1ª volta alla Scala di Milano nel 1831: il nome è un'invenzione immotivata dal librettista F. Romani.

Normanno (300) M. VARIANTI: *Normando* (25). - F. *Normanna* (150). VARIANTI: *Normanda* (50). Accentrato per ⅓ in Emilia-Romagna e per il resto disperso tra Nord e Centro, è una ripresa storica, promossa (soprattutto nelle varianti) dal personale francese *Normand* o *Norman*, del nome dei Normanni (in latino medievale *Northmanni*, in tedesco *Normannen*, da *Nord* 'Nord' e *Mann* 'uomo', quindi 'uomini del Nord'), popolazione germanica originaria della Scandinavia di cui alcuni gruppi (chiamati anche Vichinghi) si stanziarono nell'VIII secolo nella regione della Francia settentrionale da essi denominata Normandia, e di qui conquistarono con Guglielmo I l'Inghilterra nel 1066 e tra l'XI e il XII secolo, con gli Altavilla, l'Italia meridionale.

Norvègia (150) F. - M. *Norvègio* (20). Accentrato in Toscana, è una ripresa recente, di motivazione incerta, del nome della Norvegia, stato della Scandinavia (forse per l'eco della spedizione di U. Nobile al Polo del 1926, v. *Norge*).

Notburga (500) F. Proprio della provincia autonoma di Bolzano di lingua maggioritaria tedesca, riflette il culto di Santa Notburga del Tirolo, morta a Rothenburg nel 1313, patrona delle domestiche e del bestiame, e in casi isolati di Santa Nortburga di Colonia vissuta intorno al 700: il nome germanico, documentato come *Notburgis* e *Notburga* in Germania dall'VIII secolo, è composto dell'antico alto tedesco *not* 'necessità, urgenza' e *bergan* 'conservare, proteggere', con un possibile significato 'che protegge nel bisogno, nelle necessità (del combattimento)'.

Novara (250) F. ALTERATI: *Novarina* (150). - M. *Novaro* (280). VARIANTI: *Novàrio* (20). ALTERATI: *Novarino* (150). Proprio della Toscana e disperso nel Nord, è un nome ideologico risorgimentale, insorto per la profonda eco e commozione suscitata durante la 1ª guerra d'indipendenza dalla battaglia di Novara del 23 marzo 1849 in cui le truppe piemontesi furono sconfitte da quelle austriache, con la conseguente abdicazione di Carlo Alberto e conclusione, da parte di Vittorio Emanuele II, del pesante armistizio di Vignale.

Novarro (100) M. Accentrato per ²/₃ in Toscana e disperso nel Nord, è ripreso recentemente dal cognome dell'attore messicano Ramón Novarro, interprete dagli anni '20 ai '40 di film statunitensi di grande successo, tra cui «Ben Hur» del 1927.

Novèllo (2.100) M. ALTERATI: *Novellino* (100). - F. *Novèlla* (6.500). ALTERATI:

Novellina (250). Diffuso nel Centro-Nord con alta compattezza in Emilia-Romagna e anche in Toscana, riflette in parte il nome e soprannome medievale (formato da *novello* dal latino *novellus*, diminutivo di *novus* 'nuovo, più giovane o recente') dato all'ultimo nato, o al figlio nato dopo la morte di un altro, oppure assunto, per necessità di distinguere, dal membro più giovane di una stessa famiglia. Ma in parte, soprattutto nel femminile, è un nome di devozione cristiana (come comprova il diffuso nome doppio *Maria Novella*, v. *Maria*) insorto per l'intitolazione «Santa Maria Novella» di chiese dedicate alla Madonna per distinguerle da un'altra chiesa più antica già dedicata alla Madonna (a Roma già dal V secolo esiste una chiesa di Santa Maria Nuova, distinta da Santa Maria Antiqua, e a Firenze esiste la celebre chiesa gotica dei Domenicani di Santa Maria Novella, con dipinti dei più grandi pittori, come Giotto, Masaccio, Ghirlandaio).

Novembrino (20) M. - F. *Novembrina* (25). È un nome ormai rarissimo e disperso dato a bambini nati nel mese di novembre (come *Maggio*, *Settembrino*, *Ottobrino*).

Novènio (100) M. VARIANTI: *Novèmio* (50). - F. *Novènia* (15). VARIANTI: *Novèmia* (75). Accentrato per la metà nel Vicentino e disperso nel Nord, pare, in mancanza di una tradizione onomastica e agiografica accertabile (esiste in latino un tardo e isolato gentilizio o personale *Novemius*), un derivato di *novem* 'nove', forse da *novenus* 'in numero di 9, 9 per volta' anche nel senso liturgico di *novena*, o un riflesso di un culto locale di un santo senza alcun riconoscimento ufficiale.

Novìlio (400) M. VARIANTI: *Novìglio* (50), *Norvéglio* (25), *Novèlio* (50). - F. *Novìlia* (300). VARIANTI: *Novèlia* (60). Accentrato in Toscana e anche in Emilia-Romagna e disperso nel Nord, potrebbe continuare, pur mancando una tradizione e motivazione fondata, il tardo nome latino *Novilius* o *Novellius* (derivato da *novus* e *novellus* 'nuovo, recente', v. *Novello*), al quale risale il toponimo *Noviglio*, un piccolo centro in provincia di Milano.

Nùccia (5.500) F. VARIANTI: *Nucci*

(500), *Nuccy* (50); *Nuzza* (75). - M.
Nùccio (650). VARIANTI: *Nuzzo* (20). Diffuso in tutta l'Italia con maggiore frequenza in Sicilia e Sardegna, è la forma abbreviata di diminutivi e vezzeggiativi in -*ùccia* o -*uzza* nel Sud (e -*ùccio* o -*uzzo*) di nomi terminanti in -*na* (o -*nia*), come *Antonuccia, Gaetanuccia, Rinuccia, Stefanuccia*, ecc., e dei rispettivi maschili.

Nullo (700) M. - F. *Nulla* (100). Accentrato per ²/₃ in Emilia-Romagna e disperso nel Nord, è un nome ideologico ripreso prima dal cognome del patriota Francesco Nullo, eroico combattente in tutte le azioni e imprese garibaldine (Roma nel 1849, guerra del 1859, impresa dei Mille, Aspromonte), caduto combattendo in Polonia al comando di una legione volontaria italiana nel 1863, e poi anche da Nullo Baldini, popolare animatore socialista e delle lotte cooperative in Romagna.

Numa (150) M. NOMI DOPPI: *Numa Pompilio* (20). Raro e disperso, è una ripresa classica, rinascimentale e moderna, del 2° re di Roma, il sabino Numa Pompilio (per cui il nome doppio è in realtà unitario), in latino *Numa Pompilius*, personale e gentilizio sabino di cui il primo è di etimo incerto (osco *Nium*-, forse di origine etrusca), mentre il secondo è il corrispondente sabino o osco settentrionale del latino *Quintilius* (v. *Quintilio*).

Numitóre (25) M. Disperso tra Toscana e Lazio, è la ripresa classica del nome del leggendario re di Alba Longa, padre di Rea Silvia madre di Romolo e Remo, in latino *Númitor Numitóris*, di etimo e significato incerto.

Nunziànte (1.100) M (anche F). Proprio della Campania e disperso nel Sud (e nel Centro-Nord per recente immigrazione interna), è un nome di devozione per l'annunciazione di Maria (v. *Annunziata*) e in particolare per l'arcangelo Gabriele che annunciò a Maria di essere stata scelta da Dio come madre di Gesù: è formato dall'antiquato *nunziante*, participio presente di *nunziare* (in latino *nuntians nuntiantis* da *nuntiare*), 'chi annunzia, nunzio'.

O

Òberdan o *Oberdàn* (2.000) M. VA-
RIANTI: *Oberdano* (2). - F. *Oberdana*
(100). Distribuito nel Centro-Nord con
maggiore frequenza per il femminile in
Toscana e in Emilia-Romagna, è un nome ideologico ripreso dall'ultimo Ottocento dal cognome di matrice tedesco-
slovena (*Oberdank*) del patriota e irredentista triestino Guglielmo Oberdan,
arrestato dagli Austriaci per diserzione e
cospirazione e impiccato a Trieste nel
1882.

Obizzo (25) M. - F. *Obizza* (25). Disperso nel Nord, è l'esile riflesso di un
antico ipocoristico germanico in *-izo*
(documentato dal X secolo nella forma
latinizzata *Obitius* o *Opitius*) di nomi
composti con il 1° elemento *audha-*, e
in particolare di *Oberto* (v. *Uberto*), sostenuto dal prestigio della casa d'Este in
cui il nome è stato tradizionale dal XII al
XIV secolo (Obizzo I, II e III marchesi
d'Este), e in parte per il culto di Sant'O-
bizio da Niardo BS, patrono di Niardo e
venerato in tutta la Val Camonica.

Ocèano (25) M. VARIANTI: *Ocèanio*
(5). - F. *Oceània* (75). Disperso nel Centro-Nord, più che un nome di matrice
geografica sembra una ripresa classica,
mitologica, del dio Oceano (in greco
Ōkeanós, di origine preindeuropea,
latinizzato in *Océanus*), il Titano figlio di
Urano e Gea dal quale sono generate
tutte le acque, e in qualche caso può anche riflettere il pur raro culto di Sant'O-
ceano martire in Lidia nel IV secolo.

Òddo (1.000) M. VARIANTI: *Òdo*
(500), *Oddóne* (2.400), *Odóne* (450);

Òtto (1.500), *Òto* (300), *Ottóne*
(1.100); *Udo* (100). ALTERATI E DERIVATI:
Oddino (800) e *Odino* (1.600), *Odétto*
(15); *Ottino* (50), *Ottonèllo* (5); *Udino*
(300); *Odèro* (150). - F. *Òdda* (250). VA-
RIANTI: *Òda* (500). ALTERATI: *Oddina*
(250) e *Odina* (400), *Odétta* (1.300) e
Odette (3.000); *Udina* (150). Distribuito
dal Nord al Centro fino alla Campania,
con maggiore compattezza nelle Venezie, in Emilia-Romagna e, per *Otto*, che
è anche la forma del tedesco moderno,
nella provincia autonoma di Bolzano di
lingua maggioritaria tedesca, è un nome
di antica origine germanica, un ipocoristico di nomi composti con il 1° elemento *audha-* 'ricchezza, possesso; potere' (v.
Oberto sotto *Uberto*), che presenta tuttavia, nelle varie forme, tradizioni e motivazioni diverse. Il tipo *Oddo* o *Oddone*, documentato come *Audo* (e al caso
obliquo *Audónis*) dall'inizio dell'VIII
secolo, è di tradizione longobardica, e
si è affermato per il culto di vari santi
e sante, beati e beate, e in particolare
di Sant'Oddone monaco cluniacense
dell'abbazia di Cluny, morto nel 942 a
Tours. Il tipo *Otto* o *Ottone*, documentato dalla fine dell'VIII secolo, è di tradizione tedesca, e in particolare alamannica e bavarese, e si è affermato sia per il
culto di Sant'Ottone vescovo di Bamber-
ga nel XII secolo, sia per il prestigio degli imperatori Ottone I, II e III del X secolo, sia in casi isolati per l'opera lirica
«Adelaide di Borgogna ovvero Ottone
re d'Italia» del 1817 di G. Rossini. L'alterato *Odino* può anche riflettere, con

matrice colta e letteraria, il nome del dio supremo dell'antica religione germanica Odino (in nordico *Odhinn*, in tedesco *Odin*); il derivato *Odero* può essere, in casi isolati, e come femminile, una alterazione di *Otero*; *Odetta* è l'adattamento italiano del francese *Odette* (femminile di *Odet*, diminutivo di *Odo*), adottato come nome di moda recente anche in Italia. Le varianti in *U-* possono anche avere un'origine diversa.

Odèrzo (70) M (anche F). Disperso tra il Nord e la Toscana, è insorto durante la 1ª guerra mondiale con riferimento alla cittadina di Oderzo TV nella zona del Piave, teatro di dure battaglie (v. *Piave*).

Odèssa (200) F. Disperso nel Centro-Nord, è un nome ideologico ripreso dalla città russa di Odessa sul Mar Nero, forse già risorgimentale, perché coinvolta nella guerra di Crimea del 1854-55, quindi rivoluzionario e socialista, per l'insurrezione degli operai e della popolazione contro il potere zarista nel 1905 (tema del film «La corazzata Potëmkin» del regista sovietico S. M. Eisenstein del 1925).

Odìlia (2.500) F. VARIANTI: *Odilla* (2.500), *Odille* (150), *Odile* (500), *Odèlia* (150); *Eudìlia* (150); *Udìlia* (350), *Udilla* (300); *Ottìlia* (1.700), *Otìlia* (100), *Otèlia* (150); *Utìlia* (400). ABBREVIATI: *Tèlia* (50). - M. *Odìlio* (450). VARIANTI: *Odillo* (300), *Odilo* (50), *Odèlio* (100); *Eudìlio* (50); *Udìlio* (150), *Udillo* (50); *Ottìlio* (20), *Otìlio* (50) *Otèlio* (60), *Otèllio* (25); *Utìlio* (150). ABBREVIATI: *Tèlio* (100), *Tèllio* (50). Distribuito tra il Nord e il Centro, e più compatto nella forma *Ottilia*, che è anche tedesca, nell'Alto Adige e nel Friuli-Venezia Giulia, è un nome di origine germanica derivato da **othal-* 'patria; possessi, beni ereditari' (in tedesco e sassone antico *uodal* e *odhil*), documentato dall'VIII secolo nelle forme in latino medievale *Odilia*, *Otilia* o *Ottilia*, e comune ancora nei paesi di lingua germanica (in tedesco *Ottilia* o *Ottilie*, *Odilia* o *Odilie*, in inglese *Ottilia*, ecc.). All'affermazione ha contribuito il culto di varie sante e beate, tra cui Santa Odilia fondatrice e badessa del monastero di Hohenburg, morta nel 720, patrona dell'Alsazia, e la beata Odilia del Belgio, del XII secolo;

nell'Ottocento il nome ha avuto un parziale incremento dalla protagonista, Odilia, del romanzo di J. W. Goethe *«Wahlverwandtschaften»* del 1809, la cui prima traduzione italiana, «Le affinità elettive», apparve nel 1833.

Odissèo (25) M. Disperso nel Centro-Nord, è una ripresa classica, letteraria, del nome dell'eroe dell'«Odissea», in greco *Odýsseus*, di etimo e significato ignoto e di probabile origine egea o anatolica (v. *Ulisse*).

Odoàcre (200) M. Disperso tra Nord e Centro, è una ripresa di matrice storica del nome del re barbarico che nel 476 depose l'ultimo imperatore romano d'Occidente Romolo Augustolo e nel 493 fu vinto e ucciso da Teodorico: il nome germanico originario, *Odovacar*, è composto di **audha-* 'proprietà, ricchezza' e **wakjan* 'vigilare, fare la guardia', con un significato che potrebbe essere 'che vigila sui beni (del suo popolo)'.

Odorico (600) M. VARIANTI: *Oderico* (20). - F. *Odorica* (40). Accentrato nel Friuli-Venezia Giulia e disperso nel Nord, riflette il culto locale di San'Odorico da Pordenone, missionario francescano in Oriente, morto a Udine nel 1331: alla base è il nome germanico, di tradizione già gotica, *Odericus* (nella forma in latino medievale), composto di **audha-* 'proprietà, ricchezza; possesso' e **rikja-* 'potente, ricco, padrone', quindi 'ricco, padrone di beni'.

Odorìsio (100) M. VARIANTI: *Odorìzio* (20), *Oderìsio* (25), *Oderisi* (20). Disperso nell'Italia continentale, è una variante con una terminazione latinizzata di *Odorico*, attestata nel 1127 per lo scultore Oderisio di Benevento, autore della porta bronzea del duomo di Troia, e nel Duecento per il miniatore Oderisi da Gubbio, ricordato da Dante nel «Purgatorio».

Ofèlia (10.000) F. ABBREVIATI: *Fèlia* (100). - M. *Ofèlio* (550). ABBREVIATI: *Fèlio* (50). Diffuso nel Nord e nel Centro, molto raro nel Sud, è una recente ripresa teatrale (e cinematografica) del nome della sventurata e dolce eroina dell'«Amleto» di W. Shakespeare (v. *Amleto*, e anche *Polonio* e *Laerte*, padre e fratello di Ofelia): il nome, in inglese *Ophelia* [pronunzia: *ofìlië*], è stato ripreso da Shakespeare dalla pastorella

Ofelia del romanzo pastorale «Arcadia» del 1504 di I. Sannazzaro, che lo avrà inventato forse sul modello del greco *ophélia* o *ophelía* 'soccorso, aiuto'.

Offèrto (25) M. Proprio dell'Emilia-Romagna, è forse formato, come nome di devozione, da *offerto*, ossia 'offerto, consacrato a Dio, a un santo'.

Oggèro (20) M. VARIANTI: *Uggèro* (10), *Uggèri* (5). È l'esile riflesso del nome di origine germanica e di tradizione nordica *Holmgeirr* (in danese moderno *Holger*), composto da *holm* 'isola' e *geirr* 'lancia' (quindi, se esiste un significato unitario, 'lancia dell'isola', che protegge l'isola'), penetrato con la letteratura cavalleresca francese, ma anche franco-veneta e toscana, con il personaggio di Oggeri e Uggeri il Danese (in francese antico *Ogier le Danois*, in danese *Holger Denske*), vassallo di Carlo Magno, ma nei vari romanzi ora alleato e paladino, ora ribelle e avversario, del re Carlo. V. anche *Geri*.

Ognibène (30) M. Disperso nel Nord, è un'esile continuazione del diffuso nome augurale medievale dato al figlio perché abbia 'ogni bene, ogni felicità'.

Olanda (1.000) F. ALTERATI: *Olandina* (50). - M. *Olando* (200). ALTERATI: *Olandino* (25). Distribuito tra Nord e Centro, riflette, con una motivazione non accertabile, lo stato dell'Olanda.

Olào (450) M. Accentrato per ²/₃ in Emilia-Romagna, soprattutto nel Ferrarese, e disperso nel Nord, è un nome di moda esotica ripreso dal norvegese *Olaf* (30), svedese *Olof* (10), danese *Oluf* (dal nordico antico *Olafr* 'erede di avi illustri, di nobile discendenza'), attraverso l'adattamento latino medievale *Olaus* e letterario *Olao* (ma anche *Olaf* e *Olof* possono essere in qualche caso nomi esotizzanti italiani). Non è da escludere che *Olao*, in casi singoli, possa essere la forma abbreviata di *Ermolao*.

Òldo (25) M. ALTERATI: *Oldino* (100). - F. *Òldina* (40). Disperso nel Nord, può essere sia un ipocoristico già germanico, autonomo, sia la forma abbreviata di nomi composti di origine germanica in *-òldo* come *Arnoldo*, *Bertoldo*, *Leopoldo*.

Oleàndro (25) M. - F. *Oleàndra* (40). Disperso nel Centro-Nord, è ripreso, per la bellezza e il profumo, dalla pianta dell'oleandro e dai fiori, rosei o bianchi.

Òlga (125.000) F. NOMI DOPPI: *Òlga Marìa* (500). - M. *Òlgo* (25). Ampiamente diffuso in tutta l'Italia, ma meno frequente nel Sud, è un nome di moda recente, ripreso intorno alla metà dell'Ottocento, per via letteraria e teatrale (e forse con il tramite parziale tedesco o francese) dal russo *Ol'ga*, documentato dall'XI secolo e importato in Russia dai Variaghi o Vichinghi, quindi di origine nordica, *Helge* o *Helgi* nell'antico norvegese e islandese (*Helga* nello svedese modèrno), femminile di *Helag* (moderno *Oleg*), da *helager* 'santo', dunque con il significato originario di 'santa'. Il nome si è affermato in Italia e in vari altri paesi con la conoscenza, in traduzioni, per lo più molto tarde, di varie opere russe in cui la protagonista o un personaggio principale ha il nome di *Olga*, come il romanzo in versi «Eugenio Oneghin» di A. Puškin del 1830, il romanzo «Oblomov» di I. A. Gončarov del 1859, il dramma «Le tre sorelle» di A. Čechov del 1901, ecc.

Olìmpia (23.000) F. VARIANTI: *Olìmpia* (100). DERIVATI: *Olimpìade* (75). - M. *Olìmpio* (3.000). VARIANTI: *Olimpo* (100). Diffuso in tutta l'Italia, ma molto raro nel Sud nel maschile, in parte riflette il culto di varie sante e alcuni santi così denominati, in parte molto maggiore è un nome di matrice letteraria e teatrale, sia classica sia moderna, e anche un nome recente di moda esotica e eufonica, o di prestigio: in ogni caso alla base sono i nomi latini *Olympia*, *Olympius* e *Olympus*, *Olympias Olympíadis*, attestati anche come tardi nomi personali, adattamenti dei greci *Olympía*, *Olýmpios* e *Ólympos*, *Olympiás Olympiádos*, il cui nucleo semantico e culturale è il nome dell'Olimpo, monte tra la Tessaglia e la Macedonia, sede degli dèi, e la città di Olimpia nel Peloponneso, centro religioso e sportivo, sede dei giochi «olimpici», di tutta la Grecia antica. Alla diffusione di *Olimpia* ha contribuito anche il personaggio dell'«Orlando furioso» di L. Ariosto, la principessa Olimpia di Olanda, abbandonata dall'amante Bireno in un'isola, salvata da Orlando, e infine sposata dal re d'Irlanda Oberto.

Olindo (8.000) M. VARIANTI: *Orindo* (150), *Orlindo* (100); *Olinto* (3.700). - F. *Olinda* (3.000). VARIANTI: *Orinda* (100), *Orlinda* (50); *Olinta* (100). Distribuito nel tipo in -*d*- in tutta l'Italia, con maggiore compattezza nel Nord e soprattutto in Emilia-Romagna e nel Bolognese, e in quello in -*t*- nel Centro-Nord con più alta frequenza in Toscana, nel Veneto e nell'Udinese, è un gruppo ipotetico, qui formato per la coerenza formale e in parte di distribuzione, senza la possibilità di dimostrare, in mancanza di una tradizione e documentazione probante, né l'identità dei due tipi né l'origine etimologica. La diffusione del tipo *Olindo* è certamente dovuta al personaggio di un celebre episodio della «Gerusalemme liberata» di T. Tasso, il giovane cristiano Olindo (nome di vaga impronta classica forse inventato dal poeta) innamorato di Sofronia, con lei condannato al rogo dal re saraceno Aladino e salvato all'ultimo momento da Clorinda. Il tipo *Olinto*, di cui *Olindo* potrebbe essere una variante, è forse una ripresa classica della città della Penisola Calcidica Olinto, in greco *Ólynthos* latinizzato in *Olýnthus* (da *ólynthos* 'fico selvatico' di origine pregreca), storicamente nota per il ruolo avuto nelle guerre persiane e macedoniche. *Orlindo* e *Orlinda*, possono riflettere un incrocio con *Orlando* e *Orlanda*.

Olivo (4.400) M. VARIANTI: *Olìvio* (1.500); *Ulivo* (150), *Ulìvio* (20). ALTERATI: *Olivétto* (25). DERIVATI: *Olivano* (100), *Oliviàno* (100); *Olivièro* (11.000), *Olivièri* (25), *Olivèro* (50), *Olivèrio* (50); *Ulivièro* (500); *Alivièro* (25). ABBREVIATI: *Livièro* (200) e *Livierino* (15); *Vièri* (800), *Vièro* (300). - F. *Oliva* (9.500). VARIANTI: *Olivia* (2.700); *Uliva* (100). ALTERATI: *Olivétta* (300). DERIVATI: *Olivana* (75), *Oliviàna* (150); *Olivièra* (400), *Olivèra* (50). ABBREVIATI: *Vièra* (400), *Wièra* (75). Distribuito in tutta l'Italia con diversa frequenza nelle varie forme (*Olivo* e *Oliva* sono rari al Sud, le varianti in *U*- sono toscane, *Oliviero* predomina in Lombardia, Emilia-Romagna e Toscana, *Vieri* è proprio della Toscana e anche dell'Emilia-Romagna), è un tipo onomastico che risale al Medio Evo con processi di insorgenza e di motivazione diversi e complessi. *Olivo* e *Oliva* hanno alla base olivo e oliva, in quanto la pianta, sacra a Atena, è simbolo di saggezza e anche (per la tradizione biblica della colomba che ritorna nell'arca di Noè con un ramoscello d'olivo) di pace, soprattutto cristiana: la loro affermazione è promossa, per il femminile *Oliva* che è la forma fondamentale, dal culto di varie sante, tuttavia di incerta tradizione agiografica, come Santa Oliva vergine di Anagni del VII secolo, patrona di Castro dei Volsci FR, Santa Oliva vergine e martire di Palermo (con Santa Rosalia?), e dal nome, in francese *Olive*, di varie eroine delle «*Chansons de geste*». *Oliviero* è ripreso dal francese antico *Olivier* (derivato in -*ier* da *Olive*), eroe del ciclo carolingico (nella «*Chanson de Roland*» è il fratello di Alda la Bella, cugino e saggio amico di Orlando, caduto con lui a Roncisvalle). *Aliviero* può anche essere una variante di *Alighiero*.

Olofèrne (100) M. Disperso nel Nord e anche in Puglia, è una ripresa letteraria e teatrale del nome biblico di origine persiana, adattato in greco e in latino come *Olophérnēs* e *Holofernes*, del generale di Nabucodonosór ucciso nel sonno da Giuditta (v. *Giuditta* e anche *Nabucco*).

Omar (550) M. Disperso nel Centro-Nord con più alta compattezza in Emilia-Romagna, è in parte il nome di residenti stranieri di lingua araba, ma in parte adottato recentemente in Italia per moda esotica o di matrice storica e letteraria, teatrale e cinematografica: alla base è il nome arabo *'Omar*, proprio di califfi succeduti a Maometto, di pascià, e del protagonista di un romanzo cavalleresco arabo del Medio Evo, incluso nelle «Mille e una notte».

Ombrétta (4.000) F. Diffuso nel Nord e nel Centro con alta compattezza in Emilia-Romagna, è un nome di recente matrice letteraria ripreso dalla bambina che, nel romanzo di A. Fogazzaro «Piccolo mondo antico» del 1895 (e nei successivi adattamenti cinematografici e televisivi), muore affogata in un lago acuendo la crisi dei genitori Franco e Luisa.

Omèga (100) F. Accentrato per la metà in Toscana e disperso nel Nord, è una singolare recente ripresa dell'ultima lettera dell'alfabeto greco, *òmega* o *omèga* (da *ō méga* 'o grande': *ω*), di non accertabile motivazione (forse «ultima figlia»?).

Omèro (6.000) M. - F. *Omèra* (150). Accentrato per ¹/₃ in Toscana e disperso nel Nord e meno nel Centro, è una ripresa classica, letteraria, del nome del presunto autore dell'«Iliade» e dell'«Odissea», in greco *Hómēros* latinizzato in *Homérus*, tradizionalmente identificato con *hómēros* 'ostaggio, pegno', ma forse di origine pregreca.

Omobòno (400) M. Proprio della Lombardia e soprattutto del Cremonese, riflette il culto locale di Sant'Omobono Tucingo di Cremona, morto nel 1197, patrono di Cremona (dove il corpo è sepolto nella cattedrale), di San Daniele Po CR e di Sant'Omobono Imagna BG, protettore dei commercianti e dei sarti: alla base è il tardo soprannome e poi nome augurale latino *Homobonus*, formato da *homo bonus* 'uomo buono', frequente, anche come neoformazione italiana, nel Medio Evo.

Ónda (400) F. VARIANTI: *Ondina* (3.000). - M. *Óndo* (10). VARIANTI: *Ondino* (150). Distribuito nel Nord e nel Centro con più alta compattezza per *Ondina* nel Friuli-Venezia Giulia, *Onda*, con il singolare maschile *Ondo*, è la forma abbreviata di nomi (per lo più lunghi e pesanti) terminanti in *-ónda* (o *-óndo*), come *Cunegonda*, *Edmonda*, *Gioconda*, *Ildegonda*, *Radegonda*, *Raimonda*, *Trebisonda*, sostenuta dalla coincidenza con il nome comune *onda*. *Ondina* può essere in parte il diminutivo di *Onda* ma di norma, data la molto più alta frequenza, è una forma autonoma (e per questo è data qui come variante) ripresa da *ondina*, diminutivo di *onda*, soprattutto come creatura fiabesca e fantastica metà donna e metà pesce (valore che risale a Paracelso, il grande medico e filosofo svizzero, Ph. Th. Hohenheim, del Cinquecento, e divulgato da fiabe, leggende e opere musicali, tra cui la «Danza delle Ondine» della «Loreley» di A. Catalani del 1890), e quindi come giovane e esperta nuotatrice. In alcuni casi, soprattutto in Emilia-Romagna, *Ondina* è un nome di moda recente di matrice sportiva ripreso da Ondina Valla (il cui nome è appunto, anagraficamente, *Trebisonda*), bolognese, più volte campionessa d'Italia di atletica leggera e olimpionica degli 80 metri a ostacoli nelle Olimpiadi di Berlino del 1936.

Onèlia (5.500) F. VARIANTI: *Onèglia* (900), *Onèlla* (100). - M. *Onèlio* (2.300). VARIANTI: *Onèglio* (150), *Onèllo* (150). Accentrato per quasi la metà in Emilia-Romagna e in Toscana e per il resto disperso nel Centro e nel Nord, sembra, in mancanza di una sicura tradizione e documentazione storica, un nome di moda, forse teatrale o musicale, recente, che risale, per tramite probabilmente francese, a un antico nome germanico composto con **aun-* (da **awin-* e **awi-*), 'salute' (come *Aunoberht*, *Aunemund*, *Aunegild*, non documentati però in Italia, ma solo nell'area germanica e francese). È possibile che vi sia stato un parziale incrocio con *Ornella*, come sembra indiziare la variante *Ornelia* (v. *Ornella*).

Onèsto (500) M. - F. *Onèsta* (700). ALTERATI: *Onestina* (50). Accentrato per ¹/₃ in Emilia-Romagna e per il resto disperso nel Centro-Nord, è un nome augurale medievale formato da *onesto* (dal latino *honestus*, da *honos* 'onore') nel valore di 'onorato, di nobili sentimenti, di animo retto'.

Onìa (40) M. VARIANTI: *Onìo* (20). Disperso nel Centro-Nord, è ripreso e continuato, in ambienti israelitici, dal nome di quattro sommi sacerdoti, appartenenti a una stessa famiglia, vissuti tra il IV e il I secolo a.C., in ebraico *Ōniāh*, propriamente 'forza, potenza di Iavè, di Dio', adattato in greco e in latino come *Onías*.

Onòfrio (11.000) M. - F. *Onòfria* (1.000). Accentrato per più di ³/₄ nel Sud (e per il resto disperso, soprattutto per recente immigrazione interna, nel Centro-Nord), con più alta compattezza nel Barese, nell'Agrigentino e nel Palermitano, riflette il culto di origine orientale, diffusosi in Occidente con le crociate, di Sant'Onofrio eremita in Egitto nel V secolo, patrono di Casalvecchio Siculo ME e Sant'Onofrio CZ. Il santo è denominato nelle fonti latine *Onuphrius*, adattamento del nome copto *Uenofre* dall'egizio *Wn-nfrw* (*Onnóphris* nella trascrizione greca), epiteto del dio Osiride che significa 'che è sempre felice'.

Onorato (3.600) M. - F. *Onorata* (800). Distribuito in tutta l'Italia ma più raro nel Sud, riflette il culto di vari santi e sante così denominati, e in particolare di Sant'Onorato di Vercelli successore di Sant'Ambrogio come vescovo di Milano, e di Sant'Onorato abate di Fondi LT (dove il nome ha un'alta frequenza relativa), ma in parte è un nome laico, augurale, comune nel Medio Evo. Alla base è comunque il soprannome e poi nome personale latino *Honoratus*, da *honoratus* participio perfetto di *honorare*, 'degno di onore, di essere stimato e onorato'.

Onòrio (3.400) M. ALTERATI: *Onorino* (1.400). - F. *Onòria* (400). ALTERATI: *Onorétta* (50), *Onorina* (15.000). Diffuso in tutta l'Italia ma più raro nel Sud, continua il soprannome e poi nome personale latino di età imperiale *Honorius* e *Honoria*, con il derivato *Honorinus* e *Honorina*, da *honos honoris* 'carica, ufficio importante' e quindi 'onore, alta dignità morale'. Alla continuazione e alla diffusione ha contribuito il culto di vari santi e sante, e il prestigio dei papi Onorio I, II, III e IV del Medio Evo e dell'imperatore romano d'Occidente dal 395 al 423 Flavio Onorio.

Opìlio (150) M. Disperso nel Nord, con più alta frequenza tra Emilia e Lombardia, riflette il culto di Sant'Opilio diacono di Piacenza nel V secolo: alla base è il gentilizio latino *Opilius* e *Opillius*, già di età repubblicana, di origine incerta.

Opìmio (50) M. - F. *Opìmia* (100). Disperso nel Centro, è una ripresa classica del gentilizio latino *Opimius* (da *opimus* 'fertile, ricco', di etimo oscuro), noto per il console Lucio Opimio della fine del II secolo a.C.

Orante (100) M. Accentrato per più della metà nell'Aquilano e disperso tra Abruzzo e Lazio, riflette il culto locale di Sant'Orante (non ufficialmente riconosciuto) patrono di Ortucchio AQ: il nome, cristiano, è formato da *orante*, participio presente del letterario *orare* dal latino *orare* 'pregare', quindi 'che prega, dedito alla preghiera'.

Oràzio (33.000) M. - F. *Oràzia* (4.000). Accentrato per più della metà in Sicilia, soprattutto nel Catanese e nel Ragusano, e per il resto distribuito in tutta l'Italia, risale, con processi di insorgenza e motivazione diversi e complessi, all'antichissimo gentilizio latino *Hora-*

tius, derivato probabilmente dall'etrusco *Huras*, di significato oscuro. In Sicilia riflette certamente un culto locale per un santo, beato o venerabile, che la Chiesa non riconosce né registra (sono ricordati soltanto due «servi di Dio», il domenicano Orazio Spacca e il gesuita Orazio Vecchi, ucciso nel 1612 nel Cile dove svolgeva la sua attività missionaria). Ma, soprattutto fuori della Sicilia e del Sud, è una ripresa classica, rinascimentale e moderna, di vari personaggi storici o leggendari romani: Orazio Coclite, che nel 509 a.C. difese da solo il ponte Sublicio contro gli Etruschi (v. *Coclite*); i tre Orazi romani che combatterono contro i tre Curiazi di Alba durante il regno di Tullo Ostilio, uccidendoli tutti e tre (e l'unico Orazio superstite uccise poi la sorella che piangeva la morte di uno dei Curiazi a lei fidanzato, tema della tragedia «*Horace*» di P. Corneille del 1640 e dell'opera lirica «Gli Orazi e Curiazi» di D. Cimarosa del 1796, che avranno contribuito alla diffusione del nome). Infine, nell'Ottocento, il nome è stato in parte ridiffuso dal personaggio Orazio (in inglese *Horatio*) dell'«Amleto» di W. Shakespeare (v. *Amleto*).

Orchidèa (200) F. - M. *Orchidèo* (5). Accentrato per ³/₅ nell'Emilia-Romagna e disperso per il resto nel Nord, è uno dei molti nomi ripresi auguralmente, per la bellezza, da piante e fiori (v. *Dalia*, *Gardenia*, *Rosa*, *Viola*, ecc.), in questo caso l'orchidea (dal greco *órchis* 'testicolo', per la forma delle radici tuberizzate).

Orèlio (150) M. - F. *Orèlia* (150). Distribuito nel Nord, con alta compattezza nel Veneto e in Emilia-Romagna, e sporadico nel Centro, è probabilmente una variante di *Aurelio* e *Aurelia*.

Orèste (42.000) M. ALTERATI: *Orestino* (100). - F. *Orèsta* (150). ALTERATI: *Orestina* (1.500), *Orestilla* (250). Diffuso in tutta l'Italia, riflette in minima parte il culto di Sant'Oreste martire in Cappadocia durante le persecuzioni di Diocleziano, ma fondamentalmente è la ripresa classica, rinascimentale e moderna, e poi letteraria, teatrale e musicale, del mitico eroe greco Oreste, figlio di Agamennone e Clitemnestra, che con l'aiuto dell'amico Pilade uccise la madre e l'amante Egisto, tema di opere drammatiche classiche e moderne (tra queste l'«Oreste» di V. Alfieri del 1783) e anche liriche (v. *Elettra*, *Ifigenia* e *Pilade*). L'originario nome greco, *Oréstēs* latinizzato in *Orestes*, è un derivato di *óros* 'monte' con il valore etnico di 'abitante, oriundo dei monti; montanaro'.

Orétta (3.000) F. VARIANTI: *Orèlla* (150). - M. *Orétto* (40). VARIANTI: *Orèllo* (15). Proprio della Toscana e sporadico nel Centro-Nord, è la forma abbreviata (con deglutinazione dell'iniziale *L*- sentita come articolo determinativo) di *Loretta* e *Lorella* (v. *Lora* e *Laura*), ma in casi isolati può anche essere un diminutivo di *Oria*.

Orfèlia (200) F. VARIANTI: *Orfèlla* (200). - M. *Orfèlio* (150). Disperso nel Centro-Nord, con alta compattezza per *Orfelio* nel Veneto e per *Orfella* in Toscana, è un incrocio tra *Ofelia* e *Orfea* o *Orfeo*.

Orfèo (8.000) M. - F. *Orfèa* (1.700). Diffuso nel Nord e nel Centro, con più alta frequenza nel Veneto, in Emilia-Romagna e in Toscana, è una ripresa classica, rinascimentale e moderna, del mitico Orfeo, suonatore di lira e cantore che, dopo la morte della moglie Euridice, discese agli Inferi nel vano tentativo di commuoverli con il suo canto e di farsi restituire la moglie (v. *Euridice*), e fu poi sbranato dalle Baccanti, tema di molte opere classiche e moderne che hanno contribuito alla diffusione del nome (la «Favola di Orfeo» di A. Poliziano del 1480 da cui è tratto il libretto dell'«Orfeo» di C. Monteverdi del 1607; le opere liriche di Ch. W. Gluck del 1762, di Fr. J. Haydn del 1793, di J. Offenbach del 1858, ecc.). Il nome originario greco *Orphéus*, latinizzato in *Orpheus*, è di etimo incerto (forse da *orphanós* 'solo'; che vive nella solitudine', ma forse non greco).

Oria (600) F. ALTERATI e DERIVATI: *Orièlla* (1.900), *Oriétta* (9.000); *Orìade* (150), *Oride* (500). - M. *Orio* (900). ALTERATI e DERIVATI: *Orièllo* (200), *Oriétto* (50); *Orìaldo* (50). Distribuito nel Nord e nel Centro con più alta compattezza in Emilia-Romagna e Toscana (e per *Orietta* in Liguria), continua, in forma popolare, il tardo nome latino *Aurea* (da *aureus* 'd'oro, dorato', quindi 'bella, preziosa come l'oro; dalla capigliatura, dal-

la carnagione dorata'), comune in età imperiale, in parte sostenuto dal culto di Santa Aurea martire a Ostia nel III secolo. Gli alterati e i derivati possono tuttavia avere anche origini diverse (v. *Oretta*).

Oriàna (5.500) F. VARIANTI: *Oriànna* (1.000). - M. *Oriàno* (3.600). VARIANTI: *Oriànno* (20), *Oriàndo* (50). Accentrato per più della metà tra Emilia-Romagna e Toscana e per il resto distribuito nel Nord e nel Centro, pare ripreso dal personaggio femminile dei romanzi cavallereschi francesi *Oriane* (di qui passato anche all'inglese *Oriana* e *Oriande*), l'amante di Amadis de Gaul, poi ridiffuso come nome di moda per la sua eufonia e forse anche per incrocio con *Oria* e *Anna*.

Oriènte (600) M (anche F). - F. *Orientina* (100). Disperso in tutta l'Italia con maggiore compattezza nel Nord e in Toscana, sembra un recente nome ideologico d'impronta massonica formato da *Oriente* e *Grande Oriente*, sede locale di una loggia e sede centrale delle rappresentanze di tutte le logge di una nazione: la base è comunque *oriente* (dal latino *oriens orientis* participio presente di *oriri* 'nascere, sorgere', 'zona, punto in cui sorge il sole'.

Orifiàmma (75) F. Proprio della Toscana e sporadico nel Nord, riprende con una motivazione non accertabile il nome *orifiamma* (dal francese *oriflamme* 'fiamma dorata') dell'insegna militare dei re di Francia, uno stendardo rosso con stelle e fiamme d'oro.

Orìgene o *Origène* (50). M. Proprio della Toscana e sporadico nel Nord, è una singolare ripresa del nome del grande teologo di Alessandria d'Egitto del III secolo Origene, in greco *Orighénēs* latinizzato in *Orígenes*, formato da *Hôros* (dal copto *Hôr*), Oro, divinità solare egizia, e *-ghénēs* da *ghíghnesthai* 'nascere', quindi 'figlio, discendente del dio Oro'.

Orióne (50) M. Disperso tra Nord e Toscana, riprende il nome della costellazione australe a sud dei Gemelli, formata secondo il mito dal giovane e bellissimo cacciatore Orione, amante di Aurora, ucciso da Artemide (tema di varie opere musicali e della tragicommedia «Orione» di E. L. Morselli del 1910, che avranno contribuito alla diffusione insieme al pur raro culto di tre santi). Il nome greco, *Oríōn* latinizzato in *Órion Oriónis*, è di etimo incerto.

Orlando (35.000) M. ALTERATI: *Orlandino* (250). - F. *Orlanda* (3.000). ALTERATI: *Orlandina* (1.000). Diffuso in tutta l'Italia, è una variante originariamente toscana di *Rolando*, insorta nel XII secolo per metatesi di *Ro-* in *Or-* e affermatasi dal Rinascimento perché M. M. Boiardo con l'«Orlando innamorato» e L. Ariosto con l'«Orlando furioso» adottarono e imposero con la notorietà dei loro poemi – e dei successivi adattamenti letterari, teatrali e musicali, largamente popolari – questa forma per il nome del paladino di Carlo Magno (v. *Rolando*).

Ormisda (100) M. VARIANTI: *Ormisde* (40). Disperso nel Nord e nel Lazio, riflette il culto di Sant'Ormisda papa dal 514 al 523, il cui nome, in greco e latino *Hormísdas*, è di origine persiana.

Ornato (25) M. - F. *Ornata* (25). Disperso tra Nord e Centro, è un nome augurale e affettivo medievale formato da *ornato*, con il valore di 'ornato, dotato di doti fisiche e morali'.

Ornèlla (40.000) F. VARIANTI: *Ornèlia* (300). - M. *Ornèllo* (1.100). VARIANTI: *Ornèlio* (150). Ampiamente diffuso nel Nord e nel Centro, raro nel Sud salvo in Abruzzo, è un nome di moda letteraria e teatrale ripreso nel primo Novecento dal personaggio (una delle tre sorelle di Aligi) della tragedia «La figlia di Iorio» del 1904 di G. D'Annunzio (v. *Aligi* e *Mila*), che creò questo nome, per la sua melodiosa suggestività, derivandolo da *ornello* (diminutivo di *orno* 'frassino'), nome toscano del frassino da manna, coltivato anche per i bei fiori a pannocchie. *Ornelia* e *Ornelio* riflettono probabilmente un incrocio con *Onelia* e *Onelio*.

Orónte (150) M. Proprio della Toscana e dell'Emilia-Romagna e sporadico nel Nord, è una singolare ripresa classica del nome del grande fiume della Siria Oronte, e di una divinità delle acque, il figlio di Oceano e Teti, diventato poi anche nome personale nel Medio Oriente, in Grecia e in Roma: alla base è il greco *Oróntēs*, latinizzato in *Orontes*, raccostato tradizionalmente a *ornýmen* 'scorrere velocemente' o a *óros* 'monte', ma di origine certamente iranica (v. *Oronzo*).

Orónzo (9.500) M. VARIANTI: *Orónzio* (150). ALTERATI: *Oronzino* (50). - F. *Orónza* (1.600). ALTERATI: *Oronzina* (250). Accentrato per ³/₄ in Puglia, soprattutto nel Leccese, e per il resto disperso, riflette il culto locale, insorto nel Cinquecento, per un leggendario Sant'Oronzo o Oronzio di Lecce, convertito da San Giusto discepolo di San Paolo, naufragato nel Salento, insieme a San Fortunato, tutti e tre poi martirizzati, patroni di Lecce, di Campi Salentina LE, di Ostuni BR, di Turi BA, ecc. Il nome viene tradizionalmente ricondotto al tardo e raro personale latino *Orontius* derivato da *Orontes* (v. *Oronte*), ma è più probabilmente un'alterazione di *Aronzio*, un santo di Benevento con il quale è stato confuso Sant'Oronzo (in latino *Arontius*, da *Aruns* di origine etrusca).

Órso (25) M. VARIANTI: *Órsio* (50); *Ursus* (25). ALTERATI: *Orsino* (50), *Órsolo* (20) e *Orsolino* (50), *Orsèolo* (25). -F. *Órsola* (17.000), *Úrsula* (2.200), *Ursula* (50). ALTERATI: *Orsétta* (40), *Orsina* (50), *Orsolina* (5.500). Distribuito variamente in tutta l'Italia secondo le diverse forme (*Orso* prevale a Genova, *Ursula* a Roma e nel Lazio, *Ursus* in Toscana), è un gruppo che, pur unitario come etimo onomastico, presenta vari e complessi processi di formazione e di motivazione. Il rarissimo *Orso* risale al soprannome e poi nome latino d'età imperiale *Ursus*, da *ursus* 'orso', uno dei molti nomi ripresi da animali (come *Leone*, *Lupo*, ecc.), sostenuto dal culto di vari santi così denominati. *Orsola* con *Orsolina*, con la variante *Ursula* e quella propriamente tedesca (o di altre lingue straniere) *Ursula* ma adottata come nome di moda anche in Italia (insieme all'ipocoristico *Ulla*, 200), riflette il culto di Santa Orsola o Ursula, martire a Colonia, secondo una tradizione leggendaria, nel IV secolo con altre 11.000 compagne. *Orsino* e *Orsina* sono prevalentemente ideologici, anarchici e libertari, ripresi dal cognome del rivoluzionario di Meldola FO Felice Orsini, ghigliottinato a Parigi nel 1858 per avere attentato a Napoleone III provocando numerosi morti. *Ursus* è ripreso dal personaggio del romanzo del 1869 «L'uomo che ride» di V. Hugo, e soprattutto dal buon gigante che, nel «*Quo vadis?*» di H. Sienkiewicz del 1896 (e nei successivi adattamenti cinematografici), salva la cristiana Licia condannata a essere uccisa nel Circo (v. *Licia*).

Ortènsio (1.100) M. VARIANTI: *Ortènzio* (300). - F. *Ortènsia* (5.000). VARIANTI: *Ortènzia* (600). Diffuso in tutta Italia con più alta frequenza nel Nord per le forme in -*s*- e nel Sud per quelle in -*z*-, in parte continua o riprende il gentilizio e poi personale latino *Hortensius* (derivato di *hortus* 'giardino' con il significato di 'coltivatore di giardini, di orti'), ridiffuso nel femminile, nel primo Ottocento, per Ortensia Beauharnais, figlia adottiva di Napoleone e regina d'Olanda. In parte, sempre nel femminile, può essere recentemente ripreso dalla pianta e dai fiori dell'*ortensia* coltivata per le grandi e belle infiorescenze di colore bianco, roseo, azzurro o bluastro.

Òrtis (20) M. Rarissimo e disperso, è un nome ideologico risorgimentale ripreso dal cognome del protagonista del romanzo epistolare di U. Foscolo «Le ultime lettere di Iacopo Ortis» (1ª edizione 1802, 2ª e 3ª 1816 e 1817), un profugo veneto che si uccide per la delusione d'amore e politica per la cessione all'Austria di Venezia con il trattato di Campoformido del 1797.

Osanna (2.500) F. Accentrato per ⅓ in Toscana e distribuito per il resto nel Nord e in particolare nel Mantovano, riflette il culto della beata Osanna Andrássy di Mantova, di origine ungherese, domenicana, morta nel 1505, ma in parte può anche continuare direttamente il tardo nome di devozione latino *Hosanna*: alla base è comunque l'invocazione già biblica a Dio, in ebraico *ōshī-'āhnnā* 'deh salva!' (imperativo di *'ish* 'salvare'), adattata in greco e in latino come *hōsanná* e *hosánna*, che nei Vangeli è l'acclamazione con cui la folla accoglie Gesù che entra a Gerusalemme, poi ripresa dalla liturgia cattolica nel «*Sanctus*» della Messa e nel rito della Domenica delle Palme.

Òscar (22.000) M. VARIANTI: *Òscare* (50), *Oscarre* (100), *Òscher* (50); *Òskar* (300). DERIVATI: *Oscardo* (50). ALTERATI: *Oscarino* (50), *Oscherino* (20). - F. *Òscara* (40). ALTERATI: *Oscarina* (200). Distribuito nella forma fondamentale *Oscar* in tutta l'Italia, peculiare della Toscana per *Oscare*, e per *Oskar* (propriamente tedesco) della provincia autonoma di Bolzano di lingua maggioritaria tedesca, è un nome di origine germanica composto con *ansa- 'Dio, divinità' e *gaira- 'lancia', quindi 'lancia di Dio', ma introdotto in Italia, come nella maggior parte degli altri paesi non germanici, solo recentemente e con motivazioni diverse. La prima fondamentale diffusione si è determinata nell'ultimo Settecento con la fortuna dei poemi «ossianici» di J. Macpherson divulgati in Italia con la traduzione o il rifacimento di M. Cesarotti del 1763 e le successive imitazioni (v. *Malvina*), in cui *Oscar*, in gaelico e irlandese *Oscur* dall'anglosassone *Ôsgár*, è il figlio di Ossian e nipote del bardo Fingal. Una seconda diffusione si è avuta nel primo Ottocento per il nome *Oscar* che Napoleone, ammiratore della poesia ossianica, fece dare al figlio del maresciallo Bernadotte divenuto nel 1844 re di Svezia (Oscar I). Un'ulteriore incremento ha avuto nel secondo Ottocento e nel Novecento (oltre che come nome di moda esotica) per il paggio Oscar dell'opera lirica di G. Verdi del 1859 «Un ballo in maschera», e per il nome dello scrittore inglese di origine irlandese Oscar Wilde (il cui nome completo era appunto Oscar Fingal O' Flaherty Wills Wilde), morto nel 1900.

Òsèa (75) M. Disperso nel Nord e in Toscana, è un nome israelitico che risale al profeta Osea dell'VIII secolo a.C. e al libro dell'Antico Testamento a lui intitolato, e forse anche al nome originario del condottiero Giosuè, che Mosè volle così chiamare invece di Osea: alla base è comunque l'ebraico *Hōshēa'*, adattato in greco e in latino come *Ausē'* o *Hôsēē* e *Oséa*, forma abbreviata di *Ye'hōshūa* (da cui *Giosuè*), sempre con lo stesso significato di 'Iavè salva, è salvezza' (v. *Giosuè*).

Osèlla (100) F. VARIANTI: *Osèlia* (75); *Osétta* (150). - M. *Osèlio* (20). Disperso tra Nord e Toscana, è probabilmente la forma familiare abbreviata, diminutiva e affettiva, di nomi terminanti in -*osa* come *Amorosa*, *Gioiosa*, *Mimosa* e *Annarosa*, *Mariarosa*, ecc. (cioè di *Mimosella* o *Mimosetta*, *Mariarosella* o *Mariarosetta*, ecc.).

Osìride (300) M. VARIANTI: *Osìlide* (75), *Osiris* (20). Disperso tra Nord e Centro, è una ripresa classica del nome della suprema divinità egizia Osiride, marito di Iside e padre di Oro (v. *Iside* e anche *Origene*), dal latino *Osíris Osíridis* e greco *Osiris Osíridos*, adattamento dell'egizio *Hhasar*, forse 'dai molti occhi'. La variante *Osiris* non è una forma latineggiante, ma un nome di moda ripreso recentemente dal cognome di Wanda Osiris, nome d'arte dell'attrice di varietà Anna Menzio nata a Roma nel 1910, famosa dagli anni '30 ai '50 soprattutto come soubrette della compagnia di Macario.

Oslàvia (300) F. - M. *Oslàvio* (150). Disperso nel Centro-Nord, è un nome ideologico insorto nella 1ª guerra mondiale per la profonda eco e commozione suscitata dalle aspre battaglie combattute tra il 1915 e il 1916 presso il piccolo centro di Oslavia, sulle alture del Collio nella riva destra dell'Isonzo (v. *Gorizia*).

Ostènda (75) F. Disperso nel Nord, è ripreso dalla città di Ostenda nel Belgio, con una motivazione non accertabile.

Ostìlio (750) M. VARIANTI: *Ostìglio* (50); *Ostèlio* (200), *Ostèllo* (200). - F. *Ostília* (200). VARIANTI: *Ostìglia* (25); *Ostèlia* (50). Distribuito nel Nord e nel Centro con maggiore compattezza in Toscana per *Ostilio* e in Emilia-Romagna per *Ostiglio*, è una ripresa classica dell'antico gentilizio latino *Hostilius* (forse da *hostis* 'forestiero, straniero'), noto soprattutto per il 3º re di Roma, Tullo Ostilio (v. *Tullio*). Le varianti possono anche essere, in alcuni casi, alterazioni di nomi diversi (v. *Stelio*).

Osvaldo (42.000) M. VARIANTI: *Oswaldo* (25), *Esvaldo* (50). ABBREVIATI: *Svaldo* (100). - F. *Osvalda* (3.500). ALTERATI: *Osvaldina* (75). Diffuso in tutta l'Italia ma più raro nel Sud, è un nome di matrice letteraria (ma anche di semplice moda esotica) insorto già nel primo Ottocento con il protagonista del romanzo «*Corinne ou de l'Italie*» del 1807 di Madame de Staël, il giovane nobile inglese Osvaldo (in francese *Oswald*) amante di Corinna, quindi del dramma «Gli spettri» del 1881 di H. Ibsen: non ha invece influito, se non minimamente, sulla diffusione il culto di Sant'Osvaldo re d'Inghilterra nel VII secolo e Sant'Osvaldo arcivescovo di York dal 972 al 992. Alla base è il nome germanico di tradizione prevalentemente anglosassone *Osweald* (in inglese e in tedesco moderno *Oswald*), composti di *os* 'Dio, divinità' e *weald* 'potere', quindi 'potere dato da Dio, esercitato in nome di Dio'.

Otèllo (29.000) M. ABBREVIATI: *Tèllo* (25). - F. *Otèlla* (400). ABBREVIATI: *Tèlla* (50). Accentrato per più della metà nell'Emilia-Romagna e in Toscana, diffuso nel Nord e nel Centro e molto raro nel Sud, è un nome di moda teatrale insorto nell'Ottocento con la conoscenza della tragedia di W. Shakespeare «Otello» del 1604 e poi affermatosi con le omonime opere liriche di G. Rossini del 1816 e soprattutto di G. Verdi del 1887 (v. *Desdemona* e *Jago*). Il nome dato da W. Shakespeare nell'originale inglese «*Othello, the Moor of Venise*» (il cui tema è tratto da una novella degli «Ecatommiti» di G. B. Giraldi Cinzio del 1565) al comandante moro della Repubblica Veneta è probabilmente ripreso da una forma di diminutivo in *-èllo* di *Oto* o *Otto* (v. *Oddo*), o da una variante *Otellio* o *Otelio* di *Odilio* (v. *Odilia*), ossia un *Otello* o *Otello* che in quel tempo poteva esistere nel Veneto, dove questi due tipi sono ancora molto diffusi; può essere tuttavia anche derivato, sempre con *-ello*, dal nome dell'inglese antico e medio *Otho*, *Odo* o *Otes*, corrispondente all'italiano *Oddo* o *Odo*.

Otèro (150) F. Accentuato per ¹/₃ a Roma e per il resto disperso nel Centro-Nord, è un recente nome di moda teatrale ripreso dal cognome dell'attrice del varietà francese e danzatrice, di origine spagnola, Carolina Otero (chiamata «la Bella Otero»), nata nel 1868 e morta nel 1953, molto nota anche in Italia, per la sua bellezza e stravaganza, tra gli ultimi anni dell'Ottocento e il primo Novecento.

Ottàvio (34.000) M. VARIANTI: *Ottavo* (100). ALTERATI: *Ottavino* (550). DERIVATI: *Ottaviàno* (2.600). - F. *Ottàvia* (14.000). VARIANTI: *Ottava* (50). ALTERATI: *Ottavina* (1.500). DERIVATI: *Ottaviàna* (400). Ampiamente diffuso per *Ottavio* e *Ottavia* in tutta l'Italia, proprio

Ovilio 293

del Nord e più compatto in Emilia-Romagna per *Ottavo* e *Ottava*, accentrato nel Nord, e in particolare nel Veneto, per *Ottaviano*, e nel Lazio per *Ottaviana*, presenta, pur con unico etimo, vari processi di formazione e di motivazione. Il tipo *Ottavo* continua in parte il personale latino *Octavus*, da *octavus* derivato di *octo* 'otto', che indicava originariamente l'8° figlio, ma in parte può essere una formazione diretta italiana medievale, da *ottavo*. Il tipo *Ottavio* riprende, dal tardo Medio Evo e dal Rinascimento, il gentilizio latino dell'età repubblicana *Octavius*, derivato da *Octavus*, sostenuto dal culto di vari santi, tra cui Sant'Ottavio martire a Torino sotto Massimiano, da vari grandi personaggi della storia romana, e soprattutto da *Ottavia*, figlia dell'imperatore Claudio e di Messalina, moglie di Nerone che la fece uccidere nel 62, protagonista della tragedia «Ottavia» di V. Alfieri del 1784, e dal nome *Ottavio* dell'innamorato della commedia dell'arte del Seicento e del Settecento e anche di varie commedie goldoniane. Il tipo *Ottaviano* riprende il nome aggiuntivo latino dell'ultima età repubblicana *Octavianus*, derivato di *Octavius*, reso illustre da Gaio Giulio Cesare Ottaviano Augusto, figlio appunto di Gaio Ottavio, che lo aggiunse nel 45 a.C. alla formula onomastica del padre adottivo Gaio Giulio Cesare.

Òttimo (200) M. VARIANTI: *Ottìmio* (50). Disperso nel Nord e in Toscana, è un nome affettivo e augurale medievale formato da *ottimo* (dal latino *optimus*, già in Roma tardo soprannome) 'che eccelle per doti, per qualità'.

Ottobrino (25) M. - F. *Ottobrina* (40). Disperso nel Centro-Nord, è un nome dato a bambini nati nel mese di ottobre (v. *Settembrino*, *Novembrino*).

Ottorino (18.000) M. - F. *Ottorina* (2.500). Diffuso in tutta l'Italia con frequenza maggiore in Toscana e minore nel Sud, è l'alterazione di un antiquato diminutivo e vezzeggiativo medievale *Ottolino* o *Ottonino* di *Ottone* (v. *Oddo*): alla notevole diffusione ha contribuito il personaggio Ottorino Visconti del popolare romanzo storico «Marco Visconti» del 1834 di T. Grossi.

Ovìdio (5.500) M. - F. *Ovìdia* (500). Distribuito in tutta l'Italia ma raro nel Sud, è un nome di matrice classica ripreso dal tardo Medio Evo e dal Rinascimento dal gentilizio *Ovidius* del poeta latino Publio Ovidio Nasone di Sulmona, morto in esilio a Tomi sul Mar Nero nel 17: il latino *Ovidius* è derivato dal gentilizio e prenome *Ovius*, a sua volta derivato da *ovis* 'pecora', con il significato originario di 'allevatore, pastore di pecore'.

Ovìlio (550) M. VARIANTI: *Ovìglio* (150). - F. *Ovìlia* (100). Accentrato per 2/3 in Emilia-Romagna e disperso per il resto nel Centro-Nord, pare, in mancanza di una tradizione e documentazione sicura, un'alterazione di *Ovidio* o di *Dovilio*, variante settentrionale di *Duilio*.

P

Pace (700) M (anche F). ALTERATI: *Pacino* (150), *Pasino* (50). - F. *Pacina* (100). Distribuito in tutta l'Italia continentale, e accentrato per *Pacino* in Toscana e per *Pasino* in Lombardia, è un nome augurale medievale formato da *pace*, e in parte ripreso dal tardo personale latino *Pax Pacis* (da *pax pacis* 'pace'), intesa come serenità di vita e anche, con valore spirituale, come pace con Dio e salvezza eterna (corrispondente semantico del tipo greco *Irene*). In casi isolati *Pace* è nome israelitico, traduzione di *Shalōm* 'pace'.

Pacìfico (4.000) M. - F. *Pacìfica* (88). Diffuso nel Nord e nel Centro (qui con alta compattezza nelle Marche e nel Lazio), raro nel Sud, riflette il culto di vari santi e beati, tra cui il beato Pacifico Ramati da Cerano NO (dove il nome ha un'alta frequenza relativa), predicatore francescano del Quattrocento, e San Pacifico minorita francescano di San Severino Marche MC, così denominato da San Francesco: il nome già medievale *Pacifico*, formato da *pacifico* (dal latino *pacificus*) 'che ama, che difende la pace', anche nel senso cristiano (v. *Pace*), può essere in casi isolati israelitico, come traduzione dell'ebraico *Shelōmōh* che appunto significa 'pacifico, in pace con Dio' (v. *Salomone* e *Pace*).

Paladino (50) M. VARIANTI: *Palladino* (20). - F. *Paladina* (25). Accentrato per ²/₃ in Toscana e disperso nel Nord, continua il nome medievale *Paladino* (documentato dal XII secolo nelle forme latinizzate *Paladinus* o *Palladinus*), forma-to da *paladino*, dal latino medievale *comes palatinus* 'conte palatino, compagno di palazzo', denominazione e titolo degli alti dignitari che vivevano alla corte (latino *palatium*) del re, e in particolare, nella poesia cavalleresca del ciclo carolingico, dei 12 cavalieri o baroni, tra cui Orlando o Rolando, che vivevano e combattevano con il re Carlo Magno.

Palamède (50) M. Disperso nel Centro-Nord con maggiore compattezza in Emilia-Romagna, è una ripresa classica, letteraria, del nome dello scaltro e geniale personaggio dell'«Iliade» Palamede, rivale di Ulisse e da questi fatto lapidare per preteso tradimento: il nome originario *Palamē'dēs*, latinizzato in *Palamedes*, è derivato da *palámē* 'scaltrezza, astuzia; capacità inventiva, abilità'.

Palestina (75) F. - M. *Palestino* (25). Raro e disperso, è un nome di devozione cristiana ripreso dalla regione storica dell'Asia anteriore in cui nacque e visse Gesù, la Palestina, in latino *Palaestina* dal greco *Palaistínē*, adattamento dell'ebraico *Peleshet* 'la terra dei Filistei' (da *Pelishtīm* 'Filistei').

Palma (7.000) M (anche F). ALTERATI: *Palmino* (900). DERIVATI: *Palmièro* (700) e *Palmierino* (20); *Palmèro* (550), *Palmèro* (20) e *Palmerino* (1.400), *Palmerindo* (20), *Palmarino* (200); *Palmiro* (5.500) e *Palmirino* (25); *Palmàzio* (50), *Palmizio* (35). - F. *Palmina* (7.500). DERIVATI: *Palmièra* (15); *Palmèria* (75) e *Palmerina* (500); *Palmira* (30.000). NOMI DOPPI: *Palma Marìa* (300), *Palmaròsa*

(300). Gruppo diffuso in tutta l'Italia, con diversa distribuzione secondo i vari tipi e le varie forme: *Palma* con *Palmo* predomina in Puglia, *Palmarosa* in Abruzzo, *Palmiero* in Toscana, *Palmerio* in Sardegna, *Palmiro* in Lombardia e *Palmirio* è toscano. È un nome di devozione cristiana, che presenta nei vari tipi processi di derivazione e di motivazione diversi. Il tipo fondamentale *Palma* è dato a bambini nati la Domenica delle Palme, il giorno dell'ingresso trionfante di Gesù a Gerusalemme, accolto dalla folla festante che lo acclamava con «osanna» (v. *Osanna*) e agitava rami di palma (dal latino *palma* 'palmo della mano' e, per analogia di forma, 'foglia, ramo, pianta di palma'), simbolo di vittoria e di salvezza eterna (in senso cristiano), ma può anche riflettere la devozione per questa festività e per Santa Maria delle Palme, patrona di Aidomaggiore OR. Il raro derivato *Palmazio* riflette il culto di San Palmazio martire a Roma sotto Alessandro con la moglie e i figli. Il tipo *Palmerio* o *Palmiro* risale al latino medievale *palmarius* attraverso il francese antico *palmier* e *paumier*, adattato nell'antico italiano sia come *palmiero* o *palmiere*, sia come *palmiro*: era la denominazione del pellegrino che si recava in Terra Santa e ne ritornava con il bordone, o bastone, avvolto da una foglia di palma o portando comunque un ramo di palma dei luoghi dove visse e morì Gesù, diventata dal XII secolo, soprattutto con le crociate, nome personale sia in Francia sia in Italia (analogamente a *Pellegrino* e *Romeo*). In particolare *Palmerio* e *Palmeria*, propri della Sardegna, si sono qui affermati con il culto locale di San Palmerio o Palmerino martire in Sardegna (dove è chiamato *Santu Paraminu*) forse sotto Diocleziano, patrono di Ghilarza OR; *Palmiro* e *Palmira* sono in parte anche nomi ideologici recenti, adottati dopo la 2ª guerra mondiale con riferimento al dirigente comunista Palmiro Togliatti.

Pamèla (1.600) F. Distribuito nel Nord e nel Centro, è un nome di moda ripreso prima, nell'ultimo Settecento, per tramite del francese *Pamèle*, dall'inglese *Pamela*, creato dallo scrittore Philip Sidney per un personaggio femminile dell'«*Arcadia*» del 1599 ma ridiffuso da Samuele Richardson che lo adottò per la protagonista, Pamela Andrews, del romanzo «Pamela o la virtù ricompensata» del 1741, ma affermatosi in Italia con le due commedie di C. Goldoni, ispirate a questo romanzo, «Pamela nubile» del 1750 e «Pamela maritata» del 1760, poi dalla metà del Novecento come nome di moda esotica e eufonica e anche per personaggi femminili dal nome (inglese) *Pamela* di spettacoli televisivi di produzione statunitense e di larga popolarità anche in Italia (come la serie di «*Dallas*»).

Pancràzio (2.800) M. - F. *Pancràzia* (300). Accentuato per ¼ in Sicilia, soprattutto nel Messinese, e per il resto disperso in tutta l'Italia (anche per recente immigrazione interna), riflette il culto di San Pancrazio vescovo e martire di Taormina, Valdina ME, Canicattì AG e Castel Giorgio TP, e di San Pancrazio martire (secondo una tradizione leggendaria) sulla Via Aurelia presso Roma sotto Diocleziano, patrono della «Gioventù italiana di azione cattolica». L'originario nome greco, *Pankrátēs* latinizzato in *Pancratius*, è formato da *pân* 'tutto, del tutto' e *krátos* 'forza, potenza', quindi 'molto forte, potente; onnipotente' (che era epiteto di Zeus, *pankratē's*).

Pandòlfo (25) M. - F. *Pandòlfa* (15). Proprio della Toscana, è l'esile continuazione del nome germanico di tradizione longobardica documentato dall'VIII secolo nella forma latinizzata *Pandulfus*, composto di *bandwo-* 'bandiera, vessillo' e *wulfa-* 'lupo', con un significato che potrebbe essere 'lupo (ossia guerriero valoroso) che è il vessillo, l'insegna del combattimento'.

Pànfilo (1.000) M. VARIANTI: *Panfilio* (50). - F. *Pànfila* (15). VARIANTI: *Panfilia* (75). Accentuato per ²⁄₃ in Abruzzo e per il resto disperso (anche per recente immigrazione interna), riflette il culto locale di San Panfilo vescovo di Valva PE e poi di Sulmona AQ (dove si conservano le reliquie), forse nel VII secolo, patrono di Sulmona e di Valva, e di Corfinio AQ (dove sarebbe morto), Scerni CH e Spoltore PE. Il nome originario greco *Pámphilos*, latinizzato in *Pamphilus*, è composto di *pân* 'tutto, del tutto' e *phílos* 'che ama, amato; amico', quindi 'amico di tutti' o 'amato da tutti, molto amato'. Il nome, in Italia, è già comune nel XII secolo, e lo usa G. Boccaccio per un protagonista del «Decameron» e della «Fiammetta», opere che avranno dato un limitato impulso, fuori dell'Abruzzo, alla diffusione come nome laico di matrice letteraria. **Pantalèo** (4.100) M. VARIANTI: *Pantaleóne* (1.600). - F. *Pantalèa* (700). Proprio per *Pantaleo* della Puglia, e in particolare del Leccese, e per *Pantaleone* dell'Abruzzo e della Calabria, riflette il culto di origine orientale ma diffuso anche in Italia, soprattutto nel Sud e a Venezia (e in tutta l'Europa occidentale), di San Pantaleo o Pantaleone, medico e martire a Nicomedia in Bitinia sotto Massimiano, patrono dei medici e di Valpelline AO, Crema CR, Frisa CH, Ravello e Vallo della Lucania SA, Martignano LE, Montauro CZ, Dolianova CA, Sorso SS, Macomèr NU, al quale sono inoltre intitolati vari piccoli centri italiani (San Pantaleo FI e SS, San Pantaleone BG e RC, ecc.). Risale, nelle due forme, al caso retto *Pantaléōn* e obliquo *Pantaléontos* dell'originario nome greco (da *pánta* 'del tutto' e *léōn* 'leone', quindi 'in tutto leone, forte come un leone') e dell'adattamento latino *Pantaléo* e rispettivamente *Pantaleónis*.

Pàolo (307.000) M. VARIANTI: *Pàulo* (50). ALTERATI: *Paolétto* (20), *Paolino* (10.000), *Paolùccio* (25); *Paolìco* (25). NOMI DOPPI: *Pàolo Emìlio* (550), — *Antònio* (400), — *Marìa* (250). - F. *Pàola* (215.000). VARIANTI: *Pàula* (1.900). ALTERATI: *Paolétta* (300), *Paolina* (30.000), *Paulina* (100); *Paolìca* (75). È uno dei nomi di più alto rango in Italia – 15° per il maschile, 20° per il femminile –, ampiamente diffuso in tutte le forme, salvo *Paolico* e *Paolica* peculiari della Sardegna e in particolare del Sassarese. Continua l'antichissimo soprannome latino, poi nome personale in età imperiale, *Paulus* o *Paullus*, da *paulus* (diminutivo di *paucus* 'poco, non grande') 'piccolo (di statura)', sostenuto dal culto di numerosissimi santi e sante, beati e beate (più di 50 ufficialmente riconosciuti), ma soprattutto di San Paolo Apostolo, ebreo di Tarso in Cilicia persecutore dei cristiani che, convertito per l'apparizione di Cristo sulla strada di Damasco, cambiò il suo originario nome Saul (v.

Saul) in quello di modestia cristiana Paolo ('piccolo, modesto'). In particolare, *Paola* deve la sua diffusione anche al culto di Santa Paola di Roma, morta a Betlemme nel 404, una delle fondatrici del monachesimo femminile; *Paolino* è sostenuto anche dal culto di vari santi, tra cui San Paolino vescovo di Nola nel V secolo e San Paolino patriarca di Aquileia, morto nell'803; *Paolina* si è in minima parte riaffermato, nel primo Ottocento, per la notorietà di Maria Paolina Bonaparte sorella di Napoleone; *Paolo Emilio* non è in realtà un nome doppio ma unitario, ripreso con matrice classica dal console Lucio Paolo Emilio, caduto nella battaglia di Canne del 216 a.C. contro Annibale.

Paradiso (50) M. - F. *Paradisa* (100). Disperso nel Nord e nel Centro, è un nome augurale e di devozione cristiana ripreso da *paradiso* (dal latino *paradisus*, dal greco *parádeisos* 'giardino' di origine iranica).

Pardo (200) M. - F. *Parda* (25). Proprio dell'Abruzzo e qui accentrato nella provincia di Campobasso, riflette il culto locale di San Pardo vescovo di Larino CB (di cui è patrono) nel VII secolo – ma la tradizione è incerta –: il nome risale al tardo soprannome e personale latino *Pardus*, da *pardus*, prestito dal greco *párdos*, 'leopardo'.

Pàride (6.000) M. - F. *Pàrida* (15). ALTERATI: *Paridina* (75). Distribuito nel Centro-Nord, fino alla Campania settentrionale, è un nome di matrice classica, mitologica e letteraria, ripreso dall'eroe frigio figlio di Priamo e Ecuba, che rapì Elena causando così la guerra di Troia, e nell'«Iliade» uccide Achille venendo poi ucciso da Filottète: il nome greco *Páris Páridos*, latinizzato in *Paris Paridis*, è di origine incerta, probabilmente pregreca: alla diffusione del nome ha in parte contribuito l'opera lirica «Paride ed Elena» di Ch. W. Gluck del 1817, e in Campania è stato determinante il culto locale di un leggendario San Paride vescovo di Teano CE nel IV secolo e patrono di Teano (dove *Paride* ha un'alta frequenza relativa e è specifico *Paridina*). V. anche *Paris*.

Pàris o *Parìs* (1.900) M. VARIANTI: *Parise* (50), *Parisse* (20), *Parìsio* (150), *Pariso* (20), *Parigi* (40). ALTERATI: *Pari-*

sino (30), *Parigino* (50). - F. *Parisa* (75). ALTERATI: *Parisina* (1.100), *Parigina* (150). Accentrato per la metà in Toscana e per il resto disperso, è ripreso dall'eroe del ciclo dei cavalieri antichi della letteratura francese del tardo Medio Evo (largamente affermata, anche in traduzioni e in adattamenti, in Italia) *Paris* [pronunzia: *parìs*], ossia Paride figlio di Priamo (v. *Paride*), diffuso soprattutto da «*Le roman de Troie*» di Benoît de Sainte-More del 1165 circa. *Parisina* (con la variante *Parigina* dovuta, come *Parigi* e *Parigino*, a un incrocio con Parigi capitale della Francia) è tuttavia un nome di moda letteraria e teatrale recente, ripreso dalla protagonista, la moglie del marchese Niccolò III d'Este fatta decapitare dal marito perché era diventata l'amante del figliastro Ugo, del poema di G. Byron «Parisina» del 1816 e soprattutto della tragedia omonima di G. D'Annunzio del 1913 musicata da P. Mascagni.

Parmènio (50) M. Disperso nel Centro-Nord, riflette il raro culto di San Parmenio diacono, martire in Persia sotto Decio, in greco *Parmeníon*, latinizzato in greco *Parmenio* e *Parmenius*, da *par(a)ménein* 'stare fermo, perseverare', quindi 'costante, perseverante'.

Pàrsifal (50) M. Disperso ma più frequente in Emilia-Romagna, è un nome di matrice teatrale recente ripreso dal protagonista del melodramma «*Parsifal*» di W. R. Wagner (rappresentato per la 1ª volta a Bayreuth nel 1882), tema e nome che risalgono ai poemi cavallereschi francesi del ciclo bretone, e in particolare al «*Perceval*» di Chrétien de Troyes e a quello in tedesco antico «*Parzival*» di W. von Eschenbach del primo Duecento. Il nome originario dell'eroe, padre di Lohengrin, che impersona, nella ricerca del Graal, l'ideale cavalleresco, la purezza d'animo e la responsabilità, è probabilmente inventato da Chrétien de Troyes, forse da *perce val* ossia 'che s'apre un valico, che va al di là della valle'.

Pascàsio (20) M. - F. *Pascàsia* (25). Disperso nel Sud continentale, riflette il culto di San Pascasio (dal latino *Paschasius* e questo dal greco *Paschásios*, v. *Pasquale*), abate di Montevergine presso Mercogliano AV nel XII secolo (cen-

tro del culto, nel grande santuario che sorge sulla montagna).

Pasqua (27.000) F. ALTERATI: *Pasquina* (7.000), *Pasquétta* (150), *Pasquita* (100). NOMI DOPPI: *Pasqua Ròsa* o *Pasquaròsa* (700). - M. *Pasquino* (2.100), *Pascùccio* (20). Diffuso in tutta l'Italia ma più compatto e originariamente proprio del Sud (soprattutto della Puglia) e anche del Lazio, è un nome dato a bambini nati nel giorno di Pasqua. Il nome di questa festa cristiana che commemora la resurrezione di Cristo è ripreso nel latino ecclesiastico *Pascha*, attraverso il greco *Páscha*, dall'ebraico *Pesah* (per tramite dell'aramaico *Pishā*), che era la festa in cui si celebrava la liberazione del popolo d'Israele dalla schiavitù in Egitto (e che coincise poi con il periodo della festa cristiana): il nome già nell'«Esodo» è riconnesso al verbo ebraico *pasah* 'passare oltre', e giustificato con il fatto che Iavè, intervenuto a uccidere tutti i primogeniti egiziani, sarebbe 'passato oltre' le case degli Ebrei contrassegnate con il sangue dell'agnello sacro. Nel latino tardo e medievale il nome *Pascha* si è incrociato per etimologia popolare con *pascua* 'pascoli, prati da pascolo', e così si è affermata in italiano la forma *Pasqua*.

Pasquale (230.000) M. ALTERATI: *Pasqualino* (9.000). - F. *Pasquala* (700). ALTERATI: *Pasqualina* (45.000). Accentrato nel Sud, ma diffuso anche nel Centro e nel Nord (soprattutto per immigrazione interna), è un nome cristiano che può essere dato a bambini nati il giorno di Pasqua ma che più spesso riflette, oltre la tradizione onomastica familiare molto forte nel Sud, il culto di vari santi, tra cui San Pasquale I papa nel IX secolo, San Pasquale Baylón terziario francescano spagnolo del Cinquecento, patrono di Bisenti TE, e San Pasquale martire di Aversa CE. Alla base è il personale latino di età tarda e cristiana *Paschalis* e poi *Pasqualis*, derivato di *Pascha* e *Pasqua* con il significato di 'della Pasqua, pasquale' (v. *Pasqua*).

Paterniàno (35) M. Proprio delle Marche, riflette il culto di San Paterniano, vescovo – secondo una tradizione leggendaria – di Fano, patrono di Fano, di Monterado e San Paterniano AN, di Grottammare AP: l'originario personale latino *Paternianus* è un derivato del gentilizio *Paternus*, da *paternus* derivato di *pater* 'padre' con il significato di 'paterno, del padre'.

Patrìzia (66.000) F. VARIANTI: *Patrìcia* (1.700). - M. *Patrìzio* (5.500). VARIANTI: *Patricio* (20). Diffuso in tutta l'Italia, nel femminile è sostanzialmente un nome recente di moda, sia esotica (dall'inglese *Patricia*, femminile latineggiante, anch'esso recente, di *Patrick*), sia eufonica o di prestigio, sia cinematografica o televisiva, anche se nel Napoletano è antico, insorto con il culto di Santa Patrizia vergine di Napoli vissuta, forse, nel VII secolo. Il maschile *Patrizio* riflette invece l'antico culto di San Patrizio (in irlandese antico *Patricc* e moderno *Pádraig*, da cui l'inglese *Patrick*) vescovo e evangelizzatore dell'Irlanda, morto nel 461, venerato anche in Italia, soprattutto nel Centro. Alla base è comunque il tardo personale latino *Patricius* (e *Patricia*), da *patricius* derivato di *patres* 'padri' e anche 'appartenente al senato', che anticamente significava 'di condizione libera e di classe sociale elevata'.

Pàtroclo (10) M. È un nome rarissimo e disperso ripreso con matrice classica e letteraria, dal Rinascimento, dall'eroe dell'«Iliade» amico di Achille, ucciso da Ettore, in greco *Pátroklos* latinizzato in *Patroclus*, composto di *patē'r patrós* 'padre' e *kléos* 'gloria', con il significato di 'gloria del padre' (identico a quello di *Cleopatra*, di inversa disposizione dei due componenti).

Paziènte (100) M (anche F). - F. *Paziènza* (100). Proprio per *Paziente* della Lombardia, e qui accentrato nel Bergamasco, e per *Pazienza* della Puglia e in particolare del Tarantino, riflette il culto locale di San Paziente vescovo in Gallia nel IV-V secolo e di Santa Pazienza martire a Huesca in Spagna, e inoltre la devozione per la Madonna della Pazienza: alla base sono i tardi personali latini *Patiens* e *Patientia*, da *patiens patientis* participio presente di *pati* 'soffrire, sopportare' e dal derivato *patientia*, allusivi alla virtù, soprattutto cristiana, alla capacità di sopportare i mali e le avversità.

Pelàgio (50) M. - F. *Pelàgia* (100). Accentrato nel Napoletano per il maschile e nel Cagliaritano nel femminile, riflette il culto di vari santi e sante di questo nome che risale al tardo personale latino *Pelagius* o *Pelagia* e greco *Pelághios* o *Pelaghía*, derivati da *pélagus* e *pélagos* 'mare' con il significato di 'che vive sul mare, che viene da zone marittime'.

Pelino (150) M. Accentrato in Abruzzo, riflette il culto locale di San Pelino martire – secondo una tradizione incerta – sotto Giuliano l'Apostata a Corfinio AQ: il nome, anch'esso di tradizione oscura, potrebbe ricollegarsi all'etnico Peligni (in latino *Paeligni*), un'antica popolazione italica dell'Abruzzo.

Pèlio (100) M. Proprio della Toscana e disperso nel Centro-Nord, è una ripresa classica del nome del monte della Tessaglia, in greco *Pē'lion* latinizzato in *Pelion*, sul quale si celebrarono le nozze tra il re della Tessaglia Pèleo (in greco *Pēléus* e in latino *Péleus*) e la dea Teti, da cui nacque Achille, detto appunto «il Pelìde», ossia 'figlio di Peleo'.

Pellegrino (6.000) M. VARIANTI: *Pellégro* (200). - F. *Pellegrina* (1.400). VARIANTI: *Pellégra* (200). Distribuito in tutta l'Italia nel tipo *Pellegrino* e accentrato in Liguria in quello *Pellegro* (che pare una retroformazione di *Pellegrino* interpretato per etimologia popolare come un diminutivo), riflette il culto di numerosissimi santi e sante così denominati, e in particolare di San Pellegrino delle Alpi, eremita scozzese (secondo una tradizione leggendaria) nell'Appennino tosco-emiliano. Alla base è il nome comune *pellegrino* che indica, dal Medio Evo, chi ha compiuto un pellegrinaggio a Roma o in altri luoghi santi (v. i tipi analoghi *Palmiero* e *Romeo*), dal latino tardo e medievale *pelegrinus*, forma con la prima -*r*- dissimilata in -*l*- del classico *peregrinus*, derivato dall'avverbio *péregre* (formato da *per* 'fuori' e *ager* 'territorio') con il significato di 'che sta fuori, che proviene da fuori il territorio romano', quindi 'forestiero, straniero'.

Pèllico (20) M. È un nome ideologico risorgimentale ripreso dal cognome del patriota Silvio Pellico di Saluzzo, morto nel 1854, autore della popolare autobiografia «Le mie prigioni» del 1832 sul periodo di duro carcere trascorso dal 1822 al 1830 nella fortezza austriaca dello Spielberg.

Penèlope (700) F. Distribuito nel Nord e nel Centro con alta compattezza nel Lazio, è una ripresa classica del nome della fedele e saggia moglie di Ulisse dell'«Odissea», in greco *Pēnelópē*, di origine incerta forse pregreca, latinizzato in *Penélope*, protagonista di varie opere musicali moderne, tra cui «Penelope» di D. Cimarosa del 1749 e di N. Piccinni del 1785, che avranno in parte contribuito alla diffusione del nome.

Pensièro (150) M. ALTERATI: *Pensierino* (5). - F. *Pensierina* (25). Disperso nel Centro-Nord con alta compattezza in Piemonte, è un nome ideologico risorgimentale, di matrice mazziniana e repubblicana, formato da *pensiero* come libera attività di pensare con particolare riferimento al titolo del periodico pubblicato nell'esilio a Londra nel 1858 da G. Mazzini «Pensiero ed azione», che è anche la sintesi della sua idea politica.

Perfètto (100) M. - F. *Perfètta* (100). Disperso tra il Nord e il Centro, può riflettere sia un nome augurale formato da *perfetto*, sia il culto, pur raro in Italia, di San Perfetto prete e martire dei Musulmani a Còrdova in Spagna intorno all'850: alla base è comunque il latino *perfectus* 'perfetto, dotato di qualità morali perfette'.

Pergentino (200) M. VARIANTI: *Pergènte* (50). - F. *Pergentina* (25). Accentrato in Toscana e anche nel Veneto, riflette il culto di San Pergentino, un fanciullo martire – secondo una tradizione leggendaria – con il fratello Lauretino a Arezzo durante le persecuzioni di Decio: alla base è il tardo nome latino *Pergens Pergentis*, formato dal participio presente di *pergere* 'dirigersi, proseguire con ardore', nel senso cristiano di continuare nella via della fede.

Pèricle (1.400) M. Distribuito nel Centro-Nord, è una ripresa classica, storico-letteraria, del nome del grande uomo politico ateniese del V secolo a.C., in greco *Periklês*, latinizzato in *Péricles*, composto di *perí* 'intorno' e *kléos* 'gloria' con il significato originario di 'circondato di gloria'.

Pèrla (1.500) F. ALTERATI: *Perlina* (250). - M. *Pèrlo* (5). ALTERATI: *Perlino* (10). Accentrato per quasi la metà in Toscana e per il resto disperso, è un nome affettivo medievale formato da *perla*, come augurio che la bambina abbia la bellezza e la preziosità di una perla (sul tipo di *Diamante, Gemma*, ecc.).

Perpètua (40) F. - M. *Perpètuo* (50). Disperso nel Nord, riflette il culto di Santa Perpetua martire a Cartagine con Santa Felicita e tre catecumeni nel 202, e forse, nel maschile, di San Perpetuo vescovo di Tours: all'attuale rarità del nome può avere contribuito la fedele ma ciarliera domestica Perpetua di Don Abbondio in «I promessi sposi» di A. Manzoni, che lo ha reso scomodo e ingrato. Alla base è il tardo personale latino *Perpetuus* e *Perpetua*, formato da *perpetuus* 'continuo, immutabile, che dura in eterno', riferito in senso cristiano alla costanza della fede e alla salvezza eterna.

Persèo o *Pèrseo* (250) M. - F. *Persèa* o *Pèrsea* (40). Disperso nel Centro-Nord, è una ripresa classica, mitologica e letteraria, del nome dell'eroe figlio di Zeus e Dànae, uccisore di Medusa, in greco *Perséus* latinizzato in *Pérseus*, di etimo e significato incerto (da *pérthein* 'distruggere, saccheggiare città e terre nemiche'?).

Pèrsio (100) M. DERIVATI: *Persìlio* (25). - F. *Pèrsia* (75). DERIVATI: *Persìlia* (100). Disperso nel Nord, è una ripresa classica, letteraria, dell'antico gentilizio latino *Persius* (di origine incerta, forse etrusca), noto per il poeta satirico Aulo Persio Flacco del I secolo d.C. I derivati possono anche avere un'origine diversa, e riflettere il culto di un santo o una santa non ufficialmente riconosciuti.

Pervinca (200) F. Disperso nel Centro-Nord, è uno dei numerosi nomi formati da fiori (come *Dalia, Ortensia, Rosa, Viola*, ecc.) per augurare di averne la bellezza e il profumo, in questo caso la pervinca (dal latino *pervinca*), pianta dai fiori azzurro-violacei.

Petronilla (4.000) F. VARIANTI: *Pietronilla* (300), *Petronèlla* (50). Diffuso in tutta l'Italia con più alta frequenza in Sicilia e in Puglia, riflette il culto di Santa Petronilla discepola di San Pietro apostolo, martire a Roma, patrona di Assoro EN. Il nome latino di età imperiale *Petronilla* è un derivato in *-illa* di *Petronius*, v. *Petronio*, anche se erroneamente ricollegato, come dimostrano le varianti, a *pietra* (in latino *petra*) e a *Pietro*.

V. anche *Nilla*.

Petrònio (300) M. Accentrato per ⅓ in Emilia e per il resto disperso, è l'ormai esile riflesso del culto di San Petronio vescovo di Bologna nel V secolo, patrono di Bologna e di Castel Bolognese: l'originario antico gentilizio latino *Petronius*, noto per lo scrittore Gaio o Tito Petronio Arbitro del I secolo, è ripreso dall'etrusco *Petruna* di significato incerto, ma è stato tradizionalmente connesso, per etimologia popolare, con *petra* 'pietra, roccia' e con *Petrus* (v. *Pietro* e anche *Petronilla*).

Piacènte (40) M (anche F). ALTERATI: *Piacentino* (250). - F. *Piacentina* (300). Proprio del Lazio e dell'Abruzzo, pare riflettere il culto locale di un San Piacente o Piacentino non riconosciuto ufficialmente dalla Chiesa, o continuare un nome affettivo e augurale formato da *piacente* (in latino *placens placentis*) 'che piace; bello, ammirevole'.

Piàve (50) M (anche F). Disperso nel Nord e più frequente in Lombardia, è un nome ideologico insorto durante la 1ª guerra mondiale per la profonda eco e commozione suscitata dalle tre grandi e decisive battaglie combattute sulla linea del fiume Piave nel 1917 e 1918, che ispirarono anche la popolare «Canzone del Piave» del 1918 di A. E. Mario.

Piccardo (20) M. - F. *Piccarda* (75). Disperso nel Nord e più frequente in Toscana, continua il personale medievale formato dall'etnico *Piccardo* della Piccardia, regione della Francia nord-orientale, 'abitante, oriundo della Piccardia' o anche 'che vive, lavora in Piccardia': la maggiore frequenza del femminile può essere in parte motivata dall'affettuoso ricordo dantesco di Piccarda Donati, sorella di Corso e Forese, nel «Purgatorio» e nel «Paradiso».

Piètro (494.000) M. VARIANTI: *Pètro* (50); *Pièro* (117.000). ALTERATI: *Pietrino* (2.400), *Pietrùccio* (20); *Pierétto* (30), *Pierino* (45.000), *Pierùccio* (50). NOMI DOPPI: *Piètro Pàolo* o *Pietropàolo* (3.000), — *Antònio* o *Pietrantònio* (1.900), — *Àngelo* o *Pietràngelo* (1.000); *Pièro Luigi* o *Pièr Luigi* o *Pierlùigi* (42.000), — *Giórgio* o *Pièr Giórgio* o *Piergiórgio* (17.000), *Pièr Àngelo* o *Pieràngelo* (13.000), *Pièr Pàolo* o *Pierpàolo* (6.500), *Pièr Antònio* o

Pierantònio (5.000), *Pièr Carlo* o *Piercarlo* (5.000), *Pièr Marìa* o *Piermarìa* (700). - F. *Pìètra* (8.500). VARIANTI: *Pètra* (700); *Pièra* (107.000). ALTERATI: *Pietrina* (10.000) e *Petrina* (100), *Pietrùccia* (1.000); *Pierétta* (200), *Pierina* (104.000), *Pierùccia* (60). NOMI DOPPI: *Pièra Àngela* o *Pièr Àngela* o *Pieràngela* (6.500), *Pièra Anna* o *Pièr Anna* o *Pieranna* (2.000). È uno dei gruppi che hanno un'altissima frequenza – *Pietro* è il 9° per rango nazionale tra i maschili –, diffuso con varia distribuzione nelle diverse forme: *Pietro* ha un'alta frequenza relativa in Sardegna, dove predominano nettamente *Pietrino* e *Pietrina*, *Pietruccio* e *Pietruccia*, *Pieruccio*; *Pietra* è quasi esclusivo della Sicilia; *Piero* e *Piera*, con gli alterati e i nomi doppi, sono più frequenti in Lombardia. È uno dei nomi cristiani più diffusi, anche fuori d'Italia, come riflesso dell'antico culto per San Pietro principe degli apostoli, martire con San Paolo a Roma durante le persecuzioni di Nerone del 64-65: il suo nome originario era Simone (v. *Simone*), ma Gesù stesso, secondo i Vangeli di Matteo e Giovanni, gli cambiò nome in *Kephâs*, dall'aramaico *Kêfâ* che propriamente significa 'pietra, roccia', e quindi tradotto in greco e in latino *Pétros* e *Petrus* (da *petra* 'pietra, roccia'), con le parole che nel Vangelo di Matteo lo consacravano come fondamento e capo della Chiesa cristiana "... tu sei Pietro, e su questa pietra io edificherò la mia Chiesa... e ti darò le chiavi del regno dei cieli". Sulla grande diffusione ha influito anche il culto dei numerosissimi altri santi e sante, beati e beate, così denominati, e per il femminile, in Calabria e in Sicilia, la devozione per Maria Santissima della Pietra, patrona di Chiaravalle Centrale CZ. La variante più popolare *Piero* e *Piera* si è formata già nell'alto Medio Evo, tra il Nord e la Toscana, quella *Petro* e *Petra* è semidotta, dovuta all'influsso del latino e nel Sud anche del greco ecclesiastico (*Petrus* e *Pétros*).

Pìlade (1.900) M. Accentrato per più della metà in Toscana e disperso tra Centro e Nord, è una ripresa classica, rinascimentale e moderna, del nome del cugino e fedele compagno di Oreste (in greco *Pyládēs* latinizzato in *Pýlades*, derivato da *pýlai* 'porta; passaggio, valico stretto', forse attraverso un nome di luogo), ridiffuso da varie opere letterarie antiche e moderne che hanno per tema il mito di Pilade e Oreste (v. *Oreste*).

Pilàr (400) F. Distribuito nel Nord e a Roma, è in parte il nome di residenti straniere di lingua spagnola (in spagnolo *Pilar*, pronunzia *pilàr*), ma in parte adottato anche in Italia, che riflette la devozione per la *Virgen* o *Nuestra Señora del Pilar*, così denominata per un'immagine della Madonna posta su un pilastro (in spagnolo *pilar*) della cattedrale di Saragozza dedicata appunto alla Madonna lì miracolosamente apparsa a San Giacomo Maggiore apostolo.

Pilèrio (150) M. - F. *Pilèria* (150). Peculiare di Cosenza e della provincia, riflette la devozione locale per Maria Santissima del Pilerio (italianizzazione del calabrese *pileri* 'pilastro'), compatrona con San Francesco di Paola di Cosenza (v. *Pilàr*).

Pìndaro (100) M. Accentrato per $^2/_5$ in Toscana e disperso nel Nord, è una ripresa classica del nome del poeta lirico della Beozia del V secolo a.C. Pindaro, in greco *Píndaros* latinizzato in *Píndarus*, di etimo e significato incerto.

Pìo (17.000) M. - F. *Pìa* (16.000). NOMI DOPPI: *Pìa Marìa* (700). Diffuso nel Nord e nel Centro, più raro nel Sud, continua il soprannome e poi nome personale latino di età imperiale *Pius* e *Pia* (da *pius* 'pio, che adempie ai doveri morali e religiosi'), affermatosi in ambienti cristiani in rapporto alla virtù cristiana della pietà, ridiffuso poi con il culto di vari santi tra cui i papi Pio I del II secolo, Pio V del Cinquecento e Pio X nato a Riese TV nel 1835 (Giuseppe Melchiorre Sarto) e morto nel 1914, patrono appunto di Riese.

Pippo (800) M. - F. *Pippa* (50). Accentrato per $^1/_3$ in Sicilia e per il resto disperso, è l'ipocoristico di *Filippo* e anche di *Giuseppe* e dei rispettivi femminili.

Pìramo (150) M. Disperso nel Centro-Nord con più alta compattezza in Toscana, è ripreso con matrice classica e letteraria dal mito del tragico amore dei due giovani di Nìnive Piramo e Tisbe, ripreso da poeti antichi e moderni (Ovidio, Dante, Petrarca e W. Shakespeare nel «Sogno di una notte di mezza estate»): Piramo (un dio fluviale del fiume omonimo dell'Asia anteriore, in greco *Pýramos* latinizzato in *Pýramus*, di origine asianica), credendo Tisbe uccisa da un leone, si uccide, e Tisbe, trovandolo morto, si suicida (v. *Tisbe*).

Pirro (300) M. Accentrato per la metà tra Toscana e Lazio e disperso nel Centro-Nord, è una ripresa classica, rinascimentale, del nome del re dell'Epiro (che combatté contro i Romani nella guerra tarantina del 280-272 a.C.) Pirro, in greco *Pyrrhós* latinizzato in *Pýrrhus*, da *pyrrhós* 'rosso (di capelli)'.

Pisana (100) F. - M. *Pisano* (15). Peculiare del Veneto e del Friuli-Venezia Giulia, riflette l'antica tradizione veneziana di denominare, soprattutto una bambina, dal cognome del padrino di battesimo, in questo caso da un *Pisani* o *Pisano* (cognome derivato dall'etnico, Pisano, di Pisa).

Plàcido (8.000) M. ALTERATI: *Placidino* (20). - F. *Plàcida* (1.600). VARIANTI: *Placidia* (200). Accentrato in Sicilia (e per *Placidia* in Sardegna) e variamente distribuito nell'Italia continentale, soprattutto nel Nord (anche per recente immigrazione interna), riflette il culto di vari santi e sante ma in particolare di San Placido martire dei Saraceni a Messina nel VI secolo, patrono di Castel di Lucio ME, identificato – data la tradizione incerta – con San Placido discepolo di San Benedetto da Norcia, e Santa Placida o Placidia vergine di Verona del VI secolo (*Placidia* è in parte anche sostenuto dalla notorietà, per il grande mausoleo di Ravenna, di Galla Placidia figlia dell'imperatore Teodosio I). Alla base è il soprannome e poi nome latino di età imperiale *Placidius* (e *Placida*, *Placidia*) formato da *placidus* 'placido, sereno e tranquillo'.

Platóne (100) M. Disperso nel Centro-Nord, con maggiore compattezza in Toscana e nel Lazio, è ripreso dal Rinascimento per il prestigio del grande filosofo di Atene del IV secolo a.C. Platone, in greco *Plátōn Plátōnos* latinizzato in *Plato Platónis*, un originario soprannome connesso con *platýs* 'largo, ampio', dato in relazione alla larghezza delle spalle o all'ampiezza della fronte.

Plàuto (50) M. - F. *Plautilla* (150). - Disperso nel Centro-Nord ma più compatto per *Plautilla* a Roma, è per *Plauto* una ripresa classica e letteraria del nome del grande commediografo latino del III-II secolo a.C. Plauto (anche se esiste un San Plauto martire in Tracia), mentre per *Plautilla* riflette il culto di Santa Plautilla di Roma discepola, secondo una tradizione leggendaria, di San Pietro Apostolo. Alla base è l'antico soprannome latino *Plautus* e umbro *Plotus* (Plauto era nato a Sàrsina nell'Umbria antica), formato da *plautus* e *plotus* 'largo e piatto' con il valore di 'che ha i piedi piatti'.

Plava (130) F. - M. *Plavo* (10). Proprio della Toscana, è un nome ideologico insorto durante la 2ª guerra mondiale per l'eco suscitata dalle dure e sanguinose battaglie combattute presso il piccolo centro di Plava (ora in Slovenia) sull'Isonzo nel 1915 e nel 1917 per forzare la difesa austriaca sull'Isonzo, battaglie in cui fu duramente provata la brigata «Forlì» composta in gran parte di Toscani.

Plìnio (4.700) M. - F. *Plìnia* (500). Più frequente nel Nord, meno nel Centro e meno ancora nel Sud, è una ripresa classica rinascimentale e moderna del nome di due personaggi romani, Gaio Plinio Secondo il Vecchio, scrittore e scienziato, morto nel 79 a Stabia nell'eruzione del Vesuvio (non avendo voluto allontanarsi per fare rilievi scientifici), e il nipote Gaio Plinio Secondo il Giovane, scrittore e uomo politico morto nel 114. Il gentilizio latino *Plinius* è di origine incerta, forse gallica.

Plutarco (50) M. Disperso nel Nord e in Toscana, riflette in parte il raro culto di San Plutarco martire a Alessandria d'Egitto nel 202, e in parte è una ripresa classica del nome del filosofo e storiografo greco del I secolo d.C. Plutarco, in greco *Plútarchos* latinizzato in *Plutárchus*, composto di *plûtos* 'ricchezza' e *archós* o *árchōn* 'capo; signore, principe', quindi 'signore di ricchezze, molto ricco (di doti)'.

Poèrio (200) M. Accentrato per ²/₅ in Toscana e per il resto disperso, è un nome ideologico risorgimentale, ripreso dal cognome dei patrioti napoletani Giuseppe Poerio e dei due figli Alessandro e Carlo del primo Ottocento.

Pòla (500) F. - M. *Pòlo* (120). Proprio della Toscana e sporadico nel Centro-Nord, è un nome ideologico ripreso da Pola, città e porto dell'Istria, dal 1918 italiana e dal 1947 iugoslava, con matrice sia irredentistica, in ambienti soprattutto di esuli polani, sia patriottica, con riferimento all'impresa di R. Paolucci e R. Rossetti che il 1° novembre 1918 entrarono nella rada di Pola e fecero saltare la corazzata austriaca «*Viribus unitis*». Il maschile *Polo* può anche essere una variante antiquata e regionale di *Paolo*.

Polìbio (50) M. Raro e disperso, è ripreso con matrice classica dallo storico greco del I secolo a.C. Polibio, in greco *Polýbios* latinizzato in *Polýbius*, composto da *polýs* 'molto' e *bíos* 'vita' con il valore augurale di 'dalla lunga vita', e con matrice teatrale dall'opera lirica del 1812 di G. Rossini «Demetrio e Polibio».

Policarpo (550) M. VARIANTI: *Policàrpio* (25). Distribuito in tutta l'Italia, riflette il culto di vari santi e in particolare di San Policarpo vescovo e martire di Smirne nel II secolo: l'originario nome greco *Polýkarpos*, latinizzato in *Polycárpus*, è composto da *polýs* 'molto' e *kárpos* 'frutto' con il valore augurale di 'che dà, che dia molti frutti'.

Polidòro (100) M. Proprio del Sud, è una ripresa classica e letteraria del nome del più giovane figlio di Priamo ucciso da Polimestore re di Tracia (personaggio dell'«Iliade», dell'«Eneide» e di altre opere antiche), in greco *Polýdoros* latinizzato in *Polydórus*, composto da *polýs* 'molto' e *dôron* 'dono' con il valore augurale di 'che ha, che abbia molti doni, molte doti e qualità' o 'generoso nel donare'.

Polinice (20) M. Rarissimo e disperso, è una ripresa classica, rinascimentale e moderna, dell'eroe del «ciclo tebano» Polinice fratello di Eteocle e di Antigone, con essi protagonista di numerose opere drammatiche greche e latine, e anche moderne, tra cui la tragedia «Polinice» di V. Alfieri del 1783 (v. per il mito *Antigone* e *Eteocle*). Il nome greco *Polyníkēs*, latinizzato in *Polynices*, è composto da *polýs* 'molto' e *níkē* 'vittoria' con il valore augurale di 'che avrà molte vittorie'.

Polissèna (100) F. Distribuito in Toscana e a Roma, è la ripresa classica del nome della figlia di Priamo re di Troia e amante di Achille, uccisa poi dal figlio di Achille, Neottòlemo, sulla tomba del padre, personaggio di varie opere drammatiche antiche e moderne: il nome greco *Polyxénē*, latinizzato in *Polýxena*, è il femminile di *Polýxenos* composto di *polýs* 'molto' e *xénos* 'ospite', con il significato di 'molto ospitale'.

Pòlito (25) M. Disperso a Milano e provincia, è (salvo i casi in cui l'accentazione può essere *Polito*) la forma abbreviata di *Ippolito*.

Poliùto (100) M. Accentrato per la metà nel Veneto e disperso nel Nord, riflette il culto di vari santi di origine orientale (e soprattutto di San Poliuto martire in Armenia sotto Decio) affermatosi per tramite bizantino anche a Venezia: il nome greco *Polýeuktos*, latinizzato in *Polyéuctus*, è composto di *polýs* 'molto' e *euktós* 'desiderato', dato cioè a un figlio molto atteso e desiderato.

Polluce (20) M. Disperso nel Lazio, è un nome di matrice classica ripreso dal mito dei due Diòscuri, Castore e Polluce (v. *Castore*), in greco *Polydéukes* (latinizzato, attraverso l'etrusco *Pultuke*, in *Pollux Pollúcis*), composto di *polýs* 'molto' e forse *deukē's* 'dolce, caro' o piuttosto 'luminoso, illustre', quindi 'molto caro', o 'molto illustre'.

Polònio (10) M. - F. *Polònia* (75). Raro e disperso, è la forma abbreviata di *Apollonio* e soprattutto di *Apollonia*, ma nel maschile può essere un nome teatrale ripreso dal personaggio *Polonio* (in inglese *Polonius*), dell'«Amleto» di W. Shakespeare, consigliere del re e padre di Ofelia (v. *Amleto*).

Pompèo (7.000) M. DERIVATI: *Pompìlio* (2.200), *Pompònio* (20). - F. *Pompèa* (2.700). DERIVATI: *Pompìlia* (900). Diffuso in tutta l'Italia con maggiore compattezza nel Lazio e in Puglia, è un nome in parte di matrice classica, ripreso dal Rinascimento da vari personaggi storici di Roma (Gneo Pompeo politico e comandante militare del I secolo a.C., Pompea moglie di Giulio Cesare, Numa Pompilio 2° re di Roma, lo scrittore Tito Pomponio Attico amico di Cicerone, ecc.), in parte cristiano, riflesso del culto di vari santi tra cui San Pompeo successore di San Siro nel vescovato di Pavia,

San Pomponio vescovo di Napoli nel VI secolo, San Pompilio (Domenico Maria Pinotti) di Montecalvo Irpino AV della Congregazione dei Poveri della Madre di Dio delle Scuole Pie di Campi Salentina LE, dove morì nel 1777, venerato nel Leccese in cui il nome ha un'altissima frequenza relativa. Alla base è comunque l'antico gentilizio latino *Pompeius* adattamento dell'osco *pompe 'cinque', corrispondente al latino *Quintus* da *quinque*, nome dato al 5° figlio, v. *Quinto*), con il derivato *Pompilius* e la variante *Pomponius* questa derivata da *Pompo Pompónis* (figlio di Numa Pompilio) di identico etimo e significato.

Ponziàno (500) M. ALTERATI: *Ponzianino* (200). - F. *Ponziàna* (75). Accentrato nello Spoletino, nel Foggiano e anche in Sardegna, riflette il culto di vari santi, tra cui San Ponziano martire a Spoleto sotto Antonino e patrono della città, San Ponziano venerato a Troia FG, San Ponziano papa e martire in Sardegna nel 235: l'originario soprannome e poi nome latino *Pontianus* è un derivato di *Pontius*, v. *Ponzio*.

Pónzio (50) M. Accentrato per la metà in Piemonte e disperso nel Nord, riflette il culto di San Ponzio martire in Gallia nel III secolo, venerato in Francia e nel Nord-Ovest d'Italia, continuazione dell'antico gentilizio latino *Pontius*, forse di origine etrusca o derivato dall'osco *Ponties* o *Pomties*, da *pompe 'cinque', con il significato di 'quinto figlio', v. *Pompeo*.

Pòpola (100) F. Esclusivo del Tarantino, dovrebbe riflettere un culto locale per una Santa Popola o Pupola (dal tardo gentilizio latino *Pupulus*) non riconosciuta ufficialmente dalla Chiesa (che riconosce solo un San Pupolo martire a Alessandria d'Egitto).

Porfìrio (500) M. VARIANTI: *Porfìlio* (30), *Porfìdio* (25). - F. *Porfìria* (25). Proprio del Centro, del Sud continentale (e qui soprattutto del Napoletano) e della Sardegna, riflette il culto di vari santi orientali (ma uno martire a Camerino MC sotto Decio) di questo nome, in greco *Porphýrios* latinizzato in *Porphyrius*, derivato di *porphýra* (in latino *púrpura*) 'porpora', prestito da una lingua dell'Asia Minore, con il significato di 'rosso come la porpora', riferito ai capelli.

Porsènna (20) M. Disperso a Roma e in provincia, è un nome di matrice classica ripreso dal re etrusco di Chiusi che tentò di ricondurre Roma sotto il dominio di Tarquinio il Superbo (v. *Coclite* e *Orazio*), in latino *Porsena* o *Porsenna* di origine etrusca (forse da *purth*, titolo di un magistrato).

Pòrthos (100) M. VARIANTI: *Pòrtos* (50). Accentrato per ¹/₃ in Emilia-Romagna e in Toscana e disperso nel Nord, è ripreso dal nome (inventato dall'autore) di uno dei tre moschettieri della trilogia di A. Dumas padre e dei successivi adattamenti cinematografici e radiotelevisivi (tra cui la serie radiofonica, molto ascoltata, degli anni '30 «I quattro moschettieri» di Nizza e Morbelli): v. *Aramis* e anche *Athos*.

Pòrzia (3.000) F. VARIANTI: *Pòrsia* (75). - M. *Pòrzio* (10). Proprio del Sud, e qui accentrato nel Barese e nel Materano, riflette il culto locale di Santa Porzia vergine, in latino *Porcia* femminile dell'antico gentilizio *Porcius* (proprio dei Catoni), derivato da *porcus* con il significato di 'allevatore, guardiano di porci; porcaro'. Nei casi isolati in cui è documentato nel Centro-Nord può essere anche ripreso dalla protagonista Porzia del dramma «Il mercante di Venezia» di W. Shakespeare.

Possìdio (50) M. Proprio dell'Emilia, riflette il culto locale di San Possidio patrono di Mirandola MO, un santo di tradizione incerta probabilmente confuso con San Possidio o Possidonio discepolo di Sant'Agostino e vescovo nel V secolo in Numidia, e anche con San Prospero. Il nome risale comunque al tardo latino *Posidius* o *Posídonius*, derivato dal greco *Poséidios* o *Poseidó'nios*, da *Poseidôn*, dio delle profondità del mare e della terra, formato forse da *pósis* 'sposo, signore' e *dâ* variante di *ghê* 'terra', quindi 'sposo, signore della terra'.

Potito (2.000) M. Proprio del Sud continentale, e qui accentrato in Puglia e in Campania, riflette il culto di San Potito originario della Dacia, martire a 13 anni sotto Antonino, patrono di Ascoli Satriano FG, Tricarico MT, San Potito Sannitico CE e Ultra AV, il cui nome, in latino ecclesiastico tramandato come

Potitus, potrebbe essere, se non è di origine orientale, collegato con l'antico gentilizio romano *Potitius*, forse da *potis* 'padrone, signore'.

Prando (10) M. ALTERATI: *Prandino* (20). Disperso nel Centro-Nord, è l'ipocoristico sia germanico sia italiano di nomi di origine comunque germanica e di tradizione longobardica, alamannica o bavarese, composti con il 2° elemento *-prando*, come *Aliprando* (v. *Aldobrando*) e *Liutprando*.

Prassède (1.800) F. VARIANTI: *Prassèda* (25). Accentrato per ¹/₃ in Lombardia e per il resto disperso, riflette il culto di Santa Prassede vergine e martire, secondo una tradizione leggendaria, a Roma, figlia del senatore Pudente che avrebbe ospitato nella sua casa San Pietro: anche il nome è incerto, in quanto il latino ecclesiastico *Praxedes* non trova un fondato etimo né in latino né, nonostante l'impronta grecizzante, in greco. Alla limitazione del nome, un tempo molto più esteso e frequente, può avere influito il personaggio non grato di Donna Prassede del romanzo «I promessi sposi» di A. Manzoni.

Prassìtele (25) M. Disperso in Toscana, è una ripresa classica del grande scultore ateniese del IV secolo a.C. Prassitele, in greco *Praxitélēs* latinizzato in *Praxíteles*, composto da *práxis* 'azione, impresa' e *-télēs* da *telêin* 'portare a compimento', quindi 'che porta a compimento le proprie imprese'.

Preziósa (1.100) F. - M. *Prezióso* (50). Accentrato nel Lazio e in Campania per la metà e per il resto disperso, è un nome affettivo, già medievale, dato a un figlio che è e sarà 'prezioso', carissimo, per i genitori.

Prìamo (600) M. - F. *Prìama* (150). Accentrato nel maschile in Toscana e in Sardegna ma nel femminile esclusivo della Sardegna e soprattutto del Cagliaritano, presenta due tradizioni e motivazioni diverse. In Sardegna riflette il culto locale di San Priamo martire con vari altri – secondo una «passione» leggendaria – nell'isola nel I o II secolo, le cui reliquie sarebbero state ritrovate a Cagliari nel 1620, patrono di Bosa NU. Fuori della Sardegna è una ripresa classica del nome dell'ultimo re di Troia Priamo, personaggio dell'«Iliade», dell'«Eneide» e di altre opere antiche e moderne. La base è comunque il greco *Príamos*, latinizzato in *Priamus*, di origine pregreca, diventato nell'età imperiale nome personale.

Primaldo (250) M. - F. *Primalda* (40). Proprio del Leccese, è il riflesso del culto locale per il beato Antonio Primaldo, uno dei martiri dei Turchi di Maometto II che nel 1480 occuparono Otranto LE massacrando gran parte della popolazione.

Primaròsa (400) F. Disperso tra il Nord e la Toscana, è l'adattamento o il calco italiano del nome inglese di origine scozzese *Primrose*, formato da *primrose* [pronunzìa: *prìmrouŝ*] 'primula' (v. *Primula*).

Primavèra (300) F. Accentrato nel Sud continentale, è un nome affettivo che esprime l'augurio che la figlia sia e divenga bella come la primavera.

Primiàno (700) M. - F. *Primiàna* (250). Accentrato nelle province di Foggia e Campobasso, riflette il culto locale di San Primiano patrono di Lesina FG (dove il nome ha un'altissima frequenza) e venerato a Larino CB: il tardo personale latino *Primianus* è un derivato di *Primus*, v. *Primo*.

Primièro (100) M. VARIANTI: *Primàrio* (50). - F. *Primièra* (40). Più compatto in Toscana e disperso nel Centro-Nord, continua un nome forse augurale formato da *primiero* 'che sia il primo, il migliore', oppure derivato con *-ièro* da *primo*, dato al 1° figlio (v. *Primo*).

Primitivo (150) M. - F. *Primitiva* (300). Accentrato nel Piemonte e in Toscana per ³/₄ e disperso nel Nord, riflette il culto di vari santi e sante, e in particolare di San Primitivo martire a Roma sotto Adriano e Santa Primitiva martire a Roma (di incerta tradizione). Alla base è il tardo soprannome e poi personale latino *Primitivus*, da *primitivus* derivato di *primus* 'primo', con lo stesso valore onomastico di *Primo*.

Primo (51.000) M. VARIANTI: *Prìmio* (50). ALTERATI e DERIVATI: *Primétto* (150), *Primino* (450); *Primìlio* (25), *Primillo* (25), *Primìzio* (25). - F. *Prima* (3.000). VARIANTI: *Prìmia* (100). ALTERATI e DERIVATI: *Primétta* (3.000), *Primina* (3.000); *Primìzia* (25). Ampia-

mente diffuso in tutta l'Italia nella forma fondamentale *Primo* e *Prima* (questo con più alta compattezza in Emilia-Romagna), più frequente in Toscana negli alterati e nei derivati, pur avendo lo stesso etimo lontano, il latino *primus* da cui l'ordinale italiano *primo*, 'primo di una serie, fra tutti', presenta processi di formazione e di motivazione diversi. Può essere un nome laico, che può anche continuare il latino *Primus*, un soprannome di età imperiale, dato al primo figlio (del tipo *Secondo*, *Terzo*, *Quarto*, *Quinto*, *Sesto*, ecc.; v. *Proto*). Ma in parte è un nome cristiano che riflette il culto di numerosi santi e beati, tra cui San Primo martire nel III secolo con il fratello San Feliciano sulla Via Nomentana, le cui reliquie sono conservate e venerate nella chiesa di Santo Stefano Rotondo in Roma.

Prìmula (200) F. VARIANTI: *Prìmola* (75). Disperso nel Nord e più in Toscana, è uno dei numerosi nomi affettivi ripresi, per augurare bellezza, profumo e freschezza, da piante e fiori (come *Dalia*, *Pervinca*, *Rosa*, *Viola*, ecc.), in questo caso la *primula* o *primola* (dal latino medievale *primula* da *primus* perché è la 'prima' a fiorire a primavera), dai piccoli fiori gialli o rosei.

Prìncipe (50) M. - F. *Principèssa* (40). Raro e disperso, è un nome affettivo dato per augurare al figlio o alla figlia di essere bello e prestante, ricco e importante, come un 'principe' o una 'principessa'.

Princìpio (250) M. - F. *Princìpia* (700). Proprio della Campania e del Potentino, e disperso nel Sud continentale, pare riflettere, in mancanza di documentazioni probanti, il culto locale di un San Principio e di una Santa Principia non riconosciuti né ricordati dalla Chiesa (che riconosce, nel «Martirologio Romano», solo due santi di questo nome, vescovi nel V e VI secolo in Francia).

Priscilla (400) F. - M. *Prescillo* (20). Disperso tra Nord e Centro, riflette il culto di Santa Priscilla martire a Roma secondo una tradizione leggendaria (ma in realtà confusa con Santa Prisca, v. *Prisco*), alla quale tuttavia sono intitolate le Catacombe di Priscilla sulla Via Nomentana, le più antiche di Roma. Alla base è il tardo nome latino *Priscilla*, diminutivo di *Prisca* (v. *Prisco*). In alcuni casi può anche essere il nome inglese *Priscilla*, ripreso dal latino nel Seicento, adottato dal Novecento per moda esotica anche in Italia.

Prisco (800) M. - F. *Prisca* (700). Accentrato nel maschile in Campania per ³/₅, e per il resto disperso, e distribuito nel femminile nel Centro-Nord, riflette fondamentalmente il culto di vari santi e sante, tra cui San Prisco vescovo di Capua CE nel V secolo (confuso spesso con un San Prisco, leggendario, martire di Capua), San Prisco vescovo di Nocera SA nel III secolo, e Santa Prisca martire a Roma sotto Claudio (secondo una «passione» leggendaria). In alcuni casi isolati può anche essere una ripresa classica del soprannome o 3° nome del quinto re di Roma Lucio Tarquinio Prisco. Alla base è comunque l'antico soprannome latino *Priscus* e *Prisca*, formato da *priscus* 'antico, vecchio', dato originariamente per distinguere all'interno di una stessa famiglia un membro più vecchio o vissuto in epoca precedente da un altro dello stesso prenome e nome (come, nel caso di Lucio Tarquinio Prisco, per distinguerlo dall'ultimo re di Roma Lucio Tarquinio, suo figlio o nipote, detto poi Superbo).

Pròbo (300) M. - F. *Pròba* (25). Accentrato per più della metà in Emilia-Romagna e disperso nel Nord e nel Centro, riflette il culto di vari santi, tra cui San Probo vescovo di Ravenna nel III-IV secolo, ma in parte può essere anche una ripresa classica di personaggi di Roma antica, tra cui l'imperatore del III secolo Marco Valerio Probo: alla base è il soprannome e poi nome personale latino *Probus*, da *probus* 'onesto, retto, coscienzioso'.

Pròcolo (600) M. Esclusivo del Napoletano e qui accentrato a Pozzuoli, riflette il culto di San Procolo diacono, martire con San Gennaro e vari altri a Pozzuoli durante le persecuzioni di Diocleziano: l'originario prenome e poi soprannome e nome personale latino *Proculus* è forse derivato dall'avverbio *procul* 'lontano' (e comunque è stato sempre connesso, nella coscienza dei Latini o di chi conosceva il latino anche medievale, con questo avverbio), e veniva dato a un figlio nato mentre il padre era lontano per motivi militari e di lavoro.

Procòpio (150) M. Accentrato per la metà nel Palermitano e Trapanese e per il resto disperso (soprattutto per immigrazione interna), riflette il culto di antica tradizione orientale di San Procopio martire a Cesarea in Palestina nel 303: alla base è il tardo nome greco *Prokópios* latinizzato in *Procopius*, derivato da *prokopé'* 'progresso, successo nelle iniziative' e, con più esplicito valore augurale, 'fortuna, prosperità'.

. **Progrèsso** (25) M. Disperso nel Nord e in Toscana, è un recente nome ideologico di matrice libertaria, anarchica o socialista, che esprime la fede nel 'progresso' dell'umanità, soprattutto sociale, economico, civile e politico, verso la giustizia e l'eguaglianza.

Promèteo o *Prometèo* (50) M. Disperso nel Nord e più frequente in Toscana, è ripreso con matrice classica, letteraria e teatrale ma anche ideologica, dal Titano Prometeo che, contro il volere di Zeus, dà agli uomini il fuoco e per questo viene punito da Zeus che lo fa incatenare a una rupe della Scizia dove un'aquila gli divora il fegato che sempre gli ricresce: è il protagonista di una trilogia tragica di Eschilo e di varie opere antiche e moderne (W. Goethe, P. B. Shelley, V. Monti, A. Gide, ecc.), anche musicali (L. van Beethoven, Fr. Liszt, G. Fauré, ecc.), in cui è spesso il simbolo dello spirito d'iniziativa e di libertà e della sfida umana contro ogni sopraffazione, anche divina. Il nome greco *Prométheus*, latinizzato in *Prométheus*, è derivato da *prométhē's* 'preveggente, cauto', da *pró* 'avanti, prima' e *mēthos* da *manthánein* 'apprendere'.

Propèrzio (50) M. Disperso tra Nord e Centro, è ripreso con matrice classica e letteraria dal poeta elegiaco romano della fine del I secolo a.C. Sesto Properzio, originario dell'Umbria: il gentilizio latino *Propertius* è anch'esso di origine probabilmente umbra, di etimo e significato incerto.

Prosdòcimo (150) M. Proprio del Veneto, riflette il culto di San Prosdocimo, un nobile greco inviato da San Pietro a Padova dove sarebbe diventato il primo vescovo, patrono di Cittadella PD e Asolo TV: alla limitazione del nome (mentre il cognome Prosdocimi è molto comune) ha contribuito la sua lunghezza e pesantezza, l'essere cioè ormai ingrato. L'originario nome greco *Prosdókimos*, latinizzato in *Prosdocimus*, è un derivato di *prosdokêin* 'attendere, aspettare', dato quindi a un figlio molto desiderato e atteso.

Pròspero (4.300) M. ALTERATI: *Prosperino* (50). - F. *Pròspera* (900). ALTERATI: *Prosperina* (700). Distribuito in tutta l'Italia ma più compatto per *Prospero* nel Reggino, in Basilicata e in Sicilia (dove è accentrato per quasi la metà *Prospera*), e per gli alterati in Piemonte, riflette il culto di vari santi e sante, e in particolare di San Prospero d'Aquitania del V secolo identificato con un vescovo di Reggio Emilia (di cui è patrono, oltre che di Ceretolo BO e San Prospero MO), e San Prospero vescovo di Tarragona patrono di Camogli GE (dove, perseguitato dagli Arabi, sarebbe fuggito e morto). In parte può essere anche un nome di recente moda teatrale ripreso dal personaggio del dramma «La tempesta» di W. Shakespeare del 1611, il saggio mago *Prospero* (anche nell'originale inglese). Alla base è il soprannome augurale e poi nome individuale latino *Prosper* o *Prosperus*, formato da *prosper* o *prosperus* 'prospero, fortunato, felice'.

Protàsio (100) M. VARIANTI: *Protaso* (20). Accentrato per più della metà in Lombardia e disperso nel Nord, riflette il culto locale di San Protasio martire con il fratello Gervasio a Milano nel III o IV secolo, compatroni di Milano e patroni di Bormio SO, San Gervasio Bresciano BS, ecc. (v. *Gervasio*), e di San Protasio vescovo di Milano nel IV secolo. L'originario nome greco *Protâs*, latinizzato in *Protasius*, è un ipocoristico in *-âs* di nomi composti con il 1° elemento *prôtos* 'primo' (come quello del filosofo sofista Protàgora di Abdera del V secolo a.C.).

Pròteo o *Protèo* (25). Rarissimo e disperso, è una ripresa classica, mitologica e letteraria, del dio marino di origine egizia dotato di virtù profetiche Proteo, in greco *Prōteus* latinizzato in *Próteus* derivato (almeno nella coscienza linguistica dei Greci) con valore augurale da *prôtos* 'primo', quindi 'il primo, il migliore di tutti', anche se può essere l'adattamento di un originario nome egizio.

Pròto (200) M. Proprio della Sardegna e qui accentrato nel Sassarese, riflette il culto locale per San Proto martire a Porto Torres sotto Diocleziano con San Gavino e San Gianuario (v. *Gavino* e *Gianuario*): alla base è il nome greco *Prôtos* latinizzato in *Protus*, da *prôtos* 'primo', dato al primo figlio (v. il corrispondente tipo latino *Primo*).

Provino (450) M. - F. *Provina* (75). Accentrato nel Piemonte, pare riflettere un culto locale per un San Provino non riconosciuto né ricordato dalla Chiesa: il nome è di formazione incerta, come la tradizione agiografica.

Provvidènza (11.000) F. VARIANTI: *Providènza* (75). - M. *Provvidènzio* (20). Accentrato in Sicilia, soprattutto nel Palermitano, è un nome di devozione per la divina provvidenza, e in particolare per la Madonna della Provvidenza patrona di Antillo e Montalbano Elicona ME, Zafferana Etnea CT e San Giuseppe Jato PA (dove il nome ha un'alta frequenza relativa).

Pròvvido (50) M. VARIANTI: *Pròvido* (20). - F. *Pròvvida* (25). Disperso nel Nord con maggiore frequenza in Lombardia, continua il tardo e raro nome latino *Providus*, da *providus* (derivato di *providére* 'prevedere, provvedere') 'previdente, saggio nel provvedere', forse sostenuto dal culto di un santo locale non ufficialmente riconosciuto o dalla devozione per la divina provvidenza (v. *Provvidenza*).

Prudènza (1.000) F. VARIANTI: *Prudènzia* (50). - M. *Prudènzio* (25). VARIANTI: *Prudènte* (25). Accentrato per *Prudenza* in Puglia, soprattutto nel Barese, e per il resto disperso (come le altre tre forme), riflette il culto di vari santi e sante di questi nomi che continuano il tardo gentilizio latino *Prudentius* e *Prudentia* (derivato da *prudens prudentis*, participio presente contratto di *providens* da *providére* 'prevedere', v. *Providenza*, anch'esso tardo nome personale, *Prudens*), e in alcuni casi la devozione per la prudenza, una delle quattro virtù cardinali cristiane.

Pùblio (650) M. VARIANTI: *Pùbblio* (35). - F. *Pùblia* (50). Accentrato nel Lazio per la metà e per il resto disperso, riflette il culto di vari santi e sante stranieri (culto quindi molto raro in Italia),

ma in parte maggiore è la ripresa classica, recente, di matrice storica e letteraria, dell'antico prenome latino *Publius*
(proprio di numerosi personaggi di rilievo, soprattutto della *gens Cornelia* cui
appartenevano gli Scipioni), probabile
adattamento del nome etrusco *Pupli* di
incerto significato.

Pulchèria (400) F. - M. *Pulchèrio*
(20). Accentrato per metà nel Veneto e
disperso nel Nord, riflette il culto di tradizione bizantina e greca, ma affermatosi anche a Venezia, di Santa Elia Pulcheria, figlia di Arcadio, imperatrice
d'Oriente dal 450 al 453 (protagonista
della tragedia «*Pulchérie*» di P. Corneille del 1672): alla base è il soprannome e
poi nome latino *Pulcherius* e *Pulcheria*,
derivato da *Pulcher* formato da *pulcher*
'bello' e anticamente 'forte', di etimo
ignoto.

Pupa (150) F. Proprio della Sardegna
ma in parte disperso nel Centro-Nord
(soprattutto per immigrazione interna),
è un nome affettivo formato da *pupa*
'bambina, ragazzina', comune sia all'italiano sia al sardo.

Purìfica (150) F. - M. *Purìfico* (5).
Disperso nel Nord e in Toscana, riflette
la devozione per la Purificazione della
Beata Maria Vergine (attuata, secondo
il rito ebraico, dopo il parto), festeggiata
con la benedizione delle candele il 2 febbraio, devozione di origine orientale affermatasi in Occidente dal VII secolo.

Purìssima (400) F. Accentrato per $^2/_3$
in Lombardia e per il resto disperso, riflette la devozione per Maria Vergine
Purissima, attributo della Madonna formato dal superlativo di *puro* e dato in relazione alla sua immacolata concezione
(v. *Concetta*) e verginità.

Q

Quàdrio (50) M. Accentrato tra Romagna e Marche settentrionali, è un nome ideologico risorgimentale, di matrice repubblicana e mazziniana, ripreso dal cognome del patriota di Chiavenna SO Maurizio Quadrio, combattente nella 1ª e 2ª guerra d'indipendenza e in Polonia nel 1830, segretario di G. Mazzini a Roma nel 1849.

Quartièro (100) M. Proprio dell'Emilia-Romagna e della Toscana, è probabilmente un nome ideologico risorgimentale derivato da Quarto (ora Quarto dei Mille di Genova), da dove il 5 maggio 1860 salpò per la Sicilia la spedizione dei Mille al comando di G. Garibaldi.

Quarto (1.100) M. ALTERATI e DERIVATI: *Quartino* (200); *Quartìlio* (150). - F. *Quarta* (150). ALTERATI e DERIVATI: *Quartina* (500); *Quartìlia* (150). Distribuito nel Centro-Nord, con più alta compattezza per *Quarto* in Emilia-Romagna e per *Quartilio* e *Quartilia* in Toscana e in Umbria, pur avendo un unico etimo lessicale, il latino *quartus* 'quarto' come numerale ordinale, presenta tuttavia vari e complessi processi di formazione e motivazione. *Quarto* può riflettere il culto pur raro di alcuni santi così denominati, può inoltre rappresentare il nome italiano *Quarto*, da *quarto*, dato al 4º figlio (già comune in latino come *Quartus*), o può essere infine un nome ideologico risorgimentale riferito a Quarto di Genova, da dove partì la spedizione dei Mille (v. *Quartiero*). *Quartilio* riprende il raro e molto tardo personale latino *Quartilius*, derivato di

Quartus, sostenuto forse dal culto di santi non ufficialmente riconosciuti.

Quinto (17.000) M. VARIANTI: *Quìnzio* (300). ALTERATI: *Quintino* (3.200). DERIVATI: *Quintilio* (3.700) e *Quintilino* (20), *Quintìglio* (20), *Quintillo* (10); *Quintiliàno* (100). - F. *Quinta* (2.700). ALTERATI: *Quintina* (1.300). DERIVATI: *Quintìlia* (2.000) e *Quintilina* (1.300) o *Quintalina* (100), *Quintilla* (50); *Quintiliàna* (25). Ampiamente diffuso, soprattutto nel Centro-Nord, per *Quinto* e *Quinta* (ma accentrato in Emilia-Romagna per $^1\!/_3$ per *Quinzio*), predominante nel Sud continentale per *Quintino* e *Quintina* e nel Lazio e in Toscana per *Quintilio* e *Quintilia*, disperso per *Quintiliano*, è un gruppo che presenta un etimo lessicale comune, il latino *quintus* 'quinto' come numerale ordinale, ma diversi processi di formazione e motivazione. Alla base è comunque il gruppo onomastico latino formato da *Quintus* o *Quinctus*, antico prenome dato al 5º figlio, con vari derivati: i gentilizi *Quintius* o *Quinctius*, *Quintilius* o *Quinctilius*, e di qui il soprannome o 3º nome *Quintilianus* o *Quinctilianus*, diventati in età imperiale nomi personali autonomi. Su questa base onomastica i nomi italiani riflettono in parte il culto di vari santi e sante così denominati, ma possono anche essere ripresi con matrice classica da vari personaggi della storia e della letteratura romana, come Quinto Fabio Massimo (v. *Fabio*), il console nella guerra annibalica Tito Quinzio Crispino, il retore del I secolo Marco Fabio Quintiliano. In parte infine *Quinto* e *Quinta* possono essere nomi di formazione diretta italiana dati al 'quinto' figlio.

Quìrico (1.300) M. VARIANTI: *Chìrico* (20). - F. *Quìrica* (150). Diffuso in tutta l'Italia con più alta compattezza, soprattutto per *Quirica*, in Sardegna (la variante *Chirico* è propria dell'estremo Sud continentale), riflette il culto di San Quirico, bambino di tre anni martire con la madre Giulitta a Tarso in Cilicia sotto Diocleziano: alla base è il tardo nome latino di ambienti cristiani *Quiricus*, adattamento (per incrocio popolare con *Quirinus*, v. *Quirino*) del greco *Kyriakós* e *Kyrikós*, derivato da *kýrios* 'signore', e come appellativo cristiano 'il Signore, Dio', con il valore di 'del Signore; sacro, dedicato a Dio'.

Quirino (7.500) M. VARIANTI: *Querino* (200). - F. *Quirina* (1.300). VARIANTI: *Querina* (75). Accentrato per la metà nel Lazio e per il resto disperso, riflette il culto di vari santi, tra cui due martiri di Roma, un martire di Tivoli e uno di Montalto di Castro VT (questi ultimi di tradizione leggendaria). Il tardo personale latino *Quirinus* riprende il nome dell'antica divinità guerriera, considerata eponima dei Romani e identificata quindi con Romolo, *Quirinus*, nome di origine incerta, forse sabina, connesso con *Quirites* che designava originariamente i Sabini e quindi il popolo romano nel suo complesso, i «Quiriti».

R

Rachèle (30.000) F. VARIANTI: *Rachèla* (1.000), *Rachèl* (200). ALTERATI: *Rachelina* (700). - M. *Rachelino* (50). Diffuso in tutta l'Italia con più alta compattezza in Lombardia e quindi in Campania, Puglia e Sicilia, è un nome ripreso dal personaggio dell'Antico Testamento Rachele, seconda moglie di Giacobbe, solo in minima parte israelitico ma fondamentalmente cristiano (in quanto alcune fonti non ufficiali la riconoscono come santa) oppure laico, di moda, per la recente preferenza data ai nomi dell'Antico e del Nuovo Testamento (v. *Marco*). Alla base è il nome ebraico *Rāḥēl*, adattato in greco e in latino come *Rhachē'l* e *Rachél*, che propriamente significa 'pecora', per la tradizione che i figli di Giacobbe e della prima moglie Lia avrebbero dato origine agli allevatori di bovini (v. *Lia*) e quelli di Giacobbe e Rachele agli allevatori di ovini.

Radamès (1.500) M. Accentrato per ¹/₃ in Emilia-Romagna e anche in Toscana e per il resto disperso nel Centro-Nord, è ripreso dall'«Aida» di G. Verdi in cui Radamès è il condottiero egizio innamorato di Aida, condannato a morte per tradimento e sepolto vivo con Aida (v. *Aida*, *Amneris* e *Amonasro*): il nome è inventato dall'autore di questa fantastica storia, il francese Auguste Mariette, con un'impronta vagamente egizia.

Radegónda (150) F. VARIANTI: *Redegónda* (130). - M. *Radegóndo* (5). Accentrato per ¹/₃ in Lombardia e disperso nel Nord, riflette il culto di Santa Rade-

gonda regina dei Franchi nel VI secolo e principessa di Turingia: l'originario nome germanico *Radegundh*, latinizzato in *Radegundis*, è composto di *radha- (in tedesco *Rat*) 'consiglio' e *guntha- 'battaglia', con un significato che potrebbe essere 'che consiglia, che assiste nella battaglia'.

Raffaèle (167.000) M. VARIANTI: *Raffaèllo* (14.000) e *Raffaèlo* (50), *Raffèllo* (20), *Raffaèlle* (50) e *Rafaèle* (200), *Raffèle* (50) e *Rafèle* (50), *Raffale* (25), *Rafaèl* (90). ALTERATI: *Raffaelino* (25). - F. *Raffaèla* (21.000). VARIANTI: *Raffaèlla* (56.000), *Rafaèlla* (150) e *Rafaèla* (100). ALTERATI: *Raffaelina* (3.500), *Raffaellina* (500), *Raffelina* (100). Ampiamente distribuito in tutta l'Italia, con più alta compattezza in Campania per *Raffaele*, *Raffaela* e *Raffaella*, e in Toscana per *Raffaello*, è un nome cristiano - anche se in casi isolati può essere israelitico - insorto e diffuso con il culto già medievale dell'arcangelo Raffaele che, nell'Antico Testamento, guida Tobia il Giovane e guarisce dalla cecità Tobia il Vecchio: continua, attraverso l'adattamento greco *Raphaē'l* e latino *Raphaēl*, il personale ebraico *Rephā'ēl*, derivato dal verbo *rapha'* 'guarire' con *'Ēl*, forma abbreviata di *'Elōhīm* 'il Signore, Dio', con il significato quindi di 'Dio ha guarito' (con riferimento alla guarigione di Tobia) o 'Dio ha sanato i miei mali'. Il femminile *Raffaella* ha avuto dagli anni '70 un incremento di diffusione per la popolarità della ballerina, attrice e conduttrice televisiva Raffaella Carrà (anagraficamente Pelloni).

Raimóndo (21.000) M. ALTERATI: *Raimondino* (20). ABBREVIATI: *Ràimo* (20). - F. *Raimónda* (5.500). VARIANTI: *Raymónda* (75). ALTERATI: *Raimondina* (50). Diffuso in tutta l'Italia con più alta compattezza in Sardegna (e per *Raimonda* anche in Sicilia), continua il nome germanico di tradizione longobardica e poi francone *Raginmund* (documentato in Italia dall'806 nella forma latina medievale *Rachimundus*), composto di *ragin-* o *ragan-* 'consiglio (divino)' e *munda-* 'protezione, difesa', quindi 'che protegge con il consiglio degli dei' o 'protezione divina'. Alla diffusione ha contribuito il culto di vari santi e il prestigio di prìncipi e conti, soprattutto spagnoli, catalani, provenzali e francesi, così denominati.

Rainardo (20) M. Rarissimo e disperso, continua il nome di origine germanica e di tradizione francone *Rainhard* e antecedentemente *Raginhard*, composto di *ragin-* 'consiglio (divino)' e *hardhu-* 'valoroso, forte', quindi 'valoroso per volere degli dei', introdotto in Italia per tramite del francese antico *Rainard* (v. anche *Rinaldo*).

Ralf (50) M. Raro e disperso, è l'adattamento, per moda esotica recente, dell'inglese *Ralph* (100) o *Ralf* e *Raff* [pronunzia: *rälf*, *räf*], da *Radulf* (inglese antico *Raedwulf*), composto di *radha-* 'consiglio, assemblea' e *wulfa-* 'lupo', con un significato che potrebbe essere 'valoroso (come un lupo) nell'assemblea'. V. anche *Raul*.

Rambaldo (200) M. Distribuito nel Nord e nel Centro con più alta compattezza nel Veneto e in Toscana, continua il nome di origine germanica *Ragimbald* composto con *ragin-* 'consiglio (divino)' e *baltha-* 'audace, ardito', quindi 'audace nel consiglio' o 'audace per volere degli dei', introdotto in Italia nel tardo Medio Evo per tramite del provenzale e francese antico *Rambaud* e *Raimbaud*.

Ramiro (500) M. VARIANTI: *Remiro* (100). - F. *Ramira* (75). Accentato nel Veneto e Friuli-Venezia Giulia per ¹/₃ e per il resto disperso, è un nome di moda letteraria dell'età romantica (e teatrale per il principe Ramiro protagonista del melodramma giocoso «Cenerentola» di G. Rossini del 1817), ripreso dallo spagnolo *Ramiro*, documentato dall'alto Medio Evo nelle forme in latino medievale *Ranimirus*, *Ranmirus* e poi *Ramirus*: in Spagna è un nome germanico, di tradizione visigotica, composto del gotico *ran* 'disposizione dell'esercito (a cuneo)' e *mereis* 'illustre, famoso', con un significato che potrebbe essere 'famoso nel disporre, nello schierare l'esercito'.

Ramón (100) M. - F. *Ramóna* (300). Distribuito nel Nord e in Toscana, è un nome di moda ripreso recentemente dal catalano *Ramon*, corrispondente all'italiano *Raimondo*, e *Ramona*, di matrice letteraria o teatrale e, soprattutto nel femminile, cinematografica, per il film statunitense del 1928 «Ramona» (interpretato dall'attrice messicana Dolores del Rio) di largo successo anche in Italia insieme all'omonima canzone del film stesso.

Rando (50) M. Accentrato in Toscana e in Emilia-Romagna, è la forma abbreviata di *Bertrando* e *Beltrando* o di *Randolfo*.

Randòlfo (300) M. Distribuito nel Centro-Nord con maggiore compattezza nel Lazio e in Emilia-Romagna, è un nome di origine germanica che, pur se già introdotto nel Medio Evo, è almeno in parte ripreso recentemente dall'inglese moderno *Randolph*, antico *Randwulf* latinizzato in *Randulfus*, composto con *randa-* 'scudo' e *wulfa-* 'lupo', il cui significato originario, se pur esiste, potrebbe essere 'guerriero valoroso con lo scudo'.

Ranièro (3.400) M. VARIANTI: *Raniéri* (1.600), *Rainièro* (100), *Rainèro* (450), *Rainèrio* (100), *Rainièri* (50), *Rainèri* (150), *Rinièro* (50). ALTERATI: *Ranùccio* (50). - F. *Ranièra* (150). VARIANTI: *Rainèra* (25). Diffuso nel Centro-Nord e nell'Abruzzo, con diversa distribuzione nelle varie forme (*Raniero* predomina nel Lazio e nell'Abruzzo, *Ranieri* con l'alterato *Ranuccio* in Toscana, *Rainiero* con *Rainerio* e *Rainieri* nel Veneto), è un nome di origine germanica e di tradizione francone *Raginhar*, composto di *ragin-* 'consiglio (divino)' e *harja-* 'esercito, popolo in armi', con un significato che potrebbe essere 'esercito, popolo sostenuto dal consiglio divino'. Alla diffusione del nome ha contribuito in Toscana e in Abruzzo il culto di San Ranieri eremita, morto a Pisa nel 1160, e San Raniero vescovo dell'Aquila nel XII secolo (v. anche *Neri* e *Nerina*).

Rào (30) M. VARIANTI: *Ràolo* (15), *Ràulo* (50). Proprio della Toscana, è l'esile continuazione di una forma abbreviata (già documentata in Italia nel latino medievale del XII e XIII secolo come *Raulus*, *Raulo*, *Rao* o *Rhao*) di *Radulfo*, una variante antiquata di *Rodolfo*. In casi isolati *Raulo* e *Raolo* possono anche essere adattamenti morfologici e fonetici italiani di *Raul*.

Ràul o *Raùl* (2.800) M. VARIANTI: *Raoul* (4.100). Distribuito nel Centro-Nord, con maggiore compattezza per *Raul* in Emilia-Romagna, è un nome di moda ripreso dal primo Ottocento, anche attraverso una narrativa popolare, dal francese *Raoul* (che è anche nome di residenti stranieri di lingua francese o delle comunità alloglotte francofone della Val d'Aosta e del Piemonte), per lo più adattato graficamente in *Raul* e pronunziato «all'italiana» *Ràul* e solo raramente *Raùl*, secondo la pronunzia del francese *Raoul*, che è l'esito dell'antico nome germanico *Radwulf* o *Radulf*, composto con **radha-* e **wulfa-*, per il cui significato v. *Ralf*.

Ravénna (150) F. - M. *Ravénno* (15). Proprio della Toscana, è ripreso dalla città di Ravenna con motivazioni non accertabili, forse come nome ideologico risorgimentale in relazione alle insurrezioni di Ravenna contro il dominio pontificio nel 1831, 1848 e 1859.

Rèa (150) F. NOMI DOPPI: *Rèa Sìlvia* (100). - M. *Rèo* (20). Disperso nell'Italia continentale con maggiore frequenza in Lombardia e in Emilia-Romagna, è una ripresa classica del nome della leggendaria madre di Romolo e Remo, sacerdotessa vestale, Rea Silvia (per cui il nome doppio è in realtà unitario, autonomo), in latino *Rea Silvia* (*Rea* di etimo ignoto: per *Silvia* v. *Silvio*).

Reàldo (250) M. VARIANTI: *Riàldo* (100). ALTERATI: *Realdino* (20). - F. *Reàlda* (75). VARIANTI: *Riàlda* (25). ALTERATI: *Realdina* (25). Disperso nell'Italia continentale con maggiore compattezza in Lombardia, Friuli-Venezia Giulia e Toscana, è la forma abbreviata di *Arealdo* o *Arialdo* e in casi isolati di *Orialdo* (v. *Aroldo* e *Oria*).

Reàle (200) M (anche F). ALTERATI: *Realino* (300). - F. *Realina* (150). Disperso per *Reale* nel Centro-Nord e accentrato per *Realino* o *Realina* nel Salento, nella forma fondamentale è un nome affettivo formato da *reale* (dal latino *regalis* 'proprio del re, di un re', derivato da *rex regis*, per tramite del francese antico *reial*), per augurare al figlio di avere le doti di un re, mentre per *Realino* e *Realina* riflette il culto locale per San Bernardino Realino, gesuita di Lecce, compatrono della città con Sant'Oronzo, San Fortunato e San Giusto.

Reàna (300) F. - M. *Reàno* (50). Distribuito nel Centro-Nord, è la forma abbreviata di *Andreana* e *Andreano* (v. *Andrea*).

Rebècca (500) F. Disperso nel Centro-Nord con maggiore compattezza in Lombardia, riprende il nome della moglie d'Isacco, e madre di Esaù e Giacobbe, Rebecca, originaria della Mesopotamia, in ebraico *Ribqāh*, di incerto etimo e significato, adattato in greco come *Rhebékka* e in latino come *Rebecca*. Il nome è solo in parte israelitico o protestante; in parte maggiore risponde alla recente moda di adottare nomi dell'Antico e del Nuovo Testamento (v. *Marco*), e è inoltre ripreso dal titolo e dalla protagonista (che tuttavia non appare mai, ma è solo presente nel ricordo) del film statunitense del 1940 del regista inglese A. Hitchock «*Rebecca*» (nella versione italiana «Rebecca, la prima moglie»), tratto da un mediocre romanzo di Daphne du Maurier, che ebbe un largo successo in Italia nell'immediato 2° dopoguerra.

Redènto (900) M. VARIANTI: *Redènte* (50), *Redènzio* (100). ALTERATI: *Redentino* (25). - F. *Redènta* (1.400). ALTERATI: *Redentina* (100). Distribuito nel Centro-Nord, con maggiore compattezza per il maschile in Lombardia (dove sono specifici *Redentino* e *Redentina*), Veneto e Friuli-Venezia Giulia, e per il femminile nel Lazio e in Campania, è un nome cristiano dato in parte in riferimento alla redenzione dell'umanità e alla solennità della Pasqua di Risurrezione del Redentore, in parte per il culto di San Redento, vescovo di Ferentino FR nel VI secolo, e di Santa Redenta vergine di Roma. Alla base è comunque il tardo nome latino cristiano *Redemptus* e *Redempta*, formato da *redemptus* participio perfetto di *redimere*, con il valore di 'redento, riscattato dal peccato originale' (v. *Redentore*).

Redentóre (200) M. Accentrato per quasi la metà nel Veneto e per il resto disperso, riflette il culto per il Santissimo Redentore (Gesù Cristo, per antonomasia 'il Redentore' dell'umanità), dal latino *redemptor redemptoris* derivato da *redimere*, culto diffuso a Venezia dove la festa del Redentore è celebrata nella notte sulla 3ª domenica di luglio (a ricordo della liberazione dalla peste del 1576), con spettacolari manifestazioni sulla laguna.

Rédo (200) M. VARIANTI: *Rédi* (70), *Rédeo* (170). DERIVATI: *Redano* (20), *Rediàno* (20). - F. *Réda* (100). VARIANTI: *Rédea* (100). Proprio del Nord-Est e della Toscana, potrebbe essere, nell'assenza di una tradizione probante, la forma abbreviata di *Alfredo*, *Goffredo*, *Loffredo*, *Manfredo* o *Manfredi*, e di *Redolfo* variante antiquata di *Rodolfo*.

Regina (30.000) F. VARIANTI: *Reggina* (75), *Reìna* (100). ALTERATI: *Reginèlla* (300), *Reginétta* (300). NOMI DOPPI: *Regina Marìa* (200). - M. *Regino* (50). Distribuito in tutta l'Italia con maggiore compattezza per *Regina* e *Reginella* in Lombardia, è insorto e si è affermato nella devozione per Maria Santissima «Regina del Cielo», anche se in parte può essere un nome affettivo dato per augurare alla figlia di essere bella, ricca, fortunata come una regina: già nel tardo latino cristiano è documentato il nome *Regina*, formato da *regina* femminile di *rex regis* 're'.

Reginaldo (1.100) M. - F. *Reginalda* (300). Distribuito in tutta l'Italia continentale, è un nome germanico di tradizione longobardica, *Raginald*, documentato dall'VIII secolo nella forma latinizzata *Raginaldus*, composto da *ragin-* 'consiglio (divino)' e *walda-* 'potere, comando', il cui significato potrebbe essere 'che comanda, che governa per volere degli dei' (v. *Rinaldo* che ha la stessa etimologia e formazione ma diversa tradizione).

Règolo (600) M. - F. *Regolina* (25). Distribuito nel Centro-Nord e in Abruzzo, con più alta compattezza in Emi-

lia-Romagna, riflette in parte il culto di alcuni santi, tra cui San Regolo martire a Populonia LI durante il regno gotico di Totila, patrono di Montaione FI, e in parte è una ripresa classica, storico-letteraria, del 3º nome del console della 1ª guerra punica Marco Attilio Regolo, noto per aver preferito morire tra atroci tormenti piuttosto che consigliare di accettare la dura pace proposta dai Cartaginesi, protagonista anche del dramma «Attilio Regolo» di P. Metastasio rappresentato a Dresda con la musica di J. A. Hasse nel 1750 (che avrà contribuito alla ridiffusione del nome). Alla base è comunque l'antico soprannome latino *Regulus*, formato da *regulus* diminutivo di *rex regis* 're', quindi 'piccolo re'.

Remìgio (10.000) M. - F. *Remìgia* (800). Diffuso in tutta l'Italia con maggiore compattezza nel Veneto e Friuli-Venezia Giulia, riflette il culto, irradiato dalla Francia insieme al nome, di San Remigio vescovo di Reims, qui morto nel 530 dopo avere convertito al cristianesimo i Franchi, e di San Remigio vescovo di Lione dall'852 all'875. In Italia il nome francese *Remi* o *Remy* è penetrato attraverso la forma in latino medievale *Remigius*, che probabilmente, se non risale a un nome gallico, è un'alterazione del tardo personale cristiano *Remedius* derivato da *remedium* 'rimedio, medicina che guarisce', con riferimento alla salvezza dell'anima.

Rèmo (66.000) M. ALTERATI: *Rèmolo* (100). - F. *Rèma* (600). ALTERATI: *Remina* (75), *Rèmola* (100). Diffuso dal Nord al Centro fino alla Campania e all'Abruzzo, è una ripresa classica, rinascimentale e moderna, di matrice storico-letteraria e anche erudita e scolastica, del nome di uno dei due fondatori – secondo la tradizione leggendaria – di Roma, Remo, fratello di Romolo e da questo ucciso perché aveva superato il solco del confine sacro della città: tradizione ricordata in varie opere antiche che hanno contribuito alla diffusione dei due nomi (v. *Romolo*). Il nome latino *Remus* è di etimo ignoto. In latino esiste anche l'antico nome *Remulus*, che morfologicamente è un diminutivo di *Remus*, riferito a un re di Alba e a un mitico eroe, usato anche come variante di *Remus*, da cui è però indipendente il tipo alterato *Remolo*, che pare un incrocio recente tra *Remo* e *Romolo*.

Renato (207.000) M. - F. *Renata* (98.000). Diffuso in tutta l'Italia con maggiore compattezza nel Nord, continua il tardo nome latino cristiano *Renatus* dal participio perfetto *renatus* di *renasci* 'rinascere', con il valore di 'rinato, nato a nuova vita spirituale (con il battesimo)'. Alla diffusione del nome in Italia ha contribuito il modello del corrispondente francese *René* (500) e al femminile *Renée* (500) – proprio di residenti stranieri e delle minoranze alloglotte di lingua francese della Val d'Aosta e del Piemonte, come il femminile tedesco *Renate* (1.500) lo è della provincia autonoma di Bolzano di lingua maggioritaria tedesca (ma adottati a volte anche come nomi di recente moda esotica) –, anche attraverso i protagonisti di opere letterarie e drammatiche moderne, come i romanzi «*René ou Les effets des passions*» di Fr.-A.-R. de Chateaubriand del 1805 e «*La curée*» (in italiano «La cuccagna») di É. Zola del 1871 (e del dramma «*Renée*» che ne trasse nel 1887).

Rèno (850) M. VARIANTI: *Rènio* (25). ALTERATI: *Renétto* (20), *Renùccio* (20). - F. *Rèna* (300). ALTERATI: *Renèlla* (100). Proprio della Toscana e disperso nel Centro-Nord, è la forma abbreviata di vari nomi in *-rèno* o *-rèna*, come, tra i più diffusi in questa area, *Ireno*, *Irenio* e *Irena* (v. *Irene*), *Loreno* e *Lorena*, *Moreno* e *Morena*, e meno *Nazzareno* e *Nazzarena*: alla diffusione può avere contribuito localmente il culto della beata Giulia della Rena di Certaldo FI, reclusa del Trecento.

Reparata (250) F. - M. *Reparato* (25). Proprio della Campania e dell'Abruzzo, riflette il culto per Santa Reparata martire a Cesarea in Palestina sotto Decio, patrona di Atri TE e Casoli CH: alla base è il tardo e raro nome latino *Reparatus* e *Reparata*, participio perfetto di *reparare* 'ricuperare, riacquistare', con il valore cristiano di 'riacquistato, ricuperato' alla salvezza eterna con la conversione e il battesimo, oppure riferito a un figlio nato a 'riparare' la morte di un figlio precedente (v. *Restituta*).

Restituta (1.200) F. - M. *Restituto* (50). Proprio della Campania e del Lazio meridionale, riflette il culto locale di Santa Restituta martire a Teniza in Africa nel 304 (il cui corpo sarebbe stato miracolosamente portato per mare all'isola d'Ischia), patrona appunto di Ischia e di Lacco Ameno NA, e Santa Restituta martire, secondo una tradizione leggendaria, a Sora FR, di cui è patrona (in tutte queste località il nome ha un'alta frequenza). Il nome latino cristiano *Restitutus* e *Restituta*, formato da *restitutus* participio perfetto di *restituere* 'restituire', ha le stesse motivazioni di *Reparata*: o 'restituito' alla fede e alla salvezza con il battesimo, o, riferito a un figlio nato dopo la morte di un figlio precedente, 're-stituito' ai genitori da Dio.

Riàno (50) M. - F. *Riàna* (25). Disperso nel Centro-Nord, è la forma abbreviata di *Floriano*, *Oriano*, ecc., e dei rispettivi femminili.

Ribèlle (200) M (anche F). VARIANTI: *Ribèllo* (50). - F. *Ribèlla* (100). Distribuito tra Nord e Centro con maggiore compattezza in Emilia-Romagna, è un nome ideologico ottocentesco di matrice libertaria, rivoluzionaria e anarchica, formato da *ribelle*, contro un potere considerato ingiusto e oppressivo.

Riccardo (84.000) M. VARIANTI: *Ricardo* (100), *Ricciàrdo* (250), *Rizzardo* (200). ALTERATI: *Riccardino* (25), *Ricciardétto* (50). ABBREVIATI: *Ciàrdo* (15) e *Ciardino* (25); *Ricco* (20). - F. *Riccarda* (3.500). VARIANTI: *Ricciàrda* (300), *Rizzarda* (40). ALTERATI: *Riccardina* (1.700). ABBREVIATI: *Ricca* (75). Diffuso in tutta l'Italia nel tipo fondamentale *Riccardo* (ma *Riccardina* è accentrata nel Barese), più compatto in Emilia-Romagna e soprattutto in Toscana per *Ricciardo*, proprio del Nord e più frequente nel Veneto per *Rizzardo*, presenta un unico etimo onomastico, il germanico *Rikhard* o *Richart* composto con **rikja-* 'ricco, potente', e **hardhu-* 'forte, valoroso' quindi 'potente e valoroso', ma processi di formazione e di motivazione diversi nei vari tipi. *Riccardo* è in Italia di tradizione prevalentemente tedesca e normanna; *Ricciardo* è ripreso dal francese antico *Richard* [pronunzia: *ričàrd*, moderno *rišàrd*], diffuso già dal Medio Evo da Franchi, Angioini e in generale dai rapporti, anche letterari, con la Francia; *Rizzardo* è la variante settentrionale di *Ricciardo*, con l'evoluzione di *č* a *z*. Alla diffusione hanno contribuito sia il culto di vari santi e sante (in particolare, nel Barese, di San Riccardo 1° vescovo di Andria BA), sia il prestigio di imperatori, re e prìncipi di vari stati europei, sia infine modelli letterari e teatrali, come la poesia cavalleresca francese per *Ricciardetto*, paladino di Francia (protagonista anche del poema «Ricciardetto» di N. Forteguerri del 1738), i drammi di W. Shakespeare «Riccardo II» e «Riccardo III» del 1595 e 1593 circa, la tragedia «Ricciarda» di U. Foscolo del 1813, l'opera lirica «Riccardo e Zoraide» del 1818 di G. Rossini. **Ricciòtti** (1.000) M. VARIANTI: *Ricciòtto* (50). Distribuito nel Centro-Nord con maggiore compattezza in Friuli-Venezia Giulia e in Toscana, è un nome ideologico risorgimentale, ripreso dal cognome dei tre fratelli Domenico, Giacomo e Nicola Ricciotti, patrioti di Frosinone arrestati e condannati per cospirazione e insurrezione (Giacomo morto nel 1827, a 32 anni, in carcere nella fortezza di Civita Castellana, Nicola fucilato nel 1844 nel Vallone di Rovito presso Cosenza insieme ai fratelli Attilio e Emilio Bandiera). Il nome si è ridiffuso, sempre con matrice ideologica, nel 2° Ottocento perché dato da G. Garibaldi al suo secondo figlio (v. anche *Menotti*), volontario nella 3ª guerra d'indipendenza, poi in Francia contro i Prussiani nel 1870, e quindi in Grecia nelle guerre contro i Turchi.

Ricòrdo (120) M (anche F). - F. *Ricòrda* (25). ALTERATI: *Ricordina* (100). Accentato per ²/₃ in Emilia-Romagna e per il resto disperso nel Nord e in Toscana, data la mancanza di tradizione pare un recente nome ideologico, libertario e democratico, dato a un figlio per affermare, in tempi di oppressione, il 'ricordo' della libertà e dei suoi valori.

Rifèo (50) M. Rarissimo e disperso, è una ripresa letteraria di un eroe troiano, celebrato da Virgilio nell'«Eneide» e da Dante nel «Paradiso» per la sua giustizia, in latino *Ripheus*, di etimo e significato incerto.

Rigo (300) M. ALTERATI: *Righétto* (50), *Rigùccio* (25). - F. *Riga* (15). Distribuito nel Centro-Nord, con maggiore compattezza in Toscana e nel Friuli-Venezia Giulia, è la forma abbreviata già medievale di *Arrigo*, e *Alderigo*, *Almerigo*, *Amerigo*, *Federigo*, e in casi isolati di *Rigoberto*.

Rigobèrto (150) M. Disperso nel Nord e nel Centro con maggiore compattezza nell'Anconitano, riflette il culto di San Rigoberto vescovo di Reims nell'VIII secolo, in francone e francese *Rigobert* composto di *rikja*- 'potente' e *berhta*- 'illustre, famoso', quindi 'illustre per potenza'.

Rigolétto (600) M. - F. *Rigolétta* (400). Proprio della Toscana, è ripreso dal protagonista dell'opera lirica «Rigoletto» di G. Verdi rappresentata per la 1ª volta al teatro La Fenice di Venezia nel 1851, il buffone Rigoletto del duca di Mantova (seduttore della figlia): il nome è stato creato dal librettista F. M. Piave, adattando il corrispondente nome, *Triboulet*, del dramma di V. Hugo del 1837 «*Le roi s'amuse*» cui si era ispirato, forse per accostamento al francese *rigoler* 'ridere, scherzare', o a un *Rigolo* derivato da *Rigo*.

Rimèdio (25) M. VARIANTI: *Romèdio* (200), *Remido* (150). - F. *Rimèdia* (300). Accentrato per *Rimedio* e *Rimedia* in Sardegna e soprattutto nel Nuorese, per *Romedio* nel Trentino e nel Veneto, riflette il culto della Madonna del Rimedio, patrona di vari centri della Sardegna, e di San Romedio e Remedio eremita e evangelizzatore del Trentino nel IV secolo – secondo una tradizione incerta –. Alla base è *rimedio*, come rimedio spirituale, dell'anima, e il tardo nome cristiano latino *Remedius*, con lo stesso valore, dal latino *remedium* (v. *Remigio*).

Rina (133.000) F. ALTERATI: *Rinèlla* (200), *Rinétta* (150), *Rinùccia* (400). NOMI DOPPI: *Rina Marìa* (400). - M. *Rino* (53.000). ALTERATI: *Rinèllo* (100), *Rinétto* (50), *Rinùccio* (25). Diffuso in tutta l'Italia ma raro nel Sud, e negli alterati proprio del Nord e della Toscana, è la forma abbreviata, ormai sentita anche come autonoma, di *Caterina*, *Marina*, *Onorina* e di *Arturino*, *Gennarino*, *Ottorino*, *Salvatorino*, ecc., e dei rispettivi maschili e femminili.

Rinaldo (34.000) M. VARIANTI: *Rinaldi* (60), *Renaldo* (200), *Rainaldo* (50), *Ranaldo* (20). ALTERATI: *Rinaldino* (25).

- F. *Rinalda* (2.200). VARIANTI: *Rainalda* (100). ALTERATI: *Rinaldina* (250). Distribuito in tutta l'Italia nella forma fondamentale, mentre *Rinaldi* predomina in Calabria, *Renaldo* in Piemonte, *Rainaldo* o *Ranaldo* nel Centro, pur avendo un unico etimo onomastico, il nome germanico di tradizione francone *Raginald* o *Reginald* (composto con **ragin-* 'consiglio (divino)' e **walda-* 'che domina, che ha il potere; potente', quindi 'che governa con il consiglio degli dei', v. *Reginaldo*), presenta tuttavia formazioni e motivazioni diverse. Una prima insorgenza si è avuta con i Franchi, tra il IX e X secolo, in cui appare in Italia nelle forme latinizzate *Rainaldus*, *Ranaldus* e poi *Rinaldus*, ma la prima affermazione è stata promossa, dal primo Duecento, con il personaggio delle «Chansons de geste» del ciclo cavalleresco carolingico Rinaldo di Montalbano (in francese antico *Renaus* o *Renaud de Montauban*), cugino di Orlando e paladino di Carlo Magno. Il nome si è poi ridiffuso, per lo stesso personaggio, dal Rinascimento con i poemi «Morgante» di L. Pulci, «Orlando innamorato» di M. M. Boiardo e «Orlando furioso» di L. Ariosto, «Rinaldo» di T. Tasso, e quindi per il nuovo eroe cristiano Rinaldo della «Gerusalemme liberata» di T. Tasso, e con i vari adattamenti letterari e teatrali, i cantari, di tutte queste opere, largamente popolari fino all'età moderna. Infine, nel primo Ottocento, ha nuovamente contribuito alla diffusione l'opera lirica «Armida» di G. Rossini, rappresentata la 1ª volta a Napoli nel 1817, di cui Rinaldo è protagonista. In parte il nome è sostenuto anche dal culto di alcuni santi, tra cui San Rinaldo o Rainaldo eremita camaldolese di Nocera Umbra PG nel XII secolo e compatrono della città, e San Rinaldo vescovo di Ravenna, morto nel 1321.

Rindo (150) M. - F. *Rinda* (40). Accentrato per ²/₃ in Toscana e disperso nel Nord, è probabilmente la forma abbreviata di *Fiorindo* o *Florindo* e del rispettivo femminile (v. *Flora*) e di *Clorinda*.

Ripalta (2.500) F. Proprio del Foggiano, riflette la devozione per Maria Santissima di Ripalta (da Ripalta, ossia 'riva alta', piccola frazione di Lesina FG), patrona di Cerignola FG, dove il nome ha un'altissima frequenza relativa.

Ripòsa (150) F. Proprio del Leccese e qui accentrato a Alessano, riflette la devozione locale per la Madonna del Riposo (da *riposo*, in senso materiale e spirituale).

Riscatto (40) M (anche F). Disperso nel Centro-Nord con maggiore compattezza in Toscana, è un nome ideologico recente, libertario e rivoluzionario, riferito al 'riscatto' politico e sociale dall'oppressione.

Risórto (25) M. Proprio del Tarantino e qui accentrato a San Giorgio Jonico, riflette la devozione locale per Cristo Risorto.

Ristòro (20) M. È l'esile continuazione del nome gratulatorio, comune nell'ultimo Medio Evo in Toscana (come ancora il cognome Ristori), *Ristoro*, formato da *ristòro*, nel significato antiquato di 'compenso, risarcimento', dato a un figlio che viene, con la sua nascita, a risarcire, a compensare la perdita di un figlio precedente.

Risvéglio (150) M. Accentrato in Emilia-Romagna e in Toscana e disperso nel Nord, è un nome ideologico di matrice libertaria, anarchica e socialista, insorto nell'Ottocento da *risveglio*, come risveglio dall'inerzia e dalla passività per lottare contro l'oppressione politica e sociale.

Rita (240.000) F. NOMI DOPPI: *Rita Marìa* (1.000). - M. *Rito* (650). È uno dei nomi femminili di più alta frequenza e ampia diffusione, il 17º per rango nazionale, superiore a quello stesso, il 18º, di *Margherita* di cui è la forma abbreviata già medievale, anche se ormai è sentito come nome autonomo. Alla sua diffusione ha contribuito il culto di Santa Rita da Cascia PG, mistica dell'Ordine delle Eremite di Sant'Agostino morta nel 1457, e recentemente la notorietà, soprattutto per il film «Gilda» del 1946, dell'attrice statunitense Rita Hayworth, nome d'arte di Margarita Cansino.

Rivo (550) M. VARIANTI: *Rìvio* (25). DERIVATI: *Rivaldo* (40), *Rivano* (30), *Rivièro* (50). - F. *Riva* (500). DERIVATI: *Rivièra* (40). Accentrato in Toscana per ²/₃ e disperso tra il Nord e il Centro fino all'Abruzzo, in mancanza di una tradizione e documentazione probante sembra la forma abbreviata di un nome gratulatorio e augurale medievale *Bonarri-*

vo o *Buonarrivo*, dato a un figlio che costituisce per i genitori un 'buon arrivo', ossia molto desiderato e atteso (come *Bonaccorso*, *Bonagiunta*, anch'essi tipicamente toscani).

Rizièro (2.300) M. VARIANTI: *Rizièri* (1.650), *Rizière* (25), *Rizzièro* (400), *Rizzièri* (800), *Rizzèrio* (25), *Rezièro* (50), *Rezièri* (20); *Risièro* (20), *Risièri* (25). - F. *Rizièra* (50). VARIANTI: *Rizzièra* (40). Distribuito in tutta l'Italia continentale, con frequenza più alta in Veneto, Emilia-Romagna, Toscana e Lazio, e raro nel Sud, è un nome già medievale che non consente, data la mancanza di una documentazione sufficiente, che alcune ipotesi. Può essere derivato, con la terminazione francesizzante *-ièro*, *-ière* o *-ièri*, da *Rizzo* (20), variante di *Riccio*, formato da *riccio* come soprannome dato per i capelli ricci. Può almeno in parte essere ripreso dal francese *Rizier*, antico *Risier*, da *risier* 'ridere, burlare', ossia 'chi ama ridere, fare burle e beffe'. Alla diffusione può avere contribuito, nelle Marche, il culto del beato Rizziero della Muccia MC, seguace di San Francesco.

Robèrto (256.000) M. VARIANTI: *Rubèrto* (20), *Rupèrto* (50). ALTERATI: *Robertino* (150). - F. *Robèrta* (32.000). ALTERATI: *Robertina* (400). Ampiamente diffuso nel Nord e nel Centro, raro nel Sud, predominante per *Ruperto* nel Friuli-Venezia Giulia, è un nome di origine germanica e di tradizione già longobardica e poi francone (*Hrodeberht*, attestato dall'VIII secolo nelle forme in latino medievale *Rodepertus* e dal IX secolo *Ropertus* e *Robertus*), formato da *hroth-* 'fama, gloria' e *berhta-* 'illustre', quindi 'illustre per fama'. Nell'XI secolo, soprattutto nel Sud, il nome è stato ridiffuso, attraverso la forma francese *Robert*, dai Normanni e nel Trecento dagli Angioini, anche per il prestigio dei sovrani Roberto d'Altavilla e Roberto d'Angiò. All'affermazione ha inoltre contribuito il culto di vari santi, tra cui San Roberto Bellarmino, gesuita, cardinale e dottore della Chiesa, morto a Roma nel 1621, e recentemente, per il femminile, il film statunitense «Roberta», con i due attori-ballerini Fred Astaire e Ginger Rogers, che ebbe un grande successo in Italia nel 2° dopoguerra.

Robespierre (50) M. Disperso tra Nord e Centro, è un nome ideologico ottocentesco, di matrice rivoluzionaria e libertaria, ripreso dal cognome dell'intransigente «dittatore» giacobino della Rivoluzione francese M.-Fr.-I. de Robespierre, ghigliottinato nel 1794.

Roboàmo (25) M. Disperso nel Nord, è un nome israelitico ripreso dal re d'Israele figlio e successore di Salomone, in ebraico *Rehab'ām*, propriamente 'che rende grande il popolo', grecizzato in *Rhoboám* e latinizzato in *Roboám*.

Robusto (100) M. ALTERATI: *Robustino* (100). - F. *Robustina* (25). Proprio della Toscana e sporadico nel Centro-Nord, è un nome affettivo già medievale e formato da *robusto*, dato al figlio come augurio che cresca e divenga robusto, forte e vigoroso.

Ròcco (74.000) M. ALTERATI: *Rocchétto* (5), *Rocchino* (100). NOMI DOPPI: *Ròcco Antònio* o *Roccantònio* (650). - F. *Ròcca* (2.700). ALTERATI: *Rocchétta* (250), *Rocchina* (1.600). Diffuso in tutta l'Italia, ma accentuato nel Sud continentale e in Sicilia (dove predomina *Rocca*), riflette il culto di San Rocco, un giovane pellegrino del Trecento di Montpellier che, secondo una tradizione leggendaria, avrebbe liberato dalla peste molte città dell'Italia del Nord e le cui reliquie sarebbero conservate a Venezia nella chiesa a lui dedicata; nel femminile, soprattutto in Sicilia, riflette anche la devozione per la Madonna della Rocca, patrona di Alessandria della Rocca AG. Il nome *Rocco*, documentato dall'alto Medio Evo nelle forme latinizzate *Rochus* o *Rocchus*, *Rocho* o *Roccho*, è certamente di origine germanica, ma l'etimo e il significato sono incerti: l'ipotesi più fondata è che sia l'ipocoristico, già germanico, di nomi composti con la radice onomatopeica *hrok* 'corvo' (in gotico *hruk* e in tedesco antico *hruok*), come *Hrokhard*, molto diffusi perché il corvo, come il lupo e l'aquila, era nelle antiche credenze germaniche un animale sacro e dotato di poteri magici.

Rodòlfo (41.000) M. VARIANTI: *Ridòlfo* (50). - F. *Rodòlfa* (500). ALTERATI: *Rodolfina* (150). Diffuso in tutta l'Italia ma più raro nel Sud, continua il nome di origine germanica formato con *hroth-* 'fama, gloria' e *wulfa-*

'lupo', quindi 'lupo glorioso' o, poiché il lupo, animale sacro e magico, impersonava il combattente, 'guerriero glorioso': il nome, già documentato per il re degli Èruli *Hrodulf* del V secolo, e quindi in età longobardica nella forma latinizzata *Rodulphus*, si è diffuso soprattutto in età francone e poi per modelli francesi, sostenuto dal culto di alcuni santi e dal prestigio di vari imperatori, re e prìncipi, anche italiani, di questo nome (tradizionale nella dinastia di Asburgo), e recentemente anche dal protagonista, l'amante di Mimì, delle due opere liriche «Bohème» di G. Puccini del 1896 e di R. Leoncavallo del 1897 (v. *Mimì*), che hanno avuto, specialmente la prima, una larghissima diffusione.

Rodomónte (100) M. Disperso nel Centro-Nord, è uno dei numerosi nomi ripresi da personaggi dei poemi cavallereschi italiani, e in particolare dall'«Orlando innamorato» di M. M. Boiardo e dall'«Orlando furioso» di L. Ariosto, in cui è un orgoglioso e fiero, e anche tracotante, guerriero saraceno, innamorato deluso di Doralice e poi di Isabella, ucciso in duello da Ruggero: il nome, che nell'«Orlando innamorato» è *Rodamonte*, è creato dal Boiardo con una ricerca di sonorità espressiva fonica e forse anche semantica, con un riferimento allusivo a *monte* ('che rode, che spacca i monti'?).

Rodrigo (600) M. VARIANTI: *Roderigo* (10), *Roderico* (25). Distribuito in tutta l'Italia ma più raro nel Sud (le varianti sono limitate al Nord), è un nome di origine germanica composto con *hroth-* 'fama, gloria' e *rikja-* 'ricco, potente, che comanda', con il significato di 'ricco di gloria' o 'capo, principe glorioso'. Anche se già documentato in Italia dal IX secolo nella forma latinizzata *Rodericus*, si è affermato soltanto a partire dal Rinascimento sul modello dello spagnolo *Rodrigo*, di tradizione gotica (*Rodericus*, in latino medievale, è l'ultimo re dei Visigoti di Spagna degli inizi dell'VIII secolo), con la lunga presenza e influenza spagnola in Italia. Il nome, più frequente nel Seicento e Settecento, si è poi rarefatto per l'impronta negativa, ingrata, del personaggio di Don Rodrigo del romanzo «I promessi sposi» di A. Manzoni.

Rolando (28.000) M. VARIANTI: *Rollando* (25). ALTERATI: *Rolandino* (20). - F. *Rolanda* (2.200). ALTERATI: *Rolandina* (50). Diffuso in tutta l'Italia con maggiore compattezza in Toscana, è uno dei numerosi nomi ripresi dai personaggi dei poemi cavallereschi francesi del ciclo carolingico, e in particolare dall'eroe della «Chanson de Roland» (e dei successivi adattamenti italiani anche in cantari, rappresentazioni, ecc.), il nipote e primo paladino di Carlo Magno Rolando (in francese antico *Rollans* e *Rollant*, moderno *Roland*), che muore difendendo eroicamente a Roncisvalle la ritirata dell'esercito del suo re. Il nome francese, documentato dall'VIII secolo nelle forme *Hrodland* e in latino medievale *Rodelandus* e *Rodelandus*, di origine germanica e di tradizione francone, è composto di *hroth-* 'fama, gloria' e *nanthaz* 'audace, ardito', con un significato che potrebbe essere 'famoso per il suo ardimento' o 'glorioso per la sua audacia'. La rara variante *Rollando* è ripresa dalla tradizione grafica, notarile e dotta, e anche dal tipo provenzale *Rolland*. V. anche *Orlando*, che è la forma affermatasi in Italia dall'inizio del XII secolo, e l'abbreviato *Lando*.

Róma (4.000) F. ALTERATI: *Rométta* (200). - M. *Rómo* (15). Distribuito in tutta l'Italia ma più raro nel Sud, è ripreso dalla città di Roma, con matrice sia classica, per Roma antica, sia ideologica, risorgimentale, per l'aspirazione all'unità nazionale con Roma capitale, per la breve Repubblica Romana proclamata nel 1849, per i successivi tentativi, soprattutto garibaldini, di liberare la città, e infine per la presa di Roma del 1870. *Rometta* può anche essere, in alcuni casi, il diminutivo di *Romea* (v. *Romèo*).

Romano (70.000) M. ALTERATI: *Romanèllo* (150), *Romanino* (150). - F. *Romana* (26.000). ALTERATI: *Romanèlla* (600), *Romanina* (150), *Romanita* (400). Diffuso in tutta l'Italia, ma più raro nel Sud, con maggiore compattezza in Emilia-Romagna e in Toscana (e per gli alterati in Toscana e nel Lazio), continua in parte, sostenuto dal culto di vari santi e sante così denominati, il raro soprannome etnico latino di età imperiale *Romanus* da *Roma*, 'abitante di Roma, cittadino romano', che nel V e VI secolo assunse il valore più ampio di cittadino dell'Impero romano, sia d'Occidente sia d'Oriente, e quindi di appartenente alla nazione, all'etnìa sia latina sia greca (contrapposto ai popoli germanici, slavi, arabi, ecc.). Il nome ha poi avuto una notevole ridiffusione di matrice ideologica prima nell'Ottocento, in relazione all'aspirazione e ai tentativi per Roma capitale d'Italia fino alla presa di Roma del 1870 (v. *Roma*), e poi nel periodo fascista, per Roma capitale dell'Impero, per il mito della grandezza e della superiorità storica di Roma, e infine per il nome Romano dato da B. Mussolini a uno dei suoi figli.

Romèlio (200) M. VARIANTI: *Romìlio* (50), *Remìlio* (50). - F. *Romèlia* (900). VARIANTI: *Romìlia* (25), *Remìlia* (50). Proprio del Centro, e qui più frequente in Toscana e nel Lazio, e sporadico nel Nord, pare collegato con motivazioni non chiare con *Roma*, forse come etnico (un gentilizio *Romilius* è attestato a Roma fin dal V secolo a.C.), ma potrebbe anche avere origini diverse.

Romèno (50) M. VARIANTI: *Romènio* (20). - F. *Romèna* (50). VARIANTI: *Romènia* (75); *Romanìa* (100). Proprio del Centro (ma della Calabria per *Romania*), non consente per mancanza di documentazioni storiche un'interpretazione fondata: può essere un etnico di *Romenìa* o *Romanìa*, stato dell'Europa centro-orientale, affermatosi con motivazioni non accertate. Per *Romania* riflette la devozione locale per Maria Santissima di Romania (ossia dei gruppi di lingua neogreca della Calabria), compatrona di Tropea CZ.

Romèo (30.000) M. - F. *Romèa* (1.500). Diffuso nel Nord e meno nel Centro, raro nel Sud, continua in parte l'appellativo etnico, e poi soprannome e nome, latino di tarda età imperiale e medievale *Romaeus*, ripreso dal greco e bizantino *Rhomâios*, etnico di *Roma* (in greco *Rhō'mē*), che indicava qualsiasi cittadino dell'Impero romano d'Occidente e d'Oriente, quindi chiunque fosse di etnìa e di lingua latina o greco-bizantina. Nel tardo Medio Evo *Romeo*, sempre con lo stesso etimo, divenne l'appellativo di chi si recava in pellegrinaggio a Roma, o in Terrasanta, e quindi

si ridiffuse anche come personale. Infine, dall'Ottocento, ebbe un nuovo forte incremento per il protagonista del dramma di W. Shakespeare «Romeo e Giulietta» (v. *Giulietta*), e dei successivi adattamenti cinematografici e televisivi.

Romilda (10.000) F. VARIANTI: *Romilde* (1.900). ABBREVIATI: *Milda* (300), *Milde* (100). - M. *Romildo* (1.600). ABBREVIATI: *Mildo* (30). Distribuito in tutta l'Italia continentale, con maggiore compattezza in Piemonte, Lombardia e Campania, è un nome di origine germanica e di tradizione già longobardica (una Romilda, intorno al 600, fu duchessa del Friuli e madre di Grimoaldo re dei Longobardi) formato da *hroma- 'gloria, fama' (in tedesco *Ruhm*) e *hildjo- 'combattimento, battaglia', con un significato che potrebbe essere – se -*ilda* o -*ilde* non riflette ormai un 2° elemento con puro valore compositivo di nomi femminili, quasi suffissale – 'combattente, guerriera gloriosa'.

Romina (300) F. - M. *Romino* (250). Disperso nel Nord e nel Centro, con maggiore frequenza in Toscana e nel Lazio, è in parte il nome di residenti stranieri di lingua inglese, ma in parte è ripreso come nome di moda, negli ultimi anni, da Romina Power (figlia dell'attore cinematografico statunitense Edmund, ma in arte Tyrone, Power), molto nota in Italia dagli anni '70 come cantante di musica leggera, attrice cinematografica e televisiva (in coppia con il marito Albano, in arte Al Bano).

Rómolo o *Ròmolo* (26.000) M. ALTERATI: *Romolino* (20). - F. *Rómola* o *Ròmola* (400). ALTERATI: *Romolina* (200). Diffuso in tutta l'Italia, con maggiore compattezza in Toscana e soprattutto nel Lazio, è per lo più una ripresa classica, rinascimentale e moderna, di matrice storico-letteraria, erudita e anche scolastica, del nome del leggendario fondatore, con il fratello Remo, di Roma, in latino *Romulus*, derivato probabilmente da *Roma* e comunque, come *Roma*, di origine etrusca. In parte riflette il culto di alcuni santi così denominati (come personale *Romulus* è già documentato nell'età imperiale), e in particolare di San Romolo vescovo di Fiesole FI, martire sotto Domiziano e patrono della città, e di San Romolo vescovo di

Genova – secondo una tradizione incerta – tra il IV e il VII secolo, morto nell'estremo Ponente della Liguria, patrono di San Remo IM (città originariamente dedicata a San Romolo: il borgo medievale fortificato si chiamava infatti San Romolo, in latino *Castrum Sancti Romuli*: il nome moderno San Remo è una forma ufficiale italiana, insorta perché il nome locale ligure *Rö'mu*, corrispondente a *Romolo*, fu frainteso, interpretato come *Remo*, e così ufficializzato nella toponomastica italiana).

Romuàldo (7.500) M. VARIANTI: *Romoàldo* (100), *Romaldo* (100), *Remoàldo* (25). ALTERATI: *Romaldino* (20). - F. *Romuàlda* (800). Diffuso nel Centro-Nord e raro nel Sud, continua il nome di origine germanica e di tradizione longobardica documentato dal VII secolo nelle forme in latino medievale *Romualdus*, *Rumualdus* e *Romaldus* (*Romualdo* I e II sono i duchi longobardi di Benevento dal 662 al 731), composto da **hroma-* 'fama, gloria' e **walda-* 'potente'; comandante, capo', quindi 'che comanda con gloria' o 'che è divenuto potente, che ha acquistato il comando per la sua fama'. Il nome si è però affermato per il culto di San Romualdo, monaco benedettino abate di Sant'Apollinare in Classe, fondatore della Congregazione dei Camaldolesi (dall'eremo di Camaldoli AR, da lui fondato insieme a quello di Vallombrosa FI), morto nel 1027, patrono di Camaldoli.

Ròmy (50) M (anche F). VARIANTI: *Ròmi* (45). Disperso nel Nord, è l'ipocoristico di *Romolo*, o di *Romano*, *Romeo*, *Romildo*, *Romualdo*, e dei rispettivi femminili.

Ròsa (600.000) F. ALTERATI: *Rosèlla* (15.000) e *Rosellina* (600), *Rosétta* (51.000), *Rosina* (75.000) e *Rosinèlla* (75), *Rosita* (9.000). IPOCORISTICI: *Ròsi* (1.600), *Ròsy* (150). NOMI DOPPI: *Ròsa Anna* o *Rosanna* (105.000), — *Alba* o *Rosalba* (36.000), — *Marìa* o *Rosamarìa* (18.000), — *Angela* o *Rosàngela* (10.000). - M. *Ròso* (25). ALTERATI: *Rosèllo* (100), *Rosétto* (100), *Rosino* (50). È uno dei nomi femminili di più alta frequenza in Italia – il 4° per rango nazionale –, ampiamente diffuso ma con maggiore compattezza nel Sud, salvo gli alterati e gli ipocoristici più frequenti nel Nord e nel Centro. È uno dei tanti nomi affettivi e augurali formati da fiori (come *Dalia*, *Ortensia*, *Viola*, ecc.), in questo caso la *rosa*, il fiore più bello e profumato, e più noto fin dall'antichità. Il nome sorge in Italia nell'alto Medio Evo, si afferma con la poesia che eleva la rosa, per la sua freschezza e bellezza, a simbolo della giovinezza e dell'amore, si diffonde con il culto di varie sante, e soprattutto di Santa Rosa da Viterbo, terziaria francescana, patrona di Viterbo (dove il nome, in tutta la provincia, ha un'alta frequenza relativa). L'alterato *Rosita* o *Rosito*, di matrice spagnola, anche se in alcuni casi può appartenere a residenti stranieri di lingua spagnola, è per lo più un nome di moda esotica e fonica italiano sostenuto da canzoni e personaggi di film e spettacoli vari di successo. *Rosi* o *Rosy* può essere l'ipocoristico, oltre che di *Rosa*, degli alterati *Rosella*, *Rosetta*, *Rosina*, *Rosita*, e anche di *Rosalia*, *Rosalinda*, *Rosaria*, *Rosaura*, *Rosilde*. *Rosanna* e soprattutto *Rosalba* (molto più comuni nella grafia unita) sono ormai sentiti come nomi non più doppi ma autonomi.

Rosalìa (79.000) F. VARIANTI: *Rosolìa* (250). - M. *Rosalìo* (100). Proprio della Sicilia e soprattutto del Palermitano, anche se per ⅓ disperso tra Nord e Centro per recente immigrazione interna (e il singolare maschile *Rosalio* è esclusivo del Nord, come trasposizione di genere), riflette il culto di Santa Rosalia, una fanciulla agrigentina di nobile discendenza che, secondo una tradizione leggendaria, si sarebbe ritirata a vita eremitica sul Monte Pellegrino presso Palermo e lì sarebbe morta nel 1160 circa, patrona di Palermo, di Bivona AG e anche di Pegli GE. L'origine e l'interpretazione del nome è incerta: se il culto, e quindi anche il nome, risale al XII o XIII secolo, come paiono confermare documenti calabresi e siciliani, potrebbe rappresentare un adattamento siciliano in *Rusulinu* al maschile e *Rusulina* al femminile del francese antico *Roscelin* e *Rocelin*, di origine germanica, introdotto nell'isola dai Normanni; poi, per influsso di *Lia*, *Rusulina* si è trasformato in *Rusulia* e quindi, per un accostamento dovuto a etimologia popolare a *Rosa* e *rosa*, nella forma italianizzata *Rosalia* attuale. V. anche *Rosolina* e *Rosolino*, che in parte sono appunto varianti di *Rosalia* e *Rosalio*.

Rosalina (1.800) F. - M. *Rosalino* (300). ABBREVIATI: *Ròsolo* (400). Proprio del Nord e qui accentrato in Lombardia, è fondamentalmente la forma graficamente unita del nome doppio *Rosa Lia* (200), anche se in casi isolati può rappresentare un'alterazione di *Rosalia* o *Rosalio* e di *Rosolina* o *Rosolino*.

Rosalinda (5.000) F. - M. *Rosalindo* (100). VARIANTI: *Rosolindo* (150). Diffuso nel Nord e raro nel Centro, sporadico nel Sud, è un nome di origine germanica, documentato dall'VIII secolo in Germania come *Roslindis* (in tedesco *Rosalinde*), composto di *hroth- 'fama, gloria' e *linta- 'tiglio' e 'scudo di legno di tiglio', con un significato originario, se pur esiste, di 'scudo che dà la gloria' (ma il 2° componente potrebbe essere il suffisso diminutivo e ipocoristico *-lin*). In Italia si è però affermato solo nell'Ottocento, per via letteraria e teatrale, su modelli tedeschi e inglesi e soprattutto per la protagonista *Rosalinda* (in inglese *Rosalind*) della commedia «Come vi piace» di W. Shakespeare del 1599. Alla diffusione ha in parte contribuito il fatto che spesso, per etimologia popolare, viene sentito come un nome doppio composto con *Rosa* e *Linda* (v. *Linda*).

Rosana (300) F. ALTERATI: *Rosanèlla* (250). - M. *Rosano* (150). Distribuito nel Nord e in Toscana, può essere sia un derivato di *Rosa*, sia una forma alterata di *Rosanna* (v. *Rosa*) o di *Rossana*.

Rosàrio (69.000) M. ALTERATI: *Rosarino* (25). - F. *Rosària* (122.000). ALTERATI: *Rosariétta* (50), *Rosarina* (400). NOMI DOPPI: *Rosària Marìa* (400). Proprio del Sud (anche se presente nel Centro-Nord, per immigrazione interna), e qui accentrato per quasi $^2/_3$ in Sicilia e in Calabria, riflette la devozione per la Beata Vergine del Rosario, invocata cioè con le preghiere recitate con il *rosario* (introdotte, come pare, da San Domenico), che formano come una corona di rose per la Madonna (*rosarium*, significa 'rosaio' in latino classico e 'corona, ghirlanda di rose', specialmente della Madonna, in latino medievale). V. anche *Sara*, che in parte, soprattutto negli alterati, rappresenta un'abbreviazione di

Rosaria e *Rosario*.

Rosato (300) M. - F. *Rosata* (40). Accentrato per $^2/_3$ nel Lazio e per il resto disperso, è un nome già medievale derivato, con varie motivazioni, da *rosa* (o anche dal nome *Rosa*).

Rosàura (400) F. - M. *Rosàuro* (50). Distribuito nel Nord e con minore frequenza nel Centro, è il nome dell'innamorata nella tarda commedia dell'arte e goldoniana (in particolare della protagonista di «La vedova scaltra» del 1748), creato per ricerca di suggestività fonica e semantica sulla base di *rosa aurea* (italiano o latino), 'rosa d'oro'.

Rosilde (700) F. VARIANTI: *Rosilda* (250), *Rosélda* (600). - M. *Rosildo* (200). Distribuito nel Nord e in Toscana, è l'esile continuazione del nome medievale di origine germanica, in forma latinizzata *Rosildis*, composto di *hroth- 'fama, gloria' con l'elemento terminale *-ilde* dei femminili germanici (v. *Matilde*).

Rosmunda (1.300) F. VARIANTI: *Rosamunda* (50). - M. *Rosmundo* (50). Distribuito in tutta l'Italia continentale con maggiore frequenza nel Nord, è un nome di origine germanica, già documentato per la figlia del re Cunimondo dei Gèpidi, *Rosmunda*, che nel 572 fece assassinare il marito Alboino, re dei Longobardi, che le aveva ucciso il padre: il germanico *Rosamunda* (in tedesco *Rosamunde* e in inglese *Rosamund*) è composto di *hroth- 'fama, gloria' e *munda- 'protezione, difesa', quindi 'che difende con la fama (il proprio popolo)' o 'glorioso difensore' (se pur esiste un significato originario unitario. Ma il nome si è affermato in Italia solo recentemente, per via letteraria e teatrale, per varie opere che hanno per soggetto questa drammatica vicenda, come «Rosmunda» di V. Alfieri del 1783 e il melodramma «Rosmunda, principessa di Cipro» di Franz Schubert del 1823.

Rosolina (600) F. - M. *Rosolino* (300). Accentrato per $^1/_3$ nel Palermitano e per il resto disperso, è fondamentalmente l'italianizzazione delle forme siciliane *Rusulina* o *Rusulino* di *Rosalia*, ma fuori della Sicilia può anche essere un'alterazione di *Rosalina* e *Rosolino*, e in casi isolati di *Rosalinda* e *Rosalindo* (attraverso *Rosolindo*). In parte, nel Centro-Nord, il maschile è un nome ideologico risorgimentale ripreso dal patriota palermitano Rosolino Pilo, mazziniano fervente, caduto nel 1860 presso Monreale nel tentativo di aprire a Garibaldi, bloccando le truppe borboniche, la via di Palermo.

Rossana (31.000) F. - M. *Rossano* (3.000). Diffuso nel Centro-Nord con più alta compattezza in Emilia-Romagna e in Toscana, raro nel Sud, è un nome di matrice letteraria, teatrale e cinematografica, ripreso nel primo Novecento dalla protagonista, *Roxane*, del dramma «*Cyrano de Bergerac*» di E. Rostand (v. *Cirano*), anche se il nome era già stato usato da J. Racine per un personaggio femminile della sua tragedia di ambiente orientale «*Bajazet*» del 1672 (e aveva già altri precedenti letterari rinascimentali e medievali). Il nome francese *Roxane* riprende comunque il greco *Rhoxánē* e latino *Roxane*, adattamento del persiano *Raushana* (che significa propriamente 'luminosa, splendente'), nome della principessa persiana della Battriana che sposò Alessandro Magno, e dopo la morte del marito fu fatta uccidere insieme al figlio Alessandro IV, nel 309 a.C., dal generale macedone Cassandro, usurpatore del trono.

Rossèlla (10.000) F. ALTERATI: *Rossellina* (40). - M. *Rossèllo* (25). Diffuso nel Centro-Nord, pur essendo etimologicamente un alterato di *Rosso* e *Rossa* già medievale, è tuttavia un nome di moda recente, affermatosi soprattutto nel 2° dopoguerra per una delle due protagoniste, Rossella, del film di larghissimo successo «Via col vento» del 1939 (v. *Melania*).

Rósso (25) M. ALTERATI: *Rossino* (20). - F. *Róssa* (40). ALTERATI: *Rossina* (40). È l'esile e disperso residuo di un soprannome e poi nome comunissimo nel Medio Evo – che è però diventato il cognome più frequente in Italia (*Rossi, Rosso, Russo, Rossini*, ecc.) –, formato da *rosso* in relazione al colore dei capelli e della barba.

Rosvaldo (150) M. VARIANTI: *Rovaldo* (100), *Roàldo* (100). - F. *Rosvalda* (50). Più frequente nel Nord e in Toscana, raro nel Centro e in Campania, continua il nome germanico di tradizione già longobardica *Hrodowald* composto da **hroth-* 'fama, gloria' e **walda-* 'potere',

con il significato di 'potente e glorioso' o 'che domina per la sua fama'.

Roswitha (300) F. VARIANTI: *Roswita* (20), *Rosvita* (10). È un nome, nella forma fondamentale, tedesco (adattato alla grafia italiana nelle varianti), accentrato nella provincia autonoma di Bolzano di lingua maggioritaria tedesca, in Lombardia e a Roma (dove è in parte di residenti straniere di lingua tedesca), documentato nel latino medievale dall'VIII secolo come *Hrotsvitha*, *Rotsvita* e *Rotswida*, composto di **hroth-* 'fama, gloria' e **swintha-* 'forte', quindi 'famosa e forte', oppure (come interpreta la monaca benedettina tedesca del X secolo Rosvita, nota per i suoi poemetti, carmi e drammi sacri) 'che ha una valida fama'.

Rovéno o *Rovèno* (200) M. - F. *Rovéna* o *Rovèna* (300). Accentrato in Emilia, specialmente nel Bolognese, e in Toscana, è un nome di moda letteraria ripreso dall'Ottocento dalla protagonista, in inglese *Rowena*, del popolare romanzo storico del 1819 di W. Scott «*Ivanhoe*» e dei successivi adattamenti cinematografici e televisivi (v. *Ivanoe*): il nome inglese, di origine germanica (*Hrodhwyn*), è composto di **hroth-* 'fama, gloria' e **wini-* 'amico', quindi 'amico della gloria'.

Ruben (300) M. VARIANTI: *Rubens* (800), *Rubes* (250). Distribuito nel Nord e nel Centro, con maggiore compattezza per le varianti in Lombardia e Emilia-Romagna, nella forma fondamentale è un nome prevalentemente israelitico, ripreso dal figlio primogenito di Giacobbe e Lia, in ebraico *Re'ūbēn*, adattato in greco e in latino come *Rhubē'n* e *Ruben*, forse di origine egizia, ma che Lia nel «Genesi» interpreta '(Dio) ha visto (la mia afflizione e mi ha concesso) un figlio' (da *rā'āh* 'vedere' e *bēn* 'figlio'). Le varianti si sono affermate per il prestigio del grande pittore fiammingo del primo Seicento Pierre Paul Rubens pronunzia: *rü'bens*], che visse e operò anche in Italia.

Rubina (900) F. - M. *Rubino* (250). Distribuito in tutta l'Italia con maggiore compattezza nel Sud e in particolare in Campania, continua un nome affettivo già medievale formato da *rubino* (dal latino *rubinus*, derivato da *ruber* 'rosso') per augurare la bellezza, la preziosità di questa pietra preziosa (come *Diamante, Gemma, Perla*, ecc.). In casi isolati può essere anche la forma abbreviata di *Cherubino*.

Rufo (50) M. VARIANTI: *Ruffo* (300). ALTERATI: *Rufino* (300) e *Ruffino* (200), *Rufillo* (25) e *Ruffillo* (150). - F. *Ruffa* (25). ALTERATI: *Rufina* (300) e *Ruffina* (100). Distribuito in tutta l'Italia con diversa frequenza nelle varie forme (*Rufo* predomina in Campania, *Ruffo* in Toscana, *Ruffillo* in Emilia-Romagna e più nel Bolognese), riflette il culto di vari santi e sante così denominati, e in particolare di San Rufo di Capua martire sotto Diocleziano e San Ruffillo vescovo di Forlimpopoli FO forse nel V secolo, patrono di Forlimpopoli e di San Ruffillo, ora quartiere di Bologna. La base onomastica è l'antico soprannome latino, e poi personale, *Rufus* 'rosso (di capelli, ecc.)' di origine italica, il derivato *Rufinus* gentilizio repubblicano, con il tardo *Rufillus* o *Ruffillus*, anch'essi diventati nomi personali nel tardo Impero.

Ruggèro (26.000) M. VARIANTI: *Ruggèri* (20), *Ruggièro* (5.000), *Rugièro* (50), *Roggèro* (250). - F. *Ruggèra* (250). ALTERATI: *Ruggerina* (50). Accentrato per *Ruggero* nel Nord, per *Ruggiero* in Campania e Puglia, per *Roggero* in Piemonte, risale, con tradizioni e motivazioni complesse, al nome germanico di tradizione francone *Hrodgaer*, documentato dalla fine del IX secolo nelle forme in latino medievale *Rotecherius* e poi *Rotgerius*, composto di *hroth- 'fama, gloria' e *gaira- 'lancia', quindi 'lancia gloriosa' o 'glorioso per la lancia'. Il nome si è diffuso in Italia dopo il Mille per tramite del francese antico *Rogier* (moderno *Roger*), sostenuto, specialmente nel Sud, dal prestigio di sovrani normanni dell'XI e del XII secolo (Rug-

gero duca di Puglia, figlio di Roberto il Guiscardo; Ruggero I e II conte e rispettivamente re di Sicilia, figlio e nipote di Tancredi d'Altavilla), e dal culto di San Ruggero vescovo in Campania o in Puglia tra l'XI e il XII secolo, patrono di Barletta BA e della frazione Canne della Battaglia, dove sono conservate le reliquie. Dal Rinascimento il nome si è ridiffuso per il personaggio dell'«Orlando innamorato» di M. M. Boiardo e dell'«Orlando furioso» di L. Ariosto, e dei successivi adattamenti anche popolari (cantari, spettacoli, teatro dei pupi, ecc.), *Ruggiero*, guerriero saraceno che, convertito, sposa Bradamante sorella di Rinaldo.

Ruth (1.500) F. VARIANTI: *Rut* (25). Accentrato nel Nord, in particolare nella provincia autonoma di Bolzano di lingua maggioritaria tedesca, e disperso nel Centro-Sud, è un nome in parte israelitico, ripreso dalla nuora di Noemi, originaria del paese di Moab a oriente del Mar Morto, in ebraico *Rūth*, di origine e interpretazione oscura, grecizzato e latinizzato in *Rhúth* e *Ruth*. In parte è un nome di residenti straniere (o italiane dell'Alto Adige) di lingua tedesca, o anche inglese e francese, dove *Ruth* ha spesso una tradizione protestante; è inoltre un recente nome italiano di moda esotica, o di adozione dei nomi dell'Antico e del Nuovo Testamento (v. *Marco*).

Rutìlio (650) M. VARIANTI: *Rotìlio* (200). - F. *Rutìlia* (100). Distribuito nel Centro-Nord con maggiore frequenza in Toscana, è una ripresa colta, rinascimentale, dell'antico gentilizio latino *Rutilius* (diventato poi nome personale) di vari personaggi storici di Roma e del poeta Claudio Rutilio Namaziano del V secolo, derivato dal soprannome *Rútilus*, da *rutilus* 'rosso, biondo acceso', riferito ai capelli e alla barba.

S

Sàbato (5.500) M. ALTERATI: *Sabatino* (9.500), *Sabbatino* (150), *Sabadino* (20). - F. *Sàbata* (300). ALTERATI: *Sabatina* (2.500), *Sabbatina* (40). Distribuito in tutta l'Italia, con maggiore compattezza per *Sabato* in Campania e per *Sabatino* in Toscana e Abruzzo, è un nome dato a bambini nati di sabato (in latino *sabbatum* e greco *sábbaton*, dall'ebraico *shabbāt* 'compimento, riposo', il 7° giorno in cui Dio, compiuta la creazione, si concesse il riposo.

Sabino (8.000) M. VARIANTI: *Savino* (15.000). - F. *Sabina* (11.000). VARIANTI: *Savina* (16.000). Diffuso in tutta l'Italia, con più alta compattezza nel Barese, riflette il culto di vari santi e sante, e in particolare di San Sabino vescovo e patrono di Canosa di Puglia BA (dove il nome ha un'altissima frequenza relativa): continua in due forme fonetiche, una più colta e conservativa *Sabino* e una più popolare *Savino*, il soprannome etnico e poi nome personale latino *Sabinus* (e *Sabina*), 'appartenente al popolo dei Sabini, alla regione della Sabina' (a nord-est di Roma).

Sabotino (50) M. Raro e disperso, è un nome ideologico insorto durante la 1ª guerra mondiale per la profonda eco e commozione suscitata dalle dure battaglie combattute tra il giugno 1915 e l'agosto 1916 per occupare il Monte Sabotino del Carso goriziano (v. *Gorizia* e *Oslavia*).

Sabrina (1.000) F. Distribuito nel Centro-Nord con alta compattezza solo in Toscana, è un recentissimo nome di moda ripreso dal titolo e dalla protagonista del film statunitense «Sabrina» (in inglese «*Sabrina Fair*») del 1954, interpretato da Audrey Hepburn, di largo successo anche in Italia.

Saffo (800) F. Accentrato per la metà in Emilia-Romagna e in Toscana e per il resto disperso nel Centro-Nord, è una ripresa classica del nome della poetessa di Lesbo del VI secolo a.C., in greco *Sapphō'* latinizzato in *Sappho* (tradizionalmente collegato a *saphḗ's* 'chiaro', ma di etimo incerto), e inoltre moderna per le varie opere letterarie e teatrali ispirate al mito dell'amore non ricambiato di Saffo per Faone e del suo suicidio (le opere liriche «Saffo» di G. Pacini del 1840 e di Ch. Gounod del 1851, la poesia di G. Leopardi «L'ultimo canto di Saffo» del 1822, ecc.).

Saladino (100) M. Accentrato per $^1/_3$ in Toscana e per il resto disperso, è una ripresa storico-letteraria già medievale del nome del grande sultano d'Egitto e di Palestina e Siria, in arabo *Ṣalaḥ ad-dīn* 'giustizia della religione', italianizzato in *Saladino*, capo dei Musulmani contro i Crociati, morto nel 1193, personaggio di un'ampia letteratura, epica e novellistica, anche popolare, e del teatro dei pupi siciliano con il nome tradizionale «il feroce Saladino» (ripreso nel 1935 per la figura più rara e preziosa di un fortunatissimo concorso pubblicitario a premi con raccolta di figurine, che avrà influito sulla conservazione del nome di per sé pesante e non grato).

Sallùstio (200) M. Disperso nell'Italia continentale, è una ripresa classica del nome dello storico, e uomo politico fautore di Cesare, Gaio Sallustio Crispo nato a *Amiternum* in Sabina: il gentilizio *Sallustius* potrebbe essere di origine italica, sabina, come lo storico, oppure etrusca.

Sally (200) F. Disperso nel Centro-Nord, è l'ipocoristico inglese di *Sarah* (v. *Sara*), adottato a volte anche in Italia come nome di moda recente, esotizzante.

Salomè (200) F. Proprio del Lazio e qui accentrato nel Frusinate, riflette il culto di Santa Maria Salomè o Salòme madre degli apostoli Giacomo e Giovanni, patrona di Castellini e di Veroli FR (in quanto, secondo una tradizione leggendaria, sarebbe venuta a Veroli e qui sarebbe morta). In parte tuttavia, fuori della provincia di Frosinone, è una recente ripresa di matrice letteraria e teatrale del nome della figlia di Erode e Erodiade che fece decapitare per istigazione della madre Giovanni Battista, protagonista di varie opere tra cui il dramma «*Salomé*» di O. Wilde del 1891 ·cui è ispirato il melodramma «*Salome*» di R. Strauss del 1905. L'originario nome aramaico *Shalōm*, adattato in greco e in latino come *Salō'mē* e *Salome*, anche se tradizionalmente connesso con *shalōm* 'pace' è derivato dal verbo *shalam* 'restituire', come nome gratulatorio dato a un figlio nato dopo la morte di un figlio precedente, che Dio cioè ha voluto «restituire» ai genitori.

Salomóne (300) M. VARIANTI: *Salomoń* (50). Distribuito in tutta l'Italia, con alta compattezza in Lombardia e soprattutto a Milano, è un nome quasi esclusivamente israelitico, adattamento, attraverso il latino *Salomon Salomónis* dal greco *Salōmō'n*, dell'ebraico *Shelōmōh* 'pacifico, in pace con Dio; felice' (da *shalōm* 'pace; felicità'), v. *Solimano* e anche *Pacifico* e *Pace*: nell'Antico Testamento Salomone è il grande e saggio re d'Israele, figlio e successore di David. Nei rari casi in cui il nome è cristiano, può riflettere il culto pur raro di alcuni santi, come San Salomone o Salonio, di incerta tradizione agiografica, vescovo in Gallia nel V secolo e quindi a Genova o più probabilmente a Ginevra.

Salute (550) F. ALTERATI: *Salutina*

(100). Proprio del Veneto e Friuli-Venezia Giulia per *Salute* e del Lazio per *Salutina*, riflette la devozione per Maria Santissima della Salute (degli Infermi), patrona di vari centri tra cui Monfalcone GO, alla quale è dedicata la celebre chiesa di Santa Maria della Salute di Venezia, costruita da R. Longhena nel Seicento in ringraziamento della liberazione della città dalla peste.

Salvatóre (490.000) M. VARIANTI: *Salvadóre* (50); *Salvato* (25). ALTERATI: *Salvatorino* (25); *Salvatorico* (400). ABBREVIATI: *Tóre* o *Tòre* (300), *Turi* (100), *Tùrio* (30); *Torèllo* (1.100), *Torino* (450) o *Turino* (50), *Torùccio* (20), *Toriddo* (25) o *Torido* (40), *Turiddo* (600) o *Turiddu* (700), *Turido* (25) o *Turrido* (40), *Turillo* (40). NOMI DOPPI: *Salvatóre Àngelo* o *Salvatoràngelo* (700). - F. *Salvatrice* (20.000). VARIANTI: *Salvatóra* (1.900), *Salvadóra* (50). ALTERATI: *Salvatorina* (500); *Salvatorìca* (3.500). ABBREVIATI: *Torèlla* (50), *Torina* (100), *Turidda* (50). Diffuso in tutta l'Italia, presenta tuttavia una distribuzione diversa nelle varie forme: *Salvatore* predomina nel Sud e in particolare in Sicilia (dove sono specifici *Salvatrice* e *Turi*), *Salvadore* in Toscana con *Torello* e *Turiddo* o *Turiddu*; *Salvatorico* e *Salvatorica*, con *Tòre*, sono peculiari della Sardegna. È uno dei nomi di devozione cristiana più antichi e diffusi, insorto per Gesù Cristo 'salvatore' dell'umanità, per antonomasia «il Salvatore» o «il Santissimo Salvatore» (v. il tipo analogo ma molto raro *Redentore*): continua il tardo latino cristiano *Salvator Salvatoris*, derivato dal verbo *salvare* per tradurre il greco *Sōtē'r* 'salvatore', che a sua volta traduceva l'ebraico *Yeshuā'* 'Dio salva, è salvezza', v. *Gesù* e *Giosuè*. In parte tuttavia *Salvatore* può anche riflettere il culto di alcuni santi di questo nome, e in particolare di San Salvatore da Horta in Catalogna del Cinquecento, minorita e confessore a Cagliari, molto venerato in Sardegna ma anche in Sicilia e nel Sud continentale. Per il femminile, mentre *Salvatora* è la chiara trasposizione di genere di *Salvatore*, la forma più diffusa *Salvatrice* può in parte essere autonoma, connessa con il culto di iperdulìa per Maria Vergine che ha salvato, con il figlio Gesù, l'umanità. *Salvato* può essere, oltre che un'abbreviazione, autonomo, con lo stesso valore passivo, augurale, che ha *Salvo*, cioè 'che sarà salvato, destinato a salvarsi', come salvezza spirituale. Infine *Turiddu* (e *Turiddo*), pur essendo una forma dialettale tipicamente siciliana, poiché salvo isolate eccezioni è accentrato in Toscana e disperso nell'Italia centrale e settentrionale, è un nome di moda teatrale recente ripreso dal personaggio, compare Turiddu, della «Cavalleria rusticana» di P. Mascagni del 1890 (v. *Alfio*, *Santuzza* sotto *Santo*, e soprattutto *Lola*).

Salvo (1.100) M. VARIANTI: *Sàlvio* (100). ALTERATI: *Salvétto* (20), *Salvino* (1.600), *Salvùccio* (20). DERIVATI: *Salvèrio* (10) e *Salverino* (20); *Salviàno* (50). - F. *Salva* (300). VARIANTI: *Sàlvia* (15), *Salve* (400). ALTERATI: *Salvina* (2.500). DERIVATI: *Salverina* (25). Accentrato in Toscana e in Sicilia per *Salvo*, nel Nord e più in Emilia-Romagna per *Salva*, in Campania per *Salvio* e nel Centro-Nord per *Salvia*, nel Veneto per *Salvino*, nel Lazio per *Salviano*, è un gruppo che, pur con un unico etimo lontano latino, il latino *salvus* 'salvo', presenta processi di formazione e motivazione diversi. Alla base sono i nomi latini *Salvus* con i derivati *Salvius* e *Salvianus*, affermatisi (anche se *Salvius* è già attestato nell'ultima età repubblicana per un liberto) nel tardo impero per il nuovo valore augurale cristiano di 'salvo in Dio', e quindi per il culto di vari santi, tra cui San Salvo patrono di Celenza sul Trigno e Dogliola CH, San Salvino vescovo di Verona forse nell'VIII secolo. *Salvo*, almeno in Toscana, può essere anche l'ipocoristico del nome augurale medievale *Diotisalvi*; *Salve* è fondamentalmente un nome di devozione tratto dalla 1ª parola della preghiera a Maria Vergine «Salve Regina».

Samantha (400) F. È un recente nome di moda affermatosi dagli anni '70 per la protagonista della serie televisiva statunitense «Bewitched» (propriamente 'stregato, stregata', da *witch* 'strega'), di largo ascolto anche in Italia nella versione intitolata appunto «Samantha», in cui Samantha è la più giovane delle due streghe che, per amore, rinuncia alle sue capacità stregonesche. Il nome inglese *Samantha*, di vaga impronta ebraica, è

documentato negli Stati Uniti dalla fine del Settecento, e nel 1880 appare come nome di una strega.

Samuèle (3.400) M. VARIANTI: *Samuèl* (150). - F. *Samuèla* (100). Accentrato in Lombardia per·quasi la metà e per il resto disperso, è un nome solo in parte isrealitico (soprattutto per *Samuel* e *Samuela*) ma in parte anche cristiano, ripreso dal profeta e ultimo dei giudici di Israele dell'XI secolo a.c., in ebraico *Shemū'ēl* (forse da *shem* 'nome' e *'Ēl* abbreviazione di *'Elōhīm* 'Dio', quindi 'il suo nome è Dio'), attraverso l'adattamento greco e latino *Samuē'l* e *Samuél*, che la Chiesa riconosce come santo.

Sansóne (25) M. Rarissimo (ma nel passato più frequente) e disperso tra Milano, Bologna e Roma, è ripreso dal nome del giudice d'Israele dell'XI secolo, in ebraico *Shamshōn* (forse diminutivo di *shemesh* 'sole' con il valore di 'figlio del sole'), grecizzato e latinizzato in *Samsō'n* e *Samson*, noto per aver fatto crollare con la sua eccezionale forza il tempio dei Filistei (di cui era prigioniero per il tradimento della sua amante Dàlila, v. *Dalila*), seppellendo con sé sotto le rovine migliaia di nemici: è un nome israelitico ma anche cristiano per San Sansone l'Ospedaliere di Roma del VI secolo, e in casi isolati di moda teatrale per l'opera lirica, ispirata a questa leggenda, «Sansone e Dalila» di C. Saint-Saëns rappresentata per la 1ª volta a Weimar nel 1877.

Santo (39.000) M. VARIANTI: *Sante* (33.000), *Santi* (9.000); *Sànzio* (1.600). ALTERATI: *Santino* (12.000) e *Santìn* (25), *Santillo* (20), *Sàntolo* (1.200), *Santùccio* (50). NOMI DOPPI: *Santo Natale* (25). - F. *Santa* (55.000). VARIANTI: *Sànzia* (75). ALTERATI: *Santèlla* (100) e *Santarèlla* (75), *Santina* (51.000), *Sàntola* (250), *Santùccia* (75) e *Santuzza* (1.300). NOMI DOPPI: *Santa Marìa* (500). Diffuso con varia distribuzione secondo le diverse forme in tutta l'Italia (*Santo* con *Santa* e *Santina* è proprio del Sud e soprattutto della Sicilia, *Santi* della Toscana e della Sicilia, *Santìn* è peculiare del Veneto, *Santillo*, *Santolo* o *Santola* sono accentrati in Campania e Puglia), presenta processi di formazione e motivazione diversi. Il tipo *Santo* continua il latino

Sanctus (da *sanctus* 'sacro') già pagano ma affermatosi solo in età cristiana con il nuovo valore di 'sacro, dedicato a Dio'. *Santi* e *Sante* sono forme abbreviate di *Ognissanti*, la festività di tutti i santi (v. *Santoro*). *Sanzio*, che risale al latino *Sanctius* (derivato patronimico di *Sanctus*), si è diffuso per il prestigio del pittore di Urbino del Cinquecento Raffaello Sanzio o Santi, figlio di Giovanni Santi. *Santuzza*, pur essendo una forma tipicamente siciliana, è ripreso da una delle protagoniste della «Cavalleria rusticana» di P. Mascagni del 1890 (v. *Alfio*, *Turiddu* sotto *Salvatore*, e soprattutto *Lola*). I nomi doppi *Santo Natale* e *Santa Maria* sono in realtà unitari e autonomi, dati l'uno a un bambino nato il giorno del santo Natale e l'altro per devozione a Santa Maria Vergine.

Santòro (300) M. Accentrato per più della metà in Sicilia e per il resto disperso, è un nome di devozione per l'antica festività di tutti i santi o Ognissanti, ripreso dalla denominazione in latino ecclesiastico *Dies festus* o *Ecclesia Sanctorum omnium*, 'Festa o Comunione di tutti i santi', ossia da *sanctorum* genitivo plurale di *sanctus* 'santo' (v. *Santo*).

Sara (24.000) F. VARIANTI: *Sarah* (500). Diffuso in tutta l'Italia con maggiore compattezza in Toscana, è ripreso dalla moglie di Abramo e madre di Isacco, *Sārāh* in ebraico (propriamente 'principessa'), adattato in greco e latino come *Sára*: solo in minima parte è un nome israelitico (e più per *Sarah*, spesso di residenti straniere) o anche cristiano, perché la Chiesa riconosce, sia pure non ufficialmente, la moglie di Abramo come santa e inoltre esistono due sante orientali così denominate, ma per lo più è un nome recente di moda esotica e di predilezione attuale per nomi dell'Antico e Nuovo Testamento (v. *Marco*). In Sicilia e Calabria *Sara* (qui attestato per circa 1.500 residenti) è prevalentemente una forma abbreviata di *Rosaria*, v. *Sario*.

Sàrio (60) M. VARIANTI: *Saro* (500). ALTERATI: *Sarétto* (20), *Sarino* (150). - F. *Sària* (15). ALTERATI: *Sarina* (1.900), *Sarita* (100). NOMI DOPPI: *Sarina Rosària* (15). Accentrato per la metà in Sicilia e Calabria e per il resto disperso (con maggiore compattezza in Toscana), è la for-

ma abbreviata di *Rosario* e *Rosaria*, come dimostra il nome doppio *Sarina Rosaria* e l'inverso *Rosaria Sara* (30). Ma fuori della Sicilia e Calabria, e soprattutto in Toscana, *Saro* con *Sarino* è il singolare maschile di *Sara*, come *Sarina* ne è il diminutivo.

Saturno (1.000) M. ALTERATI: *Saturnino* (850). - F. *Saturna* (150). VARIANTI: *Satùrnia* (100). ALTERATI: *Saturnina* (300). Distribuito per *Saturno* e *Saturna* o *Saturnia* nel Nord e nel Centro (con alta compattezza per *Saturno* in Emilia-Romagna e Lazio), accentrato in Sardegna per *Saturnino* (comune anche nel Lazio) e *Saturnina*, continua o riprende il soprannome latino *Saturnus* con il derivato *Saturninus*, sostenuto dal culto di numerosissimi santi e sante così denominati tra cui San Saturno martire a Roma e San Saturnino martire a Cagliari durante le persecuzioni di Diocleziano, patrono di Cagliari e di Ìsili NU. Il nome latino è ripreso dall'ultima età repubblicana dall'antico dio italico (identificato poi con il greco Crono) *Saturnus*, nome di etimo ignoto, forse etrusco (anche se tradizionalmente derivato da *satus* participio di *serere* 'seminare', in quanto dio della semina).

Sàul (400) M. VARIANTI: *Sàulo* (100), *Sàule* (100), *Saùlle* (300). - F. *Sàula* (25). Diffuso nel Centro-Nord con alta compattezza, soprattutto per *Saulle*, in Emilia-Romagna, riflette il nome del 1º re d'Israele dell'XI secolo a.C., *Shā'ūl* in ebraico, ossia 'implorato (da Dio)', dato a un figlio molto atteso e richiesto implorando Dio, adattato in greco e in latino come *Saúl* e *Saul* (nome originario, prima della conversione, di San Paolo). Solo in parte è israelitico, ma per lo più, specialmente nelle forme letterarie *Saulo* e *Saulle*, è un nome recente di matrice teatrale ripreso da varie opere che hanno per protagonista il re Saul, geloso di David e, sconfitto dai Filistei, suicida, come la tragedia «Saul» di V. Alfieri del 1782 (e anche di A. Gide del 1903).

Sàuro (10.000) M. - F. *Sàura* (1.300). Accentrato per più di ²/₃ tra Emilia-Romagna e Toscana e per il resto disperso nel Centro-Nord, è un nome ideologico ripreso con la 1ª guerra mondiale dal cognome del patriota di Capodistria Nazario Sauro impiccato dagli Austriaci nel

1916 (v. *Nazario*).

Savèrio (39.000) M. VARIANTI: *Zavério* (750), *Xavier* (35). ALTERATI: *Saverino* (150). - F. *Savèria* (7.000). VARIANTI: *Zavèria* (100). ALTERATI: *Saverina* (400). Accentrato nel Sud continentale, soprattutto in Calabria, e in Sicilia, riflette il culto, irradiato dalla Spagna, di San Francesco Saverio fondatore nel 1534, con Sant'Ignazio di Loyola, della Compagnia di Gesù. *Saverio*, con la variante antiquata *Zaverio*, è l'adattamento italiano del predicato nobiliare del nome completo spagnolo del santo, Francisco de Jassu *Xavier* [pronunzia antica *šavjer*, e moderna, nella grafia *Javier*, *khavjèr*], nome del castello presso Pamplona, capitale della Navarra, dove era nato, adattamento dell'originario nome basco della località *Etxeberri* o *Jaberri* (da *etxe* 'casa' e *berri* 'nuovo', quindi 'casa nuova').

Sàvio (750) M. DERIVATI: *Saviàno* (50). - F. *Sàvia* (200). DERIVATI: *Saviàna* (40). Distribuito per il tipo *Savio* nel Centro-Nord e in Sardegna e per *Saviano* proprio del Casertano e Napoletano, continua, sostenuto dal culto di santi locali, il soprannome o titolo medievale *Savio* da *savio* (dal latino *sapius* 'che sa, sapiente') 'saggio, esperto e prudente'.

Savòia (150) F. Raro e disperso, è un nome ideologico ottocentesco di consenso e attaccamento alla casa reale Savoia (dalla regione e dal feudo comitale originari della Savoia delle Alpi Occidentali, in franco-provenzale e francese *Savoie*).

Scialòm (50) M. VARIANTI: *Shalòm* (20). Accentrato a Roma, è un nome augurale israelitico formato dall'ebraico *shalòm* 'pace, felicità.'

Scilla (300) F. Disperso nel Centro-Nord, è una ripresa classica, mitologica e letteraria, della ninfa innamorata del pescatore Glauco, o del mostro marino dello stretto di Messina in cui sarebbe stata trasformata da Circe, personaggi di varie opere antiche e moderne (v. *Glauco*): il nome greco *Skýllē* o *Skýlla*, latinizzato in *Scylla*, è di etimo incerto, forse derivato da *skýlax* 'cucciolo'.

Scintilla (100) F. Disperso nel Nord, è un recente nome ideologico anarchico e socialista, formato da *scintilla*, la 'scintilla' che deve dare inizio all'incendio della rivoluzione, ma soprattutto come

traduzione del titolo «*Iskra*» [pronunzia: *iskrà*] del giornale pubblicato in russo nell'esilio da Lenin dal 1900 al 1905.

Scipióne (1.400) M. VARIANTI: *Scìpio* (150). Distribuito in tutta l'Italia continentale, è una ripresa classica dell'antico soprannome latino *Scipio Scipionis* (propriamente 'bastone, scettro', di etimo ignoto), proprio della *gens* Cornelia e reso illustre da grandi personaggi come Publio Cornelio Scipione Africano e Emiliano, vincitore il primo di Annibale nel 202 a.C. e di Cartagine il secondo nel 146 a.C. Il nome si è tuttavia riaffermato negli ultimi anni del periodo fascista, per il film di C. Gallone del 1937 «Scipione l'Africano», grottesca ma popolare esaltazione del mito fascista della grandezza di Roma e dell'Impero.

Scolàstica (1.400) F. - M. *Scolastico* (20). Distribuito in tutta l'Italia e più compatto nel Lazio, riflette il culto di Santa Scolastica, sorella di San Benedetto da Norcia, morta a Cassino nel 547: il nome latino *Scholastica*, privo di una tradizione onomastica, sarà stato ripreso con intento onorifico dall'appellativo *scholasticus* (derivato da *schola*, dal greco *scholḗ'*, 'scuola', sul modello del greco *scholastikós*), dato a docenti, maestri di grammatica e retorica, persone molto erudite.

Sebastiàno (72.000) M. ABBREVIATI: *Bastiàno* (150) e *Bastianino* (50). - F. *Sebastiàna* (24.000). ABBREVIATI: *Bastiàna* (100) e *Bastianina* (150). Accentrato per *Sebastiano* e *Sebastiana* in Sicilia, soprattutto orientale, e anche in Sardegna, dove sono quasi esclusivi gli abbreviati, riflette il culto di San Sebastiano martire, un giovane soldato oriundo di Narbona che a Roma, sotto Diocleziano, sarebbe stato condannato a essere trafitto dalle frecce dei commilitoni (secondo una «passione» leggendaria), patrono di moltissimi centri della Sardegna e anche della Sicilia e dell'Italia continentale. Il nome latino di età imperiale *Sebastianus*, derivato dal greco *sebastós* 'degno di venerazione' con il suffisso *-ianus*, è in origine un appellativo di onore e rispetto, corrispondente a *Augustus* (v. *Augusto*), attribuito a Cesare Ottaviano e quindi a tutti gli imperatori romani.

Secóndo (20.000) M. ALTERATI: *Secondino* (1.750). DERIVATI: *Secondiàno*

(200). - F. *Secónda* (2.500). ALTERATI: *Secondina* (6.000). DERIVATI: *Secondiàna* (40). Diffuso in tutta l'Italia con maggiore compattezza nel Nord e in particolare in Piemonte (fuorché per *Secondiano* proprio del Lazio), continua il soprannome e poi nome personale latino *Secundus* da *secundus* 'secondo', dato al secondo figlio, con i derivati *Secundinus* e *Secundianus* (e i rispettivi femminili), sostenuto dal culto di numerosi santi e sante così denominati, tra cui San Secondo martire a Asti forse nel II secolo, patrono di San Secondo di Pinerolo TO, Santa Seconda martire in Tunisia con Massima e Domitilla, San Secondiano martire sotto Decio nel Lazio con Valeriano e Marcellino, compatrono di Tarquinia e Tuscania VT.

Selène (1.400) F. VARIANTI: *Selèna* (40). - M. *Selèno* (15). VARIANTI: *Selènio* (50). Accentrato per $^3/_5$ in Lombardia e per il resto disperso, è una ripresa classica del nome già latino *Selene* e *Selenius*, ripreso dall'antica divinità lunare greca *Selē'nē* (di etimo incerto, forse da *sélas* 'luce, splendore'), nome della luna stessa.

Selvàggia (50) F. - M. *Selvàggio* (25). Proprio della Toscana, riprende per via colta e letteraria il nome della donna cantata da Cino da Pistoia nel Duecento (forse Selvaggia de' Vergiolesi), formato da *selvaggio* 'che viene da zone boscose e isolate' e in senso figurato 'scontroso, poco socievole', prestito dal provenzale *salvatge* dal latino *silvaticus*, da *silva* 'selva', 'delle selve, selvatico'.

Sèm (400) M. Accentrato per $^1/_3$ in Toscana e per il resto disperso, riprende, con tradizione in parte israelitica, il nome del figlio primogenito di Noè, capostipite del gruppo etnico semitico, in ebraico *Shēm* adattato in greco e in latino come *Sē'm* e *Sem*, da *shēm* '(il) nome (divino di Iavè)' e anche 'Iavè, il Signore'.

Semiràmide (250) F. ABBREVIATI: *Semira* (200). Disperso nel Nord, è un recente nome di moda teatrale ripreso dalla protagonista di varie opere drammatiche e musicali (P. Metastasio 1729, N. Porpora 1729, A. Vivaldi 1732, Chr. W. Gluck 1748, e soprattutto la popolare «Semiramide» di G. Rossini del 1823, su libretto tratto dalla tragedia di Voltaire

del 1748), ispirate alla leggendaria regina dell'Assiria e fondatrice di Babilonia Semiramide (forse dall'assiro *Sammurāmat*, 'amante dei colombi'?, in greco *Semíramis* e in latino *Semíramis Semirámidis*).

Senofónte (250) M. Raro e disperso, è una ripresa classica dello storico ateniese del V-IV secolo a.C. e allievo di Socrate, *Xenophôn* in greco latinizzato in *Xénophon Xenophóntis*, composto di *xénos* 'ospite; straniero, forestiero' e forse *phonêin* 'parlare', quindi 'che parla come uno straniero, in modo strano'.

Serafino (22.000) M. - F. *Serafina* (37.000). Diffuso nel maschile in tutta l'Italia e nel femminile accentrato nel Lazio e nel Sud, riprende in parte la devozione per i Serafini, gli angeli della più alta gerarchia e più vicini a Dio, ma in parte maggiore riflette il culto di San Serafino da Montegranaro AP (di cui è patrono) dell'Ordine dei Minori Cappuccini, morto nel 1604, molto venerato nelle Marche. Il nome, al plurale, risale all'ebraico *Serāphīm* dato nell'Antico Testamento a esseri celestiali a sei alti vicini a Iavè, e pare derivare da *sāraf* 'ardere, bruciare', forse per la loro funzione di purificare con il fuoco, e viene adottato dalla teologia cattolica attraverso l'adattamento greco e latino *Seraphím* (in latino normalizzato poi in *Seraphinus*, come singolare) per i più alti angeli, 'ardenti' di amore per Dio e di carità.

Seréna (7.000) F. ALTERATI: *Serenèlla* (5.000), *Serenilla* (100). - M. *Seréno* (1.850). ALTERATI: *Serenèllo* (20). Distribuito in tutta l'Italia ma più compatto nel Nord, e soprattutto nel Veneto e Friuli-Venezia Giulia, continua, sostenuto dal culto di vari santi e sante, il tardo soprannome e poi nome personale latino *Serenus* e *Serena*, formato con valore augurale da *serenus* 'limpido, senza nuvole', riferito al cielo, e in senso figurato 'sereno, tranquillo, senza preoccupazioni; lieto, felice'.

Sèrgio (260.000) M. - F. *Sèrgia* (1.300). ALTERATI: *Sergina* (75). Diffuso in tutta l'Italia ma meno frequente nel Sud, continua o riprende in epoche e con motivazioni diverse l'antico gentilizio latino *Sergius* (di etimo oscuro, forse etrusco), sostenuto dal culto di vari santi, dal prestigio di quattro papi dell'alto Medio Evo (tra cui San Sergio I papa nel VI secolo) e dei sette duchi di Amalfi e Napoli dal IX al XII secolo (da Sergio I a Sergio VII). Ma la rilevante affermazione del nome è recente, in quanto è ripreso per modelli letterari o con matrice ideologica dal nome russo *Sergej*, introdotto nei paesi slavi attraverso il greco e bizantino *Sérghios*, prestito di età imperiale dal latino *Sergius*.

Sèrvio (150) M. DERIVATI: *Servìlio* (500), *Servìglio* (20); *Sèrvolo* (50). - F. *Servìlia* (150). Disperso nel Centro-Nord (ma peculiare di Trieste per *Servolo*), riprende l'antico gentilizio latino *Servius* (da *servus* 'schiavo, di condizione servile'), con il derivato *Servilius* e il diminutivo *Servulus*, sostenuti dal culto di vari santi, tra cui San Servilio martire in Istria, San Servolo il Paralitico di Roma del VI secolo e San Servolo vescovo di Verona nel V secolo, e dal prestigio di personaggi della storia romana, come il sesto re di Roma Servio Tullio e la madre di Bruto Servilia.

Sèsto (5.000) M. VARIANTI: *Sisto* (5.000). ALTERATI: *Sestino* (500), *Sistino* (100). DERIVATI: *Sestìlio* (3.000), *Sistìlio* (100). - F. *Sèsta* (800). VARIANTI: *Sista* (300). ALTERATI: *Sestina* (1.300), *Sistina* (900). DERIVATI: *Sestìlia* (2.500), *Sistìlia* (100). Diffuso nel Nord e nel Centro, con maggiore compattezza in Toscana e soprattutto nel Lazio, continua o riprende l'antico prenome latino *Sextus* (da *sextus* 'sesto') dato originariamente al sesto figlio (ma può anche essere formato direttamente dall'italiano *sesto*), e il gentilizio *Sextilius* derivato da *Sextus*: nel tardo latino, per passaggio di *ē* a *i*, si formarono accanto al classico *Sextus* le varianti *Sixtus* e *Sixtilius*. All'affermazione ha contribuito il culto dei papi Sisto I, II e III del II, III e V secolo, santi e i primi due martiri (Sisto I è patrono di Alatri FR dove il nome ha un'altissima frequenza relativa).

Settembrino (100) M. - F. *Settembrina* (75). Raro e disperso, è un nome dato a figli nati in 'settembre' (sul tipo di *Ottobrino*).

Sèttimo (5.000) M. VARIANTI: *Settìmio* (10.000). ALTERATI: *Settimino* (25). -F. *Sèttima* (1.100). VARIANTI: *Settìmia* (1.100). ALTERATI: *Settimina* (100). Di-

stribuito in tutta l'Italia con maggiore compattezza nel Centro, continua o riprende il prenome latino *Septimus* (da *septimus* 'settimo') dato al settimo figlio (ma può anche essere formato direttamente dall'italiano *settimo*), e il gentilizio *Septimius* derivato da *Septimus*, sostenuto dal culto di vari santi, tra cui San Settimio di Iesi AN, patrono della città (dove il nome, come nell'Anconitano e in tutte le Marche, ha un'alta frequenza relativa). Il tipo *Settimino* può anche essere formato da *settimino*, come nome dato a bambini nati precocemente, nel 7° mese di gravidanza.

Sevèro (3.200) M. VARIANTI: *Sevèrio* (75). ALTERATI: *Severino* (29.000). DERIVATI: *Severiàno* (25). - F. *Sevèra* (500). ALTERATI: *Severina* (500). DERIVATI: *Severiàna* (25). Distribuito in tutta l'Italia con maggiore frequenza nel Nord, continua il soprannome latino *Severus* (da *severus* 'severo, inflessibile') con i derivati *Severinus* e *Severianus*, sostenuti dal culto di numerosissimi santi e sante, tra cui San Severo vescovo di Ravenna nel V secolo e San Severino eremita e monaco in Oriente nel V secolo, poi apostolo del Norico, le cui reliquie sono conservate e venerate a Napoli.

Shèila (300) F. Accentrato per la metà a Roma e per il resto disperso, è in parte il nome di residenti straniere di lingua inglese, ma in parte è anche un recente nome di moda esotica italiano: l'inglese *Sheila* [pronunzia: *šìlë*] è l'adattamento grafico dell'ipocoristico irlandese *Sile* di *Cecilia*.

Sibilla (500) F. - M. *Sibillo* (5). Accentrato per ¹/₃ in Lombardia e per il resto disperso, è una ripresa classica (in parte recente, mediata da lingue straniere, come *Sibyl* inglese o *Sibylle* francese) del nome, in greco *Síbylla* latinizzato in *Sibýlla*, di etimo ignoto, di profetesse e veggenti dell'antichità, tra cui le più note erano la Sibilla di Eritrea in Asia Minore, di Delfi, di Cuma e di Tivoli.

Sìdney (150) M. VARIANTI: *Sydney* (5). Accentrato in Emilia-Romagna e disperso nel Centro-Nord, è ripreso dalla città di Sydney nell'Australia (così denominata dal cognome del Segretario delle Colonie inglesi all'epoca della fondazione, formato dall'alterazione del francese *Saint Denis*, cioè San Dionigi) per l'eco suscitata dall'accensione delle luci della città effettuata con onde radio da G. Marconi, e in casi isolati dal capo del governo, e poi ministro degli Esteri durante la 1ª guerra mondiale (1914-19), Giorgio Sidney Sonnino.

Sigfrido (1.150) M. VARIANTI: *Siegfried* (950), *Siegfrid* (20); *Sigfrédo* (20), *Sifrido* (50), *Sigifrido* (50), *Sigifrédo* (300), *Sigefrido* (25), *Sigilfrido* (50), *Sigilfrédo* (200), *Sigisfrido* (25), *Sigisfrédo* (100), *Silfrido* (25). - F. *Sigfrida* (75). Distribuito nel Centro-Nord con maggiore compattezza in Emilia-Romagna (mentre la forma propriamente tedesca *Siegfried* è quasi esclusiva della provincia autonoma di Bolzano di lingua maggioritaria tedesca), continua in minima parte, e solo nelle forme in *Sigi-* o *Sige-*, il nome di origine germanica e di tradizione longobardica e poi francone *Sigifredus* o *Sigefredus* (in latino medievale), mentre nel tipo *Sigfrido* è ripreso dall'Ottocento, per via letteraria e teatrale, dal tedesco *Siegfried*, prima con la conoscenza delle antiche saghe germaniche («Edda», «Il canto dei Nibelunghi», ecc.) in cui Sigfrido, figlio di Sigmundo discendente di Odino (v. *Sigismondo*), è l'eroe fatto uccidere a tradimento da Brunilde, poi e soprattutto con la tetralogia lirica di W. R. Wagner «L'anello del Nibelungo» («L'oro del Reno», «La Valchiria», «Sigfrido» e «Il crepuscolo degli dei»), rappresentata per la 1ª volta integralmente a Bayreuth nel 1876, in cui Sigfrido è il simbolo dell'amore e della natura libera e gioiosa. Il nome germanico è comunque composto di *sigu-* 'vittoria' e *frithu-* 'pace, protezione', con un significato che potrebbe essere 'vittoria e pace' o 'che dà la pace, la sicurezza, con la vittoria'.

Sigismóndo (1.500) M. VARIANTI: *Sigismundo* (50). - F. *Sigismónda* (200). VARIANTI: *Sigismunda* (100). Distribuito in tutta l'Italia, ma singolarmente accentrato nella variante *Sigismundo* a Enna e in provincia, è un nome di origine germanica (già documentato in Tacito, nella forma latinizzata *Segimundus*, per un re dei Cherusci, quindi nell'alto Medio Evo con tradizione longobardica e poi francone) composto con *sigu-* 'vittoria' e *munda-* 'protezione, difesa' (in tedesco *Sigismund* o *Siegmund*), con il signi-

ficato di 'che protegge (il suo popolo) con la vittoria'. Alla diffusione ha contributo il culto di San Sigismondo re dei Burgundi martire nel 523, e forse anche il melodramma «Sigismondo» di G. Rossini del 1814.

Signóra (100) F. ALTERATI: *Signorèlla* (100), *Signorina* (400). - M. *Signorèllo* (50), *Signorino* (200). Proprio di Enna e Catania e delle due province, riflette l'intitolazione di Nostra Signora (o Maria Santissima) della Visitazione, patrona di Enna e venerata nella Sicilia centro-orientale.

Silèno (650) M. VARIANTI: *Silènio* (20). - F. *Silèna* (400). VARIANTI: *Silène* (800). Distribuito nel Centro-Nord con alta compattezza per il maschile in Toscana, pare una singolare ripresa classica, mitologica e letteraria, del nome dei Sileni (in greco *Silēnós* e latino *Silénus*, di etimo ignoto, usati anche come tardi personali), i festosi compagni di Bacco (pur non potendosi escludere, per mancanza di documentazioni, altre origini, come una forma alterata di *Selene*).

Sìlio (1.150) M. VARIANTI: *Silo* (150). DERIVATI: *Siliàno* (300), *Silano* (50). - F. *Sìlia* (500). VARIANTI: *Sila* (300). DERIVATI: *Siliàna* (400). Proprio della Toscana e sporadico nel Centro-Nord, è in parte la ripresa classica del gentilizio e poi personale latino *Silius* (forse da *silo* 'dal naso camuso') e *Silianus*, ma in parte è la forma abbreviata di *Ausilio, Ersilio, Marsilio*, ecc., e dei rispettivi femminili.

Silvano (90.000) M. - F. *Silvana* (167.000). Diffuso in tutta l'Italia ma meno frequente nel Sud, continua il tardo personale latino *Silvanus*, che era il nome di un'antica divinità romana dei boschi e delle greggi (da *silvanus*, derivato di *silva* 'selva, bosco'), sostenuto dal culto di numerosissimi santi e sante così denominati.

Silvèrio (4.300) M. VARIANTI: *Silvèro* (100), *Silvièro* (50). - F. *Silvèria* (900). VARIANTI: *Silvèra* (150). Accentrato per la metà nel Lazio meridionale e nel Napoletano, e per il resto disperso, riflette il culto di San Silverio papa, fatto uccidere da Belisario nel 537 a Ponza LT, compatrono con il padre Sant'Ormisda di Ponza e Frosinone. Il nome latino *Silverius*, attestato solo per questo papa e quindi medievale, è un derivato di *silva*

'selva', come *Silvio, Silvano* e *Silvestro*.
Silvèstro (11.000) M. VARIANTI:
Silvèstre (450), *Silvèstri* (50). - F. *Silvèstra* (1.000). ALTERATI: *Silvestrina* (150).
Diffuso in tutta l'Italia con maggiore compattezza nel Centro e in Sicilia (dove sono specifiche le forme *Silvestre* e *Silvestri*), riflette il culto di vari santi, ma in particolare di San Silvestro I papa morto il 31 dicembre (festa, appunto, di San Silvestro) del 335, San Silvestro Gozzolini fondatore della Congregazione benedettina dei «Silvestrini», morto nel monastero di Montefano sopra Fabriano AN nel 1267, e San Silvestro di Troina EN, patrono di questa cittadina dove il nome ha un'altissima frequenza relativa. Il tardo nome latino *Silvester* è formato da *silvester* 'di selva, delle selve', derivato, come *Silvano, Silverio* e *Silvio*, di *selva*.
Silvio (90.000) M. VARIANTI: *Silvo* (100), *Sélvo* (5). ALTERATI: *Silviétto* (20), *Silvino* (2.100), *Selvino* (600). DERIVATI: *Silviàno* (250). - F. *Silvia* (80.000). VARIANTI: *Sỳlvia* (700), *Silva* (5.500), *Sylva* (400); *Sélva* (100). ALTERATI: *Silvina* (900), *Selvina* (200). DERIVATI: *Silviàna* (250). IPOCORISTICI: *Silvi* (75). Ampiamente diffuso in tutta l'Italia nelle forme fondamentali, e diversamente distribuito nelle altre (*Silvo* predomina in Toscana e *Silva* in Friuli-Venezia Giulia, *Silviano* a Latina e provincia, il tipo *Selv*-nell'Emilia-Romagna e nel Pesarese), continua o riprende, con diverse motivazioni, i nomi latini *Silvius* e *Silvia* (da *silva* 'selva, bosco' con il significato originario di 'che vive nei boschi, che viene da zone boscose') che, se pur riferiti a personaggi delle remote ma leggendarie origini di Roma, sono attestati, come i derivati *Silvinus* e *Silvianus*, solo dall'ultima età repubblicana. La diffusione, a parte irrilevanti riprese classiche e letterarie (il re Silvio di Alba, figlio di Enea o Ascanio, Silvia moglie del re Latino, Rea Silvia madre di Romolo e Remo; la pastorella Silvia dell'«Aminta» di T. Tasso, il canto del 1828 «A Silvia» di G. Leopardi), è stata promossa dal culto di vari santi e sante, tra cui San Silvio martire in Lucania, Santa Silvia madre di San Gregorio Magno morta a Roma nel 572, San Silvino vescovo di Verona (dove il nome ha un'altissima frequenza relativa).

Sìmmaco (200) M. Accentrato in Campania e soprattutto nel Casertano, riflette il culto locale di San Simmaco vescovo di Capua nel V secolo, patrono di Santa Maria Capua Vetere CE: il tardo nome latino *Symmachus* è ripreso dal greco *Sýmmachos*, antico soprannome e poi nome formato da *sýmmachos* 'alleato' (da *sýn* 'insieme' e *máchesthai* 'combattere, quindi 'che combatte insieme').
Simóne (9.000) M. VARIANTI: *Simón* (25), *Simo* (50); *Simeóne* (1.300), *Sìmeon* (35), *Sìmeo* (20). ALTERATI: *Simonèllo* (25), *Simonétto* (50), *Simonino* (25). NOMI DOPPI: *Simón Piètro* (20). -F. *Simóna* (5.000). VARIANTI: *Simeóna* (40). ALTERATI: *Simonèlla* (100), *Simonétta* (16.000). Diffuso in tutta l'Italia con diversa distribuzione nelle varie forme, pur risalendo a uno stesso etimo onomastico lontano, l'ebraico *Shime'ôn* (probabilmente derivato da *shama'* 'ascoltare', con il significato di 'Dio ha ascoltato' le preghiere dei genitori di concedere un figlio), presenta tradizioni e motivazioni diverse. Il tipo *Simeone*, più raro, risale all'adattamento latino *Symeon Symeónis* dal greco *Symeō'n* del nome ebraico del secondo figlio di Giacobbe, che riappare in greco e in latino nel Nuovo Testamento per San Simeone vescovo e martire, figlio di Cleofa, e poi per altri santi, che hanno contribuito alla diffusione di questa forma. Il tipo *Simone* risale invece a una variante greca e latina, *Símōn* e *Simon Simónis* (dovuta probabilmente a un incrocio con l'antico soprannome e poi nome greco *Símōn* da *símos* 'dal naso camuso'), che nei Vangeli è il nome originario di San Pietro (di qui il nome apparentemente doppio *Simon Pietro*), v. *Pietro*, e inoltre di San Simone apostolo (detto «il cananeo» cioè 'lo zelante'), e poi diventa il nome di vari altri santi, che costituiscono tutti il primo contributo alla diffusione di questa forma. Negli ultimi decenni *Simone* e soprattutto *Simona* e *Simonetta* si sono notevolmente ridiffusi per la loro eufonia e prestigiosità, e per la tendenza a adottare nomi dell'Antico e del Nuovo Testamento (v. *Marco*).
Simplìcio (300) M. VARIANTI: *Semplìcio* (50). DERIVATI: *Simpliciàno* (50), *Sempliciàno* (25). - F. *Semplìcia* (25).

Proprio per il tipo base dell'Abruzzo e della Sardegna (in particolare dell'Aquilano e del Sassarese), e nei derivati della Lombardia, riflette i culti locali di San Simplicio martire con i figli Costanzo e Vittoriano sotto Antonino a Celano AQ, di cui è patrono, San Simplicio vescovo e martire sotto Diocleziano a Terranova in Sardegna, patrono di Olbia SS, e San Simpliciano vescovo di Milano, successore di Sant'Ambrogio. È la continuazione del nome latino di ambienti cristiani *Simplicius* e del derivato *Simplicianus*, nomi di umiltà formati da *simplex simplicis* con il valore cristiano di 'semplice d'animo'.

Sina (500) F. Raro e disperso, ma più compatto in Emilia-Romagna, è l'abbreviazione di diminutivi e vezzeggiativi familiari come *Teresina*, *Alfonsina*, *Alessina*, *Gervasina*.

Sincèro (450) M. - F. *Sincèra* (75). Accentrato tra l'Emilia-Romagna e il Pesarese, e disperso nel Centro-Nord, continua un soprannome formato da *sincero*, dal latino *sincerus* 'sincero, schietto nel parlare e nei sentimenti', già attestato come tardo nome cristiano.

Sinforòsa (200) F. VARIANTI: *Sinfaròsa* (100). Raro e disperso, riflette il culto di Santa Sinforosa martire con i sette figli – secondo una tradizione leggendaria – a Tivoli sotto Adriano: alla base è il tardo nome latino *Symphorosa*, adattamento al femminile del greco *Sýmphoros*, da *sýmphoros* 'compagno'.

Sipónta (400) F. VARIANTI: *Sipontina* (700). - M. *Sipónto* (10). Proprio del Foggiano e qui accentrato a Manfredonia, riflette il culto locale di Santa Maria di Siponto e della Madonna Sipontina, una statua lignea conservata nella cattedrale romanica dell'antica Siponto (ora frazione e lido di Manfredonia), città e porto dei Dauni, in latino *Sipus* e *Sipontum*, dal greco *Sipûs Sipóntos*, toponimo di etimo ignoto.

Siro (700) M. VARIANTI: *Sìrio* (5.500). ALTERATI: *Sirino* (20). DERIVATI: *Siriàno* (150). - F. *Sira* (2.700). VARIANTI: *Sìria* (3.200). ALTERATI: *Sirina* (50). DERIVATI: *Siriàna* (50). Accentrato per *Siro* per ²/₃ tra Lombardia e Toscana, per le altre forme per più della metà in Toscana, e per il resto disperso, ha come etimo lon-

tano il soprannome e poi nome etnico latino *Syrus* o *Syrius*, proprio in età imperiale di schiavi e liberti e poi di cristiani, dal greco *Sýrios*, 'abitante, oriundo della Siria' (in latino *Syria* da *Assyria*, dal greco *Syría* da *Assyría*, adattamento dell'assiro-babilonese *'Ashshūr*): la diffusione e la distribuzione è in gran parte motivata dal culto di San Siro 1° vescovo di Pavia, patrono della città e di Lanzo d'Intelvi CO, e di San Siro da Struppa vescovo, secondo una tradizione leggendaria, di Genova forse nel IV secolo, patrono di Nervi GE. Il tipo *Sirio* può tuttavia continuare anche un nome augurale formato dal latino *Sirius*, dal greco *Séirios* di etimo incerto ('ardente'?), la stella più luminosa e visibile.

Sirte (150) F. - M. *Sirto* (50). Disperso tra il Nord e la Toscana, è un nome ideologico insorto per l'eco delle aspre battaglie del 1911, durante la guerra italo-turca, e poi del 1924, per l'occupazione di Sirte, cittadina sulla costa delle Sirti in Libia (in latino *Syrtis* dal greco *Sýrtis*, propriamente 'costa sabbiosa di linea mutevole', da *sýrein* 'trascinare con forza', riferito alle correnti marine che trascinano la sabbia).

Sisìnnio (550) M. VARIANTI: *Sisìnio* (250), *Sisino* (25). - F. *Sisìnnia* (150). VARIANTI: *Sisinia* (75), *Sisina* (300). Distribuito in tutta l'Italia, ma accentrato per il tipo *Sisinnio* in Sardegna e *Sisinio* nel Trentino e nelle Marche, riflette il culto di vari santi, tra cui San Sisinnio martire a Roma con Saturnino sotto Diocleziano, patrono di Villacidro CA, San Sisinnio martire nella Val di Non TN nel 397, e San Sisinnio martire a Osimo AN sotto Diocleziano: alla base è il tardo soprannome e poi nome latino *Sisinnius*, di probabile origine etrusca.

Sivìglia (400) F. DERIVATI: *Sivigliàna* (50), *Siviliàna* (60). - M. *Sivìglio* (25). DERIVATI: *Sivigliàno* (25), *Siviliàno* (25). Distribuito nel Nord e anche nel Centro, è ripreso dal Medio Evo, con motivazioni non accertabili, dal nome della città di Siviglia (in spagnolo *Sevilla*) e dal suo etnico Sivigliano, anche se in alcuni casi può continuare il nome antiquato *Sibilia* (o essersi con questo incrociato), ripreso (con tradizione letteraria dell'epica carolingia) dal francese antico *Sibilie* o *Sebille*, che è tra l'altro il nome della moglie di Carlo Magno (chiamata anche *Blanchefleur*).

Smeralda (400) F. VARIANTI: *Esmeralda* (1.600). - M. *Smeraldo* (300). VARIANTI: *Esmeraldo* (150). Diffuso in tutta l'Italia con maggiore compattezza in Toscana e in Sicilia, è uno dei molti nomi affettivi e augurali formati da una pietra preziosa (come *Perla*, *Rubina*, ecc.), in questo caso lo *smeraldo* (latino *smaragdus* dal greco *smáragdos* che è già usato anche come nome personale, *Smáragdos* e *Smarágdē*). Ma la diffusione è stata sostenuta prima dal culto di alcuni santi e sante, tra cui la beata Smeralda (o Eustochio) di Messina del Quattrocento, poi, per *Esmeralda*, dalla forma spagnola *Esmeralda*, nome della zingara amata da Quasimodo, e giustiziata per stregoneria, del popolare romanzo «*Notre-Dame de Paris*» del 1831 di V. Hugo.

Soccórsa (2.000) F. - M. *Soccórso* (300). Proprio del Sud continentale e della Sicilia, riflette la devozione per Maria Santissima del Soccorso (da *soccorso* 'aiuto', richiesto alla misericordia e all'intercessione della Madonna), patrona di numerosi centri soprattutto del Sud.

Sòcrate (1.100) M. Distribuito tra Nord e Centro, è una ripresa classica del nome del grande filosofo ateniese Socrate del V secolo a.C. (dal latino *Sócrates* dal greco *Sōkrátēs*, composto di *sôs* 'salvo, sano' e *krátos* 'forza', quindi 'forte e sano' o 'forte nel salvare'), anche se in minima parte può riflettere il culto di alcuni santi orientali così denominati.

Sofia (20.000) F. - M. *Sofio* (150). Diffuso in tutta l'Italia ma con alta compattezza in Sicilia e soprattutto nel Siracusano, è un nome cristiano che riflette il culto di alcune sante, di tradizione tuttavia leggendaria, tra cui Santa Sofia martire a Roma con le figlie Fede, Speranza e Carità, e Santa Sofia di Costantinopoli, eremita e martire a Sortino SR di cui è patrona, e dove *Sofia* e *Sofio* hanno un'altissima frequenza relativa, e inoltre la devozione per la Divina Sapienza, ossia Gesù Cristo come Verbo incarnato. Alla base è appunto il greco *sophía* 'sapienza', latinizzato in *sóphia* o *sophía*.

Sòfocle (50) M. Disperso nel Nord, è una ripresa classica del nome del grande tragediografo ateniese del V secolo a.C., *Sophoklês* in greco, latinizzato in *Sóphocles*, composto di *sophós* 'saggio, sapiente' e *-klês* 'illustre, famoso', quindi 'illustre per la sua saggezza'.

Sofrònio (25) M. - F. *Sofrònia* (50). Disperso nel Nord, riflette il culto di alcuni santi di questo nome ma, soprattutto nel femminile, è ripreso per via letteraria dall'episodio molto noto di Olindo e Sofronia della «Gerusalemme liberata» di T. Tasso (v. *Olindo*): il nome greco originario *Sōphrónios*, latinizzato in *Sophronius*, è composto di *sôs* 'sano' e *phrē'n* 'mente', con il significato di 'sano, acuto di mente, saggio, che sa controllarsi'.

Solange (700) F. Disperso tra il Nord e il Centro, è in parte il nome di residenti straniere di lingua francese ma in parte un nome italiano di recente moda esotica e eufonica: il francese *Solange* [pronunzia: *solä'ž*] o *Soulange* deriva dal nome latino medievale *Solemnia* (da *solemnis* o *sollemnis* 'solenne') di una santa e martire di Bourges dell'XI secolo.

Solferino (250) M (anche F). VARIANTI: *Zolferino* (25). - F. *Solferina* (150). Disperso nel Centro-Nord con più alta compattezza in Toscana, è un nome ideologico risorgimentale, insorto per la profonda eco della vittoria risolutiva riportata il 24 giugno 1859 a Solferino, presso Mantova, dall'esercito francese di Napoleone III su quello austriaco di Francesco Giuseppe.

Solidèa (2.700) F. - M. *Solidèo* (150). Diffuso nel Centro-Nord, non consente, per la mancanza di documentazioni probanti, una interpretazione fondata: in Emilia-Romagna e in Toscana può essere un nome ideologico formato da '(una) sola idea', come idea politica libertaria, anarchica, ecc.

Solimano (100) M. VARIANTI: *Solimando* (25), *Solimèno* (25). Proprio del Centro e più compatto in Toscana, è l'adattamento del nome augurale arabo *Sulaymān* da *salām* 'pace, salute', calco dell'ebraico *Shelōmōh* (v. *Salomone*), affermatosi soprattutto per il re saraceno di Nicea Solimano, ucciso in duello da Rinaldo, della «Gerusalemme liberata» di T. Tasso.

Sònia (16.000) F. VARIANTI: *Sònja* (700), *Sònya* (100). - M. *Sònio* (20). Diffuso nel Centro-Nord con più alta compattezza in Toscana, è un recente nome di moda esotica, letteraria e teatrale, ripreso dalla fine dell'Ottocento dal russo *Sonja* [pronunzia: *sòñë*], ipocoristico di *Sofja* (v. *Sofia*), accolto in varie lingue europee (tra cui il tedesco *Sonja*, che è infatti molto frequente nella provincia autonoma di Bolzano di lingua maggioritaria tedesca) per personaggi femminili di opere russe molto diffuse, e in particolare di Sonja Marmeladova del romanzo «Delitto e castigo» di F. M. Dostoevskij del 1866, e della protagonista del dramma «Lo zio Vanja» di A. P. Čechov del 1899 (v. *Vania*).

Sòssio (1.100) M. VARIANTI: *Sòsio* (150). Proprio della Campania e soprattutto del Napoletano, riflette il culto locale di San Sosio o Sossio da Miseno, diacono e martire a Pozzuoli sotto Diocleziano, patrono di Frattamaggiore NA (dove il nome ha un'altissima frequenza relativa): alla base è il gentilizio latino *Sosius* dell'ultima età repubblicana, di incerta origine.

Sòstene (200) M. VARIANTI: *Sòstine* (100), *Sòsteno* (25). Accentrato in Calabria e nel Messinese, e anche in Lombardia, e per il resto disperso, riflette il culto di origine orientale di San Sostene martire a Calcedonia con Vittore sotto Diocleziano e di San Sostene discepolo di San Paolo e evangelizzatore di Corinto: l'originario nome greco *Sosthénēs*, latinizzato in *Sósthenes*, è composto di *sôs* 'sano, salvo' e *sthénos* 'forza', quindi di 'sano e forte'.

Spàrtaco (7.500) M. - F. *Spàrtaca* (75). Accentrato per la metà in Toscana e nel Lazio e per il resto disperso, è un recente nome ideologico, rivoluzionario, libertario e socialista (e anche di matrice letteraria, teatrale e cinematografica), ripreso dallo schiavo e gladiatore di origine tracia Spartaco che nel 73 a.C., fuggito dalla scuola gladiatoria di Capua, con alcune migliaia di altri gladiatori e schiavi tenne testa per due anni agli eserciti consolari di Roma e fu poi sconfitto e ucciso nel 71 a.C.: diventato simbolo, soprattutto dall'Ottocento, di rivolta contro la sopraffazione e la tirannia, è il protagonista di varie opere letterarie, drammatiche e liriche (tra cui il romanzo «Spartaco» di R. Giovagnoli del 1874 e la tragedia omonima di I. Nievo

del 1857, pubblicata postuma nel 1919), e anche di alcuni film storici, e da lui prese il nome in Germania la «Lega Spartaco» (in tedesco *Spartakusbund*) di orientamento marxistico, che operò clandestinamente dal 1915 al 1919. L'originario nome greco *Spártakos*, latinizzato in *Spartacus*, è un derivato di *spárton* 'corda, fune di sparto', forse con il significato di 'cordaio', come nome di mestiere.

Sperandìo (600) M. VARIANTI: *Sperandèo* (25), *Sperindìo* (150), *Sperando* (20). ALTERATI: *Sperandino* (25). - F. *Sperandìa* (75). ALTERATI: *Sperandina* (50). Distribuito in tutta l'Italia con diversa distribuzione nelle varie forme (*Sperandio* è accentrato in Lombardia, *Sperindio* in Emilia-Romagna e *Sperandia* nelle Marche e a Roma), è un nome augurale o di umiltà cristiana, dato spesso a trovatelli, già medievale, 'spera in Dio', sostenuto nelle Marche e in particolare a Cingoli MC dal culto di Santa Sperandia e del beato Sperandio da Gubbio del Duecento, di tradizione leggendaria.

Speranza (9.000) F (anche M). VARIANTI: *Esperanza* (100), *Spème* (75). ALTERATI: *Speranzina* (200). - M. *Speranzo* (10). ALTERATI: *Speranzino* (20). Diffuso nel tipo *Speranza* in tutta l'Italia con alta frequenza in Campania e più in Sardegna, nella forma d'impronta provenzale, catalana e spagnola, *Esperanza* nel Nord, in quella antiquata e letteraria *Speme* nel Vicentino e nell'Udinese, è un nome augurale e di devozione formato da *speranza* (e letterario antiquato *speme*), affermatosi sia in riferimento alla virtù teologale della speranza (nella beatitudine celeste) e alla devozione per la Madonna della Speranza, sia per il culto di Santa Speranza martire con la madre Sofia e le sorelle Fede e Carità secondo una tradizione leggendaria (v. *Sofia*).

Spèri (50) M. VARIANTI: *Spèro* (100). ALTERATI: *Sperino* (25). - F. *Spèra* (40). Accentrato nel Nord e più in Emilia-Romagna, è un nome ideologico risorgimentale ripreso dal cognome del patriota bresciano Tito Speri giustiziato nel forte di Belfiore nel 1853 (v. *Belfiore*). In casi isolati, e di norma per *Sperino*, è un'abbreviazione di *Gaspero*.

Spiridióne (800) M. VARIANTI: *Spiri-*

dóne (20), *Spiridón* (25), *Spyridón* (25). - F. *Spiridióna* (25). Proprio di Venezia e Trieste e del Barese, riflette il culto orientale, ma diffusosi anche in Italia tramite Venezia e la Puglia, di San Spiridione o Spiridone vescovo di Cipro nel IV secolo, in greco *Speiridíōn*, latinizzato in *Spirídion Spiridiónis*, soprannome del retore greco Glicone forse derivato da *speirídion* diminutivo di *spêira* 'spirale', in riferimento a circonlocuzioni di espressione.

Spìrito (850) M. - F. *Spìrita* (150). ALTERATI: *Spiritina* (75). Proprio del Piemonte, e più del Torinese e Cuneese, riflette la devozione per lo Spirito Santo e per la sua discesa, nella Pentecoste, sugli apostoli e su Maria Vergine riuniti nel cenacolo.

Splendóra (500) F. VARIANTI: *Splendóre* (60: anche M). Peculiare dell'Abruzzo, pare riflettere, oltre un nome augurale formato da *splendore* (di bellezza), anche un culto locale per una santa non riconosciuta o una Madonna dello Splendore.

Stalin (5) M. VARIANTI: *Stalino* (20). Rarissimo e in via di estinzione, disperso tra Emilia-Romagna e Toscana, è un nome ideologico comunista ripreso dagli anni '40 ai '50 dallo pseudonimo Stalin del rivoluzionario e capo di stato sovietico Iosif Vissarionovič Džugašvili, morto nel 1953.

Stamura (700) F. Accentrato nelle Marche e disperso tra Romagna, Lazio e Abruzzo settentrionali, è un nome ideologico ripreso dall'eroina che, nel XII secolo, salvò Ancona assediata da Federico Barbarossa, Stamura o Stamira, nome di origine incerta, forse bizantina.

Stanislào (5.000) M. VARIANTI: *Stanislavo* (20). ABBREVIATI: *Stanis* (50), *Stano* (50). - F. *Stanislàa* (25). VARIANTI: *Stanislava* (300). ABBREVIATI: *Stana* (100); *Slava* (150). Distribuito nella forma base in tutta l'Italia, con maggiore compattezza in Friuli-Venezia Giulia (soprattutto tra le minoranze di lingua slovena di cui sono peculiari gli abbreviati *Stano*, *Stana* e *Slava*), in Campania e in Calabria (mentre *Stanis* è tipico della Sardegna), è un nome di origine slava (*Stanisl'aw* in polacco, *Stanislav* in ceco, sloveno, ecc., da *stani* 'stare [in piedi], restare' e *slava* 'gloria', quindi 'che eccelle per gloria' o

'di fama duratura'), introdotto in Italia, oltre che direttamente nei territori nord-orientali, per via colta e letteraria nel tardo Medio Evo, attraverso la forma latinizzata *Stanislaus*, affermatosi con il culto di San Stanislao vescovo di Cracovia e martire (fatto uccidere dal re Boleslao nel 1079) e di San Stanislao Kostka, gesuita polacco morto a Roma nel 1568 (e forse anche per la notorietà dei due re Stanislao della Polonia del Settecento).

Stéfano (91.000) M. VARIANTI: *Stefànio* (50). ALTERATI: *Stefanino* (400). ABBREVIATI: *Sténo* (700), *Sténio* (550). - F. *Stéfana* (3.000). VARIANTI: *Stefània* (36.000). ALTERATI: *Stefanèlla* (400), *Stefanina* (3.500). ABBREVIATI: *Sténa* (150), *Sténia* (100). Diffuso in tutta l'Italia, con maggiore compattezza per *Stefano* e *Stefana* in Sicilia (e limitato al Nord e alla Toscana per i derivati), riflette il culto di Santo Stefano protomartire a Gerusalemme nel 37, e di altri numerosi santi e sante minori: il nome originario greco *Stéphanos*, latinizzato in *Stephanus*, formato da *stéphanos* 'corona', è già precristiano, riferito alla corona come ornamento e simbolo di vittoria, ma si è affermato con il valore di corona del martirio. Il tipo *Stefania*, pur continuando una forma derivata di femminile già latina *Stephania* e sostenuto dal raro culto di due sante e martiri, deve la sua rilevante affermazione a una recente moda eufonica e esotica (sul modello del francese *Stéphanie*, dell'inglese e del tedesco *Stephanie*).

Stèlio (4.100) M. VARIANTI: *Stèllio* (600), *Estèlio* (100). - F. *Stèlia* (500). VARIANTI: *Stèllia* (100). Diffuso al Nord e nel Centro, con più compattezza nel Friuli-Venezia Giulia, pur rappresentando nell'epicentro giuliano un adattamento dello sloveno *Stel(l)* o *Stelin* d'incerta interpretazione, deve la sua affermazione fuori di questa area al protagonista del romanzo «Il fuoco» di G. D'Annunzio del 1900, il poeta Stelio Èffrena, amante della Foscarina (Eleonora Duse).

Stélla (30.000) F. VARIANTI: *Estèlla* (1.500), *Estèlle* (100). ALTERATI: *Stellina* (1.300). NOMI DOPPI: *Stélla Marìa* (400), — *Maris* (80). - M. *Stéllo* (50). ALTERATI: *Stellino* (100). DERIVATI: *Stellàrio* (800). Diffuso in tutta l'Italia con maggiore compattezza in Sicilia (dove è specifico *Stellario*), è in parte un nome affettivo già medievale dato per augurare la bellezza e lo splendore di una 'stella', ma in parte riflette la devozione per Maria Santissima della Stella e l'epiteto della Madonna «Stella del mare» (in latino liturgico *maris stella*, da cui l'inno «Ave maris stella»), dato in quanto come la stella polare è punto di orientamento per i marinai così la Madonna è fonte di guida e di salvezza (di qui i nomi doppi *Stella Maria* e *Stella Maris* o *Maria Stella* e *Maristella*, v. *Maria*, anche se questa denominazione risale a un'errata trascrizione medievale, *maris stella*, dell'interpretazione di San Girolamo, già errata, *stilla maris* 'goccia del mare' del nome ebraico *Maryam* di *Maria*). La variante *Estella* è d'impronta spagnola, dal corrispondente nome femminile *Estella*, antiquato, e moderno *Estrella*, da *estella* e poi *estrella* 'stella'.

Stèlvio o *Stélvio* (2.100) M. - F. *Stèlvia* o *Stélvia* (300). Distribuito nel Centro-Nord, pare un nome ideologico, risorgimentale, ripreso dal passo alpino dello Stelvio teatro di vari combattimenti contro gli Austriaci, per la sua importanza strategica, nelle guerre d'indipendenza (l'occupazione italiana nel 1848, il tentativo di Nino Bixio e dei Cacciatori delle Alpi del 1859, la rioccupazione provvisoria del 1866 della Guardia nazionale della Valtellina).

Sterpéta (500) F. Proprio del Foggiano e del Barese, riflette la devozione locale per Maria Santissima dello Sterpeto compatrona di Barletta BA, nei cui pressi sorge un Santuario già medievale (un tempo in uno 'sterpeto', e di qui il nome) in cui è custodita una miracolosa immagine su legno di stile bizantino della Madonna con Bambino.

Susanna (14.000) F. VARIANTI: *Susan* (900). IPOCORISTICI: *Susy* (600), *Susi* (500), *Susétta* (900). Distribuito in tutta l'Italia ma accentrato per *Susanna* per ¹/₃ in Puglia, riflette il culto di alcune sante così denominate ma soprattutto la divulgata figura della «casta Susanna» che, nel «Libro di Daniele», rifiuta coraggiosamente le proposte dei due «vecchioni» che l'avevano sorpresa mentre faceva il bagno; la forma inglese *Susan*, oltre che nome di residenti straniere di lingua inglese, è un nome di moda sia esotica sia ripreso da cantanti e attrici cinematografiche e televisive. Il greco e il latino *Susánna* dell'Antico e del Nuovo Testamento è l'adattamento dell'ebraico *Shūshan* 'giglio', prestito dall'egizio *shoshen* 'fiore di loto'.

T

Tàcito (150) M. Disperso nel Centro-Nord con più alta frequenza in Toscana e in Emilia-Romagna, è una ripresa classica dal nome dello storiografo romano Publio Cornelio Tacito morto nel 120 circa, in latino *Tacitus*, soprannome con il significato di 'taciturno'.

Taddèo (700) M. - F. *Taddèa* (100). Disperso in tutta l'Italia, riflette il culto di San Taddeo (epiteto o soprannome di Giuda fratello di Giacomo) apostolo e martire in Persia con San Simone: il greco *Thaddâios*, latinizzato in *Thaddaeus*, risale all'aramaico *Thadday*, adattamento dei nomi greci *Theódotos*, *Theódōros*, *Theodósios*, ecc., ossia 'dono di Dio' (v. *Teodoro* e *Teodosio*).

Tàide (400) F. VARIANTI: *Thais* (100). Disperso nel Centro-Nord, è un nome ripreso dalla pia leggenda della prostituta di Alessandria d'Egitto del IV secolo che, pentitasi, è considerata santa (anche se non canonizzata e riconosciuta ufficialmente), in greco *Thaï's Thaï'-dos*, latinizzato in *Tháis Tháidos*, di etimo e significato incerto. La diffusione è stata però promossa per via letteraria e teatrale, in quanto già nel Medio Evo è protagonista di un dramma di Rosvita e personaggio della «Leggenda aurea» di Iacopo da Varazze, e quindi del romanzo «*Thaïs*» di A. France del 1890 e del melodramma di J. Massenet del 1894 a esso ispirato (e *Thais* è appunto la forma francese *Thaïs* o il suo adattamento): è stata d'altra parte limitata dal passo di Dante dell'«Inferno» "quella sozza e scapigliata fante... Taidè è, la putta-

na...", cruda espressione riferita a un'altra omonima prostituta ateniese, personaggio della commedia «*Eunuchus*» di Terenzio.

Tamara (3.500) F. VARIANTI: *Tamar* (120). - M. *Tamaro* (25). Accentrato per più della metà in Toscana e disperso nel Centro-Nord, è in parte un nome israelitico o protestante, e di residenti straniere di lingua inglese, russa, ecc., ripreso dall'ebraico *Tāmār* ('palma', simbolo di superiorità, eccellenza) dell'Antico Testamento, nome della moglie di Er, figlio del re Giuda, e della sorella di Assalonne, in parte molto maggiore è un recente nome di moda sia esotica e eufonica, sia teatrale o cinematografica, ripreso da personaggi o attrici straniere di questo nome (in particolare la danzatrice russa del primo Novecento Tamara Karsovina).

Tàmmaro (700) M. Peculiare della Campania e in particolare del Casertano e del Napoletano, riflette il culto locale di San Tammaro (in latino ecclesiastico *Tammarus*, di origine oscura), uno dei 12 sacerdoti africani che nel V secolo, perseguitati dai Vandali, sarebbero venuti in Campania per diffondervi la fede cristiana, patrono di San Tammaro e Villa Literno CE e di Grumo Nevano NA, e anche di San Tammaro vescovo di Benevento.

Tancrédi (1.200) M. VARIANTI: *Tancrédo* (150). Disperso in tutta l'Italia, è un nome che, pur essendo stato introdotto nel Sud dai Normanni dall'XI secolo, si è però affermato solo dal Rinascimento con matrice letteraria e teatrale, prima per uno dei protagonisti, il principe normanno Tancredi d'Altavilla, della «Gerusalemme liberata» di T. Tasso, poi per il protagonista, il cavaliere di Siracusa Tancredi, della tragedia «*Tancrède*» di Voltaire del 1760 e dell'opera lirica «Tancredi» di G. Rossini, rappresentata per la 1ª volta a Venezia nel 1813, il cui libretto è tratto dalla tragedia volterriana. Alla base è comunque il nome normanno *Tancred* di origine germanica, formato con **thanka-* 'pensiero' e **radha-* 'assemblea; consiglio, deliberazione', con un significato originario, se pur c'è stato, di 'che sta in assemblea, che delibera con riflessione'.

Tània (1.200) F. VARIANTI: *Tànja* (50). - M. *Tànio* (5). Distribuito in tutta l'Italia, è l'ipocoristico russo, *Tanja* [pronunzia: *tàñë*] di *Tat'jana* (v. *Tatiana*), in parte di residenti straniere di lingua russa, in parte di recente moda esotica, ripreso da personaggi e artisti letterari o dello spettacolo.

Tano (100) M. ALTERATI: *Tanino* (200), *Tanùccio* (20). - F. *Tanina* (500). Accentrato per più della metà nelle isole e per il resto disperso, è, in Sicilia, la forma abbreviata di *Gaetano* (e *Gaetanino*, *Gaetanuccio*), e in Sardegna, limitato a *Tanino* e *Tanina*, di *Stefanino* o *Stefanina*.

Tarcìsio (14.000) M. VARIANTI: *Tarciso* (200), *Tarcìdio* (20). - F. *Tarcìsia* (800). VARIANTI: *Tarcisa* (50). Proprio della Lombardia, delle Venezie e della Toscana, riflette il culto di San Tarcisio martire a Roma intorno al 300, e forse anche di San Tarcisio martire di Alessandria d'Egitto (d'incerta tradizione, come una Santa Tarcisia di Francia): il nome non consente, in mancanza di una documentazione sufficiente, una interpretazione certa: potrebbe essere un'alterazione di *Tarsicio*, nome sostenuto dal culto di un santo e martire di Roma del 300 circa, in latino ecclesiastico *Tharsicius*, anche questo senza una sicura tradizione né greca né latina (da *Tàrsicus*, in greco *Tarsikós*, 'di Tarso', città della Cilicia?; v. anche *Tarsilio*).

Tarquìnio (1.400) M. VARIANTI: *Tarquino* (20). - F. *Tarquìnia* (300). Accentrato per la metà nel Lazio e per il resto disperso, è un nome d'impronta classica ripreso da Lucio Tarquinio Prisco e Lucio Tarquinio Superbo, 5° e 7° re di Roma, il primo di madre etrusca: il gentilizio *Tarquinius*, infatti, è l'adattamento di un nome etrusco, *Tarchn-*.

Tarsìlio (1.500) M. VARIANTI: *Tarsilia* (1.500). Proprio della Sardegna e in particolare del Cagliaritano e sporadico (per immigrazione interna) nel Nord, non ha una sicura tradizione latina e neppure greca (nel tardo latino esiste il nome *Tharsilla*, un'evidente forma diminutiva, per Santa Tarsilia di Roma, zia di San Gregorio Magno): forse può essere ricollegabile a *Tarsus* 'Tarso', città della Cilicia di cui era originario San Paolo (v. *Tarcisio*).

Tatiàna (3.000) F. VARIANTI: *Tatjàna* (100); *Taziàna* (100). - M. *Tatiàno* (20). VARIANTI: *Taziàno* (20). Accentrato per ¹/₃ in Toscana e in Friuli-Venezia Giulia, e per il resto disperso nel Nord per il tipo *Tatiana* e a Roma per quello *Taziana*, ha un unico etimo ma due tradizioni diverse. I rari *Taziano* e *Taziana*, sostenuti dal culto di alcuni santi e sante, continuano o riprendono il latino *Tatianus* e *Tatiana* derivati di *Tatius*, v. *Tazio*. *Tatiana* è invece un recente nome di moda esotica, letteraria e teatrale, ripreso dal russo *Tat'jana* (adattamento del tardo greco *Tatianē'*, prestito dal latino *Tatiana*), soprattutto per la protagonista del romanzo in versi «Eugenio Onegin» (1823-30) di A. S. Puškin, e per l'attrice russa e molto nota in Italia dagli anni '20 ai '30, Tat'jana Pavlova. Nell'area giuliana *Tatiana* o *Tatjana* può rappresentare direttamente la forma slovena.

Tàzio (400) M. - F. *Tàzia* (25). Accentrato in Lombardia e in Emilia-Romagna, è fondamentalmente un nome di moda sportiva recente, ripreso dal popolare campione automobilistico mantovano Tazio Nuvolari degli anni '30 (e in minima parte dal protagonista Tazio del romanzo «La morte a Venezia» di Th. Mann del 1913), anche se preesisteva con matrice classica con riferimento al re sabino, poi associato al regno di Roma da Romolo, Tito Tazio, in latino *Tatius*, nome anch'esso sabino.

Tèa (3.500) F. VARIANTI: *Thèa* (3.000). - M. *Tèo* (300). VARIANTI: *Thèo* (200). Diffuso nel Centro-Nord, è la forma abbreviata di *Dorotea* o *Doroteo*, o di *Teodoro*, *Teodosio*, *Teofilo* e dei rispettivi femminili: nella forma *Theo* e *Thea* è un nome di moda recente, esotica o eufonica, ripreso dai corrispondenti tipi francesi *Théo* (questo soprattutto per *Théophile*), o anche tedesco, neerlandese e inglese *Theo* e *Thea*, pur se *Thea* in casi isolati può continuare il tardo latino *Thea*, sostenuto dal raro culto di due sante e martiri così denominate.

Teàno (50) M. Disperso nel Centro-Nord e più frequente in Toscana, è un nome ideologico risorgimentale ripreso dalla cittadina di Teano CE dove il 26 ottobre 1860 si incontrarono e si accordarono Giuseppe Garibaldi e Vittorio Emanuele II, accordo decisivo per l'unità d'Italia.

Tècla (8.500) F. - M. *Tèclo* (50). Diffuso nel Nord e nel Centro, raro nel Sud, riflette il culto di varie sante tra cui Santa Tecla discepola di San Paolo e martire in Asia Minore, e forse la modesta risonanza in età romantica della protagonista, Tecla, della trilogia drammatica su Wallenstein di J. Chr. Fr. Schiller (1794-99). Il tardo nome originario greco *Thékla*, latinizzato in *Thecla*, non consente, data l'incertezza della tradizione, un'interpretazione fondata.

Telèmaco (650) M. Accentrato per ¹/₃ nel Lazio e per il resto disperso, è una ripresa classica del nome del figlio di Ulisse nell'«Odissea», in greco *Tēlémachos* latinizzato in *Telemachus*, da *têle* 'da lontano, a distanza' e *máchesthai* 'combattere', quindi 'che combatte a distanza'.

Telèsforo (700) M. VARIANTI: *Telèsfero* (20). - F. *Telèsfora* (40). Accentrato per ¹/₄ nel Lazio e per il resto disperso, riflette il culto di San Telesforo, papa, martire nel 136: è un nome greco, *Telesphóros*, latinizzato in *Telésphorus*, composto di *teléin* 'portare a termine' e *phóros* 'che porta', quindi 'che sa portare a termine (le proprie imprese); deciso, risoluto'.

Temìstocle (1.200) M. Distribuito in tutta l'Italia ma più compatto nel Lazio, è una ripresa classica del nome del generale e uomo politico ateniese del V secolo a.C., in greco *Themistoklês* latinizzato in *Themístocles*, composto di *Thémis Thémistos* (da cui anche *Temisto* 25, e al femminile *Tèmi* 250 o *Tèmide* 250), la dea Temi della giustizia, e *-klês* 'illustre, famoso', quindi 'illustre per la protezione della dea Temi'. In parte è stato ridiffuso dal dramma «Temistocle» di P. Metastasio del 1736.

Teobaldo (2.100) M. VARIANTI: *Tebaldo* (500), *Tibaldo* (25). Attestato in tutta l'Italia con più alta frequenza in Toscana e nel Lazio, continua il nome di origine germanica e di tradizione longobardica e poi francone *Theodobald* composto con **theuda-* 'popolo' e **baltha-* 'audace, valoroso', quindi 'valoroso nel suo popolo', sostenuto dal culto di alcuni santi e beati così denominati.

Teodolinda (5.500) F. - M. *Teodolindo* (300). Accentrato per ¹/₃ in Lombardia e per il resto disperso, continua il nome longobardico *Theodolinda* composto di **theuda-* 'popolo' e **linta-* '(scudo di legno di) tiglio', con un possibile significato di 'scudo, protezione del popolo', sostenuto dal prestigio della regina dei Longobardi Teodolinda morta nel 625, che convertì al cristianesimo il suo popolo e eresse la basilica di San Giovanni a Monza, riconosciuta, anche se non ufficialmente, come santa.

Teodorico (700) M. - F. *Teodorica* (40). Disperso nell'Italia continentale, è ripreso dal nome del re degli Ostrogoti Teodorico, morto nel 526, in gotico *Theuderik* (latinizzato in *Theodoricus* per accostamento a *Teodoro*), composto di **theuda-* 'popolo' e **rikja-* 'potente', quindi 'potente tra il suo popolo' o 'signore, capo del popolo', sostenuto in parte dal culto di alcuni santi di questo nome.

Teodòro (10.000) M. ALTERATI: *Teodorino* (50). - F. *Teodòra* (8.000). VARIANTI: *Theodòra* (150). ALTERATI: *Teodorina* (250). Diffuso in tutta l'Italia ma più nel Sud e in particolare in Puglia, riflette il culto di numerosissimi santi e sante, tra cui San Teodoro martire a Amasea nel Ponto sotto Massimiano, compatrono con San Leucio di Brindisi: il nome greco originario *Theódōros*, latinizzato in *Theodórus*, è composto di *theós* 'dio' e *dôron* 'dono' (l'inverso, come disposizione dei componenti, di *Doroteo*, v. *Dorotea*), quindi 'dono di dio', riferito al figlio.

Teodòsio (1.200) M. - F. *Teodòsia*

(30). Proprio del Sud, e qui accentrato in Puglia e soprattutto a Potenza e nella provincia, riflette il culto di vari santi e sante (di cui uno patrono di Pietragalla PZ) di questo nome greco, *Theodósios* latinizzato in *Theodosius*, composto di *theós* 'dio' e *dósis* 'dono', di significato quindi identico a quello di *Teodoro* e *Doroteo*.

Teòfilo (900) M. - F. *Teòfila* (200). Disperso in tutta l'Italia, riflette il culto di numerosissimi santi e sante di questo nome greco, *Theóphilos*, composto di *theós* 'dio' e *phílos* 'caro', con il significato di 'caro a dio, agli dei' (e, come 'caro a Dio', affermatosi in ambienti cristiani).

Terènzio (3.800) M. VARIANTI: *Terènzo* (50). DERIVATI: *Terenziàno* (150). - F. *Terènzia* (100). Distribuito in tutta l'Italia ma più compatto in Lombardia, nelle Marche e nel Lazio, riflette il culto di vari santi tra cui San Terenzio di Luni SP, martire e patrono di Pesaro, e San Terenziano o Terenzio martire a Todi PG, patrono di Capranica VT (dove il nome ha un'alta frequenza relativa). Alla base è l'antico gentilizio latino *Terentius*, con il derivato *Terentianus*, di origine incerta (forse da *Tarentum*, Taranto).

Terèsa (450.000) F. ALTERATI: *Teresina* (29.000), *Teresita* (9.000). DERIVATI: *Teresiàna* (50). ABBREVIATI: *Sita* (200). NOMI DOPPI: *Terèsa Marìa* (2.200). - M. *Terèso* (20). VARIANTI: *Terèsio* (8.000). ALTERATI: *Teresino* (25). ABBREVIATI: *Sito* (5). *Teresa* è uno dei nomi femminili più frequenti, il 7° per rango nazionale, e un'alta frequenza hanno anche *Teresina* e *Teresita* (questo d'impronta spagnola), e il maschile *Teresio*. Si è diffuso in Italia e in Europa alla fine del Cinquecento con il culto di Santa Teresa di Avila, mistica spagnola e riformatrice dell'ordine delle Carmelitane, morta nel 1582, e poi di altre sante moderne, anche se già in precedenza poteva essere insorto per il prestigio di principesse e regine di Spagna e Portogallo del tardo Medio Evo. Il nome spagnolo *Teresa* (e portoghese *Tereija*) è di origine incerta, forse greca.

Tèrmine (400) M (anche F). VARIANTI: *Tèrmino* (5). - F. *Tèrmina* (40). Proprio della Romagna e più frequente nel Ferrarese, è un nome formato da *termine* e *terminare* dato, come *Fine* e *Ultimo*,

a un figlio per esprimere il proposito e il desiderio di non averne più altri.

Tertulliàno (200) M. Proprio del Veneto e disperso nel Nord, è una ripresa classica del tardo soprannome e poi nome latino *Tertullianus*, derivato di *Tertius*, v. *Terzo*, sostenuto in parte dal prestigio dell'apologista cristiano Q. S. F. Tertulliano del II-III secolo e dal culto di San Tertulliano vescovo di Bologna nel V-VI secolo.

Tèrzo (4.200) M. VARIANTI: *Tèrzio* (50). ALTERATI: *Terzino* (200). DERIVATI: *Terziàno* (150); *Terzìlio* (1.700), *Terziglio* (30), *Terzillo* (50); *Tersìlio* (1.900), *Tersìglio* (20), *Tersillo* (300). -F. *Tèrza* (500). VARIANTI: *Tèrzia* (60), *Tèrsia* (30). ALTERATI: *Terzina* (1.000), *Tersina* (60). DERIVATI: *Terziàna* (25); *Terzilia* (600), *Terziglia* (50), *Terzilla* (250); *Tersìlia* (1.600), *Tersìglia* (50), *Tersilla* (4.500). Diffuso nell'Italia centro-settentrionale con diversa distribuzione nelle varie forme, è un nome dato al 3° figlio che in parte continua il latino *Tertius* da *tertius* 'terzo', in parte è formato dal Medio Evo dall'italiano *terzo* (come *Primo*, *Secondo*, ecc.): il derivato *Terziano* continua o riprende il latino *Tertianus* di eguale significato. Gli altri derivati in *-ìlio* (o *-ìglio*, *-illo*) sono qui raggruppati, in assenza di una tradizione sicura, solo per un'ipotesi fondata sulla coerenza formale e di distribuzione, ma possono anche avere altre origini e motivazioni (v. *Tarsìlio*).

Tesèo o **Tèseo** (650) M. VARIANTI: *Tèsio* (100). - F. *Tesèa* o *Tèsea* (75). Accentrato per ¹/₃ in Emilia-Romagna e per il resto disperso nel Centro-Nord, è una ripresa classica, mitologica e letteraria, del nome dell'eroe ateniese che uccise il Minotauro e fuggì dal Labirinto di Creta con l'aiuto di Arianna, figlia di Minosse, che poi abbandonò nell'isola di Nasso, personaggio di varie opere antiche e moderne: il nome greco *Theséus* latinizzato in *Théseus* (dalle due forme deriva la doppia accentazione italiana) è di origine pregreca, non accertabile.

Tibèrio (2.900) M. - F. *Tibèria* (250). ALTERATI: *Tiberina* (50). Distribuito in tutta l'Italia ma raro nel Sud, è una ripresa classica rinascimentale – anche se esistono tre santi e martiri così denominati – dell'antico prenome latino *Tiberius* (noto per l'imperatore Tiberio Claudio Nerone successore di Augusto), derivato da *Tíberis*, nome del Tevere e del dio stesso del fiume (di probabile origine etrusca), con il valore di 'sacro, dedicato al dio Tiberino'.

Tibùrzio (100) M. Attestato in Piemonte, in Lombardia e nel Veneto, e a Roma, è l'esile riflesso del culto di alcuni santi tra cui San Tiburzio martire a Roma sotto Diocleziano, patrono di San Benigno Canavese TO: alla base è il soprannome etnico e poi nome latino *Tiburtius* derivato da *Tibur*, Tivoli, con il significato di 'abitante, oriundo di Tivoli'.

Tilde (7.500) F. VARIANTI: *Tilda* (700). - M. *Tildo* (50). Diffuso nel Centro-Nord, è la forma abbreviata di *Clotilde* e *Matilde*.

Tìlio (50) M. - F. *Tìlia* (50). Disperso nel Nord e in Toscana, è la forma abbreviata di *Attilio*, *Ottilio*, *Quartilio*, *Quintilio*, *Rutilio* e *Sestilio* e dei rispettivi femminili.

Tilla (300) F. - M. *Tillo* (10). Disperso tra Nord e Centro, è l'abbreviazione di *Domitilla* e *Quartilla*.

Timòteo (650) M. - F. *Timòtea* (100). Distribuito in tutta l'Italia, riflette il culto di numerosissimi santi tra cui San Timoteo discepolo di San Paolo, vescovo e martire di Efeso: il nome greco originario *Timótheos*, latinizzato in *Timotheus*, è composto da *timân* 'onorare' e *theós* 'dio', quindi 'che onora dio, gli dei'.

Tina (58.000) F. ALTERATI: *Tinùccia* (150). - M. *Tino* (4.800). ALTERATI: *Tinùccio* (20). Diffuso in tutta l'Italia, è la forma abbreviata di nomi o diminutivi e vezzeggiativi che terminano in *-tina* o *-tino*, come *Albertina*, *Assuntina*, *Bettina*, *Clementina*, *Giustina*, *Martina*, *Valentina*, ecc., e dei rispettivi maschili.

Tindaro (1.750) M. - F. *Tìndara* (1.500). Peculiare del Messinese, riflette probabilmente una devozione o un culto locale (anche se la Chiesa non riconosce né ricorda nessun santo o beato o nessuna devozione così denominati) connesso con Tindari, l'antica colonia greca sulla costa presso Patti ME (in greco *Tyndarís* e in latino *Týndaris*, di origine pregreca), e indirettamente con il mitologico re di Sparta Tindaro, padre di Elena di Troia (in greco *Tyndáreōs*, corradicale con *Tyndarís*, latinizzato in *Týndarus*).

Tisbe (600) F. Distribuito nel Centro-Nord, è una ripresa classica, letteraria e teatrale, anche moderna, del mito del tragico amore di Piramo e Tisbe (v. *Piramo*), in greco *Thísbē* latinizzato in *Thisbe*, nome di origine pregreca.

Tito (12.000) M. ALTERATI: *Titino* (150). DERIVATI: *Tìzio* (50). NOMI DOPPI: *Tito Lìvio* (250). - F. *Tita* (900). ALTERATI: *Titina* (1.600). Diffuso in tutta l'Italia, riflette fondamentalmente il culto di vari santi e in particolare di San Tito discepolo di San Paolo apostolo e vescovo di Creta, ma in parte è una ripresa classica (come dimostra il nome solo apparentemente doppio *Tito Livio*) promossa da grandi personaggi romani di questo nome, come appunto lo storiografo Tito Livio e l'imperatore Tito Flavio Vespasiano del I secolo: alla base è l'antico prenome latino *Titus* (con il gentilizio derivato *Titius*), un probabile prestito dal sabino di origine etrusca (è il prenome del leggendario re dei Sabini *Titus Tatius*, v. *Tazio*). In parte è tuttavia ripreso dal protagonista, l'imperatore Tito, di varie opere teatrali e liriche, tra cui «La clemenza di Tito» di P. Metastasio del 1734 e di W. A. Mozart del 1791 (v. *Berenice*); in casi isolati è un nome ideologico recente ripreso dallo pseudonimo *Tito* del capo della resistenza e poi presidente delle Repubbliche Iugoslave Iosip Broz.

Tiziàno (13.000) M. - F. *Tiziàna* (25.000). Diffuso in tutta l'Italia con maggiore compattezza nel Veneto, in Lombardia e Emilia-Romagna, continua o riprende il soprannome e poi nome latino d'età imperiale *Titianus*, derivato dal gentilizio *Titius* (e questo da *Titus*, v. *Tito*), sostenuto dal culto di San Tiziano vescovo di Oderzo, patrono di Oderzo, Ceneda e Vittorio Veneto TV, di San Tiziano vescovo di Brescia e San Tiziano vescovo di Lodi, del V secolo, e in parte dal prestigio del pittore veneto del Cinquecento Tiziano Vecellio.

Tobìa (2.700) M. VARIANTI: *Tobìas* (25). ALTERATI: *Tobiòlo* (20). Diffuso nel Sud continentale, e più in Campania, e disperso nel Centro-Nord (ma la forma tedesca *Tobias* è peculiare della provincia autonoma di Bolzano), riprende il nome ebraico *Thōbhiyāh* 'Iavè è buono' o 'Iavè è il mio bene' (da *thōbh* 'buono' e *Yāh* abbreviazione di *Yahweh* 'Iavè'), attraverso l'adattamento greco *Tōbía* e latino *Tobías*, di un profeta dell'Antico Testamento, considerato santo, anche se non ufficialmente, dalla Chiesa, e del figlio Tobiolo, e riflette in parte il culto di San Tobia martire a Sebaste in Armenia nel III secolo.

Tolmino (1.300) M. - F. *Tolmina* (500). Accentrato per ¹/₃ in Emilia-Romagna e per il resto disperso, è un nome ideologico ripreso durante la 1ª guerra mondiale dalla cittadina di Tolmino, ora nella Repubblica iugoslava di Slovenia, teatro di dure battaglie contro gli Austriaci che nell'ottobre del 1917 mossero da quella zona per sfondare le linee italiane sull'Isonzo.

Tolomèo (150) M. - F. *Tolomèa* (25). Accentrato nel Lazio per la metà e per il resto disperso, riflette il culto di San Tolomeo martire a Roma nel II secolo e di San Tolomeo, leggendario discepolo di San Pietro, vescovo e martire a Nepi VT, e patrono con San Romano di Nepi: il nome risale al greco *Ptolemâios*, derivato da una variante arcaica *ptólemos* di *pólemos* 'guerra', quindi 'guerriero', attraverso l'adattamento latino *Ptolomaeus*.

Tomèo (25) M. Rarissimo e disperso, è l'ipocoristico di *Tolomeo*, *Bartolomeo* o anche dell'antiquato *Tommaseo* (v. *Tommaso*).

Tommaso (67.000) M. VARIANTI: *Tomaso* (7.500), *Tomasso* (100). ALTERATI: *Tommasino* (550), *Tomasino* (150), *Tomassino* (200), *Tommassino* (20). ABBREVIATI: *Maso* (25), *Masino* (200), *Massino* (50). - F. *Tommasa* (3.500). VARIANTI: *Tomasa* (300). ALTERATI: *Tommasina* (6.000), *Tomasina* (1.600), *Tommassina* (1.100). ABBREVIATI: *Masina* (300). Diffuso in tutta l'Italia con più alta frequenza nel Lazio e nel Sud (soprattutto in Sardegna), riflette il culto di vari santi e beati, tra cui San Tommaso apostolo, il teologo del Duecento San Tommaso d'Aquino patrono di Priverno LT, e il beato Tommaso da Celano compagno e biografo di San Francesco. Alla base è il soprannome con cui nei Vangeli è denominato l'apostolo, in greco *Thomâs* e in latino *Thómas* (e poi, in età e con tradizione bizantina, *Thomásus*, da cui proviene la forma italiana), adattamento dell'aramaico *Tō'mā'*, propriamente 'gemello' (di un fratello non noto).

Torquato (3.000) M. - F. *Torquata* (50). Distribuito in tutta l'Italia con più alta frequenza in Toscana e nel Lazio, è un nome di matrice classica ripreso dal Rinascimento dal soprannome, *Torquatus*, del console e dittatore Tito Manlio del IV secolo a.C. (v. *Manlio*) che avrebbe sfidato a duello e ucciso un gigantesco guerriero dei Galli, togliendogli dal collo come trofeo una collana d'oro (in latino *torques* 'collana ritorta', e di qui il soprannome).

Tósca (17.000) F. - M. *Tósco* (250). Proprio della Toscana e in parte anche dell'Emilia-Romagna, è un nome di moda teatrale ripreso dalla protagonista della popolare opera lirica «Tosca» di G. Puccini del 1900, su libretto di G. Giacosa e L. Illica tratto dal dramma omonimo di V. Sardou del 1887: il nome, che poteva preesistere in quanto una Santa Tosca o Toscana del VII secolo è venerata a Verona (v. *Toscano*), riprende il tardo soprannome etnico e poi nome latino *Tuscus* e *Tusca* 'dell'Etruria, della Tuscia o Toscana; Etrusco'.

Toscano (300) M. ALTERATI: *Toscanèllo* (20). - F. *Toscana* (150). Proprio nel maschile della Toscana e nel femminile del Veronese, è formato dall'etnico *Toscano* o *Toscana* 'della Toscana' (con singolare motivazione, dato che è peculiare proprio della Toscana), che continua il latino *Tuscanus*, derivato di *Tuscus* o *Tusca* 'Etrusco, dell'Etruria o Tuscia'. Il femminile, tuttavia, riflette il culto locale di una Santa Toscana, o Tuscana o Tusca, di tradizione agiografica incerta, vedova di Verona del VII secolo, le cui reliquie sono conservate e venerate insieme a quelle di Santa Teuteria nella chiesa veronese dei Santissimi Apostoli.

Tosèlli (50) M. VARIANTI: *Tosèllo* (450). - F. *Tosèlla* (250). Proprio della Toscana, è un nome ideologico ripreso dal cognome del maggiore piemontese Pietro Toselli, caduto con tutti i suoi ascari resistendo eroicamente all'attacco di preponderanti forze abissine a Amba Alagi nel dicembre del 1895. Le forme

Tosello e *Tosella* possono in parte essere indipendenti, continuare ossia il nome già medievale *Toso* o *Tosa*, formato dalla voce regionale *toso* o *tosa* 'ragazzo, ragazza' (dal latino *tonsus* 'tosato', in quanto i ragazzi portavano i capelli corti), che è alla base del cognome *Toselli*.

Tranquillo (3.500) M. ALTERATI: *Tranquillino* (90). - F. *Tranquilla* (1.600). Accentrato per ²/₃ in Lombardia e nelle Venezie e per il resto disperso, continua il tardo soprannome latino *Tranquillus* o *Tranquilla* e *Tranquillinus*, formato da *tranquillus* 'tranquillo, quieto; sereno'.

Trebisónda (25) F. Rarissimo e disperso, è ripreso dalla città di Trebisonda della Turchia asiatica, contesa dal Medio Evo al Rinascimento, con dure e ripetute battaglie, da Bizantini e Arabi e poi Turchi.

Trènto (2.500) M (anche F). DERIVATI: *Trentino* (400). - F. *Trentina* (250). Accentrato per la metà in Toscana e nel Lazio e per il resto disperso, è un nome ideologico di matrice irredentistica e patriottica ripreso dalla città di Trento e dal Trentino che per tutto il Risorgimento, e fino alla conclusione della 1ᵃ guerra mondiale nel 1918, in quanto annessi all'Austria, sono stati uno degli obiettivi fondamentali dell'unità d'Italia e teatro di guerre e battaglie.

Trièste (4.000) M (anche F). DERIVATI: *Triestino* (650). - F. *Triestina* (3.000). NOMI DOPPI: *Trièste Itàlia* o *Triestitàlia* (25). Diffuso nel Centro-Nord e raro nel Sud, è un nome ideologico, patriottico e irredentistico, ripreso dal Risorgimento fino alla conclusione della 1ᵃ guerra mondiale, per la ricongiunzione di Trieste e della Venezia Giulia, annessi all'Impero austriaco, all'Italia, e in parte ancora dal 1945, quando Trieste fu occupata dalle truppe iugoslave e poi da quelle anglo-americane, fino al 1954, quando, con l'intesa di Londra, Trieste venne restituita all'Italia.

Trifóne (600) M. VARIANTI: *Trifònio* (25). - F. *Trifóna* (40). Accentrato in Puglia e più nel Barese per *Trifone* e per *Trifonio* nel Palermitano, riflette il culto di San Trifone martire in Frigia, patrono di Adelfia BA e Alessano LE: il nome grèco *Trýphōn*, latinizzato in *Tryphon*, deriva probabilmente da *try-*

phân con il significato di 'delicato, grazioso' o 'stravagante, licenzioso'.

Trinità (60) F (anche M). Disperso nel Nord, riflette la devozione cristiana per la Santissima Trinità di Dio.

Trìpoli (600) F (anche M). DERIVATI: *Tripolina* (400). - M. *Tripolino* (150). Accentrato in Toscana e disperso nell'Italia continentale, è un nome ideologico ripreso dalla città di Tripoli occupata dalle truppe italiane, nella guerra italoturca, il 5 ottobre 1911.

Tristano (1.150) M. - F. *Tristana* (100). Accentrato per ³/₄ in Emilia-Romagna e in Toscana e per il resto disperso, è un nome di matrice letteraria e teatrale ripreso dalla leggenda medievale del tragico amore di Tristano e Isotta, elaborata da poemi e romanzi del ciclo bretone e rielaborata poi da W. R. Wagner (v., per tutta la tradizione, *Isotta*): il nome, in francese antico *Tristan* o *Tristran*, è probabilmente ripreso da un antico nome scozzese, *Drustan* o *Drystan*, d'incerta interpretazione.

Trofimèna (400) F. Proprio del Salernitano, riflette il culto locale di Santa Tròfima o Trofimena martire, secondo una tradizione leggendaria, sotto Diocleziano, patrona di Minori SA: il nome è greco, *Trophímē* latinizzato in *Tróphima*, femminile di *tróphimos* (da *trophê'* 'nutrizione; l'essere allevato [in casa], mantenuto'), forse con il significato di 'allevata in casa; padrona di casa', o anche 'amante, mantenuta'.

Trovatóre (50) M. Proprio della Toscana, riflette il successo e la popolarità dell'opera lirica «Il trovatore» di G. Verdi (v. *Manrico*).

Tùccio (25) M. - F. *Tùccia* (25). Accentrato in Sicilia, è la forma abbreviata di vezzeggiativi in *-ùccio* come *Albertuccio*, *Robertuccio*, *Santuccio*, *Vituccio* e dei rispettivi femminili.

Tùllio (35.000) M. VARIANTI: *Tùlio* (200), *Tullo* (550). DERIVATI: *Tulliàno* (20). NOMI DOPPI: *Tùllio Ostìlio* (10). - F. *Tùllia* (9.000). DERIVATI: *Tulliàna* (25). Diffuso in tutta l'Italia, è la ripresa classica, rinascimentale e moderna, del gentilizio latino *Tullius* derivato dal prenome e soprannome *Tullus* di probabile origine etrusca, noti per i due re di Roma, rispettivamente il 3º e il 6º, *Tullus Hostilius* e *Servius Tullius* (v. *Ostilio* e *Servio*).

U

Ubaldo (20.000) M. VARIANTI: *Ubòldo* (20). ALTERATI: *Ubaldino* (200). -F. *Ubalda* (700). ALTERATI: *Ubaldina* (1.100). Diffuso nel Centro-Nord, con più alta frequenza in Toscana (ma proprio del Milanese per *Uboldo*), continua il nome germanico di tradizione alamannica o bavarese *Hugibald* o *Hubald* (ma, per *Uboldo*, francone, *Hucboldus* in latino medievale), sostenuto dal culto di Sant'Ubaldo vescovo di Gubbio nel XII secolo, patrono di Gubbio PG (dove il nome ha un'altissima frequenza relativa) e di Civitella del Tronto TE. Il nome germanico è composto di **hugu-* 'pensiero, senno' e **baltha-* 'ardito, audace', quindi 'ardito d'ingegno' o 'di ingegno ardito'.

Ubèrto (1.800) M. VARIANTI: *Obèrto* (300), *Ugobèrto* (25). ALTERATI: *Ubertino* (100). - F. *Ubèrta* (250). VARIANTI: *Obèrta* (40). ALTERATI: *Ubertina* (100). Distribuito dal Nord alla Campania, è un nome di origine germanica e di tradizione tedesca (o anche francone, attraverso il francese *Hubert*), *Huguberht*, composto di **hugu-* 'pensiero, senno' e **berhta-* 'illustre, famoso', quindi 'illustre per il suo senno', sostenuto dal culto di Sant'Uberto vescovo di Tongres in Brabante nell'VIII secolo e patrono dei cacciatori. *Oberto*, oltre che una variante, può continuare il longobardico *Audepertus*, il cui 1° componente è **audha-* 'potenza, ricchezza': alla sua diffusione può avere contribuito il personaggio dell'«Orlando furioso» di L. Ariosto Oberto re d'Irlanda, sposo di Olimpia.

Ugo (109.000) M. VARIANTI: *Ugóne* (25). ALTERATI: *Ughétto* (50), *Ugolino* (950), *Uguccióne* (25). - F. *Uga* (300). ALTERATI: *Ughétta* (1.200), *Ugolina* (2.200). Diffuso in tutta l'Italia nel tipo di base, accentrato per *Ugolino* in Piemonte e in Toscana e per il raro e antiquato *Ugoberto* tra Lombardia e Emilia-Romagna, è un nome germanico di tradizione francone e poi tedesca, *Hugo*, in latino medievale declinato *Hugo Hugónis* (di qui la variante *Ugone*), un ipocoristico abbreviato di composti con il 1° elemento **hugu-* 'pensiero, senno' (v. *Ubaldo* e *Uberto*): all'affermazione ha contribuito il culto di vari santi e beati così denominati e il prestigio di sovrani di vari stati del Medio Evo (tra cui Ugo di Provenza re d'Italia).

Ulderico (6.100) M. VARIANTI: *Ulderigo* (700), *Uldarico* (25), *Udalrico* (50), *Udalrigo* (20), *Olderico* (100), *Olderigo* (100), *Olderigi* (35); *Ulrico* (650). ABBREVIATI: *Dorligo* (15); *Dorico* (50), *Dorigo* (50). - F. *Ulderica* (700). VARIANTI: *Ulderiga* (40); *Ulrica* (300). Distribuito in tutta l'Italia continentale con maggiore compattezza nel Nord (*Ulderigo* o *Olderigo* è proprio della Toscana, *Dorico* o *Dorigo* dell'Emilia-Romagna e delle Marche), è un nome germanico di tradizione tedesca, in latino medievale *Odalrichus*, composto di **audha-* 'ricchezza, potere' e **rikja-* 'potente; signore, padrone', sostenuto dal culto di Sant'Udalrico o Ulrico vescovo di Augusta nel X secolo, patrono di San Dorligo della Valle TS e di Ortisei BZ (nella provincia di Bolzano sono diffuse anche le forme tedesche *Ulrich* 200 e *Ulrike* 400).

Uliàno (550) M. VARIANTI: *Oliàno* (200). - F. *Uliàna* (1.800). VARIANTI: *O-liàna* (600). Accentrato in Emilia-Romagna e Toscana, sporadico nel Centro-Nord, è un recente nome ideologico socialista e comunista ripreso dal cognome del fondatore e capo del comunismo sovietico Vladimir Il'ič Ul'janov (v. *Lenin*). In parte possono però anche rappresentare alterazioni o abbreviazioni di nomi vari.

Ulisse (5.000) M. - F. *Ulissa* (25). Diffuso dal Nord alla Campania, raro nel resto del Sud, è una ripresa classica, rinascimentale e moderna, del nome dell'eroe dell'«Odissea» (e di opere classiche e moderne, queste anche teatrali e musicali, cinematografiche e televisive) Ulisse, in latino *Ulixes*, adattamento del greco *Odysséus*, v. *Odisseo*.

Ùltimo (1.500) M. VARIANTI: *Ultìmio* (250). ALTERATI: *Ultimino* (150). - F. *Ùltima* (400). ALTERATI: *Ultimina* (400). Accentrato in Lombardia, Emilia-Romagna e Toscana, è un nome formato da *ultimo* per esprimere il proposito e il desiderio di non avere altri figli (v. *Fine* e *Termine*).

Umbèrto (175.000) M. ALTERATI: *Umbertino* (200). - F. *Umbèrta* (3.200). ALTERATI: *Umbertina* (3.000). Diffuso in tutta l'Italia, con più alta frequenza nel Nord, è un nome germanico di tradizione già longobardica ma soprattutto francone e tedesca, documentato dall'VIII secolo nella forma latinizzata *Humbertus* e *Umbertus*, formato da un 1° componente incerto (forse **Hun-* 'Unno, Unni' o **hunna-* 'orsacchiotto, orso giovane') e **berhta-* 'illustre, famoso'. L'affermazione è stata promossa dalla tradizionalità di questo nome nella casa Savoia (dal conte Umberto I Biancamano dell'XI secolo) e, dall'ultimo Ottocento, per manifestare devozione ai re d'Italia Umberto I (dal 1878 al 1900) e II (dal 9 maggio al 13 giugno 1946).

Umbro (600) M. VARIANTI: *Ùmbrio* (20). - F. *Umbra* (250). VARIANTI: *Ùmbria* (50). Proprio dell'Umbria, e disperso nel Centro-Nord, riflette la singolare volontà di manifestare l'appartenenza all'Umbria, come regione di nascita e di origine.

Ùmile (500) M (anche F). DERIVATI: *Umiliàno* (50). - F. *Umiliàna* (300), *Umiltà* (70). Proprio per Umile del Cosentino, dove riflette il culto locale del beato Umile Pirozzo da Bisignano CS, morto nel 1637, e per le altre forme della Toscana, dove riflette il culto di Santa Umiltà, badessa vallombrosana morta a Firenze nel 1310, e la devozione per la Madonna dell'Umiltà, è un nome ripreso da *umile* e *umiltà*, in latino *humilis* e *humílitas humilitátis*, come professione di umiltà cristiana.

Ùnico (200) M. - F. *Ùnica* (100). Accentrato in Toscana, esprime il proposito che il figlio così denominato sia l'"unico' (analogo a *Fine*, *Termine*, *Ultimo*), o, in casi isolati, l'augurio che sia «unico» nel senso di avere doti e qualità eccezionali.

Urània (700) F. - M. *Urànio* (50). VARIANTI: *Urano* (300), *Orano* (300). Accentrato per più della metà tra l'Emilia-Romagna e la Toscana e per il resto disperso, è una ripresa classica del nome della musa dell'astrologia *Uranía* in greco, latinizzato in *Uránia* (che è anche epiteto di Afrodite), derivato da *Uranós*, latinizzato in *Uránus*, di etimo incerto, probabilmente pregreco, il dio del cielo, della pioggia e della fecondazione (da cui è ripreso il maschile *Urano* con la forma alterata *Orano*).

Urbano (5.000) M. - F. *Urbana* (300). Distribuito nel Centro-Nord con più alta compattezza in Emilia-Romagna e Toscana, riflette il culto di vari santi e in particolare di Sant'Urbano I papa e martire a Roma nel 230: continua il tardo soprannome etnico e poi nome personale latino *Urbanus*, formato da *urbanus* derivato di *urbs* 'città', quindi 'della città, cittadino', e in senso figurato 'di modi urbani, educato', ma potrebbe anche rappresentare un'alterazione e un incrocio con il gentilizio repubblicano *Urbanius*, di etimo ignoto, non latino.

Ùria (200) F. - M. *Urio* (200). Distribuito nel Centro-Nord e più compatto in Emilia-Romagna e in Toscana, è probabilmente un'alterazione di *Oria* e *Orio*.

Uriàna (200) F. - M. *Uriàno* (100). Accentrato per ³/₅ in Toscana e in Emilia-Romagna e per il resto disperso, è un'alterazione di *Oriana* e *Oriano*.

V

Valchìria (600) F. VARIANTI: *Valkìria* (75); *Walchìria* (200), *Walkìria* (200). -M. *Valchìrio* (50). VARIANTI: *Walchìrio* (10). Distribuito nel Centro-Nord, con maggiore compattezza in Emilia-Romagna, Toscana e Lazio, è ripreso dal titolo del dramma musicale di W. R. Wagner «La Valchiria», il 2° della tetralogia «L'anello del Nibelungo», rappresentato per la 1ª volta a Monaco nel 1870 (v. *Sigfrido*): il tedesco *Walküre* risale all'antico nordico *Valkyrja*, propriamente 'che sceglie i caduti in battaglia', che denominava gli esseri femminili di natura divina o soprannaturale che sceglievano gli eroi che dovevano cadere in battaglia per accompagnarli dal dio Odino nel Walhalla.

Valdemaro (750) M. VARIANTI: *Waldemaro* (100), *Valdimaro* (50), *Valdemàr* (50). - F. *Valdemara* (150). VARIANTI: *Waldemara* (50). Distribuito nel Centro-Nord con più alta compattezza in Toscana, è un nome germanico di tradizione soprattutto tedesca (*Waldemar*: 150, accentrato nell'Alto Adige), sostenuto dal prestigio di quatto re di Danimarca del tardo Medio Evo, composto di **walda-* 'potente, che comanda' e **maru-* 'illustre, famoso', quindi 'illustre per il suo potere, come capo' (v. *Valdo* e *Vladimiro*).

Valdo (1.600) M. VARIANTI: *Waldo* (150), *Gualdo* (25). ALTERATI: *Valdino* (150), *Waldino* (20). - F. *Valda* (1.800). VARIANTI: *Walda* (500). ALTERATI: *Valdina* (150). Accentrato per più della metà in Toscana e in Emilia-Romagna e disperso nel Centro-Nord, è l'ipocoristico già tedesco, *Waldo*, di nomi germanici composti con l'elemento **walda-* 'potere' e in particolare di *Waldemar* (v. *Valdemaro*), anche se in alcuni casi può essere la forma abbreviata di *Ivaldo* e *Ivalda* (v. *Ivo*). Nel Torinese, e soprattutto nelle Valli Valdesi, ha però matrice religiosa: all'interno della comunità valdese è ripreso dal nome del mercante lionese Valdo (dalla latinizzazione *Valdus* del francese *Vaude* o *de Vaux*) che nel 1176 fondò il movimento evangelico da lui detto «valdese» che a partire dal Duecento si affermò nelle valli Pèllice, Angrogna e Germanasca del Piemonte nord-occidentale. Il femminile *Valda* o *Walda* si è anche affermato recentemente per moda eufonica o esotica.

Valènte (900) M. VARIANTI: *Valènto* (20). ALTERATI: *Valentino* (32.000), *Valentin* (200). DERIVATI: *Valènzio* (25), *Valènzo* (20), *Valenzano* (25); *Valentiniàno* (25). - F. *Valènta* (35). ALTERATI: *Valentina* (26.000). DERIVATI: *Valènzia* (40). Distribuito in tutta l'Italia presenta, pur avendo un comune etimo onomastico latino, processi di formazione e di motivazione diversi nelle varie forme. Il tipo base *Valente* riflette il culto di vari santi, e in particolare di San Valente vescovo e confessore di Verona. *Valentino*, pur se sostenuto già dal Medio Evo dal culto di vari santi, tra cui San Valentino martire a Roma sotto Claudio e San Valentino vescovo e martire di Terni (da identificare forse col precedente), si è però affermato solo negli anni '20 per il celebre attore del cinema muto Rodolfo Valentino (nome d'arte di Rodolfo Guglielmi, nato a Castellaneta BA nel 1895 e morto a New York nel 1926). *Valentina* si è riaffermato per la protagonista di una diffusissima serie di fumetti iniziata nel 1965 (poi sfruttata anche dalla pubblicità), Valentina, una bella, spregiudicata e estroversa fotografa. Il soprannome latino *Valens Valentis*, con il nome personale *Valentinus* e il gentilizio *Valentius* e *Valentianus* dell'ultima età repubblicana, deriva probabilmente da un prenome *Valius* o *Vala* di origine etrusca, ma è sempre stato sentito come un nome augurale formato da *valens valentis*, participio presente di *valére* 'stare bene di salute; essere sano', con il significato quindi di 'che sta, che stia bene; che è, che sia sano e forte'.

Valèrio (29.000) M. VARIANTI: *Valièro* (50). ALTERATI: *Valerino* (25). DERIVATI: *Valeriàno* (5.000). - F. *Valèria* (50.000). ALTERATI: *Valerina* (75). DERIVATI: *Valeriàna* (1.400). Diffuso in tutta l'Italia ma più frequente nel Nord e in Toscana e raro nel Sud, continua, sostenuto dal culto di numerosi santi e sante, e in parte dal prestigio classico di personaggi della storia romana, così denominati, il gentilizio e soprannome, e poi nome individuale, latino *Valerius* e *Valerianus*, derivati da *valére* 'stare bene in salute, essere sano' (v. *Valente*).

Vallevérde (75) F. ALTERATI: *Valleverdina* (150). Proprio del Foggiano, riflette il culto locale di Maria Santissima di Valverde o Valleverde (da Valverde CT, dove sorge un celebre Santuario dedicato alla Madonna che è patrona di questo piccolo centro e di Bovino FG).

Vanéssa (250) F. Disperso nel Centro-Nord, è un recente nome di moda ripreso dall'attrice cinematografica inglese, molto popolare dagli anni '70, Vanessa Redgrave, e anche dalla protagonista di diffusi fotoromanzi: il nome inglese *Vanessa* è stato inventato dallo scrittore J. Swift, autore di «I viaggi di Gulliver», per la protagonista del poemetto autobiografico del 1712 «*Cadenus and Vanessa*», la sua amante Ester Vanhormigh (di cui *Vanessa* è l'approssimativo anagramma).

Vània (600) M. VARIANTI: *Vànja* (30), *Wània* (30), *Vànnia* (70); *Vànio* (300).

Distribuito nel Centro-Nord e più compatto in Toscana, è ripreso dal nome russo del protagonista del dramma di A. P. Čechov, rappresentato per la 1ª volta in Russia nel 1899, «Lo zio Vanja» (zio di Sonja: *Vanja* è in russo l'ipocoristico di *Ivan*) che ha avuto grande successo anche in Italia. Alcune forme, soprattutto *Vannia* e *Vanio*, possono anche appartenere al gruppo di *Vanni*; tutte quelle che terminano in *-a* sono spesso usate, qualsiasi sia l'origine, come nomi femminili.

Vanni (3.500) M. VARIANTI: *Vanny* (25), *Wanni* (25), *Vànnio* (50), *Vanno* (50), *Vani* (25). ALTERATI: *Vannétto* (50), *Vannino* (300) e *Vanino* (25), *Vannùccio* (250). - F. *Vanna* (16.000). VARIANTI: *Wanna* (600), *Vana* (100). ALTERATI: *Vannèlla* (35) e *Vanèlla* (50), *Vannétta* (35) e *Vanétta* (100), *Vannina* (500) e *Vanina* (100). Diffuso nel Nord e nel Centro con più alta compattezza in Lombardia, Emilia-Romagna e Toscana, è una delle forme abbreviate di *Giovanni* e *Giovanna* (v. *Gianni*, *Ianni* e *Zani*).

Varna (400) F. - M. *Varno* (150). Proprio della Toscana e sporadico nel Nord, pare una ripresa risorgimentale del nome della città e del porto di Varna sul Mar Nero, in quanto base di operazioni nella guerra di Crimea del 1853-54 delle forze alleate (Francia, Inghilterra e dal 1854 Regno di Sardegna) contro la Russia.

Varo (1.100) M. VARIANTI: *Vàrio* (100). ALTERATI: *Varétto* (20), *Varino* (25). - F. *Vara* (100). VARIANTI: *Vària* (100). ALTERATI: *Varina* (75). Proprio della Toscana e sporadico nel Nord, presenta diverse e complesse possibilità di interpretazione: può continuare o riprendere il soprannome latino *Varus* (da *varus* 'dalle gambe storte, affetto da valgismo', di etimo ignoto) o il gentilizio *Varius* (da *varius* 'dalla pelle maculata, piena di efelidi', di etimo anch'esso ignoto); *Varo* e *Vara* possono essere la forma abbreviata di *Alvaro* e *Alvara*, e *Varino* e *Varina* anche una variante di *Guarino* e *Guarina*.

Vasco (16.000) M. Accentrato per ³/₅ in Toscana e per il resto disperso, riflette probabilmente un soprannome formato dalla voce antiquata, regionale o gergale, *vasco* (forse di tramite almeno in parte spagnolo), variante di *basco*, con il valore sia etnico di 'Guascone; abitante, oriundo della Guascogna', sia figurato di 'tipo strano e bizzarro; spaccone'.

Vassili (50) M. VARIANTI: *Vassilli* (50), *Wassili* (20). - F. *Vassila* (25). Proprio della Toscana e anche del Friuli-Venezia Giulia, è l'adattamento del nome russo *Vasilij* (e più ampiamente, in varie forme come *Vasilj*, slavo), corrispondente all'italiano *Basilio*, affermatosi in Toscana per recenti modelli letterari o teatrali, e in Friuli-Venezia Giulia per influsso diretto sloveno o croato.

Vèlia (22.000) F. ALTERATI: *Velina* (600). - M. *Vèlio* (1.800). ALTERATI: *Velino* (150). Diffuso in tutta l'Italia, ma più compatto nel Lazio e in Toscana e più raro nel Sud, non consente, in mancanza di una tradizione sicura, un'interpretazione fondata: può continuare o riprendere il tardo e raro nome latino *Velius* o *Velia* di etimo incerto; può essere la forma abbreviata (per agglutinazione della *A*- iniziale con l'articolo determinativo) di *Avelia* o *Evelia* (*l'Avelia* > *la Velia*), v. *Evelina*; può avere avuto un'ulteriore diffusione, soprattutto in Toscana, per il romanzo «La Velia» di B. Cicognani del 1923 (la cui protagonista, Velia, è una popolana di Firenze).

Vellèda o *Vèlleda* (1.600) F. VARIANTI: *Wellèda* (300), *Velèda* (400), *Vèlide* (150). - M. *Vellèdo* (30). Accentrato in Toscana e anche in Emilia-Romagna e disperso nel Centro-Nord, è un nome ideologico, rivoluzionario e libertario, ripreso dalla profetessa germanica che animò, nel I secolo, la rivolta dei Batavi comandati da Giulio Civile contro i Romani (secondo il «De Germania» di Tacito, in cui il nome germanico di oscura etimologia è latinizzato in *Vèleda*), ma insorto e affermatosi solo con Fr.-A.-R. de Chateaubriand che fece di questa profetessa (in francese *Velléda*) un'eroina cristiana del suo poema in prosa «Les Martyrs» (in italiano «I Martiri») del 1809.

Venànzio (4.700) M. VARIANTI: *Venanzo* (650), *Venàzio* (30). - F. *Venànzia* (400). VARIANTI: *Venanza* (300). ALTERATI: *Venanzina* (200). Diffuso in tutta l'Italia con più alta compattezza nel Centro e in Abruzzo, riflette il culto di vari santi, e in particolare di San Venanzio, fanciullo di 15 anni martire con 10 altri compagni a Camerino MC intorno al 251, patrono di Camerino, di San Venanzo TR e Lagosanto FE, ma in parte pur minima è anche un nome ideologico risorgimentale ripreso dal cognome del patriota bergamasco Alessandro Venanzio, volontario garibaldino anche in Polonia nel 1863 e in Francia nel 1870. Alla base è il tardo soprannome e poi nome personale latino *Venantius*, derivato dal participio presente *venans venantis* di *venari* 'andare a caccia', con lo strano significato di 'cacciatore'.

Venceslào (600) M. VARIANTI: *Vinceslào* (50), *Vincislào* (50). - F. *Venceslava* (100). Accentrato per ¹/₃ tra Veneto e Friuli-Venezia Giulia e per il resto disperso, riflette il culto, proprio dei paesi slavi e in particolare della Cecoslovacchia, di San Venceslao duca di Boemia nel X secolo (e considerato martire), in ceco antico *Venceslav* e moderno *Veclav* [pronunzia: *vèslaf*], composto con lo slavo **vetie-* 'più grande' e **slava* 'gloria', quindi 'che ha più grande gloria'. Il nome è comune in forme diverse in tutti i paesi slavi, e nell'area friulana e giuliana è proprio della minoranza di lingua slovena.

Vènera (10.000) F. ALTERATI: *Venerina* (2.500). - M. *Vènero* (300). Accentrato in Sicilia, soprattutto nel Catanese, e sporadico nel Centro-Nord (per recente immigrazione interna), riflette il culto locale di Santa Venera (o Veneranda: v. *Veneranda*) martire, secondo una tradizione leggendaria, in Sicilia, patrona di Acireale e Santa Venerina CT, di Avola SR, di Grotte AG, e di molte frazioni denominate appunto Santa Venera (CT, ME, TP), dove il nome ha un'altissima frequenza relativa (insieme al nome doppio *Marìa Vènera* 130). *Venera* risale alla denominazione cristiana della solennità del Venerdì Santo *Sancta Venera*, derivata dal nome pagano *Veneris dies* 'giorno di Venere' (da *Venus Veneris*, la dea Venere, v. *Venere*) del venerdì: è quindi un'antica personificazione agiografica del giorno della morte di Gesù Cristo.

Veneranda (3.500) F. - M. *Venerando* (1.200). Diffuso in tutta l'Italia nel femminile, ma nel maschile proprio della Sicilia orientale, pur risalendo a un unico etimo onomastico latino, il tardo nome cristiano *Venerandus* e *Veneranda* (dal gerundivo *venerandus* di *venerari*, 'da venerare, degno di venerazione'), ha due tradizioni diverse. Il femminile continua in tutta l'Italia il valore generico già latino, di augurio o manifestazione di rispetto e di profonda devozione, sostenuto dall'epiteto *Virgo veneranda* della Madonna (presente anche nelle litanie), e forse anche dal raro culto di Santa Veneranda martire in Gallia sotto Antonino, e solo in parte si identifica, in Sicilia, con Santa Venera, chiamata appunto in alcune fonti anche Santa Veneranda (v. *Venera*). *Venerando* invece, accentrato in Sicilia e soprattutto nel Catanese e nel Siracusano, è qui assunto come corrispondente maschile di *Venera*, in concorrenza con la rara forma *Venero* (v. ancora *Venera*).

Vènere (1.900) F. VARIANTI: *Vènus* (250), *Venèria* (40). - M. *Venèrio* (600). VARIANTI: *Venièro* (850). ALTERATI: *Venerino* (950). Distribuito nel Centro-Nord, con maggiore compattezza in Emilia-Romagna, e nella Sicilia per *Venere* e *Venerino*, è in parte una ripresa classica, anche con valore augurale, del nome dell'antica dea italica e romana della bellezza, dell'amore e della fecondità, in latino *Venus Vèneris*, e in parte, per *Venerio* o *Veniero* e l'alterato *Venerino*, riflette il culto di San Venerio vescovo di Milano nel V secolo (e qui rientra parzialmente, nel Nord, anche *Venerina* registrato sotto *Venera*). In Sicilia, tuttavia, *Venere* e *Venerino* sono una variante e il vezzeggiativo maschile di *Venera*.

Vèneto (100) M. - F. *Vèneta* (75). Accentrato per ⅓ in Toscana e per il resto disperso nel Centro-Nord, è un nome ideologico, di matrice irredentistica e patriottica, ripreso dal Veneto, come regione rivendicata all'Italia e teatro di operazioni militari nelle guerre d'indipendenza e nella 1ª guerra mondiale.

Venèzia (700) F. - M. *Venèzio* (25). DERIVATI: *Veneziàno* (50). Disperso nel Centro-Nord, con maggiore compattezza in Toscana, e in Abruzzo, è un nome ideologico risorgimentale, irredentistico e patriottico, ripreso dalla città di Venezia per le aspirazioni e le lotte per il suo ricongiungimento all'Italia, e soprattutto per la rivoluzione, la liberazione dall'Austria, la proclamazione della Re-pubblica e la sua eroica difesa del 1849.

Venturino (1.100) M. - F. *Venturina* (1.000). Distribuito in tutta l'Italia con più alta frequenza in Toscana, rappresenta in parte il diminutivo di *Ventura*, forma abbreviata di *Bonaventura*, ma in parte è un nome augurale autonomo, derivato da *ventura* nel senso di 'buona fortuna', dato anche a trovatelli, a bambini abbandonati dai genitori.

Venusto (300) M. - F. *Venusta* (1.300). Accentrato per ¾ in Emilia-Romagna e nel Pesarese e per il resto disperso nel Centro-Nord, riflette in parte il culto di numerosi santi e sante così denominati, ma fondamentalmente è un nome affettivo d'impronta classica dato per augurare, soprattutto a una figlia, bellezza, grazia e leggiadria. Alla base è comune il latino *venustus* 'bello, leggiadro; che ispira amore', derivato di *venus veneris* 'amore' (v. *Venere*), già presente come soprannome e poi nome personale, *Venustus* e *Venusta*, nell'onomastica latina della tarda età imperiale.

Vèo (30) M. - F. *Vèa* (75). Proprio della Toscana e dell'Emilia-Romagna, è la forma abbreviata di *Clodoveo* e *Clodovea*.

Vèra o *Véra* (40.000) F. VARIANTI: *Wèra* (300). ALTERATI: *Verina* (700). - M. *Vèro* o *Véro* (1.000). VARIANTI: *Wèro* (5); *Vèrio* (150). ALTERATI: *Verino* (450). DERIVATI: *Verissimo* (25). Diffuso per *Vera* e *Vero* in tutta l'Italia con più alta compattezza nel Centro, più frequente per *Verino* in Abruzzo e per *Verina* e il singolare superlativo *Verissimo* in Emilia-Romagna, presenta due diversi processi di formazione e motivazione. *Véro* e *Véra* continuano il tardo soprannome e poi nome personale latino *Verus* e *Vera*, da *verus* 'vero', cioè 'che è vero, che dice il vero', sostenuti dal culto di alcuni santi e sante, tra cui San Vero vescovo di Salerno nel V o VI secolo. *Vèra*, con la rara trasposizione al maschile *Vèro*, è invece un recente nome di moda esotica e letteraria, ripreso dall'ultimo Ottocento dal russo *Vera* (da *vera* 'fede', affermatosi con il culto orientale di Santa Vera, ossia Santa Fede, leggendaria martire con la madre Sofia e le sorelle Speranza e Carità, v. *Sofia*), soprattutto per le protagoniste dei romanzi «Un eroe del nostro tempo» di M. J. Lermontov del 1840 e

«Il burrone» di I. A. Gončarov del 1869.

Verbèna (600) F. Disperso nel Centro-Nord, è uno dei numerosi nomi augurali femminili ripresi da piante e fiori per la bellezza e il profumo (come *Dalia, Pervinca, Rosa, Viola,* ecc.), in questo caso la 'verbena'.

Verdiàna (1.500) F. VARIANTI: *Veridiàna* (100). - M. *Verdiàno* (150). VARIANTI: *Veridiàno* (25). Proprio della Toscana e dell'Emilia-Romagna, riflette il culto locale di Santa Verdiana (o Veridiana, Viridiana) di Castel Fiorentino, suora di clausura vallombrosana del Duecento, patrona di Castel Fiorentino FI: il nome risale al tardo e raro soprannome augurale latino *Viridiana,* derivato da *víridis* 'verde' e in senso figurato 'fresco, giovanile, rigoglioso'.

Verdun (35) M (anche F). È un nome ideologico, disperso, ripreso dalla città francese di Verdun [pronunzia: *verdö'*] in Lorena, teatro di aspre battaglie nella guerra contro la Prussia del 1870 e nella 1ª guerra mondiale.

Verèna (1.100) F. - M. *Verèno* (20). Proprio della Toscana, e sporadico nel Centro-Nord, riflette il culto di Santa Verena vergine di Costanza in Germania del IV secolo, diffuso in Italia dalla Svevia e dalla Svizzera: il nome, attestato nel tardo latino ecclesiastico solo per questa santa, non consente alcuna ipotesi etimologica fondata.

Verònica (6.500) F. - M. *Verònico* (20). Distribuito in tutta l'Italia ma più frequente nel Nord (dove è presente anche nella forma tedeschizzata *Veronika* 400 nella provincia autonoma di Bolzano di lingua maggioritaria tedesca) e soprattutto in Lombardia, è un nome cristiano affermatosi prima con la leggenda, tramandata da fonti apocrife, della donna di Palestina, Veronica, che avrebbe deterso il viso rigato di sangue di Gesù, mentre veniva portato al Calvario, con un panno su cui sarebbe rimasta impressa la sua immagine, e quindi con il culto per Santa Veronica di Binasco MI, suora agostiniana morta nel 1479, e di Santa Veronica, badessa del convento delle Cappuccine di Città di Castello PG, qui morta nel 1727. Il nome latino *Veronica* è un adattamento del greco *Beníkē,* v. *Berenice.*

Vespasiàno (300) M. - F. *Vespasiàna* (25). Accentrato per la metà nel Lazio e per il resto disperso, è una ripresa classica – sopravvissuta nonostante l'ingrato significato che *vespasiano* ha assunto come nome comune – del 3° nome dell'imperatore romano dal 69 al 79, Tito Flavio Vespasiano. Il soprannome latino *Vespasianus* è derivato dal gentilizio *Vespasius* (il nonno materno si chiamava appunto *Vespasius* e la madre *Vespasia Polla*), di origine sabina (come quella dell'imperatore e della sua famiglia; il padre si chiamava *Flavius Sabinus*) e di incerto significato, forse di lontana origine etrusca.

Vetùria (500) F. VARIANTI: *Vetùlia* (400), *Vitùlia* (70). - M. *Vetùrio* (50). VARIANTI: *Vetùlio* (100). Accentrato a Roma e nel Lazio, e nelle forme in *-l-* anche in Campania, è un gruppo giustificato dalla coerenza della distribuzione. Può esistere ossia un'unica base latina, l'antico gentilizio *Veturius,* tradizionalmente ricondotto a *vetus véteris* 'vecchio', di origine probabilmente sabina, sostenuto dal culto di San Veturio, uno dei 12 martiri scillitani (di *Scillium* in Numidia) decapitato a Cartagine nel 180: in questo caso le forme in *-l-* sarebbero una variante regionale. Ma il tipo *Vetulia* potrebbe anche essere autonomo, anche se non ha precedenti onomastici latini, salvo un tardo soprannome *Vétulo Vetulónis* che può derivare da *vétulus,* diminutivo di *vetus,* 'piuttosto vecchio', o da un nome etrusco collegabile con quella della città di Vetulonia, in etrusco *Vetluna* o *Vetalu.*

Vèzio (1.600) M. - F. *Vèzia* (300). Accentrato per quasi la metà in Toscana e per il resto disperso, può continuare il tardo nome latino *Vettius* o *Vectius* (forse da *véhere* 'trasportare'), sostenuto in parte dal pur raro culto di San Vezio martire a Lione sotto M. A. Antonino e L. Vero, ma in parte è la forma abbreviata di *Elvezio* e *Elvezia.*

Vezzósa (50) F. - M. *Vezzóso* (10). Raro e disperso, è un nome augurale, soprattutto femminile, formato da 'vezzosa'.

Vicìnio (25) M. VARIANTI: *Vicino* (15). Proprio della Romagna, riflette il culto locale di San Vicinio vescovo del IV o V secolo e patrono di Sàrsina FO, in latino ecclesiastico *Vicinius*, forse da *vicinus* 'vicino' (anche nel senso figurato di affinità di sentimenti).

Vico (800) M. - F. *Vica* (25). Accentrato in Emilia-Romagna e Toscana, è la forma abbreviata di *Lodovico* e *Lodovica*, anche se in parte può essere ripreso, come nome ideologico, dal cognome del filosofo napoletano G. B. Vico (1668-1744), fondatore del moderno storicismo.

Viènna (2.700) F. Accentrato per quasi ¹/₃ in Toscana e per il resto disperso, è probabilmente un nome ideologico risorgimentale ripreso da Vienna, capitale dell'Impero austriaco, per la rivoluzione viennese del marzo-aprile 1848 che promosse i moti insurrezionali anche in Italia, e per la pace di Vienna del 1866 con cui l'Austria cedeva il Veneto e riconosceva il Regno d'Italia.

Vigìlio (1.500) M. - F. *Vigìlia* (150). Accentrato in Lombardia e nel Trentino-Alto Adige, riflette il culto di San Vigilio vescovo di Brescia e San Vigilio vescovo di Trento e martire (e patrono di Trento e di San Vigilio di Marebbe BZ), tutti e due del IV-V secolo: alla base è il soprannome e poi nome latino *Vigilius*, tradizionalmente interpretato come un derivato di *vigil* e *vigilare*, 'sveglio, vigile' e 'vegliare, vigilare' (nel senso soprattutto cristiano di vegliare, vigilare per la propria salvezza spirituale), pur se può risalire anche a un lontano nome etrusco di ignoto significato.

Vilfrédo (250) M. VARIANTI: *Wilfrédo* (150); *Vilfrido* (150), *Wilfrido* (100). - F. *Vilfréda* (25). VARIANTI: *Vilfrida* (25), *Wilfrida* (40). Distribuito nel Centro-Nord, è un nome germanico composto con *wilja-* 'volontà' e *frithu-* 'pace', con un significato unitario che, se pur esiste, può essere stato 'che assicura la pace per sua volontà'. Pur se documentato in Italia dall'VIII secolo nella forma in latino medievale *Wilfredus*, pare un prestito abbastanza recente, anche per via colta e letteraria, o dal tedesco *Wilfried* (comune a 150 residenti dell'Alto Adige) o più ancora dall'inglese *Wilfred* o *Wilfrid*, sostenuto questo dal culto di San Vilfrido vescovo di York nel VII secolo.

Vincènzo (519.000) M. VARIANTI: *Vicènzo* (50). ALTERATI: *Vincenzino*

(1.150), *Vicenzino* (250). ABBREVIATI e IPOCORISTICI: *Cènzo* (100) e *Cenzino* (100), *Cènso* (25) e *Censino* (25); *Vènzo* (50). - F. *Vincènza* (135.000). VARIANTI: *Vicènza* (150). ALTERATI: *Vincenzèlla* (100); *Vincenzina* (22.000), *Vicenzina* (250). ABBREVIATI e IPOCORISTICI: *Cènza* (200) e *Cenzèlla* (25), *Cenzina* (600), *Censina* (100); *Vinca* (100). NOMI DOPPI: *Vincènza Marìa* (300). È uno dei nomi che hanno una più alta frequenza e ampia diffusione in Italia – *Vincenzo* è l'8° per rango nazionale tra i maschili, e *Vincenza* il 41° tra i femminili –, anche se accentuato per quasi ²/₃ nel Sud peninsulare e nelle isole. Continua il tardo soprannome e poi nome personale latino *Vincentius*, derivato in *-ius* dal participio presente *vincens vincentis* di *vincere*, con il valore augurale di 'che vince, destinato a vincere', soprattutto nel senso cristiano di vincere il male, il peccato, ecc., per la salvezza eterna. La grande affermazione è dovuta al culto di numerosissimi santi e anche sante, e in particolare di San Vincenzo diacono di Saragozza, protomartire di Spagna nel 304; San Vincenzo Ferrer di Valencia e predicatore in Francia e in Italia, morto nel 1419; San Vincenzo de' Paoli, francese, fondatore delle congregazioni dei Lazzaristi e delle Figlie della Carità, morto nel 1660; San Vincenzo Maria Strambi, vescovo di Macerata e Tolentino, morto a Roma nel 1824; Santa Vincenza Gerosa di Lovere BG, fondatrice dell'Istituto delle Suore della Carità o di Maria Bambina.

Vinìcio (14.000) M. VARIANTI: *Venìcio* (150). - F. *Vinìcia* (700). VARIANTI: *Venìcia* (40). Diffuso in tutta l'Italia, ma più compatto nel Centro e più raro nel Sud, è insorto e si è affermato, pur non potendosi escludere qualche ripresa classica rinascimentale, solo nel primo Novecento, con il protagonista del popolare romanzo del 1894-96 di H. Sienkiewicz «*Quo vadis?*» tradotto in italiano nel 1899 (e con i successivi adattamenti anche cinematografici e televisivi), Vinicio, il giovane innamorato di Licia (v. *Licia*): il nome è ripreso dal tardo gentilizio latino *Vinicius*, forse derivato da *vinum* 'vino'.

Viòla (4.500) F. ALTERATI: *Violétta* (6.000). - M. *Viòlo* (5). ALTERATI: *Violét-*

to (25). Distribuito in tutta l'Italia, ma accentrato per *Violetta* in Emilia-Romagna e in Toscana, è uno dei tanti nomi augurali femminili ripresi da piante e fiori per la bellezza e il profumo (come *Dalia, Pervinca, Rosa, Verbena,* ecc.), in questo caso la viola e la violetta (ossia la viola mammola, simbolo anche di pudore e modestia): *Viola* può essere stato in parte sostenuto dal pur raro culto di Santa Viola martire e di un'altra leggendaria Santa Viola martire a Verona, oltre che dal personaggio, *Viola,* della commedia di W. Shakespeare «La dodicesima notte» del 1599-1600; mentre *Violetta* si è affermato con la protagonista, Violetta Valéry, della popolare opera lirica «La Traviata» di G. Verdi (v. *Alfredo*).

Violante (3.200) F. VARIANTI: *Violanta* (50), *Violanda* (1.000). ALTERATI: *Violantina* (250). - M. *Violanto* (10). VARIANTI: *Violando* (50). ALTERATI: *Violantino* (5). Distribuito in tutta l'Italia, è una variante di *Iolanda,* formatasi per un probabile incrocio del franco-provenzale e francese antico *Yolant* o *Yolande* con l'italiano *viola* (o con il nome *Viola*).

Virgìlio (30.000) M. VARIANTI: *Vergilio* (100), *Vergiglio* (50). - F. *Virgìlia* (1.900). Diffuso in tutta Italia e più frequente nel Lazio, è una ripresa classica, già medievale, del nome del grande poeta romano Publio Virgilio Marone, in latino *Publius Vergilius Maro*: il gentilizio *Vergilius,* che dalla fine dell'Impero assume la forma *Virgilius,* è probabilmente di origine etrusca e di significato ignoto (v. *Virginio*). Può avere in parte contribuito alla diffusione il culto, pur raro in Italia, di San Virgilio vescovo di Salisburgo nell'VIII secolo e evangelizzatore della Carinzia.

Virgìnio (21.000) M. VARIANTI: *Vergìnio* (150). - F. *Virgìnia* (75.000). VARIANTI: *Vergìnia* (300). Diffuso in tutta l'Italia, è un nome di matrice in un primo tempo classica, ripreso dal Rinascimento dall'antico gentilizio latino *Verginius* e *Verginia,* soprattutto nel femminile per la leggenda di Virginia insidiata dal decemviro Appio Claudio del V secolo a.C., e uccisa dal padre, Lucio Virginio, per sottrarla al disonore, tema di varie opere drammatiche e liriche tra cui la tragedia «Virginia» di V. Alfieri del

1777; si è poi ridiffuso dalla fine del Settecento con la protagonista del patetico ma fortunato romanzo di J.-H. Bernardin de Saint-Pierre «*Paul et Virginie*» del 1784, ripreso in chiave ironica in un poemetto di G. Gozzano. Il gentilizio latino, che nel tardo Impero assume la forma *Virginius* e *Virginia,* sebbene tradizionalmente connesso con *virgo virginis* 'vergine', ha la stessa origine etrusca di *Vergilius,* ossia un nome *Vercna* attestato nelle iscrizioni, di ignoto significato.

Vitale (3.800) M. VARIANTI: *Vitàlio* (150). ALTERATI: *Vitalino* (300). DERIVATI: *Vitaliàno* (6.000), *Vitagliàno* (25). - F. *Vitala* (75). VARIANTI: *Vitàlia* (1.800). ALTERATI: *Vitalina* (1.800). DERIVATI: *Vitaliàna* (1.100). Diffuso in tutta l'Italia, con alta frequenza nel Napoletano e anche in Sardegna (dove è specifico *Vitalio* e *Vitalia*), continua o riprende il soprannome e poi nome personale augurale latino del primo Impero *Vitalis* (da *vitalis,* derivato da *vita,* 'che ha, abbia vita, una lunga vita') con il derivato *Vitalianus,* che in ambienti cristiani fu riferito alla vita eterna, alla salvezza spirituale: è sostenuto dal culto di numerosissimi santi e sante, tra cui San Vitale vescovo e martire a Bologna, insieme al servo Agricola, nel 304; San Vitale di Ravenna, che probabilmente si identifica con il santo di Bologna; Santa Vitalia venerata in Sardegna, patrona di Asuni e Serrenti CA; San Vitaliano papa nell'VIII secolo e San Vitaliano vescovo di Capua. In alcuni casi *Vitale* è un nome israelitico, come traduzione dell'ebraico *Haīm* (biblico *Hayȳm*) di uguale significato.

Vito (109.000) M. VARIANTI: *Vido* (50). ALTERATI: *Vitino* (20), *Vitùccio* (50). NOMI DOPPI: *Vito Antònio* o *Vitantònio* (7.000), — *Nicòla* o *Vitonicòla* (1.200). - F. *Vita* (17.000). VARIANTI: *Vida* (1.000: anche M). ALTERATI: *Vitina* (600), *Vitùccia* (150). NOMI DOPPI: *Vita Marìa* o *Vitamarìa* (2.100), — *Antònia* o *Vitantònia* (600). Diffuso in tutta l'Italia con più alta compattezza nel Sud e soprattutto in Puglia e in Sicilia, continua il tardo personale latino di età imperiale (IV secolo) *Vitus,* forse un derivato di *vita* con il valore augurale cristiano di vita eterna, salvezza spirituale, e insieme il nome germanico *Wito* o *Wido* da cui si è formato il tipo italiano *Guido,* con una probabile sovrapposizione e confusione dei due nomi, già nell'alto Medio Evo: la grande diffusione è stata promossa dal culto di vari santi, tra cui San Vito martire con Modesto e Crescenzia in Lucania durante le persecuzioni di Diocleziano, patrono di numerosissimi centri italiani e protettore contro l'epilessia (detta appunto, popolarmente, «ballo di San Vito»). Il femminile *Vita*, con la variante *Vida* accentrata nel Friuli-Venezia Giulia (qui di matrice slovena, come ipocoristico maschile in *-a* di *Vid* 'Vito, Guido'), può essere anche la forma abbreviata dei nomi augurali medievali maschili *Bellavita* e *Buonavita*, e, sempre come maschile, la traduzione dell'ebraico *Haīm* (biblico *Hayȳm*) con il significato appunto di 'vita, vitale' (v. *Vitale*).

Vitti (50) F. VARIANTI: *Vitty* (25); *Witti* (20), *Witty* (15). Raro e disperso, è l'ipocoristico di *Vittoria*, sostenuto in parte recentemente dal cognome dell'attrice cinematografica Monica Vitti (nome d'arte di Maria Luisa Ceciarelli, nata a Roma nel 1931), molto nota per film di successo dagli anni '60 agli '80.

Vittòrio (249.000) M. VARIANTI: *Vittóre* (3.600), *Vettóre* (150), *Vettòr* (50); *Victor* (500). ALTERATI: *Vittorino* (13.000), *Vettorino* (25). DERIVATI: *Vittoriàno* (1.900). NOMI DOPPI: *Vittòrio Emanuèle* (700). - F. *Vittòria* (129.000). VARIANTI: *Victòria* (300). ALTERATI: *Vittorina* (26.000). DERIVATI: *Vittoriàna* (600). NOMI DOPPI: *Vittòria Marìa* (400). Diffuso in tutta l'Italia presenta, nelle varie forme, una distribuzione diversa (*Vittorio* predomina, con *Vittore* e *Vittorino*, in Lombardia, *Vettore* con *Vettorino* nel Veneto, *Vittorio Emanuele* nel Lazio), e processi di formazione e motivazione diversi, pur avendo un etimo onomastico unitario, il soprannome e poi nome augurale latino di età imperiale *Victor Victoris*, con i derivati *Victorius*, *Victorinus*, *Victorianus* (con i rispettivi femminili), derivato dal verbo *vincere* con il significato di 'vincitore, vittorioso' (anche, in senso cristiano, riferiti alla vittoria sul male, come salvezza spirituale). Tutti, in generale, sono sostenuti dal culto di numerosissimi santi e sante così denominati, e in particolare di San Vittore martire a Milano sotto Massimiano, patrono di Varese e di altri centri lombardi, San Vittoriano martire sotto Antonino a Celano AQ, Santa Vittoria martire sotto Decio a Roma, e dalla devozione per Maria Santissima della Vittoria, patrona di Piazza Armerina EN. *Vittorio* è però soprattutto un nome ideologico di devozione alla casa Savoia (in cui è tradizionale a partire dal Cinquecento con il duca Vittorio Amedeo I, e poi con i re di Sardegna Vittorio Amedeo II e III), e in particolare per Vittorio Emanuele II come uno degli artefici dell'unità d'Italia, e Vittorio Emanuele III re d'Italia, dal 1900 alla sua abdicazione nel 1946 (e il nome apparentemente doppio *Vittorio Emanuele* è in effetti unitario e autonomo).

Vittorugo (300) M. VARIANTI: *Vittor Ugo* (150); *Victor Hugo* (100), *Victor Ugo* (65). Accentrato in Toscana e nel Lazio, è un nome ideologico ripreso dallo scrittore francese Victor Hugo [pronunzia: *viktór ügó*] (anagraficamente Victor-Marie Hugo), morto nel 1885, molto noto e ammirato anche in Italia per le sue opere e per le sue idee e attività democratiche.

Vivaldo (1.100) M. VARIANTI: *Vivaldi* (200). - F. *Vivalda* (200). Accentrato per $^1/_3$ in Toscana e in Emilia-Romagna e per il resto disperso nel Centro-Nord, è un nome di origine germanica e di tradizione francone, già documentato dal 1156 nelle forme in latino medievale *Vivaldus* o *Vivardus* (questa per influsso del francese antico *Vivard*), composto di un 1° elemento incerto (forse **wiw-* 'combattimento') e di **walda-* 'comando, potere' (o dal semplice suffisso *-aldo*): alla conservazione e diffusione ha contribuito, in Toscana, il culto del beato Vivaldo da San Gimignano SI, eremita morto intorno al 1320, e, soprattutto per la variante *Vivaldi*, il prestigio dei navigatori genovesi del Duecento Ugolino e Guido Vivaldi e del musicista Antonio Vivaldi del primo Settecento.

Vivante (25) M. È un nome (e cognome) israelitico, traduzione dell'ebraico *Haīm* (biblico *Hayȳm*) 'che viva, vitale' (v. *Vita* e *Vitale*), formato da *vivo* o *vivere* con il suffisso *-ante*.

Vivènzio (200) M. - F. *Vivènzia* (15). Proprio del Viterbese, e qui accentrato a Blera, pare riflettere un culto locale per un santo non riconosciuto né registrato ufficialmente dalla Chiesa, o una singolare tradizione familiare: alla base è comunque il soprannome e poi nome augurale latino d'età imperiale *Viventius*, derivato dal participio presente *vivens viventis* di *vivere*, quindi 'che viva, che abbia una vita felice, lunga' o, in senso cristiano, 'che raggiunga la vita, la salvezza eterna'.

Viviàna (10.000) F. VARIANTI: *Viviànna* (75). - M. *Viviàno* (1.000). Diffuso nel Centro-Nord, ha un processo di formazione complesso: in parte minima rappresenta una variante di *Bibiana* e *Bibiano* (v. *Bibiana*), oppure continua il personale latino *Vivianus* di età imperiale, derivato da *vivere* con valore augurale, sostenuto dal culto di vari santi e sante; ma fondamentalmente è ripreso dal francese antico *Viviens* o *Vivien* nel tardo Medio Evo (dello stesso etimo), nome di vari personaggi dei poemi epico-cavallereschi del ciclo carolingico (come Viviens, nipote di Guillaume d'Orange).

Vivo (30) M. VARIANTI: *Vivio* (35). ALTERATI: *Vivétto* (20). - F. *Viva* (100). VARIANTI: *Vìvia* (100); *Vivi* (100), *Vivy* (50). ALTERATI: *Vivèlla* (75), *Vivétta* (1.900), *Vivina* (300). Distribuito nel Centro-Nord con più alta frequenza in Toscana e in Emilia-Romagna, è l'ipocoristico di vari nomi, tra cui *Vivaldo*, *Vivenzio*, *Viviano* con i rispettivi femminili: la rilevante estensione di *Vivetta* è recente, dovuta alla protagonista del dramma (musicale) «*L'Arlesienne*» di A. Daudet e dell'opera lirica «L'Arlesiana» di F. Cilea (v. *Arlesiana*).

Vladimiro (4.700) M. VARIANTI: *Wladimiro* (2.000), *Vladimir* (150) e *Wladimir* (25); *Valdimiro* (750) e *Waldimiro* (50), *Valdemiro* (200), *Valdomiro* (20). -F. *Vladimira* (600). VARIANTI: *Wladimira* (250); *Valdimira* (100). Diffuso nel Centro-Nord (con più compattezza in Lombardia, Emilia-Romagna, Toscana e Lazio), sporadico nel Sud, è un nome slavo, *Vladiměr* nello slavo antico, composto di *vlad* 'potere, potenza' e *měr* 'illustre, famoso' quindi 'illustre per la sua potenza', che presenta diversi e complessi processi di insorgenza e di motivazione. È ripreso fondamentalmente, a partire dal tardo Ottocento, dal russo *Vladimir*, con matrice sia letteraria o teatrale per vari personaggi di questo nome di opere russe, sia ideologica, marxistica, per il nome di Lenin, Vladimir Il'ič Ul'janov (v. *Lenin* e *Uliano*), e anche per semplice moda esotica o per prestigio (che si rivela nelle molte varianti, alcune dovute a incrocio con *Valdemaro*, anche grafiche, come l'errata grafia con *W-* che non ha riscontri in nessuna lingua slava, salvo il polacco *Wl'odimierz* qui comunque non pertinente). La variante *Vladimir* è propriamente slovena o croata oppure russa [pronunzia: *vladìmir*], e è infatti accentata a Trieste e nel Goriziano o a Roma, cioè tra minoranze di lingua slovena o tra residenti stranieri di lingua russa.

Voltèro (25) M. VARIANTI: *Voltaire* (25). Proprio della Toscana, è un nome ideologico, libertario e anarchico, ripreso dallo scrittore e filosofo francese del Settecento Fr.-M. Arouet detto Voltaire [pronunzia: *voltèr*, di qui l'adattamento *Voltero*], fiero e spregiudicato negatore di ogni forma di autoritarismo, di fanatismo e di intolleranza, di superstizione.

Volturno (250) M. Proprio dell'Emilia-Romagna, sporadico nel Centro-Nord, è un nome ideologico risorgimentale ripreso dal fiume Volturno sul quale, presso Capua, fu combattuta da G. Garibaldi la battaglia decisiva contro l'esercito borbonico (1-2 ottobre 1860).

W

Wagner (150) M. Accentrato per ²/₃ tra Emilia-Romagna e Toscana e per il resto disperso, è un nome letterario, teatrale e musicale ma anche ideologico, ripreso dal cognome del musicista e drammaturgo di Lipsia Wilhelm Richard Wagner [pronunzia: *vàǧner*], morto a Venezia il 1883, considerato in ambienti anarchici e libertari un rivoluzionario per la sua partecipazione ai moti in Germania del 1848 e 1849 (il cognome tedesco deriva da un semplice nome professionale, l'antiquato *Wagener* 'fabbricante di carri').

Walburga (300) F. VARIANTI: *Walpurga* (50); *Valburga* (150); *Valpurga* (50). Accentrato nell'Alto Adige per le forme propriamente tedesche in *W*- e a Trieste per quelle in *V*-, e sporadico nel resto del Nord, riflette il culto, quasi esclusivamente tedesco, di Santa Valpurga, nata in Inghilterra ma badessa del monastero di Heidenheim nella Germania sud-occidentale, qui morta nel 778, patrona, in Italia, di Santa Valburga di Anterselva e di Ultimo BZ, considerata protettrice contro streghe e stregonerie. Il nome germanico, in tedesco antico *Walpurgis*, non ha una formazione certa: il 1° elemento potrebbe essere *wala- 'campo di battaglia' e 'morti in battaglia' o *wal- 'scegliere', il 2° è certamente *berga- 'proteggere', e il significato sarebbe 'che protegge *o* che sceglie i morti in battaglia'.

Wally (6.000) F. VARIANTI: *Vally* (1.500), *Wallj* (300), *Vallj* (75), *Walli* (100), *Valli* (250), *Vallì* (100). Diffuso nel Nord e in Toscana, è un nome di moda musicale (in parte anche esotica e eufonica) ripreso dalla protagonista (v. anche *Afra*) e dal titolo della popolare opera «La Wally» di A. Catalani, rappresentata per la 1ª volta alla Scala di Milano nel 1892, su libretto di L. Illica tratto da un romanzo della scrittrice tedesca W. von Hillern. *Walli*, in tedesco, è l'ipocoristico di *Walburga* o *Walburg*, *Walpurga*, o anche di *Valentine* e *Valerie*.

Walter (75.000) M. VARIANTI: *Walther* (650), *Valter* (6.000), *Vàltere* (50), *Vàltero* (100), *Valtèrio* (100), *Valtièro* (180). ALTERATI: *Walterino* (50), *Valterino* (50). - F. *Wàltera* (30). VARIANTI: *Valtèria* (75). ALTERATI: *Walterina* (150), *Valterina* (150). Diffuso nel Centro-Nord, è un recente nome di moda esotica o letteraria e teatrale ripreso dal tedesco *Walther* (più frequente infatti nella provincia autonoma di Bolzano di lingua maggioritaria tedesca) e dall'inglese *Walter*, corrispondenti a *Gualtiero*, e più o meno adattati alla grafia e alla fonetica e morfologia italiana. Alla rilevante affermazione hanno contribuito in particolare il nome dello scrittore scozzese Walter Scott del primo Ottocento (alcuni dei suoi romanzi, come «*Ivanhoe*» del 1819, sono stati molto diffusi anche in Italia), e il personaggio Walter, il giovane suonatore di cetra, dell'opera lirica «La Wally» del 1892 di A. Catalani.

Wanda (72.000) F. VARIANTI: *Vanda* (26.000). ALTERATI: *Wandina* (100), *Vandina* (150). - M. *Wando* (450). VARIANTI: *Vando* (9.000). ALTERATI: *Vandino*

(150). Diffuso nel Centro-Nord, con maggiore compattezza in Emilia-Romagna e Toscana, e raro nel Sud, è un nome di moda esotica e poi eufonica penetrato in Italia, tra l'ultimo Settecento e il primo Ottocento, dalla Polonia, per tramite dell'Impero austriaco, soprattutto con l'immigrazione di esuli polacchi. Il nome originario polacco (e poi tedesco) *Wanda* è stato inventato (forse derivandolo dal nome dei Vandali, antica popolazione germanica orientale) dal monaco polacco del Duecento V. Kablubek per una eroina della sua leggendaria storia dell'origine dei Polacchi, Wanda figlia del fondatore di Cracovia Krek. Nell'Ottocento il nome ha avuto una nuova diffusione con il russo *Vanda* (anch'esso prestito dal polacco), soprattutto per via letteraria e teatrale, e infine, dagli anni '30 ai '50, per la popolare attrice di varietà Wanda Osiris (v. *Osiride*).

Washington (150) M. Proprio dell'Emilia-Romagna e della Toscana e sporadico nel Nord, è un nome ideologico, liberale e democratico, ripreso dal cognome del fondatore e 1° presidente degli Stati Uniti d'America Giorgio Washington (1732-1799), come artefice principale, militare e politico, dell'indipendenza degli Stati Uniti dall'Inghilterra.

Wèrther (1.500) M. VARIANTI: *Wèrter* (800), *Vèrter* (200), *Vèrther* (20). Accentrato per 2/3 in Emilia-Romagna e disperso, è un nome di moda letteraria e teatrale ripreso tra la fine del Settecento e il primo Ottocento, in età preromantica e romantica, dal protagonista del romanzo epistolare del 1774 e 1782 di J. W. Goethe «I dolori del giovane Werther», e poi dall'ultimo Ottocento dal «Werther» (il suicida innamorato di Carlotta) di L. Massenet, rappresentato per la 1ª volta a Vienna nel 1892, il cui libretto è tratto dal romanzo goethiano. Il nome tedesco *Werther*, raro e di tradizione discontinua, risale al tedesco antico *Wertheri*, in latino medievale *Wertharius*, composto di **warda-* 'proteggere' e **harja-* 'esercito, popolo in armi' quindi 'che protegge il suo popolo di armati, l'esercito'.

William (7.500) M. VARIANTI: *Williams* (50), *Wiliam* (100); *Vìlliam* (200), *Vìliam* (100). - IPOCORISTICI (anche F):

Willy (1.100), *Willj* (50), *Willi* (500); *Villy* (50), *Villj* (60), *Villi* (70). Accentrato per 2/3 nell'Emilia-Romagna e per il resto disperso (ma rarissimo nel Sud), è un nome di moda esotica recente, del Novecento, ripreso dall'inglese *William* [pronunzia: *uìliëm*, ma in Italia la pronunzia è oscillante, come la grafia, secondo la cultura e la conoscenza dell'inglese], il corrispondente dell'italiano *Guglielmo*. Gli ipocoristici sono ripresi invece, con diversi adattamenti (anche errati) grafici, sia dall'ipocoristico inglese *Willy* di *William*, sia da quello tedesco *Willi* (o *Willy*) di *Wilhelm*, corrispondente di *Guglielmo*, o anche di altri nomi più rari o antiquati come *Willibald*, *Willibrod* o *Wilbrod*, *Wilpert*, ecc.

Wilma (32.000) F. VARIANTI: *Vilma* (12.000); *Wilna* (250), *Vilna* (200). - M. *Wilmo* (650). Diffuso nel Centro-Nord, raro nel Sud, è un nome di moda esotica ripreso, anche per la sua gradevolezza fonica e brevità, dall'ipocoristico tedesco *Wilma* di *Wilhelma* e *Wilhelmine*, corrispondenti a *Guglielma* e *Gugliel-mina*, e nel raro maschile *Wilmo* di *Wilhelm*, corrispondente a *Guglielmo*.

Wilson (700) M. VARIANTI: *Vilson* (25). Diffuso per più della metà tra Emilia-Romagna e Toscana, e per il resto disperso nel Centro-Nord, è un nome ideologico recente ripreso dal cognome del presidente degli Stati Uniti d'America Th. W. Wilson (forma abbreviata, prevalentemente scozzese, di *Williamson* 'figlio di *William*') nel periodo della 1ª guerra mondiale, soprattutto per l'intervento statunitense (nel 1917, dopo il siluramento da parte tedesca del «Lusitania», v. *Lusitania*) e per i suoi principi democratici, di giustizia e di pace sociale e tra i popoli.

Wolfango (550) M. VARIANTI: *Volfango* (250). Disperso nel Centro-Nord, è un recente nome di moda, soprattutto letteraria e musicale, ripreso dal tedesco *Wolfgang* (500: accentrato nella provincia autonoma di Bolzano di lingua maggioritaria tedesca) per il prestigio di grandi personaggi di questo nome, e soprattutto dello scrittore tedesco Johann Wolfgang Goethe e del musicista austriaco Wolfgang Amadeus Mozart: il nome tedesco è composto con **wulfa-* 'lupo' e **gang-* 'camminare, procedere', con un significato originario che potrebbe essere – considerando che il lupo era, nelle credenze germaniche, uno degli animali magici e sacri, che si identificava con il guerriero in battaglia – 'che procede (in battaglia) come il lupo' o 'lupo che va (in battaglia)'.

Wolframo (50) M. VARIANTI: *Wolframo* (25), *Volfrano* (50). Disperso nel Nord e in Toscana, è ripreso con matrice teatrale-musicale dal personaggio del dramma lirico di W. R. Wagner «*Tannhäuser*», rappresentato per la 1ª volta a Dresda nel 1895, il poeta epico tedesco dell'inizio del Duecento Wolfram von Eschenbach, autore del «*Parsifal*». Il nome tedesco *Wolfram* (100: proprio della provincia autonoma di Bolzano di lingua maggioritaria tedesca) è composto con **wulfa-* 'lupo' e **hraban-* 'corvo', animali tutti e due magici e sacri al dio Odino (v. *Wolfango* e *Aleramo*).

X

Xènia (600) F. - M. *Xènio* (5). Disperso nel Centro-Nord, è un nome di matrice in parte classica ma in parte maggiore letteraria e teatrale, e di moda esotica e eufonica recente (ripreso da personaggi di opere letterarie e drammatiche, di novelle e racconti di larga diffusione, da attrici di varietà, televisive, ecc., straniere): la base onomastica lontana è il nome greco *Xénios* e *Xénia*, in latino tardo *Xenius* e *Xenia* (soprattutto come nome di schiavi, liberti, ecc.), da *xénios* 'ospitale, cortese e generoso con gli ospiti', da *xénos* 'ospite, forestiero'. Può averne promosso l'insorgenza anche il raro culto di Santa Xenia, vergine e martire di Mileto.

Z

Zaccarìa (1.250) M. Distribuito in tutta l'Italia ma accentrato per più della metà in Lombardia, è un nome in parte israelitico ma in parte anche cristiano, in quanto riflette il culto di vari santi, tra cui San Zaccaria papa nell'VIII secolo, San Zaccaria padre di Giovanni Battista, e San Zaccaria profeta minore d'Israele del VI secolo a.C.: alla base è il nome ebraico *Zekharyāh*, formato con *zachar* 'ricordarsi' e *Yāh* 'Iavè', con il significato di 'Iavè, Dio si è ricordato' (delle preghiere dei genitori, concedendo loro un figlio molto desiderato e atteso), adattato in greco e in latino come *Zacharías*.

Zacchèo (150) M. Disperso nel Centro-Nord con maggiore frequenza a Milano e provincia, è un nome prevalentemente israelitico ma in parte anche cristiano per il raro culto di alcuni santi e martiri così denominati: risale, attraverso il latino *Zacchaeus* e il greco *Zakchâios*, all'ebraico *Zakkay* dell'Antico Testamento, ipocoristico di *Zekharyāh*, v. *Zaccaria*.

Zaffiro (50) M (anche F). - F. *Zaffira* (150). Disperso nel Nord, con maggiore compattezza per *Zaffiro* in Lombardia e per *Zaffira* nel Veneto, è uno dei numerosi nomi già medievali ripresi da pietre preziose (come *Diamante*, *Perla*, *Rubina*, *Smeralda*), per augurare bellezza, splendore, preziosità, in questo caso lo *zaffiro* (dal greco *sáppheiros*, di origine asiatica, attraverso il latino *sapphírus*).

Zaìra (11.000) F. - M. *Zaìro* (100). Frequente nel Centro-Nord e raro nel Sud, è un nome di matrice letteraria e teatrale ripreso dalla fine del Settecento dalla protagonista e dal titolo della tragedia di Voltaire, di ambiente arabo, «*Zaïre*» del 1732, e soprattutto dell'opera lirica «*Zaira*» di V. Bellini, rappresentata per la 1ª volta a Parma nel 1829: Voltaire inventò questo nome ricercando una generica impronta araba, forse derivandolo – se pur aveva una qualche minima conoscenza dell'arabo – da *zāhir* 'fiorente', da *zahr* 'fiore', o da *al-zāhir* 'protettore'.

Zani (5) M. ALTERATI: *Zanèllo* (10) e *Zanillo* (10), *Zanétto* (100) o *Zannétto* (10), *Zanino* (5). - F. *Zana* (15). ALTERATI: *Zanèlla* (15) e *Zanilla* (10), *Zanétta* (35) o *Zannétta* (10), *Zanina* (15). Proprio del Nord, della Toscana e delle Marche, è uno degli ipocoristici, il più raro, di *Giovanni* e *Giovanna* (v. *Gianni*, *Nanni* e *Vanni*).

Zara (1.000) F. ALTERATI: *Zarina* (300). - M. *Zaro* (50). ALTERATI: *Zarino* (50). Accentrato per ¹/₃ in Toscana e disperso soprattutto nel Nord, è un nome ideologico, patriottico e irredentistico (nel quadro dalmatico, come *Dalmata*, *Fiume*, *Pola*), insorto prima quando la città di Zara, nel 1813, passò dalla sovranità veneziana, e del breve Regno Italico napoleonico, a quella austriaca, e poi quando, dopo il periodo di annessione all'Italia del 1918 al 1945, occupata dalle forze partigiane iugoslave entrò a far parte, con il trattato di pace del 1947, della Repubblica di Croazia della Iugoslavia.

Zèffiro (700) M. VARIANTI: *Zèfiro*
(50). ALTERATI: *Zeffirino* (800) o *Zefirino*
(25), *Zefferino* (1.605) o *Zeferino* (100),
Zafferino (25). - F. *Zèffira* (1.000). VA-
RIANTI: *Zèfira* (100), *Zèlfira* (75). ALTE-
RATI: *Zeffirina* (600) o *Zefirina* (75), *Zefferina* (700). Più frequente nel Nord e
nel Centro, raro nel Sud, è un nome di
matrice classica, mitologica e letteraria,
ripreso dal latino *zephyrus*, prestito dal
greco *zéphyros* di etimo incerto, nome di
un vento primaverile di ponente, lo *zefiro* o *zeffiro* (che in italiano è parola poetica o elevata), e del dio che lo impersu-
nava, e per gli alterati dal tardo nome
personale latino *Zephyrinus*, derivato di
zephyrus, sostenuto in parte dal culto
per San Zefirino o Zeffirino di Roma,
papa dal 199 al 217.

Zelmira (1.700) F. VARIANTI: *Zemira*
(1.000); *Gelmira* (100). - M. *Zelmiro*
(100). VARIANTI: *Zemiro* (100); *Gelmiro*
(10). Diffuso nel Nord e con minore frequenza nel Centro, è un nome di matrice
teatrale e musicale ripreso dalla protagonista e dal titolo dell'opera lirica «Zelmira» di G. Rossini, rappresentata per la
1ª volta a Napoli nel 1822, e in parte, già
prima, della «Zelmira» di G. Paisiello
del 1770. I melodrammi italiani si erano
ispirati, come libretto, al dramma «*Zel-
mire*» del 1762 del francese P.-L. Buyet-
te (più noto come Dormont de Belloy),
ripreso a sua volta dall'«Issipile» di P.
Metastasio, ambientato nell'antica Grecia: il nome non è tuttavia greco, né si
può ricostruire su quale modello sia stato creato (anche se, soprattutto nella variante *Gelmira* propria del Veneto e del-
l'Udinese, parrebbe collegato con il nome spagnolo di origine germanica c di
tradizione visigotica *Gelmiro*).

Zenàide (1.200) F. Disperso nel Centro-Nord e più compatto nel Lazio, riflette il raro culto di Santa Zenaide martire a Cesarea in Palestina e di Santa Zenaide di Tarso parente e discepola di San
Paolo, ma in parte può essere stato ridiffuso nell'Ottocento per la notorietà, soprattutto a Roma e nel Viterbese, di Zenaide figlia di Girolamo Bonaparte, re di
Napoli e Sicilia e poi di Spagna, e moglie
di Carlo Luciano Bonaparte, principe di
Canino VT (uomo politico democratico
e celebre ornitologo di Roma), morta
nel 1854. Alla base è il tardo e raro nome

latino imperiale *Zénais Zenáidis*, adattamento del greco *Zenáis Zenáidos*,
femminile di *Zenâs*, derivato da *Zē'n*
'Zeus', con il significato di 'sacro, dedicato al dio Zeus'.

Zèno (3.300) M. VARIANTI: *Zenóne*
(400); *Zènio* (50). - F. *Zèna* (700). VA-
RIANTI: *Zènia* (100). Accentrato per più
della metà nel Veneto e in Emilia-
Romagna e per il resto disperso, riflette
il culto di numerosissimi santi ma soprattutto di San Zeno o Zenone vescovo di
Verona nel IV secolo, patrono di Verona e di molti altri centri del Veneto, della
Lombardia e dell'Emilia-Romagna. Alla base è l'antico nome greco *Zē'nōn*,
forma abbreviata di vari nomi composti
con *Zen(o)*- 'di Zeus' (da *Zē'n* 'Zeus'),
adattato in latino come *Zeno Zenónis*.

Zenòbio (300) M. VARIANTI: *Zanòbi*
(60). - F. *Zenòbia* (300). Disperso nella
forma fondamentale in tutta Italia, anche in Sardegna, ma specifico per la variante toscana *Zanobi* di Firenze e provincia, riflette il culto di vari santi e sante
così denominati, e in particolare di San
Zenobio o Zanobi (che è la sola forma
tradizionale e usata in Toscana) vescovo
di Firenze, morto intorno al 417: alla base è il tardo personale latino *Zenobius* e
Zenobia, adattamento del greco *Zē-
nóbios* e *Zēnobía*, composto di
Zē'n 'Zeus' e *bíos* 'vita' con un significato poco convincente ('che ha vita da
Zeus, per Zeus'?), che però può essere
la reinterpretazione greca di un nome
orientale.

Zerbino (100) M. - F. *Zerbina* (100).
-Disperso nel Centro-Nord, è ripreso
con matrice letteraria e teatrale dal principe di Scozia Zerbino dell'«Orlando furioso» di L. Ariosto, innamorato della
saracena Isabella, e quindi dal nome della figura del capitano della commedia
dell'arte: l'etimo è comunque oscuro.

Zina (3.000) F. - M. *Zino* (250). Accentrato per quasi la metà in Lombardia
e per il resto disperso, è la forma abbreviata di diminutivi familiari in *-ina* o *-ino*
di nomi che terminano in *-za* o *-zia* e *-zo*
o *-zio*, come *Costanzina*, *Lucrezina*,
Maurizina, ecc., e soprattutto di *Lorenzina* e *Vincenzina*, e dei rispettivi maschili.

Zita (10.000) F. VARIANTI: *Cita* (100). -
M. *Zito* (150). VARIANTI: *Cito* (15). Di-

stribuito in tutta l'Italia con più alta compattezza in Lombardia e Toscana, ma per la variante *Cita* peculiare della Sicilia, riflette il culto di Santa Zita Vergine di Lucca del Duecento: il nome è formato, come originario appellativo e soprannome, da *zita* (o *cita, citta*) 'bambina, ragazza non sposata' (da cui *zitella*).

Zòe (3.000) F. VARIANTI: *Zòa* (40). Distribuito in tutta l'Italia ma raro nel Sud, è un nome che, anche se esistono due sante e martiri, di cui una di Roma, e può essere quindi di tradizione cristiana, si è tuttavia affermato solo in età romantica e risorgimentale con il personaggio Zoe, la figlia del re Manfredi, del diffuso romanzo storico «La battaglia di Benevento» di F. D. *Guerrazzi* del 1828: il nome risale comunque al tardo e raro personale latino *Zoe* o *Zoa*, prestito dal greco *Zōē'*, da *zōē'* 'vita', con valore augurale già pagano e poi cristiano, come vita eterna.

Zòilo (300) M. VARIANTI: *Zoèllo* (200). - F. *Zòila* (100). VARIANTI: *Zoèlla* (100). Proprio del Nord e qui accentrato nel Veneto e Friuli-Venezia Giulia (ma per la variante *Zoello* nell'Emilia), riflette il culto di San Zoilo martire in Spagna e San Zoello martire in Istria, in latino ecclesiastico *Zóilus* e *Zoéllus*, dal greco *Zōílos* derivato con valore augurale da *zōē'* 'vita' (v. *Zoe*), quindi 'vitale, pieno di vita' o 'destinato alla vita eterna'.

Zòla (500) F (anche M). VARIANTI: *Zòlia* (100). Accentrato per la metà in Toscana e disperso nel Centro-Nord, è un nome ideologico, libertario e anarchico-socialista, ripreso dallo scrittore francese Émile Zola [pronunzia francese: *šolà*, ma il padre era veneziano e il cognome è italiano], noto e ammirato come romanziere ma anche per le sue idee e attività democratiche, per la libertà civile e la giustizia sociale, e in particolare per la sua energica e coraggiosa difesa, in «*J'accuse*» del 1898 e altri articoli, dell'ufficiale ebreo A. *Dreyfus* accusato e condannato ingiustamente.

Zopito (500) M. - F. *Zopita* (25). Proprio dell'Abruzzo, e qui accentrato a Pescara e nella provincia, riflette il culto locale di San Zopito, venerato soprattutto a Loreto Aprutino dove il nome ha un'altissima frequenza relativa. La tradizione del santo è leggendaria, e anche il nome non ha una tradizione né latina né greca, anche se la sua impronta è genericamente greca: si può forse pensare che l'origine sia greca (come quella di molti nomi cristiani dell'Abruzzo greco-bizantino), un derivato o composto da *zō-* (da *zōē'* 'vita', v. *Zosimo*), per esempio da *zō'phitos* 'fiorente, vitale', poi alterato nell'uso locale.

Zoràide (1.500) F. - M. *Zoràido* (10). Distribuito nel Nord e più raro nel Centro, è ripreso per moda teatrale dal primo Ottocento dal nome (di impronta orientale e semitica, senza tradizioni onomastiche accertabili) della protagonista di due opere liriche, «Ricciardo e Zoraide» di G. *Rossini* e «Zoraide di Granata» di G. *Donizetti*, rappresentate per la prima volta a Napoli nel 1818 e rispettivamente a Roma nel 1822.

Zòsimo (25) M. È l'esile e disperso riflesso del culto di pur numerosissimi santi di questo nome di origine greca, *Zō'simos* latinizzato in *Zosimus*, formato da *zō'simos* (da *zōē'* 'vita', v. *Zoe*) con il significato di 'vitale, che avrà una lunga vita', affermatosi in età e in ambienti cristiani con il nuovo valore di 'destinato alla vita eterna' (v. *Vitale*).

Indice
dei nomi personali

I nomi che costituiscono gli esponenti dei lemmi, disposti nel «Dizionario» in ordine alfabetico, sono stampati in neretto. I nomi registrati all'interno dei lemmi dopo l'esponente in neretto – le varianti, gli alterati e i derivati, gli abbreviati e gli ipocoristici, i nomi doppi – sono stampati in tondo chiaro: a fianco, con la freccetta →, è indicato in corsivo chiaro l'esponente sotto il quale vanno ricercati.

Àaron → Arònne
Abbondanza
Abbondànzia → Abbondàn-
zio
Abbondànzio
Abbóndia → Abbóndio
Abbondina → Abbóndio
Abbóndio
Abdènago
Àbdon
Abdóne → Àbdon
Abèla → Abèle
Abelarda → Abelardo
Abelardo
Abèle
Abelina → Abèle
Abelino → Abèle
Aberardo → Abelardo
Abigàille o Abigaille
Abìlio
Abóndio → Abbóndio
Abrahàm → Abramo
Abràm → Abramo
Abrama → Abramo
Abramina → Abramo
Abramino → Abramo
Abramo
Accursa → Accùrsio
Accùrsia → Accùrsio
Accùrsio
Accurso → Accùrsio
Acheropita → Achiropita
Achilla → Achille
Achille
Achillèa → Achille
Achillèo → Achille
Achillina → Achille
Achiropita
Acìlia → Acìlio
Acìlio
Acrìsio
Ada
Adalbèrta → Adalbèrto

Adalbèrto
Adalciso → Adalgisa
Adalgèrio → Alighièro
Adalgisa
Adalgìsio → Adalgisa
Adalgiso → Adalgisa
Adàlia → Adèlia
Adalinda → Adelinda
Adalindo → Adelinda
Adàlio → Adèlia
Ada Lisa → Ada
Adalisa → Ada
Adam → Adamo
Adama → Adamo
Ada Marìa → Ada
Adamarìa → Ada
Adamèllo → Adamo
Adamina → Adamo
Adamino → Adamo
Adamo
Adastro → Adrasto
Addamiàno → Damiàno
Addàrio → Dàrio
Addiégo → Diégo
Addis
Addolorata
Addolorato → Addolorata
Addonìzio → Dionìsio
Àdea → Adeodato
Adèla → Adèle
Adelàida → Adelàide
Adelàide
Adelàido → Adelàide
Adelàsia
Adelàsio → Adelàsia
Adèlca → Adèlchi
Adèlchi
Adèlchio → Adèlchi
Adelcisa → Adalgisa
Adèlco → Adèlchi
Adèle
Adelèlma → Adèlmo
Adelèlmo → Adèlmo

Adèle Marìa → Adèle
Adèlfa → Adèlfo
Adelfina → Adèlfo
Adelfino → Adèlfo
Adèlfio → Adèlfo
Adèlfo
Adèlia
Adelina → Adèle
Adelinda
Adelindo → Adelinda
Adelino → Adèle
Adelisa
Adelìsia → Adelisa
Adelìsio → Adelisa
Adeliso → Adelisa
Adelita → Adèle
Adèlma → Adèlmo
Adelmaro → Ademaro
Adelmina → Adèlmo
Adelmino → Adèlmo
Adelmira → Adelmiro
Adelmiro
Adèlmo
Adèlo → Adèle
Adèma → Ademaro
Ademara → Ademaro
Ademaro
Adèmia → Ademaro
Adcmina → Ademaro
Adèmio → Ademaro
Adèmo → Ademaro
Aden
Àdeo → Adeodato
Adeodata → Adeodato
Adeodato
Aderita → Aderito
Aderito
Adèrmo → Adèlmo
Àdia → Adeodato
Àdige
Adigina → Àdige
Adigràt
Adìlia → Adèlia

Adìlio → Adèlia
Adimaro → Ademaro
Adìmiro → Adelmiro
Adina → Ada
Adino → Ada
Adinòlfa → Adòlfo
Adinòlfo → Adòlfo
Àdio → Adeodato
Adis → Addis
Adiùto
Adiutóre
Admèris → Amnèris
Admèto
Ado → Ada
Adòlfa → Adòlfo
Adolfina → Adòlfo
Adolfino → Adòlfo
Adòlfo
Àdon → Adóne
Adón → Adóne
Adóna → Adóne
Adóne
Adonèlla → Adóne
Adonèllo → Adóne
Adoranda → Adorato
Adorando → Adorato
Adorato
Adórna → Adórno
Adornino → Adórno
Adórno
Adrasta → Adrasto
Adrasto
Adreàno → Adriàno
Àdria
Adriàna → Adriàno
Adriàno
Àdrio → Àdria
Àdua
Aduàna → Àdua
Aduìlio → Duilio
Aduìno → Àdua
Àduo → Àdua
Affortunata → Fortunato
Affortunato → Fortunato
Afra → Afro
Àfrica → Afro
Afrìcana → Afro
Africano → Afro
Àfrico → Afro
Afro
Afrodìsio
Afrodite
Afroditi → Afrodite
Agàbio → Àgape
Agàbito → Àgàpito
Agamènnone
Àgape
Agàpio → Àgape
Agàpito
Àgar o Agàr
Àgata
Àgata Marìa → Àgata
Agatèlla → Àgata
Agatina → Àgata

Agatino → Àgata
Àgato → Àgata
Agàtocle
Agatóne
Agàzia → Agàzio
Agàzio
Agèa → Aggèo
Agènore
Agèo → Aggèo
Agesilào
Aggèo
Àgide
Agilulfo
Aglàe → Aglàia
Aglàia
Agnèlla → Agnèllo
Agnèllo
Agnése
Agnése Marìa → Agnése
Agnesina → Agnése
Agnésio → Agnése
Agostina → Agostino
Agostino
Agrìcola
Agrìcolo → Agrìcola
Agrippina → Agrippino
Agrippino
Agrìsio → Acrìsio
Aguinaldo
Aiàce
Aicardo
Aìda
Aìde → Aìda
Aìdo → Aìda
Àimo → Aimóne
Aimóne
Ain Zara
Ainzara → Ain Zara
Airaldo → Aròldo
Aiùto → Adiùto
Ala → Aladino
Aladina → Aladino
Aladino
Alamanno → Alemanno
Alamiro → Adelmiro
Alarico
Alba
Alba Marìa → Alba
Albana → Albano
Albània → Albano
Albanino → Albano
Albano
Alba Ròsa → Alba
Albaròsa → Alba
Alberica → Alberico
Alberice → Alberico
Alberico
Alberigo → Alberico
Albèrta → Albèrto
Albertina → Albèrto
Albertino → Albèrto
Albèrto
Albèrto Marìa → Albèrto e
    Marìa

Albèrto Màrio → Albèrto
Albina → Albino
Albino
Àlbio → Alba
Àlbizio → Àlbizzo
Àlbizzo
Albo → Alba
Alboìno
Alcèa → Alcèo
Alcèo
Alcèsta → Alcèste
Alcèste
Alcestina → Alcèste
Alcèsto → Alcèste
Alcibìade
Alcida → Alcide
Alcide
Alcìdio → Alcide
Alcido → Alcide
Alcina
Alcino → Alcina
Alcisa → Adalgisa
Alciso → Adalgisa
Alcmèna
Alda → Aldo
Alda Marìa → Aldo
Aldeàndra → Leàndro
Aldebrando → Aldobrando
Aldegarda → Aldegardo
Aldegardo
Aldegónda
Aldegóndo → Aldegónda
Aldemara → Ademaro
Aldemaro → Ademaro
Aldèmia → Adèlmo
Aldemina → Adèlmo
Aldèmio → Adèlmo
Aldemira → Adelmiro
Aldemiro → Adelmiro
Aldèmo → Adèlmo
Alderano → Aldo
Alderica → Alderico
Alderice → Alderico
Alderico
Alderigi → Alderico
Alderigo → Alderico
Alderina → Aldo
Alderino → Aldo
Aldèrio → Aldo
Aldèro → Aldo
Aldesina → Aldo
Aldesino → Aldo
Aldesira → Aldo
Aldighièro → Alighièro
Aldimaro → Ademaro
Aldimiro → Adelmiro
Aldina → Aldo
Aldino → Aldo
Aldisio → Aldo
Aldivièro → Alighièro
Aldo
Aldobranda → Aldobrando
Aldobrandino → Aldobrando
Aldobrando

Aldoìna → *Alduìno*
Aldoìno → *Alduìno*
Aldo Màrio → *Aldo*
Aldomiro → *Adelmiro*
Aldorino → *Aldo*
Aldovina → *Alduìno*
Aldovino → *Alduìno*
Aldùccio → *Aldo*
Alduìna → *Aldo*
Alduìna → *Alduìno*
Alduìno
Aleàldo → *Aleàrdo*
Aleàndra → *Leàndro*
Aleàndro → *Leàndro*
Aleàrco → *Leàrco*
Aleàrda → *Aleàrdo*
Aleàrdo
Alemanno
Alemaro → *Ademaro*
Aleramo
Alerando → *Aleramo*
Alèsia → *Alèssio*
Alèsio → *Alèssio*
Alessandra → *Alessandro*
Alessàndria → *Alessandro*
Alessandrina → *Alessandro*
Alessandrino → *Alessandro*
Alessandro
Alèssi → *Alèssio*
Alèssia → *Alèssio*
Alessina → *Alèssio*
Alèssio
Alétta → *Aladino*
Alfa
Alfano
Alfèa → *Alfèo*
Alfèo
Alfèria → *Alfièro*
Alferino → *Alfièro*
Alfèrio → *Alfièro*
Alfèro → *Alfièro*
Àlfia → *Àlfio*
Alfièra → *Alfièro*
Alfière → *Alfièro*
Alfierina → *Alfièro*
Alfierino → *Alfièro*
Alfièri → *Alfièro*
Alfièro
Alfina → *Àlfio*
Alfino → *Àlfio*
Àlfio
Alfo → *Alfa*
Alfònsa → *Alfònso*
Alfonsina → *Alfònso*
Alfonsino → *Alfònso*
Alfònso
Alfònza → *Alfònso*
Alfonzina → *Alfònso*
Alfònzo → *Alfònso*
Alfréda → *Alfrédo*
Alfredina → *Alfrédo*
Alfredino → *Alfrédo*
Alfrédo
Alfrida → *Alfrédo*

Alfride → *Alfrédo*
Algemiro → *Argimiro*
Algèo → *Alcèo*
Algèri
Algerìa → *Algèri*
Algèria → *Algèri*
Algerina → *Algèri*
Algerino → *Algèri*
Algèro → *Algèri*
Alghèro → *Alighièro*
Alghìsio → *Adalgisa*
Algìa → *Argia*
Algimiro → *Argimiro*
Algisa → *Adalgisa*
Algìsio → *Adalgisa*
Algiso → *Adalgisa*
Alibèrto → *Albèrto*
Alibrando → *Aldobrando*
Alice
Alìcia → *Alice*
Alìcio → *Alice*
Alida
Alide → *Alida*
Alìdea → *Alida*
Alìdeo → *Alida*
Alido → *Alida*
Alidòra → *Eliodòro*
Alidòro → *Eliodòro*
Alighièra → *Alighièro*
Alighièri → *Alighièro*
Alighièro
Aligi
Alìgio → *Aligi*
Alina
Alinda
Alindo → *Alinda*
Alino → *Alina*
Alipia → *Alipio*
Alìpio
Aliprando → *Aldobrando*
Alisa → *Fiordalisa*
Alìsia → *Fiordalisa*
Alìsio → *Fiordalisa*
Aliso → *Fiordalisa*
Alivièro → *Olivo*
Allégra → *Allégro*
Allegrina → *Allégro*
Allegrino → *Allégro*
Allégro
Alma
Almaròsa → *Alma*
Almèria → *Almerino*
Almerica → *Amerigo*
Almerico → *Amerigo*
Almerigo → *Amerigo*
Almerina → *Almerino*
Almerinda → *Almerino*
Almerindo → *Almerino*
Almerino
Almèrio → *Almerino*
Almèris → *Amnèris*
Almièro → *Almerino*
Almina → *Alma*
Almino → *Alma*

Almira → *Almerino*
Almirante
Almiro → *Almerino*
Almo → *Alma*
Aloìsa → *Aloìsio*
Aloìse → *Aloìsio*
Aloìsia → *Aloìsio*
Aloìsio
Alònzo
Alpa → *Alpo*
Alpìdio → *Elpìdio*
Alpina → *Alpino*
Alpino
Alpìnolo → *Alpino*
Alpo
Altabèlla → *Altobèllo*
Altavilla
Altavillo → *Altavilla*
Altèa
Altèmio → *Artèmio*
Altèo → *Altèa*
Altèra → *Altèro*
Altèria → *Altèro*
Alterino → *Altèro*
Altèrio → *Altèro*
Altèro
Altièri → *Altèro*
Altièro → *Altèro*
Altimiro → *Adelmiro*
Altobèllo
Altobrando → *Aldobrando*
Altomare
Altomira → *Adelmiro*
Altomiro → *Adelmiro*
Altorino → *Aldo*
Alvara → *Alvaro*
Alvarina → *Alvaro*
Alvarino → *Alvaro*
Alvàrio → *Alvaro*
Alvaro
Alvèzio → *Elvèzia*
Alvisa → *Aloìsio*
Alvise → *Aloìsio*
Alvìsia → *Aloìsio*
Alvìsio → *Aloìsio*
Alviso → *Aloìsio*
Amàbile
Amabilia → *Amàbile*
Amabìlio → *Amàbile*
Amaddio → *Amedèo*
Amadèa → *Amedèo*
Amadèo → *Amedèo*
Amadia → *Amedèo*
Amadio → *Amedèo*
Amalfa → *Amalfi*
Amalfi
Amàlfia → *Amalfi*
Amàlfio → *Amalfi*
Amalfo → *Amalfi*
Amàlia
Amàlio → *Amàlia*
Amanda → *Amando*
Amandina → *Amando*
Amandino → *Amando*

Amando
Amante
Amantina → *Amante*
Amantino → *Amante*
Amanto → *Amante*
Amànzia → *Amànzio*
Amànzio
Amarando → *Amaranto*
Amaranta → *Amaranto*
Amaranto
Amarilli
Amaríllide → *Amarilli*
Amàrio → *Amèrio*
Amata → *Amato*
Amatino → *Amato*
Amato
Amatóre
Amatrice → *Amatóre*
Amatùccio → *Amato*
Ambalagi
Ambèrta → *Lambèrto*
Ambèrto → *Lambèrto*
Ambra
Ambrétta → *Ambra*
Ambro → *Ambra*
Ambrògia → *Ambrògio*
Ambrogina → *Ambrògio*
Ambrogino → *Ambrògio*
Ambrògio
Ambròsia → *Ambrògio*
Ambrosina → *Ambrògio*
Ambrosino → *Ambrògio*
Ambròsio → *Ambrògio*
Amedèa → *Amedèo*
Amedèo
Amèglia → *Amèlia*
Amèglio → *Amèlia*
Amèlia
Amelina → *Amèlia*
Amelino → *Amèlia*
Amèlio → *Amèlia*
Amelita → *Amèlia*
America → *Amerigo*
Americo → *Amerigo*
Ameriga → *Amerigo*
Amerigo
Amerina → *Amèrio*
Amerinda → *Almerino*
Amerindo → *Almerino*
Amerino → *Amèrio*
Amèrio
Amèris → *Amnèris*
Amèro → *Amèrio*
Amica → *Amico*
Amico
Amìlcara → *Amìlcare*
Amìlcare
Amina
Aminda → *Aminta*
Amino → *Amina*
Aminta
Aminto → *Aminta*
Amìntore → *Aminta*
Amlèta → *Amlèto*

Amlèto
Ammèris → *Amnèris*
Amnèris
Amodèo → *Amedèo*
Amodìa → *Amedèo*
Amodìo → *Amedèo*
Amonasro
Amonastro → *Amonasro*
Amóre
Amorina → *Amóre*
Amorino → *Amóre*
Amorósa → *Amoróso*
Amoróso
Amos
Ampèglio → *Ampèlio*
Ampèlia → *Ampèlio*
Ampèlio
Ampèllio → *Ampèlio*
Ampèrio → *Ampèlio*
Ampìlio → *Ampèlio*
Amsìcora
Amùlia → *Amùlio*
Amùlio
Anaclèta → *Anaclèto*
Anaclèto
Anania
Ananìo → *Anania*
Anastàsia → *Anastàsio*
Anastàsio
Anatòlia → *Anatòlio*
Anatòlio
Anca → *Anco*
Ancèlla → *Ancilla*
Anchise
Ancilla
Ancillo → *Ancilla*
Anco
Anco Màrzio → *Anco*
Ancomàrzio → *Anco*
Anda → *Ando*
Andalusa
Andaluso → *Andalusa*
Andina → *Ando*
Andino → *Ando*
Ando
Andra → *Andro*
Andrè → *Andrèa*
Andrèa
Andreàna → *Andrèa*
Andreàno → *Andrèa*
Andreàtta → *Andrèa*
Andreìna → *Andrèa*
Andreìno → *Andrèa*
Andreòla → *Andrèa*
Andreòlo → *Andrèa*
Andrétta → *Andrèa*
Andrettina → *Andrèa*
Andreùccia → *Andrèa*
Andreùccio → *Andrèa*
Andriétta → *Andrèa*
Andriétto → *Andrèa*
Andro
Andròmaca
Andronico

Anèlla → *Agnèllo*
Anellina → *Agnèllo*
Anellino → *Agnèllo*
Anelusco → *Nelusco*
Anèris → *Amnèris*
Angela → *Angelo*
Angela Antònia → *Angelo*
Angela Lina → *Angelo*
Angela Marìa → *Angelo*
Angelamarìa → *Angelo*
Angelantònio → *Angelo*
Angela Rita → *Angelo*
Angela Ròsa → *Angelo*
Angelaròsa → *Angelo*
Angela Terèsa → *Angelo*
Angelétta → *Angelo*
Angèlica
Angèlico → *Angèlica*
Angelina → *Angelo*
Angelino → *Angelo*
Angelita → *Angelo*
Angelo
Angelo Antònio → *Angelo*
Angelo Giovanni → *Angelo*
Angelo Giusèppe → *Angelo*
Angelo Luìgi → *Angelo*
Angelo Marìa → *Angelo* e *Maria*
Angelomarìa → *Angelo*
Angelo Màrio → *Angelo*
Angelo Michèle → *Angelo*
Angelo Raffaèle → *Angelo*
Angilbèrto
Angiola → *Angelo*
Angiola Marìa → *Angelo*
Angiolamarìa → *Angelo*
Angiolétta → *Angelo*
Angiolétto → *Angelo*
Angiolina → *Angelo*
Angiolino → *Angelo*
Angiolo → *Angelo*
Aniceta → *Anicèto*
Anicèto
Anicétta → *Anicéto*
Aniélla → *Agnèllo*
Aniéllo → *Agnèllo*
Anita
Anita Marìa → *Anita*
Anito → *Anita*
Anna
Annabèlla
Anna Gràzia → *Anna*
Annagràzia → *Anna*
Anna Làura → *Anna*
Anna Lìa → *Anna*
Annalìa → *Anna*
Anna Lisa → *Anna*
Annalisa → *Anna*
Anna Lucìa → *Anna*
Anna Luìsa → *Anna*
Annaluìsa → *Anna*
Anna Marìa → *Anna*

Annamarìa → *Anna*
Anna Pàola → *Anna*
Anna Pìa → *Anna*
Annarèlla → *Anna*
Anna Rita → *Anna*
Annarita → *Anna*
Anna Ròsa → *Anna*
Annaròsa → *Anna*
Anna Terèsa → *Anna*
Annèlla → *Anna*
Annèris → *Amnèris*
Annétta → *Anna*
Annettina → *Anna*
Annétto → *Anna*
Anni → *Anna*
Annìbala → *Annìbale*
Annìbale
Annibalina → *Annìbale*
Annìco → *Anna*
Annina → *Anna*
Annino → *Anna*
Annita → *Anita*
Annito → *Anita*
Annj → *Anna*
Anno → *Anna*
Annùccia → *Anna*
Annùccio → *Anna*
Annùncia → *Annunziàta*
Annunciàta → *Annunziàta*
Annunciàto → *Annunziàta*
Annùncio → *Annunziàta*
Annùnzia → *Annunziàta*
Annunziàta
Annunziatina → *Annunziàta*
Annunziàto → *Annunziàta*
Annùnzio → *Annunziàta*
Anny → *Anna*
Anrico → *Enrico*
Ansalda → *Ansaldo*
Ansaldo
Ansano
Ansèlma → *Ansèlmo*
Anselmina → *Ansèlmo*
Anselmino → *Ansèlmo*
Ansèlmo
Ansovino
Anspertina → *Anspèrto*
Anspèrto
Ansuìna → *Ansovino*
Ansuìno → *Ansovino*
Anta → *Anto*
Antèa → *Antèo*
Antènora → *Antènore*
Antènore
Antèo
Antèra → *Àntero*
Àntera → *Àntero*
Anterino → *Àntero*
Antèrio → *Àntero*
Àntero o *Antèro*
Antìgona → *Antìgone*
Antìgone
Antigono → *Antìgone*
Àntima → *Àntimo*

Antimina → *Àntimo*
Antimino → *Àntimo*
Àntimo
Antìoca → *Antìoco*
Antìoco
Anto
Antonàngelo → *Antònio*
Antonèlla → *Antònio*
Antonèllo → *Antònio*
Antonétta → *Antònio*
Antonétto → *Antònio*
Antònia → *Antònio*
Antònia Marìa → *Antònio*
Antoniàno → *Antònio*
Antonìca → *Antònio*
Antonìco → *Antònio*
Antoniétta → *Antònio*
Antoniétta Marìa → *Antònio*
Antoniétto → *Antònio*
Antonilla → *Antònio*
Antonillo → *Antònio*
Antonina → *Antonino*
Antonino
Antònio
Antònio Àngelo → *Antònio*
Antònio Francésco → *Antònio*
Antònio Giovanni → *Antònio*
Antònio Giusèppe → *Antònio*
Antònio Luìgi → *Antònio*
Antònio Marìa → *Antònio* e *Marìa*
Antonita → *Antònio*
Antoniùccio → *Antònio*
Antonmarìa → *Antònio* e *Marìa*
Antuóno → *Antònio*
Ànzia → *Anto*
Ànzio → *Anto*
Aònio
Apollinare
Apòllo
Apollònia → *Apollònio*
Apollònio
Apòstolo
Apparìzio
Àppia → *Àppio*
Appiàno → *Àppio*
Àppio
Àppio Clàudio → *Àppio*
Appioclàudio → *Àppio*
Aprile
Aprìlia → *Aprile*
Aprìlio → *Aprile*
Àquila
Aquilante
Aquilina → *Aquilino*
Aquilino
Aquìlio
Aralda → *Aròldo*
Araldo → *Aròldo*
Aramès → *Aramìs*

Aramìs
Arbàce o *Àrbace*
Arcàdio
Arcàngela → *Arcàngelo*
Arcangelina → *Arcàngelo*
Arcàngelo
Arcàngiolo → *Arcàngelo*
Arcèo → *Alcèo*
Archelào
Archibaldo → *Arcibaldo*
Archimède
Archita
Arcibaldo
Arcide → *Alcide*
Arcìdio → *Alcide*
Arcido → *Alcide*
Arcisa → *Adalgisa*
Arcìsio → *Adalgisa*
Arciso → *Adalgisa*
Arcónte
Arda → *Ardo*
Ardemaro → *Ademaro*
Ardéngo
Ardingo → *Ardéngo*
Ardino → *Ardo*
Ardita → *Ardito*
Ardito
Ardo
Ardoìno → *Arduìno*
Ardolino → *Arduìno*
Ardovino → *Arduìno*
Arduìlio → *Arduìno*
Arduìna → *Arduìno*
Arduìno
Àrduo → *Arduìno*
Areàldo → *Aròldo*
Argante
Argantina → *Argante*
Arge → *Argìa*
Argèa → *Argìa*
Argemiro → *Argimiro*
Argènta → *Argentina*
Argentina
Argentino → *Argentina*
Argènto → *Argentina*
Argènzia → *Argentina*
Argèo → *Argìa*
Argìa
Argimiro
Argìo → *Argìa*
Argo
Ària → *Àrio*
Ariàlda → *Aròldo*
Ariàldo → *Aròldo*
Ariàna → *Ariàno*
Ariànna
Ariànno → *Ariànna*
Ariàno
Aribèrto → *Eribèrto*
Àriel o *Arièl*
Arièla → *Àriel*
Arièle → *Àriel*
Arièlla → *Àriel*
Arièllo → *Àriel*

Arìènzo → *Lorènzo*
Ariétta → *Àrio*
Ariétto → *Àrio*
Arimóndo
Arina → *Àrio*
Àrino → *Àrio*
Àrio
Ariòsta → *Ariòsto*
Ariòsto
Aris
Aristarco
Aristèa → *Aristèo*
Aristèo
Aristide
Aristidina → *Arìstide*
Aristo
Aristodèma → *Aristodèmo*
Aristodèmo
Aristòtele
Aristòtile → *Aristòtele*
Arlesiàna
Arlètta → *Arlètte*
Arlétta → *Arlètte*
Arlètte
Armanda → *Armando*
Armandina → *Armando*
Armandino → *Armando*
Armando
Armanno → *Ermanno*
Armano → *Ermanno*
Armèla → *Ermellina*
Armelina → *Ermellina*
Armelinda → *Ermelinda*
Armelindo → *Ermelinda*
Armèlla → *Ermellina*
Armellina → *Ermellina*
Armellino → *Ermellina*
Armèllo → *Ermellina*
Armèna → *Armènio*
Armènia → *Armènio*
Armènio
Armèno → *Armènio*
Armentina → *Armènio*
Armerina → *Almerino*
Armerino → *Almerino*
Armida
Armìdio → *Armida*
Armido → *Armida*
Armildo → *Armida*
Armina → *Armìnio*
Arminda → *Armida*
Armindo → *Armida*
Armìnia → *Armìnio*
Armìnio
Armino → *Armìnio*
Armìrio → *Argimiro*
Armiro → *Argimiro*
Armistìzio
Arnalda → *Arnaldo*
Arnaldina → *Arnaldo*
Arnaldo
Arnòlda → *Arnaldo*
Arnòldo → *Arnaldo*
Arnòlfo

Aròlda → *Aròldo*
Aròldo
Àron → *Arònne*
Aròne → *Arònne*
Arònne
Arónte
Arpalìce o *Arpàlice*
Arriga → *Arrigo*
Arrighétto → *Arrigo*
Arrigo
Arrigùccio → *Arrigo*
Arsènia → *Arsènio*
Arsènio
Arsèno → *Arsènio*
Arsìlia → *Ersilia*
Arsìlio → *Ersilia*
Artasèrse
Artèmia → *Artèmio*
Artèmide
Artemìdio → *Artèmide*
Artèmio
Artemìsia
Artemìsio → *Artemìsia*
Artèmo → *Artèmio*
Artènia → *Artèmio*
Artenice
Artènio → *Artèmio*
Artèrio → *Altèro*
Artièro → *Altèro*
Artimina → *Artèmio*
Artimino → *Artèmio*
Artìmio → *Artèmio*
Artura → *Arturo*
Arturina → *Arturo*
Arturino → *Arturo*
Arturo
Arzèlio → *Arsènio*
Arzènio → *Arsènio*
Ascània → *Ascànio*
Ascànio
Ascènsa
Ascensina → *Ascènsa*
Ascènso → *Ascènsa*
Ascènza → *Ascènsa*
Ascenzina → *Ascènsa*
Ascènzio → *Ascènsa*
Ascènzo → *Ascènsa*
Asclepìade → *Asclèpio*
Asclèpio
Asdrùbale
Asiàgo
Asmara
Asmarino → *Asmara*
Asmaro → *Asmara*
Asmerino → *Asmara*
Aspàsia
Aspàsio → *Aspàsia*
Aspromónte
Assalònne
Assènzio → *Ascènsa*
Assuèra → *Assuèro*
Assuèro
Assunta
Assunta Marìa → *Assunta*

Assuntina → *Assunta*
Assuntino → *Assunta*
Assunto → *Assunta*
Aster → *Astro*
Astèria → *Astro*
Asterino → *Astro*
Astèrio → *Astro*
Àstero → *Astro*
Astòlfo
Astóre → *Astórre*
Astorino → *Astórre*
Astórre
Astra → *Astro*
Astrèa → *Astro*
Astro
Asvèro → *Assuèro*
Àtala
Atalìa
Àtalo → *Àtala*
Atanàsio
Àtea → *Àteo*
Atèna → *Atène*
Atène
Atèno → *Atène*
Àteo
Àthos o *Athòs*
Àtos → *Àthos*
Atòs → *Àthos*
Àttala
Àttalo
Attanàsio → *Atanàsio*
Àttico
Àttila
Attilia → *Attìlio*
Attiliàna → *Attilio*
Attiliàno → *Attilio*
Attìlio
Atto → *Azzo*
Audace
Audènzia → *Audènzio*
Audènzio
Audìsio → *Aldo*
Augusta → *Augusto*
Augustale → *Augusto*
Augustina → *Augusto*
Augustino → *Augusto*
Augusto
Àulo
Àura
Àurea
Aurèlia → *Aurèlio*
Aureliàna → *Aureliàno*
Aureliàno
Aurèlio
Àureo → *Àurea*
Aurétta → *Àura*
Aurino → *Àura*
Àuro → *Àura*
Auròra
Ausìlia → *Ausilio*
Ausìlio
Ausònia → *Ausònio*
Ausònio
Ava → *Ave*

Avanti
Ave
Avèlia → *Evelina*
Avelina → *Evelina*
Avelino → *Evelina*
Avèlio → *Evelina*
Ave Marìa → *Ave*
Avellina → *Evelina*
Avellino → *Evelina*
Avendrace
Aventina → *Aventino*
Aventino
Averaldo → *Abelardo*
Averardo → *Abelardo*
Averina → *Evelina*
Averino → *Evelina*
Avèrio → *Evelina*
Avièro → *Evelina*
Avo → *Ave*
Avventina → *Aventino*
Avventino → *Aventino*
Azarìa
Azèglia → *Azèglio*
Azèglio
Azèlia → *Azèglio*
Azèlio → *Azèglio*
Azèlma → *Guglièlmo*
Àzia → *Azzo*
Àzio → *Azzo*
Azolino → *Azzo*
Azzèglio → *Azèglio*
Azzelino → *Azèglio*
Azzèlla → *Azèglio*
Azzèllo → *Azèglio*
Azzio → *Azzo*
Azzo
Azzolina → *Azzo*
Azzolino → *Azzo*
Azzurra
Azzurrina → *Azzurra*
Azzurrino → *Azzurra*
Azzurro → *Azzurra*

Bàbila
Bàbilo → *Bàbila*
Bacchìsio → *Bachìsio*
Bàccio
Bachìsia → *Bachìsio*
Bachìsio
Badòglio
Baìngia → *Gavino*
Baìngia Marìa → *Gavino*
Baìngio → *Gavino*
Baìngio Marìa → *Gavino*
Baìngio Màrio → *Gavino*
Balbina
Balbino → *Balbina*
Balda → *Baldo*
Baldasarre → *Baldassare*
Baldassare
Baldassarre → *Baldassare*
Baldina → *Baldo*

Baldino → *Baldo*
Baldo
Baldoìno → *Baldovino*
Baldovina → *Baldovino*
Baldovino
Baldùccio → *Baldo*
Balduìna → *Baldovino*
Balduìno → *Baldovino*
Balilla
Bambina
Bambino → *Bambina*
Bandinèllo → *Aldobrando*
Bandino → *Aldobrando*
Bandùccio → *Aldobrando*
Bàrbara
Barbarèlla → *Bàrbara*
Barbarina → *Bàrbara*
Barbarino → *Bàrbara*
Bàrbaro → *Bàrbara*
Barbato
Bàrbera → *Bàrbara*
Barberina → *Bàrbara*
Barberino → *Bàrbara*
Bardìlio
Bàrnaba
Barsanòfio
Barsanòfrio → *Barsanòfio*
Bàrtola → *Bartolomèo*
Bartolina → *Bartolomèo*
Bartolino → *Bartolomèo*
Bàrtolo → *Bartolomèo*
Bartolomèa → *Bartolomèo*
Bartolomèo
Basile → *Basìlio*
Basilèa → *Basìlio*
Basilèo → *Basìlio*
Basìlia → *Basìlio*
Basìlio
Basiliòla → *Basìlio*
Bassanina → *Basso*
Bassano → *Basso*
Bassiàno → *Basso*
Basso
Bastiàna → *Sebastiàno*
Bastianina → *Sebastiàno*
Bastianino → *Sebastiàno*
Bastiàno → *Sebastiàno*
Batista → *Battista*
Battista
Battista Giovanni → *Battista*
Battisti → *Battista*
Battistina → *Battista*
Battistino → *Battista*
Baudolina → *Baudolino*
Baudolino
Bèa → *Beatrice*
Beàta → *Beàto*
Beàto
Beatrice
Beàtrix → *Beatrice*
Belardina → *Berardo*
Belardino → *Berardo*
Belardo → *Berardo*
Belfióre

Belisària → *Belisàrio*
Belisàrio
Bèlla → *Bèllo*
Bellina → *Bellino*
Bellino
Bellisàrio → *Belisàrio*
Bèllo
Beltrame → *Bertrando*
Beltrando → *Bertrando*
Bène
Benedétta → *Benedétto*
Benedettina → *Benedétto*
Benedettino → *Benedétto*
Benedétto
Benedino → *Benedétto*
Benétto → *Benedétto*
Bengasi
Bengasina → *Bengasi*
Bengasino → *Bengasi*
Beniamina → *Beniamino*
Beniamino
Benigna → *Benigno*
Benigno
Benilda → *Benilde*
Benilde
Benildo → *Benilde*
Benina → *Bène*
Benino → *Bène*
Benita → *Benito*
Benito
Benizia → *Bène*
Benizio → *Bène*
Bennardino → *Bernardo*
Bennardo → *Bernardo*
Bènno
Bèno → *Bène*
Benòzzo → *Bène*
Bènsa → *Bènso*
Bènso
Bentivòglio
Benùccia → *Bène*
Benùccio → *Bène*
Benvenuta → *Benvenuto*
Benvenuto
Bèpi → *Giusèppe*
Bèppa → *Giusèppe*
Bèppe → *Giusèppe*
Bèppi → *Giusèppe*
Beppina → *Giusèppe*
Beppino → *Giusèppe*
Berarda → *Berardo*
Berardina → *Berardo*
Berardino → *Berardo*
Berardo
Berengària → *Berengàrio*
Berengàrio
Berenice
Bernadétta → *Bernardo*
Bernadette → *Bernardo*
Bernadétto → *Bernardo*
Bernarda → *Bernardo*
Bernardétta → *Bernardo*
Bernardette → *Bernardo*
Bernardina → *Bernardo*

Bernardino → *Bernardo*
Bernardo
Bernièro
Bernino → *Bernièro*
Bersabèa → *Betsabèa*
Bèrta → *Bèrto*
Bertilla → *Bèrto*
Bertillo → *Bèrto*
Bertina → *Bèrto*
Bertinèllo → *Bèrto*
Bertino → *Bèrto*
Bèrto
Bertòldo
Bertolino → *Bèrto*
Bèrtolo → *Bèrto*
Bertrando
Betsabèa
Bétta
Bétti → *Bétta*
Bettina → *Bétta*
Bettino → *Bétta*
Bétto → *Bétta*
Biàgia → *Biàgio*
Biagina → *Biàgio*
Biagino → *Biàgio*
Biàgio
Biànca
Biànca Marìa → *Biànca*
Biancamarìa → *Biànca*
Biancanéve
Biancardo → *Biànca*
Biànca Ròsa → *Biànca*
Biancaròsa → *Biànca*
Bianchina → *Biànca*
Bianchino → *Biànca*
Biànco → *Biànca*
Biàse → *Biàgio*
Biasino → *Biàgio*
Biàsio → *Biàgio*
Bibbiàna → *Bibiàna*
Bibbiàno → *Bibiàna*
Bibiàna
Bibiàno → *Bibiàna*
Bice → *Beatrice*
Bicétta → *Beatrice*
Bìgio → *Bixio*
Bina → *Bino*
Bindo → *Aldobrando*
Bino
Biónda → *Bióndo*
Biondina → *Bióndo*
Biondino → *Bióndo*
Bióndo
Birgitta → *Brìgida*
Bìsio → *Bixio*
Bixio
Bìzio → *Bixio*
Blanda
Blandina → *Blanda*
Blandino → *Blanda*
Blando → *Blanda*
Bluétta
Bluette → *Bluétta*
Boèro

Bòna
Bonacata
Bonacatta → *Bonacata*
Bonacattu → *Bonacata*
Bonacatu → *Bonacata*
Bonaccórso
Bonaféde
Bonaldo
Bonando → *Bonaldo*
Bonanno
Bonardo → *Bonaldo*
Bonària
Bonarina → *Bonària*
Bonarino → *Bonària*
Bonàrio → *Bonària*
Bonaventura
Bonèlla → *Bòna*
Bonèllo → *Bòna*
Bonfiglio
Bonfìlio → *Bonfiglio*
Bonifàcio
Bonifàzio → *Bonifàcio*
Bonina → *Bòna*
Bonino → *Bòna*
Bonito → *Bòna*
Bòno → *Bòna*
Bonòmo
Bonùccia → *Bòna*
Bonùccio → *Bòna*
Bordino
Bòris
Bòrtola → *Bartolomèo*
Bortolina → *Bartolomèo*
Bortolino → *Bartolomèo*
Bòrtolo → *Bartolomèo*
Bortolomèa → *Bartolomèo*
Bortolomèo → *Bartolomèo*
Bòvio
Bòvo → *Bòvio*
Bràccio
Bramo → *Abramo*
Brandino → *Aldobrando*
Brandìsio → *Aldobrando*
Brandìzio → *Aldobrando*
Brando → *Aldobrando*
Brasile
Brasìlia → *Brasile*
Brasilina → *Brasile*
Brasilino → *Brasile*
Brasìlio → *Brasile*
Brènna → *Brènno*
Brènno
Brèno → *Brènno*
Briàn → *Abramo*
Briàno → *Abramo*
Brìgida
Brigidina → *Brìgida*
Brìgido → *Brìgida*
Brigitta → *Brìgida*
Brigitte → *Brìgida*
Brillante
Brillantina → *Brillante*
Brillantino → *Brillante*
Brìzia → *Brìzio*

Brìzio
Bruna → *Bruno*
Brunaldino → *Bruno*
Brunaldo → *Bruno*
Brunèlla → *Bruno*
Brunellésco → *Bruno*
Brunèllo → *Bruno*
Brunèra → *Bruno*
Brunèro → *Bruno*
Brunétta → *Bruno*
Brunétto → *Bruno*
Brunilde
Brunildo → *Brunilde*
Brunina → *Bruno*
Brunino → *Bruno*
Bruno
Brunóne → *Bruno*
Brunòro → *Bruno*
Bruto
Buonaféde → *Bonaféde*
Buonaventura → *Bonaventura*
Buonfiglio → *Bonfiglio*
Buòno → *Bòna*
Buòvo → *Bòvio*

Cabìria
Cabìrio → *Cabìria*
Cadmo
Cadóre
Cadorino → *Cadóre*
Cadórna
Cadornino → *Cadórna*
Cadórno → *Cadórna*
Caffièro → *Cafièro*
Cafièra → *Cafièro*
Cafièro
Càio
Càio Màrio → *Càio*
Cairòli
Calcedònia → *Calcedònio*
Calcedònio
Calfièro → *Cafièro*
Calimèro
Calista → *Callisto*
Calisto → *Callisto*
Callìmaco
Callìope
Callista → *Callisto*
Callisto
Calògera → *Calògero*
Calògero
Calvina → *Calvo*
Calvino → *Calvo*
Càlvio → *Calvo*
Calvo
Camèlia
Camilla → *Camillo*
Camillo
Cammilla → *Camillo*
Cammillo → *Camillo*
Canciàno → *Cànzio*

Candelòra → *Candelòro*
Candelòro
Càndida → *Càndido*
Càndido
Cànio
Canuto
Canziàno → *Cànzio*
Cànzio
Cara → *Caro*
Cardènio → *Gardènia*
Cardina → *Cardùccio*
Carducci → *Cardùccio*
Cardùccio
Carina
Carino → *Carina*
Carìsio
Carìssima → *Caro*
Carìssimo → *Caro*
Carla → *Carlo*
Carlalbèrto → *Carlo*
Carlétta → *Carlo*
Carlétto → *Carlo*
Carlina → *Carlo*
Carlino → *Carlo*
Carlo
Carlo Albèrto → *Carlo*
Carlo Emanuèle → *Carlo*
Carlo Felice → *Carlo*
Carlo Marìa → *Carlo* e *Marìa*
Carlòtta → *Carlo*
Carlottina → *Carlo*
Carlùccia → *Carlo*
Carlùccio → *Carlo*
Carmèla
Carmèla Marìa → *Carmèla*
Carmelina → *Carmèla*
Carmelinda → *Carmèla*
Carmelindo → *Carmèla*
Carmelino → *Carmèla*
Carmèlio → *Carmèla*
Carmelita → *Carmèla*
Carmelito → *Carmèla*
Carmèlo → *Carmèla*
Carmen → *Carmèla*
Carmencita → *Carmèla*
Carmènio → *Carmèla*
Càrmina → *Carmèla*
Càrmine → *Carmèla*
Carminèlla → *Carmèla*
Carmìnio → *Carmèla*
Càrmino → *Carmèla*
Carminùccio → *Carmèla*
Carmosina
Caro
Càrola
Carolina → *Càrola*
Carolino → *Càrola*
Càrolo → *Càrola*
Carso
Cartèsio
Caruso
Casimira → *Casimiro*
Casìmiro
Casimirro → *Casimiro*

Cassandra
Càssia → *Càssio*
Cassiàna → *Cassiàno*
Cassiàno
Càssio
Casta → *Casto*
Castènze → *Castrése*
Castènzio → *Castrése*
Casto
Càstolo → *Casto*
Càstore
Castorina → *Càstore*
Castorino → *Càstore*
Castrènse → *Castrése*
Castrènza → *Castrése*
Castrènze → *Castrése*
Castrènzio → *Castrése*
Castrènzo → *Castrése*
Castrése
Castrùccio
Catalda → *Cataldo*
Cataldina → *Cataldo*
Cataldino → *Cataldo*
Cataldo
Catalina → *Caterina*
Catarina → *Caterina*
Catèlla → *Catèllo*
Catèllo
Caténa
Caténo → *Caténa*
Caterina
Caterino → *Caterina*
Cati → *Caterina*
Càtia → *Caterina*
Catiéllo → *Catèllo*
Catina → *Caténa*
Catino → *Caténa*
Catóne
Cattalino → *Caterina*
Catterina → *Caterina*
Catterino → *Caterina*
Catulla → *Catullo*
Catullo
Caty → *Caterina*
Cavallòtti
Cavour
Ceccardo → *Francésco*
Cecchina → *Francésco*
Cecchino → *Francésco*
Cécco → *Francésco*
Cecìlia
Cecìlio → *Cecìlia*
Celerina → *Celerino*
Celerino
Celèsta → *Celèste*
Celèste
Celestina → *Celèste*
Celestino → *Celèste*
Celèsto → *Celèste*
Cèlia → *Cèlio*
Celidònia → *Celidònio*
Celidònio
Celina → *Marcèllo*
Celìnia → *Marcèllo*

Celino → *Marcèllo*
Cèlio
Cellina → *Marcèllo*
Cellino → *Marcèllo*
Cèlsa → *Cèlso*
Celsina → *Cèlso*
Celsino → *Cèlso*
Cèlsio → *Cèlso*
Cèlso
Cenerina
Cenerino → *Cenerina*
Censina → *Vincènzo*
Censino → *Vincènzo*
Cènso → *Vincènzo*
Cènza → *Vincènzo*
Cenzèlla → *Vincènzo*
Cenzina → *Vincènzo*
Cenzino → *Vincènzo*
Cènzo → *Vincènzo*
Césara → *Césare*
Césare
Cesàrea → *Césare*
Césare Augusto → *Césare*
Cesàreo → *Césare*
Cesària → *Césare*
Cesarina → *Césare*
Cesarino → *Césare*
Cesàrio → *Césare*
Cesarita → *Césare*
Césco → *Francésco*
Cesèlla → *Cèsio*
Cesèllo → *Cèsio*
Cesìdia → *Cèsio*
Cesìdio → *Cèsio*
Cesina → *Cèsio*
Cesino → *Cèsio*
Cèsio
Cesira → *Cèsio*
Cesìrio → *Cèsio*
Cesiro → *Cèsio*
Cettèo
Cétti → *Cettina*
Cettina
Cétty → *Cettina*
Chantal
Checchino → *Francésco*
Chécco → *Francésco*
Cherubina → *Cherubino*
Cherubino
Chiaffréda → *Chiaffrédo*
Chiaffrédo
Chiàra
Chiàra Marìa → *Chiàra*
Chiàra Stélla → *Chiàra*
Chiarastélla → *Chiàra*
Chiarèlla → *Chiàra*
Chiarèllo → *Chiàra*
Chiarétta → *Chiàra*
Chiarina → *Chiàra*
Chiarino → *Chiàra*
Chiàro → *Chiàra*
Chicca → *Francésco*
Chicco → *Francésco*
Chino → *Francésco*

Chìrico → *Quìrico*
Christiàna → *Cristiàno*
Christina → *Cristina*
Christine → *Cristina*
Ciàna → *Luciàno*
Ciàno → *Luciàno*
Ciardino → *Riccardo*
Ciàrdo → *Riccardo*
Ciccillo → *Francésco*
Ciccio → *Francésco*
Ciceróne
Cicita → *Cicito*
Cicito
Cilibèrto → *Gilbèrto*
Cina → *Cino*
Cincinnato
Cino
Cìnthia → *Cìnzia*
Cìntia → *Cìnzia*
Cìnzia
Cìnzio → *Cìnzia*
Cinzo → *Cìnzia*
Cipriàna → *Cipriàno*
Cipriàno
Cira → *Ciro*
Cirano
Cirène
Cirenèo
Cirèno → *Cirène*
Cirétta → *Ciro*
Cirìaca → *Cirìaco*
Cirìaco
Cirilla → *Cirillo*
Cirillo
Cirina → *Ciro*
Cirino → *Ciro*
Cìrio → *Ciro*
Ciro
Cisa → *Gisa*
Cisèlla → *Gisa*
Ciso → *Gisa*
Cita → *Zita*
Cito → *Zita*
Cìvita
Clara → *Chiàra*
Clara Marìa → *Chiàra*
Clarènza → *Clarènzio*
Clarènzio
Clarènzo → *Clarènzio*
Clarétta → *Chiàra*
Clarice
Clàrio → *Chiàra*
Clarissa → *Chiàra*
Clarita → *Chiàra*
Claro → *Chiàra*
Clàuco → *Glàuco*
Clàudia → *Clàudio*
Claudiàna → *Clàudio*
Claudiàno → *Clàudio*
Claudina → *Clàudio*
Claudino → *Clàudio*
Clàudio
Clèa → *Cleopatra*
Cleànte

Cleànto → *Cleànte*
Cleàrco
Clèlia
Clèlio → *Clèlia*
Clème → *Clemènte*
Clèmen → *Clemènte*
Clemènta → *Clemènte*
Clemènte
Clementina → *Clemènte*
Clementino → *Clemènte*
Clemènza → *Clemènte*
Clemènzia → *Clemènte*
Clemènzio → *Clemènte*
Clèo → *Cleopatra*
Cléo → *Cleopatra*
Clèofe
Cleofina → *Clèofe*
Cleofino → *Clèofe*
Cleonice
Cleonilde
Cleónte → *Creónte*
Cleontina → *Creónte*
Cleontino → *Creónte*
Cleopatra
Clèope → *Clèofe*
Clèria → *Clèrio*
Clerice → *Clarice*
Clèrio
Clèro → *Clèrio*
Clèta → *Anaclèto*
Clèto → *Anaclèto*
Clìa → *Clio*
Clicèria → *Glicèrio*
Clicèrio → *Glicèrio*
Climène o *Clìmene*
Clino
Clio
Clita → *Anaclèto*
Clito → *Anaclèto*
Clìzia
Clìzio → *Clìzia*
Clòdia → *Clàudio*
Clodimiro → *Clodomiro*
Clòdio → *Clàudio*
Clodoàldo
Clodomira → *Clodomiro*
Clodomiro
Clodovèa → *Clodovèo*
Clodovèo
Clòe
Clòra → *Clòri*
Clòri
Cloridano
Clòride → *Clòri*
Clorinda
Clorindo → *Clorinda*
Clòry → *Clòri*
Clotilde
Clotildo → *Clotilde*
Còclite
Còla → *Nicòla*
Colétta → *Nicòla*
Colette → *Nicòla*
Colétto → *Nicòla*

Collatino
Colómba
Colombano
Colombina → *Colómba*
Colombino → *Colómba*
Colómbo → *Colómba*
Coltura
Colturo → *Coltura*
Comàsia
Comàsio → *Comàsia*
Comìncio
Comita
Comito → *Comita*
Còmo → *Giàcomo*
Comunarda → *Comunardo*
Comunardo
Còna → *Còno*
Concepita → *Concètta*
Concèssa → *Concètta*
Concessina → *Concètta*
Concèsso → *Concètta*
Concètta
Concètta Marìa → *Concètta*
Concettina → *Concètta*
Concettino → *Concètta*
Concètto → *Concètta*
Concèzia → *Concètta*
Concèzio → *Concètta*
Concezióne → *Concètta*
Conchita → *Concita*
Concita
Concòrdia
Concòrdio → *Concòrdia*
Conétta → *Còno*
Confòrta → *Confòrto*
Confòrto
Confùcio
Còno
Consalva → *Consalvo*
Consalvo
Consìglia → *Consìglio*
Consìglio
Consìlia → *Consìglio*
Consìlio → *Consìglio*
Consòla → *Consolata*
Consolata
Consolato → *Consolata*
Consolazióne → *Consolata*
Consolina → *Consolata*
Consolino → *Consolata*
Consòlo → *Consolata*
Consuéla → *Consolata*
Consuélo → *Consolata*
Contaldo → *Contardo*
Contarda → *Contardo*
Contardina → *Contardo*
Contardino → *Contardo*
Contardo
Contrano → *Gontrano*
Còra
Coràggio
Coralla → *Corallo*
Corallina → *Corallo*
Corallino → *Corallo*

Corallo
Cordèlia
Cordèlio → *Cordèlia*
Corèbo
Corilla → *Corinna*
Corina → *Còra*
Corinda → *Corinto*
Corindo → *Corinto*
Corinna
Corinno → *Corinna*
Corino → *Còra*
Corinta → *Corinto*
Corìntio → *Corinto*
Corinto
Corìnzio → *Corinto*
Coriolano
Cornèlia → *Cornèlio*
Cornèlio
Coróna
Coronata → *Incoronata*
Coronato → *Incoronata*
Corrada → *Corrado*
Corradina → *Corrado*
Corradino → *Corrado*
Corrado
Corsina → *Córso*
Corsino → *Córso*
Córso
Cortése
Cortesìa → *Cortése*
Cortesina → *Cortése*
Cortina
Cortino → *Cortina*
Cosétta
Còsima → *Còsma*
Còsima Damiàna → *Còsma*
Cosimina → *Còsma*
Cosimino → *Còsma*
Còsimo → *Còsma*
Còsimo Damiàno → *Còsma*
Còsma
Còsma Damiàno → *Còsma*
Cosmano → *Còsma*
Cosmina → *Còsma*
Cosmino → *Còsma*
Còsmo → *Còsma*
Còsmo Damiàno → *Còsma*
Costàbile
Costante
Costantina → *Costante*
Costantino → *Costante*
Costanza → *Costante*
Costanzo → *Costante*
Creónte
Crescènte → *Crescènzo*
Crescentina → *Crescènzo*
Crescentino → *Crescènzo*
Crescènza → *Crescènzo*
Crescènzia → *Crescènzo*
Crescenziàno → *Crescènzo*
Crescènzio → *Crescènzo*
Crescènzo
Crèso
Crespino → *Crispino*

Creùsa
Crisante
Crisanto → *Crisante*
Crisèide
Crisòstomo
Crispina → *Crispino*
Crispino
Crispòldo → *Crispòlto*
Crispòlto
Crista → *Cristo*
Cristano → *Cristiàno*
Cristanziàno
Cristiàna → *Cristiàno*
Cristiàne → *Cristiàno*
Cristiàno
Cristina
Cristino → *Cristina*
Cristo
Cristòfalo → *Cristòforo*
Cristòfano → *Cristòforo*
Cristòfaro → *Cristòforo*
Cristòfero → *Cristòforo*
Cristòfolo → *Cristòforo*
Cristòfora → *Cristòforo*
Cristòforo
Cróce
Crocefissa → *Crocifisso*
Crocefisso → *Crocifisso*
Crocétta → *Cróce*
Crocifissa → *Crocifisso*
Crocifisso
Crocina → *Cróce*
Cruciàno → *Cróce*
Cunegónda
Cunegóndo → *Cunegónda*
Cunibèrto
Cuóno → *Còno*
Cupido
Cùrio
Cùrzia → *Cùrzio*
Cùrzio
Cusmano → *Còsma*
Custòde
Custòdio → *Custòde*
Cusumano → *Còsma*

Dafne
Dafni
Dafno → *Dafne*
Dagobèrta → *Dagobèrto*
Dagobèrto
Daisy
Dalcisa → *Adalgisa*
Dalcìsio → *Adalgisa*
Dalciso → *Adalgisa*
Dalgisa → *Adalgisa*
Dàlia
Dàlila
Dalinda → *Adelinda*
Dalindo → *Adelinda*
Dalino → *Dàlia*
Dàlio → *Dàlia*

Daliso → *Fiordalisa*
Dalma → *Idalma*
Dàlmata
Dàlmato → *Dàlmata*
Dalmàzia → *Dalmàzio*
Dalmàzio
Dalmazzo → *Dalmàzio*
Dalmina → *Idalma*
Dalmino → *Idalma*
Dalmiro → *Adelmiro*
Dalmo → *Idalma*
Dàmasa → *Dàmaso*
Damasca → *Damasco*
Damasco
Dàmaso
Damiàna → *Damiàno*
Damiàno
Damiàno Còsimo → *Damià-no*
Damina → *Adamo*
Damino → *Adamo*
Dana → *Danièle*
Dàndolo
Dani → *Danièle*
Dània → *Danièle*
Danièl → *Danièle*
Danièla → *Danièle*
Danièle
Danièlla → *Danièle*
Danièllo → *Danièle*
Danila → *Danièle*
Danilla → *Danièle*
Danillo → *Danièle*
Danilo → *Danièle*
Danino → *Danièle*
Dànio → *Danièle*
D'Annùnzio → *Dannùnzio*
Dannùnzio
Danta → *Dante*
Dante
Dantina → *Dante*
Dantino → *Dante*
Danùbio
Daphne → *Dafne*
Dàrdano
Dardo → *Medardo*
Dària → *Dàrio*
Darièlla → *Dàrio*
Darina → *Dàrio*
Dàrio
Darma
Darmo → *Darma*
Darvina → *Darwin*
Darvino → *Darwin*
Darwin
Dato → *Adeodato*
David → *Dàvide*
Dàvida → *Dàvide*
Dàvide
Davidina → *Dàvide*
Davidino → *Dàvide*
Davina → *Davino*
Davìnio → *Davino*
Davino

Dazèglio → *Azèglio*
Dazèlio → *Azèglio*
Dàzio
Dèa → *Dèo*
Deàna → *Deànna*
Deanira → *Deianira*
Deànna
Dèbora
Dèborah → *Dèbora*
Decènzio
Dècia → *Dècio*
Dècima → *Dècimo*
Decimina → *Dècimo*
Decimino → *Dècimo*
Dècimo
Dècio
Dèdalo
Defendènte
Defèndi → *Defendènte*
Defendina → *Defendènte*
Defèndo → *Defendènte*
Dégna
Deianira
Dejanira → *Deianira*
Delcisa → *Adalgisa*
Delciso → *Adalgisa*
Delèdda
Dèlfa → *Adèlfo*
Dèlfi → *Adèlfo*
Dèlfia → *Adèlfo*
Delfina → *Delfino*
Delfino
Dèlfio → *Adèlfo*
Dèlfo → *Adèlfo*
Dèlia
Delina → *Dèlia*
Delinda → *Adelinda*
Delindo → *Adelinda*
Delino → *Dèlia*
Dèlio → *Dèlia*
Delisa → *Adelisa*
Delìsio → *Adelisa*
Deliso → *Adelisa*
Delìzia
Delìzio → *Delìzia*
Dèlma → *Adèlmo*
Delmina → *Adèlmo*
Delmino → *Adèlmo*
Delmira → *Adelmiro*
Delmiro → *Adelmiro*
Dèlmo → *Adèlmo*
Dèma → *Ademaro*
Demaro → *Ademaro*
Demètria → *Demètrio*
Demètrio
Dèmo → *Ademaro*
Demòstene
Denis → *Dionìsio*
Denisa → *Dionìsio*
Denise → *Dionìsio*
Denìsia → *Dionìsio*
Denìsio → *Dionìsio*
Dèo
Deodata → *Adeodato*

Deodato → *Adeodato*
Deomira → *Diomira*
Deonìsia → *Dionìsio*
Deonìsio → *Dionìsio*
Dèra → *Desidèrio*
Derina → *Desidèrio*
Derino → *Desidèrio*
Dèrio → *Desidèrio*
Dèrna
Dernino → *Dèrna*
Dèrno → *Dèrna*
Dèro → *Desidèrio*
Desdèmona
Desdèmone → *Desdèmona*
Dèsi → *Daisy*
Dèsia → *Desidèrio*
Desidèra → *Desidèrio*
Desiderata → *Desiderato*
Desiderato
Desidèria → *Desidèrio*
Desidèrio
Dèsio → *Desidèrio*
Desolina
Desolino → *Desolina*
Dessiè
Destino
Desy → *Daisy*
Diamanta → *Diamante*
Diamante
Diamantina → *Diamante*
Diàna
Dianèlla → *Diàna*
Dianèllo → *Diàna*
Diàno → *Diàna*
Dìaz
Dìdaco
Dìdia → *Dìdio*
Dìdima → *Dìdimo*
Dìdimo
Dìdio
Diéga → *Diégo*
Diégo
Dilètta
Dilètto → *Dilètta*
Dìlia → *Edìlio*
Diliàna → *Edìlio*
Dìlio → *Edìlio*
Dilla → *Edìlio*
Dillo → *Edìlio*
Dilo → *Edìlio*
Dima → *Disma*
Dimitra → *Demètrio*
Dimitri → *Demètrio*
Dimìtrio → *Demètrio*
Dimma → *Disma*
Dimmo → *Disma*
Dimo → *Disma*
Dina → *Dino*
Dinétto → *Dino*
Dino
Dioclezìàno
Diodata → *Adeodato*
Diodato → *Adeodato*
Diodòra → *Diodòro*

Diodorino → *Diodòro*
Diodòro
Diògene
Diomède
Diomira
Diomiro → *Diomira*
Dióne
Dionèlla → *Dióne*
Dionèllo → *Dióne*
Dionigi → *Dionìsio*
Dionìgia → *Dionìsio*
Dionìgio → *Dionìsio*
Dionilla → *Dióne*
Dionino → *Dióne*
Dionira → *Diomira*
Dionisi → *Dionìsio*
Dionìsia → *Dionìsio*
Dionìsio
Dionìso → *Dionìsio*
Dioscòride
Diotisalvi
Dirce
Dircèa → *Dirce*
Dircèo → *Dirce*
Disma
Dismo → *Disma*
Disolina → *Desolina*
Diva
Divina → *Diva*
Divinàngelo
Divino → *Diva*
Divìo → *Diva*
Divo → *Diva*
Dògali
Dogalina → *Dògali*
Dolcina → *Dolcino*
Dolcino
Dolcìssima
Dolfina → *Adòlfo*
Dolfino → *Adòlfo*
Dolinda → *Dòria*
Dolindo → *Dòria*
Dolorata → *Addolorata*
Dolòres
Dolorétta → *Dolorósa*
Dolorice → *Doralice*
Dolorina → *Dolorósa*
Dolorinda → *Dolorósa*
Dolorino → *Dolorósa*
Dolòris → *Dolòres*
Dolorósa
Doménica → *Doménico*
Doménica Marìa → *Doméni-co*
Domenicàngelo → *Doménico*
Domenicantònio → *Doméni-co*
Domenichina → *Doménico*
Domenichino → *Doménico*
Doménico
Doménico Àngelo → *Domé-nico*
Doménico Antònio → *Domé-nico*

Doménico Giusèppe → Do-
ménico
Doménico Màrio → Doméni-
co
Domenicùccio → Doménico
Dominatóre
Domìnica → Doménico
Domitilla
Domitillo → Domitilla
Domìzia → Domìzio
Domiziàno → Domìzio
Domìzio
Donaldo → Dóno
Donata → Donato
Donata Marìa → Donato
Donatantònio → Donato
Donatèlla → Donato
Donatèllo → Donato
Donatilla → Donato
Donatina → Donato
Donatino → Donato
Donato
Donato Antònio → Donato
Donatùccio → Donato
Donèlio → Dóno
Donèlla → Dóno
Donèllo → Dóno
Donétta → Dóno
Donillo → Dóno
Donina → Donnino
Donino → Donnino
Donìzio → Dionisio
Donnina → Donnino
Donnino
Dóno
Dòra
Doralba → Dòra
Doralice
Doranda → Adorato
Dorando → Adorato
Dorèlla → Dòra
Dorétta → Dòra
Dorétto → Dòra
Dòri → Dòris
Dòria
Doriàna → Dòria
Doriàno → Dòria
Dorico → Ulderico
Dòride → Dòris
Dorigo → Ulderico
Dorina → Dòra
Dorinda → Dòria
Dorindo → Dòria
Dorino → Dòra
Dòrio → Dòria
Dòris
Dorita → Dòra
Dorligo → Ulderico
Dòro → Dòra
Dorotèa
Dorotèo → Dorotèa
Dorothèa → Dorotèa
Dosolina → Desolina
Dosolino → Desolina

Dovìglia → Duìlio
Dovìglio → Duìlio
Dovìlia → Duìlio
Dovìlio → Duìlio
Draga → Drago
Drago
Drìade
Drusiàna
Drusiàno → Drusiàna
Drusilla → Druso
Druso
Drusolina → Desolina
Dùccia → Dùccio
Dùccio
Duìlia → Duìlio
Duìlio
Duìna → Duìno
Duìno
Dumas
Durando
Durante
Durantino → Durante
Duse
Dùsola → Desolina
Dusolina → Desolina

Èbe
Eberardo
Èbo → Èbe
Eccèlsa
Eccèlso → Eccèlsa
Ècla → Ègle
Ècle → Ègle
Èco
Èda → Èdo
Èdda
Èddi
Èddo → Èdda
Èddy → Èddi
Ède → Èdo
Edelbèrto
Edelvais → Edelweiss
Edelveis → Edelweiss
Edelwais → Edelweiss
Edelwaiss → Edelweiss
Edelweiss
Èden
Èdèna → Èden
Èdena → Èden
Èdera
Ederina → Èdera
Ederino → Èdera
Èdero → Èdera
Edèsia → Edèsio
Edèsio
Edgarda → Edgardo
Edgardo
Èdi → Èddi
Èdia → Èdo
Èdie → Èddi
Edilbèrto → Edelbèrto
Edìlia → Edìlio

Ediliàno → Edìlio
Edìlio
Edina → Èdo
Edino → Èdo
Èdio → Èdo
Edìpo o Èdipo
Èdison
Edita → Editta
Edith → Editta
Editta
Èdma → Edmóndo
Edmèa → Edmóndo
Edmèo → Edmóndo
Èdmo → Edmóndo
Edmónda → Edmóndo
Edmóndo
Èdo
Edoàrda → Edoàrdo
Edoardina → Edoàrdo
Edoardino → Edoàrdo
Edoàrdo
Edovìlio → Edìlio
Èdra → Èdera
Èdro → Èdera
Eduàrda → Edoàrdo
Eduàrdo → Edoàrdo
Eduìlia → Edìlio
Eduìlio → Edìlio
Eduìna → Edvino
Eduìno → Edvino
Edvige
Edvìgio → Edvige
Edvina → Edvino
Edvino
Edwige → Edvige
Èdy → Èddi
Effisia → Efìsio
Effisio → Efìsio
Èffrem → Èfrem
Efigenìa → Ifigènia
Efigènia → Ifigènia
Efisia → Efìsio
Efisina → Efìsio
Efisino → Efìsio
Efìsio
Efiso → Efìsio
Efraìm → Èfrem
Efraìmo → Èfrem
Efraìn → Èfrem
Èfrem
Èfren → Èfrem
Èfro → Èfrem
Egèa → Egèo
Egèo
Egèria
Egèrio → Egèria
Egida → Egìdio
Egide → Egidio
Egìdia → Egìdio
Egìdio
Egilbèrto → Gilbèrto
Egilda → Ermenegildo
Egilde → Ermenegildo
Egildo → Ermenegildo

Egìlia → *Egìdio*
Egìlio → *Egìdio*
Egista → *Egisto*
Egisto
Egìzia → *Egìzio*
Egizìaca → *Egìzio*
Egiziàna → *Egìzio*
Egiziàno → *Egìzio*
Egìzio
Egla → *Ègle*
Eglantina
Eglantino → *Eglantina*
Ègle
Eglentina → *Eglantina*
Eglina → *Ègle*
Eglo → *Ègle*
Élba
Elbana → *Élba*
Elbànio → *Élba*
Elbano → *Élba*
Élbo → *Élba*
Élda o *Èlda*
Eldina → *Élda*
Eldino → *Élda*
Èldo → *Élda*
Éldo → *Élda*
Èlea → *Èlio*
Eleàna → *Èlio*
Eleàno → *Èlio*
Eleàzaro o *Eleazàro*
Eleazzàro → *Eleàzaro*
Eleàzzaro → *Eleàzaro*
Èlena
Èlena Marìa → *Èlena*
Elènia → *Ellèno*
Elènio → *Ellèno*
Èleno → *Èlena*
Èleo → *Èlio*
Eleodòro → *Eliodòro*
Eleonarda → *Eleonardo*
Eleonardo
Eleonòra
Eleonòro → *Eleonòra*
Elètta
Elètto → *Elètta*
Elèttra
Elèttro → *Elèttra*
Eleutèria → *Eleutèrio*
Eleutèrio
Èlfa → *Èlfo*
Èlfi → *Èlfo*
Èlfia → *Èlfo*
Elfina → *Èlfo*
Elfino → *Èlfo*
Èlfio → *Èlfo*
Èlfo
Elfrida
Elfride → *Elfrida*
Elfrido → *Elfrida*
Elfriede → *Elfrida*
Èlga
Èlgo → *Èlga*
Elìa
Èlia → *Èlio*

Eliàna → *Èlio*
Eliàno → *Èlio*
Elianòra → *Eleonòra*
Elìas → *Elìa*
Elibèrto → *Eribèrto*
Èlida → *Èlide*
Èlide
Elìdia → *Èlide*
Elìdio → *Èlide*
Èlido → *Èlide*
Elìgia → *Elìgio*
Elìgio
Elina → *Èlio*
Elinda → *Èlio*
Elindo → *Èlio*
Elino → *Èlio*
Èlio
Eliodòra → *Eliodòro*
Eliodòro
Èlios → *Èlio*
Elisa → *Elisabétta*
Elisabèlla → *Elisabétta*
Elisabeth → *Elisabétta*
Elisabétta
Elisabétta Marìa → *Elisabétta*
Elisa Marìa → *Elisabétta*
Elisanna → *Elisabétta*
Elisèa → *Elisèo*
Elisèna → *Elisabétta*
Elisèno → *Elisabétta*
Elisèo
Elisétta → *Elisabétta*
Elìsia → *Elisabétta*
Elìsio → *Elisabétta*
Eliso → *Elisabétta*
Elizabeth → *Elisabétta*
Èlla
Ellèna → *Ellèno*
Ellènia → *Ellèno*
Ellènio → *Ellèno*
Ellèno
Éller → *Éllero*
Éllera → *Éllero*
Éllero
Èllia → *Èlio*
Ellìana → *Èlio*
Èllida → *Èlide*
Èllio → *Èlio*
Èllo → *Èlla*
Èlly → *Èlla*
Èlma → *Erasmo*
Elmerico → *Emerico*
Elmina → *Erasmo*
Elmino → *Erasmo*
Elmira → *Elmiro*
Elmirèno → *Elmiro*
Elmiro
Èlmo → *Erasmo*
Eloìsa
Eloìsia → *Eloìsa*
Elpìdia → *Elpìdio*
Elpìdio
Élsa
Élsa Marìa → *Élsa*

Élse → *Élsa*
Élsia → *Élsa*
Elsina → *Élsa*
Elsìno → *Élsa*
Élsio → *Élsa*
Élso → *Élsa*
Èlva → *Èlvio*
Elvana → *Élba*
Elvano → *Élba*
Èlvea → *Èlvio*
Elverino → *Elvira*
Elvetia → *Elvèzia*
Elvèzia
Elvèzio → *Elvèzia*
Èlvi
Èlvia → *Èlvio*
Elviàna → *Èlvio*
Elviàno → *Èlvio*
Elvida → *Èlvio*
Elvìdia → *Èlvio*
Elvìdio → *Èlvio*
Elvina → *Èlvio*
Elvìnia → *Èlvio*
Elvìnio → *Èlvio*
Elvino → *Èlvio*
Èlvio
Elvira
Elvirina → *Elvira*
Elvìrio → *Elvira*
Elviro → *Elvira*
Elvisa → *Elvìsio*
Elvise → *Elvìsio*
Elvìsia → *Elvìsio*
Elvìsio
Elviso → *Elvìsio*
Èlvo → *Èlvio*
Èlvy → *Èlvi*
Elÿas → *Elìa*
Élza → *Élsa*
Elzeàrio → *Eleàzaro*
Élzio → *Élsa*
Élzo → *Élsa*
Èma → *Èmo*
Emanuèl → *Emanuèle*
Emanuèla → *Emanuèle*
Emanuèle
Emanuèle Filibèrto → *Emanuèle*
Emanuelita → *Emanuèle*
Emanuelito → *Emanuèle*
Emanuèlla → *Emanuèle*
Emanuèllo → *Emanuèle*
Emèra → *Emèrio*
Emerenzìàna
Emerenzìàno → *Emerenzìàna*
Emerènzio → *Emerenzìàna*
Emèria → *Emèrio*
Emerica → *Emerico*
Emerico
Emerigo → *Emerico*
Emerina → *Emèrio*
Emerino → *Emèrio*
Emèrio

Èmi
Emìddia → *Emìdio*
Emìddio → *Emìdio*
Emìdia → *Emìdio*
Emìdio
Emìlia → *Emìlio*
Emiliàna → *Emiliàno*
Emiliàno
Emiliétta → *Emìlio*
Emiliétto → *Emìlio*
Emìlio
Emina → *Èmi* e *Èmo*
Èmio → *Èmo*
Emira
Emìrio → *Emira*
Emiro → *Emira*
Èmj → *Èmi*
Èmma
Èmma Marìa → *Èmma*
Emmanuèl → *Emanuèle*
Emmanuèla → *Emanuèle*
Emmanuèle → *Emanuèle*
Emmanuèlla → *Emanuèle*
Emmelina → *Ermellina*
Èmmi → *Èmi*
Èmmo → *Èmma*
Èmmy → *Èmi*
Èmo
Empèdocle
Èmy → *Èmi*
Enèa
Enedina
Enedino → *Enedina*
Enèide
Enèo → *Enèa*
Enerina → *Enedina*
Enerino → *Enedina*
Enèrio → *Enedina*
Èngel → *Èngels*
Engelbèrto
Èngels
Ènghel → *Èngels*
Èni → *Ènio*
Ènia → *Ènio*
Ènio
Ènni → *Ènio*
Ènnia → *Ènnio*
Ènnio
Ènny → *Ènio*
Ènoc → *Ènoch*
Ènòc → *Ènoch*
Ènoch o *Ènòch*
Ènos
Enòtria → *Enòtrio*
Enòtrio
Enrica → *Enrico*
Enrichétta → *Enrico*
Enrichétto → *Enrico*
Enrico
Èny → *Ènio*
Ènza → *Ènzo*
Ènzia → *Ènzo*
Enzina → *Ènzo*
Enzino → *Ènzo*

Ènzio → *Ènzo*
Ènzo
Èola → *Èolo*
Èolo
Epaminónda
Ephraìm → *Èfrem*
Epifània → *Epifànio*
Epifànio
Epifano → *Epifànio*
Epìmaco
Epimènio
Èra
Eraclèa → *Eràclio*
Eraclèo → *Eràclio*
Eràclia → *Eràclio*
Eràclio
Eraclìta → *Eràclito*
Eràclita → *Eràclito*
Eràclito o *Eraclito*
Eralda → *Eraldo*
Eraldo
Eràlio → *Eràclio*
Èramo → *Erasmo*
Erardo → *Eraldo*
Erasma → *Erasmo*
Erasmo
Erbèrto → *Eribèrto*
Èrcola → *Èrcole*
Ercolano
Èrcole
Ercoliàno → *Ercolano*
Ercolina → *Èrcole*
Ercolino → *Èrcole*
Erculiàno → *Ercolano*
Erènia → *Erènnio*
Erènio → *Erènnio*
Erènnio
Èria → *Èrio*
Eriàna → *Èrio*
Eriàno → *Èrio*
Eribèrta → *Eribèrto*
Eribèrto
Èrica
Erich → *Èrica*
Erico → *Èrica*
Eridana → *Eridano*
Eridànio → *Eridano*
Eridano
Èride
Èrido → *Èride*
Èrika → *Èrica*
Erilda → *Erilde*
Erilde
Erildo → *Erilde*
Erina
Erinna
Erinne → *Erinna*
Erinno → *Erinna*
Erino → *Erina*
Èrio
Eritrèa
Eritrèo → *Eritrèa*
Erlinda
Erlindo → *Erlinda*

Èrma → *Erasmo*
Ermàcora
Ermàgora → *Ermàcora*
Ermana → *Ermanno*
Ermanda → *Ermanno*
Ermando → *Ermanno*
Ermanna → *Ermanno*
Ermanno
Ermano → *Ermanno*
Ermelina → *Ermellina*
Ermelinda
Ermelindo → *Ermelinda*
Ermelino → *Ermellina*
Ermèlla → *Ermellina*
Ermellina
Ermellino → *Ermellina*
Ermèllo → *Ermellina*
Ermèna → *Armènio*
Ermenegilda → *Ermenegildo*
Ermenegildo
Ermengarda
Ermengardo → *Ermengarda*
Ermengilda → *Ermenegildo*
Ermènio → *Armènio*
Ermentina → *Èrmes*
Ermentino → *Èrmes*
Èrmes
Ermesina → *Èrmes*
Ermèta → *Èrmes*
Ermète → *Èrmes*
Ermetina → *Èrmes*
Ermida
Ermide → *Ermida*
Ermìdio → *Ermida*
Ermido → *Ermida*
Ermilda → *Ermida*
Ermildo → *Ermida*
Ermina → *Ermino*
Erminda → *Ermida*
Ermindo → *Ermida*
Ermìnia
Ermìnio → *Ermìnia*
Ermino
Ermippo
Ermite → *Èrmes*
Èrmo → *Erasmo*
Ermòcrate
Ermògene
Ermolào
Èrna → *Ernèsto*
Ernalda → *Arnaldo*
Ernaldo → *Arnaldo*
Ernando → *Ferdinando*
Ernani
Ernano → *Ernani*
Ernèlla → *Ernèsto*
Èrnes → *Èrmes*
Ernèsta → *Ernèsto*
Ernestina → *Ernèsto*
Ernestino → *Ernèsto*
Ernèsto
Ernido → *Ermida*
Ernino → *Ernani*
Èrno → *Ernèsto*

Ernst → Ernèsto
Èro
Eròde
Erodìade
Èros
Erpìdio → Elpìdio
Errica → Enrico
Errichétta → Enrico
Errico → Enrico
Errigo → Enrico
Ersìglia → Ersìlia
Ersìlia
Ersìlio → Ersìlia
Èrta
Èrte → Èrta
Èrto → Èrta
Ervènio → Ervino
Ervèno → Ervino
Ervina → Ervino
Ervino
Esaù
Èschilo
Èsdra
Èsedra → Èsdra
Esìlio → Ersìlia
Esìodo
Esmeralda → Smeralda
Esmeraldo → Smeralda
Esòpo
Espedita → Espedito
Espedito
Esperanza → Speranza
Espèria
Esperina → Espèria
Esperino → Espèria
Espèrio → Espèria
Espèro → Espèria
Èspero → Espèria
Espòsito
Esquilino → Esquìlio
Esquìlio
Èsta → Èste
Èste
Estèlio → Stèlio
Estèlla → Stélla
Estèlle → Stélla
Èster
Esterina → Èster
Esterino → Èster
Èster Marìa → Èster
Èstero → Èster
Èsther → Èster
Esuberànzio → Esuperànzio
Èsule
Esuperànzio
Esupèria → Esuperànzio
Esupèrio → Esuperànzio
Esvaldo → Osvaldo
Etelvòldo
Etèocle
Etrùria
Etrùrio → Etrùria
Etrusca → Etrusco
Etrusco

Étta
Èttora → Èttore
Èttore
Ettorina → Èttore
Ettorino → Èttore
Eucàrpio
Euchèrio
Euclida → Euclide
Euclìde
Eudèmia → Eudèmo
Eudèmio → Eudèmo
Eudèmo
Eudìlia → Odilia
Eudìlio → Odilia
Eudòcia → Eudòssia
Eudòro
Eudòsia → Eudòssia
Eudòsio → Eudòssia
Eudòssia
Eudòxia → Eudòssia
Eufèlia → Eufèmia
Eufèlio → Eufèmia
Eufèmia
Eufèmio → Eufèmia
Eufràsia
Eufrasina → Eufràsia
Eufràsio → Eufràsia
Eufròsia → Eufròsina
Eufròsina
Eufròsine → Eufròsina
Eufròsino → Eufròsina
Eufròsio → Eufròsina
Eugènia → Eugènio
Eugènio
Eulàlia
Eulàlio → Eulàlia
Eulògio
Eumène
Eunice
Èuplio
Euprèmia → Euprèpio
Euprèmio → Euprèpio
Euprèpio
Euprèprio → Euprèpio
Èura → Èuro
Eurìalo
Euridice o Euridice
Eurìpide
Èuro
Euròpa
Europèa → Euròpa
Europèo → Euròpa
Euròsia
Euròsio → Euròsia
Eusànio
Eusàpia
Eusèbia → Eusèbio
Eusèbio
Eusèpio → Eusèbio
Eustàcchia → Eustàchio
Eustàcchio → Eustàchio
Eustàchia → Eustàchio
Eustàchio
Eustàsio

Eustòchia
Eustòrgio
Eutèrpe
Euticchio → Eutìchio
Eutìchia → Eutichio
Eutichiàno → Eutichio
Eutìchio
Eutìmia → Eutìmio
Eutìmio
Eutìzio → Eutìchio
Eutròpio
Èva
Evalda → Evaldo
Evaldo
Èva Marìa → Èva
Evandra → Evandro
Evandrina → Evandro
Evandro
Evangèla → Evangèlo
Evangèlia → Evangèlo
Evangelina → Evangèlo
Evangelino → Evangèlo
Evangelista → Evangèlo
Evangelisto → Evangèlo
Evangèlo
Evànzio
Evardo → Evaldo
Evarista → Evaristo
Evaristo
Evàsia → Evàsio
Evàsio
Evèlia → Evelina
Evelina
Evelino → Evelina
Evèlio → Evelina
Evènzio
Evènzo → Evènzio
Everaldo → Eberardo
Everarda → Eberardo
Everardo → Eberardo
Èvi → Èva
Èvia → Èvio
Evina → Èvio
Evino → Èvio
Èvio
Evita → Èva
Èvo → Èva
Evrardo → Eberardo
Èvy → Èva
Èwa → Èva
Ezechìa
Ezechièla → Ezechièle
Ezechièle
Ezechièlla → Ezechièle
Ezechièlle → Ezechièle
Ezelina → Ezzelino
Ezelinda → Ezzelino
Ezelindo → Ezzelino
Ezelino → Ezzelino
Èzia → Èzio
Èzio
Ezzelina → Ezzelino
Ezzelino

Fàbia → *Fàbio*
Fabiàna → *Fabiàno*
Fabiàno
Fàbio
Fabìola → *Fàbio*
Fàbio Màssimo → *Fàbio*
Fabrìzia → *Fabrìzio*
Fabrìzio
Facondino → *Facóndo*
Facóndo
Falàride
Falco
Falèrio → *Falièro*
Falièra → *Falièro*
Falièro
Fallièro → *Falièro*
Famiàna → *Famiàno*
Famiàno
Fanfulla
Fani → *Fanny*
Fanì → *Fanny*
Fània → *Fànio*
Fànio
Fanni → *Fanny*
Fannì → *Fanny*
Fannj → *Fanny*
Fanny
Fantina → *Fantino*
Fantino
Fany → *Fanny*
Faóne
Fara
Faro → *Fara*
Fàthima → *Fàtima*
Fàtima
Fàtina → *Fàtima*
Fatma → *Fàtima*
Fàusta → *Fàusto*
Faustina → *Fàusto*
Faustino → *Fàusto*
Fàusto
Fàustolo
Fàusto Marìa → *Fàusto*
Favorita
Favorito → *Favorita*
Fàzia → *Bonifàcio*
Fàzio → *Bonifàcio*
Febbrònia → *Febrònia*
Febèa → *Fèbo*
Fèbo
Febrònia
Febrònio → *Febrònia*
Féde
Fedéla → *Fedéle*
Fedéle
Fedelina → *Fedéle*
Fedelino → *Fedéle*
Federica → *Federico*
Federico
Federiga → *Federico*
Federigo → *Federico*
Fedina → *Féde*
Fedino → *Féde*
Fédo → *Féde*

Fedòra
Fedorino → *Fedòra*
Fedòro → *Fedòra*
Fèdra
Fèdro → *Fèdra*
Fèlia → *Ofèlia*
Felice
Felice Antònio → *Felice*
Felicétta → *Felice*
Felicétto → *Felice*
Felìcia → *Felice*
Feliciàna → *Felice*
Feliciàno → *Felice*
Felicina → *Felice*
Felicino → *Felice*
Felìcio → *Felice*
Felìcita
Felicità → *Felìcita*
Felina → *Felino*
Felino
Fèlio → *Ofèlia*
Feliziàno → *Felice*
Fèmia → *Fèmio*
Fèmio
Fenìsia
Fenìsio → *Fenìsia*
Fenìzia → *Fenisia*
Fèo → *Mattèo*
Fèrdi → *Ferdinando*
Ferdinanda → *Ferdinando*
Ferdinando
Férma → *Férmo*
Fermina → *Férmo*
Fermìnia → *Férmo*
Fermìnio → *Férmo*
Fermino → *Férmo*
Férmo
Fernanda → *Ferdinando*
Fernandino → *Ferdinando*
Fernando → *Ferdinando*
Ferranda → *Ferrante*
Ferrando → *Ferrante*
Ferrante
Ferrantino → *Ferrante*
Ferrèra → *Ferrante*
Ferrèro → *Ferrante*
Ferriàno → *Ferrante*
Ferrièro → *Ferrante*
Ferrina → *Ferrante*
Ferrino → *Ferrante*
Ferrùccia → *Ferrùccio*
Ferrùccio
Fèrvida → *Fèrvido*
Fèrvido
Fiàmma
Fiammétta → *Fiàmma*
Fida → *Fido*
Fidalba → *Fido*
Fidalbo → *Fido*
Fidalma → *Fido*
Fidalmino → *Fido*
Fidalmo → *Fido*
Fidardo → *Fido*
Fidèlfo → *Filadèlfo*

Fidèlia → *Fidèlio*
Fidèlio
Fidèlma → *Fido*
Fidelmino → *Fido*
Fidèlmo → *Fido*
Fidènzia → *Fidènzio*
Fidènzio
Fidènzo → *Fidènzio*
Fides → *Féde*
Fìdia
Fìdio → *Fìdia*
Fido
Fidùcia → *Fido*
Fièro
Filadèlfa → *Filadèlfo*
Filadèlfia → *Filadèlfo*
Filadèlfio → *Filadèlfo*
Filadèlfo
Filandro
Filastro
Filèmone
Filèna → *Filèno*
Filèno
Filibèrta → *Filibèrto*
Filibèrto
Filide → *Fìllide*
Filidèa → *Filidèo*
Filidèo
Filidòro
Filippa → *Filippo*
Filippina → *Filippo*
Filippino → *Filippo*
Filippo
Filippo Marìa → *Filippo* e
Marìa
Filippo Nèri → *Filippo*
Filipponèri → *Filippo*
Fìllide
Filodèlfo → *Filadèlfo*
Filodèmo
Filomèna
Filomèna Marìa → *Filomèna*
Filomèno → *Filomèna*
Filorèto
Filotèa → *Filòteo*
Filòtea → *Filòteo*
Filòteo o *Filotèo*
Fina
Finalba
Finalbo → *Finalba*
Finaldo → *Fina*
Fine
Finèlla → *Fina*
Fines → *Fine*
Finétta → *Fina*
Finétto → *Fina*
Finìmola → *Fine*
Finimóndo
Finis → *Fine*
Finìsia → *Fenìsia*
Finìsio → *Fenìsia*
Finita → *Fine*
Finìzia → *Fenìsia*
Finìzio → *Fenìsia*

Fino → *Fina*
Fióra → *Fióre*
Fioralba → *Fióre*
Fioralbo → *Fióre*
Fioralda → *Fióre*
Fioraldo → *Fióre*
Fioramante
Fioramónte
Fioràngela → *Fióre*
Fioràngelo → *Fióre*
Fioranna → *Fióre*
Fioravante
Fioravanti → *Fioravante*
Fiordalice → *Fiordalisa*
Fiordalisa
Fiordaliso → *Fiordalisa*
Fiordiligi → *Fiordalisa*
Fióre
Fiorèlla → *Fióre*
Fiorèllo → *Fióre*
Fiorènte → *Fiorènzo*
Fiorentina → *Fiorènzo*
Fiorentino → *Fiorènzo*
Fiorènto → *Fiorènzo*
Fiorènza → *Fiorènzo*
Fiorenzina → *Fiorènzo*
Fiorenzino → *Fiorènzo*
Fiorènzo
Fiorétta → *Fióre*
Fiorétto → *Fióre*
Fióri → *Fióre*
Fiorige → *Fiordalisa*
Fiorigi → *Fiordalisa*
Fiorìgia → *Fiordalisa*
Fiorìgio → *Fiordalisa*
Fiorillo → *Fióre*
Fiorina → *Fióre*
Fiorinda → *Flòra*
Fiorindo → *Flòra*
Fiorino → *Fióre*
Fiorisa → *Fióre*
Fiorita → *Fióre*
Fiorito → *Fióre*
Fiorlinda → *Flòra*
Fiorlindo → *Flòra*
Fiormarìa → *Fióre*
Firènze
Firma → *Férmo*
Firmando → *Férmo*
Firmano → *Férmo*
Firmina → *Férmo*
Firmìnia → *Férmo*
Firmìnio → *Férmo*
Firmino → *Férmo*
Firmo → *Férmo*
Firpo → *Filippo*
Fisia → *Efisio*
Fisio → *Efisio*
Fiumana → *Fiùme*
Fiumano → *Fiùme*
Fiùme
Flamìnia → *Flamìnio*
Flamìnio
Flàvia → *Flàvio*

Flaviàna → *Flàvio*
Flaviàno → *Flàvio*
Flàvio
Flòra
Floralba → *Flòra*
Floranna → *Flòra*
Floreàna → *Flòra*
Florèano → *Flòra*
Florènza → *Fiorènzo*
Florènzia → *Fiorènzo*
Florènzio → *Fiorènzo*
Florènzo → *Fiorènzo*
Flòres → *Flòra*
Florèsta → *Forèsto*
Florestano
Florestina → *Forèsto*
Florétta → *Flòra*
Flòria → *Flòra*
Floriàna → *Flòra*
Floriàno → *Flòra*
Flòrida → *Flòra*
Flòride → *Flòra*
Floridèa → *Flòra*
Floridea → *Flòra*
Floridèo → *Flòra*
Florìdeo → *Flòra*
Floridia → *Flòra*
Flòrido → *Flòra*
Florigi → *Fiordalisa*
Florina → *Flòra*
Florinda → *Flòra*
Florindo → *Flòra*
Florino → *Flòra*
Flòrio → *Flòra*
Flòris → *Flòra*
Florisa → *Flòra*
Florise → *Flòra*
Floriso → *Flòra*
Florita → *Flòra*
Flòro → *Flòra*
Fòca
Fólco
Folgóre
Fontana → *Fónte*
Fónte
Fontina → *Fónte*
Forése
Forèsta → *Forèsto*
Forestano → *Florestano*
Forestina → *Forèsto*
Forèsto
Fòrte
Fortino → *Fòrte*
Fortuna
Fortunata → *Fortunato*
Fortunatina → *Fortunato*
Fortunato
Fortùnia → *Fortùnio*
Fortùnio
Fortuno → *Fortuna*
Fósca → *Fósco*
Foscarina → *Fósco*
Foscarino → *Fósco*
Fóscaro → *Fósco*

Fósco
Fóscolo → *Fósco*
Franca → *Franco*
Franca Marìa → *Franco*
Francésca → *Francésco*
Francésca Marìa → *Francésco*
Francescantònio → *Francésco*
Francésca Pàola → *Francésco*
Franceschina → *Francésco*
Franceschino → *Francésco*
Francésco
Francésco Antònio → *Francésco*
Francésco Marìa → *Francésco e Marìa*
Francésco Pàolo → *Francésco*
Francescopàolo → *Francésco*
Francésco Savèrio → *Francésco*
Franchina → *Franco*
Franchino → *Franco*
Frància
Francina → *Frància*
Francisca → *Francésco*
Franco
Franco Marìa → *Marìa*
Franklin
Franklina → *Franklin*
Franz → *Frànzio*
Franzina → *Frànzio*
Franzino → *Frànzio*
Frànzio
Frediàna → *Frediàno*
Frediàno
Frida
Fride → *Frida*
Frido → *Frida*
Fridolino
Frieda → *Frida*
Frine
Frino → *Frine*
Frugolino
Fruttuósa → *Fruttuóso*
Fruttuóso
Fulbèrto
Fulcèri → *Fólco*
Fulcièri → *Fólco*
Fulco → *Fólco*
Fulda
Fuldo → *Fulda*
Fulgènzia → *Fulgènzio*
Fulgènzio
Fulgènzo → *Fulgènzio*
Fulgèro → *Fólco*
Fùlgida → *Fùlgido*
Fùlgido
Fulgo → *Fólco*
Fùlvia → *Fùlvio*
Fulviàno → *Fùlvio*
Fùlvio
Fulvo → *Fùlvio*
Fùria → *Fùrio*
Furiàno → *Fùrio*

Fùrio
Fusco → *Fósco*

Gabbrièle → *Gabrièle*
Gabbrièlla → *Gabrièle*
Gabbrièllo → *Gabrièle*
Gabino → *Gavino*
Gabìria → *Cabìria*
Gabri → *Gabrièle*
Gàbria → *Gabrièle*
Gàbriel → *Gabrièle*
Gabrièla → *Gabrièle*
Gabrièle
Gabrielina → *Gabrièle*
Gabrièlla → *Gabrièle*
Gabrièlle → *Gabrièle*
Gabrièllo → *Gabrièle*
Gàbrio → *Gabrièle*
Gabry → *Gabrièle*
Gaby → *Gabrièle*
Gaddo → *Gerardo*
Gaetana → *Gaetano*
Gaetanèlla → *Gaetano*
Gaetanèllo → *Gaetano*
Gaetanina → *Gaetano*
Gaetanino → *Gaetano*
Gaetano
Gagliàno → *Gallo*
Gagliàrdo
Gàia → *Càio*
Gàio → *Càio*
Galante
Galantino → *Galante*
Galardino → *Gerardo*
Galardo → *Gerardo*
Galatèa
Galdina → *Galdino*
Galdino
Galdo → *Galdino*
Galeàna → *Gallo*
Galeàno → *Gallo*
Galeàzzo
Galèno
Galgano
Galiàna → *Gallo*
Galiàno → *Gallo*
Galiàrdo → *Gagliàrdo*
Galièno → *Gallo*
Galilèa → *Galilèo*
Galilèo
Gàllia → *Gallo*
Galliàna → *Gallo*
Galliàno → *Gallo*
Gallièno → *Gallo*
Gàllio → *Gallo*
Gallo
Galvano
Gandòlfa → *Gandòlfo*
Gandòlfo
Gardènia
Gardènio → *Gardènia*
Gardina → *Gardino*

Gardino
Garibaldi → *Garibaldo*
Garibaldina → *Garibaldo*
Garibaldo
Gàspara → *Gàspare*
Gàspare
Gasparina → *Gàspare*
Gasparino → *Gàspare*
Gàsparo → *Gàspare*
Gasparre → *Gàspare*
Gàspera → *Gàspare*
Gasperina → *Gàspare*
Gasperino → *Gàspare*
Gàspero → *Gàspare*
Gastóne
Gaudènzia → *Gaudènzio*
Gaudenzina → *Gaudènzio*
Gaudènzio
Gaudènzo → *Gaudènzio*
Gaudina → *Gàudio*
Gaudino → *Gàudio*
Gàudio
Gaudiósa → *Gàudio*
Gaudióso → *Gàudio*
Gavina → *Gavino*
Gavino
Gavinùccia → *Gavino*
G. Battista → *Giovanni* e *Giànni*
Gèa → *Gèo*
Gedeóne
Gelardo → *Gerardo*
Gelàsia → *Gelàsio*
Gelàsio
Gelfrido → *Gilfrédo*
Gelinda → *Gelindo*
Gelindo
Gèlma → *Guglièlmo*
Gelmina → *Guglièlmo*
Gelmino → *Guglièlmo*
Gelmira → *Zelmira*
Gelmiro → *Zelmira*
Gèlmo → *Guglièlmo*
Gèlsa → *Gelsomina*
Gelsina → *Gelsomina*
Gelsino → *Gelsomina*
Gèlso → *Gelsomina*
Gelsomina
Gelsomino → *Gelsomina*
Geltrude
Geltrudo → *Geltrude*
Gemèlla → *Gemèllo*
Gemèllo
Gemignano → *Geminiàno*
Gemiliàna → *Gemiliàno*
Gemiliàno
Gèmina → *Gemèllo*
Geminiàna → *Geminiàno*
Geminiàno
Gemìnio → *Gemèllo*
Gèmino → *Gemèllo*
Gemisto
Gèmma
Gemmina → *Gèmma*

Gemmino → *Gèmma*
Gèmmo → *Gèmma*
Generósa → *Generóso*
Generóso
Genèsia → *Genèsio*
Genèsio
Gèni → *Gènni*
Gènia → *Eugènio*
Geniàle
Genina → *Gènni*
Gènio → *Eugènio*
Genìsia → *Genèsio*
Genìsio → *Genèsio*
Gennàia → *Gennaro*
Gennara → *Gennaro*
Gennarina → *Gennaro*
Gennarino → *Gennaro*
Gennaro
Gènni
Gènny → *Gènni*
Genoèffa → *Genovèffa*
Gènova
Genovèffa
Genovèffo → *Genovèffa*
Genovina → *Gènova*
Genovino → *Gènova*
Genserico
Gentila → *Gentile*
Gentile
Gentìlia → *Gentile*
Gentilina → *Gentile*
Gentilino → *Gentile*
Gentìlio → *Gentile*
Genuària → *Gianuàrio*
Genuàrio → *Gianuàrio*
Genuina → *Ingenuino*
Genuino → *Ingenuino*
Genùnzia → *Genùnzio*
Genùnzio
Genùzio → *Genùnzio*
Gèny → *Gènni*
Genziàna
Genziàno → *Genziàna*
Genzina → *Gènzio*
Genzino → *Gènzio*
Gènzio
Gèo
Geòrgia → *Giórgio*
Georgiàna → *Giórgio*
Georgina → *Giórgio*
Geppina → *Giusèppe*
Geppino → *Giusèppe*
Geralda → *Gerardo*
Geraldina → *Gerardo*
Geraldo → *Gerardo*
Gerarda → *Gerardo*
Gerardina → *Gerardo*
Gerardino → *Gerardo*
Gerardo
Geràsimo
Gerbina
Gerbino → *Gerbina*
Geremìa
Gèri

Gèrico
Gerina → *Gèri*
Gerino → *Gèri*
Gèrio → *Gèri*
Gerlanda → *Gerlando*
Gerlando
Germana → *Germano*
Germando → *Gernando*
Germània → *Germano*
Germànico → *Germano*
Germanino → *Germano*
Germànio → *Germano*
Germano
Germinàl
Germinale → *Germinàl*
Germinalina → *Germinàl*
Germóndo
Gernando
Gèro → *Gèri*
Geròlama → *Giròlamo*
Gerolamina → *Giròlamo*
Geròlamo → *Giròlamo*
Geròlima → *Giròlamo*
Gerolomina → *Giròlamo*
Geròmina → *Giròlamo*
Geròmino → *Giròlamo*
Gerònima → *Giròlamo*
Gerònimo → *Giròlamo*
Gerónzio
Gerónzo → *Gerónzio*
Gertrude → *Geltrude*
Gervasa → *Gervàsio*
Gervàsia → *Gervàsio*
Gervàsio
Gervaso → *Gervàsio*
Gèssica → *Jèssica*
Gesù
Gèsua → *Gesù*
Gesuàlda → *Gesù*
Gesuàldo → *Gesù*
Gesuè → *Giosuè*
Gesuèla → *Giosuè*
Gesuèle → *Giosuè*
Gesuèlla → *Giosuè*
Gesuìna → *Gesù*
Gesuìno → *Gesù*
Gesumina → *Gesù*
Gesumino → *Gesù*
Gettùlia → *Getùlio*
Gettùlio → *Getùlio*
Getùlia → *Getùlio*
Getùlio
Getùllio → *Getùlio*
Gheraldo → *Gerardo*
Gherarda → *Gerardo*
Gherardo → *Gerardo*
Ghigo
Ghina → *Ghino*
Ghino
Ghita → *Margherita*
Giacchino → *Gioacchino*
Giachino → *Gioacchino*
Giacinta → *Giacinto*
Giacinto

Giacòbba → *Giàcomo*
Giacòbbe → *Giàcomo*
Giàcoma → *Giàcomo*
Giacométta → *Giàcomo*
Giacomina → *Giàcomo*
Giacomino → *Giàcomo*
Giàcomo
Giàda
Giaèle
Giamarìa → *Giànni*
Giambattista → *Giànni*
Giammarìa → *Giànni* e *Marìa*
Giammàrio → *Giànni*
Giampàola → *Giànni*
Giampàolo → *Giànni*
Giampièra → *Giànni*
Giampièro → *Giànni*
Giampiètro → *Giànni*
Giàna → *Giàno*
Gian Battista → *Giànni*
Gianbattista → *Giànni*
Gian Carla → *Giànni*
Giancarla → *Giànni*
Gian Carlo → *Giànni*
Giancarlo → *Giànni*
Gian Doménico → *Giànni*
Giandoménico → *Giànni*
Gianèllo → *Giànni*
Gianétto → *Giànni*
Gian Franca → *Giànni*
Gianfranca → *Giànni*
Gian Franco → *Giànni*
Gianfranco → *Giànni*
Gian Galeàzzo → *Giànni*
Giangaleàzzo → *Giànni*
Giàni → *Giànni*
Gian Luìgi → *Giànni*
Gianluìgi → *Giànni*
Gian Marìa → *Giànni* e *Marìa*
Gianmarìa → *Giànni*
Gian Màrio → *Giànni*
Gianmàrio → *Giànni*
Giànna → *Giànni*
Giànna Marìa → *Giànni*
Giannèlla → *Giànni*
Giannèllo → *Giànni*
Giannétta → *Giànni*
Giannétto → *Giànni*
Giànni
Giannìco → *Giànni*
Giànni Marìa → *Giànni*
Giannina → *Giànni*
Giannino → *Giànni*
Giànno → *Giànni*
Giannòzzo → *Giànni*
Giàno
Gianpàola → *Giànni*
Gian Pàolo → *Giànni*
Gianpàolo → *Giànni*
Gian Pièra → *Giànni*
Gianpièra → *Giànni*
Gian Pièro → *Giànni*
Gianpièro → *Giànni*
Gian Piètro → *Giànni*

Gianpiètro → *Giànni*
Gianuàrio
Giasóne
Gibèrto
Gìdio → *Egìdio*
Gigétta → *Luigi*
Gigétto → *Luigi*
Gigi → *Luigi*
Gìgia → *Luigi*
Gigina → *Luigi*
Gigino → *Luigi*
Gìgio → *Luigi*
Gìglia → *Gìglio*
Gigliàna → *Gìglio*
Gigliàno → *Giglio*
Gigliànte → *Gìglio*
Gigliétta → *Gìglio*
Gìglio
Gigliòla → *Giglio*
Gigliòlo → *Giglio*
Gilardo → *Gerardo*
Gilbèrta → *Gilbèrto*
Gilbertina → *Gilbèrto*
Gilbèrto
Gilda → *Ermenegildo*
Gildo → *Ermenegildo*
Gilfrédo
Gìlia → *Egìdio*
Giliàna → *Gìglio*
Giliàno → *Giglio*
Giliànte → *Giglio*
Gilibèrto
Gilindo → *Gelindo*
Gìlio → *Egìdio*
Giliòla → *Gìglio*
Gilla → *Egìdio*
Gillo → *Egìdio*
Gilma → *Guglièlmo*
Gilmo → *Guglièlmo*
Gina → *Gino*
Ginépra → *Ginépro*
Ginépro
Ginèsio → *Genèsio*
Ginétta → *Gino*
Ginétto → *Gino*
Ginévra
Ginévro → *Ginévra*
Gìnia
Gìnio → *Gìnia*
Gino
Gioacchina → *Gioacchino*
Gioacchino
Gioachina → *Gioacchino*
Gioachino → *Gioacchino*
Gioànna → *Giovanni*
Gio Batta → *Giovanni*
Giobatta → *Giovanni*
Gio Battista → *Giovanni*
Giobattista → *Giovanni*
Giòbbe
Giobèrto
Giocónda → *Giocóndo*
Giocondina → *Giocóndo*
Giocondino → *Giocóndo*

Giocóndo
Gioèla → *Gioèle*
Gioèle
Giòia
Gioièle → *Gioèle*
Gioièlla → *Giòia*
Gioièllo → *Giòia*
Gioiétta → *Giòia*
Gioìna → *Giòia*
Gioìno → *Giòia*
Gioiósa → *Giòia*
Giolivo → *Giulivo*
Gio Marìa → *Giovanni*
Giomarìa → *Giovanni*
Giombattista → *Giànni*
  e *Giovanni*
Giommarìa → *Giovanni*
Giòna
Giordana → *Giordano*
Giordano
Giordano Bruno → *Giordano*
Giorgétta → *Giórgio*
Giorgétto → *Giórgio*
Giòrgia → *Giórgio*
Giórgia → *Giórgio*
Giorgiàna → *Giórgio*
Giorgiétta → *Giórgio*
Giorgina → *Giórgio*
Giorgino → *Giórgio*
Giórgio o *Giòrgio*
Giórgio Marìa → *Marìa*
Giorlanda → *Gerlando*
Giorlandina → *Gerlando*
Giorlando → *Gerlando*
Giòsafat → *Giosafatte*
Giosafàt → *Giosafatte*
Giosafatte
Giosafatto → *Giosafatte*
Giosaffatte → *Giosafatte*
Giosaffatto → *Giosafatte*
Giosefatto → *Giosafatte*
Giosétta → *José*
Giósi → *Giusèppe*
Giosofatto → *Giosafatte*
Giòsue → *Giosuè*
Giosuè
Giosuèle → *Giosuè*
Giòtto
Giovacchina → *Gioacchino*
Giovacchino → *Gioacchino*
Giovambattista → *Giovanni*
Giovammarìa → *Giovanni*
Giovanbattista → *Giovanni*
Giovancarlo → *Giovanni*
Giovan Marìa → *Giovanni*
Giovanmarìa → *Giovanni*
Giovanna → *Giovanni*
Giovanna Àngela → *Giovanni*
Giovanna Marìa → *Giovanni*
Giovannàngela → *Giovanni*
Giovannantònio → *Giovanni*
Giovannèlla → *Giovanni*
Giovanni

Giovanni Antònio → *Giovanni*
Giovanni Battista → *Giovanni*
Giovannìca → *Giovanni*
Giovanni Carlo → *Giovanni*
Giovannìco → *Giovanni*
Giovanni Franco → *Giovanni*
Giovanni Marìa → *Giovanni*
Giovanni Màrio → *Giovanni*
Giovannina → *Giovanni*
Giovannino → *Giovanni*
Giovanni Piètro → *Giovanni*
Giòve
Giovenale
Gioventino → *Giovènzio*
Giovènzio
Giovina o *Gióvina*
Giovino → *Giovina*
Gióvino → *Giovina*
Giovita
Giovito → *Giovita*
Giralda → *Gerardo*
Giraldo → *Gerardo*
Girardéngo
Girardo → *Gerardo*
Girlando → *Gerlando*
Giròlama → *Giròlamo*
Giròlamo
Gisa
Gisbèrta → *Gilbèrto*
Gisbèrto → *Gilbèrto*
Gisèlda
Gisèldo → *Gisèlda*
Gisèlla
Gisèllo → *Gisèlla*
Gisfrédo → *Gilfrédo*
Gislèna → *Gislèno*
Gislèno
Gismónda → *Gismóndo*
Gismóndo
Gisto → *Egisto*
Gisulfo
Giùda
Giuditta
Giuditto → *Giuditta*
Giùdo → *Giùda*
Giuffrida → *Goffrédo*
Giuffrido → *Goffrédo*
Giugliàno → *Giuliàno*
Giùgna → *Giùnio*
Giùgno → *Giùnio*
Giùlia → *Giùlio*
Giùlia Marìa → *Giùlio*
Giuliàna → *Giuliàno*
Giulianèlla → *Giuliàno*
Giuliàno
Giuliétta → *Giùlio*
Giuliétto → *Giùlio*
Giulino → *Giùlio*
Giùlio
Giùlio Césare → *Giùlio*
Giuliva → *Giulivo*
Giulivo

Giùnia → *Giùnio*
Giùnio
Giùnta
Giuntino → *Giùnta*
Giùnto → *Giùnta*
Giùse → *Giusèppe*
Giusèpe → *Giusèppe*
Giusèppa → *Giusèppe*
Giusèppa Marìa → *Giusèppe*
Giuseppantònio → *Giusèppe*
Giusèppe
Giusèppe Antònio → *Giusèppe*
Giusèppe Marìa → *Marìa*
Giuseppina → *Giusèppe*
Giuseppina Marìa → *Giusèppe*
Giuseppino → *Giusèppe*
Giùsi → *Giusèppe*
Giùsj → *Giusèppe*
Giùsta → *Giùsto*
Giustina → *Giustino*
Giustiniàna → *Giustiniàno*
Giustiniàno
Giustino
Giùsto
Giusy → *Giusèppe*
Giziàno → *Egizio*
Gizio → *Egizio*
Glàuca → *Glàuco*
Glàuco
Glicèria → *Glicèrio*
Glicèrio
Glisènte
Glòri → *Glòria*
Glòria
Gloriàna → *Glòria*
Gloriàno → *Glòria*
Gloriétta → *Glòria*
Glòrio → *Glòria*
Goffréda → *Goffrédo*
Goffrédo
Gogliàrdo → *Goliàrdo*
Gòita → *Gòito*
Gòito
Golfièro
Golfrédo → *Goffrédo*
Golìa
Goliàrda → *Goliàrdo*
Goliàrdo
Gonària → *Gonàrio*
Gonàrio
Gòndar
Gontrano
Gordiàna → *Gordiàno*
Gordiàno
Gorèllo → *Gregòrio*
Gorétta → *Gregòrio*
Gorétto → *Gregòrio*
Gorgònio
Goriàno → *Gregòrio*
Gorina → *Gregòrio*
Gorino → *Gregòrio*
Gòrio → *Gregòrio*

Gorìzia
Goriziàno → *Gorìzia*
Gorìzio → *Gorìzia*
Gòro → *Gregòrio*
Gottarda → *Gottardo*
Gottardina → *Gottardo*
Gottardino → *Gottardo*
Gottardo
Gracco
Gradisca
Gradisco → *Gradisca*
Gradita → *Gradito*
Gradito
Grado → *Grato*
Grata → *Grato*
Gratiliàno
Grato
Gràzia
Graziadìo
Gràzia Marìa → *Gràzia*
Graziàna → *Graziàno*
Graziàno
Grazièlla → *Gràzia*
Grazièllo → *Gràzia*
Graziétta → *Gràzia*
Graziétto → *Gràzia*
Grazina → *Gràzia*
Gràzio → *Gràzia*
Graziòlo → *Gràzia*
Graziósa
Grazióso → *Graziósa*
Graziùccio → *Gràzia*
Grèca
Grèco → *Grèca*
Gregòria → *Gregòrio*
Gregorina → *Gregòrio*
Gregòrio
Grèta
Gréte → *Grèta*
Gréti → *Grèta*
Grimalda → *Grimaldo*
Grimaldo
Grimoàlda → *Grimaldo*
Grimoàldo → *Grimaldo*
Grisante → *Crisante*
Grisèlda
Grisòstomo → *Crisòstomo*
Guadalupe
Gualbèrta → *Gualbèrto*
Gualbèrto
Gualdo → *Valdo*
Gualfardo → *Gualfrédo*
Gualfrédo
Gualtèrio → *Gualtièro*
Gualtièra → *Gualtièro*
Gualtièri → *Gualtièro*
Gualtierina → *Gualtièro*
Gualtièro
Guarina → *Guarino*
Guarino
Guarnièro
Gùccio
Guèlfa → *Guèlfo*
Guelfino → *Guèlfo*

Guèlfo
Guènda → *Guendalina*
Guendalina
Guerina → *Guarino*
Guerino → *Guarino*
Guèrra
Guerranda → *Guèrra*
Guerrando → *Guèrra*
Guerrazzo → *Guèrra*
Guerrièra → *Guèrra*
Guerrièro → *Guèrra*
Guerrina → *Guarino*
Guerrino → *Guarino*
Guglièlma → *Guglièlmo*
Guglielmina → *Guglièlmo*
Guglièlmo
Guicciàrdo
Guìda → *Guìdo*
Guidalbèrto → *Guìdo*
Guidétta → *Guìdo*
Guidina → *Guìdo*
Guidino → *Guìdo*
Guìdo
Guìdo Albèrto → *Guìdo*
Guidobaldo → *Guìdo*
Guidóne → *Guìdo*
Guidùccio → *Guìdo*
Guiscardo
Guizzardo → *Guicciàrdo*
Gusmana → *Còsma*
Gusmano → *Còsma*
Gustava → *Gustavo*
Gustavo

Helga → *Èlga*
Hèrmes → *Ermes*
Hèros → *Èros*
Hidalgo → *Idalgo*

Ìa
Iacobèlla → *Giàcomo*
Iàcono
Iàcopa → *Giàcomo*
Iacopina → *Giàcomo*
Iacopino → *Giàcomo*
Iàcopo → *Giàcomo*
Iàder → *Jàder*
Iàfet
Iàgo → *Jàgo*
Iàna → *Iàno*
Iànna → *Iànni*
Iànni
Iàno
Ica → *Ico*
Ìcaro
Icìlia → *Icìlio*
Icìlio
Ico
Icònio
Ida

Idalba → *Ida*
Idalbèrto
Idalco → *Idalgo*
Idalga → *Idalgo*
Idalgo
Idàlia
Idalina → *Idàlia*
Idàlio → *Idàlia*
Idalma
Idalmino → *Idalma*
Idalmo → *Idalma*
Idalo → *Idàlia*
Ida Marìa → *Ida*
Idanna → *Ida*
Idèa
Ideàl → *Idèa*
Ideàle → *Idèa*
Idelbèrto → *Idalbèrto*
Idelfònso → *Ildefònso*
Idèlio → *Ìdio*
Idèlma
Idelmina → *Idèlma*
Idelmino → *Idèlma*
Idèlmo → *Idèlma*
Idèo → *Idèa*
Ìdia → *Ìdio*
Idiàna → *Ìdio*
Idiàno → *Ìdio*
Idìlia → *Ìdio*
Idìlio → *Ìdio*
Idìllia → *Ìdio*
Idìllio → *Ìdio*
Idina → *Ida*
Idino → *Ida*
Ìdio
Ìdo → *Ida*
Ìdola → *Ìdolo*
Idolina → *Ìdolo*
Ìdolo
Idomenèo
Ièlla
Ièllo → *Ièlla*
Ieróne
Iétta → *Ièlla*
Ifigènia o *Ifigenìa*
Igèa
Igèo → *Igèa*
Igìdio
Igilda → *Igìdio*
Igildo → *Igìdio*
Igìlio → *Igìdio*
Igina → *Igino*
Igìnia → *Igino*
Igìnio → *Igino*
Igino
Ignàzia → *Ignàzio*
Ignazina → *Ignàzio*
Ignàzio
Igor
Ila → *Ìlio*
Ilària → *Ilàrio*
Ilarina → *Ilàrio*
Ilarino → *Ilàrio*
Ilàrio

Ilarióne → *Ilàrio*
Ilaro → *Ilàrio*
Ìlaro → *Ilàrio*
Ilda
Ilde → *Ilda*
Ildebrando → *Aldobrando*
Ildefònso
Ildegarda
Ildegardo → *Ildegarda*
Ildegónda
Ildegóndo → *Ildegónda*
Ildo → *Ilda*
Ileàna
Ileàno → *Ileàna*
Ilèna → *Ìlio*
Ìlia → *Ìlio*
Ilìade
Iliàna → *Ìlio*
Iliàno → *Ìlio*
Ilide → *Ìlio*
Ìlio
Illa → *Ìlio*
Illàrio → *Ilàrio*
Illeàna → *Ileàna*
Illia → *Ìlio*
Illiàno → *Ìlio*
Illide → *Ìlio*
Illìdio → *Ìlio*
Illio → *Ìlio*
Illo → *Ìlio*
Illuminata → *Illuminato*
Illuminato
Ilo → *Ìlio*
Ilva → *Élba*
Ilvana → *Élba*
Ilvano → *Élba*
Ilvia → *Élba*
Ìlvio → *Élba*
Ilvo → *Élba*
Ima → *Immacolata*
Imèlda
Imèlde → *Imèlda*
Imèldo → *Imèlda*
Imèr → *Imèrio*
Imèra → *Imèrio*
Imèria → *Imèrio*
Imèrio
Imèro → *Imèrio*
Imma → *Immacolata*
Immacolata
Immacolata Concètta → *Immacolata*
Immacolata Marìa → *Immacolata*
Immacolato → *Immacolata*
Immo → *Immacolata*
Imo → *Ìmola*
Ìmola
Ìmolo → *Ìmola*
Impèra → *Impèria*
Imperatóre
Imperatrice → *Imperatóre*
Impèria
Imperiàle → *Impèria*

Impèrio → *Impèria*
Impèro → *Impèria*
Impèro Romano → *Impèria*
Ina → *Ino*
Incoronata
Incoronato → *Incoronata*
Indo
Indro
Inèlda → *Imèlda*
Inèlde → *Imèlda*
Inèldo → *Imèlda*
Inèrio → *Irnèrio*
Ines
Ines Marìa → *Ines*
Inga
Inge → *Inga*
Ingeborg → *Inga*
Ingenuin → *Ingenuìno*
Ingenuìna → *Ingenuìno*
Ingenuìno
Ingo → *Inga*
Ìnia → *Ino*
Ìnio → *Ino*
Inna → *Ino*
Innocènta → *Innocènte*
Innocènte
Innocentina → *Innocènte*
Innocentino → *Innocènte*
Innocènza → *Innocènzo*
Innocènzia → *Innocènzo*
Innocènzio → *Innocènzo*
Innocènzo
Ino
Inùccia → *Ino*
Ìñigo
Ìo → *Ìa*
Ioàna → *Giovanni*
Iolanda
Iolando → *Iolanda*
Iòle
Iolétta → *Iòle*
Iòlo → *Iòle*
Iòna → *Giòna*
Iòne
Ionèllo → *Iòne*
Iònia → *Iòne*
Iònio → *Iòne*
Iòrio
Iosèlla → *José*
Iósto
Iovanni → *Giovanni*
Iovina → *Giovina*
Ióvina → *Giovina*
Ipèride o *Iperìde*
Ippàzia → *Ippàzio*
Ippàzio
Ippòlita → *Ippòlito*
Ippòlito
Irèna → *Irène*
Irène
Irenèa → *Irenèo*
Irenèo
Irènio → *Irène*
Irèno → *Irène*

Ìreo → *Ìria*
Ìreos → *Ìride*
Ires → *Ìride*
Ìria
Iriàno → *Ìria*
Ìride
Irìdio → *Ìride*
Irido → *Ìride*
Irina → *Ìria*
Irino → *Ìria*
Irio → *Ìria*
Iris → *Ìride*
Irlanda
Irlando → *Irlanda*
Irma
Irmina → *Irma*
Irmino → *Irma*
Irmo → *Irma*
Irnèrio
Irno → *Irma*
Iro → *Ìria*
Irvana
Irvano → *Irvana*
Ìrzio
Isa
Isaàc → *Isacco*
Isabèlla
Isabèllo → *Isabèlla*
Isàc → *Isacco*
Isacco
Isadòra → *Isa*
Isaìa
Isaldo → *Ivo*
Isanna → *Isa*
Isàura → *Isàuro*
Isàuro
Isèa → *Isèo*
Isèlda → *Isòtta*
Isèlde → *Isòtta*
Isèldo → *Isòtta*
Isèlla → *Isa*
Isèo
Isétta → *Isa*
Isida → *Ìside*
Ìside
Isido → *Ìside*
Isidòra → *Isidòro*
Isidòro
Ismaèl → *Ismaèle*
Ismaèla → *Ismaèle*
Ismaèle
Ismène
Ismèno → *Ismène*
Isnardo
Iso → *Isa*
Isòcrate
Isodòro → *Isidòro*
Ìsola
Isòlda → *Isòtta*
Isòlde → *Isòtta*
Isolétta → *Ìsola*
Isolina → *Ìsola*
Isolino → *Ìsola*
Isolo → *Ìsola*

Isónza → *Isónzo*
Isónzo
Ìsora → *Ìsola*
Ìsoro → *Ìsola*
Isòtta
Isòtto → *Isòtta*
Israèl → *Israèle*
Israèle
Israèlla → *Israèle*
Ìstria
Isvaldo → *Ivo*
Ìta
Ìtala → *Ìtalo*
Itàlia
Itàlia Marìa → *Itàlia*
Italiàna → *Ìtalo*
Italiàno → *Ìtalo*
Itàlico → *Ìtalo*
Italina → *Ìtalo*
Italino → *Ìtalo*
Itàlio → *Itàlia*
Ìtalo
Ito → *Ita*
Ìtria
Iùcci → *Jùcci*
Iva → *Ivo*
Ivalda → *Ivo*
Ivaldino → *Ivo*
Ivaldo → *Ivo*
Ivàn o *Ìvan*
Ivana → *Ivano*
Ivanda → *Ivo*
Ivane → *Ivano*
Ivània → *Ivano*
Ivànio → *Ivano*
Ivanna → *Ivo*
Ivanne → *Ivo*
Ivano
Ivànoe
Ivanoè → *Ivànoe*
Ivànohe → *Ivànoe*
Ivardo → *Ivo*
Ives → *Ivo*
Ivétta → *Ivo*
Ivette → *Ivo*
Ìvia → *Ivo*
Iviàna → *Ivano*
Ivina → *Ivo*
Ìvio → *Ivo*
Ivo
Ivóna → *Ivo*
Ivóne → *Ivo*
Ivonétta → *Ivo*
Ivonétto → *Ivo*
Ivònia → *Ivo*
Ivònio → *Ivo*
Ivonne → *Ivo*
Ivrèa
Ivrèo → *Ivrèa*
Ivy → *Ivo*

Jàcopo → *Giàcomo*
Jàder
Jàfet → *Iàfet*
Jàgo
Jàna → *Iàno*
Jànna → *Iànni*
Jànni → *Iànni*
Jàno → *Iàno*
Jèlla → *Ièlla*
Jenni → *Jenny*
Jennj → *Jenny*
Jenny
Jèssica
Jnes → *Ines*
Jolanda → *Iolanda*
Jolando → *Iolanda*
Jòle → *Iòle*
Jòne → *Iòne*
Jònio → *Iòne*
Jòrio → *Iòrio*
José
Josefine
Joseph → *Josefine*
Joséphine → *Josefine*
Josétta → *José*
Josette → *Josefine*
Jósto → *Iósto*
Jùcci
Jùccia → *Jùcci*
Judit → *Giuditta*
Judith → *Giuditta*
Jùlia → *Giùlio*
Jvonne → *Ivo*

Kate → *Caterina*
Katia → *Caterina*
Katja → *Caterina*
Katty → *Caterina*
Katy → *Caterina*
Ketty → *Caterina*

Ladina → *Latino*
Ladino → *Latino*
Ladislào
Ladislava → *Ladislào*
Laèrte
Laèrzio → *Laèrte*
Làila → *Lèila*
Làlage
Lalla
Lallo → *Lalla*
Lambèrta → *Lambèrto*
Lambertina → *Lambèrto*
Lambèrto
Lancillòtto
Lanciòtto → *Lancillòtto*
Landa → *Lando*
Landina → *Lando*
Landino → *Lando*
Lando
Landòlfo

Landùccio → *Lando*
Lanfranca → *Lanfranco*
Lanfranco
Lào
Laodice → *Laudice*
Lapo → *Giàcomo*
Lara
Larina → *Lara*
Larino → *Lara*
Làrio → *Ilàrio*
Laro → *Lara*
Latina → *Latino*
Latino
Lattànzio
Laudice
Laudicino → *Laudice*
Laudomìa o *Laudòmia*
Laudonìa → *Laudomìa*
Laudònia → *Laudomìa*
Làura
Làura Marìa → *Làura*
Laurana → *Làura*
Laurano → *Làura*
Laureàno → *Làura*
Laureàto → *Làura*
Lauredana → *Loréta*
Laurentina → *Lorènzo*
Laurentino → *Lorènzo*
Laurènto → *Lorènzo*
Laurènza → *Lorènzo*
Laurènzia → *Lorènzo*
Laurènzio → *Lorènzo*
Laurènzo → *Lorènzo*
Lauretana → *Loréta*
Lauretano → *Loréta*
Laurétta → *Làura*
Laurétto → *Làura*
Lauriàno → *Làura*
Laurina → *Làura*
Laurindo → *Làura*
Laurino → *Làura*
Laurisa → *Làura*
Laurita → *Làura*
Làuro → *Làura*
Lavina → *Lavìnia*
Lavìnia
Lavìnio → *Lavìnia*
Lavino → *Lavìnia*
Làzzara → *Làzzaro*
Lazzarina → *Làzzaro*
Lazzarino → *Làzzaro*
Làzzaro
Làzzero → *Làzzaro*
Lèa → *Lèo*
Leàldo → *Aleàrdo*
Leàle
Leàna
Leàndra → *Leàndro*
Leandrina → *Leàndro*
Leandrino → *Leàndro*
Leàndro
Leàno → *Leàna*
Leàrca → *Leàrco*
Leàrco

Leàrda → *Aleàrdo*
Leardina → *Aleàrdo*
Leardino → *Aleàrdo*
Leàrdo → *Aleàrdo*
Lèda
Ledina → *Lèda*
Ledino → *Lèda*
Lèdo → *Lèda*
Legìttimo
Lèida
Lèido → *Lèida*
Lèila
Lèla → *Lèllo*
Lèle → *Lèllo*
Lèlia → *Lèlio*
Lèlio
Lèlla → *Lèllo*
Lèllio → *Lèlio*
Lèllo
Lèlmo → *Guglièlmo*
Lèmmo → *Guglièlmo*
Lèmo → *Guglièlmo*
Lèna
Lèni → *Lèna*
Lènin
Lenina → *Lènin*
Lenino → *Lènin*
Lènio → *Lèna*
Lèno → *Lèna*
Lenùccia → *Lèna*
Lèo
Leocàdia
Leocàdio → *Leocàdia*
Lèo Luca → *Lèo*
Leoluca → *Lèo*
Leoluchina → *Lèo*
Leóna → *Leóne*
Leonaldo → *Leonardo*
Leonarda → *Leonardo*
Leonardantònio → *Leonardo*
Leonardina → *Leonardo*
Leonardino → *Leonardo*
Leonardo
Leonardo Antònio → *Leonardo*
Leoncina → *Leóne*
Leoncino → *Leóne*
Leondina → *Leònzio*
Leondino → *Leònzio*
Leóne
Leonèlla → *Leóne*
Leonèllo → *Leóne*
Leonétta → *Leóne*
Leonétto → *Leóne*
Leònia → *Leóne*
Leonice
Leònida
Leònide → *Leònida*
Leònido → *Leònida*
Leonièro → *Leóne*
Leonilda → *Leonilde*
Leonilde
Leonildo → *Leonilde*
Leonilla → *Leóne*

Leonillo → *Leóne*
Leonina → *Leóne*
Leonino → *Leóne*
Leònio → *Leóne*
Leonìsia → *Leonìsio*
Leonìsio
Leonòra → *Eleonòra*
Leonòrio → *Eleonòra*
Leonòro → *Eleonòra*
Leontina → *Leònzio*
Leontino → *Leònzio*
Leònzia → *Leònzio*
Leònzio
Leoparda → *Leopardo*
Leopardi → *Leopardo*
Leopardo
Leopòlda → *Leopòldo*
Leopoldina → *Leopòldo*
Leopoldino → *Leopòldo*
Leopòldo
Lèpanto
Lèpido
Lerina → *Lèro*
Lerino → *Lèro*
Lèrio → *Lèro*
Lèro
Lèsbia
Lesbino → *Lèsbia*
Lèta → *Lèto*
Letànzio
Letèrio → *Lettèria*
Letìzia
Letiziàno → *Letìzia*
Letìzio → *Letìzia*
Lèto
Lettèra → *Lettèria*
Lettèria
Letterina → *Lettèria*
Letterino → *Lettèria*
Lettèrio → *Lettèria*
Lèucia → *Lèucio*
Lèucio
Leutèrio → *Eleutèrio*
Lèva → *Lèvi*
Levante
Levantina → *Levante*
Levantino → *Levante*
Lèvi
Lèvia → *Lèvio*
Levina → *Lèvio*
Levino → *Lèvio*
Lèvio
Lèyla → *Lèila*
Lìa
Liàla
Liàna
Liàno → *Liàna*
Lìbera → *Lìbero*
Liberale
Lìbera Marìa → *Lìbero*
Liberante → *Liberato*
Liberata → *Liberato*
Liberatina → *Liberato*
Liberato

Liberatóre → *Liberato*
Libèria → *Libèrio*
Liberina → *Lìbero*
Liberino → *Lìbero*
Libèrio
Lìbero
Libèrta → *Libèrto*
Libertà
Libertària → *Libertàrio*
Libertàrio
Libèrtas → *Libertà*
Libertina → *Libertino*
Libertino
Libèrto
Lìbia
Libiàna → *Lìbia*
Libiàno → *Lìbia*
Lìbico → *Lìbia*
Lìbio → *Lìbia*
Libòria → *Libòrio*
Libòrio
Licandro
Lìccia → *Lìcia*
Lice → *Lìcia*
Licèna → *Lìcia*
Licèrio → *Glicèrio*
Lìcia
Liciàno → *Felice*
Licìnia → *Licìnio*
Licìnio
Lìcio → *Lìcia*
Lico → *Lìcia*
Licurga → *Licurgo*
Licurgo
Lida → *Lìdia*
Lidamo → *Lidano*
Lidana → *Lidano*
Lidano
Lide → *Lìdia*
Lìdia
Lidiàna → *Lìdia*
Lidiàno → *Lìdia*
Lìdio → *Lìdia*
Lido → *Lìdia*
Lidovina → *Liduìna*
Lidovino → *Liduìna*
Liduìna
Liduìno → *Liduìna*
Lìdya → *Lìdia*
Lièta → *Lièto*
Lièto
Liétta → *Lìa*
Lìgia → *Elìgio*
Lìgio → *Elìgio*
Lila → *Lilly*
Lili → *Lilly*
Lìlia
Liliàna
Liliàno → *Liliàna*
Lìlio → *Lìlia*
Lilla
Lilli → *Lilly*
Lìllia → *Lìlia*
Lilliàna → *Liliàna*

Lilliàno → *Liliàna*
Lillina → *Lilla*
Lillino → *Lilla*
Lillj → *Lilly*
Lillo → *Lilla*
Lilly
Lily → *Lilly*
Lina → *Lino*
Lina Marìa → *Lino*
Lincoln
Linda
Lindo → *Linda*
Lindòra → *Lindòro*
Lindòro
Linèo → *Linnèo*
Linétta → *Lino*
Linnèo
Lino
Linùccia → *Lino*
Linùccio → *Lino*
Lìo → *Lìa*
Lionèlla → *Leóne*
Lionèllo → *Leóne*
Lionétta → *Leóne*
Lionétto → *Leóne*
Lippo → *Filippo*
Lisa → *Elisabétta*
Lisandra → *Alessandro*
Lisandro → *Alessandro*
Lisanna → *Elisabétta*
Lisèlla → *Elisabétta*
Lisèna → *Elisabétta*
Lisèo → *Elisèo*
Lisétta → *Elisabétta*
Lisétto → *Elisabétta*
Lisi → *Elisabétta*
Lisìmaco
Lisina → *Elisabétta*
Lisinda → *Elisabétta*
Lisindo → *Elisabétta*
Lìsio → *Elisabétta*
Lisippo
Liso → *Elisabétta*
Lisy → *Elisabétta*
Littèrio → *Lettèria*
Littòria → *Littòrio*
Littoriàno → *Littòrio*
Littorino → *Littòrio*
Littòrio
Liù
Liùccia
Liùccio → *Liùccia*
Liutprando
Livano → *Lìvio*
Livènza
Livènzo → *Livènza*
Lìvia → *Lìvio*
Liviàna → *Lìvio*
Liviàno → *Lìvio*
Livierino → *Olivo*
Livièro → *Olivo*
Liviétta → *Lìvio*
Livìniq → *Lìvio*
Livino → *Lìvio*

Lìvio
Livo → *Lìvio*
Ljda → *Lìdia*
Ljdia → *Lìdia*
Lodolétta
Lodovica → *Lodovico*
Lodovico
Lodovina → *Liduìna*
Lodovino → *Liduina*
Loffrédo
Lòhengrin
Lòira
Loìsia → *Luìsa*
Lòla
Lolétta → *Lòla*
Lolita → *Lòla*
Lòlo → *Lòla*
Lombardina → *Lombardo*
Lombardino → *Lombardo*
Lombardo
Longino
Lòra
Lorano → *Lòria*
Loranda → *Lorando*
Lorando
Lòre → *Lòra*
Loredana
Loredano → *Loredana*
Loreley
Lorèlla → *Lòra*
Lorely → *Loreley*
Lorèna
Lorèno → *Lorèna*
Lorentina → *Lorènzo*
Lorentino → *Lorènzo*
Lorènza → *Lorènzo*
Lorenzina → *Lorènzo*
Lorenzino → *Lorènzo*
Lorènzo
Lòres → *Lòra*
Loréta
Loretana → *Loréta*
Loréto → *Loréta*
Lorétta → *Lòra*
Lorétto → *Lòra*
Lòri → *Lòra*
Lòria
Loriàna → *Lòria*
Loriàno → *Lòria*
Lorina → *Lòra*
Lorinda → *Lòria*
Lorindo → *Lòria*
Lorino → *Lòra*
Lòris → *Lòra*
Lorisa → *Lòra*
Lorita → *Loréta*
Lorito → *Loréta*
Lòro → *Lòra*
Losanna
Lotàrio
Lottàrio → *Lotàrio*
Luàna
Luàno → *Luàna*
Lubiàna

Lubiàno → *Lubiàna*
Luca
Luca Antònio → *Luca*
Lucano
Lucantònio → *Luca*
Luce
Lucèdio → *Lucìdio*
Luce Marìa → *Luce*
Lucétta → *Lucìa*
Luchina → *Luca*
Luchino → *Luca*
Luci → *Lucìa*
Lucìa
Lùcia → *Lùcio*
Luciàna → *Luciàno*
Luciàno
Lucìdia → *Lucìdio*
Lucìdio
Lùcido
Luciétta → *Lucìa*
Lucìfero
Lucìlia → *Lucìlio*
Lucìlio
Lucilla
Lucillo → *Lucilla*
Lucina
Lucinda
Lucindo → *Lucinda*
Lucìnio → *Lucina*
Lucino → *Lucina*
Lùcio
Lucrèzia
Lucrèzio → *Lucrèzia*
Lucy → *Lucìa*
Ludmila → *Ludmilla*
Ludmilla
Ludovica → *Lodovico*
Ludovico → *Lodovico*
Ludovina → *Liduìna*
Lugano
Luigi
Luìgia → *Luìgi*
Luigia Marìa → *Luìgi*
Luìgi Antònio → *Luigi*
Luìgi Filippo → *Luìgi*
Luìgi Marìa → *Maria*
Luìgi Màrio → *Luìgi*
Luigina → *Luìgi*
Luigino → *Luìgi*
Luìsa
Luìsa Anna → *Luìgi*
Luìsa Marìa → *Luisa*
Luisanna → *Luisa*
Luìse → *Luìsa*
Luisèlla → *Luisa*
Luisétta → *Luìsa*
Luisétto → *Luìsa*
Luìsi → *Luìsa*
Luisina → *Luisa*
Luìsio → *Luìsa*
Luisita → *Luìsa*
Luisito → *Luìsa*
Luìso → *Luìsa*
Luna

Lunèlla → *Luna*
Lunétta → *Luna*
Lupo
Lusitània
Lussòria → *Lussòrio*
Lussòrio
Lutèro
Lutgarda
Lўa → *Lìa*
Lуàna → *Liàna*
Lўcia → *Lìcia*
Lўdia → *Lìdia*

Macallè
Macària → *Macàrio*
Macàrio
Macedònia → *Macedònio*
Macedònio
Macèo
Macrina
Madda → *Maddalèna*
Maddalèna
Maddalèno → *Maddalèna*
Madèra
Madèro → *Madèra*
Màdia
Madina → *Maddalèna*
Màdio → *Màdia*
Mady → *Maddalèna*
Mafalda
Mafaldo → *Mafalda*
Maffèo → *Mattèo*
Màffio → *Mattèo*
Magda → *Maddalèna*
Màgdala → *Maddalèna*
Magdalèna → *Maddalèna*
Màgdalo → *Maddalèna*
Magènta
Màggie
Maggina → *Màggio*
Maggino → *Màggio*
Màggio
Maggiolina → *Màggio*
Maggiolino → *Màggio*
Maggióre → *Maggiorino*
Maggiorina → *Maggiorino*
Maggiorino
Maghinardo → *Mainardo*
Magno
Màia
Màida → *Maddalèna*
Màido → *Maddalèna*
Mainaldo → *Mainardo*
Mainardo
Mainétto → *Manétto*
Màino
Màio → *Màia*
Màja → *Màia*
Malachìa
Malfa → *Amalfi*
Màlia → *Amàlia*
Malina → *Amàlia*

Màlio → *Amàlia*
Malvina
Malvino → *Malvina*
Mamante
Mambrina → *Mambrino*
Mambrino
Mamèli
Màmmola
Màmmolo → *Màmmola*
Manasse
Manétto
Manfréda → *Manfrédo*
Manfrédi → *Manfrédo*
Manfredina → *Manfrédo*
Manfrédo
Mània → *Mànio*
Manila
Manìlia → *Manìlio*
Manìlio
Manilla → *Manila*
Manillo → *Manila*
Manilo → *Manila*
Manìn
Manina → *Manìn*
Mànio
Mànlia → *Mànlio*
Mànlio
Manna → *Manno*
Mannino → *Manno*
Manno
Mannùccio → *Manno*
Manoèla → *Emanuèle*
Manòla → *Emanuèle*
Manòlo → *Emanuèle*
Manon
Manrica → *Manrico*
Manrico
Mansuèta → *Mansuèto*
Mansuèto
Manuèl → *Emanuèle*
Manuèla → *Emanuèle*
Manuèle → *Emanuèle*
Manuelita → *Emanuèle*
Mara
Marat
Marca → *Marco*
Marcantònio → *Marco*
Marcèlla → *Marcèllo*
Marcelliàno → *Marcèllo*
Marcellina → *Marcèllo*
Marcellino → *Marcèllo*
Marcèllo
Marchétto → *Marco*
Marchina → *Marco*
Marchino → *Marco*
Marchìsio
Marciàno
Marciliàno → *Marcìlio*
Marcìlio
Marco
Marco Antònio → *Marco*
Marco Aurèlio → *Marco*
Marcolina → *Marco*
Marcolino → *Marco*

Marco Tùllio → *Marco*
Marcùccia → *Marco*
Marcùccio → *Marco*
Marèlla → *Mara*
Marèllo → *Mara*
Marèna → *Marèno*
Marèno
Marèsa
Marétta → *Mara*
Marétto → *Maro* e *Mara*
Marfisa
Marfìsia → *Marfisa*
Marfisio → *Marfisa*
Marga → *Margherita*
Margarita → *Margherita*
Margherita
Margherita Marìa → *Marghe-rita*
Margherito → *Margherita*
Margit → *Margherita*
Marì → *Marìa*
Marìa
Marìa Agostino → *Marìa*
Marìa Àngela → *Marìa*
Marìa Angiola → *Marìa*
Marìa Anita → *Marìa*
Marìa Anna → *Marìa*
Marìa Annita → *Marìa*
Marìa Antònia → *Marìa*
Marìa Antoniétta → *Marìa*
Marìa Antònio → *Marìa*
Marìa Assunta → *Marìa*
Marìa Bambina → *Marìa*
Marìa Bonària → *Marìa*
Marìa Carmèla → *Marìa*
Marìa Caténa → *Marìa*
Marìa Clèofe → *Marìa*
Marìa Concètta → *Marìa*
Marìa Cristina → *Marìa*
Mariacristina → *Marìa*
Marìa Efìsia → *Efìsio*
Marìa Èlena → *Marìa*
Marìa Elisa → *Marìa*
Marìa Elisabétta → *Marìa*
Marìa Franco → *Marìa*
Marìa Gavina → *Marìa*
Marìa Giovanna → *Marìa*
Mariagiovanna → *Marìa*
Marìa Giovanni → *Marìa*
Marìa Giusèppe → *Marìa*
Marìa Gorétta → *Marìa*
Marìa Gorétti → *Marìa*
Marìa Gràzia → *Marìa*
Mariagràzia → *Marìa*
Marìa Ida → *Marìa*
Marìa Ilda → *Marilda*
Marìa Ilde → *Marilda*
Marìa Ilva → *Marìa*
Marìa Immacolata → *Marìa*
Marìa Incoronata → *Marìa*
Marìa Iosè → *Marìa* e *José*
Marìa Itria → *Marìa* e *Itria*
Marìa Josè → *Marìa* e *José*
Marìa Lèna → *Marìa*

Marialèna → *Marìa*
Marìa Lina → *Marìa*
Marialina → *Marìa*
Marìa Lisa → *Maria*
Marialisa → *Marìa*
Marìa Luce → *Marìa*
Marìa Luìgi → *Marìa*
Marìa Luìgia → *Marìa*
Marialuìgia → *Marìa*
Marìa Luìsa → *Maria*
Marialuìsa → *Marìa*
Marìa Maddalèna → *Marìa*
Marìa Mercèdes → *Marìa*
Mariàna → *Mariàno*
Marianèlla → *Mariàno*
Marìa Néve → *Marìa*
Marianéve → *Maria*
Mariàngela → *Marìa*
Mariàngiola → *Marìa*
Marìa Nicòla → *Nicòla*
Marianita → *Marìa*
Marìa Nives → *Marìa*
Mariànna
Marianne → *Mariànna*
Mariannina → *Mariànna*
Mariannino → *Mariànna*
Mariànno → *Mariànna*
Mariàno
Marìa Novèlla → *Marìa*
Mariantònia → *Maria*
Mariantoniétta → *Marìa*
Marìa Pìa → *Marìa*
Mariapìa → *Maria*
Marìa Rita → *Marìa*
Mariarita → *Marìa*
Marìa Ròsa → *Marìa*
Mariaròsa → *Marìa*
Marìa Rosària → *Marìa*
Mariarosària → *Maria*
Mariassunta → *Marìa*
Marìa Stélla → *Maria*
Mariastélla → *Marìa*
Marìa Terèsa → *Marìa*
Mariaterèsa → *Maria*
Marìa Vènera → *Vènera*
Marìa Vincènzo → *Marìa*
Marida → *Maria*
Marièlla → *Marìa*
Mariétta → *Marìa*
Mariettina → *Marìa*
Mariétto → *Màrio*
Marila → *Màuro*
Marilda
Marilde → *Marilda*
Marilèna
Marilèno → *Marilèna*
Marìlia → *Màuro*
Marilina
Marìlio → *Màuro*
Marilisa → *Marìa*
Marilla → *Màuro*
Marilù
Marilyn → *Marilina*
Marina → *Marino*

Marinèlla → *Marino*
Marinèllo → *Marino*
Marinétta → *Marino*
Marino
Marinùccio → *Marino*
Màrio
Mariòla → *Marìa*
Mariolina → *Marìa*
Mariolino → *Màrio*
Marion → *Marìa*
Mariròsa → *Marìa*
Marisa
Marisèlla → *Marisa*
Marisétta → *Marisa*
Marìsio → *Marisa*
Mariso → *Marisa*
Maristélla → *Marìa*
Mariù → *Marìa*
Mariùccia → *Marìa*
Mariuccina → *Marìa*
Mariùccio → *Màrio*
Mariùzza → *Marìa*
Marj → *Maria*
Marlèna → *Marilèna*
Marlène → *Marilèna*
Marlìsa → *Marìa*
Marna
Marno → *Marna*
Maro
Maro → *Mara*
Maróne
Maròzia
Marrico → *Manrico*
Marrigo → *Manrico*
Marsìglia → *Marsilio*
Marsìglio → *Marsilio*
Marsìlia → *Marsilio*
Marsìlio
Marsina → *Màrzio*
Marsino → *Màrzio*
Marta
Marta Marìa → *Marta*
Martano
Martha → *Marta*
Martina → *Martino*
Martinèlla → *Martino*
Martıniàno → *Martíno*
Martino
Màrtira → *Màrtire*
Màrtire
Marto → *Marta*
Marusca
Marusco → *Marusca*
Maruska → *Marusca*
Marussa
Marùssia → *Marussa*
Maruzza
Maruzzo → *Maruzza*
Marx
Marxina → *Marx*
Mary → *Marìa*
Màrzia → *Màrzio*
Marziàle → *Màrzio*
Marzialina → *Màrzio*

Marziàna → *Màrzio*
Marziàno → *Màrzio*
Marzìlio → *Marsìlio*
Marzina → *Màrzio*
Marzino → *Màrzio*
Màrzio
Masanièllo
Masièro
Masina → *Tommaso*
Masino → *Tommaso*
Maso → *Tommaso*
Massènzio
Màssima → *Màssimo*
Massimiàna → *Màssimo*
Massimiàno → *Màssimo*
Massimiliàna → *Màssimo*
Massimiliàno → *Màssimo*
Massimilla → *Màssimo*
Massimillo → *Màssimo*
Massimina → *Màssimo*
Massimino → *Màssimo*
Màssimo
Massino → *Tommaso*
Matèlda → *Matilde*
Matèrno
Matilda → *Matilde*
Matilde
Matìldio → *Matilde*
Matildo → *Matilde*
Matròna
Mattèa → *Mattèo*
Mattèo
Matteòtti
Mattìa → *Mattèo*
Mattìo → *Mattèo*
Maturino
Maud → *Màuda*
Màuda
Maude → *Màuda*
Màudo → *Màuda*
Màura → *Màuro*
Maurèlio → *Màuro*
Maurèlla → *Màuro*
Maurétta → *Màuro*
Maurétto → *Màuro*
Màurico → *Màuro*
Maurìlia → *Màuro*
Maurìlio → *Màuro*
Maurilla → *Màuro*
Maurillo → *Màuro*
Maurina → *Màuro*
Maurino → *Màuro*
Maurìzia → *Màuro*
Mauriziàno → *Màuro*
Maurizio → *Màuro*
Màuro
Max
Màya → *Màia*
Mazzèo → *Mattèo*
Mazzina → *Mazzino*
Mazzìni → *Mazzino*
Mazzìnio → *Mazzino*
Mazzino
Mèa → *Mèo*

Medarda → *Medardo*
Medardo
Medèa
Medèo → *Medèa*
Medina
Medino → *Medina*
Medòra → *Medòro*
Medòro
Medusa
Melània
Melànio → *Melània*
Melchìade → *Milzìade*
Melchidesécco
Melchideséch → *Melchide-
sécco*
Melchiòr → *Melchiòrre*
Melchiòra → *Melchiòrre*
Melchiòre → *Melchiòrre*
Melchiorina → *Melchiòrre*
Melchiòrra → *Melchiòrre*
Melchiòrre
Melchiorrina → *Melchiòrre*
Melèzio
Meliàna
Melina
Melinda → *Ermelinda*
Melindo → *Ermelinda*
Melino → *Melina*
Melisènda
Melissa
Melita o *Mèlita*
Melito → *Melita*
Mèlito → *Melita*
Melitta → *Melita*
Mellina → *Melina*
Mèma → *Guglièlmo*
Mème → *Memè*
Memè
Mèmi → *Guglièlmo*
Mèmma → *Guglièlmo*
Mèmmo → *Guglièlmo*
Mèmo → *Guglièlmo*
Mèmore
Mèna
Mèna → *Mènna*
Mèndes o *Mendès*
Menènio
Ménica → *Doménico*
Ménico → *Doménico*
Menina → *Mèna*
Mènio → *Armènio*
Mènna
Mennato → *Mèna*
Mèno → *Mèna*
Menòtti
Menòtto → *Menòtti*
Mentana
Mentano → *Mentana*
Mentina → *Clemènte*
Mentino → *Clemènte*
Mèntore
Mentorina → *Mèntore*
Mentorino → *Mèntore*
Menùccia → *Mèna*

Mèo
Meraldo → *Miro*
Merano
Mercède → *Mercedes*
Mercedes
Mercèdo → *Mercedes*
Mercùria → *Mercùrio*
Mercùrio
Mèri → *Marìa*
Merico → *Amerigo*
Merigo → *Amerigo*
Merina → *Amèrio*
Merinda → *Almerino*
Merindo → *Almerino*
Merino → *Amèrio*
Mèrio → *Amèrio*
Mèris → *Marìa*
Mèrope
Mèry → *Marìa*
Meschino
Messalina
Messalino → *Messalina*
Messina
Messinèlla → *Messina*
Meta
Metardo → *Medardo*
Metàuro
Metèlla → *Metèllo*
Metèllo
Metilde → *Matilde*
Metòdio
Meùccia → *Mèo*
Meùccio → *Mèo*
Micaèla → *Michèle*
Michèla → *Michèle*
Michelàngelo → *Michèle*
Michelàngiolo → *Michèle*
Michelantònio → *Michèle*
Michèle
Michèle Àngelo → *Michèle*
Michèle Àngiolo → *Michèle*
Michèle Antònio → *Michèle*
Michelina → *Michèle*
Michelino → *Michèle*
Michi → *Michèle*
Micol o *Micòl*
Micùccia → *Doménico*
Micùccio → *Doménico*
Midio → *Emìdio*
Miétta
Miglióre
Migliorina → *Miglióre*
Migliorino → *Miglióre*
Mila
Milana → *Milano*
Milano
Milca → *Milko*
Milda → *Romilda*
Milde → *Romilda*
Mildo → *Romilda*
Mildred
Milèda → *Milèdi*
Milèdi
Milèna

Milèno → *Milèna*
Mìlia → *Emìlio*
Miliàna → *Emiliàno*
Miliàno → *Emiliàno*
Milka → *Milko*
Milko
Milla → *Camillo*
Milli → *Milly*
Millj → *Milly*
Millo → *Camillo*
Milly
Milo
Milóne
Milto → *Milton*
Milton
Milva
Milvana → *Milva*
Milvano → *Milva*
Mìlvia
Mìlvio → *Milvia*
Milvo → *Milva*
Milzìade
Mima → *Mimì*
Mimi → *Mimì*
Mimì
Mimina → *Mimì*
Mimino → *Mimì*
Mimma
Mimmìa → *Mimma*
Mimmina → *Mimma*
Mimmino → *Mimma*
Mimmo → *Mimma*
Mimo → *Mimì*
Mimósa
Mimy → *Mimì*
Mina
Minèlla → *Mina*
Minèllo → *Mina*
Minèrva
Minervina → *Minèrva*
Minervino → *Minèrva*
Minétta → *Mina*
Mingo → *Doménico*
Mìnia
Miniàto
Mìnio → *Mìnia*
Minna
Minnìa
Minnie
Minny → *Minnie*
Mino → *Mina*
Minòlfa
Minùccia → *Mina*
Minùccio → *Mina*
Mira → *Miro*
Miralba → *Miro*
Miralda → *Miro*
Miraldo → *Miro*
Miranda
Mirandino → *Miranda*
Mirando → *Miranda*
Mirano → *Miro*
Mirca → *Miroslavo*
Mirco → *Miroslavo*

Mirèlla
Mirèllo → *Mirèlla*
Mirèna → *Miro*
Mirèno → *Miro*
Mirétta → *Miro*
Mìria → *Mìriam*
Mìriam
Mìrian → *Mìriam*
Miriàna → *Miro*
Miriàno → *Miro*
Mirina → *Miro*
Mìrio → *Mìriam*
Mîrjam → *Mìriam*
Mirjàna → *Miro*
Mirka → *Miroslavo*
Mirko → *Miroslavo*
Mirna
Mirno → *Mirna*
Miro
Mìrocle
Miroclèto → *Mìrocle*
Miróne
Mirоslào → *Miroslavo*
Miroslav → *Miroslavo*
Miroslava → *Miroslavo*
Miroslavo
Mirra
Mirro → *Mirra*
Mirta
Mirte → *Mirta*
Mirtèo → *Mirta*
Mirti → *Mirta*
Mirtilla → *Mirta*
Mirto → *Mirta*
Mirvana → *Nirvana*
Mirvano → *Nirvana*
Mìryam → *Mìriam*
Misa → *Mìsia*
Misaèle
Mìsia
Misiàna → *Mìsia*
Misiàno → *Mìsia*
Mìsio → *Mìsia*
Mìstica
Mita
Mite → *Mita*
Mito → *Mita*
Mitridate
Mitzi
Mizzi → *Mitzi*
Mjriam → *Mìriam*
Moderato
Modèrno
Modèsta → *Modèsto*
Modestina → *Modèsto*
Modestino → *Modèsto*
Modèsto
Mòira
Mòise → *Mosè*
Moisè → *Mosè*
Monalda → *Monaldo*
Monaldo
Mondiàle
Mondina → *Móndo*

Mondino → *Móndo*
Móndo
Mònica
Monika → *Mònica*
Monserrata → *Monserrato*
Monserrato
Montagna
Montagnina → *Montagna*
Montano
Montèllo
Mòra → *Mòro*
Moraldo → *Mòro*
Moranda → *Mòro*
Morando → *Mòro*
Morano → *Mòro*
Moràvio
Mordechài
Mordechày → *Mordechài*
Morèlla → *Mòro*
Morèllo → *Mòro*
Morèna → *Morèno*
Morèno
Morétto → *Mòro*
Morfèo
Morgana
Moriàno → *Mòro*
Morina → *Mòro*
Morino → *Mòro*
Mòro
Morosina
Morosino → *Morosina*
Mòse → *Mosè*
Mosè
Mòshe → *Mosè*
Mòsshe → *Mosè*
Mughétta
Mughétto → *Mughétta*
Musétta
Mùzia → *Mùzio*
Mùzio
Myra → *Miro*
Mỳria → *Mìriam*
Mỳriam → *Mìriam*
Myrna → *Mirna*

Nabor
Nàbore → *Nabor*
Nabòrre → *Nabor*
Nabucco
Nada → *Nàdia*
Naddo → *Nàdia*
Nàdea → *Nàdia*
Nàdeia → *Nàdia*
Nàdia
Nadiàna → *Nàdia*
Nadina → *Nàdia*
Nadine → *Nàdia*
Nadino → *Nàdia*
Nadir o *Nadìr*
Nadìria → *Nadir*
Nàdja → *Nàdia*
Nado → *Nàdia*

Nady → *Nàdia*
Nàdya → *Nàdia*
Nàida → *Nàide*
Nàide
Nalda → *Naldo*
Naldina → *Naldo*
Naldino → *Naldo*
Naldo
Nanà
Nanda → *Ferdinando*
Nandina → *Ferdinando*
Nandino → *Ferdinando*
Nando → *Ferdinando*
Nani → *Nanni*
Nanna → *Nanni*
Nanni
Nannina → *Nanni*
Nannino → *Nanni*
Napoleóne
Nàpoli
Napolina → *Nàpoli*
Napolino → *Nàpoli*
Nara
Narcisa → *Narciso*
Narcisio → *Narciso*
Narciso
Narda → *Leonardo*
Nardina → *Leonardo*
Nardino → *Leonardo*
Nardo → *Leonardo*
Nardùccio → *Leonardo*
Nàrio → *Nara*
Naro → *Nara*
Narsète
Nascimbène
Natala → *Natale*
Natale
Natalìa → *Natale*
Natalina → *Natale*
Natalino → *Natale*
Natalìo → *Natale*
Natalìzia → *Natale*
Natalìzio → *Natale*
Natàscia
Navarino
Navaro → *Navarro*
Navarrino → *Navarino*
Navarro
Nazarèna → *Nazzarèno*
Nazarèno → *Nazzarèno*
Nazària → *Nazàrio*
Nazàrio
Nazàrio Sàuro → *Nazàrio*
Nazaro → *Nazàrio*
Nazzarèna → *Nazzarèno*
Nazzarèno
Nazzària → *Nazàrio*
Nazzarino → *Nazàrio*
Nazzàrio → *Nazàrio*
Nazzaro → *Nazàrio*
Nèa → *Nèo*
Neàrco
Nèda → *Nèdo*
Nèdda

Nèddo → *Nèdda*
Nèdi → *Nèdo*
Nedina → *Nèdo*
Nèdio → *Nèdo*
Nèdo
Neèra
Neèro → *Neèra*
Nèlda
Nèldo → *Nèlda*
Nèlia
Nelida → *Nèlia*
Nelide → *Nèlia*
Nelina → *Nèlia*
Nèlio → *Nèlia*
Nelita → *Nèlia*
Nèlla → *Nèllo*
Nèlla Marìa → *Nèllo*
Nèlli → *Nèllo*
Nèllì → *Nèllo*
Nellida → *Nèlia*
Nellina → *Nèllo*
Nellino → *Nèllo*
Nèllio → *Nèlia*
Nèllj → *Nèllo*
Nèllo
Nellùccia → *Nèllo*
Nellusco → *Nelusco*
Nèlly → *Nèllo*
Nèlsa → *Nèlson*
Nèlso → *Nèlson*
Nèlson
Nelusca → *Nelusco*
Nelusco
Nelusko → *Nelusco*
Nèma → *Nèmo*
Némbo
Nemèsia → *Nemèsio*
Nemèsio
Nemèzio → *Nemèsio*
Nèmo
Nèmore → *Nemorino*
Nemorina → *Nemorino*
Nemorino
Nèna
Nène → *Nèna*
Nenè → *Nèna*
Nenèlla → *Nèna*
Nèni → *Nèna*
Nennèle → *Nèna*
Nennèlla → *Nèna*
Nèno → *Nèna*
Nèo
Nepomicèno → *Nepomucèno*
Nepomucèno
Nèra
Nerèa → *Nèreo*
Nèrea → *Nèreo*
Nerèide
Nerèlla → *Nèra*
Nèreo o *Nerèo*
Nèri
Nèria → *Nèrio*
Neride → *Nerèide*
Nerina

Nerino → *Nerina*
Nèrio
Nèro → *Nèra*
Neróne
Nèstore
Nettuno
Néva → *Nives*
Néve → *Nives*
Néves → *Nives*
Névi → *Nives*
Nèvia → *Nèvio*
Neviàno → *Nèvio*
Nevìlia → *Nèvio*
Nevìlio → *Nèvio*
Neville
Nèvio
Nica → *Nicòla*
Nicandrina → *Nicandro*
Nicandro
Nicànore
Nicàsia → *Nicàsio*
Nicàsio
Nicco → *Nicòla*
Niccodèmo → *Nicodèmo*
Niccòla → *Nicòla*
Niccola → *Nicòla*
Niccolétta → *Nicòla*
Niccolina → *Nicòla*
Niccolino → *Nicòla*
Nìccolo → *Nicòla*
Niccolò → *Nicòla*
Nice → *Berenice*
Nicèa
Nicèo → *Nicèa*
Nicèta
Nicèto → *Nicèta*
Nìcia → *Berenice*
Nicla → *Nicòla*
Niclo → *Nicòla*
Nico → *Nicòla*
Nicodèma → *Nicodèmo*
Nicodèmo
Nicòla
Nicòla Àngelo → *Nicòla*
Nicòla Antònio → *Nicòla*
Nicolàngelo → *Nicòla*
Nicolantònio → *Nicòla*
Nicolào → *Nicòla*
Nicòlas → *Nicola*
Nicolétta → *Nicòla*
Nicolétto → *Nicòla*
Nicolina → *Nicòla*
Nicolino → *Nicòla*
Nicòlo → *Nicòla*
Nicolo → *Nicòla*
Nicolò → *Nicòla*
Nicolósa → *Nicòla*
Nicomède
Niétta
Nieve → *Nives*
Nìeves → *Nives*
Nièvo
Nila → *Danièle*
Nilda → *Nilde*

Nilde
Nildo → *Nilde*
Nìlio → *Danièle*
Nilla
Nillo → *Nilla*
Nilo → *Danièle*
Nilva
Nilvana → *Nilva*
Nilvano → *Nilva*
Nìlvia → *Nilva*
Nìlvio → *Nilva*
Nilvo → *Nilva*
Ninfa
Ninfo → *Ninfa*
Nina → *Nino*
Ninétta → *Nino*
Ninétto → *Nino*
Nini → *Nino*
Ninì → *Nino*
Nìnive
Ninj → *Nino*
Ninni → *Nino*
Ninnj → *Nino*
Ninny → *Nino*
Nino
Nino Bìxio → *Nino*
Ninùccia → *Nino*
Ninùccio → *Nino*
Niny → *Nino*
Nìobe
Nirvana
Nirvano → *Nirvana*
Nisa → *Niso*
Nìsia → *Nìsio*
Nìsio
Niso
Nita
Nito → *Nita*
Niva → *Nives*
Nivaldo → *Nivardo*
Nivarda → *Nivardo*
Nivardo
Nive → *Nives*
Nìvea → *Nives*
Nìveo → *Nives*
Nives
Nìvia → *Nives*
Nìvio → *Nives*
Nivo → *Nives*
Nizza
Nizzardo → *Nizza*
Nobèrto → *Norbèrto*
Nòbile
Nobìlia → *Nòbile*
Nobilina → *Nòbile*
Nòe → *Noè*
Noè
Noèmi
Noèmia → *Noèmi*
Noèmio → *Noèmi*
Noèmo → *Noèmi*
Nòla
Nolano → *Nòla*
Nolasco → *Nòla*

Nolbèrto → *Norbèrto*
Nòna → *Nòno*
Nòno
Nòra → *Eleonòra*
Noradino → *Norandino*
Norandino
Norbèrta → *Norbèrto*
Norbèrto
Nordina → *Norandino*
Nordino → *Norandino*
Noredino → *Norandino*
Norétta → *Eleonòra*
Nòrge
Nòri → *Nòris*
Nòrico
Norina → *Eleonòra*
Norino → *Eleonòra*
Nòrio → *Eleonòra*
Nòris
Nòrma
Normanda → *Normanno*
Normando → *Normanno*
Normanna → *Normanno*
Normanno
Nòrmo → *Nòrma*
Norvégia
Norvègio → *Norvègia*
Norvéglio → *Novìlio*
Notburga
Novara
Novarina → *Novara*
Novarino → *Novara*
Novàrio → *Novara*
Novaro → *Novara*
Novarro
Novèlia → *Novìlio*
Novèlio → *Novìlio*
Novèlla → *Novèllo*
Novellina → *Novèllo*
Novellino → *Novèllo*
Novèllo
Novembrina → *Novembrino*
Novembrino
Novèmia → *Novènio*
Novèmio → *Novènio*
Novènia → *Novènio*
Novènio
Novìglio → *Novìlio*
Novìlia → *Novìlio*
Novìlio
Nucci → *Nùccia*
Nùccia
Nùccio → *Nùccia*
Nuccy → *Nùccia*
Nulla → *Nullo*
Nullo
Numa
Numa Pompìlio → *Numa*
Numitóre
Nùncia → *Annunziàta*
Nùnzia → *Annunziàta*
Nunziànte
Nunziàta → *Annunziàta*
Nunziatina → *Annunziàta*

Nunziàto → *Annunziàta*
Nunzièlla → *Annunziàta*
Nunziétta → *Annunziàta*
Nùnzio → *Annunziàta*
Nuta → *Benvenuto*
Nuto → *Benvenuto*
Nuzza → *Nùccia*
Nuzzo → *Nùccia*

Òberdan o *Oberdàn*
Oberdana → *Òberdan*
Oberdano → *Òberdan*
Obèrta → *Ubèrto*
Obèrto → *Ubèrto*
Obizza → *Obizzo*
Obizzo
Oceània → *Ocèano*
Oceànio → *Ocèano*
Ocèano
Òda → *Òddo*
Òdda → *Òddo*
Oddina → *Òddo*
Òddino → *Òddo*
Òddo
Oddóne → *Òddo*
Odèlia → *Odìlia*
Odèlio → *Odìlia*
Oderico → *Odorico*
Oderisi → *Odorìsio*
Oderìsio → *Odorìsio*
Odèro → *Òddo*
Odèrzo
Odèssa
Odétta → *Òddo*
Odette → *Òddo*
Odétto → *Òddo*
Odile → *Odilia*
Odìlia
Odìlio → *Odìlia*
Odilla → *Odìlia*
Odille → *Odìlia*
Odillo → *Odìlia*
Odilo → *Odilia*
Odina → *Òddo*
Odino → *Òddo*
Odissèo
Òdo → *Òddo*
Odoàcre
Odoàrda → *Edoàrdo*
Odoàrdo → *Edoàrdo*
Odóne → *Òddo*
Odorica → *Odorico*
Odorico
Odorìsio
Odorìzio → *Odorìsio*
Ofèlia
Ofèlio → *Ofèlia*
Offèrto
Oggèro
Ognibène
Olaf → *Olào*
Olanda

Olandina → *Olanda*
Olandino → *Olanda*
Olando → *Olanda*
Olào
Olderico → *Ulderico*
Olderige → *Alderico*
Olderigi → *Alderico* e *Ulderico*
Olderìgio → *Alderico*
Olderigo → *Ulderico*
Oldina → *Òldo*
Oldino → *Òldo*
Òldo
Oleàndra → *Oleàndro*
Oleàndro
Olferino → *Alfièro*
Òlga
Òlga Marìa → *Òlga*
Òlgo → *Òlga*
Oliàna → *Uliàno*
Oliàno → *Uliàno*
Olìmpia
Olimpìade → *Olìmpia*
Olìmpio → *Olìmpia*
Olimpo → *Olìmpia*
Olinda → *Olindo*
Olindo
Olinta → *Olindo*
Olinto → *Olindo*
Oliva → *Olivo*
Olivana → *Olivo*
Olivano → *Olivo*
Olivèra → *Olivo*
Olivèrio → *Olivo*
Olivèro → *Olivo*
Olivétta → *Olivo*
Olivétto → *Olivo*
Olìvia → *Olivo*
Oliviàna → *Olivo*
Oliviàno → *Olivo*
Olivièra → *Olivo*
Olivièri → *Olivo*
Olivièro → *Olivo*
Olìvio → *Olivo*
Olivo
Olof → *Olào*
Oloffèrne
Oluf → *Olào*
Olìmpia → *Olìmpia*
Omar
Ombrétta
Omèga
Omèra → *Omèro*
Omèro
Omobòno
Ónda
Ondina → *Ónda*
Ondino → *Ónda*
Óndo → *Ónda*
Onèglia → *Onèlia*
Onèglio → *Onèlia*
Onèlia
Onèlio → *Onèlia*
Onèlla → *Onèlia*

Onèllo → *Onèlia*
Onèsta → *Onèsto*
Onestina → *Onèsto*
Onèsto
Onìa
Onìo → *Onìa*
Onòfria → *Onòfrio*
Onòfrio
Onorata → *Onorato*
Onorato
Onorétta → *Onòrio*
Onòria → *Onòrio*
Onorina → *Onòrio*
Onorino → *Onòrio*
Onòrio
Opìlio
Opìmia → *Opìmio*
Opìmio
Orano → *Urània*
Orante
Oràzia → *Oràzio*
Oràzio
Orchidèa
Orchidèo → *Orchidèa*
Oredana → *Loredana*
Oredano → *Loredana*
Orèlia → *Orèlio*
Oreliàno → *Aureliàno*
Orèlio
Orèlla → *Orétta*
Orèllo → *Orétta*
Orèsta → *Orèste*
Orèste
Orestilla → *Orèste*
Orestina → *Orèste*
Orestino → *Orèste*
Orétta
Orétto → *Orétta*
Orfèa → *Orfèo*
Orfèlia
Orfèlio → *Orfèlia*
Orfèlla → *Orfèlia*
Orfèo
Òria
Orìade → *Òria*
Oriàldo → *Òria*
Oriàna
Oriàndo → *Oriàna*
Oriànna → *Oriàna*
Oriànno → *Oriàna*
Oriàno → *Oriàna*
Oride → *Òria*
Orièlla → *Òria*
Orièllo → *Òria*
Oriènte
Orientina → *Oriènte*
Oriétta → *Òria*
Oriétto → *Òria*
Orifiàmma
Orìgene o *Origène*
Orinda → *Olindo*
Orindo → *Olindo*
Òrio → *Òria*
Orióne

Orlanda → *Orlando*
Orlandina → *Orlando*
Orlandino → *Orlando*
Orlando
Orlinda → *Olindo*
Orlindo → *Olindo*
Ormisda
Ormisde → *Ormisda*
Ornata → *Ornato*
Ornato
Ornèlia → *Ornèlla*
Ornèlio → *Ornèlla*
Ornèlla
Ornèllo → *Ornèlla*
Orónte
Orónza → *Orónzo*
Oronzina → *Orónzo*
Oronzino → *Orónzo*
Orónzio → *Orónzo*
Orónzo
Orsèolo → *Órso*
Orsétta → *Órso*
Orsina → *Órso*
Orsino → *Órso*
Órsio → *Órso*
Órso
Orsola → *Órso*
Orsolina → *Órso*
Orsolino → *Órso*
Órsolo → *Órso*
Ortènsia → *Ortènsio*
Ortènsio
Ortènzia → *Ortènsio*
Ortènzio → *Ortènsio*
Ortis
Osanna
Òscar
Oscara → *Òscar*
Oscardo → *Òscar*
Òscare → *Òscar*
Oscarina → *Òscar*
Oscarino → *Òscar*
Oscarre → *Òscar*
Òscher → *Òscar*
Oscherino → *Òscar*
Osèa
Osèlia → *Osèlla*
Osèlio → *Osèlla*
Osèlla
Osétta → *Osèlla*
Osìlide → *Osìride*
Osìride
Osiris → *Osìride*
Òskar → *Òscar*
Oslàvia
Oslàvio → *Oslàvia*
Ostèlia → *Ostìlio*
Ostèlio → *Ostìlio*
Ostèllo → *Ostìlio*
Ostènda
Ostìglia → *Ostìlio*
Ostìglio → *Ostìlio*
Ostìlia → *Ostìlio*
Ostìlio

Osvalda → *Osvaldo*
Osvaldina → *Osvaldo*
Osvaldo
Oswaldo → *Osvaldo*
Otèlia → *Odìlia*
Otèlio → *Odìlia*
Otèlla → *Otèllo*
Otèllio → *Odìlia*
Otèllo
Otèro
Otìlia → *Odìlia*
Otìlio → *Odìlia*
Òto → *Òddo*
Ottava → *Ottàvio*
Ottàvia → *Ottàvio*
Ottaviàna → *Ottàvio*
Ottaviàno → *Ottàvio*
Ottavina → *Ottàvio*
Ottavino → *Ottàvio*
Ottàvio
Ottavo → *Ottàvio*
Ottìlia → *Odìlia*
Ottìlio → *Odìlia*
Ottìmio → *Òttimo*
Òttimo
Ottino → *Òddo*
Òtto → *Òddo*
Ottobrina → *Ottobrino*
Ottobrino
Ottóne → *Òddo*
Ottonèllo → *Òddo*
Ottorina → *Ottorino*
Ottorino
Ovìdia → *Ovìdio*
Ovìdio
Ovìglio → *Ovìlio*
Ovìlia → *Ovìlio*
Ovìlio

Pace
Pacifica → *Pacìfico*
Pacìfico
Pacina → *Pace*
Pacino → *Pace*
Paladina → *Paladino*
Paladino
Palamède
Palestina
Palestino → *Palestina*
Palladino → *Paladino*
Palma
Palma Marìa → *Palma*
Palmarino → *Palma*
Palmaròsa → *Palma*
Palmàzio → *Palma*
Palmèria → *Palma*
Palmerina → *Palma*
Palmerindo → *Palma*
Palmerino → *Palma*
Palmèrio → *Palma*
Palmèro → *Palma*
Palmièra → *Palma*

Palmierino → *Palma*
Palmièro → *Palma*
Palmina → *Palma*
Palmino → *Palma*
Palmira → *Palma*
Palmirino → *Palma*
Palmiro → *Palma*
Palmìzio → *Palma*
Pamèla
Pancràzia → *Pancràzio*
Pancràzio
Pandòlfa → *Pandòlfo*
Pandòlfo
Pànfila → *Pànfilo*
Panfilia → *Pànfilo*
Panfilio → *Pànfilo*
Pànfilo
Pantalèa → *Pantalèo*
Pantalèo
Pantaleóne → *Pantalèo*
Pàola → *Pàolo*
Paolétta → *Pàolo*
Paolétto → *Pàolo*
Paolìca → *Pàolo*
Paolìco → *Pàolo*
Paolina → *Pàolo*
Paolino → *Pàolo*
Pàolo
Pàolo Antònio → *Pàolo*
Pàolo Emìlio → *Pàolo*
Pàolo Marìa → *Pàolo*
Paolùccio → *Pàolo*
Paradisa → *Paradiso*
Paradiso
Parda → *Pardo*
Pardo
Pàrida → *Pàride*
Pàride
Paridina → *Pàride*
Parigi → *Pàris*
Parigina → *Pàris*
Parigino → *Pàris*
Pàris o *Parìs*
Parisa → *Pàris*
Parise → *Pàris*
Parisina → *Pàris*
Parisino → *Pàris*
Parìsio → *Pàris*
Pariso → *Pàris*
Parisse → *Pàris*
Parmènio
Pàrsifal
Pascàsia → *Pascàsio*
Pascàsio
Pascùccio → *Pasqua*
Pasino → *Pace*
Pasqua
Pasquala → *Pasquale*
Pasquale
Pasqualina → *Pasquale*
Pasqualino → *Pasquale*
Pasqua Ròsa → *Pasqua*
Pasquaròsa → *Pasqua*
Pasquétta → *Pasqua*

Pasquina → *Pasqua*
Pasquino → *Pasqua*
Pasquita → *Pasqua*
Paterniàno
Patrìcia → *Patrìzia*
Patrìcio → *Patrìzia*
Patrìzia
Patrìzio → *Patrìzia*
Pàtroclo
Pàula → *Pàolo*
Paulina → *Pàolo*
Pàulo → *Pàolo*
Paziènte
Paziènza → *Paziènte*
Pelàgia → *Pelàgio*
Pelàgio
Pelino
Pèlio
Pellégra → *Pellegrino*
Pellegrina → *Pellegrino*
Pellegrino
Pellégro → *Pellegrino*
Pèllico
Penèlope
Pensierina → *Pensièro*
Pensierino → *Pensièro*
Pensièro
Pèpi → *Giusèppe*
Pepino → *Giusèppe*
Pèppa → *Giusèppe*
Pèppe → *Giusèppe*
Pèppi → *Giusèppe*
Peppina → *Giusèppe*
Peppinétto → *Giusèppe*
Peppino → *Giusèppe*
Pèppo → *Giusèppe*
Peppùccio → *Giusèppe*
Perfètta → *Perfètto*
Perfètto
Pergènte → *Pergentino*
Pergentina → *Pergentino*
Pergentino
Pèricle
Pèrla
Perlina → *Pèrla*
Perlino → *Pèrla*
Pèrlo → *Pèrla*
Perpètua
Perpètuo → *Perpètua*
Persèa → *Persèo*
Persèo o *Pèrseo*
Persia → *Pèrsio*
Persìlia → *Pèrsio*
Persilio → *Pèrsio*
Pèrsio
Pervinca
Pètra → *Piètro*
Petrina → *Piètro*
Pètro → *Piètro*
Petronèlla → *Petronilla*
Petronilla
Petrònio
Pìa → *Pìo*
Piacènte

Piacentina → *Piacènte*
Piacentino → *Piacènte*
Pìa Marìa → *Pìo*
Piàve
Piccarda → *Piccardo*
Piccardo
Pièra → *Piètro*
Pièra Àngela → *Piètro*
Pièra Anna → *Piètro*
Pièr Àngela → *Piètro*
Pieràngela → *Piètro*
Pièr Àngelo → *Piètro*
Pieràngelo → *Piètro*
Pièr Anna → *Piètro*
Pieranna → *Piètro*
Pièr Antònio → *Piètro*
Pierantònio → *Piètro*
Pièr Carlo → *Piètro*
Piercarlo → *Piètro*
Pierétta → *Piètro*
Pierétto → *Piètro*
Pièr Giórgio → *Piètro*
Piergiórgio → *Piètro*
Pierina → *Piètro*
Pierino → *Piètro*
Pièr Luìgi → *Piètro*
Pierluìgi → *Piètro*
Pièr Marìa → *Piètro*
Piermarìa → *Piètro*
Pièro → *Piètro*
Pièro Giórgio → *Piètro*
Pièro Luìgi → *Piètro*
Pièr Pàolo → *Piètro*
Pierpàolo → *Piètro*
Pierùccia → *Piètro*
Pierùccio → *Piètro*
Piètra → *Piètro*
Pietràngelo → *Piètro*
Pietrantònio → *Piètro*
Pietrina → *Piètro*
Pietrino → *Piètro*
Piètro
Piètro Àngelo → *Piètro*
Piètro Antònio → *Piètro*
Pietronilla → *Petronilla*
Piètro Pàolo → *Piètro*
Pietropàolo → *Piètro*
Pietrùccia → *Piètro*
Pietrùccio → *Piètro*
Pilade
Pilàr
Pilèria → *Pilèrio*
Pilèrio
Pina → *Giusèppe*
Pìndaro
Pinèlla → *Giusèppe*
Pinèllo → *Giusèppe*
Pinétta → *Giusèppe*
Pinétto → *Giusèppe*
Pino → *Giusèppe*
Pinòtto → *Giusèppe*
Pinùccia → *Giusèppe*
Pinùccio → *Giusèppe*
Pìo

Pippa → *Pippo*
Pippo
Pìramo
Pirro
Pisana
Pisano → *Pisana*
Plàcida → *Plàcido*
Placìdia → *Plàcido*
Placidino → *Plàcido*
Plàcido
Platóne
Plautilla → *Plàuto*
Plàuto
Plava
Plavo → *Plava*
Plìnia → *Plinio*
Plìnio
Plutarco
Poèrio
Pòla
Pòlda → *Leopòldo*
Poldina → *Leopòldo*
Poldino → *Leopòldo*
Pòldo → *Leopòldo*
Polìbio
Policàrpio → *Policarpo*
Policarpo
Polidòro
Polinice
Polissèna
Pòlito
Poliùto
Polluce
Pòlo → *Pòla*
Polònia → *Polònio*
Polònio
Pompèa → *Pompèo*
Pompèo
Pompìlia → *Pompèo*
Pompìlio → *Pompèo*
Pompònio → *Pompèo*
Ponziàna → *Ponziàno*
Ponzianino → *Ponziàno*
Ponziàno
Pónzio
Pòpola
Porfìdio → *Porfìrio*
Porfìlio → *Porfìrio*
Porfìria → *Porfìrio*
Porfìrio
Porsènna
Pòrsia → *Pòrzia*
Pòrthos
Pòrtos → *Pòrthos*
Pòrzia
Pòrzio → *Pòrzia*
Possìdio
Potito
Prandino → *Prando*
Prando
Prassèda → *Prassède*
Prassède
Prassìtele
Prescillo → *Priscilla*

Preziósa
Prezióso → *Preziósa*
Prìama → *Prìamo*
Prìamo
Prima → *Primo*
Primalda → *Primaldo*
Primaldo
Primàrio → *Primièro*
Primaròsa
Primavèra
Primétta → *Primo*
Primétto → *Primo*
Prìmia → *Primo*
Primiàna → *Primiàno*
Primiàno
Primièra → *Primièro*
Primièro
Primìlio → *Primo*
Primillo → *Primo*
Primina → *Primo*
Primino → *Primo*
Prìmio → *Primo*
Primitiva → *Primitivo*
Primitivo
Primìzia → *Primo*
Primìzio → *Primo*
Primo
Prìmola → *Prìmula*
Prìmula
Prìncipe
Principéssa → *Prìncipe*
Princìpia → *Principio*
Princìpio
Prisca → *Prisco*
Priscilla
Prisco
Pròba → *Pròbo*
Pròbo
Pròcolo
Procòpio
Progrèsso
Promèteo o *Prometèo*
Propèrzio
Prosdòcimo
Pròspera → *Pròspero*
Prosperina → *Pròspero*
Prosperino → *Pròspero*
Pròspero
Protàsio
Protaso → *Protàsio*
Pròteo o *Protèo*
Pròto
Providènza → *Provvidènza*
Pròvido → *Pròvvido*
Provina → *Provino*
Provino
Pròvvida → *Pròvvido*
Provvidènza
Provvidènzio → *Provvidènza*
Pròvvido
Prudènte → *Prudènza*
Prudènza
Prudènzia → *Prudènza*
Prudènzio → *Prudènza*

Pùbblio → *Pùblio*
Pùblia → *Pùblio*
Pùblio
Pucci → *Giàcomo*
Pùccio → *Giàcomo*
Pulchèria
Pulchèrio → *Pulchèria*
Pupa
Purìfica
Purìfico → *Purìfica*
Purìssima

Quàdrio
Quarta → *Quarto*
Quartièro
Quartìlia → *Quarto*
Quartìlio → *Quarto*
Quartina → *Quarto*
Quartino → *Quarto*
Quarto
Querina → *Quirino*
Querino → *Quirino*
Quinta → *Quinto*
Quintalina → *Quinto*
Quintìglio → *Quinto*
Quintìlia → *Quinto*
Quintiliàna → *Quinto*
Quintiliàno → *Quinto*
Quintilina → *Quinto*
Quintilino → *Quinto*
Quintìlio → *Quinto*
Quintilla → *Quinto*
Quintillo → *Quinto*
Quintina → *Quinto*
Quintino → *Quinto*
Quinto
Quìnzio → *Quinto*
Quìrica → *Quìrico*
Quìrico
Quirina → *Quirino*
Quirino

Rachèl → *Rachèle*
Rachèla → *Rachèle*
Rachèle
Rachelina → *Rachèle*
Rachelino → *Rachèle*
Radamès
Radegónda
Radegóndo → *Radegónda*
Rafaèl → *Raffaèle*
Rafaèla → *Raffaèle*
Rafaèle → *Raffaèle*
Rafaèlla → *Raffaèle*
Rafèle → *Raffaèle*
Raffaèla → *Raffaèle*
Raffaèle
Raffaelina → *Raffaèle*
Raffaelino → *Raffaèle*
Raffaèlla → *Raffaèle*

Raffaèlle → *Raffaèle*
Raffaellina → *Raffaèle*
Raffaèllo → *Raffaèle*
Raffaèlo → *Raffaèle*
Raffale → *Raffaèle*
Raffèle → *Raffaèle*
Raffelina → *Raffaèle*
Raffèllo → *Raffaèle*
Ràimo → *Raimóndo*
Raimónda → *Raimóndo*
Raimondina → *Raimóndo*
Raimondino → *Raimóndo*
Raimóndo
Rainalda → *Rinaldo*
Rainaldo → *Rinaldo*
Rainardo
Rainèra → *Ranièro*
Rainèri → *Ranièro*
Rainèrio → *Ranièro*
Rainèro → *Ranièro*
Rainièri → *Ranièro*
Rainièro → *Ranièro*
Raldo → *Eraldo*
Ralf
Ralph → *Ralf*
Rambaldo
Ramira → *Ramiro*
Ramiro
Ramón
Ramóna → *Ramón*
Ranaldo → *Rinaldo*
Rando
Randòlfo
Ranièra → *Ranièro*
Ranièri → *Ranièro*
Ranièro
Ranùccio → *Ranièro*
Rào
Ràolo → *Rào*
Raoul → *Ràul*
Rasmo → *Erasmo*
Ràul o *Raùl*
Ràulo → *Rào*
Ravènna
Ravènno → *Ravènna*
Raymónda → *Raimóndo*
Rèa
Reàlda → *Reàldo*
Realdina → *Reàldo*
Realdino → *Reàldo*
Reàldo
Reàle
Realina → *Reàle*
Realino → *Reàle*
Reàna
Reàno → *Reàna*
Rèa Silvia → *Rèa*
Rebècca
Réda → *Rédo*
Redano → *Rédo*
Rédea → *Rédo*
Redegónda → *Radegónda*
Redènta → *Redènto*
Redènte → *Redènto*

Redentina → *Redènto*
Redentino → *Redènto*
Redènto
Redènzio → *Redènto*
Rédeo → *Rédo*
Rédi → *Rédo*
Rediàno → *Rédo*
Rédo
Reggina → *Regina*
Regina
Reginalda → *Reginaldo*
Reginaldo
Regina Marìa → *Regina*
Reginèlla → *Regina*
Reginétta → *Regina*
Regino → *Regina*
Regolina → *Règolo*
Règolo
Reina → *Regina*
Rèlio → *Aurèlio*
Rèma → *Rèmo*
Remido → *Rimèdio*
Remìgia → *Remigio*
Remìgio
Remìlia → *Romèlio*
Remìlio → *Romèlio*
Remina → *Rèmo*
Remiro → *Ramiro*
Rèmo
Remoàldo → *Romuàldo*
Rèmola → *Rèmo*
Rèmolo → *Rèmo*
Rèna → *Rèno*
Renaldo → *Rinaldo*
Renata → *Renato*
Renate → *Renato*
Renato
René → *Renato*
Renée → *Renato*
Renèlla → *Rèno*
Renèo → *Irenèo*
Renétto → *Rèno*
Rènio → *Rèno*
Rèno
Renùccio → *Rèno*
Rènza → *Lorènzo*
Renzina → *Lorènzo*
Renzino → *Lorènzo*
Rènzo → *Lorènzo*
Rèo → *Rèa*
Reparata
Reparato → *Reparata*
Restituta
Restituto → *Restituta*
Rezièri → *Rizièro*
Rezièro → *Rizièro*
Riàlda → *Reàldo*
Riàldo → *Reàldo*
Riàna → *Riàno*
Riàno
Ribèlla → *Ribèlle*
Ribèlle
Ribèllo → *Ribèlle*

Rica → *Enrico*
Ricardo → *Riccardo*
Ricca → *Riccardo*
Riccarda → *Riccardo*
Riccardina → *Riccardo*
Riccardino → *Riccardo*
Riccardo
Ricciàrda → *Riccardo*
Ricciardétto → *Riccardo*
Ricciàrdo → *Riccardo*
Ricciòtti
Ricciòtto → *Ricciòtti*
Ricco → *Riccardo*
Richétto → *Enrico*
Rico → *Enrico*
Ricòrda → *Ricòrdo*
Ricordina → *Ricòrdo*
Ricòrdo
Ridòlfo → *Rodòlfo*
Rirènzi → *Lorènzo*
Riènzo → *Lorènzo*
Rifèo
Riga → *Rigo*
Righétto → *Rigo*
Rigo
Rigobèrto
Rigolétta → *Rigolétto*
Rigolétto
Rigùccio → *Rigo*
Rimèdia → *Rimèdio*
Rimèdio
Rina
Rinalda → *Rinaldo*
Rinaldi → *Rinaldo*
Rinaldina → *Rinaldo*
Rinaldino → *Rinaldo*
Rinaldo
Rina Marìa → *Rina*
Rinda → *Rindo*
Rindo
Rinèlla → *Rina*
Rinèllo → *Rina*
Rinètta → *Rina*
Rinétto → *Rina*
Rinièro → *Ranièro*
Rino → *Rina*
Rinùccia → *Rina*
Rinùccio → *Rina*
Ripalta
Ripòsa
Riscatto
Risièri → *Rizièro*
Risièro → *Rizièro*
Risórto
Ristòro
Risvéglio
Rita
Rita Marìa → *Rita*
Rito → *Rita*
Riva → *Rivo*
Rivaldo → *Rivo*
Rivano → *Rivo*
Rivièra → *Rivo*
Rivièro → *Rivo*

Rìvio → *Rivo*
Rivo
Rizièra → *Rizièro*
Rizière → *Rizièro*
Rizièri → *Rizièro*
Rizièro
Rizzarda → *Riccardo*
Rizzardo → *Riccardo*
Rizzèrio → *Rizièro*
Rizzièra → *Rizièro*
Rizzièri → *Rizièro*
Rizzièro → *Rizièro*
Roàldo → *Rosvaldo*
Robèrta → *Robèrto*
Robertina → *Robèrto*
Robertino → *Robèrto*
Robèrto
Robespierre
Roboàmo
Robustina → *Robusto*
Robustino → *Robusto*
Robusto
Ròcca → *Ròcco*
Roccantònio → *Ròcco*
Rocchétta → *Ròcco*
Rocchétto → *Ròcco*
Rocchina → *Ròcco*
Rocchino → *Ròcco*
Ròcco
Ròcco Antònio → *Ròcco*
Roderico → *Rodrigo*
Roderigo → *Rodrigo*
Rodòlfa → *Rodòlfo*
Rodolfina → *Rodòlfo*
Rodòlfo
Rodomónte
Rodrigo
Roggèro → *Ruggèro*
Rolanda → *Rolando*
Rolandina → *Rolando*
Rolandino → *Rolando*
Rolando
Ròldo → *Aròldo*
Rollando → *Rolando*
Róma
Romaldino → *Romuàldo*
Romaldo → *Romuàldo*
Romana → *Romano*
Romanèlla → *Romano*
Romanèllo → *Romano*
Romanìa → *Romèno*
Romanina → *Romano*
Romanino → *Romano*
Romanita → *Romano*
Romano
Romèa → *Romèo*
Romèdio → *Rimèdio*
Romèlia → *Romèlio*
Romèlio
Romèna → *Romèno*
Romènia → *Romèno*
Romènio → *Romèno*
Romèno
Romèo

Rométta → *Róma*
Ròmi → *Ròmy*
Romilda
Romilde → *Romilda*
Romildo → *Romilda*
Romìlia → *Romèlio*
Romìlio → *Romèlio*
Romina
Romino → *Romina*
Rómo → *Róma*
Romoàldo → *Romuàldo*
Ròmola → *Rómolo*
Rómola → *Rómolo*
Romolina → *Rómolo*
Romolino → *Rómolo*
Rómolo o *Ròmolo*
Romuàlda → *Romuàldo*
Romuàldo
Ròmy
Ròsa
Ròsa Alba → *Ròsa*
Ròsa Angela → *Ròsa*
Ròsa Anna → *Ròsa*
Rosalba → *Ròsa*
Rosalìa
Rosalina
Rosalinda
Rosalindo → *Rosalinda*
Rosalino → *Rosalina*
Rosalìo → *Rosalìa*
Ròsa Marìa → *Ròsa*
Rosamarìa → *Ròsa*
Rosamunda → *Rosmunda*
Rosana
Rosanèlla → *Rosana*
Rosàngela → *Ròsa*
Rosanna → *Ròsa*
Rosano → *Rosana*
Rosària → *Rosàrio*
Rosària Marìa → *Rosàrio*
Rosària Sara → *Sàrio*
Rosariétta → *Rosàrio*
Rosarina → *Rosàrio*
Rosarino → *Rosàrio*
Rosàrio
Rosata → *Rosato*
Rosato
Rosàura
Rosàuro → *Rosàura*
Rosélda → *Rosilde*
Rosèlla → *Ròsa*
Rosellina → *Ròsa*
Rosèllo → *Ròsa*
Rosétta → *Ròsa*
Rosétto → *Ròsa*
Ròsi → *Ròsa*
Rosilda → *Rosilde*
Rosilde
Rosildo → *Rosilde*
Rosina → *Ròsa*
Rosinèlla → *Ròsa*
Rosino → *Ròsa*
Rosita → *Ròsa*
Rosmunda

Rosmundo → *Rosmunda*
Ròso → *Ròsa*
Rosolìa → *Rosalìa*
Rosolina
Rosolindo → *Rosalinda*
Rosolino → *Rosolina*
Ròsolo → *Rosalina*
Róssa → *Rósso*
Rossana
Rossano → *Rossana*
Rossèlla
Rossellina → *Rossèlla*
Rossèllo → *Rossèlla*
Rossina → *Rósso*
Rossino → *Rósso*
Rósso
Rosvalda → *Rosvaldo*
Rosvaldo
Rosvita → *Roswitha*
Roswita → *Roswitha*
Roswitha
Ròsy → *Ròsa*
Rotìlio → *Rutìlio*
Rovaldo → *Rosvaldo*
Rovèna → *Rovéno*
Rovéna → *Rovéno*
Rovéno o *Rovèno*
Ruben
Rubens → *Ruben*
Rubèrto → *Robèrto*
Rubes → *Ruben*
Rubina
Rubino → *Rubina*
Ruffa → *Rufo*
Ruffillo → *Rufo*
Ruffina → *Rufo*
Ruffino → *Rufo*
Ruffo → *Rufo*
Rufillo → *Rufo*
Rufina → *Rufo*
Rufino → *Rufo*
Rufo
Ruggèra → *Ruggèro*
Ruggèri → *Ruggèro*
Ruggerina → *Ruggèro*
Ruggèro
Ruggièro → *Ruggèro*
Rugièro → *Ruggèro*
Rupèrto → *Robèrto*
Rut → *Ruth*
Ruth
Rutìlia → *Rutìlio*
Rutìlio

Sabadino → *Sàbato*
Sàbata → *Sàbato*
Sabatina → *Sàbato*
Sabatino → *Sàbato*
Sàbato
Sabbatina → *Sàbato*
Sabbatino → *Sàbato*
Sabina → *Sabino*

Sabino
Sabotino
Sabrina
Saffo
Saladino
Sallùstio
Sally
Salomè
Salomón → *Salomóne*
Salomóne
Salute
Salutina → *Salute*
Salva → *Salvo*
Salvadóra → *Salvatóre*
Salvadóre → *Salvatóre*
Salvato → *Salvatóre*
Salvatóra → *Salvatóre*
Salvatoràngelo → *Salvatóre*
Salvatóre
Salvatóre Àngelo → *Salvatóre*
Salvatorìca → *Salvatóre*
Salvatorìco → *Salvatóre*
Salvatorina → *Salvatóre*
Salvatorino → *Salvatóre*
Salvatrice → *Salvatóre*
Salve → *Salvo*
Salverina → *Salvo*
Salverino → *Salvo*
Salvèrio → *Salvo*
Salvétto → *Salvo*
Sàlvia → *Salvo*
Salviàno → *Salvo*
Salvina → *Salvo*
Salvino → *Salvo*
Sàlvio → *Salvo*
Salvo
Salvùccio → *Salvo*
Samantha
Samuèl → *Samuèle*
Samuèla → *Samuèle*
Samuèle
Sandra → *Alessandro*
Sandrina → *Alessandro*
Sandrino → *Alessandro*
Sandro → *Alessandro*
Sansóne
Santa → *Santo*
Santa Marìa → *Santo*
Santarèlla → *Santo*
Sante → *Santo*
Santèlla → *Santo*
Santi → *Santo*
Santillo → *Santo*
Santìn → *Santo*
Santina → *Santo*
Santino → *Santo*
Santo
Sàntola → *Santo*
Sàntolo → *Santo*
Santo Natale → *Santo*
Santòro
Santùccia → *Santo*
Santùccio → *Santo*

Santuzza → *Santo*
Sànzia → *Santo*
Sànzio → *Santo*
Sara
Sarah → *Sara*
Sarétto → *Sàrio*
Sària → *Sàrio*
Sarina → *Sàrio*
Sarina Rosària → *Sàrio*
Sarino → *Sàrio*
Sàrio
Sarita → *Sàrio*
Saro → *Sàrio*
Saturna → *Saturno*
Satùrnia → *Saturno*
Saturnina → *Saturno*
Saturnino → *Saturno*
Saturno
Sàul
Sàula → *Sàul*
Sàule → *Sàul*
Saùlle → *Sàul*
Sàulo → *Sàul*
Sàura → *Sàuro*
Sàuro
Savèria → *Savèrio*
Saverina → *Savèrio*
Saverino → *Savèrio*
Savèrio
Sàvia → *Sàvio*
Saviàna → *Sàvio*
Saviàno → *Sàvio*
Savina → *Sabino*
Savino → *Sabino*
Sàvio
Savòia
Scialòm
Scilla
Scintilla
Scìpio → *Scipióne*
Scipióne
Scolàstica
Scolàstico → *Scolàstica*
Sebastiàna → *Sebastiàno*
Sebastiàno
Secónda → *Secóndo*
Secondiàna → *Secóndo*
Secondiùno → *Secóndo*
Secondina → *Secóndo*
Secondino → *Secóndo*
Secóndo
Selèna → *Selène*
Selène
Selènio → *Selène*
Selèno → *Selène*
Sèlma → *Ansèlmo*
Selmino → *Ansèlmo*
Sèlmo → *Ansèlmo*
Sélva → *Sìlvio*
Selvàggia
Selvàggio → *Selvàggia*
Selvina → *Sìlvio*
Selvino → *Sìlvio*
Sélvo → *Sìlvio*

Sèm
Semira → *Semiràmide*
Semiràmide
Semplìcia → *Simplìcio*
Sempliciàno → *Simplicio*
Semplìcio → *Simplicio*
Senofónte
Serafina → *Serafino*
Serafino
Seréna
Serenèlla → *Seréna*
Serenèllo → *Seréna*
Serenilla → *Seréna*
Seréno → *Seréna*
Sèrgia → *Sèrgio*
Sergina → *Sèrgio*
Sèrgio
Servìglio → *Sèrvio*
Servìlia → *Sèrvio*
Servìlio → *Sèrvio*
Sèrvio
Sèrvolo → *Sèrvio*
Sèsta → *Sèsto*
Sestìlia → *Sèsto*
Sestìlio → *Sèsto*
Sestina → *Sèsto*
Sestino → *Sèsto*
Sèsto
Settembrina → *Settembrino*
Settembrino
Sèttima → *Sèttimo*
Settìmia → *Sèttimo*
Settimina → *Sèttimo*
Settimino → *Sèttimo*
Settìmio → *Sèttimo*
Sèttimo
Sevèra → *Sevèro*
Severiàna → *Sevèro*
Severiàno → *Sevèro*
Severina → *Sevèro*
Severino → *Sevèro*
Sevèrio → *Sevèro*
Sevèro
Shalòm → *Scialòm*
Shèila
Sibilla
Sibillo → *Sibilla*
Sìdney
Sidòro → *Isidòro*
Sìdoro → *Isidòro*
Siegfrid → *Sigfrido*
Siegfried → *Sigfrido*
Sifrido → *Sigfrido*
Sigefrido → *Sigfrido*
Sigfrédo → *Sigfrido*
Sigfrida → *Sigfrido*
Sigfrido
Sigifrédo → *Sigfrido*
Sigifrido → *Sigfrido*
Sigilfrédo → *Sigfrido*
Sigilfrido → *Sigfrido*
Sigisfrédo → *Sigfrido*
Sigisfrido → *Sigfrido*
Sigismónda → *Sigismóndo*

Sigismóndo
Sigismunda → *Sigismóndo*
Sigismundo → *Sigismóndo*
Signóra
Signorèlla → *Signóra*
Signorèllo → *Signóra*
Signorina → *Signóra*
Signorino → *Signóra*
Sila → *Sìlio*
Silano → *Sìlio*
Silèna → *Silèno*
Silène → *Silèno*
Silènio → *Silèno*
Silèno
Silfrido → *Sigfrido*
Sìlia → *Sìlio*
Siliàna → *Sìlio*
Siliàno → *Sìlio*
Sìlio
Silo → *Sìlio*
Silva → *Silvio*
Silvana → *Silvano*
Silvano
Silvèra → *Silvèrio*
Silvèria → *Silvèrio*
Silvèrio
Silvèro → *Silvèrio*
Silvèstra → *Silvèstro*
Silvèstre → *Silvèstro*
Silvèstri → *Silvèstro*
Silvestrina → *Silvèstro*
Silvèstro
Silvi → *Sìlvio*
Sìlvia → *Sìlvio*
Silviàna → *Sìlvio*
Silviàno → *Sìlvio*
Silvièro → *Silvèrio*
Silviètto → *Sìlvio*
Silvina → *Sìlvio*
Silvino → *Sìlvio*
Sìlvio
Silvo → *Sìlvio*
Sìmeo → *Simóne*
Sìmeon → *Simóne*
Simeóna → *Simóne*
Simeóne → *Simóne*
Sìmmaco
Simo → *Simóne*
Simón → *Simóne*
Simóna → *Simóne*
Simóne
Simonèlla → *Simóne*
Simonèllo → *Simóne*
Simonétta → *Simóne*
Simonétto → *Simóne*
Simonino → *Simóne*
Simón Pìetro → *Simóne*
Simpliciàno → *Simplìcio*
Simplìcio
Sina
Sincèra → *Sincèro*
Sincèro
Sinfaròsa → *Sinforòsa*
Sinforòsa

Sipónta
Sipontina → *Sipónta*
Sipónto → *Sipónta*
Sira → *Siro*
Siria → *Siro*
Siriàna → *Siro*
Siriàno → *Siro*
Sirina → *Siro*
Sirino → *Siro*
Sirio → *Siro*
Siro
Sirte
Sirto → *Sirte*
Sisina → *Sisìnnio*
Sisìnia → *Sisìnnio*
Sisìnio → *Sisìnnio*
Sisìnnia → *Sisìnnio*
Sisìnnio
Sisino → *Sisìnnio*
Sista → *Sèsto*
Sistìlia → *Sèsto*
Sistìlio → *Sèsto*
Sistina → *Sèsto*
Sistino → *Sèsto*
Sisto → *Sèsto*
Sita → *Terèsa*
Sito → *Terèsa*
Sivìglia
Sivigliàna → *Sivìglia*
Sivigliàno → *Sivìglia*
Sivìglio → *Sivìglia*
Siviliàna → *Sivìglia*
Siviliàno → *Sivìglia*
Slava → *Stanislào*
Smeralda
Smeraldo → *Smeralda*
Soccórsa
Soccórso → *Soccórsa*
Sòcrate
Sofìa
Sofìo → *Sofìa*
Sòfocle
Sofrònia → *Sofrònio*
Sofrònio
Solange
Solferina → *Solferino*
Solferino
Solidèa
Solidèo → *Solidèa*
Solimando → *Solimano*
Solimano
Solimèno → *Solimano*
Sònia
Sònio → *Sònia*
Sònja → *Sònia*
Sònya → *Sònia*
Sòsio → *Sòssio*
Sòssio
Sòstene
Sòstine → *Sòstene*
Spàrtaca → *Spàrtaco*
Spàrtaco
Spedito → *Espedito*
Spème → *Speranza*

Spèra → *Spèri*
Sperandèo → *Sperandìo*
Sperandìa → *Sperandìo*
Sperandina → *Sperandìo*
Sperandino → *Sperandìo*
Sperandìo
Sperando → *Sperandìo*
Speranza
Speranzina → *Speranza*
Speranzino → *Speranza*
Speranzo → *Speranza*
Spèri
Sperindìo → *Sperandìo*
Sperino → *Spèri*
Spèro → *Spèri*
Spiridióna → *Spiridióne*
Spiridióne
Spiridón → *Spiridióne*
Spiridóne → *Spiridióne*
Spìrita → *Spìrito*
Spiritina → *Spìrito*
Spìrito
Splendóra
Splendóre → *Splendóra*
Spyridón → *Spiridióne*
Stalin
Stalino → *Stalin*
Stamura
Stana → *Stanislào*
Stanis → *Stanislào*
Stanislàa → *Stanislào*
Stanislào
Stanislava → *Stanislào*
Stanislavo → *Stanislào*
Stano → *Stanislào*
Stéfana → *Stéfano*
Stefanèlla → *Stéfano*
Stefània → *Stéfano*
Stefanina → *Stéfano*
Stefanino → *Stéfano*
Stefànio → *Stéfano*
Stéfano
Stèlia → *Stèlio*
Stèlio
Stélla
Stélla Marìa → *Stélla*
Stélla Maris → *Stélla*
Stellàrio → *Stélla*
Stèllia → *Stèlio*
Stellina → *Stélla*
Stellino → *Stélla*
Stèllio → *Stèlio*
Stéllo → *Stélla*
Stèlvia → *Stèlvio*
Stélvia → *Stèlvio*
Stèlvio o *Stélvio*
Sténa → *Stéfano*
Sténia → *Stéfano*
Sténio → *Stéfano*
Sténo → *Stéfano*
Sterpéta
Superànzio → *Esuperànzio*
Susan → *Susanna*
Susanna

Susétta → *Susanna*
Susi → *Susanna*
Susy → *Susanna*
Svaldo → *Osvaldo*
Sydney → *Sìdney*
Sylva → *Silvio*
Sỳlvia → *Silvio*

Tàcito
Taddèa → *Taddèo*
Taddèo
Tàide
Tamar → *Tamara*
Tamara
Tamaro → *Tamara*
Tàmmaro
Tancrédi
Tancrédo → *Tancrédi*
Tània
Tanina → *Tano*
Tanino → *Tano*
Tànio → *Tània*
Tànja → *Tània*
Tano
Tanùccio → *Tano*
Tarcìdio → *Tarcìsio*
Tarcisa → *Tarcìsio*
Tarcìsia → *Tarcìsio*
Tarcìsio
Tarciso → *Tarcìsio*
Tarquìnia → *Tarquìnio*
Tarquìnio
Tarquino → *Tarquìnio*
Tarsìlia → *Tarsìlio*
Tarsìlio
Tarsilla → *Tarsìlio*
Tarsillo → *Tarsìlio*
Tatiàna
Tatiàno → *Tatiàna*
Tatjàna → *Tatiàna*
Tàzia → *Tàzio*
Taziàna → *Tatiàna*
Taziàno → *Tatiàna*
Tàzio
Tèa
Teàno
Tebaldo → *Teobaldo*
Tècla
Tèclo → *Tècla*
Telèmaco
Telèsfero → *Telèsforo*
Telèsfora → *Telèsforo*
Telèsforo
Tèlia → *Odilia*
Tèlio → *Odilia*
Tèlla → *Otèllo*
Tèllio → *Odilia*
Tèllo → *Otèllo*
Tèlma → *Erasmo*
Tèlmo → *Erasmo*
Tèmi → *Temìstocle*

Tèmide → *Temìstocle*
Temisto → *Temìstocle*
Temìstocle
Tèo → *Tèa*
Teobaldo
Teodato → *Adeodato*
Teodolinda
Teodolindo → *Teodolinda*
Teodomiro → *Diomira*
Teodòra → *Teodòro*
Teodorica → *Teodorico*
Teodorico
Teodorina → *Teodòro*
Teodorino → *Teodòro*
Teodòro
Teodòsia → *Teodòsio*
Teodòsio
Teòfila → *Teòfilo*
Teòfilo
Terènzia → *Terènzio*
Terenziàno → *Terènzio*
Terènzio
Terènzo → *Terènzio*
Terèsa
Terèsa Marìa → *Terèsa*
Teresiàna → *Terèsa*
Teresina → *Terèsa*
Teresino → *Terèsa*
Terèsio → *Terèsa*
Teresita → *Terèsa*
Terèso → *Terèsa*
Tèrmina → *Tèrmine*
Tèrmine
Tèrmino → *Tèrmine*
Tèrsia → *Tèrzo*
Tersìglia → *Tèrzo*
Tersìglio → *Tèrzo*
Tersìlia → *Tèrzo*
Tersìlio → *Tèrzo*
Tersilla → *Tèrzo*
Tersillo → *Tèrzo*
Tersina → *Tèrzo*
Tertulliàno
Tèrza → *Tèrzo*
Tèrzia → *Tèrzo*
Terziàna → *Tèrzo*
Terziàno → *Tèrzo*
Terzìglia → *Tèrzo*
Terzìglio → *Tèrzo*
Terzìlia → *Tèrzo*
Terzìlio → *Tèrzo*
Terzilla → *Tèrzo*
Terzillo → *Tèrzo*
Terzina → *Tèrzo*
Terzino → *Tèrzo*
Tèrzio → *Tèrzo*
Tèrzo
Tesèa → *Tesèo*
Tèsea → *Tesèo*
Tesèo o *Tèseo*
Tèsio → *Tesèo*
Tesolina → *Desolina*
Thais → *Tàide*
Thèa → *Tèa*

Thèlma → *Erasmo*
Thèo → *Tèa*
Theodòra → *Teodòro*
Tibaldo → *Teobaldo*
Tibèria → *Tibèrio*
Tiberina → *Tibèrio*
Tibèrio
Tibùrzio
Tilda → *Tilde*
Tilde
Tildo → *Tilde*
Tìlia → *Tilio*
Tìlio
Tilla
Tillo → *Tilla*
Timòtea → *Timòteo*
Timòteo
Tina
Tìndara → *Tìndaro*
Tìndaro
Tino → *Tina*
Tinùccia → *Tina*
Tinùccio → *Tina*
Tisbe
Tista → *Battista*
Tita → *Tito*
Titina → *Tito*
Titino → *Tito*
Tito
Tito Lìvio → *Tito*
Titta → *Battista*
Titti → *Battista*
Tittina → *Battista*
Titty → *Battista*
Tiziàna → *Tiziàno*
Tiziàno
Tìzio → *Tito*
Tobìa
Tobìas → *Tobìa*
Tobiòlo → *Tobìa*
Tolmina → *Tolmino*
Tolmino
Tolomèa → *Tolomèo*
Tolomèo
Tomasa → *Tommaso*
Tomasina → *Tommaso*
Tomasino → *Tommaso*
Tomaso → *Tommaso*
Tomassina → *Tommaso*
Tomassino → *Tommaso*
Tomasso → *Tommaso*
Tomèo
Tommasa → *Tommaso*
Tommasina → *Tommaso*
Tommasino → *Tommaso*
Tommaso
Tommassino → *Tommaso*
Tòna → *Antònio*
Tonèllo → *Antònio*
Tòni → *Antònio*
Tònia → *Antònio*
Tonina → *Antònio*
Tonino → *Antònio*
Tònio → *Antònio*

Tonùccio → *Antònio*
Tòny → *Antònio*
Tòre → *Salvatóre*
Tóre → *Salvatóre*
Torèlla → *Salvatóre*
Torèllo → *Salvatóre*
Toriddo → *Salvatóre*
Torido → *Salvatóre*
Torina → *Salvatóre*
Torino → *Salvatóre*
Torquata → *Torquato*
Torquato
Torùccio → *Salvatóre*
Tósca
Toscana → *Toscano*
Toscanèllo → *Toscano*
Toscano
Tósco → *Tósca*
Tosèlla → *Tosèlli*
Tosèlli
Tosèllo → *Tosèlli*
Tosolina → *Desolina*
Tòto → *Antònio*
Totò → *Antònio*
Tranquilla → *Tranquillo*
Tranquillino → *Tranquillo*
Tranquillo
Trentina → *Trènto*
Trentino → *Trènto*
Trènto
Trièste
Trièste Itàlia → *Trièste*
Triestina → *Trièste*
Triestino → *Trièste*
Triestitàlia → *Trièste*
Trifóna → *Trifóne*
Trifóne
Trifònio → *Trifóne*
Trinità
Trìpoli
Tripolina → *Trìpoli*
Tripolino → *Trìpoli*
Tristana → *Tristano*
Tristano
Trofimèna
Trovatóre
Trusiàna → *Drusiàna*
Tùccia → *Tùccio*
Tùccio
Tùlio → *Tùllio*
Tùllia → *Tùllio*
Tulliàna → *Tùllio*
Tulliàno → *Tùllio*
Tùllio
Tùllio Ostìlio → *Tùllio*
Tullo → *Tùllio*
Turi → *Salvatóre*
Turidda → *Salvatóre*
Turiddo → *Salvatóre*
Turiddu → *Salvatóre*
Turido → *Salvatóre*
Turillo → *Salvatóre*
Turino → *Salvatóre*
Tùrio → *Salvatóre*

Turrido → *Salvatóre*
Tusolina → *Desolina*

Ubalda → *Ubaldo*
Ubaldina → *Ubaldo*
Ubaldino → *Ubaldo*
Ubaldo
Ubèrta → *Ubèrto*
Ubertina → *Ubèrto*
Ubertino → *Ubèrto*
Ubèrto
Ubòldo → *Ubaldo*
Udalrico → *Ulderico*
Udalrigo → *Ulderico*
Udìlia → *Odìlia*
Udìlio → *Odìlia*
Udilla → *Odìlia*
Udillo → *Odìlia*
Udina → *Òddo*
Udino → *Òddo*
Udo → *Òddo*
Uga → *Ugo*
Uggèri → *Oggèro*
Uggèro → *Oggèro*
Ughétta → *Ugo*
Ughétto → *Ugo*
Ugo
Ugobèrto → *Ubèrto*
Ugolina → *Ugo*
Ugolino → *Ugo*
Ugóne → *Ugo*
Uguccióne → *Ugo*
Uldarico → *Ulderico*
Ulderica → *Ulderico*
Ulderico
Ulderiga → *Ulderico*
Ulderigo → *Ulderico*
Uliàna → *Uliàno*
Uliàno
Ulissa → *Ulisse*
Ulisse
Uliva → *Olivo*
Ulivièro → *Olivo*
Ulìvio → *Olivo*
Ulivo → *Olivo*
Ulla → *Órso*
Ulrica → *Ulderico*
Ulrich → *Ulderico*
Ulrico → *Ulderico*
Ulrike → *Ulderico*
Ùltima → *Ùltimo*
Ultimina → *Ùltimo*
Ultimino → *Ùltimo*
Ùltimio → *Ùtimo*
Ùltimo
Umbèrta → *Umbèrto*
Umbertina → *Umbèrto*
Umbertino → *Umbèrto*
Umbèrto
Ùmbra → *Umbro*
Ùmbria → *Umbro*
Ùmbrio → *Umbro*

Umbro
Ùmile
Umiliàna → *Ùmile*
Umiliàno → *Ùmile*
Ùnica → *Ùnico*
Ùnico
Urània
Urànio → *Urània*
Urano → *Urània*
Urbana → *Urbano*
Urbano
Ùria
Uriàna
Uriàno → *Uriàna*
Ùrio → *Ùria*
Ùrsola → *Órso*
Ursula → *Órso*
Ursus → *Órso*
Utìlia → *Odìlia*
Utìlio → *Odìlia*

Valbèrto → *Gualbèrto*
Valburga → *Walburga*
Valchìria
Valchìrio → *Valchìria*
Valda → *Valdo*
Valdemàr → *Valdemaro*
Valdemara → *Valdemaro*
Valdemaro
Valdemiro → *Vladimiro*
Valdimaro → *Valdemaro*
Valdimira → *Vladimiro*
Valdimiro → *Vladimiro*
Valdina → *Valdo*
Valdino → *Valdo*
Valdo
Valdomiro → *Vladimiro*
Valènta → *Valènte*
Valènte
Valentin → *Valènte*
Valentina → *Valènte*
Valentiniàno → *Valènte*
Valentino → *Valènte*
Valènto → *Valènte*
Valenzano → *Valènte*
Valènzia → *Valènte*
Valènzio → *Valènte*
Valènzo → *Valènte*
Valèria → *Valèrio*
Valeriàna → *Valèrio*
Valeriàno → *Valèrio*
Valerina → *Valèrio*
Valerino → *Valèrio*
Valèrio
Valfré → *Gualfrédo*
Valfréda → *Gualfrédo*
Valfrèdo → *Gualfrédo*
Valfrida → *Gualfrédo*
Valfrido → *Gualfrédo*
Valièro → *Valèrio*
Valkiria → *Valchìria*
Vallevérde

Valleverdina → *Vallevérde*
Valli → *Wally*
Vallì → *Wally*
Vallj → *Wally*
Vally → *Wally*
Valpèrto → *Gualbèrto*
Valpurga → *Walburga*
Valter → *Walter*
Vàltere → *Walter*
Valtèria → *Walter*
Valterina → *Walter*
Valterino → *Walter*
Valtèrio → *Walter*
Vàltero → *Walter*
Valtièro → *Walter*
Vana → *Vanni*
Vanda → *Wanda*
Vandina → *Wanda*
Vandino → *Wanda*
Vando → *Wanda*
Vandro → *Evandro*
Vanèlla → *Vanni*
Vanéssa
Vanétta → *Vanni*
Vani → *Vanni*
Vània
Vanina → *Vanni*
Vanino → *Vanni*
Vànio → *Vània*
Vànja → *Vània*
Vanna → *Vanni*
Vannèlla → *Vanni*
Vannétta → *Vanni*
Vannétto → *Vanni*
Vanni
Vànnia → *Vània*
Vannina → *Vanni*
Vannino → *Vanni*
Vànnio → *Vanni*
Vanno → *Vanni*
Vannùccio → *Vanni*
Vanny → *Vanni*
Vara → *Varo*
Varétto → *Varo*
Vària → *Varo*
Varina → *Varo*
Varino → *Varo*
Vàrio → *Varo*
Varisto → *Evaristo*
Varna
Varnèro → *Guarnièro*
Varnièro → *Guarnièro*
Varno → *Varna*
Varo
Vasco
Vassila → *Vassili*
Vassili
Vassilli → *Vassili*
Vèa → *Vèo*
Velarda → *Berardo*
Velardo → *Berardo*
Velèda → *Vellèda*
Vèlia
Veliàrdo → *Berardo*

Velide → *Vellèda*
Velina → *Vèlia*
Velino → *Vèlia*
Vèlio → *Vèlia*
Vellèda o *Velleda*
Vellèdo → *Vellèda*
Vèlma → *Guglièlmo*
Velmina → *Guglièlmo*
Velmino → *Guglièlmo*
Vèlmo → *Guglièlmo*
Venanza → *Venànzio*
Venànzia → *Venànzio*
Venanzina → *Venànzio*
Venànzio
Venanzo → *Venànzio*
Venàzio → *Venànzio*
Venceslào
Venceslava → *Venceslào*
Vènera
Veneranda
Venerando → *Veneranda*
Vènere
Venèria → *Vènere*
Venerina → *Vènera*
Venerino → *Vènere*
Venèrio → *Vènere*
Vènero → *Vènera*
Vèneta → *Vèneto*
Vèneto
Venèzia
Veneziàno → *Venèzia*
Venèzio → *Venèzia*
Venìcia → *Vinicio*
Venìcio → *Vinìcio*
Venièro → *Vènere*
Ventura → *Bonaventura*
Venturina → *Venturino*
Venturino
Venturo → *Bonaventura*
Vènus → *Vènere*
Venusta → *Venusto*
Venusto
Venuta → *Benvenuto*
Venuto → *Benvenuto*
Vènzo → *Vincènzo*
Vèo
Vèra o *Véra*
Verando → *Berardo*
Verardino → *Berardo*
Verardo → *Berardo*
Verbèna
Verdiàna
Verdiàno → *Verdiàna*
Verdun
Verèna
Verèno → *Verèna*
Vergìglio → *Virgìlio*
Vergìlio → *Virgìlio*
Vergìnia → *Virginia*
Vergìnio → *Virginia*
Veridiàna → *Verdiàna*
Verina → *Vèra*
Verino → *Vèra*
Vèrio → *Vèra*

Verìssimo → *Vèra*
Vèro → *Vèra*
Véro → *Vèra*
Verònica
Verònico → *Verònica*
Veronika → *Verònica*
Vèrter → *Wèrther*
Vèrther → *Wèrther*
Vespasiàna → *Vespasiàno*
Vespasiàno
Vettòr → *Vittòrio*
Vettóre → *Vittòrio*
Vettorino → *Vittòrio*
Vetùlia → *Vetùria*
Vetùlio → *Vetùria*
Vetùria
Vetùrio → *Vetùria*
Vèzia → *Vèzio*
Vèzio
Vezzósa
Vezzóso → *Vezzósa*
Vica → *Vico*
Vicènza → *Vincènzo*
Vicenzina → *Vincènzo*
Vicenzino → *Vincènzo*
Vicènzo → *Vincènzo*
Vicìnio
Vicino → *Vicìnio*
Vico
Victor → *Vittòrio*
Victor Hugo → *Vittorugo*
Victòria → *Vittòrio*
Victor Ugo → *Vittorugo*
Vida → *Vito*
Vìdio → *Élvio*
Vido → *Vito*
Viènna
Vièra → *Olivo*
Vièri → *Olivo*
Vièro → *Olivo*
Vigìlia → *Vigìlio*
Vigìlio
Vilèlma → *Guglièlmo*
Vilèlmo → *Guglièlmo*
Vilfréda → *Vilfrédo*
Vilfrédo
Vilfrida → *Vilfrédo*
Vilfrido → *Vilfrédo*
Vìlia → *Guglièlmo*
Vìliam → *William*
Vìlio → *Guglièlmo*
Villa → *Guglièlmo*
Villèlma → *Guglièlmo*
Villelmina → *Guglièlmo*
Villèlmo → *Guglièlmo*
Villermina → *Guglièlmo*
Villèrmo → *Guglièlmo*
Villi → *William*
Vìlliam → *William*
Villj → *William*
Villy → *William*
Vilma → *Wilma*
Vilna → *Wilma*
Vilson → *Wilson*

Vinca → *Vincènzo*
Vincènza → *Vincènzo*
Vincènza Marìa → *Vincènzo*
Vincenzèlla → *Vincènzo*
Vincenzina → *Vincènzo*
Vincenzino → *Vincènzo*
Vincènzo
Vincènzo Marìa → *Marìa*
Vinceslào → *Venceslào*
Vincislào → *Venceslào*
Vinìcia → *Vinìcio*
Vinìcio
Viòla
Violanda → *Violante*
Violando → *Violante*
Violanta → *Violante*
Violante
Violantina → *Violante*
Violantino → *Violante*
Violanto → *Violante*
Violétta → *Viòla*
Violétto → *Viòla*
Viòlo → *Viòla*
Virgìlia → *Virgìlio*
Virgìlio
Virgìnia → *Virgìnio*
Virgìnio
Viscardo → *Guiscardo*
Vita → *Vito*
Vita Antònia → *Vito*
Vitagliàno → *Vitale*
Vitala → *Vitale*
Vitale
Vitàlia → *Vitale*
Vitaliàna → *Vitale*
Vitaliàno → *Vitale*
Vitalina → *Vitale*
Vitalino → *Vitale*
Vitàlio → *Vitale*
Vita Marìa → *Vito*
Vitamarìa → *Vito*
Vitantònia → *Vito*
Vitantònio → *Vito*
Vitina → *Vito*
Vitino → *Vito*
Vito
Vito Antònio → *Vito*
Vito Nicòla → *Vito*
Vitonicòla → *Vito*
Vitti
Vittóre → *Vittòrio*
Vittòria → *Vittòrio*
Vittòria Marìa → *Vittòrio*
Vittoriàna → *Vittòrio*
Vittoriàno → *Vittòrio*
Vittorina → *Vittòrio*
Vittorino → *Vittòrio*
Vittòrio
Vittòrio Emanuèle → *Vittòrio*
Vittor Ugo → *Vittorugo*
Vittorugo
Vitty → *Vitti*
Vitùccia → *Vito*
Vitùccio → *Vito*

Vitùlia → *Vetùria*
Viva → *Vivo*
Vivaldi → *Vivaldo*
Vivaldo
Vivante
Vivèlla → *Vivo*
Vivènzia → *Vivènzio*
Vivènzio
Vivétta → *Vivo*
Vivétto → *Vivo*
Vivi → *Vivo*
Vivia → *Vivo*
Viviàna
Viviànna → *Viviàna*
Viviàno → *Viviàna*
Vivina → *Vivo*
Vivio → *Vivo*
Vivo
Vivy → *Vivo*
Vladimir → *Vladimiro*
Vladimira → *Vladimiro*
Vladimiro
Vladislavo → *Ladislào*
Volfango → *Wolfango*
Volfrano → *Wolframo*
Voltaire → *Voltèro*
Voltèro
Volturno

Wagner
Walburga
Walchìria → *Valchìria*
Walchìrio → *Valchìria*
Walda → *Valdo*
Waldemar → *Valdemaro*
Waldemara → *Valdemaro*
Waldemaro → *Valdemaro*
Waldimiro → *Vladimiro*
Waldino → *Valdo*
Waldo → *Valdo*
Walfrédo → *Gualfrédo*
Walfrido → *Gualfrédo*
Walkìria → *Valchìria*
Walli → *Wally*
Wallj → *Wally*
Wally
Walpurga → *Walburga*
Walter
Wàltera → *Walter*
Walterina → *Walter*
Walterino → *Walter*
Walther → *Walter*
Wanda
Wandina → *Wanda*
Wando → *Wanda*
Wània → *Vània*
Wanna → *Vaıni*
Washington
Wassili → *Vassili*
Wellèda → *Vellèda*
Wèlma → *Guglièlmo*
Wèra → *Vèra*

Wèro → *Vèra*
Wèrter → *Wèrther*
Wèrther
Wièra → *Olivo*
Wilèlma → *Guglièlmo*
Wilèlmo → *Guglièlmo*
Wilfrédo → *Vilfrédo*
Wilfrida → *Vilfrédo*
Wilfrido → *Vilfrédo*
Wilfried → *Vilfrédo*
Wilhelmina → *Guglièlmo*
Wìlia → *Guglièlmo*
Wiliam → *William*
Willèlma → *Guglièlmo*
Willelmina → *Guglièlmo*
Willèlmo → *Guglièlmo*
Willèm → *Guglièlmo*
Willi → *William*
William
Williams → *William*
Willj → *William*
Willy → *William*
Wilma
Wilmo → *Wilma*
Wilna → *Wilma*
Wilson
Witti → *Vitti*
Witty → *Vitti*
Wladimir → *Vladimiro*
Wladimira → *Vladimiro*
Wladimiro → *Vladimiro*
Wolfango
Wolfgang → *Wolfango*
Wolframo
Wolfrano → *Wolframo*

Xavier → *Savèrio*
Xènia
Xènio → *Xènia*

Yolanda → *Iolanda*
Yòle → *Iòle*
Yvan → *Ivàn*
Yvàn → *Ivàn*
Yvette → *Ivo*
Yvonne → *Ivo*

Zaccarìa
Zacchèo
Zafferino → *Zèffiro*
Zaffira → *Zaffiro*
Zaffiro
Zaìra
Zaìro – *Zaìra*
Zana → *Zani*
Zanèlla → *Zani*
Zanèllo → *Zani*
Zanétta → *Zani*

Zanétto → *Zani*
Zani
Zanilla → *Zani*
Zanillo → *Zani*
Zanina → *Zani*
Zanino → *Zani*
Zannétta → *Zani*
Zannétto → *Zani*
Zanòbi → *Zenòbio*
Zara
Zarina → *Zara*
Zarino → *Zara*
Zaro → *Zara*
Zavèria → *Savèrio*
Zavèrio → *Savèrio*
Zèa → *Gèo*
Zeferino → *Zèffiro*
Zefferina → *Zèffiro*
Zefferino → *Zèffiro*
Zèffira → *Zèffiro*
Zeffirina → *Zèffiro*
Zeffirino → *Zèffiro*
Zèffiro
Zèfira → *Zèffiro*
Zefirina → *Zèffiro*
Zefirino → *Zèffiro*
Zèfiro → *Zèffiro*

Zèila → *Azèglio*
Zèlfira → *Zèffiro*
Zèlia → *Azèglio*
Zelina → *Azèglio*
Zelinda → *Gelindo*
Zelindo → *Gelindo*
Zelino → *Azèglio*
Zèlio → *Azèglio*
Zèlma → *Guglièlmo*
Zelmina → *Guglièlmo*
Zelmino → *Guglièlmo*
Zelmira
Zelmiro → *Zelmira*
Zèlmo → *Guglièlmo*
Zèlo → *Azèglio*
Zemira → *Zelmira*
Zemiro → *Zelmira*
Zèna → *Zèno*
Zenàide
Zènia → *Zèno*
Zènio → *Zèno*
Zèno
Zenòbia → *Zenòbio*
Zenòbio
Zenóne → *Zèno*
Zèo → *Gèo*
Zerbina → *Zerbino*

Zerbino
Zilda → *Ermenegildo*
Zìlia → *Egìdio*
Ziliànte → *Giglio*
Zìlio → *Egìdio*
Zilla → *Egìdio*
Zina
Zino → *Zina*
Zita
Zito → *Zita*
Zòa → *Zòe*
Zòe
Zoèlla → *Zòilo*
Zoèllo → *Zòilo*
Zòia → *Giòia*
Zòila → *Zòilo*
Zòilo
Zòla
Zolferino → *Solferino*
Zòlia → *Zòla*
Zopita → *Zopito*
Zopito
Zoràide
Zoràido → *Zoràide*
Zòsimo
Zulina → *Giùlio*
Zulino → *Giùlio*

Annotazioni

Annotazioni

Annotazioni

Annotazioni

Annotazioni

Annotazioni

Annotazioni

Annotazioni